Stephen King

DE NOODZAAK

Uitgeverij Luitingh ~ Sijthoff

Met dank voor het gebruik van de teksten, waarvan het copyright berust bij:

Tiende druk

Published by agreement with the author and the author's agents, Ralph M. Vicinanza, Ltd.
Oorspronkelijke titel:
Needful Things
Vertaling: Rein van Essen en Tom van Son
Omslagontwerp: Karel van Laar
Omslagillustratie: Schriemer & Schriemer, Groningen

CIP-GEGEVENS KONINKLIJKE BIBLIOTHEEK, DEN HAAG

King, Stephen

De noodzaak / Stephen King ; [vert. uit het Engels door Rein van Essen ... et al. ; ill. Bill Russell]. – Amsterdam : Luitingh~Sijthoff. – Ill.
Vert. van: Needful Things. – New York : Viking, 1991.
ISBN 90-245-1988-8
NUGI 336
Trefw.: romans ; vertaald.

Voor Chris Lavin, die niet alle antwoorden heeft –
alleen de belangrijkste.

Dames en heren, uw aandacht graag!
Kom erbij en schuif wat aan!
Mijn verhaal kost u geen duit!
(En als u dat gelooft,
Komen we er samen wel uit!)
STEVE EARL
Snake Oil

Ik heb gehoord van velen die zelfs in een dorp
verdwaalden als de nacht zo zwart was
dat je geen hand voor ogen kon zien...
HENRY DAVID THOREAU
Walden

DE NOODZAAK

Van dezelfde auteur:

Carrie*
Bezeten stad*
De Shining*
Dodelijk dilemma*
Ogen van vuur*
Cujo*
Christine*
4 Seizoenen*
Dodenwake*
De Satanskinderen*
De Talisman *(met Peter Straub)*
Duistere krachten*
4 x Stephen King
Het
Silver Bullet
De ogen van de draak
Misery*
De gloed*
De duistere kant*
Tweeduister*
Schemerwereld*
De scherpschutter
Het teken van drie
Het verloren rijk
De NoodZaak
De beproeving
De spelbreker*
Dolores Claiborne
Droomlandschappen*
Nachtmerries*
Insomnia
Rosie
Midlife confidential (Stephen King e.a.)
De groene mijl 1: De twee dode meisjes*
De groene mijl 2: De muis op de mijl*
De groene mijl 3: Coffey's handen*
De groene mijl 4: De vreselijke dood van Eduard Delacroix*
De groene mijl 5: Nachtreis*
De groene mijl 6: Coffey op de mijl*

*In POEMA-POCKET verschenen

U bent hier al eerder geweest

Natuurlijk bent u dat, natuurlijk: ik vergeet nooit een gezicht. Kom eens hier en geef me de vijf! Ik zal u eens wat zeggen: ik herkende u al aan uw manier van lopen voordat ik uw gezicht goed en wel had gezien. U had geen betere dag kunnen kiezen om terug te komen in Castle Rock. Is het geen schoonheid? Binnenkort wordt het jachtseizoen geopend, met de bossen vol idioten die op alles schieten wat beweegt en geen fel oranje draagt, en daarna komt de sneeuw en de ijzel, maar dat is allemaal voor later. We hebben nu oktober en in de Rock laten we oktober net zo lang blijven als hij zelf wil.

Wat mij betreft is dit de beste tijd van het jaar. Het is hier mooi in de lente, maar als ik mag kiezen heb ik liever oktober dan mei. Het westen van Maine raakt meestal vergeten als de zomer eenmaal voorbij is en al die mensen met hun huisjes aan het meer en bij de View terug zijn gegaan naar New York en Massachusetts. De mensen hier zien ze elk jaar komen en gaan – hallo, hallo, hallo; tot ziens, tot ziens, tot ziens. Het is goed als ze komen, want ze brengen hun stadscenten mee, maar het is ook goed als ze weer gaan, want ze brengen net zo goed hun stadse eigenaardigheden mee.

Ik wil het vooral over eigenaardigheden hebben... als u even de tijd heeft. Kom hier maar op het trapje van de muziektent zitten. Het is warm in het zonnetje en hier vandaan, midden op het plein, kun je zowat het hele centrum overzien. Pas alleen op de splinters. De treden moeten geschuurd en opnieuw geverfd worden. Dat is iets voor Hugh Priest, maar Hugh is er nog niet aan toe gekomen. Hij is aan de drank, moet u weten. Niet dat het een groot geheim is. Er kunnen wel dingen verborgen blijven in Castle Rock, er blíjven ook dingen verborgen, alleen moet je daar verdomd hard voor werken en het is al lang geleden dat Hugh Pricst en hard werken met elkaar op goede voet stonden, zogezegd.

Wat?

O, dàt! Ja nou, is het niet prachtig? Je ziet die aanplakbiljetten overal! Ik geloof dat Wanda Hemphill (haar man Don is eigenaar van Hemphill's Market) de meeste helemaal alleen heeft opgehangen. Haal hem er maar af en geef hem aan mij. Doe maar... het gaat niet aan dat iemand zomaar een poster op de muziektent van het stadsplein plakt.

Krijg nou wat! Moet je toch eens kijken! DOBBELEN EN DE DUIVEL staat er helemaal bovenaan, in grote rode letters waar róók vanaf komt, net alsof het per expresse is afgeleverd! Ha, wie niet weet wat voor een slaperig stadje dit is, zal wel denken dat we allemaal naar de verdoemenis gaan. Maar u weet hoe de dingen in zo'n plaatsje als dit soms buiten proporties worden opgeblazen. Dominee Willie zal dit keer wel de zenuwen hebben, dat kan niet anders. Kerken in kleine plaatsjes... nou ja, ik hoef u niet te vertellen hoe dàt is. Ze kunnen met elkaar overweg, min of meer, maar echt gelùkkig met elkaar zijn ze nooit. Een tijdlang is alles pais en vree en dan is het ineens herrie.

Al is het dit keer een flinke ruzie, met heel wat kwaad bloed. U moet weten dat de katholieken een zogenaamde casinoavond willen houden in de zaal van de Knights of Columbus aan de andere kant van de stad. De laatste vrijdag van de maand, meen ik, en met de opbrengst wordt het herstel van het kerkdak betaald. Van de Stille Wateren-kerk, u moet het gebouw hebben gezien als u langs Castle View gekomen bent. Een mooi kerkje, vindt u niet?

Die casinoavond was eigenlijk een idee van meneer pastoor, maar de Dochters van Isabella zijn er meteen mee weggelopen. Vooral Betsy Vigue. Als je het mij vraagt zou ze heel graag een zwarte doorkijkjurk aantrekken en kaarten uitdelen of aan het roulettewiel draaien. *Faites vos jeux, mesdames et messieurs, faites vos jeux*. Nou ja, ik denk dat ze dat allemaal wel willen. Het gaat maar om een paar centen, het kan geen kwaad, maar toch vinden ze het een tikkeltje gewaagd.

De dominee ziet er wèl kwaad in en voor hem en zijn gelovigen is het meer dan een tikkeltje gewaagd. Ik heb het over dominee Rose, William Rose. Hij heeft nooit veel op gehad met meneer pastoor en meneer pastoor heeft het niet op hém begrepen. (Het was meneer pastoors idee om de dominee 'Stoomboot Willie' te noemen en dat weet Willie ook.)

Er is al vaker heibel geweest tussen die twee medicijnmannen, maar met deze casinoavond is het een beetje uit de hand gelopen. Je zou het een binnenbrandje kunnen noemen. Toen Willie hoorde dat de katholieken in hun zaal een gokavond wilden houden, sprong hij met zijn spitse koppie zowat tegen het plafond. Hij heeft deze posters uit zijn eigen zak betaald en overal laten ophangen door Wanda Hemphill en de andere dames van het naaikransje. Sindsdien praten de katholieken en baptisten alleen nog met elkaar in de ingezonden-brievenrubriek van ons weekblaadje, waar ze naar hartelust tekeer gaan en elkaar de hel voorspellen.

Kijk daar maar eens, dan ziet u wat ik bedoel. Die vrouw die net uit de bank komt, dat is Nan Roberts. Van Nan's Luncheonette, zowat de rijkste inwoner van Castle Rock sinds Pop Merrill ten grave is gedragen. Doopsgezind sinds mensenheugenis. En van de andere

kant komt Al Gendron, die grote knaap. Roomser dan de paus en zijn beste vriend is onze Ierse pastoor. Let nou goed op! Ziet u hoe ze hun neus optrekken? Ha, is dat een vertoning of niet? Ik durf er mijn laatste cent onder te verwedden dat het daar twintig graden kouder is geworden toen ze elkaar passeerden. Mijn moeder had gelijk: mensen kunnen meer plezier hebben dan wie ook, behalve paarden... alleen hebben ze het niet.
En kijk daar nu eens. Ziet u die politiewagen bij de videowinkel staan? John LaPointe zit achter het stuur. Hij wordt geacht op te letten of er niet te hard wordt gereden - in het centrum geldt namelijk een strenge limiet, vooral als de school uitgaat - maar als u uw hand boven uw ogen houdt en goed kijkt, ziet u dat hij in werkelijkheid naar een foto zit te staren die hij uit zijn portefeuille heeft gehaald. Ik kan hem hier vandaan niet zien, maar ik weet net zo goed wie erop staat als wanneer het mijn eigen moeder zou zijn. Het is de foto die Andy Clutterbuck bijna een jaar geleden heeft genomen van John en Sally Ratcliffe op de kermis in Fryeburg. Op die foto heeft John zijn arm om haar heen geslagen en Sally houdt de beer vast die hij bij de schiettent voor haar heeft gewonnen. Ze zien er zo gelukkig uit dat je er tranen van in je ogen zou krijgen. Maar dat is geweest, zeggen ze dan: tegenwoordig is Sally verloofd met Lester Pratt, de sportleraar op de middelbare school. Hij is een verstokte baptist, net als zij. John is nog steeds niet over de klap heen. Ziet u hem zuchten? Hij heeft zichzelf aardig het hartzeer bezorgd. Alleen wie nog steeds verliefd is (of denkt dat hij dat is) kan zo diep zuchten.
Narigheid en irritatie komen meestal voort uit doodgewone dingen, is u dat wel eens opgevallen? Helemaal geen grote dingen. Ik zal u een voorbeeld geven. Ziet u die knaap die net de trap van het gerechtsgebouw op loopt? Nee, niet die man in het kostuum: dat is Dan Keeton, een van onze gekozen wethouders. Ik bedoel die ander, die zwarte in zijn stofjas. Dat is Eddie Warburton, de nachtwaker van het gemeentehuis. Hou hem maar eens even in de gaten en let op wat hij doet. Daar! Ziet u dat hij op de bovenste trede blijft staan en de straat door kijkt? Ik zet er nog eens mijn laatste cent op dat hij naar de garage kijkt. De Sunoco is eigendom van Sonny Jackett en die twee kunnen elkaar niet meer luchten of zien sinds Eddie er twee jaar geleden zijn auto bracht om de versnellingsbak te laten nakijken.
Ik herinner me die wagen nog tamelijk goed. Het was een Honda Civic, helemaal niets bijzonders... behalve voor Eddie dan, want het was de eerste en enige gloednieuwe auto die hij ooit in zijn leven had gehad. En Sonny hielp niet alleen de versnellingsbak in de soep, hij kwam ook nog met een peperdure rekening aanzetten. Al-

thans, dat is Eddies kant van het verhaal. Warburton verschuilt zich achter zijn huidskleur om onder de rekening uit te komen – dat is Sonny's kant van het verhaal. U weet toch hoe dat gaat?
Om kort te gaan, Sonny Jackett sleepte Eddie Warburton voor de politierechter en er werd over en weer wat geschreeuwd, eerst in de rechtszaal en later op de gang. Eddie beweerde dat Sonny hem een stomme nikker had genoemd, maar volgens Sonny was dat 'nikker' niet waar. Uiteindelijk kregen ze geen van tweeën hun zin. De rechter liet Eddie vijftig piek dokken, wat volgens Eddie vijftig piek te veel was en volgens Sonny lang niet genoeg. Voor iemand er erg in had kreeg Eddie kortsluiting in zijn nieuwe wagen en het draaide erop uit dat de Civic zijn laatste rustplaats op het autokerkhof kreeg en dat Eddie nu in een benzine vretende Oldsmobile uit '89 rijdt. Eddie heeft nooit helemaal het idee van zich af kunnen zetten dat Sonny Jackett veel meer van die kortsluiting af weet dan hij ooit heeft verteld.
Ja, mensen kunnen meer plezier hebben dan wie ook, behalve paarden... alleen hebben ze het niet. Is dat niet genoeg voor een mens op een warme dag?
Toch is het maar het kleine stadsleven, of het nu in Peyton Place is of in Twin Peaks of in Castle Rock, de mensen hebben hun natje en hun droogje en ondertussen roddelen ze over elkaar. Daar heb je Slopey Dodd, helemaal in zijn uppie omdat de andere kinderen hem uitlachen om zijn gestotter. Dat is Myrtle Keeton, en als zij er wat eenzaam en verward uitziet, alsof ze niet goed weet waar ze is of wat er gebeurt, dan is het omdat haar man (die u net achter Eddie de trap van het gerechtsgebouw op zag lopen) het laatste halfjaar niet meer zichzelf lijkt te zijn. Ziet u die wallen onder haar ogen? Ik denk dat ze veel heeft gehuild of slecht geslapen of allebei, denkt u ook niet?
En daar loopt Lenore Potter, helemaal opgetut. Ze gaat natuurlijk naar de Western Auto om te vragen of haar speciale organische kunstmest er al is. Die vrouw heeft meer soorten bloemen dan het Groene Kruis hoofdpijnpoeders. Ze is zo trots als een aap op haar tuin. Ze is niet erg in trek bij de dames hier, die vinden haar een tut met haar bloemen en haar stemmingsstenen en haar dure permanent dat ze zich in Boston laat aanmeten. Ze vinden haar een tut en ik zal u eens wat zeggen nu we hier toch zo naast elkaar op het splinterige trapje van het paviljoen zitten: volgens mij hebben ze gelijk.
Het is allemaal heel gewoon, zult u wel zeggen, maar niet al onze moeilijkheden in Castle Rock zijn gewoon, laat ik u dat vertellen. Niemand is Frank Dodd vergeten, de verkeersagent die hier twaalf jaar geleden malende werd en die vrouwen vermoordde, net zo min

als de hond die dol werd en Joe Camber en die ouwe zwerver verderop in de straat doodbeet. Die hond werd ook het einde van George Bannerman, die goeie ouwe sheriff van ons. Tegenwoordig hebben we Alan Pangborn, een beste kerel, maar in onze ogen zal hij het nooit halen bij Big George.
Ook met Reginald 'Pop' Merrill gebeurde niks bijzonders. Pop was de ouwe vrek die de plaatselijke bazaar dreef. Emporium Galorium heette die zaak. Hij stond daar, op dat stuk grond aan de overkant van de straat. Hij is een tijdje geleden afgebrand, maar sommige mensen die erbij waren (of beweren dat ze erbij waren) zullen je na een paar pilsjes in The Mellow Tiger vertellen dat het lang geen gewone brand was die een einde maakte aan het Emporium Galorium en aan Pop Merrills leven.
Zijn neef Ace beweert dat er voor die brand iets geheimzinnigs met zijn oom gebeurde, iets als een verhaal uit *The Twilight Zone*. Natuurlijk was Ace helemaal niet in de buurt toen zijn oom de pijp uit ging: hij was voor vier jaar naar Shawshank gestuurd wegens een nachtelijke inklimming. (De mensen hadden altijd al gezegd dat het slecht zou aflopen met Ace Merrill: op school was hij een van de ergste bullebakken uit de geschiedenis en honderden kinderen moeten de straat zijn overgestoken als ze Ace zagen aankomen met de rinkelende gespen en ritsen op zijn motorjack en het geklik van de noppen onder zijn zware schoenen.) En toch geloven de mensen hem. Misschien is Pop die dag werkelijk iets vreemds overkomen, of misschien is het toch weer het geklets van de mensen terwijl ze van hun natje en droogje genieten.
Het zal hier wel hetzelfde wezen als waar u bent opgegroeid. Mensen maken zich kwaad over het geloof, mensen dragen een kruis, mensen dragen geheimen met zich mee, verborgen grieven... en af en toe komen ze zelfs met een griezelverhaal, zoals wat er die dag al dan niet is gebeurd toen Pop in zijn brandende bazaar omkwam, alleen om wat kleur te geven aan een wat saaie dag.
Castle Rock is nog steeds een heel aardig plaatsje om in te leven en in op te groeien, zoals je op het bord kunt lezen als je de stad binnenkomt. De zon schijnt heel mooi op het meer en op de bladeren van de bomen en bij helder weer kun je vanaf Castle View zelfs een deel van Vermont zien. De vakantiegangers maken zich druk om de zondagskranten en soms is het op vrijdag- of zaterdagavond (of op allebei) knokken geblazen op de parkeerplaats van The Mellow Tiger, maar de vakantiegangers gaan altijd naar huis en het knokken houdt altijd op. Het is altijd uit te houden geweest in de Rock en weet u wat we zeggen als iemand de kriebels krijgt? *Hij komt er wel overheen*, zeggen we dan, of *Zij komt er wel overheen*.
Neem Henry Beaufort, die maakt zich kwaad als Hugh Priest in

een dronken bui weer eens tegen de jukebox trapt... maar Henry komt er wel overheen. Wilma Jerzyck en Nettie Cobb zijn kwaad op elkaar... maar Nettie komt er wel overheen (waarschijnlijk) en Wilma, nou ja, die is nu eenmaal altijd kwaad. Sheriff Pangborn rouwt nog steeds over zijn vrouw en jongste kind, die een voortijdige dood zijn gestorven; dat was een echte tragedie, maar op den duur komt ook hij er overheen. Polly Chalmers raakt haar artritis maar niet kwijt - de kwaal wordt juist erger, langzaam maar zeker - maar ook al komt ze er niet overheen, ze zal er mee leren leven. Net als miljoenen anderen.
Van tijd tot tijd komen we met elkaar in aanvaring, maar meestal loopt alles gesmeerd. Dat is tot nu toe tenminste altijd zo geweest. Maar nu moet ik u een ècht geheim vertellen, beste vriend; vooral daarom riep ik u bij me toen ik zag dat u terug was in de stad. Ik denk dat er moeilijkheden op komst zijn, èchte moeilijkheden. Ik kan ze ruiken, net of er storm en bliksem in de lucht zit, hoewel het daar helemaal niet het weer voor is. De ruzie tussen de doopsgezinden en de katholieken over de gokavond, de kinderen die die arme Slopey plagen met zijn gestotter, het kruis van John LaPointe, het verdriet van sheriff Pangborn... ik denk dat die dingen heel erg onbeduidend zullen lijken als de storm losbreekt.
Ziet u dat gebouw aan de overkant van Main Street? Het derde vanaf het stuk grond waar het Emporium Galorium heeft gestaan? Met die groene markies aan de gevel, ja, dat bedoel ik. Er zit nog zeep op de ruiten, want de zaak is nog niet echt open. *De Nood-Zaak* staat er op het bord - en wat moet dàt in vredesnaam betekenen? Nee, ik weet het ook niet, maar het slechte voorgevoel schijnt daar vandaan te komen.
En nergens anders.
Kijk nog eens naar de straat. Ziet u die jongen met zijn fiets aan de hand en een gezicht alsof hij de prachtigste dagdroom beleeft? Hou hem in de gaten, vriend. Ik denk dat het met hem gaat beginnen. Nee, ik zei al, wàt er gaat beginnen weet ik niet... niet precies. Maar let op die jongen. En blijf nog een tijdje in de stad, als u wilt. Er zit iets in de lucht en als er iets gebeurt is het misschien wel zo goed dat er een getuige is.
Ik ken dat joch met zijn fiets aan de hand. Misschien kent u hem ook wel. Hij heet Brian-en-nog-wat. Zijn pa doet in bouwmaterialen in Oxford of South Paris, als ik me niet vergis.
Hou hem in de gaten, zeg ik. Hou àlles in de gaten. U bent hier eerder geweest, maar er is een verandering op til.
Ik weet het.
Ik vóel het.
Er is storm op komst.

I
Feestelijke opening

1

1

De opening van een nieuwe winkel is groot nieuws in een kleine plaats.
Voor Brian Rusk was het niet zo bijzonder als voor sommige anderen, zoals voor zijn moeder. Hij had haar er ongeveer sinds een maand tamelijk vaak door de telefoon over horen praten (hij mocht het geen roddelen noemen, had ze tegen hem gezegd, want roddelen was een kwalijke gewoonte en ze deed er niet aan mee) met haar beste vriendin, Myra Evans. Zo rond de tijd dat de school weer begon waren de eerste arbeiders opgedoken in het oude gebouw dat voorheen onderdak had geboden aan Western Maine, makelaars in onroerend goed en verzekeringen, en sindsdien waren ze druk aan het werk geweest. Niet dat iemand veel idee had van wat ze daarbinnen uitspookten: om te beginnen hadden ze een grote etalageruit ingezet en die meteen daarna witgekalkt.
Twee weken geleden was er een bordje in de deuropening verschenen, opgehangen aan een touw boven een kommetje van doorzichtig plastic waarin vroeger bij aderlatingen bloed werd opgevangen.

BINNENKORT GEOPEND!

stond er.

DE NOODZAAK
EEN NIEUW SOORT WINKEL
'U zult uw ogen niet geloven!'

'Het is vast weer zo'n antiekzaakje,' zei Brians moeder tegen Myra. Cora Rusk had bij die gelegenheid makkelijk op de sofa gezeten, door de telefoon pratend terwijl ze met haar vrije hand kersenbonbons at en tegelijkertijd naar een aflevering van *Santa Barbara* op de televisie keek. 'Weer zo'n antiekzaakje met een heleboel zogenaamd vroeg-Amerikaanse meubels en beschimmelde oude zwengeltelefoons. Je zult het zien.'
Dat was kort nadat de nieuwe etalageruit eerst was aangebracht en daarna witgekalkt en zijn moeder klonk zo zelfverzekerd dat Brian had moeten denken dat het onderwerp was afgehandeld. Alleen leek het wel alsof er bij zijn moeder geen enkel onderwerp ooit de-

finitief was afgehandeld. Haar speculaties en veronderstellingen leken net zo eindeloos als de problemen van de hoofdrolspelers in *Santa Barbara* en *General Hospital*.
Verleden week was de eerste regel op het bordje in de deuropening veranderd in:

9 OKTOBER FEESTELIJKE OPENING – ZEGT HET VOORT!

Brian had niet zoveel belangstelling voor de nieuwe zaak als zijn moeder (en als sommige van zijn leraren: hij had hen erover horen praten in de leraarskamer van de middenschool van Castle Rock toen het zijn beurt was om postjongen te zijn), maar hij was elf en een gezonde jongen van elf jaar is geïnteresseerd in alles wat nieuw is. Bovendien fascineerde de naam van de winkel hem. De Nood-Zaak: wat betekende dat nou eigenlijk?
Hij had de veranderde eerste regel afgelopen dinsdag gelezen, op weg van school naar huis. Dinsdagmiddag werd het altijd laat voor hem. Brian was geboren met een hazelip en ondanks een chirurgische correctie toen hij zeven was, moest hij nog steeds spraaklessen volgen. Desgevraagd hield hij tegen iedereen dapper vol dat hij daar een grote hekel aan had, maar dat was niet zo. Hij was innig en hopeloos verliefd op juf Ratcliffe en hij keek elke week verlangend uit naar de volgende les. Dinsdags leek de school wel duizend jaar te duren en de laatste twee uren had hij altijd heerlijke vlinders in zijn buik.
Er waren maar vier andere kinderen die spraakles kregen en geen van hen woonde bij Brian in de buurt. Daar was hij blij om. Na een uur in een en dezelfde ruimte met juf Ratcliffe was hij veel te veel in de wolken om behoefte te hebben aan gezelschap. Aan het eind van de middag ging hij het liefst langzaam op huis aan, meestal met zijn fiets aan de hand zonder erop te rijden, van haar dromend terwijl gele en gouden bladeren om hem heen van de bomen vielen in de schuine lichtstroken van de oktoberzon.
Zijn weg voerde hem door het korte stuk van Main Street tegenover het plein en toen hij de aankondiging van de feestelijke opening zag, drukte hij zijn neus tegen het glas van de deur in de hoop te zien wat er in de plaats was gekomen voor de loodzware bureaus en strakke gele wanden van Western Maine, makelaars in onroerend goed en verzekeringen. Zijn nieuwsgierigheid was niet bevredigd. Er was een rolgordijn aangebracht en helemaal neergelaten. Brian zag niets anders dan de weerkaatsing van zijn eigen gezicht en gekromde handen.
Op vrijdag 4 oktober was er van de nieuwe winkel een advertentie verschenen in het weekblad van Castle Rock, de *Call*. Er stond een

kader van kronkelige lijntjes omheen en onder de tekst waren engelen getekend die met de rug tegen elkaar stonden en op lange trompetten bliezen. Behalve het tijdstip van opening, tien uur 's morgens, vertelde de advertentie niets anders dan het bordje met de bloedkom: de winkel heette De NoodZaak en zou op 9 oktober om tien uur 's morgens worden geopend en natuurlijk stond er ook bij: 'U zult uw ogen niet geloven.' Uit niets viel op te maken wat voor spullen de eigenaar (of eigenaars) van De NoodZaak wilde gaan verkopen.
Dat laatste leek Cora Rusk behoorlijk dwars te zitten, in elk geval voldoende om Myra bij uitzondering op zaterdagochtend op te bellen.
'Ik zal míjn ogen anders best geloven,' zei ze. 'Laat ze maar komen met die klòsbedden die zogenaamd tweehònderd jaar oud zijn, maar wie de moeite neemt om zijn hóófd te buigen en onder de spréi te kijken, ziet met grote letters op het onderstel *Rochester, New York* staan. Aan mijn ogen mankeert nìks.'
Myra zei iets, Cora luisterde terwijl ze telkens een of twee nootjes uit een blikje viste en snel in haar mond stopte. Brian en zijn jongere broertje Sean zaten in de woonkamer op de grond naar tekenfilms op de televisie te kijken. Sean ging volledig op in de wereld van de smurfen en hoewel Brian zich niet helemaal van dat kleine blauwe volkje kon losmaken, luisterde hij met een half oor naar het telefoongesprek.
'Dat heb ik je toch gezegd?' riep Cora Rusk uit, nog zelfverzekerder en nadrukkelijker dan gewoonlijk nadat Myra een kernachtige opmerking had gemaakt. 'Hoge prijzen en beschimmelde antieke telefoons!'
Gisteren, maandag, was Brian meteen na schooltijd met twee of drie vriendjes door het centrum gefietst. Van de overkant van de straat zag hij dat er boven de nieuwe winkel een donkergroene luifel was aangebracht. Aan de voorkant waren met witte letters de woorden DE NOODZAAK aangebracht. Polly Chalmers, de vrouw van de verstelwinkel, stond voor de deur op de stoep met haar handen op haar prachtig slanke heupen en keek naar de luifel met een uitdrukking op haar gezicht die tegelijkertijd verbaasd en bewonderend leek te zijn.
Brian, die het een en ander van luifels wist, keek er zelf met bewondering naar. Het was de enige èchte luifel in Main Street en hij gaf de nieuwe winkel een heel eigen aanzien. Het woord 'gedistingeerd' maakte geen deel uit van zijn alledaagse vocabulaire, maar hij wist meteen dat er geen andere zaak in Castle Rock was die er zo uitzag. Met zo'n baldakijn leek het op een zaak die je op de televisie zou kunnen zien. De Western Auto aan de overkant zag er naar verhouding sloffig en kleinsteeds uit.

Toen hij thuiskwam zat zijn moeder op de sofa naar *Santa Barbara* te kijken, waarbij ze een roomsoes at en dieetcola dronk. Zijn moeder nam altijd suikervrije drankjes als ze 's middags naar de televisie keek. Brian begreep niet precies waarom – als hij bedacht wat ze ermee wegspoelde – maar het leek hem gevaarlijk om ernaar te vragen. Ze zou misschien zelfs tegen hem gaan schreeuwen en als zijn moeder eenmaal begon te schreeuwen kon je maar beter dekking zoeken.

'Hoi, ma!' zei hij, terwijl hij zijn boeken op het aanrecht gooide en melk uit de koelkast pakte. 'Raad eens? De nieuwe winkel heeft een markies gekregen.'

'Wie heeft er een parkiet gekregen?' Haar stem klonk verstrooid vanuit de zitkamer.

Hij schonk een glas melk in en ging in de deuropening staan. 'Een markíes,' zei hij. 'Bij die nieuwe winkel in de straat.'

Ze ging rechtop zitten, vond de afstandsbediening van de televisie en zette het geluid uit. Op het scherm praatten Al en Corinne verder over hun *Santa Barbara*-problemen in hun favoriete *Santa Barbara*-restaurant, maar nu zou alleen een liplezer exact hebben kunnen zeggen wat die problemen waren. 'Wat?' zei ze. 'Bedoel je De NoodZaak?'

'Hmm,' zei hij, van zijn melk drinkend.

'Je moet niet zo slùrpen,' zei ze, terwijl ze de rest van haar roomsoes in haar mond stopte. 'Het is afschúwelijk om aan te horen. Hoe vaak heb ik je dat nou niet gezegd?'

Ongeveer net zo vaak als dat ik niet met een volle mond mag praten, dacht Brian, maar hij zei niets. Hij had al jong geleerd zijn tong te beteugelen.

'Sorry, mam.'

'Wat voor markies?'

'Een groene.'

'Van geperst metaal of aluminium?'

Brian, wiens vader vertegenwoordiger was van Dick Perry's Bouwmaterialen in South Paris, wist precies wat ze bedoelde, maar zó'n soort luifel zou hem nauwelijks zijn opgevallen. Luifels van aluminium en geperst metaal, daarvan gingen er dertien in een dozijn. De helft van alle huizen in de Rock had ze boven de ramen uitsteken.

'Geen van tweeën,' zei hij. 'Van stof. Canvas, geloof ik. Hij hangt over, zodat er recht onder schaduw valt. En hij loopt rond, zó.' Hij kromde zijn handen (voorzichtig, om geen melk te morsen) en liet ze een halve cirkel beschrijven. 'De naam staat op de voorkant te lezen. Het is te gek gaaf.'

'Ga nou toch weg!'

Het was deze uitspraak waarmee Cora in de meeste gevallen opwinding of ergernis uitdrukte. Brian deed een behoedzaam stapje achteruit, voor het geval dat laatste aan de hand zou zijn.
'Wat is het volgens jou, ma? Een restaurant misschien?'
'Ik weet het niet,' zei ze, en strekte een hand uit naar de Princess-telefoon op het bijzettafeltje. Om erbij te kunnen moest ze eerst Squeebles de kat, de televisiegids en een fles dieetcola opzij schuiven. 'Maar het klinkt wel achterbaks.'
'Mam, wat betekent De NoodZaak? Het lijkt net...'
'Val me nu niet lastig, Brian, mammie heeft het druk. In de broodtrommel liggen Devil Dogs als je trek hebt. Maar niet meer dan eentje, anders lust je je eten niet meer.' Ze was Myra's nummer al aan het draaien en weldra werd er met grote geestdrift over de groene luifel gesproken.
Brian, die geen zin had in een Devil Dog (hij hield veel van zijn moeder, maar soms had hij geen trek meer als hij haar zag eten), ging aan de keukentafel zitten, sloeg zijn rekenboek open en begon zijn opgaven te maken. Hij was een schrandere en gewetensvolle jongen en rekenen was de enige taak die hij niet op school had afgemaakt. Terwijl hij zorgvuldig komma's verplaatste en daarna de delingen maakte, luisterde hij naar wat zijn moeder door de telefoon te zeggen had. Ze zei nog eens tegen Myra dat er binnenkort alwéér zo'n zaakje zou zijn dat stinkende oude parfùmflesjes en foto's van iemands dode família verkocht, en het was toch eigenlijk zonde dat die allemaal zo snel kwamen en gingen. Er liepen gewoon te veel mensen rond, zei Cora, die in hun leven niets anders wilden dan zoveel mogelijk geld in zo kort mogelijke tijd verdienen. Toen ze het over de luifel had, klonk ze alsof iemand haar opzettelijk had willen beledigen en daar ook voortreffelijk in was geslaagd.
Volgens mij vindt ze dat iemand het haar had moeten vertellen, dacht Brian terwijl zijn potlood onverstoorbaar over het papier gleed, overbrengen en afronden. Ja, dat was het. Ze was nieuwsgierig, dat was één. En ze was woedend, dat was twee. Samen was het voldoende om haar bijna te laten stikken. Nou ja, ze zou er gauw genoeg achter komen. Als dat gebeurde, zou ze hem misschien wel in het grote geheim laten delen. En als ze het daar te druk voor had, hoefde hij toch alleen maar naar een van haar middaggesprekken met Myra te luisteren.
Maar het geval wilde dat Brian eerder dan zijn moeder of Myra of iemand anders in Castle Rock heel wat aan de weet zou komen over De NoodZaak.

2

Op de dag voor de aangekondigde opening van De NoodZaak reed hij bijna helemaal niet op zijn fiets toen hij 's middags van school naar huis ging: hij was verzonken in een warme dagdroom (waar hij met geen mens over had zullen praten, zelfs niet onder bedreiging met brandijzers of harige vogelspinnen), waarin hij juf Ratcliffe had uitgenodigd met hem mee te gaan naar de kermis en zij ja had gezegd.

'Dank je, Brian,' zegt juf Ratcliffe, en Brian ziet kleine traantjes van dankbaarheid in de hoeken van haar blauwe ogen... ogen die zo donker van kleur zijn, dat ze bijna onstuimig lijken. 'Ik ben de laatste tijd erg... erg verdrietig geweest. Ik heb namelijk mijn geliefde verloren.'

'Ik zal u helpen hem te vergeten,' zegt Brian met een stem die tegelijkertijd krachtig en teder klinkt. 'Maar dan moet u me wel Bri noemen.'

'Dank je,' fluistert ze, en daarna buigt ze zich zo dicht naar hem toe dat hij haar parfum kan ruiken, een dromerige geur van wilde bloemen, en zegt: 'Dank je... Bri. En omdat wij in elk geval vanavond meisje en jongen zullen zijn in plaats van lerares en pupil, mag je mij Sally noemen.'

Hij pakt haar handen. Kijkt in haar ogen. 'Ik ben niet zomaar een jongen,' zegt hij. 'Ik kan je echt helpen hem te vergeten... Sally.'

Ze lijkt haast gehypnotiseerd door dit onverwachte begrip, deze onverwachte mannelijkheid; hij mag dan pas elf zijn, denkt ze, maar hij is heel wat meer mans dan Lester ooit is geweest! Ze neemt zijn handen steviger in de hare. Hun gezichten komen dichter bij elkaar... dichter...

'Nee,' murmelt ze, en nu zijn haar ogen zo groot en zo dichtbij dat hij er bijna in lijkt te verdrinken, 'niet doen, Bri... het is verkeerd...'

'Het is goed, schat,' zegt hij, en drukt zijn lippen op de hare.

Na een paar tellen trekt ze terug en fluistert innig...

'Kijk een beetje uit je doppen, knul!'

Ruw uit zijn dagdroom opgeschrikt, zag Brian dat hij pal voor de bestelwagen van Hugh Priest was overgestoken.

'Sorry, meneer Priest,' zei hij, blozend als een gek. Hugh Priest was niet iemand om ruzie mee te krijgen. Hij zat bij Gemeentewerken en stond bekend als de man met het slechtste humeur van heel Castle Rock. Brian hield hem scherp in de gaten. Als Hugh aanstalten maakte om uit te stappen, was hij van plan op zijn fiets te springen en met ongeveer de lichtsnelheid uit Main Street te verdwijnen. Hij had er geen zin in de volgende maand of zo in het zie-

kenhuis door te brengen, alleen omdat hij had lopen dagdromen over hem en juf Ratcliffe op de kermis.
Maar Hugh Priest had een fles bier tussen zijn benen op de zitting staan, Hank Williams Jr. zong op de radio 'High and Pressurized' en hij zat net een beetje te lekker om op dinsdagmiddag een klein joch een pak rammel te geven of andere drastische maatregelen te nemen.
'Je kunt beter je ogen openhouden,' zei Hugh. Hij nam een slok uit zijn fles en keek Brian dreigend aan. 'De volgende keer stop ik niet voor je. Ik rij dwars over je heen, dan piep je wel anders, jochie.'
Hij schakelde en reed weg. Brian voelde een krankzinnige (en goddank vluchtige) aandrang om hem *Ga nou toch weg!* na te roepen.
Hij wachtte tot de oranje dienstwagen in Linden Street was verdwenen en vervolgde zijn eigen weg. De dagdroom over juf Ratcliffe kon hij verder wel vergeten, helaas. Hugh Priest had de werkelijkheid weer toegelaten. Juf Ratcliffe had geen ruzie gehad met haar verloofde, Lester Pratt; ze droeg nog steeds haar kleine diamanten verlovingsring en reed nog steeds in zijn blauwe Mustang zolang haar eigen auto nog in de garage was.
Brian had juf Ratcliffe en meneer Pratt de vorige avond nog gezien, toen ze samen met een heel stel anderen die posters over DOBBELEN EN DE DUIVEL met nietjes aan de telefoonpalen in Lower Main Street hadden gehangen. Ze zongen er psalmen bij. Het enige was, dat de katholieken meteen opdoken toen ze verdwenen waren en de posters er weer afhaalden. Dat was eigenlijk wel erg grappig... maar als hij groter was geweest, zou Brian alles hebben geprobeerd om elke poster te verdedigen die juf Ratcliffe met haar gewijde handen had opgehangen.
Brian dacht aan haar donkerblauwe ogen en aan haar benen, lang als van een danseres, en voelde dezelfde treurige verwondering als altijd wanneer hij bedacht dat ze met januari van plan was haar prachtige naam Sally Ratcliffe te veranderen in Sally Pratt, wat Brian in de oren klonk als een dik wijf dat van een korte harde trap valt.
Nou ja, dacht hij, terwijl hij overstak en langzaam langs de stoeprand door Main Street liep, misschien verandert ze nog van gedachte. Dat is niet onmogelijk. Of misschien krijgt Lester Pratt een verkeersongeluk of een tumor in zijn hersenen of zoiets. Misschien blijkt wel dat hij verslaafd is aan drugs. Juf Ratcliffe zou nooit met een verslaafde trouwen.
Zulke gedachten schonken Brian een bizarre troost, maar ze veranderden niets aan het feit dat Hugh Priest zijn dagdroom had verstoord en wel vlak voor het hoogtepunt (waarop hij juf Ratcliffe zoende en zelfs *haar rechterborst aanraakte* toen ze op de kermis in

de Tunnel der Liefde waren). Het was trouwens toch al een behoorlijk waanzinnig idee dat een jongen van elf een lerares meenam naar de kermis. Juf Ratcliffe was knap, maar ze was ook oud. Ze had eens tegen haar spraakpupillen gezegd dat ze in november vierentwintig jaar zou worden.

En dus vouwde Brian zijn dagdroom weer netjes langs de plooien op, zoals iemand een veelgelezen en gewichtig document zal opvouwen, en stopte hem terug op de plank in zijn achterhoofd waar hij thuishoorde. Hij wilde op zijn zadel klimmen om verder naar huis te fietsen.

Maar juist op dat moment kwam hij langs de nieuwe winkel en zijn blik werd getrokken door het bordje in de deuropening. Er was iets aan veranderd. Hij bleef staan met zijn fiets en keek ernaar.

Verdwenen was het opschrift bovenaan:

9 OKTOBER FEESTELIJKE OPENING – ZEGT HET VOORT!

In plaats daarvan hing er een klein vierkant bordje met rode letters op een witte ondergrond.

OPEN

stond er nu te lezen, en

OPEN

was dan ook àlles. Brian stond ernaar te kijken met de fiets tussen zijn benen en zijn hart begon wat vlugger te kloppen.

Je gaat toch zeker niet naar binnen? vroeg hij aan zichzelf. Je wilt toch niet echt gaan kijken, hè, ook niet als hij werkelijk een dag eerder open is?

Waarom niet? gaf hij zichzelf antwoord.

Nou... het raam is nog wit, daarom. Het gordijn achter de deur is nog steeds neergelaten. Er kan van alles met je gebeuren als je daar naar binnen gaat. Van àlles.

Ja, net of de eigenaar Norman Bates is of zo, die de kleren van zijn moeder draagt en zijn klanten met een mes vermoordt. Moet je net denken.

Nou, zet het toch maar uit je hoofd, zei zijn schuchtere helft, hoewel op een toon alsof hij zich al bij een nederlaag had neergelegd. Er ìs iets raars mee aan de hand.

Maar Brian stelde zich voor wat hij tegen zijn moeder zou kunnen zeggen. Gewoon zo langs zijn neus weg: 'O ja, ma, weet je nog van die nieuwe winkel, De NoodZaak? Nou, die is een dag eerder ge-

opend. Ik ben binnen geweest om eens rond te kijken.'
Je zou eens moeten zien hoe gauw ze dan het geluid van de televisie uitzette! Ze zou er alles over willen horen!
Dit idee was te veel voor Brian. Hij zette zijn fiets op de standaard, liep langzaam door de schaduw van de luifel – het voelde bijna tien graden koeler aan onder het afdak – en naderde de ingang van De NoodZaak.
Terwijl hij zijn hand op de grote en ouderwetse koperen deurknop legde, kwam het bij hem op dat het bordje een vergissing moest zijn. Het had waarschijnlijk binnen al klaar gelegen, voor morgen, en iemand had het per ongeluk opgehangen. Achter het neergelaten gordijn was geen enkel geluid te horen; het leek er niet op dat er iemand binnen was.
Maar omdat hij nu zo ver was gekomen, voelde hij aan de knop... en die gaf gemakkelijk mee onder zijn hand. Met een klik gleed het slot open en de deur van De NoodZaak zwaaide naar binnen.

3

De ruimte was zwak verlicht, maar het was er niet donker. Brian zag dat er rails aan het plafond waren bevestigd (een specialiteit van Dick Perry's Bouwmaterialen), waarvan een paar spotjes brandden. Die waren gericht op een aantal glazen vitrines die her en der in de grote kamer waren neergezet. De vitrines waren grotendeels leeg. Het licht van de spots viel op de weinige voorwerpen die wel in de vitrines lagen.
De vloer – kale houten planken toen de makelaars van Western Maine hier nog zaten – was bedekt met een dik kamerbreed tapijt, wijnrood van kleur. De wanden waren matglanzend wit geschilderd. Een flauwe lichtgloed, net zo wit als de muren, viel naar binnen door de ingekalkte etalageruit.
Het is evengoed een vergissing, dacht Brian. Hij heeft nog niet eens een voorraad in huis. Wie per ongeluk dat bordje OPEN had opgehangen, had ook per ongeluk de deur van het slot gelaten. Het zou onder deze omstandigheden netjes zijn als hij de deur weer achter zich dichtdeed, op zijn fiets stapte en wegreed.
Toch weerhield iets hem ervan weg te gaan. Per slot van rekening zàg hij nu het interieur van de nieuwe winkel. Zijn moeder zou de rest van de middag met hem praten als ze dat hoorde. Het was alleen zo verdraaid jammer dat hij niet precies kon zeggen wàt hij eigenlijk zag. Er lagen vijf of zes
(*artikelen*)
voorwerpen in de vitrines en daarop waren de spots gericht, ver-

moedelijk bij wijze van repetitie, maar hij wist niet wat ze waren. Maar hij wist wel wat ze níet waren: klosbedden en beschimmelde oude zwengeltelefoons.
'Hallo?' vroeg hij onzeker, nog steeds in de deuropening. 'Is daar iemand?'
Hij wilde de knop pakken en de deur weer dichttrekken toen een stem antwoordde: '*Ik* ben er.'
Een lange gestalte – op het eerste gezicht een onmógelijk lange gestalte – kwam door een deuropening achter een van de vitrinekasten. De deuropening was afgeschermd door een gordijn van donker fluweel. Brian voelde meteen een bijna onverdraaglijke steek van angst, tot het licht van een spotje op het gezicht van de man viel en zijn angst verdween. Het was een al oude man en zijn gezicht was heel vriendelijk. Hij keek Brian aan met een belangstellende en aangename uitdrukking.
'Uw deur was niet op slot,' begon Brian, 'daarom dacht ik...'
'Maar natuurlijk is hij niet op slot,' zei de lange man. 'Ik had besloten vanmiddag al een tijdje open te zijn als een soort... als een soort voorvertoning. En jij bent mijn allereerste klant. Kom binnen, vriendje. Kom gerust binnen en laat iets van de vreugde achter die je meebrengt!'
Hij glimlachte en stak zijn hand uit. Het was een aanstekelijke glimlach. Brian voelde zich onmiddellijk aangetrokken tot de eigenaar van De NoodZaak. Hij moest over de drempel stappen en naar binnen gaan om de lange man een hand te geven en dat deed hij zonder enige bedenking. De deur viel achter hem dicht en vanzelf in het slot. Brian merkte het niet. Hij merkte alleen dat de ogen van de lange man donkerblauw waren, exact dezelfde tint als de ogen van Sally Ratcliffe. Ze hadden vader en dochter kunnen zijn. De lange man gaf hem een vaste en stevige handdruk. Hoewel niet pijnlijk, was er iets onaangenaams aan. Iets... glads. Iets te hard.
'Aangenaam,' zei Brian.
Die donkerblauwe ogen hechtten zich aan zijn gezicht als overkapte spoorweglantaarns.
'Mij is het niet minder aangenaam kennis te maken,' zei de lange man, en zo ontmoette Brian Rusk de eigenaar van De NoodZaak voor iemand anders in Castle Rock.

4

'Mijn naam is Leland Gaunt,' zei de lange man, 'en jij bent...?'
'Brian. Brian Rusk.'
'Goed dan, jongeheer Rusk. En aangezien jij mijn eerste klant

bent, denk ik dat ik je een heel bijzondere prijs kan aanbieden voor enig artikel dat je zou willen hebben.'
'Dank u wel,' zei Brian, 'maar ik geloof eigenlijk niet dat ik in zo'n winkel als deze iets zou kunnen kopen. Ik krijg vrijdag pas mijn zakgeld en...' Weifelend keek hij weer naar de glazen vitrines. 'Nou ja, het ziet er niet naar uit dat u al op voorraad bent.'
Gaunt glimlachte. Hij had scheve tanden en die zagen er in het zwakke licht tamelijk geel uit, maar voor Brian was zijn glimlach niettemin geheel en al smetteloos. Opnieuw voelde hij zich bijna gedwongen zelf te glimlachen. 'Nee,' zei Leland Gaunt, 'nee, dat ben ik niet. Het grootste deel van mijn voorraad, zoals je het noemde, komt in de loop van de avond. Maar ik heb toch wel een paar interessante artikelen. Kijk maar eens rond, jongeheer Rusk. Ik zou graag je mening horen, als dat alles is... en ik stel me voor dat je een moeder hebt, nietwaar? Natuurlijk heb je die. Zo'n beschaafde jongeman als jij is beslist geen wees. Heb ik gelijk?'
Brian knikte. Hij glimlachte nog steeds. 'Ja. Ze is nu thuis.' Hij kreeg een ingeving. 'Wilt u dat ik haar ga halen?' Maar het voorstel was nog niet over zijn lippen of hij had er al spijt van. Hij wìlde zijn moeder helemaal niet halen. Morgen zou Leland Gaunt van de hele stad zijn. Morgen zouden zijn moeder en Myra Evans hem van onder tot boven komen besnuffelen, net als alle andere dames van Castle Rock. Brian nam aan dat meneer Gaunt tegen het einde van de maand niet meer zo vreemd en anders zou lijken - wat zei hij, misschien tegen het einde van de wéék al niet meer - maar nu was dat nog wel zo, nu was hij van Brian Rusk en van niemand anders, en zo wilde Brian het houden.
Daarom was hij blij toen meneer Gaunt een hand opstak (de vingers waren heel erg smal en heel erg lang en Brian merkte op dat de wijs- en middelvinger precies even lang waren) en zijn hoofd schudde. 'Helemaal niet,' zei hij. 'Dat is precies wat ik níet wil. Ze zou ongetwijfeld een vriendin willen meebrengen, denk je niet?'
'Ja,' zei Brian, denkend aan Myra.
'Misschien wel twéé vriendinnen, of drie. Nee, dit is beter, Brian... Mag ik Brian zeggen?'
'Natuurlijk,' zei Brian, geamuseerd.
'Dank je. En zeg tegen mij maar meneer Gaunt, aangezien ik de nestor ben, hoewel niet noodzakelijk respectabeler... Akkoord?'
'Goed.' Brian wist niet precies wat meneer Gaunt bedoelde met nestor en respectabel, maar alleen die stèm was al verrukkelijk om naar te luisteren. En die ogen waren helemaal bijzonder - Brian kon zijn blik er nauwelijks van afhouden.
'Ja, dit is veel beter.' Meneer Gaunt wreef zijn lange handen tegen elkaar, wat een sissend geluid maakte. Dat was iets waar Brian nou

niet zo dol op was: als meneer Gaunt zo in zijn handen wreef, klonk het net als een geschrokken slang die elk moment kan bijten. 'Je hoeft het alleen maar tegen je moeder te zeggen, misschien laat je haar zelfs wel zien wat je hebt gekocht, als het daarvan komt...'
Brian overwoog tegen meneer Gaunt te zeggen dat hij in totaal eenennegentig cent op zak had, maar het leek hem beter van niet.
'... dan zal zij het aan haar vriendinnen vertellen en die weer aan hùn vriendinnen. Begrijp je wel, Brian? Jij zult een betere reclame voor me zijn dan het weekblad hier ooit kan hópen! Ik zou er niet beter van worden als ik je huurde om als sandwichman door de straten te lopen!'
'Als u het zegt,' beaamde Brian. Hij had geen idee wat een sandwichman was, maar het leek hem helemaal geen figuur die hij ooit zelf op straat zou willen spelen. 'Het lijkt me eigenlijk wel leuk om eens rond te kijken.' *Voor zover er dan iets te zien valt*, dacht hij, maar hij was te beleefd om dat eraan toe te voegen.
'Ga dan gerust je gang!' zei meneer Gaunt, naar de kasten gebarend. Brian zag dat hij een lange roodfluwelen kamerjas droeg, zoals hij zich voorstelde bij Sherlock Holmes in de verhalen die hij had gelezen. Het was een mooi gezicht. 'Wees mijn gast, Brian!'
Brian liep langzaam naar de vitrine die het dichtst bij de deur stond. Hij keek over zijn schouder in de verwachting dat meneer Gaunt vlak achter hem zou zijn, maar Gaunt stond nog steeds bij de deur en keek naar hem met een droog lachje. Het was net of hij Brians gedachten kon lezen en had ontdekt dat de jongen het erg vervelend zou vinden als een winkelier hem op zijn vingers zou kijken terwijl hij de uitgestalde waren opnam. Brian veronderstelde dat de meeste winkeliers bang waren dat je iets zou breken of gappen, of allebei.
'Neem de tijd,' zei meneer Gaunt. 'Winkelen is pas plezierig als je er de tijd voor neemt, Brian, en anders is het een plaag voor de mens.'
'Komt u misschien uit Engeland?' vroeg Brian, nieuwsgierig geworden door het plechtige taalgebruik van meneer Gaunt. Het deed hem denken aan de oude baas die *Masterpiece Theatre* introduceerde, een programma waar zijn moeder wel eens naar keek als het volgens de gids over de liefde ging.
'Ik,' zei Gaunt, 'kom uit Akron.'
'Ligt dat in Engeland?'
'Dat ligt in Ohio,' zei Leland Gaunt ernstig, en daarna ontblootte hij zijn sterke, onregelmatige tanden in een zonnige lach.
Brian vond het grappig, net zoals hij sommige opmerkingen in *Cheers* en andere televisieshows grappig vond. Eigenlijk gaf àlles hem het gevoel dat hij in een show verzeild was geraakt, een pro-

gramma dat een tikkeltje geheimzinnig was, maar niet echt bedreigend. Hij barstte in lachen uit.
Even was hij bang dat meneer Gaunt hem onbeleefd zou vinden (misschien doordat zijn moeder hem altijd onbeleefdheid verweet, met als gevolg dat Brian was gaan geloven dat hij in een reusachtig en bijna onzichtbaar spinneweb van sociale omgangsvormen leefde) tot de lange man met hem meedeed. Ze lachten samen en alles bij elkaar kon Brian zich geen middag herinneren die zo fijn was als deze begon te worden.
'Ga maar kijken,' zei meneer Gaunt, met zijn hand zwaaiend. 'We zullen een andere keer wel verhalen uitwisselen, Brian.'
En Brian keek. Er lagen maar vijf voorwerpen in de grootste glazen kast, hoewel die ruimte kon bieden aan wel twintig of dertig andere. Een ervan was een pijp. Een ander was een foto van Elvis Presley in zijn witte glitterpak met de tijger op de rug en een rode sjaal. De King (zo noemde zijn moeder hem altijd) hield een microfoon voor zijn getuite lippen. Het derde voorwerp was een polaroidcamera. Het vierde was een gepolijst stuk steen met in het midden een holte vol kristalvormen, die in het licht van de plafondspot prachtig blonken en flonkerden. Het vijfde was een houtspaan, ongeveer even lang en dik als een van Brians wijsvingers.
Hij wees naar de kristallen. 'Dat is toch een geode?'
'Je bent een heel erudiete jongeman, Brian. Dat is precies wat het is. Ik heb bordjes die bij de artikelen horen, maar die zijn nog niet uitgepakt – net als het grootste deel van de voorraad. Ik zal me het vuur uit de sloffen moeten lopen als ik morgen klaar wil zijn voor de opening.' Maar hij klonk niet in het minst bekommerd en leek volmaakt bereid te blijven waar hij was.
'Wat is dat?' vroeg Brian, naar de spaander wijzend. Hij bedacht dat het wel erg rare spullen waren voor een winkel in een klein stadje. Hij was vanaf het begin sterk tot Leland Gaunt aangetrokken, maar als die alleen maar zulke dingen als deze wilde verkopen, dacht Brian niet dat hij erg lang in Castle Rock zaken zou doen. Als je pijpen en foto's van de King en houtsplinters en zo wilde verkopen, moest je in New York een zaak beginnen... dat had hij tenminste geleerd uit de films die hij had gezien.
'Ha!' zei meneer Gaunt. 'Dàt is een interessant artikel! Ik zal het eens laten zien!'
Hij kwam naar de vitrine, ging aan de andere kant staan en haalde een grote bos sleutels uit zijn zak, waarvan hij er een bijna zonder te kijken uitkoos. Hij opende de kast en nam de spaander er behoedzaam uit. 'Hou je hand op, Brian.'
'Jee, ik weet het niet,' zei Brian. Als inwoner van een staat met toerisme als een belangrijke bron van inkomsten, had hij in zijn tijd in

souvenirwinkels heel veel bordjes gezien met dit kleine rijmpje erop: *Mooi om te zien en leuk om aan te halen, maar wie mij breekt, moet mij betalen.* Hij kon zich de ontstelde reactie van zijn moeder voorstellen als hij de splinter of wat het ook was kapot maakte en meneer Gaunt, niet meer zo aardig, vertelde dat hij vijfhonderd dollar kostte.
'Waarom toch niet?' vroeg meneer Gaunt met opgetrokken wenkbrauwen – hoewel hij er eigenlijk maar één had; een borstelige wenkbrauw die in een ononderbroken dubbele golf boven zijn neus groeide.
'Nou, ik ben nogal onhandig.'
'Onzin,' antwoordde meneer Gaunt. 'Ik weet echt wel hoe onhandige jongens eruitzien. Daar hoor jij beslist niet bij.' Hij liet de spaander in Brians hand vallen. Brian keek met lichte verbazing naar het voorwerp: hij wist zelf niet dat hij zijn hand had geopend totdat hij de splinter daar zag liggen.
Het voelde trouwens helemaal niet aan als een stukje hout, eerder als...
'Het lijkt wel steen,' zei hij weifelend. Hij sloeg zijn ogen op en keek naar meneer Gaunt.
'Hout èn steen tegelijk,' zei meneer Gaunt. 'Het is versteend hout.'
'Versteend,' zei Brian gefascineerd. Hij keek onderzoekend naar het voorwerp en streek met een vinger langs de zijkant. Het oppervlak was glad en tegelijkertijd oneffen. Op de een of andere manier voelde het niet helemaal prettig aan. 'Dan is het zeker oud.'
'Meer dan tweeduizend jaar oud,' beaamde meneer Gaunt ernstig.
'Jeetje!' zei Brian. Hij maakte een sprongetje en liet bijna de spaander vallen. Hij balde zijn hand eromheen om hem niet op de grond te laten vallen... en onmiddellijk werd hij bevangen door een gevoel van verwarring en desoriëntatie. Hij voelde zich plotseling... Wat? Duizelig? Nee, niet duizelig, maar alsof hij ver weg was. Alsof een deel van hem uit zijn lichaam was getild en weggevoerd.
Hij zag dat meneer Gaunt oplettend en geamuseerd naar hem keek en diens ogen leken plotseling zo groot als schoteltjes te worden. Toch was dit gevoel van desoriëntatie niet beangstigend – het was tamelijk opwindend en in elk geval prettiger dan de aanraking van het gladde hout met zijn tastende wijsvinger.
'Doe je ogen eens dicht,' zei meneer Gaunt uitnodigend. 'Doe je ogen dicht, Brian, en vertel me wat je voelt!'
Brian sloot zijn ogen en bleef daar een ogenblik staan zonder zich te bewegen, zijn rechterarm naar voren gestoken met aan het eind de spaander in zijn gebalde vuist. Hij zag niet dat meneer Gaunt even zijn grote kromme tanden liet zien toen hij als een hond zijn

bovenlip optrok in wat een uitdrukking van plezier of verwachting had kunnen zijn. Vaag meende hij iets te voelen bewegen, de beweging van een kurketrekker. Een geluid, snel en licht: *dadam... dadam... dadam*. Hij kende dat geluid. Het was...
'Een boot!' riep hij opgetogen uit, zonder zijn ogen te openen. 'Het is net of ik op een boot ben!'
'Is het werkelijk?' zei meneer Gaunt, die voor Brian onmogelijk ver weg klonk.
De sensatie werd intenser: nu was het of hij meedeinde op lange trage golven. Hij kon de verre kreet van vogels horen en dichterbij het geluid van veel andere dieren, loeiende koeien, kraaiende hanen, het zachte grommen van een heel grote kat, geen geluid van woede, maar een uitdrukking van verveling. In die ene seconde kon hij bijna hout onder zijn voeten voelen (hetzelfde hout waarvan deze spaander ooit deel had uitgemaakt, dat wist hij zeker) en hij wist dat er geen gewone gympies aan zijn voeten zaten maar een soort sandalen en...
Daarna begon het te verdwijnen, afnemend tot een klein lichtpuntje als op het scherm van de televisie wanneer die wordt uitgezet, tot het helemaal voorbij was. Hij deed zijn ogen open, door elkaar geschud en uitgelaten.
Hij had zijn hand zo vast rond de spaander geklemd dat hij zichzelf moest dwingen om zijn vingers te ontspannen en de kootjes kraakten als roestige deurscharnieren.
'Gaaf, man,' zei hij zachtjes.
'Aardig, vind je niet?' vroeg meneer Gaunt opgewekt en hij nam de spaander uit Brians hand met de verstrooide vaardigheid van een dokter die bij iemand een splinter uittrekt. Hij legde het voorwerp weer op zijn plaats en sloot de kast met een zwierig gebaar.
'Hartstikke goed,' beaamde Brian, die zijn adem liet ontsnappen alsof hij een diepe zucht slaakte. Hij boog zich over de spaander. Zijn hand tintelde nog een beetje op de plek waar hij hem had vastgehouden. Dat gevoel: het op en neer gaan van het dek, het slaan van de golven tegen de romp, het hout onder zijn voeten... die dingen bleven bij hem hangen, hoewel hij vermoedde (met een gevoel van oprechte spijt) dat ze voorbij zouden gaan, zoals dromen voorbijgaan.
'Ken je het verhaal van Noach en de Ark?' vroeg meneer Gaunt.
Brian fronste zijn wenkbrauwen. Hij was er tamelijk zeker van dat het een verhaal uit de bijbel was, maar hij had de neiging af te dwalen tijdens de zondagse preek en de catechisatie op donderdagavond. 'Was dat iets met een boot die in tachtig dagen rond de wereld voer?' vroeg hij.
Meneer Gaunt grinnikte weer. 'Zoiets, Brian, zoiets was het pre-

cies. En die spaander wordt geacht afkomstig te zijn van Noachs Ark. Natuurlijk kan ik niet zeggen dat het ècht zo is, men zou denken dat ik een fantastische oplichter was. Er moeten tegenwoordig wel vierduizend mensen op de wereld zijn die hout proberen te verkopen dat zogenaamd van Noachs Ark afkomstig is – en vierhònderdduizend die stukjes van het Enige Ware Kruis aanbieden – maar ik kan met stelligheid zeggen dat hij meer dan tweeduizend jaar oud is, want hij is met de C 14-methode gedateerd, en evenzo kan ik zeggen dat hij afkomstig is uit het Heilige Land, hoewel hij niet op de Ararat maar op de berg Boram is gevonden.'
Dit ging grotendeels aan Brian voorbij, maar niet het meest saillante feit. 'Tweeduizend jaar,' zei hij ademloos. 'Jee! Weet u dat echt zeker?'
'Dat weet ik,' zei meneer Gaunt. 'Ik heb een certificaat van het Massachusetts Institute of Technology, dat hem gedateerd heeft, en dat hoort er natuurlijk bij als hij wordt verkocht. Maar weet je, ik geloof werkelijk dat hij van de Arke Noachs zou kùnnen zijn.' Hij keek een ogenblik schattend naar de spaander en richtte daarna zijn bedwelmende blauwe ogen op Brians lichtbruine. Brian werd er opnieuw onmiddellijk door gehypnotiseerd. 'De Boram ligt per slot van rekening hemelsbreed nog geen zeventien kilometer van de Ararat en in de vele geschiedenissen van de wereld zijn wel grotere vergissingen gemaakt dan over de laatste rustplaats van een schip, zelfs een groot schip, vooral wanneer verhalen generaties lang worden doorverteld voordat ze eindelijk aan het papier worden toevertrouwd. Heb ik gelijk?'
'Ja,' zei Brian. 'Dat klinkt logisch.'
'En bovendien, het geeft een eigenaardige sensatie als je hem vasthoudt, vind je ook niet?'
'Dat zou ik zeggen!'
Meneer Gaunt glimlachte en streek de jongen door zijn haar, wat de betovering verbrak. 'Ik mag je, Brian. Ik wou dat al mijn klanten net zo fantasierijk konden zijn als jij bent. Het leven zou veel eenvoudiger zijn voor een bescheiden koopman zoals ik als dat eens waar was.'
'Hoe... hoeveel zou u voor zoiets vragen?' vroeg Brian. Hij wees naar de spaander met een vinger die licht trilde. Pas nu begon hij te beseffen hoe diep de ervaring hem had geraakt. Het was alsof je een grote schelp tegen je oor hield en het geluid van de zee hoorde... maar dan driedimensionaal en quadrofonisch, net als in een moderne bioscoop. Hij zou de spaander dolgraag nog een keer vasthouden, misschien nog wat langer, maar hij wist niet hoe hij het moest vragen en meneer Gaunt bood het niet aan.
'Wat zal ik zeggen?' zei meneer Gaunt. Hij drukte zijn vingers te-

gen elkaar onder zijn kin en keek Brian schalks aan. 'Bij zo'n artikel – net als bij de meeste góede dingen die ik verkoop, dingen die echt interessànt zijn – zou dat van de koper afhangen. Van wat de kóper ervoor zou willen betalen. Wat zou jíj ervoor willen betalen, Brian?'
'Ik weet het niet,' zei Brian, aan de eenennegentig cent in zijn zak denkend. 'Heel veel!' flapte hij eruit.
Meneer Gaunt wierp zijn hoofd achterover en lachte uitbundig. Daarbij merkte Brian dat hij zich had vergist. Bij zijn binnenkomst had hij gedacht dat meneer Gaunt grijs haar had. Nu zag hij dat het alleen aan de slapen zo was. Zeker omdat hij onder een van de spotjes stond, dacht Brian.
'Nou Brian, het is heel erg boeiend geweest, maar ik heb ècht nog een hoop te doen tot morgenochtend tien uur, dus...'
'Ja,' zei Brian, met een schok herinnerd aan de goede manieren (waaraan het hem vrijwel geheel ontbrak, zoals zijn moeder hem bijna met liefde voorhield), 'ik moet ook weg. Het spijt me dat ik u zolang...'
'Nee, nee, nee, je begrijpt me verkeerd!' Meneer Gaunt legde een van zijn lange handen op Brians arm. Brian trok zijn arm terug. Hij hoopte dat hij geen onbeleefde indruk maakte, maar hij kon er hoe dan ook niets aan doen. De hand van meneer Gaunt was hard en droog en om de een of andere reden onprettig. Eigenlijk verschilde het niet zoveel van het gevoel dat het stukje versteende hout hem gaf dat van Nora's Ark of hoe dat ding heette afkomstig moest zijn. Maar meneer Gaunt was te zeer bij zijn eigen gedachten om op Brians instinctieve terugdeinzen te reageren. Hij deed alsof hij het was en niet Brian die inbreuk op de etiquette had gemaakt.
'Ik vond alleen dat het tijd werd om ter zake te komen. Het heeft eigenlijk geen zin dat je de paar andere dingen bekijkt die ik al heb kunnen uitpakken; het zijn er niet erg veel en van de andere heb je de interessantste al gezien. Toch weet ik wel ongeveer wat ik in huis heb, ook zonder voorraadlijst in mijn hand, en misschien is er iets dat je wel zou willen hebben, Brian. Wat zóu je willen hebben?'
'Jeetje,' zei Brian. Er waren wel duizend dingen die hij zou willen hebben, en dat was gedeeltelijk het probleem. Zo op de man af gevraagd, kon hij niet besluiten welk van die duizend hij het liefst zou hebben.
'Het is het beste niet te diep over dergelijke zaken na te denken,' zei meneer Gaunt. Zijn toon was luchtig, maar er was niets luchtigs aan de ogen waarmee hij Brians gezicht nauwlettend opnam. 'Als ik zeg: "Brian Rusk, wat zou je op dit moment het liefst van alles hebben?" wat is dan je antwoord? Vlug!'
'Sandy Koufax,' antwoordde Brian prompt. Hij had pas beseft dat

hij zijn hand had uitgestoken om de splinter van Nora's Ark aan te nemen toen die in zijn hand rustte; zo besefte hij ook nu pas wat zijn antwoord op de vraag van meneer Gaunt was toen hij de woorden uit zijn eigen mond hoorde rollen. Maar zodra hij ze hoorde wist hij dat dit het enige en volmaakt juiste antwoord was.

5

'Sandy Koufax,' zei meneer Gaunt bedachtzaam. 'Dat is interessant.'
'Nou ja, niet Sandy Koufax zèlf,' zei Brian, 'maar een honkbalplaatje van hem.'
'Van welk merk?' vroeg meneer Gaunt. 'Topps of Fleers?'
Brian had nooit gedacht dat de middag nog beter kon worden, maar dat was ineens gebeurd. Meneer Gaunt wist net zo goed iets van honkbalplaatjes als van splinters en geoden. Het was niet te geloven, echt niet te geloven.
'Topps.'
'Dan zoek je zeker naar het plaatje van zijn eerste seizoen,' zei meneer Gaunt op spijtige toon. 'Ik denk niet dat ik je daaraan kan helpen, maar...'
'Nee,' zei Brian. 'Niet uit 1954, uit '56. Die wil ik graag hebben. Ik verzamel honkbalplaatjes uit 1956. Mijn vader heeft me op het idee gebracht. Het is erg leuk en er zijn er maar een paar die echt duur zijn: van Al Kaline, Mel Parnell, Roy Campanella, van zulke spelers. Ik heb er al meer dan vijftig. Ook die van Al Kaline. Die was achtendertig dollar. Ik heb heel wat tuinen gemaaid om Al te krijgen.'
'Dat geloof ik graag,' zei meneer Gaunt met een glimlach.
'Nou ja, ik zeg al, de meeste plaatjes uit '56 zijn niet echt duur, ze kosten vijf of zeven dollar, soms tien. Maar een Sandy Koufax in goede staat kost negentig of zelfs honderd dollar. In dàt jaar was hij nog geen grote ster, maar dat werd hij later natuurlijk wel, en de Dodgers zaten toen nog in Brooklyn. Iedereen had het toen over Da Bums. Tenminste, dat zegt mijn vader.'
'Je vader heeft voor tweehonderd procent gelijk,' zei meneer Gaunt. 'Ik geloof dat ik iets heb waar je heel erg blij mee zult zijn, Brian. Wacht maar eens even.'
Hij schoof het gordijn opzij en verdween in de zijkamer, Brian achterlatend bij de vitrinekast met daarin de spaander en de camera en de foto van de King. Brian stond bijna van de ene voet op de andere te dansen van hoop en verwachting. Hij zei tegen zichzelf dat hij niet zo'n sufkop moest zijn: ook al hàd meneer Gaunt een

plaatje van Sandy Koufax en ook al wàs het van Topps, dan zou het wel uit '55 of '57 blijken te zijn. En al was het er echt een uit '56, wat had hij daaraan met nog geen dollar in zijn zak?
Ik kan er in elk geval naar kijken, dacht Brian. Kijken staat toch zeker vrij, of niet soms? Dat was een andere lijfspreuk van zijn moeder.
Uit de kamer achter het gordijn klonk het geluid van dozen die werden verschoven en met een zachte bons werden neergezet. 'Een ogenblikje nog, Brian,' riep meneer Gaunt. Hij klonk een tikkeltje buiten adem. 'Ik weet zeker dat er hier ergens een schoenendoos is...'
'Doet u voor mij geen moeite, meneer Gaunt!' riep Brian terug, vurig hopend dat meneer Gaunt alle moeite zou doen die maar nodig was.
'Misschien is het een van de dozen die nog onderweg zijn,' zei meneer Gaunt weifelend.
Brian voelde zijn hoop wegzinken.
Ineens: 'Maar ik wist toch zeker... Wacht, hier is hij! Ik heb hem!'
Brians hoop keerde terug en meer dan dat: hij kreeg vleugels en maakte een achterwaartse salto.
Meneer Gaunt kwam terug van achter het gordijn. Zijn haar was enigszins in de war en er zat een stoffige veeg op een lapel van zijn kamerjas. In zijn handen hield hij een doos waar ooit een paar sportschoenen van Air Jordan in had gezeten. Hij zette hem op de toonbank en haalde het deksel eraf. Brian ging links van hem staan en keek in de doos. Die zat vol met honkbalplaatjes, elk in een eigen plastic hoesje gestopt, net als de plaatjes die Brian wel eens kocht in The Baseball Card Shop in North Conway, New Hampshire.
'Ik dacht dat er misschien een lijstje bij zou zitten, maar we boffen niet,' zei meneer Gaunt. 'Toch heb ik aardig in mijn hoofd wat er in voorraad is, zoals ik al zei – dat is onmisbaar als je handel drijft in van alles en nog wat – en ik weet heel zeker dat ik ergens...'
Hij maakte zijn zin niet af en begon snel tussen de plaatjes te zoeken.
Brian zag ze voorbijschieten, sprakeloos van verbazing. De eigenaar van The Baseball Card Shop had wat zijn vader noemde 'een aardige tweederangsverzameling' van oude plaatjes, maar de inhoud van heel die zaak kon niet tippen aan de schatten die in deze ene gympjesdoos waren gestopt. Er waren pruimtabakplaatjes met afbeeldingen van Ty Cobb en Pie Traynor erop. Er waren sigarettenplaatjes met afbeeldingen van Babe Ruth en Dom DiMaggio en Big George Keller en zelfs van Hiram Dissen, de eenarmige werper die in de jaren veertig voor de White Sox op de heuvel had gestaan.

LUCKY STRIKE GREEN GAAT NAAR HET FRONT! stond er op veel van die sigarettenplaatjes. En daar, in een flits, een breed en plechtig gezicht boven het shirt van Pittsburgh.
'O, was dat niet Honus Wagner?' vroeg Brian ademloos. Zijn hart leek net een heel klein vogeltje dat per ongeluk in zijn keel was gevlogen en daar nu fladderend gevangen zat. 'Dat is het zeldzaamste honkbalplaatje van de hele wéreld!'
'Jaja,' zei meneer Gaunt afwezig. Zijn lange vingers sloegen razendsnel de ene kaart na de andere om, gezichten uit een andere tijd vastgelegd onder doorzichtig plastic, mannen die hem eruit hadden geslagen of winnende werper waren geweest of de buit hadden binnengehaald, helden van een groots en voorbij gouden tijdperk, een tijdperk waarvan deze jongen nog altijd vrolijk en beeldend kon dromen. 'Van alles een beetje, daar draait een geslaagde onderneming om, Brian. Verscheidenheid, plezier, verwondering, bevrediging... trouwens, daar draait ook een geslaagd léven om... raad geven doe ik niet, maar anders zou je er niet slechter van worden als je dat in gedachten hield... nu eens kijken... ergens... ergens... ah!'
Als een goochelaar trok hij een plaatje uit het midden van de doos en legde het triomfantelijk in Brians hand.
Het was Sandy Koufax.
Het was een plaatje van Topps uit '56.
En het was gesignéérd.
'Voor mijn goede vriend Brian, met de beste wensen, Sandy Koufax,' las Brian, schor fluisterend.
En daarna merkte hij dat hij niets meer kon zeggen.

6

Met trillende lippen keek hij op naar meneer Gaunt, die glimlachte.
'Ik heb het niet bedacht of geweten, Brian. Het is gewoon toeval... maar wat een léuk toeval, vind je niet?'
Brian kon nog steeds niets zeggen en daarom liet hij het bij een klein knikje. De plastic hoes met zijn kostbare inhoud voelde vreemd zwaar aan in zijn hand.
'Haal hem er maar uit,' zei meneer Gaunt uitnodigend.
Toen Brian eindelijk weer een woord over zijn lippen kon krijgen, klonk zijn stem net zo krakend als die van een heel oude invalide. 'Dat durf ik niet.'
'Nou, ìk wel,' zei meneer Gaunt. Hij nam het hoesje van Brian over, stak er een netjes gemanicuurde vingernagel in en schoof het plaatje naar buiten. Hij legde het in Brians hand.

Er zaten kleine putjes in het oppervlak, veroorzaakt door de punt van de pen die Sandy Koufax had gebruikt om zijn naam te schrijven... hùn namen. Koufax' handtekening was bijna hetzelfde als zijn officiële, alleen luidde die Sanford Koufax en hier stond Sandy Koufax. Bovendien was dit tienduizend keer beter omdat het een èchte was. Sandy Koufax had dit plaatje in zijn hand gehouden en er zijn stempel op gedrukt, het stempel van zijn levende hand en magische naam.

Maar er stond ook nog een àndere naam op: Brians eigen naam. Een jongen die net zo heette had voor aanvang van de wedstrijd bij het oefenterrein van Ebbets Field gestaan en Sandy Koufax, *de echte Sandy Koufax*, jong en sterk, aan het begin van zijn glorietijd, had het uitgestoken plaatje aangepakt, dat waarschijnlijk nog naar zoete roze kauwgom rook, en er zijn stempel op gedrukt... *en het mijne ook*, dacht Brian.

Plotseling was het er weer, het gevoel dat hem had meegesleept toen hij de spaander van versteend hout had vastgehouden. Alleen was het nu veel en veel sterker.

Geur van gras, zoet en pasgemaaid.

Doffe slagen van knuppel tegen bal.

Geschreeuw en gelach uit de kooi.

'Dag meneer Koufax, mag ik uw handtekening?'

Een smal gezicht. Bruine ogen. Vrij donker haar. De pet gaat even af, hij krabt net boven de haarlijn op zijn hoofd en zet de pet weer op.

'Geef maar, joch.' Hij pakt het plaatje aan. 'Hoe heet je?'

'Brian, meneer, Brian Seguin.'

Kras, kras, kras op het plaatje. De magie: het vuur vastgelegd in schrift.

'Wil je later honkballer worden, Brian?' Het lijkt een vraag uit gewoonte en hij praat zonder zijn gezicht af te wenden van het plaatje, dat hij in zijn rechterhand houdt om er met zijn weldra magische linker op te kunnen schrijven.

'Ja meneer.'

'Denk aan de eerste beginselen.' En geeft het plaatje terug.

'Ja meneer!'

Maar hij loopt al weg en daarna zet hij het op een loom drafje over het pasgemaaide gras naar het oefenveld, zijn schaduw naast hem meedravend...

'Brian? Brían?'

Lange vingers knipten onder zijn neus, de vingers van meneer Gaunt. Brian ontwaakte uit zijn roes en zag meneer Gaunt vermaakt naar hem kijken.

'Ben je er nog, Brian?'

‘Het spijt me,’ zei Brian, en bloosde. Hij wist dat hij het plaatje moest teruggeven, teruggeven en maken dat hij wegkwam, maar hij leek er geen afstand van te kunnen doen. Meneer Gaunt staarde weer in zijn ogen – recht in zijn hóófd, leek het wel – en opnieuw merkte hij dat het onmogelijk was zijn blik af te wenden.
‘Zo,’ zei meneer Gaunt zachtjes. ‘Laten we eens aannemen, Brian, dat jíj de koper bent. Laten we dat eens aannemen. Hoeveel zou je voor dat plaatje betalen?’
Brian voelde radeloosheid over zich komen als een steenlawine.
‘Ik heb niet meer dan...’
Meneer Gaunts linkerhand vloog omhoog. ‘Sst!’ vermaande hij. ‘Pas op wat je zegt! De koper mag de verkoper nooit vertellen hoeveel hij heeft! Anders kun je de verkoper net zo goed je portemonnee geven en ook nog eens je zakken voor hem leegmaken! Als je niet kunt liegen, zwijg dan! Dat is de eerste regel van goed koopmanschap, beste Brian.’
Zijn ogen, zo groot en donker. Brian meende dat hij erin zwom.
‘Er zijn twee prijzen voor dit plaatje, Brian. Half om half. De ene helft is contant geld. De andere is een daad. Begrijp je?’
‘Ja,’ zei Brian. Hij voelde zich weer afwezig, ver weg van Castle Rock, ver weg van De NoodZaak, zelfs ver bij zichzelf vandaan. De enige echte dingen in deze afgelegen plaats waren meneer Gaunts grote donkere ogen.
‘De contante prijs voor dat gesigneerde plaatje van Sandy Koufax uit 1956 is vijfentachtig cent,’ zei meneer Gaunt. ‘Lijkt je dat redelijk?’
‘Ja,’ zei Brian. Zijn stem klonk vaag en klein. Het was of hij aan het smelten was, aan het wegsmelten... en het punt naderde waarop iedere duidelijke herinnering zou ophouden.
‘Goed zo,’ klonk de strelende stem van meneer Gaunt. ‘Tot nu toe verlopen onze onderhandelingen naar tevredenheid. Wat die daad betreft... ken je een vrouw die Wilma Jerzyck heet, Brian?’
‘Wilma, jazeker,’ zei Brian vanuit zijn toenemende duisternis. ‘Ze woont niet ver bij ons vandaan, aan de overkant.’
‘Ja, dat meen ik ook,’ beaamde meneer Gaunt. ‘Luister goed, Brian.’ Hij moest zo nog meer hebben gezegd, maar Brian kon zich niet herinneren wat.

7

Het eerste wat hij zich daarna bewust werd, was dat meneer Gaunt hem met zachte dwang de deur uitzette. Hij had hun ontmoeting bijzonder prettig gevonden en vroeg hem tegen zijn moeder en al

zijn vriendjes te zeggen dat hij goed was behandeld en eerlijk zaken had kunnen doen.
'Goed,' zei Brian. Hij voelde zich helemaal verward... maar hij voelde zich ook heel erg goed, alsof hij net was ontwaakt uit een opwekkend middagslaapje.
'En kom nog eens langs,' zei meneer Gaunt nog, voordat hij de deur sloot. Brian keek ernaar. Op het bordje was nu te lezen:

GESLOTEN

8

Brian had het idee dat hij uren in De NoodZaak was geweest, maar op de klok bij de bank was het pas tien voor vier. Hij was nog geen twintig minuten binnen geweest. Hij wilde op zijn fiets stappen, maar bedacht zich en liet het stuur tegen zijn buik rusten om in zijn broekzakken te voelen.
Uit de ene haalde hij zes blinkende koperen munten.
Uit de andere haalde hij het gesigneerde plaatje van Sandy Koufax.
Blijkbaar hadden ze ècht zaken gedaan, hoewel Brian zich met geen mogelijkheid kon herinneren welke zaken precies... alleen dat de naam van Wilma Jerzyck was gevallen.
Voor mijn goede vriend Brian, met de beste wensen, Sandy Koufax.
Welke zaken het ook waren, dit was het waard.
Zo'n plaatje als dit was bijna alles waard.
Brian stopte het behoedzaam in zijn rugzak om het niet te kreuken, stapte op zijn fiets en ging snel op weg naar huis. Hij lachte onophoudelijk.

2

1

Bij de opening van een nieuwe winkel vertonen de inwoners van een klein plaatsje in New England - heikneuters die ze overigens ook mogen zijn - een kosmopolitische houding waaraan hun grootsteedse verwanten zelden kunnen tippen. In New York of Los Angeles trekt een nieuwe galerie wellicht een klein groepje mogelijke klanten en gewone toeschouwers voordat de deuren voor het eerst worden geopend; een nieuwe club vergaart misschien zelfs een lange rij en politieversperringen waarachter persmuskieten zich verdringen, gewapend met telelenzen en andere snufjes. Er is een opgewonden geroezemoes te horen, zoals onder theaterbezoekers die op Broadway de première gaan bijwonen van een nieuw stuk dat in elk geval commentaar uitlokt, of het nu een grote hit wordt of een totale flop.
Een nieuwe zaak in een klein stadje in New England trekt bij de opening zelden veel belangstelling en nooit een rij. Wanneer de rolgordijnen worden opgehaald, de deur ontsloten en de nieuwe onderneming geopend wordt, komen en gaan de klanten in een aantal dat een buitenstaander ongetwijfeld als onbeduidend zal opvallen... en vermoedelijk als een ongunstig teken voor wat betreft de toekomstige welstand van de ondernemer.
Achter wat een gebrek aan belangstelling schijnt, gaat vaak veel verwachting en nog meer observatie schuil (Cora Rusk en Myra Evans waren niet de enige twee vrouwen in Castle Rock die in de weken voor de opening over De NoodZaak aan de telefoon hadden gehangen). Die belangstelling en verwachting veranderen echter niets aan de behoedzame gedragsregels van de kleinsteedse koper. Sommige dingen zijn eenvoudig niet toegestaan, vooral niet in de hechte Yankee-enclaves ten noorden van Boston. Dit zijn gemeenschappen die negen maanden in het jaar een vrijwel geïsoleerd bestaan leiden en het wordt ongepast gevonden te snel te veel belangstelling te tonen of op de een of andere wijze te laten merken dat men meer dan zogezegd voorbijgaande interesse heeft gevoeld.
Zowel het verkennen van een nieuwe winkel in een kleine plaats als het bijwonen van een belangrijke sociale gebeurtenis in een grote stad, zijn activiteiten die onder de vermoedelijke deelnemers aardig wat opwinding teweeg brengen en beide hebben hun regels; regels die onuitgesproken zijn, onveranderlijk en merkwaardig gelijk-

soortig. De voornaamste ervan is *om niet als eerste te komen*. Natuurlijk is er altijd iemand die dit kardinale voorschrift moet breken, anders zou er helemaal geen mens komen, maar een nieuwe zaak kan al gauw minstens twintig minuten leeg blijven nadat het bordje GESLOTEN achter het raam voor het eerst is omgedraaid, en een geoefend waarnemer zou er iets onder durven verwedden dat de eerste bezoekers groepsgewijs zouden arriveren: een twee- of drietal, maar eerder nog een viertal dames.
De tweede regel is dat de verkenners een zodanige beleefdheid aan den dag leggen, dat het aan ijzigheid grenst. De derde is dat niemand (althans bij het eerste bezoek) de nieuwe ondernemer naar zijn achtergrond of geloofsbrieven mag vragen. De vierde is, dat niemand een welkomstgeschenk dient mee te brengen, vooral niet zoiets ordinairs als zelfgebakken cake of een taart. De laatste regel is net zo onveranderlijk als de eerste: *gij zult niet als laatste weggaan*.
Deze formele gavotte – die je de Dans der Vrouwelijke Verkenning zou kunnen noemen – duurt van twee weken tot twee maanden en wordt niet uitgevoerd als iemand uit de plaats zelf een zaak opent. Zó'n opening krijgt eerder het karakter van een gezamenlijke maaltijd in de kerk ter gelegenheid van de jaarlijkse reünie van oud-inwoners: informeel, opgewekt en behoorlijk saai. Maar komt de nieuwe koopman Van Buiten (zo wordt het altijd uitgesproken, zodat je de hoofdletters kunt horen), dan is de Dans der Vrouwelijke Verkenning even onvermijdelijk als de dood en de zwaartekracht. Na de proefperiode (niemand zet een advertentie in de krant om het einde daarvan te verkondigen, maar op de een of andere manier weet iedereen dat) kunnen er twee dingen gebeuren: òf de omzet begint normalere vormen aan te nemen en tevreden klanten brengen verlate geschenken en uitnodigingen om eens langs te komen, òf de nieuwe zaak loopt op de klippen. In plaatsen als Castle Rock heten kleine ondernemingen soms 'op de fles' te zijn, weken of zelfs maanden voordat de onfortuinlijke eigenaars daar zelf achter komen.
Er was minstens één vrouw in Castle Rock die zich niet aan de aanvaarde regels hield, hoe onwrikbaar die ook voor anderen schenen te zijn. Dit was Polly Chalmers, eigenaresse van *You Sew and Sew*. De meerderheid verwachtte geen normaal gedrag van haar; Polly Chalmers stond bij de meeste dames (en veel heren) van Castle Rock te boek als Excentriek.
Polly was een bron van alle mogelijke problemen voor de zelfbenoemde sociale rechters van Castle Rock. Zo kon niemand een definitief oordeel vellen over het meest elementaire feit van allemaal: was Polly Van Hier of was zij Van Buiten? Ze was in Castle Rock

gebóren, zeker, maar ze was op haar achttiende weggegaan, nadat Duke Sheehan haar met kind had geschopt. Dat was in 1970 geweest en ze had zich maar één keer weer laten zien voordat ze in 1987 voorgoed terugkeerde.
Die tijdelijke terugkeer was begonnen eind 1975, toen haar vader met darmkanker op sterven lag. Na zijn dood had Lorraine Chalmers een hartaanval gekregen en Polly was gebleven om haar moeder te verplegen. Lorraine had een tweede en ditmaal fatale hartaanval gekregen in het vroege voorjaar van 1976 en nadat haar moeder ten grave was gedragen was Polly (die in de ogen van de plaatselijke dames inmiddels een Aura van Geheimzinnigheid had gekregen) weer weggegaan.
Die zien we niet meer terug was de algemene opvatting geweest, en die leek te worden bevestigd toen Polly in 1981 niet kwam opdraven voor de begrafenis van de laatste achtergebleven Chalmers, de oude tante Evvie. Toch was ze vier jaar geleden alsnòg teruggekomen en had ze haar naaiwinkel geopend. Hoewel niemand het zeker wist, leek het aannemelijk dat ze het geld van tante Evvie Chalmers had gebruikt om de nieuwe winkel van de grond te krijgen. Aan wie anders had die dwaze oude taart het moeten nalaten?
Wie met meer dan gewone belangstelling *la comédie humaine* volgde (dat wil zeggen, de meeste bewoners) was ervan overtuigd dat, als Polly succes had met haar winkeltje en in Castle Rock bleef, vroeg of laat de meeste onbeantwoorde vragen opgelost zouden worden. Maar in Polly's geval bleven vele zaken in het duister. Het was echt om gek van te worden.
Ze had een paar van de tussenliggende jaren in San Francisco doorgebracht, zoveel was bekend, maar dat was bijna alles: Lorraine Chalmers had als het graf gezwegen over haar onberekenbare dochter. Had Polly daar op school gezeten, àls ze al op school had gezeten? Ze dreef haar winkel alsof ze cursussen had gevolgd en er nog behoorlijk wat van had opgestoken ook, maar niemand kon het met zekerheid zeggen. Ze kwam alleen terug, maar was ze ooit getrouwd geweest in San Francisco of in een van de andere plaatsen waar ze haar tijd tussen Toen en Nu misschien (of misschien ook niet) had doorgebracht? Ook dat wist niemand, alleen dat ze nooit met die jongen van Sheehan was getrouwd; hij was bij de mariniers gegaan, had een paar keer bijgetekend en deed nu in onroerend goed ergens in New Hampshire. En waarom had ze zich na al die jaren opnieuw hier gevestigd?
Bovenal vroegen ze zich af wat er van de baby was geworden. Had mooie Polly abortus laten plegen? Had ze het kind afgestaan voor adoptie? Had ze het gehouden? Was het dan misschien gestorven? Of leefde het (wat een gekmakend voornaamwoord) nog, zat het

ergens op school en schreef het af en toe een brief aan moeder thuis? Niemand wist ook van deze dingen iets af en in veel opzichten waren de onbeantwoorde vragen over 'het' nog het ergerlijkst. Het meisje dat de bus had genomen met een kleintje op stapel, was nu een vrouw van bijna veertig en sinds vier jaar terug om hier te wonen en te werken, en niemand kon zelfs maar zeggen of het een jongetje of een meisje was waarom ze had moeten vertrekken.

Laatst nog had Polly Chalmers de stad een nieuw bewijs van haar excentriciteit geleverd, voor zover dat nog nodig was: ze had Alan Pangborn gezelschap gehouden, de sheriff van Castle County, en sheriff Pangborn had nog maar anderhalf jaar geleden zijn vrouw en jongste zoon begraven. Dit gedrag was niet helemaal een Schandaal, maar het was beslist Excentriek, en daarom verbaasde niemand zich er echt over dat Polly Chalmers om twee minuten over tien op de ochtend van 9 oktober over het trottoir van Main Street marcheerde, van haar eigen deur naar die van De NoodZaak. Ze verbaasden zich zelfs niet over wat ze in haar gehandschoende handen hield: een Tupperware bakje waarin alleen maar een cake kon zitten.

Het was echt iets voor haar, zeiden de mensen toen ze het er later over hadden.

2

Het wit was van de etalageruit van De NoodZaak gehaald en achter het glas was ongeveer een tiental artikelen uitgestald: klokken, een zilveren vatting, een schilderij, een aardige driedelige lijst die er eenvoudig om vroeg met dierbare foto's gevuld te worden. Polly wierp een goedkeurende blik over deze voorwerpen en ging naar de deur. Op het bordje stond OPEN. Ze gaf gehoor aan die uitnodiging en hoorde een belletje tinkelen boven haar hoofd, aangebracht nadat Brian Rusk de voorvertoning had meegemaakt.

Binnen rook het naar nieuwe vloerbedekking en nog natte verf. Het was er zonnig en terwijl ze over de drempel stapte en belangstellend om zich heen keek, kwam een duidelijke gedachte bij haar op: *Dit is geslaagd. Er is nog geen klant binnen geweest – of ik moet er een zijn – en het is nu al geslaagd. Opmerkelijk.* Zo'n haastig oordeel was niets voor haar, net zo min als haar neiging tot onmiddellijke goedkeuring, maar beide waren niet te ontkennen.

Een lange man stond gebogen over een van de glazen vitrinekasten. Hij keek op toen de bel overging en glimlachte tegen haar. 'Hallo,' zei hij.

Polly was een praktische vrouw die goed wist wat er in haar omging

en daar doorgaans gelukkig mee was, en daarom was het ogenblik van verwarring toen ze voor het eerst de ogen van deze vreemde zag, op zichzelf al verwarrend voor haar.
Ik ken hem, was de eerste heldere gedachte die door die onverwachte mist heen drong. *Ik heb deze man al eens eerder ontmoet. Waar?*
Maar ze vergiste zich en die wetenschap - die zekerheid - kwam een ogenblik later. Het was een *déjà vu*-ervaring, veronderstelde ze, zo'n ingebeelde herinnering die bijna iedereen van tijd tot tijd overvalt, een gevoel dat desoriënterend werkt doordat het tegelijkertijd zo dromerig en zo prozaïsch is.
Ze was een paar tellen van de wijs en kon alleen maar flauw glimlachen. Daarna probeerde ze met haar linkerhand meer greep op het bakje met de cake te krijgen en een felle pijnaanval trok in twee ruwe vlagen door de rug van die hand naar haar pols. Het was of de tanden van een grote verchroomde vork diep in haar huid waren gestoken. Het was artritis en het deed geweldig pijn, maar het bracht haar in elk geval weer bij zinnen en ze gaf antwoord zonder merkbare vertraging - ook al dacht ze dat de man misschien toch iets had gemerkt. Hij had grote lichtbruine ogen, die zo te zien heel veel zouden kunnen opmerken.
'Dag,' zei ze. 'Ik ben Polly Chalmers, van het kleine naaiatelier twee deuren hiernaast. Nu we toch buren zijn, dacht ik dat ik maar even langs moest komen om u welkom te heten in Castle Rock voor de grote drukte losbarst.'
Hij glimlachte en heel zijn gezicht klaarde op. Ze voelde dat ze er zelf door moest glimlachen, ook al was er nog steeds die stekende pijn in haar linkerhand. Het is dat ik al verliefd ben op Alan, dacht ze, anders zou ik me hals over kop aan zijn voeten werpen. *Toon mij de slaapkamer, Meester, ik zal gewillig volgen.* In een vlaag van spot vroeg ze zich af hoeveel dames weg van hem zouden zijn als ze hier vandaag eens vluchtig hadden rondgekeken. Ze zag dat hij geen trouwring droeg - nog meer olie in het vuur.
'Het is mij een genoegen, mevrouw Chalmers,' zei hij, naar voren komend. 'Ik ben Leland Gaunt.' Hij stak zijn rechterhand uit en trok zijn wenkbrauwen wat op toen ze een stapje terug deed.
'Neem me niet kwalijk, ik kan geen hand geven. Denk alstublieft niet dat ik onbeleefd ben. Ik heb artritis.' Ze zette het bakje op de dichtstbijzijnde vitrine en stak haar in glacé gestoken handen in de lucht. Ze waren niet verminkt, maar wel duidelijk misvormd, de linker wat meer dan de rechter.
Er waren vrouwen in de stad die meenden dat Polly eigenlijk trots was op haar kwaal. Waarom zou ze er anders, zo redeneerden ze, zo vlug mee voor de dag komen? De waarheid was precies het te-

genovergestelde. Hoewel geen ijdele vrouw, ging haar uiterlijk haar voldoende ter harte om zich te generen voor haar lelijke handen. Ze liet ze zo snel mogelijk zien en daarbij kwam telkens weer dezelfde vluchtige gedachte naar boven, zo vluchtig dat ze het bijna nooit besefte: *Zo, dat is achter de rug, nu kunnen we verder gaan met waar ik voor kwam.*

De mensen toonden meestal zelf iets van verwarring of verlegenheid als ze hun haar handen liet zien. Gaunt niet. Hij pakte haar bovenarm met handen die bijzonder sterk aanvoelden en schudde díe in plaats van haar hand. Het had misschien een ongepast vrijpostig gebaar bij een eerste kennismaking kunnen lijken, maar dat vond ze niet. Het gebaar was vriendelijk, kort en zelfs nogal vermakelijk. Evengoed was ze blij dat het snel voorbij was. Zijn handen voelden droog en onprettig aan, zelfs door de dunne stof van de herfstmantel die ze droeg.

'Het moet een hele opgave zijn met zo'n handicap een naaiwinkel te hebben, mevrouw Chalmers. Hoe speelt u dat klaar?'

Het was een vraag die erg weinig mensen haar stelden, en met uitzondering van Alan kon ze zich niemand herinneren die het haar ooit zo rechtstreeks had gevraagd.

'Ik heb het zelf volgehouden zolang ik maar kon,' zei ze. 'Ik heb me er dapper doorheen geslagen, zou je kunnen zeggen. Nu heb ik zes meisjes die parttime voor me werken en zelf houd ik me voornamelijk met ontwerpen bezig. Maar ik heb nog steeds mijn goede dagen.' Dat was een leugen, maar ze zag er geen kwaad in, omdat ze het voornamelijk zei om zichzelf te overtuigen.

'Ik ben in elk geval erg blij dat u er bent. Om u de waarheid te zeggen, heb ik een lelijke aanval van plankenkoorts.'

'Is het heus? Waarom zou u?' Ze was nog minder snel met een oordeel over mensen dan over plaatsen en gebeurtenissen en het verwonderde haar – ze schrok er zelfs een beetje van – hoe vlug en vanzelfsprekend ze zich vertrouwd voelde met deze man, die ze nog geen minuut kende.

'Ik loop me steeds maar af te vragen wat ik moet doen als er niemand binnenkomt. Helemaal niemand, de hele dag.'

'Ze komen heus wel,' zei ze. 'Ze willen zien wat u verkoopt – niemand lijkt enig idee te hebben van wat er te krijgen is in een winkel die De NoodZaak heet – maar wat nog belangrijker is: ze willen u zien. Ziet u, in zo'n klein plaatsje als Castle Rock...'

'... wil niemand zijn nieuwsgierigheid verraden,' voltooide hij haar zin. 'Ik weet het, ik heb ervaring met kleine plaatsen. Mijn verstand zegt me dat u het absoluut bij het rechte eind hebt, maar ik blijf steeds een andere stem horen die zegt: "Ze komen niet, Leland, oooh nee, ouwe jongen, ze komen niet, ze blijven met bosjes weg, wacht maar af."'

Ze lachte en herinnerde zich plotseling dat ze precies hetzelfde gevoel had gehad bij de opening van haar eigen winkel.
'Maar wat is dit?' vroeg hij, met een hand het cakebakje aanrakend. En ze zag wat Brian Rusk eerder had opgemerkt: de wijs- en middelvinger van die hand waren precies even lang.
'Het is een cake. En als ik dit stadje ook maar half zo goed ken als ik denk, dan kan ik u verzekeren dat dit de enige is die u vandaag zult krijgen.'
Hij glimlachte tegen haar, zichtbaar ingenomen. 'Dank u! Dank u hartelijk, mevrouw Chalmers! Heel erg aardig van u.'
En zij, die bij een eerste of tweede kennismaking nooit iemand vroeg haar voornaam te gebruiken (en die iedereen wantrouwde - makelaars, verzekeringsagenten, autoverkopers - die zich dat voorrecht ongevraagd toeëigende), hoorde zichzelf verbijsterd zeggen: 'Nu we toch buren worden, kunt u misschien net zo goed Polly tegen me zeggen.'

3

Het was een chocoladecake, zoals Leland Gaunt kon vaststellen door alleen het deksel op te tillen en te ruiken. Hij vroeg haar samen een plakje te gebruiken. Polly sloeg beleefd af. Gaunt drong aan.
'Er is vast wel iemand die op uw winkel past,' zei hij, 'en in de mijne zal niemand zich het eerste halfuur laten zien - dat is nu eenmaal het protocol. En ik zit met duizend vragen over de stad.'
Dus stemde ze toe. Hij verdween langs het gordijn in de achterkamer en ze hoorde hem een trap oplopen - hij zou wel boven de zaak wonen, veronderstelde ze, al was het maar tijdelijk - om borden en vorkjes te halen. Terwijl ze op zijn terugkomst wachtte, liep Polly rond om de winkel te bekijken.
Een ingelijst bordje aan de muur bij de voordeur vermeldde de openingstijden: op maandag, woensdag, vrijdag en zaterdag van tien uur 's ochtends tot vijf uur 's middags. Op dinsdag en donderdag was er alleen ontvangst 'op afspraak' tot het eind van het voorjaar... oftewel, dacht Polly met een stil lachje, tot die wilde en idiote toeristen en vakantiegangers weer kwamen met hun zakken vol dollars.
De NoodZaak, concludeerde ze, was een curiositeitenwinkel. Voor de betere kringen, zou ze op het eerste gezicht hebben gezegd, maar een nadere inspectie van de uitgestalde waren leerde haar dat het nog niet zo gemakkelijk was een passend etiket te vinden.
De voorwerpen die de vorige middag bij Brians bezoek in de kasten

hadden gelegen – geode, polaroidcamera, foto van Elvis Presley en de paar andere – waren er nog steeds, maar er waren veertig of vijftig artikelen bijgekomen. Aan een van de gebroken-witte muren hing een kleedje, dat zo te zien een klein vermogen waard was; het was Turks en oud. In een van de vitrines lag een verzameling loden soldaatjes, misschien antiek, hoewel Polly wist dat alle loden soldaatjes er antiek uitzien, ook al zijn ze vorige week maandag in Hongkong gegoten.

Er was van alles en nog wat uitgestald. Tussen de foto van Elvis, op het oog niet unieker dan soortgelijke foto's die je op elke braderie voor 4,99 kon krijgen, en een al heel onopvallend windvaantje met een zeearend erop, bevond zich een prachtige lampekap van gekleurd glas, die minstens achthonderd en misschien wel vijfduizend dollar waard was. Een gedeukte en onaanzienlijke theepot werd geflankeerd door twee schitterende Franse poppen met blozende wangen en jarretels, waarvan ze de waarde niet eens kon vermoeden.

Er was een sortering honkbal- en tabaksplaatjes, een waaier pulptijdschriften uit de jaren dertig (*Vreemde Verhalen, Fantastische Verhalen, Wonderlijke Verhalen*), een tafelmodel radio uit de jaren vijftig, met die afschuwelijke bleekroze tint die de mensen destijds blijkbaar aantrekkelijk vonden aan huishoudelijke apparatuur, om van de politiek maar te zwijgen.

Voor de meeste voorwerpen, zij het niet voor alle, waren kleine bordjes geplaatst: DRIEDELIG KRISTAL, ARIZONA, stond op een ervan en op een andere: STANDAARD SLEUTELSET. Bij de spaander die Brian zo had geraakt was te lezen: VERSTEEND HOUT UIT HET HEILIGE LAND. En bij de plaatjes en de pulptijdschriften luidde het opschrift: ANDERE TER INZAGE OP AANVRAAG.

Alle artikelen, schroot of schat, hadden één ding met elkaar gemeen, merkte ze op: aan geen ervan hing een prijskaartje.

4

Gaunt kwam terug met twee kleine bordjes – gewoon maar Corning servies, niets bijzonders – een cakemes en twee vorkjes. 'Het is boven nog een rommeltje,' bekende hij, terwijl hij het deksel van het bakje nam en opzij legde (omgekeerd om geen condensring op de vitrine te krijgen). 'Ik ga op zoek naar een huis zodra alles hier op orde is, maar voorlopig blijf ik boven de zaak wonen. Alles zit nog in kartonnen dozen. God, wat haat ik kartonnen dozen. Weet u niemand die...'

'Dat is véél te groot!' protesteerde Polly. 'Allemachtig!'

'Goed,' zei Gaunt opgewekt. Hij legde de dikke plak chocoladecake op een van de bordjes. 'Dan hou ik deze zelf. Eten is goed voor een mens, zeg ik maar. Is dit dun genoeg voor u?'
'Nog wat minder.'
'Minder dan dit gaat niet,' zei hij, een dun plakje cake afsnijdend. 'Het ruikt verrukkelijk. Nogmaals bedankt, Polly.'
'Niets te danken.'
Het rook inderdaad verrukkelijk en ze was niet op dieet, maar haar aanvankelijke weigering was meer dan normale beleefdheid geweest. De afgelopen drie weken had Castle Rock van een schitterende nazomer genoten, maar maandag was het weer omgeslagen en dat voelde ze in haar handen. De pijn zou waarschijnlijk wel wat afnemen als haar gewrichten aan de lagere temperaturen gewend waren (dat hoopte ze tenminste en zo was het altijd gegaan, maar ze sloot haar ogen niet voor de progressieve aard van de aandoening), maar sinds vanochtend vroeg had ze het erg te kwaad gehad. Op zulke dagen wist ze nooit precies wat ze wel of niet met haar onberekenbare handen zou kunnen doen en haar eerste weigering was voortgekomen uit onzekerheid en eventuele gêne.
Nu trok ze haar handschoenen uit en bewoog keurend de vingers van haar rechterhand. Een speer van gretige pijn schoot door haar onderarm naar de elleboog. Ze kromde haar vingers nog een keer, haar lippen samengeknepen tegen de verwachte gevolgen. De pijn kwam, maar ditmaal niet zo intens. Ze ontspande zich een beetje. Het zou wel gaan. Niet geweldig, niet zo prettig als het eten van cake eigenlijk hoorde te zijn, maar toch. Behoedzaam pakte ze haar vorkje, haar vingers zoveel mogelijk gestrekt houdend. Ze bracht een eerste stukje cake naar haar mond en zag Gaunt meelevend naar haar kijken. *Nu gaat hij me vertellen dat het hem spijt*, dacht ze somber, *en dat zijn grootvader er ook zo'n last van had gehad, of zijn ex-vrouw, of wie dan ook.*
Maar Gaunt liet niets van medelijden blijken. Hij nam een hapje en rolde theatraal met zijn ogen. 'Verstellen en ontwerpen is aardig,' zei hij, 'maar u had beter een restaurant kunnen beginnen.'
'O, ik heb hem niet gebakken,' zei ze, 'maar ik zal het compliment overbrengen aan Nettie Cobb. Zij is mijn huishoudster.'
'Nettie Cobb,' zei hij peinzend, met zijn vorkje in zijn stuk cake prikkend.
'Ja... Kent u haar?'
'O, dat betwijfel ik.' Hij klonk als iemand die plotseling uit een dagdroom ontwaakt. 'Ik ken níemand in Castle Rock.' Vanuit zijn ooghoeken keek hij haar listig aan. 'Er is zeker geen kans dat ik haar van u kan overnemen?'
'Beslist niet,' zei Polly lachend.

'Ik had u naar een makelaar willen vragen,' zei hij. 'Wie is volgens u de meest betrouwbare hier in de omgeving?'
'Ach, het zijn allemaal dieven, maar Mark Hopewell is denk ik niet slechter dan de rest.'
Hij schoot in de lach en sloeg een hand voor zijn mond om geen kruimelregen uit te proesten. Daarna begon hij te hoesten en als haar handen niet zo pijnlijk waren geweest, zou ze hem behulpzaam een paar keer op de rug hebben geklopt. Eerste kennismaking of niet, ze vond hem werkelijk aardig.
'Neem me niet kwalijk,' zei hij, nog een beetje kuchend. 'Dus het zijn allemáál dieven, zegt u?'
'O, absoluut.'
Als ze een ander soort vrouw was geweest - een die haar eigen verleden niet zo strikt voor zichzelf hield - zou Polly dit het moment hebben gevonden om Leland Gaunt dringende vragen te stellen. Waarom was hij naar Castle Rock gekomen? Waar kwam hij vandaan? Wilde hij lang blijven? Had hij nog familie? Maar ze was niet die andere soort vrouw en daarom stelde ze zich er tevreden mee zijn vragen te beantwoorden... wat ze zelfs maar al te graag deed, omdat geen ervan over haarzelf ging. Hij wilde weten hoe het in de stad toeging, of het 's winters druk was in Main Street, of hij in de buurt zo'n mooi klein Jotul fornuis kon krijgen, hoe de verzekeringspremies lagen en nog honderd andere dingen. Uit de zak van zijn blauwe blazer haalde hij een smal zwartleren notitieboekje en hij noteerde ernstig elke naam die ze noemde.
Ze keek naar haar bordje en zag dat ze haar plak helemaal had opgegeten. Haar handen deden nog steeds pijn, maar niet meer zo erg als bij haar binnenkomst. Ze herinnerde zich dat ze bijna van het hele bezoek had afgezien omdat ze er zo ellendig aan toe was. Nu was ze blij dat ze het toch maar had gedaan.
'Ik moet weer eens gaan,' zei ze, op haar horloge kijkend. 'Rosalie zal wel denken dat ik dood ben.'
Ze waren bij de vitrine blijven staan. Gaunt zette de bordjes netjes op elkaar, legde de vorkjes erop en deed het deksel weer op het bakje. 'U krijgt het terug zodra de cake op is,' zei hij. 'Als u het zolang kunt missen.'
'Prima.'
'Ik denk dat u het halverwege de middag weer terug hebt,' zei hij ernstig.
'Zo'n haast heeft het helemaal niet,' zei ze, terwijl ze zich door Gaunt naar de deur liet brengen. 'Ik vond het erg prettig kennis te maken.'
'Bedankt voor uw bezoek,' zei hij. Een ogenblik dacht ze dat hij haar arm wilde pakken en onwillekeurig schrok ze terug voor die

aanraking – dwaas, natuurlijk – maar dat deed hij niet. ‘Ik had erg tegen vandaag opgezien, maar u heeft er toch nog iets van een feest van gemaakt.’
‘U slaat u er heus wel doorheen.’ Polly deed de deur open, maar ze ging nog niet naar buiten. Ze had hem helemaal niets over hemzelf gevraagd, maar naar één ding was ze toch benieuwd, te benieuwd om zomaar weg te gaan. ‘U heeft hier allerlei bijzondere dingen…’
‘Dank u.’
‘… maar er staat nergens een prijs bij. Waarom is dat?’
Hij glimlachte. ‘Dat is een eigenaardigheidje van mij, Polly. Ik heb altijd gevonden dat een interessant artikel enig onderhandelen wel waard is. Ik denk dat ik in mijn vorige leven een oosters tapijthandelaar ben geweest. Vermoedelijk uit Irak, moet ik tot mijn schande zeggen.’
‘Dus u probeert het onderste uit de kan te halen?’ vroeg ze met maar een heel klein beetje spot.
‘Zo kunt u het noemen,’ beaamde hij ernstig, en opnieuw werd ze getroffen door de volle bruine kleur van zijn ogen, mooi op een onpeilbare manier. ‘Zelf zou ik liever zeggen dat de waarde afhangt van de behoefte.’
‘Ik begrijp het.’
‘Werkelijk?’
‘Nu ja, dat dènk ik. Het verklaart de naam van de zaak.’
Hij glimlachte. ‘Dat zou kunnen,’ zei hij. ‘Dat zou best eens kunnen, denk ik.’
‘Maar goed, ik wens u nog een heel goede dag verder, meneer Gaunt…’
‘Leland, alstublieft. Of gewoon Lee.’
‘Leland dan maar. En maakt u zich geen zorgen over klanten. Ik denk dat u vrijdag al een portier nodig zult hebben om ze aan het eind van de dag de deur uit te krijgen.’
‘Echt waar? Dat zou prachtig zijn.’
‘Tot ziens.’
‘Ciao,’ zei hij en deed de deur achter haar dicht.
Hij bleef daar nog even staan en keek naar Polly Chalmers die wegliep over de stoep, haar handschoenen aantrekkend over de misvormde ledematen die zo opvallend contrasteerden met de rest van haar niet al te opmerkelijke, maar wel verzorgde en aantrekkelijke gestalte. Gaunts glimlach werd breder. Hij trok zijn lippen terug en zijn onregelmatige gebit gaf hem een onaangenaam roofzuchtig uiterlijk.
‘Het zal wel gaan,’ zei hij zachtjes in de lege winkel. ‘Het zal waarachtig wel gaan.’
Zijn lippen weken nog verder terug en hij onthulde zijn tandvlees, zwartpaars als een verse buil, in een hartelijke lach.

5

Polly's voorspelling kwam helemaal uit. Tegen sluitingstijd waren bijna alle vrouwen van Castle Rock – althans de vrouwen die van enig belang waren – en verscheidene mannen langsgekomen om De NoodZaak eens te bekijken. Bijna zonder uitzondering probeerden ze Gaunt met enige nadruk duidelijk te maken dat ze maar een minuutje hadden omdat ze eigenlijk ergens anders werden verwacht. Stephanie Bonsaint, Cynthia Rose Martin, Barbara Miller en Francine Pelletier kwamen als eersten; Steffie, Cyndi Rose, Babs en Francie arriveerden in elkaars veilige gezelschap nog geen tien minuten nadat Polly's vertrek uit de nieuwe winkel was opgemerkt (een nieuwtje dat snel en effectief werd verspreid via de telefoon en de draadloze verbindingen die in New England door de achtertuinen lopen).
Steffie en haar vriendinnen keken rond. Ze zeiden oh en ah. Ze drukten Gaunt op het hart dat ze niet lang konden blijven omdat het hun bridgedag was (zonder erbij te vermelden dat hun wekelijkse robber meestal pas om twee uur 's middags begon). Francie vroeg hem waar hij vandaan kwam. Gaunt zei dat hij uit Akron in Ohio kwam. Steffie vroeg hem of hij al lang in de antiekhandel zat. Gaunt zei dat hij het zelf geen antiekhandel zou willen noemen, niet precies. Cyndi wilde weten of meneer Gaunt allang in New England was. Een tijdje, antwoordde Gaunt; een tijdje.
Naderhand waren ze het er alle vier over eens dat het een interessant zaakje was – wat een hoop vreemde dingen! – maar dat het vraaggesprek bijzonder teleurstellend was geweest. De man was al net zo zwijgzaam als Polly Chalmers, misschien nog wel meer. Babs merkte op wat ze allemaal al wisten (of dachten te weten): dat Polly eerder dan wie ook in de stad in de nieuwe winkel was geweest en dat ze *een cake had meegebracht*. Misschien, opperde Babs, kende ze meneer Gaunt wel... van Vroeger, uit de tijd dat ze Ergens Anders had gewoond.
Cyndi Rose toonde belangstelling voor een Lalique vaas en vroeg meneer Gaunt (die in de buurt bleef zonder op hun vingers te kijken, zoals ze goedkeurend vaststelden) hoeveel die kostte.
'Hoeveel denkt u?' vroeg hij glimlachend.
Ze glimlachte terug, tamelijk koket. 'O,' zei ze, 'doet u zó zaken, meneer Gaunt?'
'Zo doe ik zaken,' beaamde hij.
'U zult er niet beter van worden als u met Yankees gaat onderhandelen,' zei Cyndi Rose, terwijl haar vriendinnen even geboeid toekeken alsof ze een finale op Wimbledon volgden.
'Dat,' zei hij, 'staat nog te bezien.' Zijn stem was nog steeds vriendelijk, maar er klonk nu toch ook iets uitdagends in.

Cyndi Rose keek eens wat beter naar de vaas. Steffie Bonsaint fluisterde iets in haar oor. Cyndi Rose knikte.
'Zeventien dollar,' zei ze. De vaas zou best vijftig dollar mogen kosten en ze vermoedde dat er in Boston wel honderdtachtig voor gevraagd zou worden.
Gaunt drukte zijn vingers tegen elkaar onder zijn kin, een gebaar dat Brian Rusk bekend zou zijn voorgekomen. 'Ik vrees dat ik minstens vijfenveertig zal moeten vragen,' zei hij met enige spijt.
Cyndi's gezicht klaarde op; hier viel iets te bereiken. Aanvankelijk was de Lalique vaas nauwelijks interessant geweest, weinig meer dan een sociaal voorwendsel om greep te krijgen op de raadselachtige meneer Gaunt. Nu bestudeerde ze hem zorgvuldiger en zag dat het ècht een mooie vaas was, eentje die in haar zitkamer heel goed zou staan. De bloemen rondom de lange hals van de vaas hadden precies de kleur van haar behang. Pas toen Gaunt haar bod beantwoordde met een prijs die heel dicht binnen haar bereik kwam, besefte ze dat ze de vaas eigenlijk de hele tijd al erg graag wilde hebben.
Ze overlegde met haar vriendinnen.
Gaunt keek naar hen met een milde glimlach.
De deurbel rinkelde en twee andere dames kwamen binnen.
In De NoodZaak was de eerste volle werkdag begonnen.

6

Toen de bridgeclub van Ash Street tien minuten later De NoodZaak verliet, had Cyndi Rose Martin een boodschappentas in haar hand. Daarin zat de Lalique vaas, verpakt in zacht papier. Ze had hem gekocht voor eenendertig dollar exclusief, bijna de hele inhoud van haar reservepotje, maar ze was er zo verrukt mee dat ze bijna liep te spinnen.
Doorgaans werd ze na zo'n impulsieve aankoop beslopen door twijfel en een lichte schaamte, wetend dat ze zich had laten ompraten of regelrecht bedriegen, maar vandaag niet. Bij deze aankoop had zíj aan het langste eind getrokken. Meneer Gaunt had haar zelfs gevraagd nog eens terug te komen, omdat hij precies zo'n vaas later in de week verwachtte binnen te krijgen, misschien morgen al! Deze zou heel leuk staan op de kleine tafel in haar zitkamer, maar als ze er twee had, kon ze die aan weerskanten van de schoorsteenmantel zetten en dat zou gewoon schìtterend zijn.
Ook haar drie vriendinnen vonden dat ze goede zaken had gedaan en hoewel ze wat teleurgesteld waren omdat ze zo weinig over meneer Gaunt zelf te weten waren gekomen, hadden ze in het algemeen een heel goede indruk van hem gekregen.

'Hij heeft zulke prachtige groene ogen,' zei Francie Pelletier een beetje dromerig.
'Waren ze echt groen?' vroeg Cyndi Rose, lichtelijk verbaasd. Ze had zelf gedacht dat ze grijs waren. 'Het was me niet opgevallen.'

7

Laat in de middag benutte Rosalie Drake van het naaiatelier haar koffiepauze om eens in De NoodZaak te gaan kijken, samen met Polly's huishoudster Nettie Cobb. Er liepen al verscheidene andere vrouwen rond en in een hoek achterin stonden twee schooljongens stripboeken uit een kartonnen doos te bekijken en opgewonden tegen elkaar te fluisteren; ze vonden het allebei geweldig dat ze hier zoveel strips zagen die in hun verzamelingen nog net ontbraken. Ze hoopten alleen dat de prijzen niet te hoog zouden zijn. Dat zouden ze moeten vragen, want op de plastic hoezen waarin de strips zaten waren geen etiketjes geplakt.
Rosalie en Nettie stelden zich voor aan Gaunt, die Rosalie vroeg Polly nog eens voor de cake te willen bedanken. Zijn ogen volgden Nettie, die na de eerste kennismaking was weggelopen en nu nogal treurig naar een kleine collectie beschilderde glasplaatjes stond te kijken. Hij liet Rosalie achter bij de vitrine met de foto van Elvis en de spaander VERSTEEND HOUT UIT HET HEILIGE LAND en ging naar Nettie toe.
'Houdt u van zulk glas, mevrouw Cobb?' vroeg hij zacht.
Ze schrok een beetje – Nettie Cobb had het gezicht en de bijna pijnlijk verlegen houding van een vrouw die altijd schrok als iemand van dichtbij, zo ter hoogte van haar elleboog, iets tegen haar zei, ook al was het nog zo zacht en vriendelijk – en glimlachte nerveus.
'Ja, ik verzamelde het vroeger samen met mijn man, meneer Gaunt, hoewel die nu alweer een tijd geleden is overgegaan.'
'Dat spijt me voor u.'
'Ach, het is veertien jaar geleden. Dat is een lange tijd. Maar ja, ik heb zelf een kleine collectie hiervan.' Ze stond bijna merkbaar te trillen, zoals een muis zou kunnen trillen bij het naderen van een kat. 'Niet dat ik me zulke mooie als deze zou kunnen veroorloven. Ze zijn prachtig. Zo stel ik me voor dat alles er in de hemel uitziet.'
'Dan zal ik u eens iets zeggen,' zei hij. 'Ik heb deze als onderdeel van een veel grotere partij gekocht en ze zijn niet zo duur als u wellicht denkt. En die andere zijn nog veel aardiger. Wilt u morgen niet terugkomen om ze eens te bekijken?'
Ze schrok weer en deed een stap opzij, alsof hij had gesuggereerd

dat hij haar de volgende dag dan meteen eens lekker in haar billen kon knijpen... misschien wel net zolang tot ze begon te huilen.
'Ach, ik geloof niet... Donderdag is altijd een drukke dag, moet u weten... Bij Polly... donderdags moeten we de hele zaak altijd eens flink onder handen nemen, begrijpt u wel...'
'Kunt u echt niet wat tijd vrijmaken?' drong hij aan. 'Polly vertelde me dat u die cake van vanmorgen had gebakken...'
'Hij was toch wel goed?' vroeg Nettie zenuwachtig. Haar ogen verraadden welk antwoord ze van hem verwachtte: Nee, Nettie, hij was helemáál niet goed, ik kreeg er buikloop van, de rácekak zelfs, en daarom ga ik je pijn doen, Nettie, ik sleep je mee naar de achterkamer en knijp je tepels fijn tot je moord en brand schreeuwt.
'Hij was heerlijk,' zei hij op geruststellende toon. 'Hij deed me denken aan de cakes die mijn moeder altijd bakte... en dat was heel lang geleden.'
Dit was de toon die je tegen Nettie moest aanslaan, want ze had veel van haar eigen moeder gehouden, ondanks de oorvijgen die ze had gekregen als ze weer eens te lang in de muziektenten en cafés had rondgehangen. Ze ontspande wat.
'Gelukkig maar,' zei ze. 'Daar ben ik heel erg blij om. Natuurlijk was het een idee van Polly. Ze is zowat de liefste vrouw ter wereld.'
'Ja,' zei hij, 'nu ik haar heb ontmoet, kan ik dat geloven.' Hij keek naar Rosalie Drake, maar Rosalie was nog steeds aan het rondsnuffelen. Hij draaide zijn hoofd weer om naar Nettie. 'Maar ik vond toch dat ik ook u nog een kleinigheid schuldig was...'
'O nee!' zei Nettie, weer net zo geschrokken als eerst. 'U bent me helemaal niets schuldig. Niets, maar dan ook niets, meneer Gaunt.'
'Kom morgen toch maar langs, als u wilt. Ik zie dat u oog voor zulk glas hebt... en dan kan ik u meteen Polly's cakebakje teruggeven.'
'Ach, misschien kan ik in de pauze toch wel even...' Netties ogen zeiden dat ze haar eigen oren niet kon geloven.
'Dat is prachtig,' zei hij, snel bij haar weglopend voordat ze weer van gedachte kon veranderen. Hij ging naar de jongens toe om te vragen of ze iets van hun gading konden vinden. Aarzelend lieten ze hem diverse oude exemplaren van *The Incredible Hulk* en *The X-Men* zien. Vijf minuten later gingen ze naar buiten met in hun handen de meeste stripboeken en op hun gezicht een uitdrukking van ongelovige verbazing.
De deur bleef niet lang dicht achter de jongens. Cora Rusk en Myra Evans kwamen met grote passen binnen. Ze keken om zich heen met de heldere en opmerkzame ogen van eekhoorns die op zoek zijn naar noten voor de wintervoorraad, en daarna begaven ze zich onmiddellijk naar de vitrine met de foto van Elvis. Cora en Myra bogen zich eroverheen, kirrend van opwinding, licht zwaaiend met

hun achterwerken, die net zo breed waren als kleinbeeldtelevisies. Gaunt keek naar hen en glimlachte.
De deurbel ging opnieuw over. De nieuwe bezoekster was even groot als Cora Rusk, maar Cora was dik en deze vrouw zag er stèrk uit, zoals een houthakker met een bierbuik er sterk uitziet. Op haar blouse was een grote witte speld geprikt met in rode letters de tekst:

CASINOAVOND – PLEZIER VOOR TWEE!

Het gezicht van de vrouw was even charmant als een sneeuwschop. Haar bruine haar, van een onopvallende en levenloze tint, ging grotendeels schuil onder een hoofddoek die ze met een strenge knoop onder haar brede kin had vastgemaakt. Ze nam het interieur van de winkel even in zich op, met haar kleine diepliggende ogen vlug om zich heen kijkend, als een vechtersbaas die wil zien wie er in de kroeg is voordat hij helemaal over de drempel stapt om ruzie te zoeken. Daarna kwam ze verder.
Weinig vrouwen die langs de vitrines liepen keurden haar meer dan een vluchtige blik waardig, maar Nettie Cobb keek naar de nieuwe klant met een hoogst ongewone uitdrukking van afkeuring en haat op haar gezicht. Haastig liep ze weg bij het beschilderde glas. Haar beweging trok de aandacht van de nieuw-aangekomene. Ze wierp Nettie een blik propvol verachting toe, daarna ging ze haar eigen gang.
De deurbel rinkelde toen Nettie de winkel verliet.
Gaunt nam dit alles met grote belangstelling waar.
Hij ging naar Rosalie toe en zei: 'Ik ben bang dat mevrouw Cobb zonder u is weggegaan.'
Rosalie keek hem verrast aan. 'Ik snap niet...' begon ze, maar op dat moment zag ze de vrouw met de button demonstratief op haar boezem gespeld. Die stond naar het Turkse tapijt aan de muur te kijken met de geconcentreerde aandacht van een student kunstgeschiedenis in een galerie. Ze stond met haar handen op haar ontzagwekkende heupen. 'O,' zei Rosalie. 'Neem me niet kwalijk, maar ik moet werkelijk gaan.'
'Ik geloof niet dat die twee het erg goed met elkaar kunnen vinden,' merkte Gaunt op.
Rosalie glimlachte afwezig.
Gaunt keek weer naar de vrouw met de hoofddoek. 'Wie is dat?'
Rosalie trok haar neus op. 'Wilma Jerzyck,' zei ze. 'Het spijt me... ik moet zien dat ik Nettie inhaal. Ze is erg gespannen, weet u.'
'Natuurlijk,' zei hij, met haar meelopend naar de deur. Binnensmonds mompelde hij: 'Wie niet?'

Cora Rusk tikte hem op zijn schouder. 'Hoeveel kost die foto van de King?' wilde ze weten.

Leland Gaunt liet zijn stralende glimlach op haar los. 'Laten we daar dan eens over praten,' zei hij. 'Hoeveel vindt u dat hij waard is?'

3

1

De jongste handelspost in Castle Rock was bijna twee uur gesloten toen Alan Pangborn langzaam door Main Street in de richting van het gemeentehuis reed, waarin ook het kantoor van de sheriff en de politie waren ondergebracht. Hij zat achter het stuur van de ideale neutrale dienstwagen: een Ford Town & Country stationcar uit 1986. Het summum op het gebied van auto's voor het hele gezin. Hij voelde zich neerslachtig en half dronken. Hij had drie biertjes op, maar die waren hard aangekomen.

In het voorbijgaan keek hij goedkeurend naar de donkergroene luifel aan de gevel van De NoodZaak, net als Brian Rusk had gedaan. Hij wist niet veel van dergelijke zaken (bij gebrek aan relaties die bij Dick Perry's Bouwmaterialen in South Paris werkten), maar hij vond wel dat het afdak Main Street een zekere stijl gaf, vooral omdat de meeste winkeliers hun entrees hadden laten veranderen op een manier die ze alleen zelf mooi vonden. Hij wist nog niet wat er in de nieuwe zaak te koop was - Polly wel, als ze er inderdaad volgens plan vanmorgen naar toe was gegaan - maar het maakte op Alan de indruk van een knusse Franse bistro waar je het meisje van je dromen mee naartoe nam voordat je haar het bed in probeerde te vleien.

Hij vergat de winkel zodra hij er voorbij was. Bij de volgende hoek sloeg hij linksaf en volgde het smalle straatje tussen het lompe stenen gemeentehuis en het witte houten gebouw van het waterschap. Bij de ingang stond een bord met de aanwijzing ALLEEN ZAKELIJK VERKEER.

Het gemeentehuis had de vorm van een op zijn kop staande L en in de hoek tussen de twee vleugels was een kleine parkeerplaats aangelegd. Drie vakken waren gereserveerd voor hem en zijn personeel. In een ervan stond de rammelkast van Norris Ridgewick, een oude Kever. Alan parkeerde in een ander vak, doofde de koplampen, zette de motor uit en wilde het portier openen.

Plotseling werd hij gegrepen door de depressie die hem had belaagd sinds hij uit The Blue Door in Portland was weggegaan, om hem heen cirkelend als wolven rond een kampvuur in de avonturenverhalen die hij als jongen had gelezen. Hij liet de deurknop los en bleef gewoon maar achter het stuur van de stationcar zitten, in de hoop dat de aanval voorbij zou gaan.

Hij had die dag doorgebracht bij de arrondissementsrechtbank in Portland om in vier rechtszaken op rij als getuige à charge op te treden. Het arrondissement omvatte vier counties, York, Cumberland, Oxford en Castle, en van alle wetshandhavers die daaronder vielen moest Alan Pangborn het verst reizen. De drie rechters deden daarom hun best de zaken waar hij bij betrokken was zoveel mogelijk bij elkaar op de rol te zetten, zodat hij niet meer dan een of twee keer in de maand naar Portland hoefde te gaan. Dat maakte het hem mogelijk tijd over te houden voor het eigenlijke werk waartoe hij was ingezworen, in plaats van heen en weer te rijden tussen Castle Rock en Portland, maar het betekende ook dat hij zich aan het eind van zo'n dag net een schooljongen voelde die in de aula een psychotechnische test heeft afgelegd. Hij had kunnen weten dat het onverstandig was daarna te gaan drinken, maar Harry Cross en George Crompton waren hem op weg naar The Blue Door tegengekomen en hadden hem meegetroond. Daar was nog een goede reden voor ook: een reeks duidelijk samenhangende inbraken die zich in al hun districten hadden voorgedaan. Maar de echte reden was er een die aan de meeste verkeerde besluiten ten grondslag ligt: het had hem gewoon een goed idee geleken.
Nu zat hij achter het stuur van wat de gezinswagen was geweest, oogstend wat hij uit vrije wil had gezaaid. Zijn hoofd bonkte zacht. Hij voelde zich bepaald misselijk. Maar het ergst was de depressie, heviger toeslaand dan ooit.
Hallo! riep de depressie vanuit de burcht in zijn hoofd, *hier ben ik, Alan! Leuk je weer te zien! Zal ik je eens wat zeggen? Je hebt een lange zware dag achter de rug en Annie en Todd zijn nog steeds dood! Herinner je je die zaterdagmiddag toen Todd zijn milkshake op de voorbank liet vallen? Precies op de plek waar nu je koffertje ligt, geloof ik. En weet je nog dat je tegen hem schreeuwde? Dat was niet mis! Dat was je toch niet vergeten, zeker? Wel? Nou, dat geeft niks, Alan, want ik ben hier om je eraan te herinneren! En te herinneren! En te herinneren!*
Hij tilde zijn koffertje op en keek strak naar de zitting. Ja, daar was de vlek en ja, hij had tegen Todd geschreeuwd. *Todd, waarom ben je toch altijd zo onhandig?* Zoiets, helemaal niets bijzonders, maar iets dat geen moment bij je zou opkomen om te zeggen als je wist dat je zoon geen maand meer te leven had.
Hij bedacht dat het misschien niet aan het bier lag: het was deze auto, die nooit echt grondig was schoongemaakt. De hele dag waren de geesten van zijn vrouw en zijn jongste zoon met hem meegereden.
Hij boog opzij en maakte het handschoenenkastje open om zijn bonboekje te pakken dat hij uit onwrikbare gewoonte altijd bij

zich had, ook als hij de hele dag in Portland moest getuigen. Hij stootte met zijn hand tegen een rond voorwerp, dat met een lichte bons op de vloer van de stationcar viel. Hij legde zijn boekje boven op zijn koffer en bukte zich om het op te rapen, wat het dan ook mocht zijn. Hij hield het in het licht van een straatlantaarn en staarde er lange tijd naar, terwijl het oude en afschuwelijke gevoel van verlies en verdriet hem weer besloop. Polly had artritis in haar handen; de zijne zat in zijn hart, leek het wel, en wie kon zeggen wie van hen er het ergst aan toe was?

Het blikje was natuurlijk van Todd geweest... van Todd, die ongetwijfeld in die fop- en feestartikelenwinkel in Auburn was gaan wónen als hij het voor het zeggen had gehad. De jongen was niet weg te slaan van de goedkope tovermiddelen die ze er verkochten: drukknoppen om iemand een schok te bezorgen als je hem een hand geeft, niespoeder, smeltende glazen, zeep die zwart afgeeft als iemand er zijn handen mee wast, plastic hondedrollen.

Dit ding is er nog. Negentien maanden zijn ze dood en dit ding is er nog. Hoe heb ik het in godsnaam over het hoofd kunnen zien? Jezus.

Alan draaide het ronde blikje om in zijn handen en herinnerde zich het smeken van de jongen om juist dit artikel van zijn eigen zakgeld te mogen kopen, hoe hij zelf had geweigerd en het gezegde van zijn eigen vader aanhaalde: een zot en zijn geld zijn snel gescheiden. En hoe Annie hem op haar beheerste wijze had overgehaald.

Moet je jezelf horen, meneer de amateur-goochelaar, je lijkt wel een puritein. Ik vind het prachtig! Van wie denk je trouwens dat hij die krankzinnige liefde voor grapjes en trucs heeft? Bij míj in de familie had niemand een ingelijste foto van Houdini aan de muur hangen, neem dat van mij aan. Je gaat me toch niet vertellen dat jij in je wilde onbezonnen jeugd nooit eens zoiets hebt gekocht? Of dat je niet dolgraag zelf zo'n duveltje-uit-een-doosje had willen hebben als dit?

Hij had nog wat staan mompelen en pruttelen als een opgeblazen reactionaire windbuil, tot hij zelf een hand voor zijn mond moest houden om zijn verlegen lachje te verbergen. Maar Annie had het al gezien. Ze zag het altijd. Dat was een gave van haar... die hem meer dan eens te hulp was geschoten. Ze had altijd al meer gevoel voor humor en trouwens ook een groter vermogen tot relativeren gehad dan hij. Geprononceerder.

Geef hem toch zijn zin, Alan, hij is maar één keer jong. En eigenlijk is het ook een grappig ding.

Dus had hij het toegestaan. En...

...en drie weken later gooide hij zijn milkshake over de bank en weer vier weken later was hij dood! Waren ze allebéi dood! Alle-

machtig, stel je eens voor! Wat vliegt de tijd, vind je ook niet, Alan? Maar maak je geen zorgen! Maak je geen zorgen, want ik zal je eraan blijven herinneren! Reken maar! Ik zal je eraan blijven herinneren, want dat is mijn taak en die zal ik uitvoeren ook!

HARTIGE GEMENGDE NOTEN stond er op het blikje. Alan draaide het deksel los en een groene slang van anderhalve meter lengte veerde naar buiten, botste tegen de voorruit en viel terug in zijn schoot. Alan keek ernaar, hoorde in zijn hoofd het gelach van zijn dode zoon en begon te huilen. Hij huilde zonder vertoon, geluidloos en uitgeput. Zijn tranen leken veel gemeen te hebben met de bezittingen van zijn dode geliefden: je kwam nooit aan de laatste toe. Er waren er te veel en net als je dacht je te kunnen ontspannen omdat het eindelijk voorbij was, de hele boel leeggeruimd, stuitte je op de volgende. En de volgende. En de volgende.

Waarom had hij Todd dat vervloekte ding laten kopen? Waarom lag het nog altijd in dat vervloekte kastje? En waarom had hij zo nodig die vervloekte stationcar moeten nemen?

Hij pakte zijn zakdoek uit zijn achterzak en depte de tranen van zijn gezicht. Daarna drukte hij de slang - goedkoop groen crêpepapier met binnenin een metalen veer, meer niet - langzaam terug in het namaakblikje. Hij draaide het deksel erop en wierp het blikje peinzend om en om in zijn hand.

Gooi dat vervloekte ding weg.

Maar hij dacht niet dat hij daartoe in staat was. Vanavond in elk geval niet. Hij gooide het fopartikel - het laatste dat Todd ooit had gekocht in wat voor de jongen de mooiste winkel op aarde was - weer in het handschoenenkastje en ramde de klep dicht. Daarna pakte hij de deurknop weer, griste zijn koffer van de bank en stapte uit.

Hij ademde diep de lucht van de vroege avond in, hopend dat het zou helpen. Dat deed het niet. Hij rook rottend hout en chemicaliën, een onaantrekkelijke geur die regelmatig werd meegevoerd van de papierfabrieken in Rumford, zo'n vijfenveertig kilometer naar het noorden. Hij besloot Polly te bellen om te vragen of hij bij haar kon langskomen - dat zou een beetje helpen.

Dat heb je heel goed gezien! beaamde de stem van zijn depressie geestdriftig. *Trouwens, Alan, weet je nog hoe blij hij met die slang was? Hij probeerde hem op iedereen uit! Norris Ridgewick kreeg er een rolberoerte van en jij moest zo hard lachen dat je het zowat in je broek deed! Weet je nog? Hoe levendig hij was? Hoe fantàstisch? En Annie, weet je nog hoe ze lachte toen je het haar vertelde? Was ze niet net zo levendig en fantastisch? Natuurlijk was ze na afloop niet echt levendig meer en ook niet zo fantastisch, maar dat is je geloof ik nooit goed opgevallen. Omdat je andere zaken aan je hoofd had. Die geschiedenis met Thad Beaumont bijvoorbeeld, die kon je niet echt uit je hoofd zetten. Wat er in hun huis aan het meer gebeurde en hoe hij, toen het eenmaal voorbij was, zich een stuk in zijn kraag dronk en jou belde. En daarna ging zijn vrouw met de tweeling bij hem weg... dat hield je allemaal aardig bezig, is het niet, samen met het gewone werk? Bezig genoeg om niet te zien wat er in je eigen huis aan de gang was. Erg jammer dat je het niet zag. Wie weet zouden ze nu dan nog in leven zijn! Ook dat zou je eigenlijk niet mogen vergeten en daarom zal ik je er maar aan blijven herinneren... en herinneren... en herinneren. Goed? Goed!*

Aan de zijkant van de auto zat een kras van dertig centimeter, net boven de dop van de benzinetank. Was dat na de dood van Annie en Todd gebeurd? Hij kon het zich eigenlijk niet herinneren en het deed er trouwens ook niet veel toe. Hij streek met zijn vingers over de kras en nam zich opnieuw voor de wagen naar Sonny's garage te brengen om hem te laten bijwerken. Aan de andere kant, waarom zou hij de moeite nemen? Waarom bracht hij het stomme vehikel niet gewoon naar Harrie Ford in Oxford om het voor iets kleiners in te ruilen? Er stonden nog niet eens zoveel kilometers op de teller; hij zou er waarschijnlijk nog aardig wat voor krijgen...

Maar Todd gooide zijn milkshake over de voorbank! riep de stem in zijn hoofd verontwaardigd. *Dat deed hij toen hij nog* LEEFDE, *Alan, ouwe jongen! En Annie...*

'O, hou je bek,' zei hij.

Hij liep naar de ingang en bleef staan. Een grote rode Cadillac Seville stond vlakbij; Alan zou er een deuk in maken als hij de deur van het gebouw helemaal opentrok. Hij hoefde niet naar de nummerplaat te kijken om te weten wat erop stond: KEETON I. Bedachtzaam liet hij een hand over de gladde huid van de auto glijden voordat hij naar binnen ging.

2

Sheila Brigham zat achter de glazen wanden van de meldkamer in *People* te lezen en een frisdrankje te drinken. Verder was er niemand in de kamers van het politiekorps van Castle Rock, behalve Norris Ridgewick.

Norris zat achter een oude IBM elektrische schrijfmachine, bezig aan een rapport met de ingespannen en ademloze concentratie die alleen Norris voor papierwerk kon opbrengen. Meestal staarde hij een tijdlang strak naar de schrijfmachine, daarna boog hij zich naar voren alsof hij een stomp in zijn buik had gekregen en begon

als een gek te tikken. Hij bleef net zolang in zijn gebogen houding zitten tot hij had nagelezen wat hij had getikt, daarna kreunde hij zachtjes. Er klonk een snel *klik-tak! klik-tak! klik-tak!* als Norris het correctielint van de IBM gebruikte om een fout te verbeteren (hij gebruikte gemiddeld één correctielint per week) en dan ging hij rechtop zitten. Na een geladen pauze begon de hele cyclus weer van voren af aan. Na een uur of wat gooide Norris het rapport in het IN-bakje bij Sheila. Een of twee van deze rapporten per week waren nog begrijpelijk ook.
Norris keek op en glimlachte toen Alan door de kleine kantoorzaal liep. 'Hoe gaat het, baas?'
'Nou, Portland heb ik voor twee of drie weken weer gehad. Hier nog iets gebeurd?'
'Nah, niks bijzonders. Je ogen zijn trouwens helemaal rood, Alan. Heb je die rare tabak soms weer gerookt?'
'Ha-ha,' zei Alan zuur. 'Ik heb een paar pilsjes gedronken met een stel collega's en daarna veertig kilometer lang in het grote licht van tegenliggers zitten turen. Heb je je aspirine bij de hand?'
'Altijd,' zei Norris. 'Dat weet je.' De onderste lade van Norris' bureau bevatte zijn eigen particuliere apotheek. Hij trok de la open, rommelde erin, bracht een buitenmodel stopfles vol naar aardbeien smakende Ka-opectaat tevoorschijn, staarde een ogenblik naar het etiket, schudde zijn hoofd, liet de fles weer in de la vallen en rommelde verder. Eindelijk had hij een buisje aspirine gevonden.
'Ik heb een klusje voor je,' zei Alan. Hij pakte het buisje aan en schudde twee aspirines in zijn hand. Er kwam een hoop wit poeder met de tabletten mee en hij vroeg zich af waarom er bij merk-aspirine altijd veel minder stof meekwam dan bij witte aspirine. Hij vroeg zich verder af of hij misschien gek begon te worden.
'Alsjeblieft Alan, ik heb nog twee van die stomme formulieren die ik moet doen en...'
'Maak je niet dik.' Alan ging naar de automaat en trok een bekertje uit de buis aan de muur. *Blub-blub-blub* deed de automaat toen het water in het bekertje liep. 'Je hoeft alleen maar op te staan en de deur open te doen waardoor ik net binnenkwam. Een kind kan de was doen.'
'Wat..?'
'Maar vergeet niet je bonboekje mee te nemen,' zei Alan, de aspirines doorslikkend.
Norris Ridgewick was meteen op zijn hoede. 'Dat van jou ligt daar op de balie, naast je koffer.'
'Dat weet ik. En daar blijft het ook, althans vanavond.'
Norris keek hem lange tijd aan. Eindelijk vroeg hij: 'Buster?'
Alan knikte. 'Buster. Hij heeft zijn auto weer naast de deur gepar-

keerd. Ik heb hem de vorige keer gezegd dat ik het niet meer bij een waarschuwing zou laten.'
Danforth Keeton III, de belangrijkste gekozen wethouder van Castle Rock, werd door iedereen die hem kende Buster genoemd... behalve door gemeenteambtenaren die prijs stelden op hun baantje en het daarom over Dan of meneer Keeton hadden als hij in de buurt was. Alleen Alan, zelf een gekozen ambtenaar, waagde het hem onder vier ogen Buster te noemen en dat was nog maar twee keer gebeurd, beide keren in een vlaag van woede. Maar hij dacht dat hij het nog wel eens zou doen. Dan 'Buster' Keeton was iemand op wie Alan Pangborn heel gemakkelijk kwaad kon worden.
'Alsjeblieft niet!' zei Norris. 'Doe jíj het maar, Alan, oké?'
'Kan niet. Ik moet volgende week met de wethouders over de begroting vergaderen.'
'Hij haat me nou al,' zei Norris neerslachtig. 'Dat weet ik.'
'Buster haat iedereen behalve zijn vrouw en zijn moeder,' zei Alan, 'hoewel ik over zijn vrouw niet zo zeker ben. Maar het feit blijft dat ik hem de afgelopen maand zeker vijf of zes keer heb gewaarschuwd dat dat onze enige parkeerplaats voor invaliden is en dat hij daar dus niet moet gaan staan. Wie niet horen wil moet voelen.'
'Nee: als hij niet horen wil, moet ìk het voelen. Het is een rotstreek van je, Alan. Ik meen het.' Norris Ridgewick trok het gezicht van iemand die zich aan de deur voor veel geld een lege dop had laten verkopen.
'Rustig aan,' zei Andy. 'Stop nou maar een parkeerbon voor vijf dollar onder zijn ruitewisser. Hij komt naar mij en zegt eerst dat ik jou de zak moet geven.'
Norris kreunde.
'Ik weiger. Dan zegt hij dat ik de bon moet verscheuren. Ook dat weiger ik. Morgenmiddag pas, als hij een tijdje heeft lopen schuimbekken, bind ik in. Op die manier is hij me iets schuldig als ik naar die vergadering ga.'
'Jawel, maar wat is hij mij schuldig?'
'Norris, wil jij dat nieuwe radarwapen hebben of niet?'
'Nou...'
'En een nieuwe faxmachine? Daar hebben we het al zeker twee jaar over.'
Ja nou! riep de gemaakt-opgewekte stem in zijn hoofd. *Daar begon je mee toen Annie en Todd nog leefden, Alan! Weet je nog? Weet je nog dat ze leefden?*
'Daar zit wat in,' zei Norris. Hij pakte zijn bonboekje met een stempel van bedroefde gelatenheid op zijn gezicht.
'Zo mag ik het horen,' zei Andy, opgewekter dan hij zich voelde. 'Ik ben een tijdje in mijn kantoor.'

3

Hij deed de deur dicht en draaide Polly's nummer.
'Hallo?' vroeg ze en hij wist meteen dat hij niets zou zeggen over de depressie die hem zo rimpelloos en totaal in zijn greep had gekregen. Polly had vanavond haar eigen moeilijkheden. Alleen dat ene woord was er voor nodig geweest om hem te laten weten hoe ze eraan toe was. De *ll*-klanken in hallo waren een beetje dik. Dat gebeurde alleen als ze Percodan had genomen - misschien wel meer dan één capsule - en ze nam alleen Percodan als de pijn erg hevig was. Hoewel ze het nooit met zoveel woorden had gezegd, had Alan een vermoeden dat ze in grote angst leefde voor de dag waarop de pijnstiller niet meer zou werken.
'Hoe is het met je, schoonheid?' vroeg hij. Hij leunde naar achteren in zijn stoel en legde een hand over zijn ogen. De aspirine leek weinig uitwerking op zijn hoofd te hebben. Misschien moet ik haar om een Percodan vragen, dacht hij.
'Het gaat goed.' Hij hoorde hoe geconcentreerd ze sprak, van het ene woord naar het andere gaand als iemand die steen voor steen een beekje oversteekt. 'En jij? Je klinkt moe.'
'Dat heb ik altijd met die juristen.' Het leek hem toch geen goed idee naar haar toe te gaan. Ze zou zeggen dat ze het leuk vond en ze zou het ook fijn vinden om hem te zien - bijna net zo fijn als omgekeerd - maar het zou ook meer spanning met zich meebrengen dan ze vanavond kon gebruiken. 'Ik denk dat ik maar vroeg naar bed ga. Vind je het erg als ik niet meer langskom?'
'Nee, lieverd. Misschien is het zelfs wel beter.'
'Heb je een slechte avond?'
'Het is wel erger geweest,' zei ze behoedzaam.
'Dat vroeg ik niet.'
'Niet al te slecht, nee.'
Je eigen stem verraadt je, schat, dacht hij.
'Gelukkig. Hoe staat het met die geluidstherapie waar je het over had? Ben je nog iets te weten gekomen?'
'Nou, het zou prachtig zijn als ik anderhalve maand in de Mayokliniek kon doorbrengen, om het te proberen, maar dat kan ik me niet veroorloven. En zeg niet dat jij dat wel kunt, Alan, want ik voel me net te moe om je een leugenaar te noemen.'
'Ik dacht dat je het over het ziekenhuis in Boston had?'
'Volgend jaar,' zei Polly. 'Volgend jaar openen ze een kliniek voor behandeling met ultrageluid. Misschien.'
Er viel een korte stilte en hij wilde net afscheid nemen toen ze weer begon te praten. Haar stem klonk wat opgewekter. 'Ik ben vanmorgen in die nieuwe zaak geweest. Ik had Nettie een cake laten

bakken en die heb ik meegenomen. Alleen maar om te pesten, natuurlijk - zoiets doen ze hier niet bij een opening. Ik had het net zo goed van de daken kunnen schreeuwen.'
'Wat is het voor zaak? Wat verkopen ze?'
'Van alles wat. Als ik het met alle geweld een naam moest geven zou ik het een curiositeitenwinkel noemen, maar dat dekt de lading ook niet helemaal. Je moet het zelf gezien hebben.'
'Heb je de eigenaar ontmoet?'
'Leland Gaunt, uit Akron, Ohio,' zei Polly en nu kon Alan bijna horen dat ze glimlachte. 'Hij wordt de hartedief van het jaar voor de dames van Castle Rock, dat zou me althans niet verbazen.'
'Wat vond jíj van hem?'
De glimlach in haar stem was nog duidelijker toen ze antwoord gaf. 'Ik zal eerlijk zijn, Alan... Jij bent mijn schat en ik hoop dat ik de jouwe ben, maar...'
'Dat ben je,' zei hij. Zijn hoofdpijn begon wat minder te worden. Hij betwijfelde of het Norris Ridgewicks aspirine was die dat wondertje bewerkte.
'... maar hij liet míjn hart ook wat sneller kloppen. En je had Rosalie en Nettie moeten zien toen die terugkwamen.'
'Nèttie?' Hij haalde zijn voeten van het bureau en ging rechtop zitten. 'Nettie schrikt nog van haar eigen schaduw!'
'Ja, maar Rosalie had haar overgehaald mee te gaan, je weet dat de arme schat in haar eentje nèrgens komt. Toen ik vanmiddag thuiskwam vroeg ik Nettie wat zíj van meneer Gaunt vond. Je had de droevige ogen van het arme mensje eens moeten zien oplichten, Alan. "Hij heeft prachtige glasplaatjes," zei ze. "Schitterend! En hij vroeg zelfs of ik morgen terug wilde komen om nog andere te bekijken!" Ik geloof dat ze in geen vier jaar zoveel tegelijk tegen me heeft gezegd. "Wat aardig van hem, Nettie," zei ik. "Ja, en weet u wat?" zei ze. Ik vroeg natuurlijk wat er dan was en Nettie zei: "*Misschien ga ik nog wel ook!*"'
Alan lachte luid en vol overgave. 'Als Nettie hem zonder chaperonne gaat opzoeken, dan kan ik zéker niet wegblijven. Die man moet iets hebben.'
'Nou, het grappige is... hij is niet knap, niet zoals een filmster knap kan zijn, maar hij heeft echt fantàstische bruine ogen. Zijn hele gezicht straalt ervan.'
'Pas je een beetje op, zus?' bromde Alan. 'Ik begin nattigheid te voelen.'
Ze lachte een beetje. 'Ik geloof niet dat je je zorgen hoeft te maken. Maar er is nog iets anders.'
'Wat dan?'
'Rosalie zei dat Wilma Jerzyck binnenkwam toen Nettie er was.'

'Is er iets gebeurd? Hebben ze woorden gekregen?'
'Nee. Nettie keek boos naar dat mens van Jerzyck en díe trok alleen maar haar neus op, zoals Rosalie zei, en daarna maakte Nettie dat ze wegkwam. Heeft Wilma Jerzyck je onlangs nog gebeld over Netties hond?'
'Nee,' zei Alan. 'Daar was ook geen aanleiding toe. Ik ben de laatste anderhalve maand 's avonds na tienen een keer of vijf, zes langs Nettie's huis gereden. Die hond blaft niet meer. Het was nog maar een pup, Polly, nu is hij wat ouder geworden en hij heeft een goed baasje. Nettie mag dan niet al te ruim in haar bovenkamer zitten, maar ze zorgt ervoor dat de buren geen last hebben van... Hoe noemt ze dat beest ook alweer?'
'Raider.'
'Hoe dan ook, Wilma Jerzyck zal iets anders moeten vinden om op te kankeren, want Raider houdt zich netjes. Het zal haar trouwens weinig moeite kosten, tantes zoals Wilma vinden altijd wel iets. Het is ook nooit om de hond gegaan, niet echt; Wilma was de enige uit de buurt die ooit heeft geklaagd. Het ging om Nettie. Mensen als Wilma hebben een neus voor zwakheid. En wat dat betreft is er bij Nettie Cobb veel te ruiken.'
'Ja.' Polly klonk triest en peinzend. 'Je weet dat Wilma Jerzyck haar op een avond belde en dreigde haar hond de keel af te snijden als Nettie hem niet liet ophouden met blaffen?'
'Nou,' zei Alan neutraal, 'ik weet dat Nettie dat tegen jou heeft gezegd. Maar ik weet ook dat Nettie heel erg bang voor Wilma is en dat ze... dat ze problemen heeft gehad. Niet dat Wilma Jerzyck niet in staat zou zijn met zoiets te dreigen, dat is ze wel. Maar het zóu alleen in Nettie's hoofd gebeurd kunnen zijn.'
Dat Nettie problemen had gehad was een behoorlijk eufemistische aanduiding, maar meer hoefde niet te worden gezegd: ze wisten allebei waar ze het over hadden. Na een jarenlange lijdensweg aan de zijde van een bruut die haar misbruikte op elke manier waarop een man een vrouw maar kan misbruiken, had Nettie Cobb een vleesvork in de strot van haar man gestoken toen die lag te slapen. Ze had vijf jaar in Juniper Hill gezeten, een psychiatrische inrichting bij Augusta. Haar werk bij Polly maakte deel uit van een programma om haar onder begeleiding in de maatschappij te laten terugkeren. Alan dacht dat ze onmogelijk beter gezelschap dan dat van Polly had kunnen krijgen en Nettie's gestage mentale vooruitgang bevestigde zijn mening. Twee jaar geleden had Nettie een eigen woninkje in Ford Street betrokken, zes straten van het centrum.
'Zeker heeft Nettie problemen,' zei Polly, 'maar hoe ze op meneer Gaunt reageerde was gewoon verbazingwekkend. Het was echt heel erg aandoenlijk.'

'Ik moet die knaap zelf eens gaan bekijken,' zei Alan.
'Laat me maar weten wat je van hem vindt. En let op die bruine ogen.'
'Ik betwijfel of ze op mij dezelfde uitwerking zullen hebben als ze blijkbaar op jou hebben gehad,' zei Alan droog.
Ze lachte weer, maar ditmaal vond hij dat het een tikje geforceerd klonk.
'Probeer maar wat te slapen,' zei hij.
'Zal ik doen. Bedankt voor je telefoontje, Alan.'
'Graag gedaan.' Hij pauzeerde. 'Ik hou van je, schoonheid.'
'Dank je, Alan... ik hou ook van jou. Welterusten.'
'Welterusten.'
Hij legde de hoorn op de haak, draaide de hals van de bureaulamp naar de muur, legde zijn voeten op zijn bureau en drukte zijn handen voor zijn borst tegen elkaar alsof hij wilde bidden. Hij stak zijn wijsvingers uit. In de lichtvlek op de muur stak een konijn in silhouet zijn oren op. Alan liet zijn duimen onder zijn wijsvingers glijden en het schaduwkonijn trok met zijn neus. Alan liet het konijn door het geïmproviseerde spotlight weghuppelen. Van de andere kant kwam een lompe olifant, zwaaiend met zijn slurf. Alans handen bewogen met een speels, angstaanjagend gemak. Hij lette nauwelijks op de dieren die hij liet ontstaan; dit was een oude gewoonte van hem, zijn manier om naar het puntje van zijn neus te staren en 'Om' te zeggen.
Hij zat aan Polly te denken, aan Polly en haar arme handen. Wat moest hij met Polly beginnen?
Was het alleen een kwestie van geld geweest, dan zou hij haar morgenmiddag persoonlijk bij de Mayokliniek hebben afgeleverd, kant en klaar. Al had hij haar in een dwangbuis moeten stoppen en platspuiten om haar daarheen te krijgen.
Maar het wàs niet alleen een kwestie van geld. De behandeling van voortschrijdende artritis met ultrasone golven stond in zijn kinderschoenen. Op den duur kon het even effectief blijken te zijn als het vaccin tegen kinderverlamming, maar ook even onbetrouwbaar als de schedelleer. Hoe dan ook, nu had ze er niets aan. Tien tegen een dat het een blindganger was. Hij vreesde niet het verlies van geld, maar wel Polly's verbrijzelde hoop.
Een kraai, net zo wendbaar en levensecht als een kraai in een Disney-tekenfilm, gleed met trage vleugelslagen over zijn ingelijste diploma van de politieschool in Albany. De vleugels werden langer en de vogel veranderde in een prehistorische pterodactylus, de driehoekige kop schuingehouden, terwijl het dier in de richting van de dossierkasten in de hoek uit het licht verdween.
De deur ging open. De zwaarmoedige hondekop van Norris Ridge-

wick keek naar binnen. 'Ik heb het gedaan, Alan,' zei hij, op een toon alsof hij de moord op een aantal kleine kinderen bekende.
'Dank je, Norris,' zei Alan. 'Ik beloof je dat je er geen moeilijkheden door zult krijgen.'
Norris keek hem nog wat langer aan met zijn vochtige ogen voordat hij aarzelend knikte. Hij wierp een blik op de muur. 'Doe Buster eens, Alan.'
Alan grinnikte, schudde zijn hoofd en stak zijn hand uit naar de lamp.
'Kom op,' drong Norris aan. 'Ik heb hem een prent gegeven voor zijn stomme auto, ik verdien het. Doe Buster, Alan, *alsjeblieft*. Dan staan we quitte.'
Alan keek over Norris' schouder, zag niemand en zette zijn ene hand met gebogen vingers tegen de andere. Op de muur liep een forse schaduwfiguur met zwaaiende buik door de lichtvlek. Hij bleef even staan om zijn schaduwbroek op te hijsen en liep weer verder, strijdlustig zijn hoofd van links naar rechts draaiend.
Norris lachte hoog en vrolijk, het lachen van een kind. Een ogenblik werd Alan sterk herinnerd aan Todd, maar dat zette hij van zich af. Voor één avond had hij wel genoeg gehad, alstublieft God.
'Jezus, ik lig dubbel,' zei Norris, nog steeds lachend. 'Je bent te laat geboren, Alan, je had beroemd kunnen worden in de *Ed Sullivan Show*.'
'Hou op,' zei Alan. 'Maak dat je wegkomt.'
Norris trok nog altijd lachend de deur dicht.
Alan liet Norris over de muur lopen, mager en een tikkeltje zelfgenoegzaam, daarna knipte hij de lamp uit en haalde een sleets notitieboekje uit zijn achterzak. Hij zocht een leeg blaadje en schreef *De NoodZaak*, en daaronder: *Leland Gaunt, Cleveland, Ohio*. Klopte dat wel? Nee. Hij haalde *Cleveland* door en schreef *Akron*. Misschien ben ik echt gek aan het worden, dacht hij. Op een derde regel schreef hij: *Bekijken*.
Hij stopte het boekje weer in zijn zak, overwoog naar huis te gaan en deed in plaats daarvan opnieuw de lamp aan. De parade van silhouetten marcheerde weldra weer over de muur: leeuwen en tijgers en beren, toe maar. Zijn depressie kwam als dichte mist aangeslopen op kattepootjes. De stem begon weer over Annie en Todd. Na een tijdje begon Alan Pangborn ernaar te luisteren. Hij deed het tegen zijn wil... maar steeds aandachtiger.

4

Polly lag op haar bed en na afloop van haar gesprek met Alan draaide ze op haar linkerzij om de hoorn neer te leggen. Het ding glipte uit haar vingers en viel kletterend op de grond. Het Princess-toestel gleed langzaam over het nachtkastje met de kennelijke bedoeling zich bij de andere helft te voegen. Ze stak haar hand uit om het tegen te houden en in plaats daarvan stootte ze tegen de rand van het kastje. Een onverdraaglijke pijnscheut brak door het dunne weefsel dat de Percodan over haar zenuwen had gelegd en trok helemaal door tot haar schouder. Ze moest op haar lippen bijten om het niet uit te gillen.

Het telefoontoestel viel van de rand en kwam met een enkele *ring!* van de bel op de grond terecht. Ze hoorde het aanhoudende idiote gezoem uit de hoorn opklinken, als het geluid van een zwerm insekten dat via de kortegolf werd uitgezonden.

Ze bedacht hoe ze de telefoon zou moeten oprapen met de klauwen die nu op haar borst lagen, niet door hem te pakken - haar vingers wilden vanavond helemaal niet buigen - maar door te drùkken, als een vrouw die accordeon speelt, en ineens was het te veel, zelfs iets simpels als het oprapen van een gevallen telefoon was te veel, en ze begon te huilen.

De pijn was weer helemaal ontwaakt, ontwaakt en hongerig, en maakte haar handen tot afgronden van koorts, vooral de hand waarmee ze tegen het kastje had gestoten. Ze lag op haar bed, met troebele ogen naar het plafond kijkend, en huilde.

O, ik zou alles geven om hiervan verlost te zijn, dacht ze. *Ik zou alles geven, alles, wat dan ook.*

5

Rond tien uur op een doordeweekse herfstavond was er in Castle Rocks Main Street net zoveel te beleven als in een bankkluis. De straatlantarens wierpen witte lichtkringen op het trottoir en op de gevels van de winkelpanden, in afnemend perspectief, zodat het centrum de indruk maakte van een verlaten toneeldecor. Elk ogenblik scheen een eenzame figuur in jacquet en hoge hoed - Fred Astaire of misschien Gene Kelly - te kunnen opduiken om van de ene lichtkring naar de andere te dansen, zingend over zijn verlatenheid nu zijn meisje hem aan de kant had gezet en alle bars gesloten waren. En van de andere kant van Main Street zou een andere figuur opkomen - Ginger Rogers of misschien Cyd Charisse - gekleed in avondtoilet. Zij zou naar Fred (of Gene) toe dansen, zingend over

het eenzame meisje dat door haar kerel in de steek was gelaten. Ze zouden elkaar zien, een theatrale pauze in acht nemen en daarna samen verder dansen voor de bank of misschien voor Polly's naaiwinkel.
In plaats daarvan deinde Hugh Priest in beeld.
Hij leek niet op Fred Astaire of op Gene Kelly, van de andere kant van Main Street kwam hem geen meisje tegemoet voor een romantisch avontuur en dansen deed hij al helemaal niet. Drinken deed hij echter wel, en sinds vier uur die middag had hij flink zitten innemen in The Mellow Tiger. In dit stadium van de feestelijkheden kostte alleen lopen hem al moeite, om van sierlijke danspassen maar te zwijgen. Hij liep langzaam door de ene lichtplas na de andere, zijn hoge schaduw volgend over de gevels van de kapperszaak, de Western Auto, de videowinkel. Hij wankelde licht, zijn rode ogen onwrikbaar recht voor zich uit starend, zijn grote buik een zware uitstulping onder zijn plakkerige blauwe T-shirt (waarop een reusachtige mug was afgebeeld boven de tekst MAINE'S MASCOTTE).
Het busje van Gemeentewerken waarin hij had gereden stond nog steeds op het terrein achter de Tiger. Hugh Priest was de niet al te trotse eigenaar van diverse bekeuringen wegens verkeersovertredingen en na de laatste – die had geresulteerd in een ontzegging van de rijbevoegdheid voor zes maanden – had die smeerlap van een Keeton samen met zijn co-smeerlappen Fullerton en Samuels en hun co-kreng Williams (de vierde gekozen wethouder van Castle Rock was feitelijk een wethoudster) hem duidelijk gemaakt dat hun geduld ten einde was. De volgende bekeuring zou hem waarschijnlijk definitief zijn rijbewijs kosten en zeker zijn baan.
Dit bracht Hugh er niet toe met drinken te stoppen – geen macht op aarde kon hem daartoe bewegen – maar het bracht hem wel tot een resoluut besluit: niet meer drinken èn rijden. Hij was eenenvijftig en dat was een beetje laat in zijn leven om aan een andere baan te denken, vooral met zijn lange staat van dienst als dronken bestuurder, die hem overal volgde als een blikje dat aan de staart van een hond is gebonden.
Daarom liep hij deze avond naar huis, een verdomd lange wandeling ook nog, en een zekere collega van Gemeentewerken genaamd Bobby Dugas zou morgen heel wat uit te leggen hebben, tenzij hij na het werk met een paar tanden minder thuis wilde komen dan waarmee hij was weggegaan.
Terwijl hij Nan's Luncheonette passeerde begon een lichte regen neer te druilen. Dit kwam zijn humeur niet ten goede.
Hij had Bobby, die op weg naar huis elke dag langs Hugh kwam, gevraagd of hij 's avonds nog van plan was naar de Tiger te gaan

om een paar keiltjes te pakken. *Zekers wel, Hubert,* had Bobby Dugas gezegd (Bobby noemde hem altijd Hubert, wat goddomme zijn náám helemaal niet was en aan dàt gezeik zou ook iets gaan veranderen, en gauw). *Zekers wel, Hubert, ik ben er om een uur of zeven denk ik, net als anders.*
Dus was Hugh, verzekerd van een lift voor het geval hij iets te ver boven zijn theewater zou zijn om zelf te rijden, om ongeveer vijf over vier de Tiger binnengevallen (hij was wat vroeger afgenokt, bijna anderhalf uur te vroeg zelfs, maar Deke Bradford was er niet, dus wat kon het hem schelen). En wie liet zich om zeven uur zien? Niet Bobby Dugas! Krijg nou het rambam! Het werd acht uur en negen uur en half tien en wie liet zich zien? Nog steeds geen Bobby Dugas, godallemachtig!
Om tien over half tien had Henry Beaufort, barkeeper en eigenaar van The Mellow Tiger, hem verzocht zijn biezen te pakken, de pleiterik te maken, z'n snor te drukken - kortom, te maken dat hij wegkwam. Hugh was woedend geworden. Goed, hij had een trap tegen de jukebox gegeven, maar die verdomde plaat van George Jones was ook telkens blijven hangen.
'Wat had ik dan moeten doen, gewoon blijven zitten en naar dat gekras luisteren?' had hij Henry gevraagd. 'Je mot die plaat wegdoen, dat zeg ik. Die goser klinkt alsof hij een pepileptische aanval heeft.'
'Je hebt nog niet genoeg gehad, dat zie ik wel,' zei Henry, 'maar hier zul je niks meer krijgen. Haal de rest maar thuis uit je eigen ijskast.'
'En als ik dat nou niet doe?' wilde Hugh weten.
'Dan haal ik sheriff Pangborn erbij,' zei Henry vlak.
De andere vaste klanten van de Tiger - er waren er niet veel zo laat op een doordeweekse avond - volgden deze woordenwisseling met belangstelling. Ze probeerden altijd voorkomend te zijn tegen Hugh Priest, vooral wanneer hij de hoogte had, maar hij zou nooit tot de Populairste Figuur van Castle Rock worden uitgeroepen.
'Ik zou het niet gráág doen,' vervolgde Henry, 'maar ik zou het wel dóen, Hugh. Ik ben het spuugzat dat je elke keer tegen mijn Rock-Ola trapt.'
Dan zal ik JOU *maar eens een paar keer trappen, stomme paardelul,* had Hugh willen zeggen, maar hij zag die opgeblazen smeerlap van een Keeton hem al zijn consigne geven omdat hij in de plaatselijke kroeg dinges een schop had gegeven. Natuurlijk zou hij zijn ontslagbrief met de post krijgen, zo ging het altijd, hufters als Keeton durfden hun handen niet vuil te maken (of een dikke lip te riskeren), maar toch hielp die gedachte; hij blies er een beetje stoom mee af. En thuis had hij inderdaad nog een voorraadje pils, in de ijskast en in de schuur.

'Mij best,' zei hij. 'Ik heb het hier toch wel gezien. Geef me mijn sleutels.' Want die had hij uit voorzorg aan Henry overhandigd toen hij zes uur en achttien biertjes geleden was gaan zitten.
'Vergeet het maar.' Henry veegde zijn handen af aan een stuk van de handdoek en staarde Hugh onverzettelijk aan.
'Vergeet het maar? Wat mot dat verdomme betekenen, *vergeet het maar?'*
'Het betekent dat je verdomme te lazerus bent om te rijden. Dat weet ik en jij weet het ook als je morgenochtend wakker wordt en je hoofd voelt.'
'Luister nou,' zei Hugh geduldig, 'ik dacht dat ik een lift naar huis had toen ik je die stomme sleutels gaf. Bobby Dugas zei dat hij een paar biertjes kwam halen. Kan ik het helpen dat die slome duikelaar niet komt opdagen?'
Henry zuchtte. 'Dat is jammer voor je, maar niet mijn probleem. Als je iemand te pletter rijdt, krijg ik het op mijn dak. Ik betwijfel of jou dat een zorg zal wezen, mij in elk geval wel. Ik moet om mijn eigen hachje denken, maat. Niemand anders doet het voor je in dit leven.'
Hugh voelde afkeer, zelfbeklag en een vreemde, embryonale verlatenheid bij zich opkomen, als giftig afvalwater dat uit een lang geleden begraven vat met chemisch afval sijpelt. Hij keek van zijn sleutels, die achter de bar hingen naast het bordje met de tekst ALS HET JE HIER NIET BEVALT, KIJK DAN VAST IN DE DIENSTREGELING, weer naar Henry. Tot zijn schrik merkte hij dat het huilen hem nader stond dan het lachen.
Henry keek langs hem heen naar de paar andere klanten die er op dat moment in de zaak waren. 'Hé, komt een van jullie niksnutten nog langs Castle Hill?'
Mannen keken naar hun tafeltjes en zwegen. Een paar lieten hun vingerkootjes kraken. Charlie Fortin slenterde opvallend traag in de richting van de toiletten. Niemand gaf antwoord.
'Zie je?' zei Hugh. 'Kom op nou, Henry, geef me die sleutels.'
Henry had met trage stelligheid zijn hoofd geschud. 'Als je hier nog eens wat wilt drinken, zorg dan dat je te voet bent.'
'Dat zal ik zeker!' zei Hugh. Hij klonk als een beledigd kind dat elk ogenblik een woedeaanval kan krijgen. Met gebogen hoofd en strak gebalde vuisten liep hij het café door, verwachtend dat iemand zou gaan lachen. Hij hoopte er bijna op. Dan kon hij hier eens flink huishouden, wat kon hem die baan verrotten. Maar de enige die zich liet horen was Reba McIntyre, die vanuit de jukebox Alabama bejammerde.
'Je kunt morgen je sleutels komen halen!' riep Henry hem na.
Hugh zei niets. Met een geweldige inspanning weerhield hij zich er-

van in het voorbijgaan met een kale gele werkschoen dwars door die verdomde ouwe Rock-Ola van Henry Beaufort heen te rammen. Met gebogen hoofd stapte hij het donker in.

6

Het druilen was overgegaan in een echte motregen en Hugh vermoedde dat het bij bakken uit de hemel zou komen tegen de tijd dat hij thuis was. Het was gewoon zijn avond niet. Hij liep gestaag door, wat minder heen en weer zwaaiend (de buitenlucht had een ontnuchterend effect op hem), zijn ogen rusteloos van links naar rechts schietend. Ook zijn gedachten waren rusteloos en hij wou dat hij iemand tegenkwam die hem voor de voeten kwam lopen. Zelfs een kleine aanleiding was vanavond voldoende. Vluchtig dacht hij aan het joch dat gisterenmiddag voor zijn wagen was overgestoken. Had hij de straat maar geplaveid met die knul, dacht hij gemelijk. Niemand had hem iets kunnen verwijten, helemaal niet. In zíjn tijd hadden kinderen tenminste uitgekeken waar ze liepen.

Hij passeerde het stuk land waar het Emporium Galorium had gestaan voordat het afbrandde. Polly's naaiwinkel, de ijzerwinkel... en daarna kwam hij langs De NoodZaak. Na een vluchtige blik in de etalage keek hij weer voor zich uit (nog maar twee kilometer te gaan, misschien zou hij het nog halen voordat de regen losbarstte) en plotseling bleef hij staan.

Zijn voeten hadden hem al voorbij de nieuwe zaak gebracht, zodat hij moest teruglopen. In de etalage brandde een enkele lamp, die een zachte gloed wierp over de drie uitgestalde artikelen. Het licht viel ook op zijn gezicht en bewerkte daar een wonderbaarlijke transformatie. Hugh zag er ineens uit als een klein vermoeid jongetje dat veel te lang is opgebleven, een jongetje dat net heeft gezien wat hij voor Kerstmis wil hebben – wat hij voor Kerstmis móet hebben omdat al het andere op Gods groene aarde er zomaar ineens bij in het niet valt. Het voorwerp in het midden van de etalage werd geflankeerd door twee geribbelde vazen (bestaande uit Nettie Cobbs geliefde gekleurde glas, hoewel Hugh dit niet wist en het hem ook volkomen koud zou laten als het wel zo was).

Ertussen lag een vossestaart.

Opeens was het weer 1955, hij had net zijn rijbewijs gehaald en hij was in de twee jaar oude Ford cabriolet van zijn vader op weg naar de beslissende rugbywedstrijd in de schoolcompetitie van Western Maine, Castle Rock tegen Oxford Hills. Het was een ongewoon warme novemberdag, warm genoeg om het dak weg te schuiven en

de kap neer te laten (wat helemaal het einde was voor een stel opgewonden jonge knapen die wilden laten zien dat ze eraan kwamen), en ze zaten met z'n zessen in de auto. Peter Doyon had een heupfles Log Cabin whisky bij zich, op de radio zong Perry Como, Hugh Priest zat achter het witte stuur en aan de antenne wapperde een lange opzichtige vossestaart, precies zo een als die hij nu zag liggen in de etalage van deze zaak.
Hij herinnerde zich dat hij naar die wapperende vossestaart had gekeken en zich had voorgenomen er net zo een te kopen als hij zijn eigen cabriolet zou krijgen.
Hij herinnerde zich dat hij had afgeslagen toen de fles bij hem kwam. Hij reed en drinken deed je niet onder het rijden, want je was verantwoordelijk voor de levens van anderen. En hij herinnerde zich ook nog iets anders: de wetenschap dat hij het mooiste uur in de mooiste dag van zijn leven beleefde.
De herinnering verraste hem en deed pijn in al haar helderheid en absolute zintuiglijke scherpte: de rookgeur van brandende bladeren, de novemberzon die in de reflectors van de vangrail fonkelde; en nu, nu hij naar de vossestaart in de etalage van De NoodZaak stond te kijken, werd hij getroffen door het idee dat het wèrkelijk de mooiste dag van zijn leven was geweest, een van de laatste dagen voordat de drank hem stevig in zijn rekbare, inschikkelijke greep had gekregen en hem tot een bizarre variant van koning Midas maakte: alles wat hij sindsdien aanraakte, zo leek het, veranderde in stront.
Ineens dacht hij: *Ik kan veranderen.*
Dit idee was al even verrassend helder.
Ik kan opnieuw beginnen.
Was zoiets mogelijk?
Ja, ik geloof dat het soms kan. Ik zou die vossestaart kunnen kopen en aan de antenne van mijn Buick binden.
Al zouden ze hem uitlachen, de andere gasten.
Welke gasten? Henry Beaufort? Die kleine etterbak van een Bobby Dugas? Nou en? Laat ze de kolere krijgen. Koop die staart, bind hem aan je antenne en rij...
Ja, waarheen?
Nou, wat zou je denken van de AA-bijeenkomst donderdagavond in South Paris? Dat is een mooi begin.
Even was hij verbijsterd en opgewonden door de mogelijkheid, zoals een langgestrafte verbijsterd en opgewonden zou kunnen zijn als hij ziet dat een slordige bewaarder de sleutel in het slot van zijn celdeur heeft laten zitten. Even zag hij het zelfs voor zich, hoe hij langzaam maar zeker vooruit zou gaan, hoe hij dag na dag en maand na maand nuchterder zou worden. Geen Mellow Tiger

meer. Jammer. Maar ook geen betaaldagen meer in de angstige verwachting dat er een ontslagbrief bij zijn cheque zou zitten, en dat was helemaal niet zo jammer.
Op dat ogenblik, terwijl hij naar de vossestaart in de etalage van De NoodZaak keek, zag Hugh een toekomst. Voor het eerst in jaren zag hij een toekomst en daarin wapperde die prachtige oranje vos met het witte uiteinde als een strijdvlag.
Daarna viel de werkelijkheid weer binnen en de werkelijkheid rook naar regen en vochtige vuile kleren. Voor hem geen vossestaart, geen AA-bijeenkomsten, geen vooruitgang, geen toekomst. Hij was goddomme eenenvijftig jaar en eenenvijftig was te oud om over de toekomst te dromen. Op je eenenvijftigste moest je alleen hard rennen om aan de lawine van je eigen verleden te ontsnappen.
En toch zou hij naar binnen zijn gegaan om de gok te wagen als de winkel open was geweest. Verdomd als het niet waar was. Hij zou naar binnen gaan, zo groot als hij was, en vragen hoeveel die vos in de etalage moest kosten. Maar het was tien uur, Main Street was net zo stijf gesloten als de kuisheidsgordel van een ijskoningin en als hij morgen wakker werd met een spijker in zijn kop, zou hij alles zijn vergeten van die prachtige staart met zijn volle roodbruine kleur.
Toch bleef hij nog wat staan, met zijn vuile eeltige vingers over het glas strijkend als een kleine jongen bij de etalage van een speelgoedzaak. Rond zijn mondhoeken speelde een flauwe glimlach. Het was een mild lachje, dat niet bij het gezicht van Hugh Priest scheen te passen. Opeens klonken er in de buurt van Castle View scherpe knallen uit een uitlaat, luid als geweerschoten in de regenachtige lucht, en Hugh kwam met een schok tot zichzelf.
Krijg de pest. Wat ben je in jezusnaam aan het doen?
Hij wendde zich af en draaide zijn gezicht weer in de richting van thuis... als je zijn armzalige tweekamerwoning met de aangebouwde houtschuur zo wilde noemen. Hij liep onder het baldakijn door, keek naar de deur - en bleef opnieuw staan.
Op het bordje stond, uiteraard:

OPEN

Als een man in een droom stak Hugh zijn hand uit en voelde aan de deurknop. Die gaf vlot mee. Boven hem tinkelde een zilveren belletje. Het geluid leek van onmogelijk ver weg te komen.
Midden in de winkel stond een man. Met een stoffer veegde hij de bovenkant van een vitrinekast aan; hij neuriede er wat bij. De man draaide zich om naar Hugh toen het belletje klonk. Hij leek niet in het minst verbaasd om tien over tien op een woensdagavond ie-

mand in de deuropening te zien staan. Het eerste wat Hugh in dat verwarrende ogenblik trof, waren de ogen van de man: koolzwart als van een Indiaan.
'Je bent vergeten je bordje om te keren, maat,' hoorde Hugh zichzelf zeggen.
'Toch niet,' antwoordde de man beleefd. 'Ik vrees dat ik een slecht slaper ben en soms wil ik 's avonds ook nog open zijn. Je weet nooit wanneer er iemand langskomt... en iets van zijn gading vindt. Maar kom toch verder en kijk eens rond.'
Hugh Priest stapte over de drempel en deed de deur achter zich dicht.

7

'Er ligt een vossestaart...' begon Hugh, daarna moest hij zijn keel schrapen en opnieuw beginnen. De woorden waren niet meer dan een schor en onverstaanbaar gemompel. 'Er ligt een vossestaart in de etalage.'
'Ja,' zei de eigenaar. 'En is het geen prachtexemplaar?' Hij hield de stoffer voor zich en zijn Indiaans-zwarte ogen keken belangstellend uit boven de pluimenkrans waarachter de onderkant van zijn gezicht schuilging. Hugh kon zijn mond niet zien, maar had de indruk dat de ander glimlachte. Doorgaans voelde hij zich onzeker als mensen – vooral onbekenden – tegen hem glimlachten. Dan kreeg hij het gevoel dat hij wilde vechten. Vanavond leek het hem helemaal niets te kunnen schelen. Misschien omdat hij nog half bezopen was.
'Dat is hij zeker,' stemde Hugh in. 'Mijn ouweheer had een cabriolet met net zo'n staart aan de antenne toen ik nog een jongen was. Heel wat lui in dit dichtgeplakte gat zouden niet geloven dat ik ooit een jongen ben gewéést, maar toch is dat zo. Net als ieder ander.'
'Natuurlijk.' De man bleef hem strak aankijken en er gebeurde iets heel vreemds: het was of zijn ogen gróter werden. Hugh leek zijn eigen blik niet te kunnen afwenden. Al te direct oogcontact was nog zoiets wat hem doorgaans zin in een knokpartij gaf, maar ook dit leek vanavond helemaal geen punt.
'Ik vond die staart altijd het einde.'
'Natuurlijk.'
'Het einde... dat zeiden we toen. Niet dat gezeik van tegenwoordig, gaaf en gers. Gèrs, ik heb verdomme geen idee wat dat betekent, jij wel?'
Maar de eigenaar van De NoodZaak zei niets, hij stond daar en keek met zijn zwarte Indianenogen naar Hugh Priest over de pluimen van zijn stoffer.

'Hoe dan ook, ik wil hem kopen. Wil je hem kwijt?'
'Natuurlijk,' zei Leland Gaunt voor de derde keer.
Hugh voelde opluchting en een plotselinge golf van blijdschap. Hij was er ineens zeker van dat alles in orde zou komen, alles. Dat was krankzinnig: bijna iedereen in Castle Rock en de drie omliggende plaatsen kreeg geld van hem, het laatste halfjaar hadden ze hem al een paar keer bijna ontslagen, de Buick liep op zijn laatste beentjes... en toch wist hij het zeker.
'Hoeveel?' vroeg hij. Plotseling vroeg hij zich af of hij zo'n mooie vos wel kon betalen en een lichte paniek beving hem. Als hij nu eens te duur was? Erger nog, als hij pas morgen of overmorgen het geld bij elkaar had geschraapt en de staart werd intussen door een ander gekocht, wat dan?
'Dat hangt er vanaf.'
'Wat? Waarvan dan?'
'Van hoeveel je zou wìllen betalen.'
Als een man in een droom haalde Hugh zijn verweerde Lord Buxton-portemonnee uit zijn achterzak.
'Stop dat weg, Hugh.'
Heb ik gezegd hoe ik heette? Heb ik dat?
Hugh wist het niet meer, maar hij stopte de portemonnee weg.
'Maak je zakken leeg. Hier, op deze vitrine.'
Hugh keerde zijn zakken om. Hij legde zijn zakmes, een pakje condooms, zijn aansteker en ongeveer anderhalve dollar in kleingeld vol tabakskruim op de vitrine. De munten tikten tegen het glas.
De man boog zich over de verzameling. 'Dat lijkt me wel ongeveer gepast,' zei hij, en bewoog zijn stoffer over de schamele bezittingen. Toen hij de stoffer terugtrok lagen het mes, de aansteker en de condooms nog op hun plaats. De munten waren verdwenen.
Hugh keek hier zonder de geringste verbazing naar. Stil als een pop zonder batterijen bleef hij staan, terwijl de man naar de etalage ging en terugkwam met de staart. Die legde hij op de vitrine, naast Hughs verkleinde stapeltje accessoires.
Langzaam stak Hugh een hand uit en streek over het bont. Het voelde koud en dik aan; het kraakte van de zijige statische elektriciteit. Net of hij een heldere herfstavond streelde.
'Mooi?' vroeg de lange man.
'Mooi,' beaamde Hugh ogenblikkelijk. Hij wilde de staart oppakken.
'Laat dat,' zei de lange man scherp en Hughs hand viel direct neer. Hij keek Gaunt aan, gekwetst tot in het diepst van zijn ziel. 'We zijn nog niet klaar met onderhandelen.'
'Nee,' gaf Hugh toe. *Ik ben gehypnotiseerd,* dacht hij. *Verdomd als die knaap me niet onder hypnose heeft gebracht*. Maar het was niet van belang. Het was eerlijk gezegd nogal... fijn.

Hij tastte weer naar zijn portemonnee, traag bewegend als een man onder water.
'Laat zitten, stommeling,' zei Gaunt ongeduldig. Hij legde zijn stoffer weg.
Hughs hand viel weer langs zijn lichaam.
'Wat is het toch waardoor zoveel mensen denken dat alle antwoorden in hun portefeuille zitten?' vroeg hij verwonderd.
'Ik weet het niet,' zei Hugh. Hij had er nooit over nagedacht. 'Het is wel een beetje stom, ja.'
'Stòm?' zei Gaunt fel. Zijn stem kreeg de bitse en tamelijk onevenwichtige klank van iemand die erg moe of erg boos is. Hij wàs moe: het was een lange en inspannende dag geweest. Er was veel bereikt, maar het werk was nauwelijks begonnen. 'Het is veel erger. Misdádig stom is het. Zal ik je wat vertellen, Hugh? De wereld is vol behoeftige mensen die niet begrijpen dat alles, àlles, te koop is... als je er de prijs voor wilt betalen. Ze doen wel alsof ze dat geloven, maar meer ook niet, en ze zijn nog trots ook op hun gezonde portie cynisme. Nou, doen alsof is larie! Gewoon larie!'
'Larie,' beaamde Hugh mechanisch.
'Voor wat de mensen ècht nodig hebben, Hugh, kunnen ze hun portefeuille niet gebruiken. De dikste geldbuidel in deze stad is het zweet van een arbeider niet waard. Complete lárie! En ze verkopen hun eigen ziel er nog bij! "Ik zou er alles voor over hebben als ik dat-of-dat kon krijgen." Ha, als ik een cent kreeg voor elke keer dat ik dat hoorde, Hugh, dan kon ik het Empire State Building kopen!' Hij stak zijn hoofd naar voren en ontblootte zijn ongelijke tanden in een brede, ongezonde grijns. 'Hun ziel! Vertel me eens, Hugh: wat zou ik in naam van al het kruipend gedierte op aarde met jouw ziel moeten beginnen?'
'Niks, denk ik.' Zijn stem klonk ver weg, uit het diepste gedeelte van een donkere grot. 'Die van mij is er de laatste tijd trouwens niet best aan toe.'
Gaunt ontspande zich opeens en ging rechtop staan. 'Genoeg over leugens en halve waarheden. Ken jij een zekere Nettie Cobb, Hugh?'
'Malle Nettie? Iedereen hier kent Malle Nettie. Ze heeft haar man vermoord.'
'Dat weet ik. Luister naar me, Hugh. Luister goed. Daarna kun je je staart nemen en naar huis gaan.'
Hugh Priest luisterde goed.
Buiten regende het harder en de wind was opgestoken.

8

'Brian!' zei juf Ratcliffe scherp. 'Brian Rusk, hoe haal je het in je hoofd? Dat had ik nooit van jou gedacht! Hier komen! Onmiddellijk!'
Hij zat achter in het lokaal in het souterrain waar de spraakles werd gegeven en hij had iets misdaan - iets heel ergs, aan juf Ratcliffes stem te horen - maar hij wist pas wàt toen hij opstond. Hij was naakt. Een afschuwelijke schaamte beving hem, maar hij was ook opgewonden. Toen hij omlaag keek en zag dat zijn penis stijf werd, was hij tegelijk geschrokken en blij.
'Hier komen, zei ik!'
Hij ging langzaam naar voren, terwijl de anderen - Sally Meyers, Donny Frankel, Nonie Martin en die arme halfzachte Slopey Dodd - naar hem gluurden.
Juf Ratcliffe stond met de handen in haar zij voor de lessenaar, een woedende blik in haar ogen, haar prachtige donkerbruine haar als een wolk rond haar hoofd.
'Je bent een stoute jongen, Brian, een erg stoute jongen.'
Hij liet zijn kopje hangen, maar zijn piemel stak zíjn kopje juist op en dus was het net of althans een deel van hem het niet erg vond om stout te zijn. Het eigenlijk héérlijk vond.
Ze stopte een krijtje in zijn hand. Hij voelde een lichte schok toen hun handen elkaar raakten. 'Voor straf,' zei juf Ratcliffe streng, 'schrijf je vijfhonderd keer op het bord: IK ZAL EERST MIJN SANDY KOUFAX-PLAATJE AFBETALEN.'
'Ja juf.'
Hij begon te schrijven, op zijn tenen staand om de bovenkant van het bord te halen. Hij voelde een warme luchtstroom langs zijn blote billen gaan. Hij was gekomen tot IK ZAL EERST toen juf Ratcliffe met een gladde zachte hand zijn stijve penis pakte en er voorzichtig aan trok. Even dacht hij dat hij plompverloren zou flauwvallen, zo lekker was het.
'Ga door met schrijven,' zei ze bars achter zijn rug, 'dan ga ik hiermee door.'
'J-j-juf,' vroeg Slopey Dodd, 'w-welke oe-oefening m-moet ik doen?'
'Hou je mond of ik rij straks dwars over je heen, Slopey,' zei juf Ratcliffe. 'Dan piep je wel anders, jochie.'
Intussen ging ze gewoon door met Brians piemel te kneden. Hij stond te kreunen. Het was verkeerd, dat wist hij, maar het vóelde helemaal niet verkeerd. Het was hartstikke te gek gaaf, net wat hij nodig had. Net wat hij nodig had.
Hij draaide zich om en het was juf Ratcliffe niet die achter hem

stond, maar Wilma Jerzyck met haar grote ronde bleke gezicht en haar diepe bruine ogen, net twee rozijnen in een rol deeg.
'Hij pakt het af als je niet betaalt,' zei Wilma. 'En dat is niet alles, jochie, hij...'

9

Brian Rusk schoot met zo'n ruk overeind dat hij bijna uit bed op de grond viel. Zijn lichaam was bedekt met zweet, zijn hart bonkte als een drilboor en zijn penis was een kleine harde staaf in zijn pyjamabroek.
Hij ging rechtop zitten, trillend over zijn hele lijf. Instinctief had hij bijna zijn moeder geroepen, net als vroeger wanneer een nachtmerrie zijn slaap had verstoord. Maar hij was geen klein kind meer, hij was elf... en het was ook geen droom die hij tegen zijn moeder zou vertellen, of wel soms?
Hij ging weer liggen en staarde met grote ogen in het donker. Hij keek op de digitale klok naast het bed en zag dat het vier minuten na middernacht was. Het regende hard en hij hoorde de druppels tegen het raam slaan, opgejaagd door felle gierende windvlagen. Het klonk bijna als natte sneeuw.
Mijn plaatje. Mijn Sandy Koufax-plaatje is weg.
Dat was niet zo. Hij wist het, maar hij wist ook dat hij niet meer in slaap kon komen als hij niet in de losbladige map keek waarin hij zijn groeiende verzameling Toppsplaatjes uit 1956 bewaarde. Hij had ernaar gekeken voordat hij de vorige dag naar school was gegaan en opnieuw bij zijn thuiskomst, en na het avondeten had hij zijn partijtje ballen met Stanley Dawson in de achtertuin onderbroken om het nog een keer te controleren. Hij had tegen Stanley gezegd dat hij moest plassen. De laatste keer was geweest voordat hij in bed kroop en het licht uitdeed. Hij besefte dat het een soort obsessie was geworden, maar dat besef maakte er geen einde aan.
Hij liet zich uit bed glijden, bijna zonder te merken dat de koele lucht kippevel op zijn warme lichaam bracht en zijn penis deed slinken. Geruisloos ging hij naar de ladenkast. Op het onderlaken in bed liet hij de omtrek van zijn eigen lichaam achter, uitgetekend in zweet. Het grote album lag boven op de kast in het witte licht van de straatlantaren.
Hij pakte het album, deed het open en sloeg snel de doorzichtige plastic bladen om met de aparte hoesjes voor elk plaatje. Hij keurde Mel Parnell, Whitey Ford en Warren Spahn - beroemdheden waarop hij zo trots als een aap was geweest - nauwelijks een blik waardig. Een afschuwelijke angst bekroop hem toen hij achterin

kwam, bij de nog lege bladen, zonder Sandy Koufax te zien... tot hij zich realiseerde dat hij in zijn haast een paar bladen tegelijk had omgeslagen. Hij ging een stukje terug en ja, daar was hij: dat smalle gezicht, die trouwe ogen met de vage glimlach erin die onder de klep van zijn pet de wereld in keken.
Voor mijn goede vriend Brian, met de beste wensen, Sandy Koufax.
Zijn vingers volgden het grillige spoor van de letters. Zijn lippen bewogen. Hij was gerust... of bíjna gerust. Het plaatje was nog niet echt van hem. Dit was zoiets als een... als een proefrit. Hij moest nog iets doen voordat het echt van hem was. Brian was er niet helemaal zeker van wàt, maar het had iets te maken met de droom waaruit hij net was ontwaakt en hij vertrouwde erop dat hij het weer zou weten als de tijd
(*morgen? vandaag al?*)
daar was.
Hij sloeg de map dicht – BRIANS VERZAMELING. VERBODEN AAN TE ZITTEN! stond er in blokletters op de kaart die hij op de kaft had geplakt – en legde hem terug op de kast. Daarna ging hij weer naar bed.
Er was maar één ding dat hem echt dwars zat aan dat plaatje. Hij had het aan zijn vader willen laten zien. Hij had het al voor zich gezien toen hij uit De NoodZaak naar huis ging. Hij, Brian, zo heel achteloos: *Hé pa, in die nieuwe winkel heb ik vandaag een plaatje uit '56 gevonden. Wil je het zien?* Zijn vader zou een beetje brommen, zonder veel interesse, en alleen met Brian meegaan naar zijn kamer om hem een plezier te doen – maar wat een gezicht zou hij trekken als hij zag wat Brian had opgeduikeld! En als hij die opdracht las!
Ja, hij zou beslist verbaasd en verrukt zijn geweest. Hij zou Brian op zijn rug hebben geslagen en een dansje met hem hebben gemaakt.
Maar daarná.
Daarna zouden de vragen komen, dat zou er gebeuren... en dat was het probleem. Zijn vader zou allereerst willen weten waar hij het plaatje vandaan had en vervolgens hoe hij aan het geld kwam, want het was (a) zeldzaam, (b) in uitstekende conditie en (c) gesigneerd. De opgedrukte handtekening luidde Sanford Koufax, de volledige naam van de befaamde snelle werper, maar het met de hand geschreven Sándy Koufax betekende in het vreemde en soms dure wereldje van liefhebbers dat het plaatje misschien wel honderdvijftig dollar zou opleveren.
In gedachten probeerde Brian een mogelijk antwoord uit.
Ik heb het in die nieuwe winkel gekocht, pa, De NoodZaak. Die

man gaf me een krankzinnige korting... hij zei dat het een goede reclame voor zijn zaak was als de mensen wisten dat hij lage prijzen rekende.
Dat klonk misschien aardig, maar zelfs als knaap die nog een jaar te jong was om in de bioscoop de volle prijs te betalen, begreep hij dat het niet aardig genoeg zou zijn. Als je zei dat je een heel goede koop had gesloten, waren de mensen altijd meteen nieuwsgierig. Té nieuwsgierig.
O ja? Wat voor korting dan wel? Dertig procent? Veertig? Kreeg je het voor de helft? Dan zou het nog steeds zestig of zeventig piek kosten, Brian, en ik weet gewoon dat er niet zoveel in je spaarvarken zit.
Nou... het was wel wat minder duur, pa.
Zeg maar op, dan. Hoeveel heb je betaald?
'Nou... vijfentachtig cent.
Hij heeft jou een gesigneerde Sandy Koufax uit 1956 verkocht, als nieuw, voor vijfentachtig cent???
Ja, en dan begon de ellende pas goed, dat was zeker.
Welke ellende? Hij wist het niet precies, alleen dat er narigheid van zou komen, geen twijfel mogelijk. Op de een of andere manier zou hij het te horen krijgen... misschien van zijn vader, in elk geval van zijn moeder.
Misschien zouden ze wel willen dat hij het teruggaf, maar dat deed hij van zijn leven niet. Het was niet alleen gesigneerd; het was opgedragen aan Brían.
Van zijn léven niet.
Verdorie, hij had het plaatje niet eens aan Stan Dawson kunnen laten zien toen die kwam spelen, hoewel hij dolgraag wilde: Stan zou het in zijn broek doen van afgunst. Maar Stan kwam vrijdag bij hem logeren en Brian kon zich maar al te goed voorstellen wat Stan tegen zijn vader zou zeggen: *Wat vindt u van Brians Sandy Koufax-plaatje, meneer Rusk. Gaaf hè?* Hetzelfde gold voor zijn andere vriendjes. Brian had een van de grote waarheden over het leven in een klein stadje ontdekt: veel geheimen – alle belàngrijke geheimen om precies te zijn – kunnen niet gedeeld worden. Omdat erover gekletst wordt, en snel ook.
Hij zat in een vreemde en ongemakkelijke positie: hij had iets geweldigs gekregen en kon het niet laten zien of merken. Dit had het plezier in zijn nieuwe aanwinst moeten bederven en dat deed het in zekere zin ook, maar tegelijk gaf het hem een oppervlakkige, vrekkige voldoening. Het bezit maakte hem eerder begerig dan blij en zo ontdekte hij een andere grote waarheid: stille begeerte brengt een eigen vorm van plezier met zich mee. Het was of een hoek van zijn doorgaans openhartige en goedmoedige natuur was afgesloten

en daarna verlicht door een bijzonder zwak schijnsel, dat het verborgene tegelijk vervormde en benadrukte.
En hij was niet van plan zijn bezit op te geven.
Vergeet het maar, geen schijn van kans.
Dan zou ik de rest van de prijs maar voldoen, fluisterde een stem diep in zijn binnenste.
Dat zou hij ook, geen probleem. Hij dacht niet dat het bijzonder aardig was wat hij moest doen, maar hij was er tamelijk zeker van dat het ook niet iets heel ergs was. Het was gewoon een...
Een grapje, fluisterde een stem in zijn hoofd en hij zag de ogen van meneer Gaunt: donkerblauw als de zee op een heldere dag en vreemd geruststellend. *Meer niet. Gewoon een grapje.*
Ja, gewoon een grapje, wat het dan ook inhield.
Geen probleem.
Hij trok het donzen dekbed over zich heen, ging op z'n zij liggen, sloot zijn ogen en begon meteen in te dommelen.
Hij herinnerde zich iets, terwijl hij en zijn broertje slaap elkaar naderden. Iets wat meneer Gaunt had gezegd. *Jij zult een betere reclame voor me zijn dan het weekblad hier ooit kan hópen!* Alleen kon hij niemand het prachtige plaatje laten zien dat hij had gekocht. Als hij, een jongen van elf die niet eens het benul had bij het oversteken uit de weg te gaan voor Hugh Priest, daar al zo snel achter kwam, had iemand als meneer Gaunt dat dan niet moeten weten?
Nou ja, misschien wel. Maar misschien ook niet. Volwassenen waren nu eenmaal niet normaal en bovendien, hij hàd het plaatje toch? En het zat in zijn album, precies waar het hoorde, of niet soms?
Het antwoord op beide vragen was ja en daarom zette Brian de hele zaak van zich af en gaf zich over aan de slaap, terwijl de regen tegen het raam kletterde en de rusteloze herfstwind in de hoeken onder de dakranden gierde.

4

1

Donderdag tegen het aanbreken van de dag was het opgehouden met regenen en om half elf, toen Polly door de etalageruit van haar winkel naar buiten keek en Nettie Cobb zag, was de bewolking aan het breken. Nettie had een opgevouwen paraplu bij zich en ze liep met snelle passen door Main Street, haar tas onder haar arm geklemd alsof ze de hete adem van een nieuwe wolkbreuk in haar nek voelde.
'Hoe zijn je handen vanmorgen, Polly?' vroeg Rosalie Drake.
Polly zuchtte in stilte. Dezelfde vraag, alleen indringender gesteld, kon ze vanmiddag van Alan verwachten, veronderstelde ze; ze had beloofd rond drie uur koffie met hem te drinken in Nan's Luncheonette. Je kon geen mensen voor de gek houden die jou al lang kenden. Ze zagen je bleke gezicht en de donkere wallen onder je ogen. Meer nog, ze zagen de gekwelde blik ìn je ogen.
'Het gaat vandaag veel beter, dank je,' zei ze. Het was een bepaald optimistische weergave van de feiten; het ging beter met haar handen, maar véél beter? Nou nee.
'Ik dacht dat het door die regen en zo...'
'Je kunt nooit voorspellen waardoor ze pijn gaan doen. Dat is nou juist het vervelende ervan. Maar dat doet er nu niet toe, Rosalie, kom eens vlug kijken. Ik geloof dat we een klein wonder gaan beleven.'
Rosalie kwam bij Polly voor het raam staan en zag hoe de kleine gehaaste figuur met de paraplu stevig in een hand geklemd - misschien om als knots te gebruiken, zo hield ze hem vast - de laatste meters naar De NoodZaak aflegde.
'Is dat Nettie? Is ze dat echt?' Rosalies adem stokte bijna.
'Ze is het echt.'
'Nee toch, ze gaat naar binnen!'
Maar even scheen het of Rosalies voorspelling de affaire had bedorven. Nettie liep naar de deur... en trok zich terug. Ze bracht de paraplu van de ene naar de andere hand over en keek naar de gevel van De NoodZaak, alsof die een slang was die haar zou kunnen bijten.
'Toe maar, Nettie,' zei Polly zachtjes. 'Waag het erop, liefje!'
'Er staat zeker op de deur dat de zaak gesloten is,' zei Rosalie.
'Nee, er hangt een ander bordje: DI. EN DO. BEZOEK UITSLUITEND OP AFSPRAAK. Ik zag het toen ik vanmorgen binnenkwam.'

Nettie ging opnieuw naar de deur. Ze stak haar hand uit naar de knop, maar bedacht zich weer.
'God, wat een spànning,' zei Rosalie. 'Ze zei dat ze misschien zou teruggaan en ik weet hoe mooi ze dat glaswerk vindt, maar ik had nooit gedacht dat ze werkelijk zou doorzetten.'
'Aan mij vroeg ze of ze in haar koffiepauze weg mocht om naar "dat nieuwe ding" te gaan, zoals ze het noemde, en mijn cakebakje op te halen,' zei Polly zacht.
Rosalie knikte. 'Dat is onze Nettie. Mij vroeg ze altijd toestemming om naar de wc te gaan.'
'Ik heb het idee dat een deel van haar hoopte dat ik nee zou zeggen omdat er te veel werk lag. Maar ik geloof dat een ander deel van haar wilde dat ik ja zou zeggen.'
Polly wendde geen seconde haar ogen af van de hevige mini-veldslag die nog geen veertig meter verderop plaatsvond, het duel tussen Nettie Cobb en Nettie Cobb. Wat een doorbraak zou het voor haar zijn als ze echt naar binnen ging!
Polly voelde een doffe, gloeiende pijn in haar handen, keek omlaag en zag dat ze haar handen had staan wringen. Ze haalde ze uit elkaar.
'Het gaat niet om jouw cakebakje en ook niet om het glas,' zei Rosalie. 'Het gaat om hèm.'
Polly keek haar vluchtig aan.
Rosalie lachte en bloosde een beetje. 'O, ik bedoel niet dat Nettie op hem valt of zoiets, hoewel ze toch iets stralends in haar ogen had toen ik haar buiten inhaalde. Hij was áárdig tegen haar, Polly, meer niet. Eerlijk en aardig.'
'Zoveel mensen zijn aardig tegen haar,' zei Polly. 'Alan doet alle mogelijke moeite om vriendelijk voor haar te zijn en ze is nog steeds een beetje bang voor hem.'
'Onze meneer Gaunt heeft iets bijzonders over zich,' zei Rosalie ronduit, en alsof Nettie dit wilde bewijzen pakte ze de deurknop en draaide hem om. Ze deed de deur open en daarna bleef ze gewoon maar voor de ingang staan, de paraplu in haar hand, alsof haar geringe reserve aan daadkracht helemaal was uitgeput. Polly wist ineens zeker dat Nettie de deur nu weer zou dichttrekken en haastig weggaan. Artritis of geen artritis, haar handen sloten zich tot losse vuisten.
Ga maar, Nettie. Ga naar binnen. Neem de gok. De wereld wacht op je.
Nettie begon te glimlachen, kennelijk in reactie op iemand die Polly en Rosalie niet konden zien. Ze liet de paraplu van haar boezem zakken... en ging naar binnen.
De deur ging achter haar dicht.

Polly draaide zich om en zag geroerd dat Rosalie tranen in haar ogen had. De twee vrouwen keken elkaar een ogenblik aan en vielen elkaar daarna lachend in de armen.
'Goed zo, Nettie!' zei Rosalie.
'Twee-nul voor ons!' beaamde Polly en in haar hoofd brak de zon door de wolken, twee uur voordat ook boven Castle Rock de lucht eindelijk opklaarde.

2

Een kwartier later zat Nettie Cobb in een van de pluchen, hooggerugde stoelen die Gaunt langs een van de wanden van zijn winkel had neergezet. Haar paraplu en tas lagen naast haar op de vloer, vergeten. Gaunt zat naast haar met haar handen in de zijne, zijn scherpe blik vast op haar vage ogen gericht. Een lampekap van gekleurd glas stond naast Polly Chalmers' cakebakje op een van de vitrinekasten. De lampekap was een bescheiden schoonheid, die in een antiekzaak in Boston driehonderd dollar of meer zou opbrengen; toch had Nettie Cobb hem zojuist gekocht voor tien dollar en veertig cent, al het geld dat ze in haar tas had toen ze de winkel binnenkwam. Mooi of niet, voor het ogenblik was de kap net zo vergeten als haar paraplu.
'Iets doen,' zei ze nu. Ze klonk als een vrouw die in haar slaap praat. Ze bewoog licht met haar handen om die van Gaunt steviger vast te pakken. Hij deed hetzelfde en een tevreden lachje kroop over haar gezicht.
'Zo is het. Het is eigenlijk maar een kleinigheid. U kent meneer Keeton toch?'
'O ja,' zei Nettie. 'Ronald en zijn zoon, Danforth. Ik ken ze allebei. Wie bedoelt u?'
'De jongste,' zei Gaunt. Hij streelde haar handpalmen met zijn lange duimen. De nagels waren gelig en vrij lang. 'De wethouder.'
'Achter zijn rug noemen ze hem Buster,' zei Nettie giechelend. Het was een schor geluid, enigszins hysterisch, maar Leland Gaunt leek zich geen zorgen te maken. Integendeel; de klank van Netties niet helemaal zuivere lach leek hem plezier te doen. 'Dat doen ze al sinds hij een kleine jongen was.'
'Ik wil dat je de rest van de prijs voor je lampekap betaalt door een grap met Buster uit te halen.'
'Een grap?' Nettie zag er wat geschrokken uit.
Gaunt glimlachte. 'Een onschuldig aardigheidje. En hij zal nooit weten dat jij erachter zat. Hij zal aan iemand anders denken.'
'O.' Nettie keek langs Gaunt naar de glazen kap en even werd de

blik in haar ogen scherper – door hebzucht, misschien, of alleen maar door verlangen en blijdschap. 'Nou...'
'Het kan helemaal geen kwaad, Nettie. Niemand zal het ooit weten... en dan is de lampekap van jou.'
Nettie gaf traag en bedachtzaam antwoord. 'Mijn man haalde altijd grappen met me uit. Misschien is het wel leuk om het eens bij een ander te doen.' Ze keek weer naar Gaunt en nu was haar blik scherp van schrik. 'Als het hem geen pijn doet. Ik wil hem geen pijn doen. Ik heb mijn man pijn gedaan.'
'Het zal hem geen pijn doen,' zei Gaunt zacht, haar handen strelend. 'Het zal hem helemaal geen pijn doen. Ik wil alleen maar dat je een paar dingen in zijn huis legt.'
'Hoe kan ik nou bij Buster...'
'Hier.'
Hij stopte iets in haar hand. Een sleutel. Ze sloot haar hand eromheen.
'Wanneer?' vroeg Nettie. Haar dromerige ogen hadden zich weer op de lampekap gericht.
'Binnenkort.' Hij liet haar handen los en stond op. 'En nu, Nettie, wordt het echt tijd dat ik die prachtige lampekap voor je inpak. Mevrouw Martin komt straks naar een paar vazen kijken.' Hij keek op zijn horloge. 'Mijn hemel, dat is al over vijftien minuten! Maar ik kan niet zeggen hoe blij ik ben dat je bent gekomen. Er zijn tegenwoordig nog maar heel weinig mensen die oog hebben voor de schoonheid van zulk glas – en de meesten zijn kooplui, met een kassa in plaats van een hart.'
Nettie ging ook staan en ze keek naar de kap met de zachte ogen van een verliefde vrouw. De gejaagde nervositeit waarmee ze was gekomen was helemaal verdwenen. 'Ja, hij is schitterend.'
'Bijzonder fraai,' stemde Gaunt hartelijk in. 'En ik kan werkelijk niet zeggen hoe blij ik ben dat die kap een goed plekje zal krijgen, bij iemand die meer doet dan hem alleen elke woensdagmiddag afstoffen en hem dan, jaren later, in een moment van onoplettendheid breekt, de scherven bij elkaar veegt en alles achteloos in de vuilnisbak gooit.'
'Dat zou ik nooit doen!' riep Nettie uit.
'Dat wist ik wel,' zei Gaunt. 'Het is een van uw charmes, Netitia.'
Nettie keek hem verwonderd aan. 'Hoe wist u hoe ik heet?'
'Ik heb iets met namen. Ik vergeet nooit een naam of een gezicht.'
Hij verdween langs het gordijn achter in de zaak. Toen hij terugkwam had hij een plat stuk wit karton in zijn ene hand en een grote dot keukenpapier in zijn andere. Hij legde het papier naast het cakebakje (het begon meteen uit te vouwen, met kleine verborgen tikjes en rukjes tot er iets als een reusachtige corsage ontstond) en

vouwde het karton tot een doos waarin de lampekap precies paste. 'Ik weet dat u heel goed zult zorgen voor dit artikel. Daarom heb ik het u verkocht.'
'Echt waar? Ik dacht... meneer Keeton... en die grap...'
'Nee, nee, nee!' zei Gaunt, half lachend en half verontwaardigd. 'Iederéén is voor een grap te vinden! Mensen zijn er dol op! Maar om mensen aan spullen te helpen waar ze van houden en die ze nodig hebben... dat is weer iets heel anders. Soms, Netitia, denk ik wel eens dat ik eigenlijk geluk verkoop... wat vind jij daarvan?'
'Nou,' zei Nettie oprecht, 'ik weet dat u míj gelukkig hebt gemaakt, meneer Gaunt. Erg gelukkig.'
Hij onthulde zijn kromme scheefstaande tanden in een brede lach. 'Fijn! Daar ben ik blij om!' Gaunt duwde de papieren corsage in de doos, stopte de lampekap in het knisperende wit, sloot de doos en plakte hem dicht met sierlijke gebaren. 'Daar is hij dan! Een andere tevreden klant die haar noodzaak heeft gevonden!'
Hij reikte haar de doos aan. Nettie pakte hem. En toen haar vingers die van Gaunt raakten, voelde ze een rilling van afkeer, ook al had ze nog maar een paar ogenblikken eerder zijn handen met grote kracht en zelfs vuur gepakt. Maar die episode was nu al vaag en onwezenlijk aan het worden. Gaunt zette het Tupperware bakje boven op de witte doos. Ze zag iets in het bakje liggen.
'Wat is dat?'
'Een briefje voor je werkgeefster,' zei Gaunt.
Nettie kreeg meteen een ontstelde uitdrukking op haar gezicht. 'Toch niet over míj?'
'Allemachtig, nee!' zei Gaunt lachend en Nettie was onmiddellijk gerustgesteld. Ze kon meneer Gaunt onmogelijk weerstaan of wantrouwen als hij lachte. 'Zorg goed voor je lampekap, Netitia, en kom nog eens langs.'
'Dat zal ik doen,' zei Nettie. Het had een antwoord op beide aansporingen kunnen zijn, maar ook al zou ze hier misschien nog eens komen, in haar hart (die geheime bergplaats waar verlangens en angsten elkaar voortdurend in de weg zaten als geprikkelde passagiers in een overvolle metrowagon) voelde ze dat de lampekap het enige artikel was dat ze ooit in De NoodZaak zou kopen.
En wat te zeggen van die kap? Het was een prachtig ding, iets wat ze altijd had willen hebben, precies wat ze nodig had om haar bescheiden verzameling te completeren. Ze overwoog meneer Gaunt te vertellen dat haar man misschien nog zou leven als hij veertien jaar geleden niet de glazen kap had gebroken die veel op deze leek, dat het de laatste druppel was geweest, het incident dat haar eindelijk over het randje dreef. Hij had tijdens hun huwelijk veel van haar botten gebroken en ze had hem laten leven. Eindelijk had hij

iets gebroken wat ze ècht nodig had en ze had hem gedood.
Ze besloot dat ze dit niet tegen meneer Gaunt hoefde te zeggen.
Hij zag eruit als iemand die het misschien al wist.

3

'Polly! Polly! Ze komt naar buiten!'
Polly liet de kleedpop in de steek waarop ze traag en nauwkeurig een zoom had staan spelden en haastte zich naar het raam. Zij aan zij met Rosalie zag ze Nettie uit De NoodZaak komen, in een toestand die alleen maar zwaarbeladen genoemd kon worden. Nettie had haar tas onder de ene arm en haar paraplu onder de andere en op de vierkante witte doos in haar handen balanceerde Polly's Tupperware cakebakje.
'Misschien kan ik haar beter een handje gaan helpen,' zei Rosalie.
'Nee.' Polly stak een hand uit en hield haar rustig tegen. 'Doe maar niet. Ik denk dat ze er alleen verlegen en onrustig van zou worden.'
Ze zagen Nettie over de stoep lopen. Ze was niet meer zo gehaast alsof een storm haar op de hielen zat; nu scheen ze bijna te zweven.
Nee, dacht Polly, *nee, dat is het woord niet. Het is alsof ze... op de golven drijft.*
Plotseling kreeg ze een van die merkwaardige associaties die net een vingerwijzing zijn, en ze barstte in lachen uit.
Rosalie keek haar met opgetrokken wenkbrauwen aan. 'Mag ik meedoen?'
'Moet je haar gezicht zien,' zei Polly, naar Nettie kijkend, die met trage, dromerige passen Linden Street overstak.
'Wat bedoel je?'
'Ze kijkt als een vrouw die net een beurt heeft gehad... en ongeveer drie keer is klaargekomen.'
Rosalie liep rood aan, keek nog een keer naar Polly en begon te gillen van het lachen. Polly deed mee. Ze vielen elkaar in de armen en zwaaiden heen en weer, lachend als gekken.
'Nou-nou, dames,' zei Alan Pangborn bij de deur van de winkel. 'Kwart voor elf 's morgens is een beetje vroeg voor champagne, dus vertel maar eens wat er te lachen valt.'
'Vier!' zei Rosalie, hevig giechelend. Tranen stroomden over haar wangen. 'Volgens mij was het vier keer!'
En ze begonnen weer overnieuw, heen en weer zwaaiend in elkaars armen en gillend van de lach, terwijl Alan met zijn handen in de zakken van zijn uniformbroek naar ze stond te kijken en verwonderd glimlachte.

4

Norris Ridgewick arriveerde in zijn burgerkloffie op het kantoor van de sheriff, ongeveer tien minuten voordat de fluit van de fabriek de middagpauze aankondigde. Hij had de tweede dienst, van twaalf tot negen uur, het hele weekend; en zo had hij het ook graag. Laat een ander de hoofdwegen en zijwegen van Castle County maar opruimen als de kroegen om een uur 's nachts waren gesloten; hij kon dat wel aan, hij had het ook vaak genoeg gedaan, maar hij moest er bijna altijd zelf van kotsen. Dat gebeurde soms zelfs als de slachtoffers nog in staat waren op hun benen te staan en schreeuwden dat ze geen zin hadden in die stomme ademtest, dat ze hun constipationele rechten kenden. Op zichzelf kon Norris daar wel tegen. Sheila Brigham plaagde hem graag door te zeggen dat hij net hulpsheriff Andy was uit *Twin Peaks*, maar Norris wist wel beter. Hulpsheriff Andy huilde als hij dode mensen zag. Norris huilde niet, hij moest er hoogstens van kotsen. Zo had hij bijna op Homer Gamache gekotst, toen hij die in eeen greppel bij de begraafplaats had gevonden, doodgeslagen met zijn eigen kunstarm.
Norris wierp een blik op het rooster, zag dat zowel Andy Clutterbuck als John LaPointe op patrouille was, en keek op het mededelingenbord. Geen bijzondere dingen, wat hem eveneens wel aanstond. Om zijn dag helemaal goed te maken – althans de eerste helft – was zijn tweede uniform door de stomerij bezorgd... en nog wel op de beloofde dag. Het bespaarde hem een tochtje naar huis om zich te verkleden.
Aan de plastic zak van de stomerij zat een kaartje: 'Ik krijg nog $5,25 van je, Barney. Probeer dit keer niet je pet te drukken, want dan haal je de avond niet. Clut.'
Norris liet zijn goede humeur zelfs door deze waarschuwing niet bederven. Sheila Brigham was de enige op het bureau van Castle Rock die hem op een figuur uit *Twin Peaks* vond lijken (Norris had het vermoeden dat zij de enige van het korps was – afgezien van hijzelf – die naar het televisieprogramma keek). De andere hulpsheriffs – John LaPointe, Seat Thomas, Andy Clutterbuck – noemden hem Barney, naar een figuur uit de oude *Andy Griffith Show*. Dat ergerde hem wel eens, maar vandaag niet. Vier dagen de middagdienst, dan drie dagen vrij. De hele week strekte zich voor hem uit als een rode loper. Soms was het leven prachtig.
Hij haalde zes dollar uit zijn portemonnee en legde het geld op Cluts bureau. 'Neem het er maar eens goed van, Clut,' schreef hij op de achterkant van een formulier, dat hij van een zwierige handtekening voorzag en naast het geld legde. Daarna haalde hij zijn uniform uit de plastic zak en nam het mee naar de toiletten. Flui-

tend verkleedde hij zich en trok goedkeurend met zijn wenkbrauwen toen hij zichzelf in de spiegel bekeek. Om door een ringetje te halen en helemaal gereed voor de strijd. De boosdoeners van Castle Rock konden vandaag maar beter op hun tellen passen, anders...
In de spiegel zag hij iets bewegen, maar hij had zijn hoofd nog maar een fractie opzij gedraaid toen hij werd beetgepakt, ruw bij de spiegel weggetrokken en tegen de tegels naast de wc-hokjes geduwd werd. Zijn hoofd bonkte tegen de muur, zijn pet viel op de grond en hij keek in het ronde, rood aangelopen gezicht van Danforth Keeton.
'Waar ben je in jezusnaam mee bezig, Ridgewick?' vroeg hij.
Norris had helemaal niet meer gedacht aan de bon die hij de vorige avond onder de ruitewisser van Keetons Cadillac had gestopt. Nu wist hij het weer precies.
'Laat me met rust!' zei hij. Hij probeerde verontwaardigd te klinken, maar zijn stem was een angstig gepiep. Hij voelde het bloed naar zijn gezicht stijgen. Altijd als hij boos of bang was - en op dit moment was hij het allebei - bloosde hij als een meisje.
Keeton, die vijftien centimeter langer en vijftig kilo zwaarder was dan Norris, schudde hem nog eens stevig door elkaar voordat hij losliet. Hij haalde de bon uit zijn zak en zwaaide hem heen en weer onder Norris' neus. 'Staat jouw naam op dit vervloekte ding of niet?' vroeg hij bars, alsof Norris het al had ontkend.
Norris Ridgewick wist heel goed dat het zijn naam was, gestempeld maar duidelijk leesbaar, en dat de bon uit zijn eigen boekje was gescheurd.
'Je stond op de i.p.,' zei hij, terwijl hij bij de muur wegging en over zijn achterhoofd wreef. Daar hield hij verdomme een lelijke buil aan over, vast en zeker. Zijn aanvankelijke verrassing (en Buster had hem de stuipen op het lijf gejaagd, dat kon hij niet ontkennen) nam af, zijn woede zwol aan.
'Op de wàt?
'Op de invalidenparkeerplaats!' schreeuwde Norris. *En bovendien was het Alan zelf die me die bon liet uitschrijven!* wilde hij eraan toevoegen, maar hij bedacht zich. Dit stomme varken zou maar al te graag de verantwoordelijkheid op een ander afschuiven, dat plezier gunde hij hem niet. 'Je was er eerder voor gewaarschuwd, Bu... Danforth, en dat weet je heel goed.'
'Wàt zei je tegen me?' vroeg Danforth Keeton dreigend. Op zijn wangen en kaken waren rode vlekken ter grootte van koolroosjes gekomen.
'Dat is een geldige bekeuring,' zei Norris, zonder acht te slaan op het laatste, 'en als ik jou was, zou ik maar betalen. Je mag van geluk spreken dat ik je niet opschrijf voor het mishandelen van een ambtenaar in functie!'

Danforth lachte. Het geluid weerkaatste hol tussen de muren. 'Ik zie geen ambtenaar in functie,' zei hij. 'Ik zie een paardelul die zich als een stuk rookvlees heeft opgedirkt.'
Norris bukte zich en raapte zijn pet op. Zijn maag kromp samen van angst - Danforth Keeton was geen man om als vijand te hebben - en zijn woede begon dicht bij razernij te komen. Zijn handen beefden. Niettemin nam hij even de tijd om zijn pet goed op zijn hoofd te zetten.
'Wat mij betreft neem je het met Alan op...'
'Ik neem het met jóu op!'
'... maar ik ben erover uitgepraat. Binnen dertig dagen betalen, Danforth, anders moeten we je komen halen.' Norris richtte zich in zijn volle 1,67 meter op en besloot: 'We weten je te vinden.'
Hij ging op weg naar de deur. Keeton, met een gezicht dat nu wel iets had van zonsondergang na een kernexplosie, deed een stap naar voren om zijn vluchtweg te blokkeren. Norris bleef staan en priemde een vinger naar de ander.
'Raak me aan en ik smijt je in de cel, Buster. Ik meen het.'
'Nou is het genoeg,' zei Keeton met een vreemde toonloze stem. 'Méér dan genoeg. Je bent ontslagen. Lever je uniform in en zoek maar een andere...'
'Nee,' klonk een stem achter hen en ze keken allebei om. Alan Pangborn stond in de deuropening van de toiletruimte.
Keeton balde zijn handen tot zware witte vuisten. 'Hou jij je erbuiten.'
Alan ging naar binnen en liet de deur langzaam achter zich dichtvallen. 'Nee,' zei hij. 'Ik heb Norris opdracht gegeven die bekeuring uit te schrijven. Ik heb hem ook gezegd dat ik van plan was hem te verscheuren voor de komende budgetbespreking. Het is een prent van vijf dollar, Dan. Wat bezielt je in vredesnaam?'
Alan klonk verbaasd. Hij wàs verbaasd. Buster had zich nooit van zijn hartelijkste zijde laten zien, zelfs niet in zijn beste ogenblikken, maar ook voor hem was dit een uitbarsting buiten alle proporties. Sinds het eind van de zomer maakte hij een nerveuze en altijd gespannen indruk - Alan hoorde vaak het gedempte gebrul van zijn stem als de wethouders een commissievergadering hielden - en de blik in zijn ogen was bijna gejaagd te noemen. Hij vroeg zich vluchtig af of Keeton misschien ziek was, een vraag die hij voor nadere overweging in gedachten besloot te houden. Op dit ogenblik had hij een tamelijk netelige situatie op te lossen.
'Mij bezielt niks,' zei Keeton knorrig. Hij streek met een hand over zijn haar. Norris merkte met enige voldoening dat ook Keetons handen beefden. 'Ik heb alleen mijn buik meer dan vol van opgeblazen klootzakken zoals deze hier... Ik doe mijn best voor deze

stad - ik beréik ook veel voor deze stad - en ik heb er genoeg van voortdurend achternagezeten...' Hij zweeg even, moeilijk slikkend met zijn zware strottehoofd, en vervolgde woedend: 'Hij noemde me Buster! Je weet hoe ik daarover denk!'
'Hij biedt je zijn excuses wel aan,' zei Alan bedaard. 'Nietwaar, Norris?'
'Dat weet ik nog niet zo net,' zei Norris. Zijn stem trilde en zijn maag keerde om, maar hij was nog steeds kwaad. 'Ik weet dat hij het niet leuk vindt, maar eerlijk gezegd heeft hij het zelf in de hand gewerkt door me zo te overvallen. Ik stond hier gewoon in de spiegel te kijken om mijn das recht te trekken en ineens pakte hij me beet en gooide me tegen de muur. Ik voel nu al een buil op mijn achterhoofd. Kan ik het helpen dat ik dan iets verkeerds zeg, Alan?'
Alan keek weer naar Keeton. 'Is het zo gegaan?'
Keeton sloeg zijn eigen ogen neer. 'Ik was kwaad,' zei hij, en Alan veronderstelde dat een man als Keeton niet dichter bij een spontane en ongedwongen verontschuldiging kon komen dan dit. Hij keek naar Norris om te zien of zijn assistent dat begreep. Zo te zien was dat mogelijk. Het was een goed teken; een grote hindernis minder voor het onschadelijk maken van dit vervelende stinkbommetje. Alan voelde zich wat geruster.
'Kunnen we dit incident als gesloten beschouwen?' vroeg hij aan beide mannen. 'Zand erover en met een schone lei beginnen?'
'Mij best,' zei Norris na een korte stilte. Alan was aangenaam getroffen. Norris was een schriel mannetje, hij had de gewoonte halfvolle blikjes in de surveillancewagens achter te laten en zijn verbalen waren verschrikkelijk om te lezen... maar hij had een groot hart. Hij wilde de minste zijn, maar niet omdat hij bang was voor Keeton. Als de potige wethouder dacht dat het daarom was, dan vergiste hij zich heel lelijk.
'Het spijt me dat ik je Buster noemde,' zei Norris. Spijten deed het hem niet, helemaal niet, maar het kon geen kwaad om te zeggen van wel. Dacht hij.
Alan keek naar de zwaargebouwde man met het opzichtige sportjasje en open golfshirt. 'Danforth?'
'Goed dan, er is niets gebeurd,' zei Keeton. Het klonk alsof hij zich heel diep moest buigen en Alan voelde een bekende golf van afkeer opkomen. Ergens in zijn hoofd klonk een stem, de primitieve krokodillestem van het onderbewustzijn, kort maar krachtig: *Waarom krijg je toch geen hartaanval, Buster? Waarom doe je ons allemaal niet een plezier en ga je de pijp uit?*
'Mooi,' zei hij, 'dat is dan...'
'Als...' zei Keeton met opgeheven vinger.

Alan trok zijn wenkbrauwen op. 'Als wat?'
'Als we iets aan deze bon kunnen doen.' Hij hield de bekeuring tussen twee vingers aan de bovenkant vast, alsof het een dweil was waarmee een of ander twijfelachtig spul was opgeveegd.
Alan zuchtte. 'Kom maar mee naar mijn kantoor, Danforth. We zullen erover praten.' Hij keek naar Norris. 'Jij hebt toch dienst?'
'Ja,' zei Norris. Zijn maag was nog steeds een balletje. Zijn goede humeur was verdwenen en zou de rest van de dag ook wel niet meer terugkomen, het was de schuld van dat vette varken en Alan zou de bon verscheuren. Hij begreep het wel - de politiek - maar dat betekende nog niet dat hij het prettig moest vinden.
'Blijf je nog even in de buurt?' vroeg Alan. Dichter dan dat kon hij niet komen bij *Wil je er straks over praten?* nu Keeton zo vlakbij een gezicht stond te trekken.
'Nee,' zei Norris, 'ik heb van alles te doen. Ik zie je later wel, Alan.' Hij verliet de toiletten zonder Keeton nog een blik waardig te keuren. En hoewel Norris het niet wist, bedwong Keeton met een grote, bijna heroïsche inspanning een irrationele, maar machtige aandrang om hem met een schop onder zijn kont op weg te helpen.
Alan inspecteerde zijn eigen uiterlijk in de spiegel om Norris de tijd te geven uit de buurt te komen, terwijl Keeton bij de deur ongeduldig naar hem keek. Daarna ging hij weer naar buiten, op de voet gevolgd door Keeton.
Een kleine parmantige man in een roomkleurig pak zat op een van de twee stoelen bij de deur van zijn kantoor, opzichtig lezend in een groot in leer gebonden boek dat alleen maar een bijbel kon zijn.
Alan keek neerslachtig naar hem. Hij was er vrij zeker van geweest dat er deze morgen geen àl te vervelende dingen meer konden gebeuren - wat niet zo'n gekke gedachte was, om twee of drie minuten voor twaalf - maar hij had zich vergist.
Dominee William Rose sloeg zijn bijbel dicht (de band had bijna dezelfde kleur als zijn kostuum) en sprong op. 'Sheriff-eh Pangborn,' zei hij. De dominee was een van die verstokte baptisten die nog maar moeilijk uit hun woorden komen als ze emotioneel geladen zijn. 'Kan ik u alstublieft spreken?'
'Over vijf minuten, eerwaarde. Ik heb eerst nog iets te doen.'
'Het is-eh uiterst belangrijk.'
Dat geloof ik graag, dacht Alan. 'Dit ook. Vijf minuten.'
Hij deed de deur open en duwde Keeton naar binnen voordat dominee Willie, zoals de pastoor hem altijd noemde, nog iets kon zeggen.

5

'Dat gaat vast over de casinoavond,' zei Keeton nadat Alan de deur van zijn kantoor had gesloten. 'Let maar op. John Brigham is een Ierse stijfkop, maar ik heb hem veel liever dan deze knaap. Rose is een ongelooflijk verwaande kwast.'
De pot verwijt de ketel dat hij zwart ziet, dacht Alan.
'Ga zitten, Danforth.'
Keeton nam plaats. Alan ging achter zijn bureau staan, hield de parkeerbon omhoog en scheurde hem aan flinters. Die gooide hij in de prullenbak. 'Zo goed?'
'Prima,' zei Keeton. Hij maakte aanstalten om op te staan.
'Nee, blijf nog even zitten.'
Keetons borstelige wenkbrauwen vormden een donderwolk onder zijn hoge roze voorhoofd.
'Even maar,' voegde Alan eraan toe. Hij liet zich in zijn eigen draaistoel zakken. Zijn handen vonden elkaar en probeerden een merel te maken; Alan betrapte ze en sloeg ze stevig in elkaar op het vloeiblad.
'Volgende week hebben we een vergadering van de commissie...' begon Alan.
'Dat mag je wel zeggen,' bromde Keeton.
'... over de begroting die in februari aan de kiezers wordt voorgelegd,' vervolgde Alan. 'Dat is een politieke kwestie, dat weet ik en dat weet jij. Ik heb net een volstrekt terechte parkeerbon verscheurd, uit politieke overwegingen.'
Keeton glimlachte flauw. 'Je bent hier lang genoeg om te weten hoe die dingen werken, Alan. De ene hand wast de andere.'
Alan ging verzitten. De stoel kraakte en piepte wat; geluiden die hij na lange en zware dagen wel eens in zijn dromen hoorde. Zo'n dag als deze leek te gaan worden.
'Ja,' zei hij. 'De ene hand wast de andere... zolang het duurt.'
De wenkbrauwen raakten elkaar weer. 'En wat moet dàt betekenen?'
'Het betekent dat er zelfs in kleine stadjes ergens een einde aan de politiek moet komen. Je moet niet vergeten dat ik een gekozen ambtenaar ben. De wethouders mogen dan aan de financiële touwtjes trekken, het zijn de kiezers die mij aanstellen. En ze stellen mij aan in de verwachting dat ik ze zal beschermen en dat ik de wet zal handhaven. Ik heb de eed afgelegd en daar probeer ik me aan te houden.'
'Is dat een dreigement? Want als dat zo is...'
Juist op dat moment ging de fabrieksfluit. Het geluid drong slechts gedempt door in het kantoor, maar Danforth Keeton schrok alsof

hij door een wesp was gestoken. Zijn ogen werden even groot en zijn handen klemden zich als witte klauwen vast aan de stoelleuningen.
Alans verwondering keerde terug. *Hij is zo schichtig als een loopse teef. Wat is er in vredesnaam met hem aan de hand?*
Voor het eerst begon hij zich af te vragen of meneer Danforth Keeton, eerste wethouder van Castle Rock lang voordat Alan zelf ooit van dat stadje had gehoord, misschien iets had uitgehaald dat niet helemaal koosjer was.
'Het is geen dreigement,' zei hij. Keeton begon zich weer wat te ontspannen, maar hij bleef op zijn hoede... alsof hij bang was dat de fluit zich opnieuw zou laten horen, alleen om hem te pesten.
'Mooi zo. Want het gaat niet alleen om de touwtjes van de beurs, sheriff Pangborn. De wethouders hebben samen met de drie regionale commandanten het vetorecht over de aanstelling - en het ontslag - van hulpsheriffs. Naast heel wat soortgelijke rechten waarvan je ongetwijfeld op de hoogte bent.'
'Dat is maar een formaliteit.'
'Zo is het altijd geweest,' gaf Keeton toe. Uit zijn binnenzak haalde hij een Roi-Tan sigaar. Hij liet hem tussen zijn vingers door glijden, waardoor het cellofaan kraakte. 'Dat wil niet zeggen dat het altijd zo moet blijven.'
Wie zit er nu te dreigen? dacht Alan, maar hij zei het niet. Hij leunde naar achteren in zijn stoel en keek Keeton aan. Die beantwoordde zijn blik enkele tellen, daarna sloeg hij zijn ogen neer en begon aan het cellofaan van zijn sigaar te plukken.
'De volgende keer dat je die parkeerplaats in beslag neemt, gooi ik je zelf op de bon en die wordt niet verscheurd,' zei Alan. 'En als je nog eens een van mijn assistenten aanraakt, zal ik een klacht tegen je indienen wegens mishandeling. Maakt niet uit hoeveel zogenaamde vetorechten de wethouders hebben. Want politiek houdt bij mij een keer op. Begrepen?'
Keeton keek een lang ogenblik naar de sigaar, alsof hij zat te mediteren. Toen hij weer naar Alan keek, waren zijn ogen kleine harde vuursteentjes geworden. 'Als je wilt weten uit welk hout ik ben gesneden, sheriff Pangborn, ga dan gerust nog een tijdje door.' Er stond woede op Keetons gezicht geschreven, onmiskenbaar, maar Alan dacht dat er ook nog iets anders geschreven stond. Hij dacht dat het angst was. Kon hij dat zien? Ruiken? Hij wist het niet en het was ook niet belangrijk. Alleen wáár Keeton bang voor was... dat zou belangrijk kunnen zijn. Heel belangrijk.
'Begrepen?' herhaalde hij.
'Ja,' zei Keeton. Met een plotselinge ruk trok hij het cellofaan van zijn sigaar en liet het op de grond vallen. Hij stak de sigaar in zijn

mond en vroeg met bolle lippen: 'Maar begrijp jij míj?'
De stoel kraakte en piepte toen Alan weer naar voren leunde. Hij keek Keeton ernstig aan. 'Ik begrijp wat je zegt, maar ik begrijp geen barst van hoe jij je gedraagt, Keeton. Wij zijn nooit de beste maatjes geweest, jij en ik...'
'Nee, dat mag je wel zeggen.' Keeton beet het puntje van zijn sigaar. Alan dacht even dat ook dat op de vloer zou belanden en hij nam zich voor er niets van te zeggen - politiek - maar Keeton spuugde het uit in zijn handpalm en gooide het in de schone asbak op het bureau. Het lag daar als een kleine hondekeutel.
'... maar wat het werk betreft hebben we altijd een redelijke verstandhouding gehad. En nu dit. Is er iets aan de hand? Als ik ergens mee kan helpen...'
'Er is niks aan de hand,' zei Keeton, die abrupt ging staan. Hij was weer kwaad, en meer dan dat. Alan kon de rook bijna uit zijn oren zien komen. 'Ik heb er alleen mijn buik vol van dat ik steeds zo... *achternagezeten* word.'
Het was de tweede keer dat hij die term gebruikte. Alan vond het een vreemde uitdrukking, onheilspellend. Eerlijk gezegd vond hij dit hele gesprek onheilspellend.
'Nou ja, je weet me te vinden,' zei Alan.
'Ja, wat heet!' zei Keeton, en ging naar de deur.
'En Danforth... denk alsjeblieft aan die parkeerplaats.'
'Die kan me goddomme gestolen worden!' Keeton ging naar buiten en trok de deur met een klap dicht.
Alan zat achter zijn bureau en keek lange tijd naar de gesloten deur, een verwarde uitdrukking op zijn gezicht. Daarna stond hij op, raapte het verfrommelde cellofaankokertje van de vloer, gooide het in de prullenmand en ging naar de deur om Stoomboot Willie binnen te noden.

6

'Meneer Keeton leek nogal van streek te zijn,' zei Rose. Hij nam behoedzaam plaats op de stoel die de wethouder zojuist had verlaten, keek afkeurend naar het sigarepuntje in de asbak en legde zijn roomwitte bijbel netjes in het midden van zijn krenterige schoot.
'De komende maand zijn er veel lastige besprekingen,' zei Alan vaag. 'Alle wethouders zullen de spanning wel voelen.'
'Ja,' beaamde Rose. 'Zoals Jezus-eh al zei: "Geef de keizer wat des keizers is en God wat Gods is."'
'Juist ja,' zei Alan. Hij verlangde ineens naar een sigaret, iets als een Lucky of een Pall Mall helemaal volgepropt met teer en nicoti-

ne. 'En wat kan ik u deze middag geven, St... eerwaarde?' Met afschuw besefte hij dat hij de geestelijke op een haartje na Stoomboot Willie had genoemd.
Rose nam zijn ronde brilletje af, poetste de glazen op en zette het weer op zijn neus, die aan weerszijden een klein rood vlekje vertoonde. Zijn zwarte haar, in model gehouden door een middel dat Alan wel kon ruiken maar niet benoemen, glansde in het licht van de roosterlamp aan het plafond.
'Het betreft de gruwel die meneer pastoor casinoavond belieft te noemen,' verklaarde de dominee eindelijk. 'U zult zich misschien herinneren, sheriff Pangborn, dat ik bij u ben geweest kort nadat ik van dit vreselijke voornemen had gehoord, om te eisen dat u in naam der goede-eh zeden uw goedkeuring aan een dergelijke opzet zou ontzeggen.'
'Eerwaarde, misschien herinnert ú zich...'
Rose stak gebiedend een hand op en liet de andere in de zak van zijn colbert verdwijnen. Hij haalde een boekje tevoorschijn dat iets kleiner was dan een paperback. Alan zag met bedrukt gemoed (maar zonder echte verbazing) dat het de verkorte uitgave was van het wetboek van Maine.
'Ik ben opnieuw gekomen,' zei Rose met galmende stem, 'om te eisen dat u dit plan verbiedt, niet slechts in naam der goede zeden *maar in naam der wet!*'
'Eerwaarde...'
'Dit is paragraaf 24, artikel 9, lid 2 van het wetboek van Maine,' vervolgde Rose onverstoorbaar. Er was een felle blos op zijn wangen gekomen en Alan besefte dat hij de laatste paar minuten de ene krankzinnige voor de andere had geruild. '"Tenzij anders vermeld-eh,"' las Rose, op de zangerige kanseltoon waarmee zijn overwegend luistergrage gelovigen zo vertrouwd waren, '"worden kansspelen in de zin van paragraaf 23 van dit wetboek-eh, waarbij het inzetten van geld als voorwaarde voor deelname wordt gesteld, als onwettig beschouwd."' Hij klapte het boekje dicht en keek Alan aan. Vuur brandde in zijn ogen. '"*Als onwettig beschouwd!*"' riep hij uit.
Alan voelde een vluchtige aandrang zijn armen in de lucht te gooien en *Halleluja-eh!* te roepen. Hij wachtte tot het voorbij was en zei: 'Ik ken de paragrafen uit het wetboek die over kansspelen handelen, eerwaarde. Ik heb ze opgezocht na uw eerste bezoek en daarna heb ik ze voorgelegd aan Albert Martin, die veel juridische kwesties voor de gemeente behandelt. Naar zijn mening slaat paragraaf 23 niet op activiteiten zoals die casinoavond.' Hij pauzeerde even en besloot: 'Ik moet u zeggen dat ik dezelfde mening ben toegedaan.'
'Uitgesloten!' zei Rose driftig. 'Ze willen het huis des Heren in een

speelhol veranderen en u wilt me vertellen dat dat legáál is?'
'Het is net zo legaal als de bingoavondjes die de Dochters van Isabella al sinds 1931 organiseren.'
'Dit-eh is geen bingo! Dit is roulette-eh! Dit is kaarten om geld! Dit is' - zijn stem trilde - 'dòbbelen-eh!'
Alan verhinderde zijn handen een andere vogel te maken en vouwde ze samen op zijn bureau. 'Ik heb Albert een brief laten schrijven aan Jim Tierney, de minister van justitie van Maine. Zijn antwoord was hetzelfde. Het spijt me, eerwaarde. Ik weet dat u er aanstoot aan neemt. Persoonlijk heb ik bijvoorbeeld bezwaar tegen kinderen met skateboards. Ik zou ze graag verbieden, maar dat kan ik niet. In een democratie moeten we soms leven met dingen die we vervelend vinden of afkeuren.'
'Maar dit is gòkken!' zei Rose, op een toon van oprechte verontwaardiging. 'Hier wordt om gèld gespeeld! Hoe kan zoiets legaal zijn als het wetboek uitdrukkelijk zegt...'
'Er wordt niet echt om geld gespeeld, heb ik begrepen. Iedere... iedere deelnemer betaalt bij de ingang een bijdrage. In ruil krijgt de deelnemer een evenredig bedrag aan speelgeld. Aan het eind van de avond wordt een aantal prijzen verdeeld - prijzen en dus geen geld - zoals een videorecorder, een magnetron, een handstofzuiger, serviesgoed en dergelijke.' En een uitbundig plaaggeestje in zijn hoofd deed hem eraan toevoegen: 'Ik geloof dat de bijdrage aan de deur misschien wel aftrekbaar is.'
'Het is een schande en een gruwel,' zei Rose. De kleur was uit zijn wangen weggetrokken. Zijn neusvleugels trilden.
'Dat is een moreel oordeel, geen juridisch. Zo worden er in het hele land avondjes georganiseerd.'
'Ja,' zei Rose. Hij stond op, zijn bijbel tegen zijn borst klemmend alsof het een schild was. 'Door de katholíeken. Katholieken zijn dòl op gokken. Ik ben van plan er een stokje voor te steken-eh, commissaris Pangborn. Met of zonder uw hulp.'
Alan stond eveneens op. 'Nog twee dingen, eerwaarde. Het is shèriff Pangborn, niet commissaris. En verder kan ik u net zo min voorschrijven wat u van de kansel moet zeggen als meneer pastoor of de Dochters van Isabella of de Knights of Columbus welke evenementen ze moeten organiseren - uiteraard zolang die niet in strijd zijn met de wet - maar ik kan u wel degelijk vragen op uw tellen te passen en ik geloof zelfs dat ik dat móet doen.'
Rose keek hem koel aan. 'Wat bedoelt u daarmee?'
'Ik bedoel dat u van streek bent. Er is niets mis met de aanplakbiljetten die uw volgelingen overal ophangen en ook niet met de ingezonden brieven, maar er zijn grenzen. Ik raad u aan hier verder geen ophef over te maken.'

'Toen-eh Jezus de hoeren en de geldwisselaars in-eh de tempel zag, raadpleegde hij geen wetboek, sheriff. Toen-eh Jezus zag hoe die boze mannen en vrouwen het huis des Heren-eh bezoedelden, lette hij op geen grenzen. *Onze Heer deed waarvan Hij-eh wist dat het juist was!'*

'Ja,' zei Alan bedaard, 'maar u bent Jezus niet.'

Rose keek hem een tijdje aan met ogen als vlammenwerpers. O, o, dacht Alan, deze knaap is zo leip als een deur.

'Tot ziens, commissaris Pangborn,' zei Rose kil.

Ditmaal nam Alan niet de moeite hem te corrigeren. Hij knikte slechts en stak zijn hand uit, hoewel hij heel goed wist dat het vergeefse moeite was. Rose draaide zich om en liep op hoge benen naar de deur, de bijbel nog steeds tegen zijn borst gedrukt.

'Laat het nu maar zitten, eerwaarde,' riep Alan hem na.

Rose draaide zich niet om en gaf evenmin antwoord. Hij schreed naar buiten en trok de deur met een klap dicht, zodat de ruit ervan rammelde. Alan ging achter zijn bureau zitten en drukte zijn handpalmen tegen zijn slapen.

Enkele ogenblikken daarna stak Sheila Brigham aarzelend haar hoofd naar binnen. 'Alan?'

'Is hij weg?' vroeg Alan zonder op te kijken.

'De dominee? Ja. Hij raasde als een storm naar buiten.'

'Elvis heeft het pand verlaten,' zei Alan hol.

'Wat?'

'Laat maar.' Hij keek op. 'Ik wil alleen een dosis harddrugs. Wil je even voor me kijken of er bij de in beslag genomen spullen iets ligt, Sheila?'

Ze glimlachte. 'Heb ik al gedaan. De kast is leeg, vrees ik. Is een kop koffie ook goed?'

Hij glimlachte ook. De middag was begonnen en zou beter worden dan de ochtend, dat kón niet anders. 'Mij heb je.'

'Goed zo.' Ze deed de deur dicht en eindelijk liet Alan zijn handen vrij. Weldra vloog een hele rij merels door een strook zonlicht op de muur tegenover het raam.

7

De donderdagmiddagen waren op de middenschool van Castle Rock gereserveerd voor allerlei activiteiten. Brian Rusk had een individueel programma en zou pas later in aanmerking komen voor een rol in het jaarlijkse wintertoneelstuk, zodat hij vroeger naar huis mocht; een aardige tegenhanger van zijn late dinsdagen.

Deze donderdagmiddag was hij al bijna door de zijdeur naar buiten

gegaan voordat de bel na afloop van het zesde uur was uitgerinkeld. Zijn rugtas bevatte behalve zijn boeken ook de oliejas die zijn moeder hem 's ochtends had laten aantrekken en het ding hing als een bochel op zijn rug.
Hij reed snel weg en zijn hart bonkte fel in zijn borst. Hij had iets
(*een tegenprestatie*)
te doen. Een klusje dat opgeknapt moest worden. Eigenlijk wel een leuk klusje. Hij wist nu wat het was. Het was hem duidelijk geworden toen hij onder wiskunde zat te dagdromen.
Terwijl Brian door School Street de heuvel afreed, brak de zon voor het eerst die dag door de rafelige wolken heen. Hij keek naar links en zag een schaduwjongen op een schaduwfiets naast zich rijden op het natte asfalt.
Je zult vandaag hard door moeten trappen om me bij te houden, schaduwjongen, dacht hij. *Ik heb iets te doen.*
Brian fietste door het winkelcentrum zonder naar De NoodZaak aan de andere kant van Main Street te kijken. Bij kruispunten hield hij nauwelijks in om naar links en naar rechts te kijken voordat hij zich voorthaastte. Bij de kruising van Pond Street (zijn eigen straat) en Ford Street reed hij niet rechtdoor naar huis, maar sloeg hij rechtsaf. Bij de volgende kruising ging hij naar links, Willow Street in. Die liep evenwijdig aan Pond Street; de achtertuinen van de huizen aan weerskanten lagen tegen elkaar aan, in de meeste gevallen gescheiden door houten schuttingen.
Pete en Wilma Jerzyck woonden in Willow Street.
Hier moet ik een beetje oppassen.
Maar hij wist heel goed wat hij moest doen: onderweg had hij het allemaal in gedachten uitgewerkt en het plan was als vanzelf bij hem opgekomen, bijna alsof het de hele tijd al in zijn hoofd had gezeten, net als de wetenschap wat hij precies moest doen.
In het huis van de Jerzycks was niets te zien of te horen en de oprit was leeg, maar dat betekende niet noodzakelijk dat de kust veilig was. Brian wist dat Wilma minstens parttime in Hemphill's Market aan Route 117 werkte, omdat hij haar daar wel eens achter een kassa had gezien met die eeuwige hoofddoek om, maar dat hield nog niet in dat ze nu ook daar was. De gedeukte kleine Yugo waarin ze rondreed kon heel goed in de garage van de Jerzycks staan, onzichtbaar voor hem.
Brian fietste de oprit op, stapte af en klapte de standaard uit. Hij voelde het bloed kloppen in zijn oren en keel. Het klonk als tromgeroffel. Hij ging naar de voordeur en repeteerde wat hij moest zeggen als mevrouw Jerzyck toch thuis zou zijn.
Dag mevrouw Jerzyck, ik ben Brian Rusk, ik woon hierachter. Ik zit op de middenschool en binnenkort gaan we abonnementen voor

tijdschriften verkopen, zodat onze band nieuwe uniformen kan kopen. Ik heb al een paar mensen gevraagd of ze tijdschriften willen hebben, dan kan ik terugkomen als ik ze heb. Wie er veel verkoopt krijgt mooie prijzen.
Het had goed geklonken toen hij het verzon en het klonk nog steeds goed, maar toch voelde hij zich gespannen. Hij bleef een minuut op het stoepje staan en luisterde of er binnen iets te horen viel: een radio, een televisieprogramma (maar niet *Santa Barbara*, dat begon pas over twee uur), misschien een stofzuiger. Hij hoorde niets, maar dat betekende niet meer dan de lege oprit.
Brian belde aan. Ergens in de diepte van het huis hoorde hij het, vaag: *Dingdong!*
Brian stond op het stoepje en wachtte, af en toe om zich heen kijkend om te zien of iemand op hem lette, maar Willow Street scheen vast in slaap. En de voortuin van het huis werd afgeschermd door een heg. Dat was goed. Als je iets moest doen
(*een tegenprestatie*)
iets waar de mensen – je vader en moeder bijvoorbeeld – niet direct gelukkig mee zouden zijn, dan was een heg ongeveer het beste wat je kon gebruiken.
Een halve minuut was verstreken en er kwam nog niemand. Tot zover ging het goed... maar voorzichtigheid bleef het parool. Hij belde opnieuw, twee keer achter elkaar, zodat er uit de buik van het huis klonk: *Dingdong! Dingdong!*
Nog steeds niets.
Goed dan. Alles was in orde. Sterker nog, alles was absoluut te gek gaaf.
Absoluut te gek gaaf of niet, Brian kon de neiging niet weerstaan nog eens om zich heen te kijken – tamelijk schichtig ditmaal – terwijl hij zijn fiets met de standaard nog omlaag naar het gangetje tussen het huis en de garage bracht. In deze ruimte, door het vriendelijke personeel van Dick Perry's Bouwmaterialen in South Paris aangeduid als 'passage', zette hij zijn fiets weer neer. Daarna liep hij door naar de achtertuin. Zijn hart bonkte nog harder. Zijn stem trilde wel eens als zijn hart zo tekeer ging. Hij hoopte dat zijn stem niet zou trillen als mevrouw Jerzyck in de achtertuin bezig was bollen te planten of zo en hij over de abonnementen vertelde. Anders zou ze misschien doorhebben dat hij niet de waarheid sprak. En dat kon tot allerlei moeilijkheden leiden waar hij niet eens aan wilde denken.
Hij bleef staan bij de hoek. Hij kon een deel van de achtertuin zien, meer niet. En plotseling leek het allemaal zo leuk niet meer. Plotseling leek het een vuile grap – niet meer dan dat, maar zeker niet minder. Een zorgelijke stem liet zich ineens in zijn hoofd horen.

Als je weer eens op je fiets stapte, Brian? Ga terug naar huis. Neem een glas melk en denk er nog eens goed over na.
Ja. Dat leek een erg goed - een erg verstándig idee. Hij begon zich zelfs al om te draaien... tot hij een beeld voor ogen kreeg dat heel veel sterker was dan de stem. Hij zag een lange zwarte auto - een Cadillac of misschien een Lincoln Mark IV - voor zijn huis stoppen. Het portier ging open en Leland Gaunt kwam achter het stuur vandaan. Alleen droeg meneer Gaunt niet meer de kamerjas die Sherlock Holmes in sommige verhalen aanhad. De meneer Gaunt die nu door het landschap van Brians verbeelding stapte, droeg een indrukwekkend zwart kostuum - het kostuum van een crematoriumdirecteur - en zijn gezicht was niet vriendelijk meer. Zijn donkerblauwe ogen waren nog donkerder van woede, zijn lippen waren teruggeweken van zijn kromme tanden... maar niet in een glimlach. Zijn lange dunne benen schaarden over het pad naar de voordeur en de schaduwman aan zijn hielen zag eruit als een beul in een horrorfilm. Bij de deur zou hij niet blijven staan om aan te bellen, o nee. Hij zou regelrecht naar binnen gaan. Hij zou Brians moeder opzij schuiven als ze voor hem wilde gaan staan. Hij zou Brians vader neerslaan als die voor hem wilde gaan staan. En hij zou Brians broertje Sean optillen en door het hele huis smijten, als een rugbyspeler die een lange pass geeft. Hij zou met grote passen de trap bestijgen, luid Brians naam roepend, en de rozen op het behang zouden verwelken als de schaduw van die beul op ze viel.
En hij zou me vinden ook, dacht Brian. Zijn gezicht was een masker van ontzetting zoals hij daar bij de hoek van het huis stond. *Het zou niet uitmaken of ik probeerde me te verbergen. Al ging ik helemaal naar Bòmbay, dan zou het nog niets uitmaken. Hij zou me vinden. En dan...*
Hij probeerde de film stop te zetten, uit te schakelen - en kon het niet. Hij zag de ogen van meneer Gaunt groter worden, groot als blauwe afgronden die dieper en dieper reikten tot in een afgrijselijke indigo eeuwigheid. Hij zag de lange handen van meneer Gaunt, met hun vreemde vingers van gelijke lengte, veranderen in klauwen die op zijn schouders neerdaalden. Hij voelde het kippevel op zijn huid komen onder die afstotende aanraking. Hij hoorde meneer Gaunt schreeuwen: *Je hebt iets van mij, Brian, en je hebt er niet voor betaald!*
Ik zal het teruggeven! hoorde hij zichzelf tegen dat verwrongen, brandende gezicht roepen. *Alstublieft o alstublieft ik zal het teruggeven ik zal het teruggeven, doe me geen pijn!*
Brian kwam weer tot zichzelf, net zo verdwaasd als toen hij dinsdagmiddag uit De NoodZaak kwam. Alleen voelde hij zich nu lang niet zo prettig als toen.

Hij wilde het Sandy Koufax-plaatje niet teruggeven, dat was het hem.
Hij wilde niet, omdat het van hèm was.

8

Myra Evans stapte onder de luifel van De NoodZaak op het moment dat de zoon van haar beste vriendin eindelijk de achtertuin van Wilma Jerzyck betrad. De blik die Myra om zich heen wierp, eerst achter zich en vervolgens naar de overkant van Main Street, was nog schichtiger dan de blik waarmee Brian door Willow Street had gekeken.
Als Cora – die ècht haar beste vriendin was – wist dat ze hier was en, belangrijker nog, waaròm ze hier was, zou ze waarschijnlijk nooit meer met haar praten. Omdat Cora zelf ook die foto wilde hebben.
Maak je niet druk, dacht Myra. Twee gezegden kwamen in haar op en allebei leken ze even toepasselijk. *Wie het eerst komt, het eerst maalt,* was het ene; *wat niet weet, wat niet deert* het andere.
Niettemin had Myra een grote Foster Grant zonnebril op haar neus gezet voordat ze naar het centrum ging. *Voorkomen is beter dan genezen* was nog zo'n nuttig advies.
Nu ging ze langzaam naar de deur en bekeek het bordje dat achter het glas hing:

DI. EN DO. BEZOEK UITSLUITEND OP AFSPRAAK

Myra had geen afspraak. Ze was op een ingeving hier gekomen, tot actie aangezet door een telefoontje van Cora, nog geen twintig minuten geleden.
'Ik heb er de hele dag aan gedacht! Ik moet het gewoon hebben, Myra. Ik had het woensdag meteen moeten kopen, maar ik had maar vier dollar in mijn tas en ik wist niet of hij een cheque zou accepteren. Je weet hoe gênànt het is als zoiets wordt afgewezen. Achteraf kon ik mezelf wel voor mijn hoofd slaan. Wat zeg ik, ik heb vannacht nauwelijks een oog dichtgedaan. Ik weet dat je het aanstellerig zult vinden, maar het is ècht zo.'
Myra vond het helemaal niet aanstellerig en ze wist dat het echt zo was, want ze had die nacht zèlf nauwelijks een oog dichtgedaan. En Cora hoefde helemaal niet aan te nemen dat die foto van haar was omdat ze hem toevallig het eerst had gezien, alsof ze daardoor een soort eerstgeboorterecht had gekregen of zo.
'Ik geloof trouwens niet dat zij hem het eerst zag,' zei Myra met

een gemelijk stemmetje. 'Ik geloof dat ík hem het eerst zag.'
Het was eerlijk gezegd nog een open vraag wie die absoluut verrukkelijke foto als eerste had gezien. Daarentegen was het géén open vraag wat Myra voelde bij het idee dat ze Cora zou bezoeken en die foto van Elvis boven de schoorsteenmantel zou zien hangen, precies tussen Cora's aarden beeldje van Elvis en Cora's porseleinen Elvis-bierkruik. Bij dat idee keerde Myra's maag om en bleef in haar buik hangen als een uitgewrongen dweil. Zo had ze zich gevoeld tijdens de eerste week van de Golfoorlog.
Het was niet eerlijk. Cora had allemaal van die leuke Elvisdingen, ze had zelfs eens een concert van Elvis meegemaakt. Dat was in een theater in Portland geweest, ongeveer een jaar voordat de King naar zijn geliefde moeder in de hemel was gegaan.
'Die foto komt míj toe,' bromde Myra. Ze verzamelde al haar moed en klopte op de deur.
De deur was al bijna open voordat ze haar hand kon laten zakken en ze werd zowat onder de voet gelopen door een man met smalle schouders die naar buiten kwam.
'Neem me niet kwalijk,' mompelde hij zonder zijn hoofd op te tillen. Ze kreeg nauwelijks de tijd om meneer Constantine te herkennen, de apotheker van LaVerdiere's Super Drug. Zonder naar links of naar rechts te kijken haastte hij zich naar de overkant en verdween op het plein, met in zijn handen een klein pakje.
Ze draaide haar hoofd om en zag meneer Gaunt in de deuropening staan, glimlachend met zijn vrolijke bruine ogen.
'Ik heb geen afspraak...' zei ze op schuchtere toon. Brian Rusk, die gewend was Myra uitspraken te horen doen op een toon van volstrekte autoriteit en stelligheid, zou die stem van zijn leven niet hebben herkend.
'Maar nu wel, mijn beste,' zei Gaunt. Hij deed glimlachend een stap opzij. 'Welkom terug! Kom verder en laat iets achter van het geluk dat u meebrengt!'
Na een laatste snelle blik om zich ervan te overtuigen dat er geen bekenden in de buurt waren, stapte Myra Evans haastig over de drempel van De NoodZaak.
De deur viel achter haar dicht.
Een hand met lange vingers, even wit als de hand van een dode, verhief zich in het halfdonker, vond de ring onder aan het koord en trok het rolgordijn omlaag.

9

Brian besefte pas dat hij zijn adem had ingehouden toen hij zichzelf met een zacht gefluit hoorde zuchten.
Er was niemand in de achtertuin.
Wilma, ongetwijfeld aangemoedigd door het beterende weer, had de was opgehangen voordat ze naar... ergens naartoe was gegaan. Het wasgoed wapperde aan drie lijnen in de zon en de frisse bries.
Brian ging naar de achterdeur en tuurde naar binnen, de handen rond zijn ogen geslagen tegen het felle zonlicht. Hij zag een verlaten keuken. Hij overwoog aan te kloppen en besloot dat het alleen maar een nieuwe uitvlucht zou zijn om niet te doen waarvoor hij was gekomen. Er was niemand in huis. Hij kon beter het klusje opknappen en maken dat hij wegkwam.
Langzaam ging hij het trapje af en kwam op het gras. Links hingen de waslijnen met hun last van overhemden, broeken, ondergoed, lakens en kussenslopen; rechts lag een kleine moestuin waaruit alle groenten, met uitzondering van een paar piepkleine pompoenen, waren geoogst. Aan de achterkant stond een schutting van grenen planken. Daarachter, wist Brian, lag het huis van de Haverhills, slechts vier deuren van zijn eigen huis verwijderd.
De zware regenval van de vorige avond had de tuin in een moeras veranderd; de meeste overgebleven pompoenen waren half ondergedompeld in kleine plassen. Brian bukte zich, pakte met beide handen een paar klonters donkerbruine modder en ging daarmee naar de waslijnen. Bruin water sijpelde tussen zijn vingers door.
De lijn het dichtst bij de moestuin hing helemaal vol met lakens. Ze waren nog vochtig, maar droogden snel op in de wind. Ze maakten lome flapperende geluiden. Ze waren smetteloos, maagdelijk wit.
Zet hem op, fluisterde de stem van meneer Gaunt in zijn hoofd. *Net als Sandy Koufax, Brian. Zet hem op!*
Brian tilde zijn handen op tot boven zijn schouders, de palmen naar de hemel gekeerd. Het verraste hem niet helemaal dat hij weer een erectie kreeg, net als in zijn droom. Hij was blij dat hij geen angsthaas was. Dit werd léuk.
Met een ruk liet hij zijn handen naar voren schieten. De modder vloog eraf in lange bruine vegen die als waaiers op de bollende lakens neerkwamen en in slijmerige parabolen begonnen af te druipen.
Hij ging terug naar de moestuin, schepte weer twee handen vol met modder en gooide die tegen de lakens, ging terug voor een nieuwe lading en liet die dezelfde weg volgen. Het was of er een waas voor zijn ogen kwam. Hij draafde druk heen en weer om modder te halen en weg te gooien.

Hij had de hele middag wel zo kunnen doorgaan, als niet iemand had geroepen. Eerst dacht hij dat het geroep voor hém bedoeld was. Hij trok onwillekeurig zijn hoofd in en een zachte kreet van angst ontsnapte hem, tot het tot hem doordrong dat het maar mevrouw Haverhill was die aan de andere kant van de schutting haar hond riep.
Evengoed moest hij maken dat hij hier wegkwam. En snel.
Toch bleef hij nog even staan om te zien wat hij had aangericht, en een enkel ogenblik voelde hij zich beschaamd en verward.
De lakens hadden de rest van het wasgoed grotendeels afgeschermd, maar zelf zaten ze onder de troep. Er waren nog maar een paar verspreide plekken waar de oorspronkelijke witte kleur te zien was.
Brian keek naar zijn handen, die eveneens onder de modder zaten. Snel liep hij naar de hoek van het huis, waar een waterkraan uit de muur stak. De kraan was nog niet afgesloten met het oog op de naderende winter: hij draaide hem open en er kwam een koude straal uit. Hij hield zijn handen eronder en wreef ze krachtig tegen elkaar. Hij waste ze tot alle modder eraf gespoeld was, ook het slik onder zijn vingernagels, zonder erop te letten dat het gevoel uit zijn handen begon te verdwijnen. Hij hield zelfs de manchetten van zijn overhemd onder de straal.
Hij draaide de kraan dicht, ging terug naar zijn fiets, klapte de standaard omhoog en liep de inrit af. Paniek beving hem toen hij een kleine gele auto zag aankomen, maar het was een Civic en geen Yugo. De wagen reed voorbij zonder vaart te minderen en de bestuurder sloeg geen acht op de kleine jongen met de rode, gekloofde en bijna bevroren handen die naast zijn fiets op de inrit stond, de kleine jongen op wiens gezicht met grote letters één enkel woord te lezen viel: SCHULDIG!
Brian wachtte tot de auto voorbij was, stapte op zijn fiets en reed als een bezetene weg. Hij stopte pas toen hij goed en wel bij zijn eigen huis was. Zijn handen waren tegen die tijd niet verkleumd meer, maar ze jeukten wel en deden pijn... en ze waren nog steeds rood.
Hij ging naar binnen en zijn moeder riep vanuit de zitkamer: 'Ben jij daar, Brian?'
'Ja, mam.' Wat hij in de achtertuin van de Jerzycks had gedaan, leek nu al iets wat hij gedroomd kon hebben. De jongen die hier in de zonnige, doodnormale keuken stond, de jongen die nu naar de koelkast ging om de melk te pakken, kon toch zeker niet dezelfde jongen zijn die in de tuin van Wilma Jerzyck zijn handen diep in de aarde had gestoken en de ene lading na de andere tegen Wilma's schone lakens had gegooid?

Nee, zeker niet.
Hij schonk een glas melk in en keek intussen naar zijn handen. Ze waren schoon: rood, maar schoon. Hij zette de melk terug. Zijn hart klopte weer in het normale ritme.
'Ging het goed op school vandaag, Brian?' klonk Cora's zwevende stem.
'Ging wel.'
'Heb je zin om samen tv te kijken? *Santa Barbara* begint zo en ik heb chocola voor je.'
'Goed,' zei hij, 'maar ik ga eerst een paar minuten naar boven.'
'Als je daar maar geen melkglas laat staan! Dat wordt vies en gaat stinken en het komt er nooit af in de automaat!'
'Ik neem het weer mee naar beneden, mam.'
'Dat is je geraden!'
Brian ging naar boven en bleef een half uur achter zijn bureau zitten, dromend van zijn Sandy Koufax-plaatje. Toen Sean binnenkwam om te vragen of hij mee wilde gaan naar de winkel op de hoek, sloeg Brian snel zijn album dicht en liet Sean weten dat hij moest verdwijnen en niet meer terugkomen voordat hij had geleerd eerst aan te kloppen als de deur dicht was. Hij hoorde hoe Sean snikkend op de gang bleef staan en hij voelde helemaal geen medelijden.
Die jongen wist gewoon niet wat manieren waren.

10

Directeur gaf een feestje in de bajes,
De band zette in en daar begon het gajes.
De muziek was luid en de tent begon te swingen,
Je had die uitgelaten penose moeten horen zingen!

De King staat met zijn benen uit elkaar, een vuur in zijn blauwe ogen, schuddend met de wijde pijpen van zijn witte glitterpak. Diamantjes glinsteren en flonkeren in het licht van de spots. Een lok blauwzwart haar valt schuin over zijn voorhoofd. De microfoon is dicht bij zijn mond, maar niet zo dichtbij dat Myra de pruilerige krul in zijn bovenlip niet kan zien.
Ze kan alles zien. Ze zit op de eerste rij.
En plotseling, als de ritmesectie dreunend inzet, steekt hij een hand uit, een hand naar háár, zoals Bruce Springsteen (die in geen eeuwigheid de King zal worden, hoe hard hij ook zijn best doet) zijn hand uitsteekt naar dat meisje in de clip van 'Dancing in the Dark'. Even is ze te zeer aangegrepen om iets te doen, om zich te verroe-

ren, dan duwen handen haar naar voren en heeft zíjn hand zich om haar pols gesloten, trekt zíjn hand haar het toneel op. Ze kan hem ruiken, een mengeling van zweet, Engels leer en een gloeiende schone huid.

Een fractie later wordt Myra Evans door Elvis Presley in de armen genomen.

Het satijn van zijn glitterpak voelt glad aan onder haar handen. De armen om haar heen zijn gespierd. Dat gezicht, zíjn gezicht, het gezicht van de King, is een paar centimeter bij het hare vandaan. Hij danst met haar, ze zijn een stel: Myra Josephine Evans uit Castle Rock, Maine, en Elvis Aron Presley uit Memphis, Tennessee! Samen dirty-dancen ze over een breed podium voor vierduizend schreeuwende fans, terwijl de JordanAires dat opzwepende refrein uit de jaren vijftig scanderen: 'Let's rock... everybody let's rock...'

Zijn heupen dringen op tegen de hare: ze voelt de zwellende spanning tussen zijn benen tegen haar buik. Daarna draait hij haar rond, haar rok schuift omhoog tot de kant van haar Victoria's Secret broekje te zien is. Haar hand draait in de zijne als een as in een naaf als hij haar weer naar zich toe trekt en zijn hand glijdt omlaag over haar rug tot hij stevig op de zwelling van haar billen blijft rusten. Even kijkt ze naar beneden en daar, achter en onder de felle gloed van het voetlicht, ziet ze Cora Rusk naar boven staren. Cora's gezicht is onheilspellend van haat en groen van nijd.

Elvis draait haar gezicht naar zich toe en vraagt, op die stroperige Tennessee-toon van hem: 'Kunnen we niet beter naar elkaar kijken, honey?'

Voor ze iets kan zeggen, voelt ze zijn volle lippen op haar mond: zijn geur, zijn nabijheid vullen de hele wereld. Dan ineens zit zijn tong in haar mond: de koning van de rock 'n roll geeft haar een tongzoen waar Cora en verdorie de hele wereld bij zijn! Hij drukt haar weer dicht tegen zich aan en terwijl het koper met syncopische stoten invalt, voelt ze hoe een extatische warmte door haar dijen trekt. O, zo is het nog nooit geweest, zelfs niet met Ace Merrill bij het Castle Lake zoveel jaren geleden. Ze kan het wel uitschreeuwen, maar zijn tong is in haar mond begraven en ze kan alleen maar haar nagels in zijn gladde satijnen rug zetten en met haar heupen schokken terwijl de blazers een donderend 'My Way' inzetten.

11

Gaunt zat in een van de pluche stoelen en keek met klinische afstandelijkheid hoe Myra Evans zich aan haar orgasme overgaf. Ze zat te trillen als een vrouw die een totale zenuwinzinking onder-

gaat, de foto van Elvis vast in haar handen geklemd, de ogen gesloten. Haar boezem ging op en neer, haar dijen gingen open en dicht, open en dicht. Haar pas ingezette krullen lagen als een niet al te charmante helm tegen haar hoofd. Zweet rolde over haar onderkin, waardoor ze wel iets had van de zwoegende Elvis zelf tijdens diens laatste paar concerten.
'Ooohh!' kreunde Myra luid, trillend als een pudding op een bord. 'Ooooh! Oooooooh god! Ooooooooooh gohhhhhhd! Aaahhhhh...'
Gaunt nam afwezig de stof van zijn donkere broek tussen zijn duim en wijsvinger en schudde de messcherpe plooi weer in de pijpen. Daarna boog hij naar voren en griste de foto uit Myra's handen. Ze opende meteen haar ogen, die vol afkeer stonden. Ze probeerde de foto terug te pakken, maar die was al buiten haar bereik. Ze wilde opstaan.
'Ga zitten,' zei Gaunt.
Myra bleef waar ze was, alsof ze tijdens het opstaan in steen was veranderd.
'Als je deze foto ooit nog wilt zien, Myra... *ga zitten!*'
Ze ging zitten en staarde naar hem in stomme vertwijfeling. Grote zweetplekken breidden zich uit onder haar oksels en langs haar borsten.
'Alsjeblieft,' zei ze. Ze stootte het woord uit in een gortdroog gekwaak, als een windvlaag in de woestijn. Ze stak haar handen uit.
'Doe maar een bod,' zei Gaunt uitnodigend.
Ze dacht na. Haar ogen rolden in haar bezwete gezicht. Haar adamsappel ging op en neer.
'Veertig dollar!' riep ze.
Hij lachte en schudde het hoofd.
'Vijftig!'
'Bespottelijk. Je wilt deze foto zeker niet erg graag hebben, Myra.'
'Ik wil hem wel!' Tranen welden op in haar ooghoeken. Ze liepen over haar wangen en vermengden zich met het zweet. 'Ik moet hem hebben!'
'Goed dan,' zei hij. 'Je wilt hem. Ik accepteer het feit dat je hem wilt hebben. Maar heb je hem ook nodig, Myra? Heb je hem werkelijk nódig?'
'Zestig! Meer heb ik niet! Het is mijn laatste rooie cent!'
'Myra, zie ik eruit als een kind?'
'Nee...'
'Daar lijkt het wel op. Ik ben een oude man – ouder dan je zou denken, ik ben goed geconserveerd al zeg ik het zelf – maar ik geloof beslist dat ik in jouw ogen een kind ben, een kind dat zal geloven dat een vrouw uit een gloednieuwe villa dicht bij Castle View niet meer dan zestig dollar op haar naam heeft staan.'

'U begrijpt het niet! Mijn man...'
Gaunt stond op, de foto nog steeds in zijn hand. De glimlachende man die haar zo genadig had toegelaten was hier niet meer. 'Je had toch geen afspraak, Myra? Nee. Ik heb je ontvangen omdat ik een mens van goede wil ben. Maar nu vrees ik dat ik je moet verzoeken weg te gaan.'
'Zeventig! Zeventig dollar!'
'Je beledigt mijn intelligentie. Ga alsjeblieft weg.'
Myra wierp zich voor hem op haar knieën. Ze huilde met hese, doodsbange snikken. Ze omklemde zijn kuiten terwijl ze voor hem in het stof boog. 'Alstublieft! Alstublieft, meneer Gaunt! Ik moet die foto hebben! Ik moet hem hebben! Hij is... u hebt geen idee wat hij voor me betekent!'
Gaunt keek naar de foto van Elvis en een trek van afkeer vloog over zijn gezicht. 'Ik geloof niet dat ik het zou willen weten,' zei hij. 'Het zag er bijzonder... zweterig uit.'
'Maar voor meer dan zeventig dollar moet ik een cheque uitschrijven en dan komt Chuck het te weten. Hij zou willen weten waar ik het aan heb uitgegeven. En als ik het hem vertel, dan... dan...'
'Dat,' zei Gaunt, 'is mijn probleem niet. Ik ben een winkelier, geen huwelijksadviseur.' Hij stond op haar neer te kijken en praatte tegen de kruin van haar bezwete hoofd. 'Ik ben er zeker van dat iemand anders - mevrouw Rusk bijvoorbeeld - zich deze tamelijk unieke afbeelding van wijlen meneer Presley wel kan veroorloven.'
Bij het horen van Cora's naam tilde Myra met een ruk haar hoofd op. Haar ogen waren hol, glinsterende puntjes in diepe bruine kassen. Ze ontblootte haar tanden in een snauw. Op dit moment zag ze er bepaald waanzinnig uit.
'U verkoopt hem toch niet aan háár?' siste ze.
'Ik geloof in de vrije markt,' zei Gaunt. 'Daar is dit land groot door geworden. En ik heb liever dat je me loslaat, Myra. Je handen zijn helemaal plakkerig van het zweet. Deze broek moet naar de stomerij en zelfs dan weet ik niet of...'
'Tachtig! Tachtig dollar!'
'Ik verkoop hem voor precies het dubbele,' zei Gaunt. 'Honderdzestig dollar.' Hij grinnikte en liet zijn grote kromme tanden zien. 'En Myra... ik heb geen bezwaar tegen een cheque.'
Ze slaakte een kreet van wanhoop. 'Dat kan niet! Chuck vermoordt me!'
'Misschien wel,' zei Gaunt, 'maar verlang je niet erg naar een hartstochtelijke, brandende liefde?'
'Honderd,' jammerde Myra. Ze klemde zich weer vast aan zijn kuiten toen hij bij haar vandaan wilde gaan. 'Honderd dollar, alstublieft!'

‘Honderdveertig,’ riposteerde Gaunt. ‘Lager kan ik niet gaan. Het is mijn laatste bod.’
‘Goed,’ hijgde Myra. ‘Goed, het is goed, ik zal betalen...’
‘En je moet me natuurlijk ook pijpen,’ zei Gaunt, grinnikend op haar neerkijkend.
Ze keek naar hem op, haar mond gekruld tot een volmaakte o.
‘Wat zegt u?’ fluisterde ze.
‘Pijp me!’ schreeuwde hij. ‘Zuig me af! Doe die prachtige goudgevulde mond van je open en pomp mijn snikkel leeg!’
‘O god,’ kreunde Myra.
‘Dan niet,’ zei Gaunt, zich afwendend.
Ze pakte hem beet voor hij kon weglopen. Een ogenblik later friemelden haar bevende handen aan zijn gulp.
Hij liet haar een paar tellen friemelen, een vermaakte uitdrukking op zijn gezicht, en sloeg daarna haar handen weg. ‘Laat maar zitten,’ zei hij. ‘Ik word vergeetachtig van orale seks.’
‘Wat..?’
‘Laat maar zítten, Myra.’ Hij gooide haar de foto toe. Ze klauwde er met twee handen naar, kreeg hem zowaar te pakken en drukte hem tegen haar boezem. ‘Maar er is wel iets anders.’
‘Wat dan?’ siste ze tegen hem.
‘Ken je de barkeeper van de kroeg aan de overkant van de Tin Bridge?’
Ze begon al met haar hoofd te schudden en ze kreeg een blik van paniek in haar ogen tot ze besefte wie hij bedoelde. ‘Henry Beaufort?’
‘Ja. Ik geloof dat hij ook de eigenaar van The Mellow Tiger is. Een tamelijk belangwekkende naam.’
‘Nou, kènnen doe ik hem niet, maar ik geloof dat ik wel weet wie hij ís.’ Ze was nog nooit van haar leven in The Mellow Tiger geweest, maar net als iedereen wist ze wie de eigenaar was.
‘Ja, hem bedoel ik. Ik wil dat je een grapje met meneer Beaufort uithaalt.’
‘Wat... wat voor grapje?’
Gaunt bukte zich, pakte een van Myra’s plakkerige handen en hielp haar overeind.
‘Dat,’ zei hij, ‘is iets waar we over kunnen praten terwijl jij je cheque uitschrijft, Myra.’ Nu glimlachte hij en alle charme kwam weer terug in zijn gezicht. Zijn bruine ogen flonkerden en dansten. ‘Dat doet me er trouwens aan denken, zal ik je foto in geschenkpapier verpakken, Myra?’

5

1

Alan ging in Nan's Luncheonette tegenover Polly aan een tafeltje zitten en zag meteen dat ze nog steeds veel pijn had, zóveel dat ze ook 's middags bij hoge uitzondering een Percodan had genomen. Hij wist het al voordat ze haar mond had opengedaan; er was iets in haar ogen, een soort glans. Hij had het leren kennen... maar hij was het niet prettig gaan vinden. Hij dacht niet dat hij het ooit prettig zou vinden. Niet voor het eerst vroeg hij zich af of ze al verslaafd was aan de pijnstiller. In Polly's geval, veronderstelde hij, was die verslaving gewoon een van de bijverschijnselen, iets wat verwacht en opgemerkt kon worden en daarna ondergeschikt gemaakt aan het hoofdprobleem: het simpele feit dat ze moest leven met een pijn die hij zich waarschijnlijk niet eens kon voorstellen.

Zijn stem verried niets van dit alles toen hij vroeg: 'Hoe gaat het, schoonheid?'

Ze glimlachte. 'Nou, het is een boeiend dagje geweest. Héél erg boeiend, zoals die knaap in *Laugh-In* altijd zei.'

'Je bent niet oud genoeg om je dat te herinneren.'

'Welles. Alan, wie is dat?'

Hij draaide zijn hoofd om en volgde haar blik. Nog net zag hij een vrouw met een rechthoekig pakje in haar armen geklemd voorbij het brede spiegelraam van het eethuis lopen. Ze keek strak voor zich uit en een voetganger moest haastig een stap opzij doen om een frontale botsing te vermijden. Alan zocht snel in het enorme archief van namen en gezichten dat hij in zijn hoofd had en haalde er een etiket uit dat Norris, die gek was op het jargon, ongetwijfeld 'een halve (persoonsbeschrijving)' zou hebben genoemd.

'Evans. Mabel of Mavis of zoiets. Getrouwd met Chuck Evans.'

'Ze kijkt of ze net heel goede Panama-rood heeft gerookt,' zei Polly. 'Ik ben gewoon jaloers.'

Nan Roberts kwam zelf de bestelling opnemen. Ze behoorde tot de Christenstrijders van dominee William Rose en vandaag droeg ze een klein geel speldje boven haar linkerborst. Het was de derde button die Alan deze middag had gezien en hij vermoedde dat hij er de komende weken nog veel meer te zien zou krijgen. Op het speldje was binnen een zwarte cirkel een fruitautomaat afgebeeld met een rode diagonale streep erdoorheen. Er stond geen tekst bij,

maar die was ook helemaal niet nodig om duidelijk te maken hoe de draagster over de casinoavond dacht.
Nan was een vrouw van middelbare leeftijd met een enorme boezem en een lieftallig gezicht, dat je deed denken aan je moeder thuis en aan appeltaart. Ook de appeltaart die ze zelf serveerde was heel goed, zoals Alan en al zijn assistenten wisten, vooral met zo'n grote schep smeltend vanille-ijs erbovenop. Het was verleidelijk op Nans gezicht af te gaan, maar heel wat ondernemers - voornamelijk makelaars - hadden ontdekt dat dit een slecht idee was. Achter haar lieve gezicht ging een druk rekenende computer schuil en onder haar moederlijke boezem droeg ze geen hart, maar een stapel grootboeken. Nan had in Castle Rock een heel dikke vinger in de pap, onder andere minstens vijf winkelpanden in Main Street, en nu Pop Merrill ten grave was gedragen, vermoedde Alan dat ze waarschijnlijk de rijkste inwoner van de stad was.
Ze deed hem denken aan een hoerenmadam die hij eens in Utica had aangehouden. De vrouw had hem willen omkopen, en toen hij dat aanbod afsloeg had ze doodleuk geprobeerd zijn hersens in te slaan met een vogelkooi... met daarin een opgeblazen papegaai die op een gemelijke en peinzende toon wel eens zei: 'Ik heb je moeder geneukt, Frank.' Soms, als Alan zag hoe de verticale frons tussen de ogen van Nan Roberts zich verdiepte, dacht hij dat ze heel goed in staat zou zijn precies hetzelfde te doen. En hij vond het even vanzelfsprekend dat Nan, die tegenwoordig nauwelijks nog achter de kassa vandaan kwam, in eigen persoon de sheriff bediende. Op het persoonlijke tintje komt het aan.
'Hallo, Alan,' zei ze. 'Ik heb jou in geen eeuwigheid gezien! Waar heb je uitgehangen?'
'Zo hier en daar,' zei hij. 'Ik kom nog eens ergens, Nan.'
'Als je je oude vrienden maar niet in de steek laat,' zei ze met haar stralende, moederlijke glimlach. Je moest Nan wel een tijdje meemaken, bedacht Alan, voordat je opmerkte dat die lach zelden of nooit tot haar ogen doordrong. 'Kom ons af en toe eens opzoeken.'
'En kijk, daar ben ik al!' zei Alan.
Nan barstte uit in een luid en hartelijk gelach, dat de mannen aan de toonbank - overwegend houthakkers - vluchtig het hoofd deed omdraaien. En later, dacht Alan, zullen ze tegen hun vrienden zeggen dat ze Nan Roberts en de sheriff samen hebben zien dollen. De beste maatjes.
'Koffie, Alan?'
'Graag.'
'Wil je er een stuk taart bij? Uit eigen keuken: de appels komen van McSherry in Sweden. Gisteren geplukt.' Ze probeert ons ten-

minste niet wijs te maken dat ze ze ook nog zelf heeft geplukt, dacht Alan.
'Nee, dank je.'
'Zeker weten? En jij, Polly?'
Polly schudde haar hoofd.
Nan ging de koffie halen. 'Je mag haar niet erg, geloof ik,' zei Polly zacht tegen hem.
Daar dacht hij over na, enigszins verrast; mogen of niet mogen was eigenlijk niet bij hem opgekomen. 'Nan? Het gaat wel. Alleen weet ik graag wie de mensen echt zijn, als ik kan.'
'En wat ze echt willen?'
'Dat is veel te moeilijk,' zei hij lachend. 'Ik ben al blij als ik weet wat ze van plan zijn.'
Ze glimlachte - hij vond het leuk als hij haar liet lachen - en zei: 'We maken nog eens een echte filosoof van je, Alan Pangborn.'
Hij raakte de rug van haar gehandschoende hand aan en glimlachte tegen haar.
Nan kwam terug met zwarte koffie in een zware witte kroes en ging meteen weer weg. Dat moet je haar nageven, dacht Alan, ze weet wanneer de plichtplegingen achter de rug zijn en het decorum voldoende in acht is genomen. Dat wist niet iederéén met dezelfde belangen en aspiraties als Nan.
Alan nam een slok van zijn koffie. 'Zo, en vertel nu maar wat er zo heel erg boeiend was.'
Ze vertelde hem hoe zij en Rosalie Drake die ochtend Nettie Cobb in tweestrijd voor De NoodZaak hadden zien staan totdat ze eindelijk voldoende moed bijeen had geraapt om naar binnen te gaan.
'Dat is prachtig,' zei hij, en hij meende het.
'Ja, maar dat is niet alles. Toen ze naar buiten kwam had ze iets gekòcht! Ik heb haar nog nooit zo vrolijk en zo... zo energiek gezien als ze vandaag was. Energiek, dat is het woord. Je weet toch hoe bleek ze altijd ziet?'
Alan knikte.
'Nou, ze had een blos op haar wangen en haar haar zat een beetje in de war en ze lachte zelfs een paar keer.'
'Weet je zeker dat ze alleen iets had gekocht?' vroeg hij, met zijn ogen rollend.
'Doe niet zo gek.' Ze deed alsof ze hem een tik wilde geven - iets wat ze nooit zou doen, zelfs niet voor de grap. Niet met háár handen. 'Hoe dan ook, ze bleef buiten wachten tot jij was weggegaan, zoals ik al had gedacht, en daarna kwam ze binnen om ons te laten zien wat ze had gekocht. Je weet dat ze een kleine verzameling gekleurd glas heeft?'
'Ik niet. Er zijn hier nog een paar dingen die aan mijn aandacht zijn ontsnapt, geloof het of niet.'

'Ze heeft een stuk of zes vazen en zo. De meeste heeft ze van haar moeder geërfd. Ze heeft me eens verteld dat er nog meer waren, maar er zijn er een paar gebroken. In elk geval is ze dol op haar spulletjes en nu heeft ze de prachtigste glazen lampekap gekocht die ik in jaren heb gezien. Op het eerste gezicht dacht ik dat het Tiffany was. Dat is natuurlijk niet zo, want Nettie zou zich nooit origineel Tiffany-glas kunnen veroorloven, maar het is een schitterend ding.'
'Hoeveel heeft ze dan wèl betaald?'
'Ik heb het haar niet gevraagd, maar ik durf te wedden dat haar ouwe sok vanmiddag helemaal leeg is.'
Hij keek een beetje bedenkelijk. 'Weet je zeker dat ze niet is opgelicht?'
'Heel zeker. Nettie mag dan over sommige dingen vaag zijn, ze weet alles van zulk glaswerk af. Ze zei dat het een koopje was en dat zal dan ook wel zo zijn. Ze was er zó gelukkig mee, Alan.'
'Dat is dan mooi. Voor Elk Wat Wils.'
'Wat?'
'Dat was de naam van een zaak in Utica,' zei hij. 'Lang geleden. Ik was nog een kind. Voor Elk Wat Wils.'
'En was er voor jou óók wat bij?' plaagde ze.
'Dat weet ik niet. Ik ben er nooit binnen geweest.'
'Nou,' zei ze, 'onze meneer Gaunt denkt blijkbaar dat hij misschien iets voor mij heeft.'
'Wat bedoel je?'
'Nettie bracht mijn cakebakje mee terug en daar zat een briefje in. Van Gaunt.' Ze schoof haar handtas over de tafel naar hem toe. 'Kijk zelf maar, ik waag me vanmiddag niet aan die knip.'
Hij liet de tas even voor wat hij was. 'Hoe erg is het, Polly?'
'Erg,' zei ze alleen maar. 'Ik heb wel slechtere dagen gehad, maar ik zal niet tegen je liegen: het is nooit véél erger geweest. De hele week al, sinds het weer omsloeg.'
'Heb je een afspraak met dokter Van Allen gemaakt?'
Ze zuchtte. 'Nog niet. Ik verwacht dat het beter wordt. Telkens als het zo is als nu en ik denk dat ik elk ogenblik gek zal worden, wordt het ineens wat beter. Tot nu toe althans. Ik neem aan dat het op een keer gewoon helemaal niet minder zal worden. Als het maandag nog niet beter is, ga ik naar de dokter. Maar die kan me alleen pijnstillers voorschrijven en als het aan mij ligt word ik liever niet verslaafd, Alan.'
'Maar...'
'Genoeg,' zei ze zacht. 'Genoeg voor vandaag, goed?'
'Goed,' zei hij, een beetje tegen zijn zin.
'Lees het briefje maar. Het is erg hartelijk... en een tikkeltje aandoenlijk.'

Hij knipte haar handtas open en pakte de dunne enveloppe die op haar portefeuille lag. Het papier voelde stevig en satijnachtig aan. Op de voorkant stond *Mej. Polly Chalmers*, in een zo volmaakt ouderwets handschrift dat het uit een antiek dagboek had kunnen stammen.
'Het zijn net drukletters,' zei ze vermaakt. 'Dat leren ze op school al niet meer sinds de dinosaurussen zijn uitgestorven.'
Uit de enveloppe haalde hij een vel briefpapier met geschepte rand. Het briefhoofd luidde:

DE NOODZAAK
Castle Rock, Maine
Eigenaar Leland Gaunt

De hand waarin het briefje zelf was geschreven, was niet zo formeel en gekunsteld als de letters op de enveloppe, maar had, net als het taalgebruik, iets dat op een aangename manier aan voorbije tijden deed denken.

Waarde Polly,
Nogmaals mijn dank voor de chocoladecake. Het is mijn favoriete cake en hij smaakte voortreffelijk! Verder wil ik je bedanken voor je vriendelijkheid en attentie; je zult wel geweten hebben hoe zenuwachtig ik op mijn openingsdag moest zijn, en dan ook nog buiten het seizoen.
Ik heb een artikel, nog niet voorradig maar wel met een aantal andere zaken onderweg per luchtvracht, waarvan ik meen dat je er veel belangstelling voor zou kunnen hebben. Meer wil ik niet zeggen; ik heb liever dat je het met eigen ogen ziet. Eigenlijk is het niet veel meer dan een snuisterij, maar ik dacht er bijna onmiddellijk aan nadat je was weggegaan en in de loop der jaren heeft mijn intuïtie mij zelden in de steek gelaten. Ik verwacht dat ik het vrijdag of zaterdag binnen heb. Als je er kans toe ziet, wil je dan zondagmiddag eens langskomen? Ik zal er de hele dag zijn om de inventaris op te nemen en het zou me een genoegen zijn het je te laten zien. Voor nu wil ik het hierbij laten; het artikel zelf zal je al dan niet aanspreken. Gun mij in elk geval de gelegenheid je vriendelijke gebaar met een kop thee terug te betalen!
Ik hoop dat Nettie plezier heeft van haar nieuwe lampekap. Ze is een heel zachtmoedige vrouw en ik geloof dat ze er erg blij mee was.
Met de meeste hoogachting,

LG.

Leland Gaunt

'Geheimzinnig!' zei Alan, die het briefje weer in de enveloppe en de enveloppe in haar tas stopte. 'Ga je op onderzoek uit, zoals wij in het vak zeggen?'
'Hoe kan ik weigeren nu hij me zo lekker maakt en ik Netties lampekap heb gezien? Ja, ik denk dat ik bij hem langs ga... als mijn handen wat beter zijn. Wil je mee, Alan? Misschien heeft hij voor jou ook iets.'
'Misschien, maar het kan ook zijn dat ik weer naar de wedstrijd van de Patriots ga. Vroeg of laat moeten ze toch winnen.'
'Je ziet er moe uit, Alan. Wallen onder je ogen.'
'Je hebt van die dagen. Het begon ermee dat ik nog maar net kon verhinderen dat wethouder Keeton en een van mijn assistenten elkaar in de toiletten tot moes sloegen.'
Ze leunde naar voren en keek hem bezorgd aan. 'Wat was er dan?'
Hij vertelde haar over het kloppartijtje tussen Keeton en Norris Ridgewick en Keetons vreemde gedrag na afloop: de hele dag had hij onwillekeurig aan dat woord *achternazitten* moeten denken. Nadat hij zijn relaas had gedaan, zweeg Polly geruime tijd.
'En?' vroeg hij ten slotte. 'Wat vind jij er nu van?'
'Ik zat te denken dat het nog heel wat jaren zal duren voordat je alles van Castle Rock weet dat je moet weten. Dat geldt waarschijnlijk ook voor mij. Ik ben lang weggeweest en ik praat nooit over waar ik was of wat er van mijn "probleempje" is geworden, en ik denk dat er hier veel mensen zijn die me niet vertrouwen. Maar je vangt eens wat op, Alan, en sommige dingen blijven hangen. Weet je hoe ik me voelde toen ik terugkwam in de Rock?'
Hij schudde zijn hoofd. Haar verhaal boeide hem. Polly was er de vrouw niet naar om het verleden op te halen, zelfs niet tegenover hem.
'Het was net of je na lange tijd weer eens een aflevering van een soap opera ziet. Ook al heb je twee jaar niet gekeken, je herkent de mensen en hun problemen onmiddellijk, want echt veranderen doen ze nooit. Het is of je een paar gemakkelijke oude schoenen aantrekt.'
'Wat wil je daarmee zeggen?'
'Dat er hier een hoop oude problemen spelen waar jij nog niet van op de hoogte bent. Wist je dat een oom van Danforth Keeton in dezelfde tijd als Nettie in Juniper Hill heeft gezeten?'
'Nee.'
Ze knikte. 'Hij was een jaar of veertig toen hij psychische problemen kreeg. Mijn moeder zei altijd dat Bill Keeton schizofreen was. Ik weet niet of dat echt zo was of dat ze die term gewoon het vaakst op de televisie hoorde, maar er was bepaald iets mis met hem. Ik heb zelf gezien hoe hij op straat mensen aanklampte en tegen ze be-

gon uit te varen over het een of ander, over de staatsschuld, de communistische neigingen van John Kennedy en weet ik wat nog allemaal meer. Ik was nog maar een klein meisje, maar ik werd er bang van, Alan, dat wist ik heel goed.'
'Dat is ook heel begrijpelijk.'
'En soms liep hij met zijn hoofd naar beneden over straat in zichzelf te praten, binnensmonds en toch hardop. Mijn moeder zei dat ik nooit iets tegen hem mocht zeggen als hij zich zo gedroeg, zelfs niet als wij op weg waren naar de kerk en hij ook. Uiteindelijk probeerde hij zijn vrouw dood te schieten. Dat hoorde ik tenminste, maar je weet hoe al dat geroddel tot een verkeerde voorstelling van zaken leidt. Misschien deed hij niets anders dan een beetje met zijn dienstwapen zwaaien. Wat het ook was, ze kwamen hem halen en brachten hem naar de gevangenis. Er kwam een onderzoek naar zijn geestesgesteldheid en daarna werd hij in Juniper Hill weggestopt.'
'Is hij daar nog steeds?'
'Hij is dood. Hij takelde mentaal behoorlijk snel af toen hij eenmaal in de inrichting zat. Op het laatst had hij met helemaal niemand contact meer. Catatonisch, zeiden ze.'
'Jezus.'
'Maar dat is niet alles. Ronnie Keeton, de vader van Danforth en broer van Bill Keeton, heeft halverwege de jaren zeventig vier jaar op de psychiatrische afdeling van het ziekenhuis in Togus gezeten. Tegenwoordig zit hij in een verpleeghuis. Ziekte van Alzheimer. En dan was er nog een oudtante of een nicht, ik weet niet zeker wat het was, die zich na een of ander schandaal in de jaren vijftig van het leven beroofde. Ik weet niet precies wat het was, maar ik heb eens horen vertellen dat ze iets meer van vrouwen hield dan van mannen.'
'Het zit in de familie, wil je dat ermee zeggen?'
'Nee,' zei ze, 'er zit geen moraal in dit verhaal, geen thema. Ik weet iets van dit stadje en jij niet, dat is alles, en het is niet iets wat ze in hun speeches op Onafhankelijkheidsdag zullen aansnijden. Ik geef het alleen maar door. Conclusies trekken is een zaak voor de politie.'
Dit laatste zei ze zó streng dat Alan er om moest grinniken... maar hij voelde zich tegelijkertijd onzeker. Was krankzinnigheid een erfelijke trek of niet? Van school herinnerde hij zich dat het erfelijkheidsidee een bakerpraatje was, maar jaren later had een docent op de politieschool in Albany gezegd dat het wel degelijk waar was, althans in bepaalde gevallen waar kon zijn: dat sommige mentale stoornissen net zo duidelijk in familiestambomen terug te vinden waren als lichaamskenmerken zoals blauwe ogen. Alcoholisme was

een van de gebruikte voorbeelden. Had de docent ook iets over schizofrenie gezegd? Alan kon het zich niet herinneren. Hij had zijn opleiding al heel wat jaren achter de rug.
'Ik denk dat ik maar eens navraag naar Buster moet gaan doen,' zei Alan ernstig. 'Ik kan je wel vertellen dat ik niet graag de dag zou beleven waarop bij wethouder Keeton helemaal de stoppen doorslaan, Polly.'
'Natuurlijk niet. En waarschijnlijk is hij ook niet schizofreen, ik vond alleen dat je het moest weten. De mensen hier willen wel antwoord geven... àls je de goede vragen weet te stellen. Anders laten ze je net zo lief in het duister tasten en zullen ze je geen woord wijzer maken.'
Alan grinnikte. Het was de waarheid. 'Je hebt nog niet alles gehoord, Polly. Toen Buster weg was, kreeg ik bezoek van dominee Willie. Hij...'
'Sst!' zei Polly, zo fel dat Alan abrupt zijn mond hield. Ze keek om zich heen, kwam kennelijk tot de conclusie dat niemand luistervink zat te spelen en keek weer naar Alan. 'Ik twijfel wel eens aan je, Alan. Als je niet leert wat discretie is, dan kon je over twee jaar wel eens weggestemd worden... en dan sta je daar met je mond vol tanden, jezelf af te vragen wat er toch is gebeurd. Je moet op je tellen passen. Danforth Keeton is misschien een tijdbom, de dominee is een vlammenwerper.'
Hij boog dichter naar haar toe en zei: 'Nee, geen vlammenwerper. Hij is een zelfgenoegzame, opgeblazen kleine klootzak, dat is hij.'
'Ging het over de casinoavond?'
Hij knikte.
Ze legde haar handen op de zijne. 'Arme schat. En van de buitenkant lijkt het zo'n slaperig stadje, vind je niet?'
'Dat is het meestal ook.'
'Is hij kwaad weggegaan?'
'O ja,' zei Alan. 'Dit was mijn tweede gesprek met onze brave dominee over de vraag of een casinoavond wettig is. Ik verwacht dat ik hem nog wel vaker zal zien voordat de katholieken die stomme avond eindelijk houden en alles achter de rug is.'
'Ja, hij is echt een zelfgenoegzame kleine klootzak,' zei ze op nog zachtere toon. Haar gezicht stond ernstig, maar haar ogen glinsterden.
'Dat is hij. En dan hebben we nu weer die speldjes. Een nieuwe steen des aanstoots.'
'Speldjes?'
'Buttons waarop speelautomaten met een kruis erdoorheen staan in plaats van blije gezichten. Nan draagt er eentje. Ik vraag me af wiens idee dàt was.'

‘Waarschijnlijk van Don Hemphill. Hij is niet alleen een overtuigd baptist, hij zit ook in de staatscommissie van de Republikeinen. Don weet alles af van verkiezingscampagnes, maar ik denk dat het hem tegenvalt hoeveel moeite het kost om mensen over te halen als het om godsdienst gaat.’ Ze streelde zijn handen. ‘Doe maar rustig aan, Alan. Heb geduld. Wacht af. Daar draait het leven in de Rock voornamelijk om: rustig aan doen, geduldig zijn en wachten tot de incidentele storm is overgewaaid. Ja?’

Hij glimlachte tegen haar, draaide zijn handen om en pakte die van haar... maar voorzichtig, heel voorzichtig. ‘Ja,’ zei hij. ‘Heb je vanavond behoefte aan gezelschap, schoonheid?’

‘Ach, Alan, ik weet het niet...’

‘Geen gefriemel,’ zei hij ter geruststelling. ‘Ik maak de haard aan, daar gaan we voor zitten en dan kun jij om mij een plezier te doen nog wat meer oude geschiedenissen ophalen.’

Polly glimlachte flauw. ‘Ik geloof dat ik je de afgelopen zes of zeven maanden alles over iedereen heb verteld, Alan, mezelf incluis. Als je je verder in Castle Rock wilt verdiepen, moet je aanpappen met de oude Lenny Partridge... of met háár.’ Ze knikte in de richting van Nan en liet haar stem iets dalen. ‘Het verschil tussen Lenny en Nan,’ zei ze, ‘is dat Lenny tevreden is met wat hij weet. Nan Roberts wil ook graag van haar wetenschap gebruikmaken.’

‘Wat wil je daarmee zeggen?’

‘Daarmee wil ik zeggen dat ze niet voor àl haar panden de volle prijs heeft moeten betalen,’ zei Polly.

Alan keek haar peinzend aan. Hij had Polly nog nooit in zo’n stemming meegemaakt: beschouwend, praatziek, neerslachtig, en dat allemaal tegelijkertijd. Voor het eerst sinds hij haar vriend en daarna haar minnaar was geworden, vroeg hij zich af wie er aan het woord was: Polly Chalmers of de medicijnen.

‘Ik geloof dat je vanavond beter weg kunt blijven,’ zei ze ineens besluitvaardig. ‘Ik ben geen goed gezelschap als ik me voel zoals nu. Dat zie ik aan je gezicht.’

‘Dat is niet waar, Polly.’

‘Ik ga naar huis en neem een heet bad. Ik drink geen koffie meer. Ik trek de telefoon eruit en ga vroeg naar bed, misschien dat ik dan morgen als een nieuw mens wakker word. Misschien kunnen we dan eh... friemelen.’

‘Ik maak me zorgen over je.’

Haar handen bewogen zacht en behoedzaam in de zijne. ‘Ik weet het,’ zei ze. ‘Helpen doet het niet, maar ik vind het fijn, Alan. Fijner dan je weet.’

2

Hugh Priest vertraagde toen hij op weg naar huis van zijn werk voorbij The Mellow Tiger kwam... en gaf weer gas. Hij reed naar huis, zette zijn Buick in de oprit en ging naar binnen.
Zijn huis had twee kamers: een waarin hij at en een waarin hij alle andere dingen deed. Een geblutste formica tafel, bedekt met aluminium schalen voor diepvriesmaaltijden (in de meeste staken sigarettepeukjes uit de gestolde jus), stond in het midden van dit laatste vertrek. Hij liep naar de open kast, ging op zijn tenen staan en voelde op de bovenste plank. Even dacht hij dat de vossestaart weg was, dat er iemand binnen was geweest om hem te stelen, en zijn maag keerde om van schrik. Hij slaakte een diepe zucht van verlichting toen hij de zijdezachte stof onder zijn hand voelde.
Hij had het grootste deel van de dag aan de vossestaart gedacht, zich voorstellend hoe hij hem aan de antenne van de Buick zou binden en hoe het zou zijn om hem daar vrolijk te zien wapperen. Hij had het die ochtend al bijna gedaan, maar toen regende het nog steeds en hij wilde niet dat de staart een slap stuk bont werd dat als een lijk aan de antenne hing. Nu nam hij hem mee naar buiten, schopte afwezig een leeg drankblikje uit de weg en liet het stevige bont door zijn vingers glijden. Wat een zalig gevoel!
Hij ging de garage binnen (die al sinds 1984 of daaromtrent zoveel rommel bevatte dat zijn auto er niet meer bij kon) en vond na enig speurwerk een stuk stevig ijzerdraad. Hij had een besluit genomen: eerst zou hij de vossestaart aan de antenne vastmaken, daarna wat eten en ten slotte zou hij naar South Paris rijden. De bijeenkomst van de AA begon daar om zeven uur in de American Legion Hall. Misschien wàs het te laat om een nieuw leven te beginnen... maar het was niet te laat om erachter te komen of dat werkelijk zo was of niet.
Hij maakte een taaie kleine schuifknoop in het ijzerdraad en maakte die vast aan het dikste uiteinde van de staart. Hij begon het andere eind van het ijzerdraad om de antenne te binden, maar zijn vingers verloren hun snelle doeltreffendheid en aarzelden. Zijn zelfvertrouwen ebde weg en de achterblijvende leegte werd gevuld door twijfel.
Hij zag zichzelf zijn auto neerzetten op de parkeerplaats van het American Legion en dat was goed. Hij zag zichzelf naar binnen gaan en ook dàt was goed. Maar ineens zag hij een snotneus, zo eentje als het rotjoch dat laatst vlak voor zijn wagen was overgestoken, langs het gebouw lopen terwijl hij daarbinnen vertelde dat hij Hugh P. heette en problemen met drank had. De blik van de jongen wordt getroffen door een heldere oranje gloed in het felle

blauwwitte licht van de lantaarnpalen op de parkeerplaats. De jongen gaat naar zijn Buick toe en bekijkt de vossestaart... eerst raakt hij hem voorzichtig aan, daarna strijkt hij liefkozend over de vacht. Hij kijkt om zich heen, ziet geen mens, geeft een ruk aan de vossestaart en breekt het ijzerdraad. Hugh zag die jongen naar de plaatselijke speelhal gaan om tegen een van zijn maatjes te zeggen: *Hé, moet je zien wat ik van de parkeerplaats heb gejat. Gaaf hè?* Hugh voelde hoe zijn keel werd dichtgeknepen van woede en frustratie, alsof dit niet alleen maar speculatie was maar iets dat werkelijk was gebeurd. Hij betastte de staart en keek in de invallende schemering om zich heen alsof hij verwachtte aan de overkant van Castle Hill Road al een groepje jongeren met snelle vingers te zien staan, klaar om zijn vossestaart te pakken zodra hij naar binnen was gegaan om een diepvriesmaaltijd in de oven te stoppen.
Nee, hij kon maar beter niet gaan. Kinderen hadden tegenwoordig geen eerbied meer. Kinderen zouden alles stelen wat los en vast zat, alleen voor de kick. Na twee dagen zouden ze de belangstelling voor hun buit verliezen en hem in een greppel of op een bouwterrein gooien. Het beeld - en het was een heel scherp beeld, bijna een visioen - van zijn prachtige staart die verlaten in een greppel vol rotzooi lag, doorweekt van de regen en onzichtbaar geworden tussen de Big Mac-dozen en weggesmeten bierblikjes, vulde Hugh met een pijnlijke woede.
Hij zou wel gèk zijn om zo'n gok te wagen.
Hij maakte de draad weer los van de antenne, nam de staart mee naar binnen en legde hem terug op de hoogste plank in de kast. Ditmaal deed hij de kastdeur dicht, hoewel die niet goed sloot.
Daar moet een nieuw slot op, dacht hij. *Ze breken overal in. Er is tegenwoordig geen eerbied meer voor het gezag, helemaal geen eerbied.*
Hij ging naar de koelkast en pakte een blikje bier, keek er een ogenblik naar en legde het terug. Een pilsje - zelfs vier of vijf pilsjes - zou nauwelijks helpen om hem zijn evenwicht te laten terugvinden zoals hij zich nu voelde. Hij deed een kastje open, voelde achter zijn verzameling tweedehands potten en pannen en vond de halfvolle fles Black Velvet die hij voor noodgevallen bewaarde. Hij schonk een klein weckglas halfvol, dacht even na en schonk het vol tot aan de rand. Hij nam twee grote slokken, voelde de hitte in zijn buik ontploffen en vulde het glas opnieuw. Hij begon zich een beetje beter te voelen, wat meer op zijn gemak. Hij keek naar de kast en glimlachte. Daar was zijn staart veilig en hij zou nog veiliger zijn zodra hij een degelijk hangslot bij Western Auto had gekocht en op de deur had gezet. Veilig. Het was prettig iets te hebben dat je heel erg graag wilde en nodig had, maar het was nog

prettiger als het achter slot en grendel zat. Dat was het mooiste.
De glimlach verflauwde iets.
Heb je hem daarvoor gekocht? Om hem op een hoge plank achter een dichte deur te houden?
Hij nam weer een slok, een kleine. Nou ja, dacht hij, misschien is dat toch niet zo mooi. Maar het is beter dan hem kwijt te raken aan een knaap met vlugge vingers.
'We leven per slot van rekening niet meer in 1955,' zei hij hardop. 'Dit is de moderne tijd.'
Hij knikte om zijn woorden te bevestigen. Toch bleef de gedachte bij hem hangen. Welk nut had de vossestaart in de kast? Wat had hij of iemand anders eraan?
Maar twee of drie glazen maakten een einde aan die gedachte. Twee of drie glazen later leek het verreweg de verstandigste en allerbeste beslissing om de vossestaart terug te leggen. Hij besloot met eten te wachten: zo'n verstandige beslissing verdiende nog een glas of wat als beloning.
Hij schonk het glas weer vol, ging op een van de stalen keukenstoelen zitten en stak een sigaret op. En terwijl hij daar zo zat, drinkend en askegels aftikkend in een van de etensbakjes, vergat hij de vossestaart en begon aan Nettie Cobb te denken. Malle Nettie. Hij zou een geintje uithalen met Malle Nettie. Misschien volgende week, misschien een week later... maar deze week leek het meest waarschijnlijk. Gaunt had tegen hem gezegd dat hij niet van tijdverspilling hield en Hugh was bereid hem op zijn woord te geloven.
Hij keek ernaar uit.
Het zou zijn monotone bestaan doorbreken.
Hij dronk, hij rookte en toen hij eindelijk om kwart voor tien half bewusteloos op de gore lakens van het smalle bed in de andere kamer neerviel, was het met een glimlach op zijn gezicht.

3

Wilma Jerzycks werkdag zat erop toen Hemphill's Market om zeven uur de deuren sloot. Om kwart over zeven reed ze de inrit bij haar eigen huis op. Een zachte lichtgloed speelde rond de openingen in de dichtgetrokken gordijnen voor het raam van de zitkamer. Ze ging naar binnen en snoof de geur op van macaroni en kaas. Alles in orde... tot nu toe.
Pete lag languit op de bank met zijn schoenen uit en keek naar *Rad van Fortuin*. Op zijn schoot lag de *Press-Herald* uit Portland.
'Ik heb je briefje gevonden,' zei hij, terwijl hij snel rechtop ging zitten en de krant weglegde. 'Het eten staat in de oven. Om half

acht kunnen we aan tafel.' Hij keek haar aan met ernstige en enigszins gespannen bruine ogen. Net als een hond die iedereen te vriend wil houden, was Pete Jerzyck al vroeg en bepaald grondig afgericht. Hij viel nog wel eens terug, maar het was lang geleden dat ze hem bij haar thuiskomst met zijn schoenen op de bank had zien liggen, nog langer geleden dat hij het had gewaagd in huis een pijp aan te steken, en hij zou het helemaal nooit meer in zijn hoofd halen te gaan plassen zonder de bril naar beneden te doen als hij klaar was.
'Heb je de was binnengehaald?'
Een uitdrukking van zowel schuldbesef als verrassing verduisterde zijn ronde, openhartige gezicht. 'O jee, ik zat de krant te lezen en heb er niet meer aan gedacht. Ik doe het nu meteen wel.' Hij graaide al naar zijn schoenen.
'Laat maar.' Ze draaide zich om en liep in de richting van de keuken.
'Ik doe het wel, Wilma!'
'Dat hoeft niet,' zei ze zoetjes. 'Ik zou niet willen dat je je krant of je televisieprogramma moest missen, alleen omdat ik net zes uur lang achter de kassa heb gestaan. Blijf maar rustig zitten, Peter. Veel plezier.'
Ze hoefde niet om te kijken om zijn gezicht te zien; na zeven jaar huwelijk meende ze werkelijk dat Peter Michael Jerzyck geen enkel geheim meer voor haar had. Zijn gezicht zou een mengeling van kwelling en lichte afkeer uitdrukken. Hij zou daar nog even blijven staan als ze weg was, met het gezicht van een man die net naar de plee is geweest en niet meer weet of hij zijn kont heeft afgeveegd, en daarna zou hij de tafel gaan dekken en het eten opdienen. Hij zou haar van alles vragen over haar dag in de supermarkt en aandachtig naar haar antwoorden luisteren, zonder ook maar iets te zeggen over zijn eigen werk bij Williams-Brown, het grote makelaarskantoor in Oxford. Dat was Wilma ook wel zo lief, want zij kon zich geen saaier onderwerp voorstellen dan de makelaardij. Na het eten zou hij ongevraagd afruimen, zodat zíj de krant kon lezen. Al deze klusjes zou hij op zich nemen omdat hij dat ene was vergeten. Ze vond het helemaal niet vervelend zelf de was binnen te halen – eigenlijk genóót ze van de knisperende geur van wasgoed dat een mooie middag lang in de zon te drogen had gehangen – maar dat wilde ze Pete niet aan zijn neus hangen. Het was haar eigen geheimpje.
Ze had veel van zulke geheimen en die bewaarde ze allemaal om dezelfde reden: in een oorlog geef je geen enkel voordeel prijs. Soms duurde het na haar thuiskomst een of zelfs twee uur voordat de schermutselingen voorbij waren en ze Pete tot een volledige aftocht

had gedwongen, zodat ze zijn witte vlaggetjes op haar mentale landkaart kon vervangen door haar eigen rode. Vanavond was de slag al binnen twee minuten na haar binnenkomst in haar voordeel beslecht en dat vond Wilma wel zo prettig.

Ze geloofde oprecht dat het huwelijk een onophoudelijke oefening in agressie was en bij zo'n langdurige campagne, waarin uiteindelijk niemand krijgsgevangen kon worden genomen, geen genade werd gegeven en geen enkel detail van het echtelijke terrein onberoerd werd gelaten, zouden zulke eenvoudige overwinningen op den duur weinig bevrediging meer schenken. Maar die tijd was nog niet aangebroken en daarom nam ze de wasmand onder haar linkerarm en ging met opgewekte tred naar buiten.

Ze was al halverwege de tuin voordat ze verbaasd bleef staan. Waar waren de lakens in vredesnaam?

Ze had ze meteen moeten zien, grote rechthoekige witte vormen die in het donker zweefden, maar ze waren er niet. Waren ze weggewaaid? Belachelijk! Het had wel wat gewaaid, maar zeker niet gestòrmd. Had iemand ze gestolen?

Op dat moment stak er een windvlaag op en ze hoorde een luid, traag flapperend geluid. Goed, ze waren er dus... èrgens. Als oudste dochter van een vruchtbaar katholiek geslacht met dertien kinderen wist ze heel goed welk geluid een laken aan de waslijn maakt. Maar toch was er iets mee. Het klonk te zwaar.

Wilma deed nog een stap naar voren. Haar gezicht, dat altijd de enigszins overschaduwde uitdrukking had van een vrouw die moeilijkheden voorziet, betrok. Nu kon ze de lakens zien... of de omtrekken van wat de lakens zouden móeten zijn. Maar ze waren dònker.

Ze deed een kleiner stapje naar voren en een nieuwe windvlaag wakkerde door de tuin. De lakens bolden op en zwaaiden naar haar toe en voordat ze er erg in had, werd ze door iets zwaars en slijmerigs geraakt. Iets blubberigs spatte op haar wangen en er kroop iets diks en kleverigs over haar huid. Het was bijna of een koude, kleffe hand probeerde haar vast te grijpen.

Ze was geen vrouw die van nature of vaak angstig was, maar nu slaakte ze een kreet en liet de wasmand vallen. Ze hoorde dat klamme flapperende geluid weer en ze probeerde zich af te wenden van de donkere vorm die voor haar oprees. Haar linkervoet stootte tegen de rieten wasmand en alleen een combinatie van geluk en snelle reflexen verhinderde dat ze languit tegen de grond sloeg. Nu struikelde ze en kwam op één knie terecht.

Een zwaar, nat ding kroop zuigend langs haar rug omhoog; iets diks en vochtigs droop langs haar hals naar beneden. Wilma slaakte een nieuwe kreet en kroop op handen en voeten weg van de was-

lijnen. Een haarlok was aan haar hoofddoek ontsnapt en kietelde haar wang. Ze haatte dat geprikkel... maar niet zo erg als de kleverige, klamme omhelzing van de donkere vorm aan haar waslijn.
De keukendeur viel met een slag open en Petes geschrokken stem weerklonk in de tuin. 'Wilma? Wilma, is er iets gebeurd?'
Geklapper achter haar; een akelig geluid, als iemand die grinnikt met schorre stembanden. In de aangrenzende tuin liet de hond van de Haverhills zijn hysterische hoge gejank horen – *auw! auw! auw!* – en dat had geen goede uitwerking op Wilma's gemoedstoestand.
Ze stond op en zag Pete op zijn hoede het trapje afdalen. 'Wilma? Ben je gevallen? Is alles in orde?'
'Ja!' riep ze woedend. 'Ja, ik ben gevallen! Ja, alles is in orde! Doe die rotlamp aan!'
'Je hebt je toch geen...'
'Doe die stomme ròtlamp aan!' schreeuwde ze tegen hem. Ze wreef met een hand over haar jas en voelde klamme blubber aan haar vingers kleven. Ze was inmiddels zo kwaad dat ze haar eigen hartslag als heldere lichtpuntjes in haar ogen zag... en ze was vooral kwaad op zichzelf, omdat ze bang was geweest. Al was het maar een tel.
Auw! Auw! Auw!
Dat vervloekte beest van de Haverhills werd gek. Verdomme, wat had ze de pest aan honden, vooral aan die keffertjes.
Pete trok zich terug tot de bovenste trede van de keukentrap. De deur ging open, zijn hand gleed tastend naar binnen en ineens baadde de achtertuin in de felle gloed van de buitenlamp.
Wilma bekeek haar eigen gestalte en zag een brede donkerbruine veeg op de voorkant van haar nieuwe herfstmantel. Ze wreef geërgerd over haar gezicht, hield haar hand op en zag dat ook die bruin was geworden. Ze voelde iets stroperigs langzaam over haar ruggegraat naar beneden glijden.
'Modder!' Ze was verbijsterd van ongeloof, zozeer dat ze niet besefte dat ze hardop had gesproken. Wie kon haar dit hebben aangedaan? Wie had dit gewáágd?
'Wat zei je, lieverd?' vroeg Pete. Hij was het trapje weer afgedaald en bleef nu op veilige afstand staan. Wilma's gezicht vertrok op een manier die Pete Jerzyck uiterst verontrustend vond; het was net of er een nest pasgeboren slangen vlak onder haar huid zat.
'Modder!' schreeuwde Wilma. Ze stak haar handen naar hem uit, wierp ze hem toe. Bruine spetters vlogen van haar vingertoppen. *'Modder, zeg ik! Modder!'*
Pete keek langs haar heen en eindelijk drong het tot hem door. Zijn mond viel open. Wilma draaide zich met een ruk om en volgde zijn blik. De lamp boven de keukendeur wierp een ongenadig schijnsel

op de waslijnen en de tuin, alles onthullend wat onthuld moest worden. De lakens die ze schoon had opgehangen, waren nu doorweekte vodden die lusteloos aan de knijpers hingen. Ze waren niet bespat met modder: ze waren er van onder tot boven mee bedekt, beschílderd.
Wilma keek naar de tuin en zag de diepe kuilen waar de aarde was uitgegraven. Ze zag het platgetrapte gras waar de dader heen en weer was gelopen tussen de waslijnen en de moestuin, telkens weer.
'Godverdòmme!' schreeuwde ze.
'Wilma... kom maar naar binnen, lieverd, dan zal ik...' Pete zocht naar woorden en zijn gezicht klaarde op toen hij zowaar een inval kreeg. 'Dan zal ik thee voor ons zetten.'
'Krijg de pèst met je thee!' krijste Wilma met alle lucht die ze in zich had en de hond van de buren werd helemaal dol, *auwauwauw, o wat had ze de pest aan honden, ze werd nog gek van dat smerige rotbeest met zijn grote bek!*
Ze verloor al haar zelfbeheersing en stortte zich op de lakens, graaide ernaar, begon ze los te trekken. Haar vingers grepen de voorste waslijn, die als de snaar van een gitaar brak. De lakens ploften met een zwaar soppend geluid op de grond. Met gebalde vuisten en samengeknepen ogen, als een kind dat een woedeaanval krijgt, maakte Wilma een grote kikkersprong en landde boven op een van de lakens. De lucht eronder ontsnapte met een vermoeide zucht en van de flapperende uiteinden vlogen modderspetters tegen haar nylons. Het was de laatste druppel. Ze deed haar mond open en slaakte een uitzinnige kreet. O, ze zou ze krijgen. Nou en of, al moest de onderste steen bovenkomen. En als ze de dader te pakken had...
'Is alles in orde, mevrouw Jerzyck?' Het was de stem van mevrouw Haverhill, trillend van schrik.
'Welja,' schreeuwde Wilma, 'we zitten net thee te drinken en naar de televisie te kijken. Kan die hond van je zijn kop niet houden?'
Hijgend stapte ze van het modderige laken af en veegde driftig de lokken weg die rond haar rood aangelopen gezicht hingen. Dat rotbeest maakte haar nog gek. Dat stomme kreng van een ho...
Haar gedachten stokten bijna hoorbaar.
Honden.
Stomme rothonden met hun grote bekken.
Wie woonde er hier vlak om de hoek, in Ford Street?
Herstel: welke zottin met een stomme rothond genaamd Raider woonde hier vlak om de hoek?
Nettie Cobb natuurlijk, en niemand anders.
Dat beest had het hele voorjaar zijn geblaf laten horen, het snerpende gekef van een jong beest dat echt op je zenuwen werkte, en

ten slotte had ze Nettie opgebeld om te zeggen dat ze haar hond stil moest houden of anders de deur uitdoen. Een week later, toen er nog steeds geen verbetering was opgetreden (althans niet dat Wilma wilde toegeven), had ze Nettie opnieuw gebeld en gezegd dat het nu afgelopen moest zijn en dat zij, Wilma, anders de politie zou moeten waarschuwen. De volgende avond, toen het vervloekte mormel alweer met zijn gejank en geblaf begon, had ze dat laatste ook gedaan.

Weer een week of wat daarna was Nettie in de supermarkt verschenen (anders dan Wilma, leek Nettie iemand te zijn die een tijdje over de dingen moest nadenken - er zelfs op moest broeden - voordat ze tot handelen overging). Ze ging in de rij voor Wilma's kassa staan, ook al had ze helemaal niets uit de winkel gehaald. Toen zij aan de beurt was, zei ze met een overslaand ademloos stemmetje: 'Val mij en Raider niet meer lastig, Wilma Jerzyck. Het is een heel braaf hondje en ik wil niet dat je ons nog lastig valt.'

Wilma, nooit te beroerd voor een confrontatie, had zich niet in het minst laten storen door het feit dat ze onder werktijd moest bekvechten. Eigenlijk vond ze het nogal prettig. 'Mens, je weet niet waar je het over hebt. Als die stomme hond van je zijn kop niet kan houden, dan zul je binnenkort wel anders piepen.'

Nettie Cobb zag zo wit als was, maar ze vermande zich en drukte haar tasje zo stevig tegen zich aan dat de pezen van haar magere armen tussen haar polsen en ellebogen duidelijk afstaken. 'Je bent gewaarschuwd,' zei ze, en haastte zich naar buiten.

'Oh-oh, ik doe het in mijn broek!' had Wilma haar luidkeels nageroepen (een woordenstrijd had altijd een goede uitwerking op haar humeur), maar Nettie draaide zich niet meer om; ze liep alleen nog wat sneller door.

Sindsdien was de hond rustiger geworden. Dat was nogal teleurstellend voor Wilma, want het was een saai voorjaar geweest. Pete gaf geen teken van opstandigheid en Wilma voelde een winterse matheid, die zich door het jonge groen in de bomen en het gras niet leek te laten verdrijven. Een fikse ruzie was precies wat ze nodig had om weer wat kraak en smaak in haar leven te brengen. Malle Nettie had een tijdje de aangewezen persoon geleken, maar sinds de hond zich gedroeg, kwam het Wilma voor dat ze iemand anders moest zoeken om afleiding te vinden.

Tot op een avond in mei, toen de hond weer begon te blaffen. Het had niet lang geduurd, maar Wilma holde al naar de telefoon om Nettie te bellen; ze had het nummer in de gids aangestreept met het oog op zo'n gelegenheid.

Ze bekommerde zich niet om de gebruikelijke beleefdheden en kwam meteen ter zake. 'Met Wilma Jerzyck, meisje. Ik wilde je

zeggen dat ik die hond zelf een lesje zal leren als jij niet zorgt dat hij zijn bek houdt.'
'Hij blaft al niet meer!' had Nettie uitgeroepen. 'Ik heb hem meteen binnengehaald toen ik thuiskwam en hem hoorde! Laat mij en Raider toch met rust! Ik heb je gewaarschuwd! Je zult er spijt van krijgen!'
'Als je maar niet vergeet wat ik heb gezegd,' zei Wilma tegen haar. 'Ik ben het zat. Als hij weer zo'n herrie maakt, laat ik de politie er gewoon buiten. Dan kom ik hem zelf zijn strot afsnijden.'
Ze had opgehangen voordat Nettie kon reageren. De grondregel bij confrontaties met de vijand (verwanten, buren, echtgenoten) was dat de aanvaller het laatste woord moest hebben.
De hond had zich sindsdien niet meer laten horen. Of misschien ook wel, maar dat was Wilma dan niet opgevallen. Het was trouwens ook nooit zo erg hinderlijk geweest, niet ècht, en bovendien was Wilma een voordeliger vete begonnen met de eigenares van de schoonheidssalon in Castle View. Wilma was Nettie en Raider bijna vergeten.
Maar misschien was Nettie háár niet vergeten. Wilma had haar gisteren nog gezien, in die nieuwe winkel. En als blikken konden doden, dacht Wilma, dan was ik daar ter plekke neergestort.
Nu ze hier bij haar bevuilde, geruïneerde lakens stond, herinnerde ze zich de blik van angst en uitdaging op het gezicht van Malle Nettie, de teruggetrokken lip waardoor een ogenblik haar tanden te zien waren. Wilma was heel vertrouwd met blikken van haat en gisteren had ze er bij Nettie Cobb een gezien.
Je bent gewaarschuwd... je zult er spijt van krijgen.
'Kom nou maar binnen, Wilma,' zei Pete. Hij legde aarzelend een hand op haar schouder.
Ze schudde zijn hand fel van zich af. 'Laat me met rust.'
Pete deed een stap terug. Hij stond erbij alsof hij wel graag zijn handen zou wringen, maar dat niet durfde.
Misschien was zij het ook vergeten, dacht Wilma. *In elk geval tot ze me gisteren zag, in die nieuwe zaak. Of misschien had ze al die tijd al*
(je bent gewaarschuwd)
een halfgaar plan in haar hoofd gehad en was gisteren het laatste zetje dat ze nodig had.
De laatste ogenblikken was ze ervan overtuigd geraakt dat Nettie de dader was; wie anders had ze de laatste paar dagen gezien die een grief tegen haar kon koesteren? Er waren nog meer mensen in Castle Rock die haar niet mochten, maar zoiets – zo'n laffe achterbakse rotstreek – paste bij de manier waarop Nettie haar gisteren had aangekeken. Die afkerige uitdrukking vol angst

(*je zult er spijt van krijgen*)
en haat. Ze had er zelf uitgezien als een hond, een hond die alleen het lef heeft om te bijten als het slachtoffer hem zijn rug heeft toegekeerd.
Ja, het moest Nettie Cobb zijn geweest. Hoe meer Wilma erover nadacht, des te zekerder was ze van haar zaak. En het was een onvergeeflijke daad. Niet omdat de lakens geruïneerd waren. Niet omdat het zo lafhartig was. Zelfs niet omdat het door een halfgaar mens was gedaan.
Het was onvergeeflijk omdat het Wilma de stuipen op het lijf had gejaagd.
Ook al was het maar voor een seconde, die ene tel toen het slijmerige bruine ding in het donker opdoemde en haar gezicht aanraakte, haar koel streelde als de hand van een monster... maar zelfs die enkele seconde van schrik was te veel.
'Wilma?' vroeg Pete toen ze haar vlakke gezicht naar hem toe keerde. Haar uitdrukking beviel hem helemaal niet in het licht van de buitenlamp, alleen maar glanzende witte oppervlakken en zwarte kuiltjes. De lege blik in haar ogen beviel hem evenmin. 'Lieverd? Gaat het met je?'
Ze liep met grote passen langs hem heen zonder hem nog een blik waardig te keuren. Pete volgde haar haastig naar binnen... en naar de telefoon.

4

Nettie zat in haar woonkamer met Raider aan haar voeten en haar nieuwe glazen lampekap op schoot toen de telefoon ging. Ze schrok op en klampte zich vast aan de lampekap, angstig en wantrouwend naar het toestel kijkend. Heel even was ze er zeker van – onzinnig natuurlijk, maar ze kon zichzelf blijkbaar niet van zulke gedachten bevrijden – dat het de een of andere Autoriteit zou zijn die haar zou vertellen dat ze de prachtige lampekap moest teruggeven, dat hij van iemand anders was, dat zoiets moois nooit of te nimmer bij Netties schamele bezittingen kon horen, wat een bespottelijk idee.
Raider keek haar even aan, alsof hij wilde vragen of ze zou opnemen of niet, daarna legde hij zijn kop weer op zijn poten.
Nettie zette de kap voorzichtig weg en nam op. Waarschijnlijk was het Polly maar om te vragen of ze bij de supermarkt iets voor het eten wilde meebrengen voordat ze de volgende ochtend aan het werk ging.
'Huize Cobb,' zei ze kwiek. Haar hele leven was ze doodsbang ge-

weest voor Autoriteiten en ze had ontdekt dat je daar het beste mee kon omgaan door jezelf als een autoriteit te gedragen. De angst verdween er niet door, maar liet zich wel in toom houden.
'Ik weet wat je hebt uitgespookt, achterlijk wijf!' klonk een woedende stem. Het was even onverwachts en afschuwelijk als een steek met een ijspegel.
Netties adem stokte alsof ze zich had gesneden. Haar gezicht verstarde tot een masker van ontzetting en haar hart bonkte pijnlijk in haar keel. Raider tilde zijn kop weer op en keek haar vragend aan.
'Wie... wie...'
'Dat weet je verdomme heel goed,' zei de stem, en natuurlijk was dat ook zo. Het was Wilma Jerzyck. Het was die boze, boosaardige vrouw.
'Hij heeft niet geblaft!' Netties stem was hoog en dun en paniekerig, de stem van iemand die net een hele lading lachgas heeft ingeademd. 'Hij is helemaal afgericht en hij blaft niet! Hij ligt hier aan mijn voeten!'
'Vond je het lekker om mijn lakens met modder te besmeuren, vuile teef?' Wilma was woedend. Het mens waagde het nog te doen alsof dit iets met die hònd te maken had.
'Lakens? Welke lakens? Ik... ik...' Nettie keek naar de glazen lampekap en leek er kracht aan te ontlenen. 'Laat me met rust! Je bent zèlf achterlijk, ik niet!'
'Ik zal je terugpakken. Niemand sluipt ongestraft mijn tuin in om mijn lakens te bederven. Niemand. Níemand! Begrepen? Kan je het vatten met die botte hersens van je? Je zult niet weten waar of wanneer en al helemaal niet hóe, maar ik... zal je... pàkken! Gesnopen?'
Nettie hield de hoorn stijf tegen haar oor gedrukt. Haar gezicht was lijkwit geworden, afgezien van een enkele felrode groef midden op haar voorhoofd. Ze had haar tanden op elkaar geklemd en haar wangen gingen op en neer als blaasbalgen terwijl ze naar lucht zat te happen.
'Laat me met rust of je krijgt er spijt van!' riep ze met haar hoge, ijle lachgasstem. Raider was opgestaan, zijn oren staken in de lucht, zijn ogen waren helder en waakzaam. Hij voelde dreiging in de kamer. Hij blafte een enkele keer, heftig. Nettie hoorde hem niet. 'Het zal je berouwen! Ik... ik kèn mensen. Hooggeplaatste mensen! Ik ken ze héél erg goed! Ik hoef dit niet langer te nemen!'
Wilma gaf antwoord op een zachte, ernstige en bijzonder furieuze toon. 'Mij zo'n geintje flikken is de grootste fout die je ooit in je leven hebt gemaakt. Ik kom eraan en je zult niet weten wat je overkomt.'
De lijn klikte.

'Heb het hart niet!' jammerde Nettie. Tranen liepen nu over haar gezicht, tranen van angst en van oneindige, machteloze woede. 'Heb het hart niet, slechte vrouw! Ik... ik zal...'
Er volgde een tweede klik en daarna de in-gesprektoon.
Nettie legde neer en bleef bijna drie minuten stijf rechtop in haar stoel zitten, voor zich uit starend. Daarna begon ze te huilen. Raider blafte weer en zette zijn voorpoten op de rand van haar stoel. Nettie trok zijn kop naar zich toe en snikte tegen zijn vacht. Raider likte haar hals.
'Ze zal je niets doen, Raider,' zei ze. Ze ademde zijn zoete en schone hondse warmte in en probeerde zich ermee te troosten. 'Ik zal dat in-slechte mens niet bij je in de buurt laten komen. Ze is geen Autoriteit, helemaal niet. Ze is gewoon een slecht oud mens en als ze jou iets wil aandoen... of mij... dan krijgt ze er spijt van.'
Ten slotte ging ze rechtop zitten, vond een papieren zakdoekje tussen de stoelleuning en de zitting en gebruikte dat om haar ogen mee droog te wrijven. Ze was doodsbang... maar ze voelde ook het onrustige woelen van woede in haar binnenste. Zo had ze zich ook gevoeld voordat ze de vleesvork uit de lade onder het aanrecht had gepakt en in de keel van haar man had gestoken.
Ze pakte de glazen lampekap van de tafel en nam hem teder in haar armen. 'Als ze kwaad in de zin heeft, zal het haar heel, heel erg berouwen,' zei Nettie.
Zo, met Raider aan haar voeten en de lampekap op haar schoot, bleef ze nog heel lang zitten.

5

Norris Ridgewick reed in zijn surveillancewagen langzaam door Main Street en bestudeerde de gebouwen aan de westkant van de straat. Zijn dienst zat er bijna op en hij was blij. Hij kon zich herinneren hoe goed hij zich die ochtend voelde voordat die idioot hem had aangevallen; kon zich herinneren dat hij in de toiletten voor de spiegel stond en tevreden vaststelde dat hij er piekfijn uitzag. Hij kon het zich herinneren, maar het leek heel oud en verkleurd, als een foto uit de negentiende eeuw. Vanaf het moment dat die idioot van een Keeton hem had aangeklampt tot nu toe was er niets meer naar wens gegaan.
Hij had tussen de middag gegeten in de Cluck-Cluck Tonite, het kippenhok langs Route 119. Het eten daar was meestal goed, maar ditmaal hield hij er een afschuwelijke aanval van het zuur aan over, gevolgd door de racekak. Rond drie uur was hij bij het oude huis van Camber op een spijker gereden en moest hij een band verwisse-

len. Hij had zijn vingers afgeveegd aan zijn pas gestoomde overhemd – zonder erbij na te denken, hij wilde ze alleen maar droogmaken om meer greep te hebben op de losgedraaide moeren – zodat er vier vette donkergrijze strepen op de stof achterbleven. Terwijl hij daar vol afschuw naar stond te kijken, voelde hij weer een aanval van diarree opkomen en moest hij hals over kop een plekje in het struikgewas zoeken. Het was maar de vraag of hij zijn broek omlaag kon krijgen voordat het te laat was. Díe wedstrijd wist Norris te winnen... maar bij nader inzien waren de struiken waartussen hij was neergehurkt toch niet zo veilig. Hij dacht dat het toxicodendrons waren, waar je lelijk ziek van kon worden, en na alles wat er die dag al was gebeurd, waren het dat waarschijnlijk ook.

Norris reed traag langs de panden die het winkelcentrum van Castle Rock vormden: Norway Bank and Trust, Western Auto, Nan's Luncheonette, het zwarte gat waar eens Pop Merrills tweedehandspaleis had gestaan, Polly Chalmers' atelier, De NoodZaak, de ijzerwinkel...

Norris remde ineens af en bracht de wagen tot stilstand. Hij had iets bijzonders zien liggen in de etalage van De NoodZaak... althans, dat dàcht hij.

Hij keek in zijn spiegeltje, maar Main Street was verlaten. Het stoplicht aan het uiteinde van het centrum doofde abrupt en bleef een paar seconden donker, terwijl binnenin een bedachtzaam geklik klonk. Daarna begon het oranje licht in het midden te knipperen. Het was dus negen uur. Op de kop af negen uur.

Norris reed een stukje achteruit en stopte langs de stoeprand. Hij keek naar de radio en overwoog een 10-22 door te geven – ten teken dat hij de wagen verliet – maar zag ervan af. Hij wilde alleen maar een blik in de etalage werpen. Hij zette het volume van de ontvanger wat hoger en draaide het raampje omlaag voor hij uitstapte. Dat moest voldoende zijn.

Je hebt het natuurlijk niet echt gezien, vermaande hij zichzelf, zijn broek ophijsend terwijl hij over de stoep liep. *Onmogelijk. Het is een dag van teleurstellingen, niet van ontdekkingen. Het was alleen maar een tweedehands Zebco...*

Maar dat was het niet. De hengel in de etalage van De NoodZaak lag fraai uitgestald met een visnet en een paar helgele rubberlaarzen en het was beslist geen Zebco. Het was een Bazun. Zo een had hij er niet meer gezien sinds de dood van zijn vader, zestien jaar geleden. Norris was toen veertien geweest en de Bazun was hem om twee redenen dierbaar; om zichzelf en om waar hij voor stond.

Wat hij zelf was? Gewoon de allerbeste werphengel ter wereld, meer niet.

Waar hij voor stond? Voor een gelukkige tijd. Zo eenvoudig was het. De gelukkige tijd die het magere jongetje Norris Ridgewick samen met zijn vader had beleefd. Door het bos ploeterend langs de oever van een stroom aan de rand van de stad, samen in hun kleine boot midden op Castle Lake, terwijl alles om hen heen wit was van de mist die in kleine dampende golven van het meer opsteeg en hen in hun eigen wereldje opsloot. Een wereld alleen voor mannen. In een andere wereld was er een moeder die straks het ontbijt zou klaarzetten, en dat was ook een mooie wereld, maar niet zo mooi als deze. Geen enkele wereld was zo goed geweest, ervoor of erna.

Na de fatale hartaanval van Henry Ridgewick was de Bazun verdwenen. Hij herinnerde zich dat hij er na de begrafenis naar gezocht had in de garage, maar de hengel was gewoon weg. Hij was op jacht gegaan in de kelder, had zelfs in de kast op de slaapkamer van zijn ouders gekeken (hoewel hij wist dat zijn moeder Henry eerder een olifant dan een vishengel in die kast had laten bewaren), maar de Bazun was weg. Norris had altijd zijn oom Phil verdacht. Diverse keren had hij zich voorgenomen Phil ernaar te vragen, maar toen het erop aankwam was de moed hem telkens ontvallen.

Nu keek hij naar deze hengel, die heel goed de Bazun van vroeger kon zijn geweest, en voor het eerst die dag vergat hij Buster Keeton. Hij werd in beslag genomen door een eenvoudige, volmaakte herinnering: zijn vader zat achter in de boot met de tuigtrommel tussen zijn voeten en gaf de Bazun over aan Norris om een kop koffie in te schenken uit de grote rode thermosfles met de grijze strepen. Hij kon de koffie ruiken, heet en sterk, en hij kon de aftershave van zijn vader ruiken: Southern Gentleman heette dat merk.

Plotseling kwam het oude verdriet weer op en nam hem in een grauwe omhelzing en hij verlangde naar zijn vader. Na al die jaren knaagde de oude pijn weer aan zijn gebeente, even vers en gretig als op de dag toen zijn moeder van het ziekenhuis was thuisgekomen en zijn handen had gepakt. *We moeten nu heel erg flink zijn, Norris.*

Het licht van de spotlamp hoog in de etalage schitterde op het stalen omhulsel van de molen, en alle liefde van vroeger - die donkere en gouden liefde - sleepte hem weer mee. Norris staarde door de ruit naar de werphengel en dacht aan de geur van verse koffie uit de grote rode thermosfles met de grijze strepen en aan de kalme, brede oppervlakte van het meer. In gedachten voelde hij weer de stroeve kurken handgreep van de hengel en langzaam bracht hij een hand naar zijn hoofd om in zijn ogen te wrijven.

'Agent?' vroeg een zachte stem.

Norris slaakte een zachte kreet en sprong weg van de etalage. Eén angstig ogenblik dacht hij dat hij het toch nog in zijn broek zou

doen: het volmaakte slot van een volmaakte dag. Maar de kramp in zijn buik ging voorbij en hij keek om. Een lange man in een tweed jasje stond in de deuropening van de winkel en keek naar hem met een flauwe glimlach.
'Heb ik u laten schrikken?' vroeg hij. 'Het spijt me erg.'
'Nee,' zei Norris, die zelf een glimlach wist op te brengen. Zijn hart bonkte nog steeds als een drilboor. 'Nou ja, een beetje misschien. Ik stond naar die hengel te kijken en aan vroeger te denken.'
'Die is vandaag pas binnengekomen,' zei de man. 'Hij is gebruikt, maar hij verkeert in uitstekende staat. Het is een Bazun, moet u weten. Geen erg bekend merk, maar onder serieuze vissers heeft hij een goede naam. Komt uit...'
'... Japan,' zei Norris. 'Ik weet het. Mijn vader had er zo een.'
'Werkelijk?' De lach van de man werd breder. Zijn zichtbare tanden waren krom, maar Norris vond het toch een aangename lach. 'Wat een toeval, vindt u niet?'
'Dat is het zeker,' beaamde Norris.
'Ik ben Leland Gaunt, eigenaar van deze zaak.' Hij stak zijn hand uit.
Norris voelde een vlaag van afkeer toen die lange vingers zich om zijn hand slingerden. Maar het was een vluchtige handdruk en het gevoel verdween zodra Gaunt hem losliet. Norris weet het aan zijn maag, die nog steeds van streek was na de slechte mosselen die hij tussen de middag had gegeten. De volgende keer zou hij daar weer kip nemen, dat was tenslotte de specialiteit van het huis.
'Ik zou u voor die hengel een bijzonder gunstige prijs kunnen aanbieden,' zei Gaunt. 'Waarom komt u niet even binnen, adjudant Ridgewick, dan kunnen we erover praten.'
Norris bleef verbaasd staan. Hij had deze ouwe knar zijn naam niet genoemd, daar was hij zeker van. Hij deed zijn mond open om ernaar te vragen, maar hij bedacht zich. Hij droeg een naamplaatje boven zijn schild. Dat was het natuurlijk.
'Eigenlijk kan ik niet,' zei hij, met een duim over zijn schouder naar de patrouillewagen wijzend. Hij kon de radio nog steeds horen, hoewel er alleen maar ruis uit kwam; hij was de hele avond niet opgeroepen. 'Ik ben in functie. Dat wil zeggen, om negen uur loopt mijn dienst af, maar technisch gesproken pas als ik mijn wagen terug...'
'Het hoeft maar een minuutje te duren,' zei Gaunt aanmoedigend. Zijn ogen namen Norris vrolijk op. 'Als ik me voorneem zaken met iemand te doen, adjudant, dan verspil ik geen tijd. Vooral niet wanneer de betrokkene bij nacht en ontij in de weer is om mijn nering te beschermen.'
Norris had wel willen zeggen dat negen uur niet bepaald bij nacht

en ontij was en dat het in zo'n slaperig stadje als Castle Rock zelden veel moeite kostte om de bezittingen van de lokale middenstand te beschermen, maar hij keek weer naar de Bazun en werd opnieuw bevangen door dat oude verlangen, zo verrassend sterk en levendig. Hij zag zichzelf het komende weekend al met zo'n hengel het meer opgaan, vroeg in de ochtend op weg met een potje pieren en een grote thermosfles verse koffie van Nan. Het zou bijna zijn alsof hij weer met zijn ouweheer op stap was.
'Ach...'
'Doe het toch,' spoorde Gaunt hem aan. 'Het is voor mij al sluitingstijd geweest, dan kunt u toch ook wel even wat diensttijd vrijmaken? En zeg nu eerlijk, adjudant: denkt u dat uitgerekend vanavond iemand de bank zal overvallen?'
Norris keek naar het bankgebouw, dat eerst oranje en daarna zwart werd in het afgemeten geknipper van het verkeerslicht. Hij lachte. 'Ik betwijfel het.'
'Nu dan?'
'Vooruit,' zei Norris. 'Maar als we het binnen twee minuten niet eens kunnen worden, moet ik er echt vandoor.'
Leland Gaunt steunde en lachte tegelijkertijd. 'Ik geloof dat ik iemand geld uit mijn zakken hoor kloppen,' zei hij. 'Komt u maar, adjudant. Twee minuten moet volstaan.'
'Ik zou die hengel dolgraag hebben,' flapte Norris eruit. Hij wist dat het een slechte manier was om met onderhandelen te beginnen, maar hij kon er niets aan doen.
'U zult hem ook hebben,' zei Gaunt. 'Ik ga u een bod doen dat u maar eens in uw leven zult krijgen, adjudant Ridgewick.'
Hij liet Norris de winkel in en sloot de deur.

6

1

Wilma Jerzyck kende haar echtgenoot, Pete, toch niet zo goed als ze zelf dacht.
Ze ging die donderdagavond slapen met de bedoeling de volgende ochtend vroeg naar Nettie Cobb te gaan om de zaken Recht Te Zetten. Soms bloedden haar frequente ruzies vanzelf dood, maar als het tot een uitbarsting kwam, was het Wilma die de plaats en het wapen koos. De eerste regel van haar conflictueuze levenswijze luidde: *Zorg dat je altijd het laatste woord hebt.* De tweede was: *De eerste klap is een daalder waard.* Die eerste klap diende om de zaken Recht Te Zetten, zoals ze het noemde, en daar wilde ze bij Nettie geen gras over laten groeien. Ze zei tegen Pete dat ze het hoofd van dat gekke wijf net zo lang zou ronddraaien tot het van haar hals losraakte.
Ze verwachtte niet anders dan dat ze een groot deel van de nacht wakker zou liggen, kokend en gespannen als een veer. Het zou niet de eerste keer zijn geweest. In plaats daarvan viel ze binnen tien minuten in slaap en bij het ontwaken voelde ze zich verkwikt en vreemd kalm. Die vrijdagochtend zat ze in haar peignoir aan de keukentafel en bedacht dat het misschien te vroeg was om de zaken al Definitief Recht Te Zetten. Ze had Nettie de vorige avond door de telefoon de stuipen op het lijf gejaagd; Wilma mocht dan door het dolle zijn geweest, dat was haar toch niet ontgaan. Alleen wie zo doof als een kwartel was, zou dat hebben kunnen missen.
Waarom zou ze Miss Gestoord 1991 niet nog een tijdje laten zweten? Laat háár maar eens een tijdje 's nachts wakker liggen en zich afvragen uit welke hoek Wilma's Wraak haar zou overvallen. Ze kon er een paar keer langsrijden, misschien nog een paar keer opbellen. Terwijl ze haar koffie dronk (Pete zat aan de andere kant van de tafel en keek ongerust naar haar over de rand van de sportpagina) viel het haar in dat ze misschien helemaal niets hoefde Recht Te Zetten als Nettie werkelijk zo geschift was als iedereen zei. Dit zou een van die zeldzame gelegenheden kunnen zijn waarbij alles vanzelf werd Rechtgezet. Ze vond deze gedachte zo opwekkend, dat ze Pete zelfs toestond haar een zoen te geven toen hij zijn koffertje pakte en aanstalten maakte om naar zijn werk te gaan.
Geen ogenblik hield Wilma rekening met de mogelijkheid dat haar

angsthaas van een echtgenoot haar een kalmerend middel had toegediend. Toch was dat precies wat Pete Jerzyck had gedaan... en niet eens voor het eerst.
Wilma wist dat ze haar man de baas was, maar ze had geen idee hoe ver dat ging. Hij leefde niet alleen maar in vrees voor haar; hij koesterde een groot ontzàg, zoals de bewoners van bepaalde tropische streken verondersteld werden met ontzag en bijgelovige vrees op te kijken tegen de Grote God van de Donderberg, die jaren of zelfs generaties lang hun zonnige leven zwijgend kon aanschouwen om dan plotseling uit te barsten in een allesvernielende tirade van brandende lava.
Zulke inboorlingen, werkelijk bestaand of hypothetisch, kenden ongetwijfeld hun eigen zoenoffers. Die richtten misschien weinig uit als de berg ontwaakte en zijn steenregens en vuurstromen op hun dorpen losliet, maar ze hadden zeker een gunstige invloed op ieders gemoedsrust zolang de berg sliep. Pete Jerzyck had geen verheven rituelen waarmee hij Wilma kon vereren; prozaïscher maatregelen zouden moeten volstaan. Zoiets als kalmerende middelen in plaats van de heilige hostie.
Hij maakte een afspraak met Ray Van Allen, de enige huisarts in Castle Rock, en zei dat hij iets wilde hebben tegen de stress. Hij zat tot over zijn oren in het werk, zei hij, en met het stijgen van zijn inkomen vond hij het steeds moeilijker om zijn werk niet mee naar huis te nemen. Uiteindelijk vond hij het tijd worden de dokter te vragen of hij een middel wist om de scherpe kantjes wat te verzachten.
Ray Van Allen had geen idee welke spanningen het makelaarswerk met zich meebracht, maar hij kon zich tamelijk goed voorstellen wat het was om met Wilma getrouwd te zijn. Hij vermoedde dat Pete Jerzyck heel wat minder last van stress zou hebben als hij helemaal nooit meer uit zijn kantoor kwam, maar uiteraard was het niet aan hem om dat te zeggen. Hij schreef een recept voor Xanax uit, somde de gebruikelijke contra-indicaties op en wenste de man veel geluk en Gods zegen. Hij geloofde dat Pete van allebei veel nodig zou hebben als hij samen met dat mens zijn levensweg zou vervolgen.
Pete gebruikte de Xanax zonder er misbruik van te maken. Evenmin stelde hij Wilma ervan op de hoogte; ze zou een beroerte hebben gekregen als ze wist dat hij DRUGS GEBRUIKTE. Hij bewaarde het recept in zijn koffertje, dat papieren bevatte waarvoor Wilma totaal geen belangstelling had. Hij nam vijf of zes pillen per maand, de meeste op de dagen voordat Wilma ongesteld werd.
De vorige zomer was Wilma in aanvaring gekomen met Henrietta Longman, eigenares van kapsalon The Beauty Rest op Castle Hill.

Oorzaak was een mislukte permanent. Na de eerste woordenstrijd was er een dag later een scheldpartij in Hemphill's Market, een week later gevolgd door wederzijds geschreeuw in Main Street. Dat was bijna uitgelopen op een handgemeen.
Wilma had die dag als een gekooide leeuwin in huis heen en weer gelopen. Ze zwoer dat ze dat kreng wel zou krijgen, dat ze haar het ziekenhuis in zou helpen. 'Ze heeft zelf een schoonheidskuur nodig als ik klaar met haar ben,' had Wilma knarsetandend gezegd. 'Daar kan ze op rekenen. Ik ga er morgen heen. Ik ga erheen om de zaken Recht Te Zetten.'
Pete had met groeiende verontrusting ingezien dat dit geen loze praat was: Wilma meende het. God mocht weten wat voor krankzinnigs ze in gedachten had. Hij zag al voor zich dat ze Henrietta's hoofd in een vat bijtend zuur zou duwen, zodat de vrouw de rest van haar leven kaal zou blijven.
Hij hoopte dat een nachtje slapen haar enigszins tot bedaren zou brengen, maar bij het opstaan de volgende ochtend was Wilma zelfs nog bozer. Hij had het niet voor mogelijk gehouden, maar het had er toch alle schijn van. De donkere wallen onder haar ogen waren het bewijs van een slapeloze nacht.
'Wilma,' had hij slapjes gezegd, 'ik geloof echt niet dat het zo'n goed idee is als je vandaag naar Henrietta gaat. Als je er nog eens goed over nadenkt, weet ik zeker dat je...'
'Ik heb er gisterenavond over nagedacht,' had Wilma geantwoord, hem die angstaanjagend holle blik toewerpend, 'en als ik klaar met haar ben, zal ze nooit of te nimmer meer iemands haarwortels verschroeien. Als ik klaar met haar ben, heeft ze een blindengeleidehond nodig om alleen maar naar de plee te gaan. En als jij me voor de voeten loopt, Pete, mag je samen met haar zo'n stomme Duitse herder gaan uitzoeken. Uit hetzelfde nest.'
Ten einde raad, onzeker over de afloop maar niet in staat iets anders te bedenken om de naderende catastrofe af te wenden, had Pete Jerzyck het flesje Xanax uit zijn koffertje gehaald en een tablet in Wilma's koffie gedaan. Daarna ging hij naar zijn werk.
In een heel reële zin was dat Pete Jerzycks eerste communie geweest.
Hij had de hele dag in kwellende onzekerheid verkeerd en bij zijn thuiskomst verwachtte hij het ergste (Henrietta Longman dood en Wilma in de gevangenis was de fantasie die het vaakst bij hem opkwam). Tot zijn grote opluchting trof hij Wilma zingend aan in de keuken.
Pete haalde diep adem, liet zijn emotionele schild zakken en vroeg haar hoe het met Henrietta was afgelopen.
'De zaak gaat pas om twaalf uur open en tegen die tijd was ik niet

meer zo kwaad,' zei Wilma. 'Toch ben ik naar haar toe gegaan om het uit te praten, dat had ik mezelf tenslotte beloofd. En weet je wat? Ze bood me een glas sherry aan en zei dat ze me mijn geld wilde teruggeven!'
'Jee, geweldig!' had Pete gezegd, opgelucht en blij... en dat was het einde van *l'affaire* Henrietta geweest. De eerste dagen had hij verwacht dat Wilma zich opnieuw zou opwinden, maar dat was niet gebeurd - althans niet over deze kwestie.
Hij had eraan gedacht Wilma voor te stellen dat ze naar dokter Van Allen zou gaan om zelf een kalmerend middel te vragen, maar dat idee had hij na langdurige en zorgvuldige overweging verworpen. Wilma zou hem de wind van voren geven en alle hoeken van het huis laten zien als hij het idee opperde dat ze DRUGS moest gaan gebruiken. DRUGS waren voor verslaafden en kalmerende middelen waren voor zwakke verslaafde zusters. Zíj kon het leven zo ook wel aan, dank je hartelijk. En bovendien, besefte Pete met tegenzin, viel de waarheid niet te ontkennen: Wilma vond het fijn om kwaad te zijn. Ziedende toorn was Wilma's levensdoel, het verheven ideaal waarvoor ze bestond.
En hij hield van haar, precies zoals de bewoners van dat hypothetische tropische eiland ongetwijfeld van hun Grote God van de Donderberg hielden. Zijn ontzag en vrees versterkten zijn liefde alleen maar; zij was WILMA, een macht op zichzelf, en hij probeerde haar alleen van haar doel af te leiden als hij bang was dat ze zichzelf zou kunnen schaden... wat ook hem, door de mystieke transformaties van de liefde, zou schaden.
Sindsdien had hij haar slechts drie keer heimelijk een tablet toegediend. De derde keer - en veruit de hachelijkste - was op de Avond van de Besmeurde Lakens. Hij had alles gedaan om haar over te halen een kop thee te nemen en toen ze daar eindelijk in toestemde (na haar korte maar bijzonder bevredigende dialoog met Malle Nettie Cobb), maakte hij de thee extra sterk en gaf haar twee tabletten in plaats van één. Hij was erg opgelucht toen hij de volgende ochtend merkte hoe haar temperatuur was gedaald.
Dit waren de dingen die Wilma Jerzyck, vertrouwend op haar macht over de geest van haar echtgenoot, niet wist; het waren tegelijk de dingen die haar ervan weerhielden vrijdagochtend eenvoudig met haar Yugo Nettie's huiskamer binnen te rijden om haar een rolberoerte te bezorgen (of althans om dat te proberen).

2

Niet dat Wilma Nettie had vergeten, of vergeven, of dat er de geringste twijfel bij haar was opgekomen over wie haar beddegoed had geruïneerd; geen pil had die dingen kunnen bewerkstelligen.
Kort nadat Pete naar zijn werk was gegaan, stapte Wilma in haar auto en reed langzaam Willow Street uit (op de achterbumper van de kleine gele Yugo zat een sticker met de boodschap: ALS MIJN RIJSTIJL JE NIET BEVALT, BEL DAN 1-800-VAL-DOOD. Ze sloeg rechtsaf Ford Street in en vertraagde tot een slakkegang toen ze het aardige huisje van Nettie Cobb naderde. Ze dacht dat ze een van de gordijnen licht zag bewegen en dat was een goed begin... maar ook niet meer dan een begin.
Ze reed rond (waarbij ze zonder opkijken het huis van Brian Rusk in Pond Street passeerde), kwam voorbij haar eigen huis en sloeg voor de tweede keer Ford Street in. Ditmaal drukte ze twee keer op de claxon toen ze Nettie's huis naderde, waarna ze met draaiende motor voor de oprit bleef staan.
Het gordijn bewoog weer. Ditmaal kon ze zich niet vergissen. Dat mens stond naar haar te loeren. Wilma zag haar bijna achter het gordijn staan, trillend van schaamte en angst, en dat beeld was nog prettiger dan dat waarmee ze de vorige avond was gaan slapen en waarin ze de kop van dat gekke wijf net zo lang ronddraaide tot ze op het kleine meisje uit *The Exorcist* leek.
'Kiekeboe, ik zie je wel,' zei ze grimmig toen het gordijn weer op zijn plaats viel. 'Denk maar niet dat je mij voor de gek houdt.'
Ze reed opnieuw rond en bleef voor de tweede keer voor Nettie's huis staan, toeterend om haar prooi van haar komst op de hoogte te stellen. Nu bleef ze bijna vijf minuten voor de oprit staan. Het gordijn bewoog twee keer. Ten slotte reed ze weer door, voldaan.
Dat gekke wijf zal de rest van de dag naar me uitkijken, dacht ze, terwijl ze de wagen op haar eigen inrit zette en uitstapte. *Ze durft geen voet buiten de deur te zetten.*
Wilma ging naar binnen, licht van tred en hart, en nestelde zich met een catalogus op de sofa. Even later bestelde ze opgewekt drie nieuwe lakens, wit, geel en bont.

3

Raider zat midden op het kleed in de woonkamer naar zijn vrouwtje te kijken. Na een tijdje jankte hij onrustig, alsof hij Nettie eraan wilde herinneren dat dit een werkdag was en ze al een half uur te laat was. Vandaag zou ze bij Polly de bovenverdieping moeten

stofzuigen en de nieuwe telefoons zouden aangesloten worden, toestellen met van die hele grote druktoetsen. Die zouden gemakkelijker te bedienen zijn door mensen met erge artritis, zoals Polly. Maar hoe kon ze nu weggaan?
Dat gekke Poolse mens reed daar ergens rond in haar autootje.
Nettie zat in haar stoel en hield haar lampekap op schoot. Dat deed ze al sinds het gekke Poolse mens voor het eerst voorbij was gereden. Daarna was ze teruggekomen, toeterend, en had ze een tijdje voor de deur gestaan. Nettie dacht dat het daarmee misschien afgelopen was, maar nee... de vrouw was nog een derde keer gekomen. Nettie was er zeker van geweest dat het gekke Poolse mens zich toegang wilde verschaffen. Ze had in haar stoel gezeten, met de lampekap onder haar ene arm en Raider onder de andere, en zich afgevraagd wat ze zou doen als het gekke Poolse mens werkelijk probeerde om binnen te komen, hoe ze zich zou verdedigen. Ze wist het niet.
Eindelijk had ze voldoende moed bijeengeraapt om nog eens naar buiten te kijken en toen was het gekke Poolse mens verdwenen. Haar aanvankelijke opluchting had plaatsgemaakt voor angst. Ze was bang dat het gekke Poolse mens in de buurt rondreed en wachtte tot ze naar buiten kwam; ze vreesde nog meer dat het gekke Poolse mens hier in huis zou komen als ze weg was.
Dat ze zou inbreken en haar prachtige lampekap in duizend scherven op de grond zou smijten.
Raider jankte weer.
'Ik weet het,' zei ze, bijna kreunend. 'Ik wéét het.'
Ze moest de deur uit. Ze was verantwoordelijk, en ze wist waarvoor en aan wie. Polly Chalmers was goed voor haar geweest. Dankzij Polly's aanbeveling was ze definitief uit Juniper Hill ontslagen en het was Polly die borg had gestaan toen ze een lening voor haar huis aanvroeg. Zonder Polly zou ze nu nog op kamers wonen aan de andere kant van de Tin Bridge.
Maar als ze wegging en het gekke Poolse mens kwam terug?
Raider kon haar lampekap niet verdedigen: hij was dapper, maar ook maar een klein hondje. Het gekke Poolse mens zou hem kwaad kunnen doen als hij haar wilde tegenhouden. Nettie begon in haar geest rond te tasten, klemgezet in dit afschuwelijke dilemma, dolend. Ze kreunde weer.
En opeens, goddank, kreeg ze een ingeving.
Ze stond op en liep met de lampekap nog in haar armen door de woonkamer, die erg donker was met de gordijnen dicht. Ze ging naar de keuken en deed de deur in de verste hoek open. Aan deze kant van het huis was een schuurtje aangebouwd. De schaduwen van de houtstapel en van talrijke opgeslagen voorwerpen verdichtten de duisternis.

Een enkel kaal peertje hing aan het plafond. Er was geen schakelaar of touwtje: je deed het licht aan door de lamp in de fitting te draaien. Ze stak haar hand uit... en aarzelde. Als het gekke Poolse mens zich in de achtertuin had verstopt, dan zou ze het licht zien aangaan. En als ze het licht zag aangaan, dan zou ze precies weten waar ze Nettie's glazen lampekap moest zoeken, nietwaar?
'O nee, zo makkelijk krijg je me niet,' zei ze zachtjes, terwijl ze op de tast langs de kleerkast en de oude Hollandse boekenkast van haar moeder naar de houtstapel ging. 'Denk dat maar niet, Wilma Jerzyck. Ik ben niet àchterlijk, als je dat soms dacht. Je bent gewaarschuwd.'
Met haar linkerhand drukte Nettie de kap tegen haar buik en met haar rechter- veegde ze de oude vieze spinnewebben van het enkele raam in de schuur. Daarna tuurde ze naar de achtertuin, waarbij haar ogen waakzaam van links naar rechts schoten. Zo bleef ze bijna een minuut staan. Niets bewoog in de achtertuin. Even dacht ze dat ze het gekke Poolse mens gehurkt in de achterste linkerhoek van de tuin zag zitten, maar bij nader inzien was het alleen maar de schaduw van de eik achter in de tuin van de Fearons. De laagste takken van de boom hingen over haar eigen tuin. Ze bewogen een beetje in de wind en daardoor hadden de schaduwen in de hoek een ogenblik geleken op een gekke vrouw (om precies te zijn op een gekke Póólse vrouw).
Raider jankte achter haar. Ze keek om en zag hem in de deuropening staan, een zwart silhouet met scheefgehouden kop.
'Ik weet het,' zei ze. 'Ik weet het, jongen... maar we zullen haar leren. Ze denkt dat ik achterlijk ben. Nou, dat zal ze dan wel merken.'
Op de tast ging ze terug. Haar ogen begonnen aan het donker te wennen en ze besloot dat ze de lamp helemaal niet hoefde aan te doen. Ze ging op haar tenen staan en liet haar hand over de bovenkant van de kleerkast glijden, tot ze de sleutel vond die op de deur aan de linkerkant paste. De sleutel van de laden was ze al jaren kwijt, maar dat was niet erg; Nettie had de sleutel die ze nodig had. Ze deed de deur open en legde de glazen lampekap in de kast, tussen de stofnesten en muizekeutels.
'Hij verdient een betere plaats, dat weet ik wel,' zei ze tegen Raider. 'Maar hier is hij véilig, en daar gaat het om.'
Ze stak de sleutel weer in het slot, draaide hem om en trok aan de deur. Die zat op slot, stevig op slot, en ineens was het of er een geweldige last van haar was afgevallen. Ze trok nog eens aan de deur, knikte kort en stopte de sleutel in de zak van haar jasschort. Bij Polly zou ze hem aan een touwtje rond haar hals doen. Dat was het eerste dat ze zou doen.

'Zo!' zei ze tegen Raider, die met zijn staart kwispelde. Misschien voelde hij dat de crisis voorbij was. 'Dáár hebben we mee afgerekend, grote jongen, en nu moet ik naar mijn werk! Ik ben laat!'
Terwijl ze haar mantel aantrok, begon de telefoon te rinkelen. Nettie deed twee stappen in de richting van het toestel en bleef staan. Raider liet zijn ene ernstige blaf horen en keek haar aan. Weet je niet wat je moet doen als de telefoon gaat? vroegen zijn ogen haar. Zelfs ik weet dat, en ík ben hier maar de hond.
'Ik doe het niet,' zei Nettie.
Ik weet wat jij hebt uitgespookt, achterlijk wijf, ik weet wat jij hebt uitgespookt en ik... zal je... pàkken!
'Ik neem niet op. Ik ga naar mijn werk. Zíj is gek, ik niet. Ik heb haar nooit iets gedaan! Helemaal níets!'
Raider blafte instemmend.
De telefoon hield op met rinkelen.
Nettie ontspande een beetje... maar haar hart bonkte nog steeds wild.
Ze aaide Raider. 'Zul je braaf zijn? Ik kom laat thuis, want ik ga laat naar mijn werk. Maar ik hou van je en als je daaraan denkt zul je de hele dag een brave hond zijn.'
Raider kende dit ik-ga-naar-mijn-werk ritueel goed en hij wapperde met zijn staart. Nettie deed de voordeur open en keek naar links en naar rechts voordat ze naar buiten ging. Ze schrok even toen ze in een flits iets helgeels zag, maar het was niet de auto van het gekke Poolse mens; de jongen van Pollard had zijn Fisher-Price driewieler op de stoep laten staan, dat was alles.
Nettie deed de deur op slot en liep naar de achterkant om te zien of ook de schuurdeur was afgesloten. Dat was zo. Ze ging op weg naar Polly's huis met haar tasje aan haar arm en uitkijkend naar de auto van het gekke Poolse mens (ze wist nog niet of ze zich achter een heg moest verstoppen of net doen of haar neus bloedde als ze hem zag). Ze was bijna op de hoek gekomen, toen ze besefte dat ze de voordeur niet erg zorgvuldig had gecontroleerd. Ze keek nerveus op haar horloge en keerde op haar schreden terug. Ze voelde aan de voordeur. Die zat stevig op slot. Nettie zuchtte opgelucht en besloot ook de deur van het schuurtje na te kijken, om elke twijfel uit te wissen.
'Voorkomen is beter dan genezen,' mompelde Nettie. Ze liep naar de achterkant van het huis.
Haar hand verstijfde terwijl ze aan de knop van de schuurdeur draaide.
In huis rinkelde de telefoon weer.
'Ze is gek,' kreunde Nettie. 'Ik heb niets gedáán!'
De schuurdeur was op slot, maar ze bleef daar staan tot de telefoon

zweeg. Daarna zette ze weer koers naar haar werk, met haar tas over haar arm.

4

Ditmaal had ze bijna de tweede hoek bereikt voórdat het knagende gevoel terugkeerde dat ze de voordeur toch nog niet op slot had gedaan. Ze wist van wèl, maar ze was bang van níet.
Ze bleef staan bij de blauwe brievenbus op de hoek van Ford Street en Deaconess Way, besluiteloos. Ze was al bijna van plan om door te lopen toen ze een gele auto over het kruispunt achter haar zag rijden. Het was niet de auto van het gekke Poolse mens, het was een Ford, maar ze dacht dat het een voorteken kon zijn. Ze liep snel terug naar huis en controleerde opnieuw de twee deuren. Op slot. Ze liep de oprit af, maar op het trottoir besefte ze dat ze ook de deur van de kleerkast zou moeten controleren om er zeker van te zijn dat die eveneens was afgesloten.
Ze wist van wèl, maar ze was bang van níet.
Ze maakte de voordeur open en ging naar binnen. Raider sprong wild kwispelend tegen haar op en ze klopte hem even op zijn kop, maar niet langer dan even. Ze moest de voordeur dichtdoen, want dat gekke Poolse mens kon elk moment langskomen. Werkelijk elk moment.
Ze duwde de deur hard dicht, draaide hem op het nachtslot en ging terug naar de schuur. De deur van de kleerkast was natuurlijk op slot. Ze ging weer naar binnen en bleef een minuut in de keuken staan. Nu al begon ze zich zorgen te maken, begon ze te denken dat ze zich vergist had en dat de kast tóch niet was afgesloten. Misschien had ze niet hard genoeg getrokken om er echt helemaal honderd procent zeker van te kunnen zijn. Misschien klemde de deur alleen maar.
Ze ging weer naar de schuur om het na te kijken en terwijl ze dat deed begon de telefoon te rinkelen. Ze haastte zich naar binnen met de kastsleutel stevig in haar zweterige hand geklemd. Ze haalde haar scheen open aan een voetstoof en slaakte een kreet van pijn.
De telefoon had opgehouden met rinkelen toen ze in de zitkamer kwam.
'Ik kan vandaag niet gaan werken,' mompelde ze. 'Ik... ik moet...'
(*de wacht houden*)
Dat was het. Ze moest de wacht houden.
Ze nam de hoorn van de haak en draaide snel het nummer, voordat haar gedachten weer aan elkaar konden gaan knagen zoals Raider op zijn ruwleren speeltjes knaagde.

'Hallo?' zei Polly. 'U spreekt met Polly's naaiatelier.'
'Dag, Polly. Ik ben het.'
'Nettie? Is alles goed met je?'
'Ja, maar ik bel van huis, Polly. Mijn maag is van streek.' Dit was inmiddels geen leugen meer. 'Misschien kan ik vandaag vrij krijgen. Ik weet dat ik boven zou stofzuigen... en er komt iemand voor de telefoon... maar...'
'Dat geeft helemaal niet,' zei Polly meteen. 'Ze komen pas om twee uur voor de telefoon en ik was toch van plan om vandaag vroeg naar huis te gaan. Mijn handen doen nog te veel pijn om lang te werken. Ik laat ze wel binnen.'
'Als je me echt nodig hebt, dan kan ik wel...'
'Nee, echt niet,' stelde Polly haar hartelijk gerust en Nettie voelde tranen in haar ogen prikken. Polly was zo áárdig.
'Heb je erg last van je maag, Nettie? Zal ik dokter Van Allen voor je bellen?'
'Nee, ik heb alleen maar wat kramp. Het gaat wel over. Als het vanmiddag gaat, kom ik nog.'
'Onzin,' zei Polly beslist. 'Je hebt geen vrije dag gevraagd sinds je bij me bent komen werken. Kruip maar lekker in bed en ga weer slapen. Ik zeg het je eerlijk: als je het waagt hier te komen, stuur ik je gewoon weer naar huis.'
'Dank je, Polly,' zei Nettie. Ze barstte haast in snikken uit. 'Je bent erg goed voor me.'
'Dat heb je ook verdiend. Ik moet ophangen, Nettie, er zijn klanten. Ga naar bed. Ik bel vanmiddag nog wel om te vragen hoe het gaat.'
'Dank je.'
'Niets te danken. Doei.'
'Toedeloe,' zei Nettie, en legde neer.
Ze ging meteen naar het raam en trok het gordijn iets opzij. De straat was leeg... voorlopig. Ze ging terug naar de schuur, maakte de kast open en haalde de lampekap eruit. Een gevoel van kalmte en ontspanning beving haar zodra ze de kap in haar armen nam. Ze nam hem mee naar de keuken, waste hem in warm zeepwater, spoelde het sop weg en droogde hem zorgvuldig af.
Ze deed een van de keukenladen open en haalde haar vleesmes eruit. Dat nam ze samen met de lampekap mee naar de woonkamer, waar ze ging zitten. Daar bleef ze de hele morgen, stijf rechtop in haar stoel, met de lampekap op schoot en het vleesmes in haar rechterhand geklemd.
De telefoon ging nog twee keer.
Nettie nam niet op.

7

1

Vrijdag elf oktober was een topdag voor de nieuwste winkel in Castle Rock, vooral toen de mensen in de loop van de middag hun loonzakjes hadden gekregen. Geld in de hand was een prikkel om inkopen te doen, net als de van-mond-tot-mond reclame van de klanten die op woensdag in de zaak waren geweest. Er waren natuurlijk degenen die geen vertrouwen stelden in figuren die *al op de dag van de opening* een kijkje waren gaan nemen, maar dat was een minderheid en de hele dag liet het zilveren belletje boven de ingang van De NoodZaak zijn vrolijke getinkel horen.

Er waren sinds woensdag meer artikelen uitgepakt of aangekomen. Voor wie in dergelijke zaken belang stelde, was het moeilijk te geloven dat er goederen waren afgeleverd - niemand had een vrachtwagen gezien - maar eigenlijk deed het er ook niet toe hoe het zat. Op vrijdag was er heel wat meer te koop in De NoodZaak, dat was het belangrijkste.

Poppen, bijvoorbeeld. En prachtig uitgesneden houten legpuzzels, soms met aan beide kanten een voorstelling. Er was een uniek schaakspel; de stukken waren van bergkristal, door een primitieve maar uiterst begaafde hand bewerkt tot Afrikaanse dieren: lopende giraffen als paarden, neushoorns met dreigend gebogen koppen als torens, jakhalzen als pionnen, leeuwkoningen, soepele luipaardkoninginnen. Er was een halsketting van zwarte parels, duidelijk een kostbaar sieraad - niemand durfde goed naar de prijs te vragen, althans op déze dag - en van een schoonheid die bijna pijn aan de ogen deed. Verscheidene bezoekers van De NoodZaak gingen naar huis met een melancholiek en vreemd verdrietig gevoel, met het beeld van die parelketting dansend in het zwart vlak achter hun ogen, zwart op zwart. En dit waren niet alleen vrouwen.

Er waren een paar dansende narrenpoppen. Er was een speeldoos, oud en uitbundig bewerkt. Gaunt zei dat er bij opening een ongewoon melodietje te horen viel, maar hij kon het zich niet precies herinneren en de doos zat op slot. Een koper zou iemand moeten zoeken die er een passende sleutel voor kon maken; er waren nog een paar oude vaklieden, zei hij, die die vaardigheid bezaten. Een paar keer werd hem gevraagd of de speeldoos teruggebracht kon worden als de koper werkelijk het deksel open kon krijgen en ontdekte dat de melodie niet naar zijn of haar smaak was. Gaunt glimlachte en wees naar een nieuw bordje aan de muur, waarop stond:

IK DOE NIET AAN GELD TERUG OF RUILEN
CAVEAT EMPTOR!

'Wat betekent dàt nou?' vroeg Lucille Dunham. Lucille, die als serveerster in Nan's Luncheonette werkte, was tijdens haar koffiepauze samen met haar vriendin Rose Ellen naar De NoodZaak gegaan.
'Het betekent dat je moet uitkijken geen kat in de zak te kopen, anders heb jij de kat en hij je geld,' zei Rose Ellen. Ze zag dat Gaunt haar had gehoord (en ze had kunnen zweren dat ze hem een ogenblik geleden nog heel ergens anders had zien staan) en ze werd vuurrood.
Gaunt lachte alleen maar. 'Zo is het,' zei hij tegen haar. 'Dat is precíes wat het betekent!'
In een van de vitrines lag een oude revolver met een lange loop en op het bijbehorende kaartje stond: NED BUNTLINE SPECIAL; een jongenspop met rood houten haar, sproeten en een onveranderlijke vriendelijke lach (HOWDY DOODY PROTOTYPE vermeldde het kaartje); dozen postpapier, wel mooi maar niet opmerkelijk; een verzameling antieke ansichtkaarten; setjes van pen en potlood; linnen zakdoeken; opgezette dieren. Er was zo te zien voor elk wat wils en – al was er in de hele winkel geen prijskaartje te bekennen – ook wat voor ieders beurs.
Leland Gaunt deed die dag goede zaken. De meeste verkochte artikelen waren aardig, maar helemaal niet uniek. Hij maakte echter ook een aantal 'afspraken', en die kregen allemaal hun beslag toen er slechts een enkele klant in de zaak was.
'Ik word onrustig als het zo stil is,' zei hij met zijn innemende lach tegen Sally Ratcliffe, de spraaklerares van Brian Rusk, 'en als ik onrustig ben wil ik nog wel eens roekeloos worden. Slecht voor de verkoper, maar héél erg goed voor de koper.'
Sally was een trouw bezoekster van dominee Roses Verenigde Baptistenkerk, waar ze haar verloofde Lester Pratt had ontmoet, en behalve het speldje tegen de casinoavond droeg ze nog een button met de tekst: IK WORD BEHOUDEN! U OOK? Haar blik werd meteen getrokken door de houtspaander en het kaartje met het opschrift: VERSTEEND HOUT UIT HET HEILIGE LAND. Ze maakte geen bezwaar toen Gaunt hem uit de vitrine haalde en in haar hand legde. Ze kocht hem voor zeventien dollar plus de belofte een onschuldig grapje uit te halen met Frank Jewett, het hoofd van de middenschool van Castle Rock. Na vijf minuten stond ze weer buiten, met

een dromerige en afwezige uitdrukking op haar gezicht. Gaunt had aangeboden haar aankoop in te pakken, maar Sally zei dat ze de spaander in haar hand wilde houden. Als je haar zo naar buiten zag gaan, zou je moeilijk kunnen zeggen of haar voeten de grond raakten of dat ze zweefde.

2

Het zilveren belletje tinkelde.
Cora Rusk kwam binnen, vastbesloten de foto van de King te kopen, en ze was helemaal van streek toen Gaunt haar vertelde dat hij al weg was. Cora wilde weten wie hem had gekocht. 'Het spijt me,' zei Gaunt, 'maar het was iemand van buiten. Het nummerbord van haar auto kwam uit Oklahoma.'
'Ga nou toch weg!' riep Cora met een mengeling van verontwaardiging en echt verdriet. Ze had zelf niet beseft hoe erg ze naar die foto verlangde totdat Leland Gaunt haar vertelde dat hij weg was. Henry Gendron en zijn vrouw Yvette waren op dat moment ook in de winkel en Gaunt vroeg Cora een ogenblikje geduld. Hij meende dat hij iets anders had, zei hij, dat ze net zo lief of misschien nog wel liever zou willen hebben. Nadat hij de Gendrons een mollige teddybeer had verkocht - een cadeautje voor hun dochter - en hen naar buiten had gelaten, vroeg hij Cora nog even te willen wachten terwijl hij in de achterkamer iets ging zoeken. Cora wachtte, maar niet met veel belangstelling of verwachting. Een zware grijze depressie had haar in bezit genomen. Ze had honderden foto's van de King gezien, misschien wel dúizenden, en zelf bezat ze er een handvol, maar deze had iets... iets bijzonders. Ze haatte die vrouw uit Oklahoma.
Gaunt kwam terug met een kleine brillekoker van hagedisseleer. Hij deed hem open en liet Cora een vliegersbril zien waarvan de glazen een donkere, rookachtig grijze kleur bezaten. Haar adem stokte in haar keel, ze bracht haar rechterhand naar haar trillende hals.
'Is dat...' begon ze, maar ze kon geen woord meer uitbrengen.
'De zonnebril van de King,' beaamde Gaunt ernstig. 'Een van de zestig. Maar ze zeggen dat dit zijn favoriete was.'
Cora kocht de zonnebril voor negentien dollar en vijftig cent.
'Ik zou ook nog graag wat inlichtingen willen hebben.' Gaunt keek Cora met twinkelende ogen aan. 'Laten we het accijns noemen.'
'Inlichtingen?' vroeg Cora weifelend. 'Wat voor inlichtingen?'
'Kijk naar buiten, Cora.'
Cora deed wat haar was gevraagd, maar ze liet de zonnebril geen

moment los. Aan de overkant van de straat stond een politiewagen voor de videotheek. Alan Pangborn stond op de stoep met Bill Fullerton te praten.
'Zie je die knaap?' vroeg Gaunt.
'Wie? Bill Ful...'
'Nee, dommerdje,' zei Gaunt. 'Die ànder.'
'Sheriff Pangborn?'
'Precies.'
'Ja, ik zie hem.' Cora voelde zich mat en verdoofd. Gaunts stem leek van heel ver te komen. Ze moest voortdurend aan haar aankoop denken, die prachtige zonnebril. Ze wilde naar huis en hem meteen zelf opzetten... maar natuurlijk kon ze pas weg als ze daar toestemming voor kreeg, want het onderhandelen was niet voorbij tot Gaunt zéi dat het onderhandelen voorbij was.
'Hij ziet eruit als een lastige klant, zoals wij in het vak zeggen,' zei Gaunt. 'Wat vind jíj van hem, Cora?'
'Hij is snugger,' zei Cora. 'Hij zal nooit zo'n sheriff als de oude Bannerman worden - dat zegt mijn man tenminste - maar hij weet wat hij doet.'
'Zo, werkelijk?' Gaunt had weer die bitse, vermoeide toon in zijn stem gekregen. Zijn ogen vernauwden zich tot spleetjes en ze lieten Alan Pangborn geen moment met rust. 'Zal ik je dan eens een geheim vertellen, Cora? Ik geef niet veel om snuggere mensen en ik háát lastige klanten. Ik wàlg van lastige klanten. Ik vertrouw die lui niet die altijd alles willen omdraaien om te zien of er geen barstje in zit, jij wel?'
Cora zei niets. Ze stond daar maar met de brillekoker van de King in haar hand en staarde met lege ogen uit het raam.
'Als ik iemand nodig had om onze snuggere sheriff Pangborn in de gaten te houden, Cora, wie zou dan een goede keus zijn?'
'Polly Chalmers,' zei Cora met een stem alsof ze verdoofd was. 'Ze is heel goed bevriend met hem.'
Gaunt schudde onmiddellijk zijn hoofd. Zijn blik liet de sheriff geen ogenblik los terwijl Alan naar zijn wagen liep, vluchtig naar De NoodZaak keek, instapte en wegreed. 'Dat zal niet gaan.'
'Sheila Brigham?' vroeg Cora aarzelend. 'Zij werkt op het politiebureau.'
'Een goed idee, maar ook dat zal niet gaan. Weer zo'n lastige klant. Die heb je in elke plaats, Cora, jammer maar waar.'
Cora dacht erover na met haar vage, afwezige geest. 'Eddie Warburton?' vroeg ze eindelijk. 'Hij is de beheerder van het gemeentehuis.'
Gaunts gezicht klaarde op. 'De huismeester!' zei hij. 'Ja! Prachtig! Weergaloos! Werkelijk uitstékend!' Hij boog zich over de toonbank en drukte een zoen op Cora's wang.

Ze deinsde met vertrokken gezicht terug en wreef heftig over haar wang. Ze maakte een kokhalzend geluid, maar Gaunt scheen het niet te merken. Zijn gezicht was overtrokken met een grote, stralende lach.
Cora ging weg (nog steeds met de muis van haar hand over haar wang wrijvend) op het moment dat Stephanie Bonsaint en Cyndi Rose Martin van de bridgeclub binnenkwamen. Cora liep Steffie Bonsaint bijna omver: ze wilde zo snel mogelijk naar huis. Naar huis om eindelijk die bril te kunnen opzetten. Maar allereerst wilde ze haar gezicht wassen om zich van die walgelijke zoen te bevrijden. Haar wang gloeide alsof ze koorts begon te krijgen.
De zilveren bel boven de deur tinkelde.

3

Terwijl Steffie bij de etalage bleef staan, verdiept in de telkens wisselende patronen van de oude kaleidoscoop die ze had gevonden, ging Cyndi Rose naar Gaunt om hem eraan te herinneren wat hij woensdag had gezegd: dat hij wellicht een vaas zou hebben die paste bij de Lalique die ze al had gekocht.
Gaunt glimlachte samenzweerderig. 'Dat zou wel eens kunnen,' zei hij. 'Kun je je vriendin niet twee minuten wegsturen?'
Cyndi Rose vroeg Steffie alvast naar Nan's Luncheonette te gaan en koffie voor haar te bestellen; ze zou direct komen, zei ze. Steffie ging, maar met een verbaasde uitdrukking op haar gezicht.
Gaunt ging naar de achterkamer en kwam terug met een Lalique vaas. Hij paste niet alleen bij de eerste, hij was volkomen identiek.
'Hoeveel?' vroeg Cyndi Rose, terwijl ze de vloeiende ronding van de vaas volgde met een vinger die lichtjes trilde. Met enige spijt dacht ze eraan hoe voldaan ze woensdag met haar koopje was geweest. Het leek erop dat hij haar alleen maar lekker had gemaakt en nu zijn slag zou slaan. Déze vaas zou niet voor het spotprijsje van eenendertig dollar van de hand gaan: ditmaal zou hij haar uitmelken. Maar ze wilde hem hebben, samen met de eerste op de schoorsteen in de zitkamer. Ze wilde hem heel erg graag hebben.
Ze kon haar oren nauwelijks geloven toen ze Leland Gaunt hoorde. 'Dit is mijn eerste week, dus zullen we maar zeggen twee halen, een betalen. Alsjeblieft, meisje... geniet er maar van.'
Haar verbijstering was zo groot dat ze de vaas bijna op de grond liet vallen toen hij hem in haar hand stopte.
'Maar... ik dacht dat u zei...'
'Je hebt me goed verstaan,' zei hij, en plotseling merkte ze dat ze haar blik niet van zijn ogen kon afwenden. *Francie heeft zich ver-*

gist, dacht ze, vaag en afwezig. *Ze zijn helemaal niet groen. Ze zijn grijs. Donkergrijs.* 'Maar er is nog één ding.'

'Ja?'

'Ja... Ken je een zekere Norris Ridgewick, assistent van de sheriff?'

Het zilveren belletje tinkelde.

Everett Frankel, de co-assistent van dokter Van Allen, kocht de pijp die Brian Rusk bij zijn allereerste bezoek aan De NoodZaak had gezien voor twaalf dollar en een grapje dat hij met Sally Ratcliffe moest uithalen. De arme Slopey Dodd, de stotteraar die elke dinsdagmiddag samen met Brian spraakles had, kocht een tinnen theepot voor de verjaardag van zijn moeder. Die kostte hem eenenzeventig cent... plus de belofte, van harte gedaan, dat hij een geintje zou uithalen met Sally's vriend, Lester Pratt. Gaunt zei dat hij Slopey als de tijd daar was de dingen zou geven die hij daarvoor nodig had, waarop Slopey antwoordde dat hij het h-h-heel g-g-goed vond. June Gavineaux, de vrouw van Castle Rocks welvarendste veehouder, kocht een cloisonné vaas voor zevenennegentig dollar en de belofte pastoor Brigham een aardigheidje te flikken. Niet lang na haar vertrek regelde Gaunt een soortgelijk grapje voor dominee Willie.

Het was een drukke, vruchtbare dag en toen Gaunt eindelijk het bordje GESLOTEN voor de deur hing en het gordijn neerliet, was hij moe maar voldaan. Hij had geweldige zaken gedaan en hij had zelfs een eerste stap gezet om zich ervan te verzekeren dat hij niet door sheriff Pangborn gestoord zou worden. Dat was goed. De opening was altijd het aantrekkelijkste onderdeel van zijn werkwijze, maar problematisch en soms ook riskant. Hij kon zich natuurlijk in Pangborn vergissen, maar Gaunt had geleerd in zulke kwesties op zijn intuïtie te vertrouwen en Pangborn leek iemand te zijn bij wie hij maar beter uit de buurt kon blijven... althans tot hij in staat was op zijn eigen voorwaarden met de sheriff om te gaan. Gaunt verwachtte dat het een bijzonder bevredigende week zou worden, met vuurwerk voordat hij voorbij was.

Heel veel vuurwerk.

4

Het was kwart over zes toen Alan die vrijdagavond zijn wagen op Polly's inrit parkeerde en de motor afzette. Ze stond hem bij de deur op te wachten en kuste hem innig. Hij zag dat ze zelfs voor dit korte uitstapje in de kou haar handschoenen had aangetrokken en hij fronste.

'Zeg maar niks,' zei ze. 'Het gaat een beetje beter vanavond. Heb je de kip meegebracht?'
Hij hield de witte, met vet besmeurde zakken omhoog. 'Uw dienaar, dame.'
Ze maakte een sierlijke buiging. 'En de uwe.'
Ze nam de zakken van hem aan en ging hem voor naar de keuken. Hij trok een stoel naar zich toe, draaide hem om en ging er achterstevoren op zitten, terwijl zij haar handschoenen uittrok en de kip op een glazen schotel deed. Hij had eten gehaald bij Cluck-Cluck Tonite. Een afgrijselijk boerse naam, maar de kip was prima (in tegenstelling tot de mosselen, volgens Norris). Het enige probleem met afhaaleten was het afkoelen als je bijna veertig kilometer uit de buurt woonde... en om dat op te lossen, dacht hij, was de magnetron uitgevonden. Eigenlijk waren er volgens hem maar drie geldige bestaansredenen voor magnetrons, namelijk het opwarmen van koffie, het maken van popcorn en het weer eetbaar maken van afhaalvoedsel zoals uit Cluck-Cluck Tonite.
'Gaat het ècht beter?' vroeg hij terwijl ze de kip in de magnetron deed en de juiste knoppen indrukte. Hij hoefde zich niet nader te verklaren; ze wisten allebei waar ze het over hadden.
'Een beetje maar,' bekende ze, 'maar ik ben er tamelijk zeker van dat ik me binnenkort véél beter zal voelen. Ik begin warme tintelingen in mijn handpalmen te voelen en dat is meestal een teken van verbetering.'
Ze hield haar handen omhoog. In het begin had ze zich pijnlijk verlegen gevoeld met haar kromme, misvormde handen en die verlegenheid bestond nog steeds, maar ze had zijn belangstelling grotendeels leren accepteren als een deel van zijn liefde. Hij vond nog steeds dat haar handen er stijf en vreemd uitzagen, alsof ze onzichtbare handschoenen droeg, handschoenen van een plompe en onverschillige maker die ze voorgoed aan haar polsen had vastgeniet.
'Heb je vandaag pillen moeten nemen?'
'Eentje maar, vanochtend.'
In werkelijkheid had ze er drie genomen – 's ochtends twee en de derde vroeg in de middag – en de pijn was nauwelijks minder dan gisteren. Ze vreesde dat het tintelen waarover ze had gesproken voornamelijk een produkt van haar eigen hoopvolle verbeelding was. Ze loog niet graag tegen Alan; ze geloofde dat leugens en liefde zelden samengaan, en nooit lang. Maar ze had heel lang alleen gewoond en in haar achterhoofd was ze nog steeds benauwd voor zijn onophoudelijke bezorgdheid. Ze vertrouwde hem, maar ze was bang hem te veel te laten weten.
Allengs was hij vaker over de Mayo-kliniek begonnen en ze wist

dat hij nog meer zou aandringen als het echt tot hem doordrong hoe erg de pijn deze keer was. Ze wilde niet dat die vervloekte handen van haar het belangrijkste bestanddeel van hun relatie zouden worden... en ze was ook bang voor de diagnose die een bezoek aan de kliniek zou kunnen opleveren. Ze kon leven met pijn; ze wist niet of ze zonder hoop kon leven.
'Wil jij de aardappelen uit de oven halen?' vroeg ze. 'Ik wil Nettie nog bellen voor we gaan eten.'
'Wat is er met Nettie?'
'Ze heeft last van haar maag. Ze is vandaag niet geweest. Ik wil weten of het geen buikgriep is. Volgens Rosalie zit het in de lucht en Nettie is als de dood voor dokters.'
En Alan, die meer van Polly Chalmers' gedachten wist dan ze zelf ooit kon vermoeden, zag haar naar de telefoon gaan en dacht: *Ik weet wie het zegt, schatje.* Hij was een echte diender en hij kon zijn waarnemingsvermogen niet uitschakelen als hij vrij had. Het was een automatisme. Hij probeerde het niet eens meer. Als hij in de laatste paar maanden van Annies leven wat beter had opgelet, waren zij en Todd nu misschien nog in leven.
Hij had de handschoenen opgemerkt toen Polly aan de deur kwam. Hij had het feit opgemerkt dat ze ze met haar tanden uittrok in plaats van met haar vingers. Hij had gezien hoe ze de kip op de schotel legde en opgemerkt hoe haar mond wat verstrakte toen ze de schotel optilde en in de magnetron zette. Dat waren slechte tekens. Hij ging naar de deur tussen de keuken en de zitkamer om te zien hoe vlot of aarzelend ze de telefoon gebruikte. Dat was een van de belangrijkste manieren om haar pijn te meten. En hierbij kon hij, eindelijk, een goed teken opmerken, althans dat meende hij.
Ze sloeg Netties telefoonnummer snel en zonder aarzeling aan en omdat ze aan de andere kant van de kamer stond, kon hij niet zien dat deze telefoon - net als alle andere - een nieuw toestel was, voorzien van extra grote cijfertoetsen. Hij ging terug naar de keuken, met gespitste oren luisterend naar het gesprek.
'Hallo, Nettie?... Ik wilde net neerleggen. Heb ik je wakker gemaakt?... Ja... Nee... En, hoe is het?... O, fijn. Ik heb aan je gedacht... Nee, maak je om mij geen zorgen, Alan heeft eten gehaald in die zaak in Oxford... Ja, vind je ook niet?'
Alan haalde een plat bord uit een van de kastjes boven het aanrecht en dacht: ze liegt over haar handen. Het doet er niet toe dat ze met de telefoon kan omgaan, zo erg is het zelden geweest het laatste jaar, misschien is het nu nog wel erger.
Het idee dat ze tegen hem had gelogen was niet erg verontrustend; hij was heel wat makkelijker met leugentjes-om-bestwil dan Polly.

Kijk maar naar het kind. Ze had het begin 1971 ter wereld gebracht, ongeveer zeven maanden nadat ze met de Greyhound uit Castle Rock was vertrokken. Ze had tegen Alan gezegd dat de baby - een jongetje met de naam Kelton - in Denver was gestorven, drie maanden oud. Wiegedood, de ergste nachtmerrie voor een jonge moeder. Het was een volkomen geloofwaardig verhaal en Alan twijfelde er helemaal niet aan dat Kelton Chalmers inderdaad dood was. Er was maar één moeilijkheid met Polly's lezing: die klopte niet. Alan was een smeris en hij herkende een leugen als hij er een hoorde.
(*behalve wanneer Annie hem voorloog*)
Ja, dacht hij, behalve bij Annie. Schrijf dat maar op.
Waaraan had hij gemerkt dat Polly loog? Aan het snelle knipperen van haar ogen, haar grote pupillen of haar al te starende blik? Aan het feit dat ze telkens aan haar linker oorlelletje plukte? Aan de manier waarop ze haar benen over elkaar sloeg en dan weer naast elkaar zette, als een kind dat bij het spel verraadt dat hij zit te jokken?
Al die dingen, zeker, maar ze waren ook bijzaak. Het was voornamelijk een belletje dat in zijn hoofd was gaan rinkelen, zoals de zoemer op het vliegveld afgaat als iemand met een pin in zijn schedel langs de metaaldetector loopt.
De leugen maakte hem niet boos of bezorgd. Je had mensen die uit eigenbelang logen, mensen die uit angst logen, mensen die alleen maar logen omdat het vertellen van de waarheid een heel vreemd idee voor ze was... en dan had je de mensen die logen omdat het nog niet de geschikte tijd voor de waarheid was. Hij dacht dat Polly's leugen over Kelton onder deze laatste categorie viel en hij was bereid te wachten. Op den duur zou ze hem in haar geheimen inwijden. Er was geen haast bij.
Geen haast: alleen het idee leek al een luxe.
Ook haar stem - vol en kalm en precies zoals hij moest zijn nu hij naar haar luisterde - leek een luxe. Hij voelde zich nog altijd een beetje schuldig, alleen omdat hij hier was en wist waar alle borden en andere keukenspullen waren, in welke lade in de slaapkamer ze haar nylons bewaarde of waar precies de grens tussen zomers bruin en wit op haar lichaam lag, maar dat deed er allemaal niet toe als hij haar stem hoorde. Er was hier eigenlijk maar één feit van belang, een simpel feit dat alle andere domineerde: de klank van haar stem maakte dat hij zich thuis voelde.
'Als je wilt, kan ik nog wel even bij je langskomen, Nettie... Echt?... Nou ja, rust ís waarschijnlijk het beste voor je... Mòrgen?'
Polly lachte. Het was een vrij en aangenaam geluid dat Alan altijd

het gevoel gaf alsof de wereld een beetje jonger was geworden. Hij dacht dat hij heel lang op de onthulling van haar geheimen kon wachten als ze alleen maar af en toe zo zou lachen.
'Wat denk je wel, morgen is het záterdag! Dan geef ik me over aan allerlei zondige geneugten!'
Alan glimlachte. Hij trok de lade onder het fornuis open, vond een paar ovenhandschoenen en opende de gewone oven. Een aardappel, twee aardappelen, drie aardappelen, vier. Hoe moesten ze in godsnaam samen vier grote gebakken aardappelen wegwerken? Maar hij had natuurlijk van tevoren al geweten dat het er te veel zouden zijn, dat was Polly's manier van koken nu eenmaal. Ongetwijfeld schuilde er in die vier grote aardappelen nog een ander geheim en misschien zouden zijn gevoelens van schuld en vervreemding verdwijnen als hij op een dag alle antwoorden kende, of de meeste, of zelfs maar een paar.
Hij haalde de aardappelen uit de oven. Een ogenblik later piepte de magnetron.
'Ik moet ophangen, Nettie...'
'Laat maar!' riep Alan. 'Ik heb het hier in de hand! Ik ben de sheriff, zus!'
'...maar je moet me bellen als je iets nodig hebt. Denk je echt dat het nu wel gaat?... Je zou het toch zeggen als het niet zo was, Nettie?... Goed... Wat?... Nee, ik vraag het maar... Jij ook... Welterusten, Nettie.'
Toen Polly terugkwam, had hij de kip op tafel gezet en was hij bezig een van de aardappelen op haar bord te pellen.
'Alan, lieverd! Dat hoef je toch niet te doen!'
'Service van de zaak, schoonheid.' Hij begreep ook dat het leven voor Polly op zulke dagen een aaneenschakeling van kleine gevechten op leven en dood werd. De alledaagse dingen in een alledaags bestaan werden tot een hele reeks bijzonder lastige hindernissen die overwonnen moesten worden en op mislukking stond niet alleen pijn, maar ook vernedering. De vaatwasser vullen. Aanmaakhout in de open haard leggen. Mes en vork hanteren om een gloeiende aardappel uit de schil te halen.
'Ga zitten,' zei hij, 'dan zullen we deze kip eens naar binnen klokken.'
Ze begon te lachen en omhelsde hem. Ze drukte de binnenkant van haar onderarmen tegen zijn rug en niet haar handen, zoals de genadeloze waarnemer in hem opmerkte. Maar zijn minder afstandelijke ik voelde hoe ze haar slanke lichaam stevig tegen hem aan drukte en hij rook ook de zoete geur van de shampoo die ze gebruikte.
'Je bent een schat,' zei ze zachtjes.
Hij kuste haar, eerst behoedzaam, daarna krachtiger. Zijn handen

gleden van haar taille naar de ronding van haar billen. De stof van haar oude spijkerbroek voelde zacht en glad aan onder zijn handen.
'Af, grote jongen,' zei ze eindelijk. 'Eerst eten, daarna knuffelen.'
'Is dat een uitnodiging?' Als het echt niet beter ging met haar handen, dacht hij, zou ze een ontwijkend antwoord geven.
'Op mijn erewoord,' zei ze evenwel en Alan ging zitten, tevreden. Voorlopig.

5

'Komt Al dit weekend thuis?' vroeg Polly terwijl ze de tafel afruimden. Alans nog levende zoon zat op de Milton Academy onder Boston.
'Nee,' bromde Alan, de borden afschrapend.
'Ik dacht maar,' zei Polly een tikkeltje te nonchalant, 'omdat hij maandag vrij heeft vanwege Columbus Day...'
'Hij gaat naar Dorf bij Cape Cod,' zei Alan. 'Dorf staat voor Carl Dorfman, zijn kamergenoot. Al belde dinsdag op om te vragen of hij daar drie dagen kon doorbrengen. Ik zei dat ik het best vond.'
Ze raakte zijn arm aan en hij draaide zich naar haar toe. 'In hoeverre is het mijn schuld, Alan?'
'In hoeverre is wàt jouw schuld?' vroeg hij, oprecht verbaasd.
'Je weet wat ik bedoel: je bent een goede vader en je bent niet stom. Hoe vaak is Al thuis geweest sinds de lessen weer zijn begonnen?'
Plotseling begreep Alan waar ze naar toe wilde en hij grinnikte opgelucht. 'Eén keer maar,' zei hij, 'en dat was omdat hij Jimmy Catlin moest spreken, zijn oude schoolvriend met wie hij altijd achter de computer zat. Een paar van zijn geliefde spelletjes draaiden niet op de nieuwe Commodore 64 die ik hem voor zijn verjaardag had gegeven.'
'Zie je? Dat is wat ik bedoel, Alan. Hij denkt dat ik al meteen de plaats van zijn moeder wil innemen en...'
'O jee,' zei Alan. 'Hoelang zit je al op het idee te broeden dat jij voor Al de Boze Stiefmoeder bent?'
Ze trok fronsend haar wenkbrauwen samen. 'Ik hoop dat je het me niet kwalijk neemt, maar ik vind dat niet zo'n grappig idee als jij blijkbaar.'
Hij pakte voorzichtig haar bovenarmen en zoende een hoekje van haar mond. 'Ik vind het helemaal niet grappig. Ik moest er net aan denken dat ik me soms een beetje ongemakkelijk voel als ik bij je ben. Net alsof het te vroeg is. Dat is niet zo, alleen heb ik dat gevoel soms. Begrijp je wat ik bedoel?'

Ze knikte. De frons werd wat minder diep, maar verdween niet helemaal. 'Ja, natuurlijk. In films krijgen de hoofdpersonen ook altijd meer tijd om dramatisch naar elkaar te verlangen.'
'Je slaat de spijker op zijn kop. In de film is er een hoop verlangen en heel weinig verdriet. Omdat verdriet veel te echt is. Verdriet is...' Hij liet haar armen los, pakte langzaam een bord en begon het droog te wrijven. 'Verdriet is wrééd.'
'Ja.'
'Daardoor voel ik me wel eens een beetje schuldig, ja.' Met bittere zelfspot merkte hij hoe verontschuldigend zijn stem dreigde te klinken. 'Deels omdat het te vroeg lijkt, ook al is het dat niet, en deels omdat het lijkt alsof ik er te gemakkelijk van afkom, ook al is dat niet zo. Af en toe heb ik nog steeds het gevoel dat ik niet genoeg heb geleden, dat kan ik niet ontkennen, maar ik moet zelf toegeven dat het nergens op slaat... want ik weet ook heel goed dat ik nu nòg lijd.'
'Je bent net een mens,' zei ze zacht. 'Zo onnavolgbaar vreemd en opwindend pervers.'
'Ach, dat zal wel. Wat Al betreft, dit is zijn eigen manier om ermee om te gaan. Een goede manier ook, goed genoeg voor mij om trots op hem te zijn. Hij mist zijn moeder nog altijd, maar als hij nog steeds líjdt – en ik geloof dat ik daar niet helemaal zeker van ben – dan is het om Todd. Maar jouw idee dat hij wegblijft omdat hij iets tegen jou heeft – of tegen ons – dat zit er helemaal naast.'
'Daar ben ik blij om. Je weet niet wat een opluchting dat voor me is. Maar toch is het nog alsof het...'
'Niet helemaal in de haak is?'
Ze knikte.
'Ik weet wat je bedoelt. Maar kinderen gedragen zich in de ogen van volwassenen nooit normaal, ook al doen ze dat wèl. We vergeten hoe snel ze zich herstellen, soms, en we vergeten bijna altijd hoe snel ze veranderen. Al slaat zijn vleugels uit. Hij maakt zich los van mij, van schoolvrienden zoals Jimmy Catlin, van de Rock zelf. Hij gaat zijn eigen leven leiden, dat is alles. Net als een raket die zijn tweede trap heeft afgeworpen. Dat doen kinderen altijd en ik denk dat het voor hun ouders altijd een onaangename verrassing is.'
'Hij lijkt me toch wel jong,' zei Polly zacht. 'Zeventien jaar en je dan al losmaken?'
'Het ìs ook jong,' zei Alan. Hij sprak op een toon van ingehouden woede. 'Hij heeft zijn moeder en zijn broer verloren door een stom ongeluk. Zijn leven ging aan scherven, mijn leven ging aan scherven en we klampten ons aan elkaar vast zoals een vader en zijn zoon in zulke omstandigheden altijd wel zullen doen, om te zien wat er nog te repareren viel. Ik geloof dat we het er aardig af heb-

ben gebracht, maar ik zou blind moeten zijn om niet te zien dat er iets is veranderd. Mijn leven ligt hier, Polly, in de Rock. Het zijne niet, niet meer. Ik dacht dat het misschien weer zou kunnen, maar daar ben ik snel van afgestapt door de manier waarop hij me aankeek toen ik voorstelde dat hij dit najaar hier in Castle Rock zijn opleiding zou voortzetten. Hij vindt het niet prettig hier terug te komen, daarvoor zijn er te veel herinneringen. Dat verandert misschien wel, denk ik... op den duur... en voorlopig zal ik hem niet onder druk zetten. Maar het heeft niets met jou en mij te maken. Akkoord?'
'Akkoord. Alan?'
'Hmmm?'
'Je mist hem, hè?'
'Ja,' beaamde Alan alleen maar. 'Elke dag.' Met afschuw merkte hij ineens dat het huilen hem nader stond dan het lachen. Hij wendde zich af en deed zomaar een kastje open in een poging zichzelf weer in de hand te krijgen. Dat zou het makkelijkst gaan door over iets anders te beginnen, en snel ook. 'Hoe is het met Nettie?' vroeg hij, opgelucht dat zijn stem normaal klonk.
'Ze zegt dat het al beter gaat, maar het duurde heel erg lang voordat ze opnam... ik zag haar al bewusteloos op de grond liggen.'
'Ze lag zeker te slapen.'
'Ze zei van niet en daar klonk ze ook niet naar. Je weet hoe mensen klinken als ze door de telefoon zijn gewekt?'
Hij knikte. Ook dat hoorde bij zijn werk. Hij had heel wat telefoontjes meegemaakt die mensen uit hun slaap hadden gehaald, en van die mensen was hij er zelf een geweest.
'Ze zei dat ze wat oude spullen van haar moeder in het schuurtje aan het uitzoeken was, maar...'
'Als ze buikgriep heeft was ze waarschijnlijk net in het kleinste kamertje en dat durfde ze niet toe te geven,' zei Alan droog.
Ze dacht even na en begon te lachen. 'Ja, dat zal het zijn. Echt iets voor haar.'
'Vast wel,' zei hij. Alan keek in de gootsteen en trok de stop eruit. 'We zijn er helemaal doorheen, schat.'
'Dank je, Alan.' Ze zoende hem vluchtig op zijn wang.
'Kijk nou eens wat ik vind,' zei Alan. Hij stak zijn hand uit en haalde een muntstuk achter haar oor vandaan. 'Heb je die daar altijd zitten, schoonheid?'
'Hoe doe je dat?' vroeg ze, met oprechte bewondering naar de munt starend.
'Hoe doe ik wat?' vroeg hij. Het geldstuk leek te zweven boven de licht deinende knokkels van zijn rechterhand. Hij nam het tussen zijn ringvinger en pink en draaide zijn hand twee keer snel om,

waarna het verdwenen was. 'Als ik eens wegliep en bij het circus ging?' vroeg hij.
Ze glimlachte. 'Nee, blijf maar bij mij. Alan, vind je het gek dat ik zo over Nettie inzit?'
'Helemaal niet,' zei Alan. Hij stak zijn linkerhand - waarin hij het muntstuk had weggesmokkeld - in zijn zak, haalde hem er leeg weer uit en pakte een droogdoek. 'Je hebt haar uit het gesticht gehaald, je hebt haar een baantje gegeven en je hebt haar geholpen een huis te kopen. Je voelt je verantwoordelijk voor haar en tot op zekere hoogte ben je dat ook, denk ik. Als je niet over haar inzat, zou ik over jou inzitten.'
Ze pakte het laatste glas uit het droogrek. Alan zag haar gezicht plotseling vertrekken en wist dat ze het glas niet lang zou kunnen vasthouden, ook al was het al bijna droog. Snel zakte hij door zijn knieën en stak zijn hand uit. Zijn bewegingen waren zo soepel dat Polly dacht dat hij een danspas uitvoerde. Het glas viel en landde recht in zijn hand, een halve meter boven de vloer.
De pijn die de hele avond had zitten knagen - net als de bijkomende vrees dat Alan zou beseffen hoe erg ze eraan toe was - werd plotseling weggespoeld door een zo hevig en onverwacht verlangen dat het haar niet alleen verraste - het beangstigde haar. En verlangen was wat te speels uitgedrukt. Wat ze voelde was simpeler, een emotie die alles had van een oerdrift. Het was lust.
'Je bent verdomme zo lenig als een kat,' zei ze terwijl hij rechtop ging staan. Haar stem klonk zwaar, moeizaam. Ze moest steeds aan de sierlijke buiging van zijn benen denken, aan het strekken van de lange spieren in zijn dijen. De gladde ronding van zijn kuit. 'Hoe kan zo'n grote kerel zo snel zijn?'
'Ik weet het niet,' zei hij, en hij keek haar verrast en verwonderd aan. 'Wat heb je, Polly? Je ziet er zo vreemd uit. Voel je je wel goed?'
'Ik voel me net of ik zo ga klaarkomen,' zei ze.
En tegelijk overviel het ook hem, zoals hij daar stond. Het had niets met goed of niet goed te maken, het gebeurde gewoon. 'Dat zullen we dan eens zien,' zei hij. Hij ging naar haar toe met diezelfde sierlijke beweging, die opmerkelijke snelheid, die je nooit zou verwachten als je hem door Main Street zag waggelen. 'Dat zullen we eens zien.' Hij zette het glas op het aanrecht en liet zijn rechterhand tussen haar benen glijden voordat ze wist wat er gebeurde.
'Alan, wat ga je d...' Zijn duim drukte licht tegen haar clitoris en haar 'doen' werd 'd-*oooh!*-en' en hij tilde haar op met moeiteloze, verbazingwekkende kracht.
Ze sloeg haar armen om zijn hals en zelfs op dit vurige moment hield ze zich alleen met haar onderarmen vast. Haar handen staken

uit als een stijve bos hout, maar ineens waren dit de enige ledematen die stijf waren. De rest van haar lichaam scheen te smelten.
'Alan, zet me néér!'
'Dat denk ik niet,' zei hij, en tilde haar hoger op. Hij legde zijn vrije hand tussen haar schouderbladen om haar vast te houden en trok haar tegen zich aan. En ineens begon ze op de hand tussen haar benen te rijden alsof ze op een hobbelpaard zat, en hij bewoog met haar méé en het was of ze op een prachtige schommel zat met haar voeten in de wind en haar haar in de sterren.
'Alan...'
'Hou vast, schoonheid,' zei hij, en hij làchte, alsof ze niet meer woog dan een veertje. Ze boog naar achteren, in haar groeiende opwinding bijna onbewust van de hand op haar rug, erop vertrouwend dat hij haar niet zou laten vallen. Daarna trok hij haar weer naar zich toe en zijn ene hand wreef over haar rug en met de duim van zijn andere hand deed hij van alles tussen haar benen, dingen waaraan ze nog nooit had gedàcht, en ze boog weer naar achteren en riep verzaligd zijn naam.
Haar orgasme trof haar als een verlossende kogel waarvan de zoete pijn zich over haar hele lichaam verspreidde. Haar benen zwaaiden heen en weer, vijftien centimeter boven de keukenvloer (een van haar slippers gleed van haar voet en vloog helemaal naar de zitkamer), haar donkere haar hing in een klein kietelend golfje op zijn arm en toen ze haar hoogtepunt bereikte kuste hij de zachte witte curve van haar hals.
Hij zette haar neer... en stak snel zijn handen uit om te voorkomen dat ze door haar knieën zakte.
'O Alan,' zei ze met een zwak lachje. 'O Alan, ik zal deze broek nooit meer wassen.'
Het was een komische opmerking en hij barstte in lachen uit. Met zijn handen tegen zijn buik liet hij zich languit op een van de keukenstoelen zakken. Ze deed een stap in zijn richting. Hij pakte haar beet, nam haar een ogenblik bij zich op schoot en ging daarna staan met haar in zijn armen.
Ze voelde weer een golf van emotie en begeerte, maar het was nu duidelijker, beter afgebakend. *Nu,* dacht ze, *nu is het verlangen. Ik verlang zo naar deze man.*
'Neem me mee naar boven,' zei ze. 'Als je dat niet haalt, dan maar naar de bank. En als je de bank niet haalt, neem me hier dan op de vloer.'
'Ik denk dat ik de zitkamer nog wel haal,' zei hij. 'Hoe is het met je handen, schoonheid?'
'Welke handen?' vroeg ze dromerig, en ze sloot haar ogen. Ze concentreerde zich op de onbekommerde vreugde van het moment, in

zijn armen bewoog ze door ruimte en tijd, in het donker omringd door zijn kracht. Ze drukte haar gezicht tegen zijn borst en op de bank trok ze hem naar zich toe... en nu gebruikte ze haar handen.

6

Ze lagen bijna een uur op de bank en daarna bleven ze nog een eindeloze tijd onder de douche, althans tot er geen warm water meer uit de kraan kwam en ze wel weg moesten. Daarna nam ze hem mee naar haar bed, waar ze te uitgeput en te voldaan waren om iets anders te doen dan tegen elkaar aan te liggen.
Ze had verwacht dat ze vanavond met hem naar bed zou gaan, maar meer om zijn onzekerheid te verzachten dan uit eigen begeerte. Ze had allerminst gerekend op zulke uitspattingen... maar ze was er blij om. Ze voelde dat de pijn weer in haar handen terugkeerde, maar ze zou ditmaal geen Percodan nodig hebben om te kunnen slapen.
'Je doet het fantastisch, Alan.'
'Jij ook.'
'Het is unaniem,' zei ze, haar hoofd op zijn borst leggend. Ze hoorde zijn hart daarbinnen rustig pruttelen, alsof het wilde zeggen dat dit maar kinderspel was. Opnieuw, en niet zonder een zwakke echo van haar eerdere vurige hartstocht, dacht ze eraan hoe snel hij was, hoe sterk... maar vooral hoe snel. Ze kende hem al sinds Annie voor haar was gaan werken, sinds vijf maanden was ze zijn geliefde en pas vanavond had ze gezien hoe snel hij kon zijn. Het was een complete voorstelling geweest, inclusief de goocheltrucs en de schaduwdieren waar hij om bekend stond en waar bijna alle kinderen iets van wilden zien als ze hem tegenkwamen. Het was een beetje eng... maar het was ook prachtig.
Ze voelde dat de slaap haar in zijn macht kreeg. Ze zou moeten vragen of hij wilde blijven slapen, want dan moest hij zijn auto in de garage zetten - Castle Rock was een klein plaatsje met veel geroddel - maar ze vond het niet nodig. Alan zou het zelf wel weten. Alan wist altijd wel raad, begon ze te denken.
'Heb je nog last gehad met Buster of dominee Willie?' vroeg ze slaperig.
Alan glimlachte. 'Van beide fronten geen nieuws, voorlopig althans. Ik mag Keeton en de dominee heel graag zolang ik ze niet zie, en wat dat betreft had ik een heel goede dag.'
'Fijn,' murmelde ze.
'Ja, maar ik weet nog iets beters.'
'Wat dan?'

'Norris heeft zijn goede humeur weer terug. Hij heeft een werphengel gekocht van jouw goede vriend Gaunt en hij heeft het alleen nog maar over het vistochtje dat hij het komende weekend gaat maken. Volgens mij komt hij stijf bevroren terug, maar zolang Norris plezier heeft ben ik ook blij. Het speet me erg toen Keeton gisteren de stemming bedierf. Norris wordt uitgelachen omdat hij zo'n mager scharminkel is en zo netjes, maar in drie jaar tijd is hij een heel behoorlijke hulpsheriff geworden. En hij heeft net zulke lange tenen als iedereen. Het is zijn schuld niet dat hij eruitziet als de halfbroer van Don Knotts.'
'Hmmmm...'
Ze zakte weg, weg in een zalige duisternis waar geen pijn bestond. Polly liet zich gaan en toen ze in slaap viel had haar gezicht de uitdrukking van een spinnende kat.

7

Alan had langer nodig om de slaap te vatten.
De stem in zijn binnenste was teruggekomen, maar zonder de toon van valse opgewektheid. Hij klonk nu vragend, smekend, bijna radeloos. *Waar zijn we, Alan?* vroeg hij. *Is dit niet de verkeerde kamer? Het verkeerde bed? De verkeerde vrouw? Ik geloof dat ik het allemaal niet meer kan volgen.*
Alan merkte ineens dat hij medelijden met die stem had. Het was geen zelfbeklag, want de stem had nog nooit zo vreemd geleken als nu. Hij kreeg het idee dat de stem zo min mogelijk wilde klinken als hij - de rest van hem, de Alan die in het heden leefde en de Alan die plannen voor de toekomst maakte - wilde horen. Het was de stem van de plicht, de stem van rouw. En het was nog steeds de stem van de schuld.
Iets meer dan twee jaar geleden had Annie Pangborn last gekregen van hoofdpijn. De aanvallen waren niet zo erg, althans dat zei ze; ze praatte er net zo zelden over als Polly over haar artritis. Op een dag - het moest heel vroeg in 1990 zijn geweest - zag Alan bij het scheren dat er geen dop op de gezinsfles aspirine zat. Hij zocht de dop, begon hem op de fles te draaien... en hield op. Nog geen week geleden had hij twee tabletten genomen uit de fles, die er tweehonderdvijfentwintig bevatte. De fles was nog bijna vol geweest. Nu was hij bijna leeg. Hij had de rest van het schuim van zijn gezicht geveegd en was naar de naaiwinkel gegaan, waar Annie sinds de opening voor Polly Chalmers werkte. Hij nam zijn vrouw mee voor een kop koffie... en een paar vragen. Hij vroeg hoe het met die aspirine zat. Hij herinnerde zich dat hij nogal angstig was geweest

(*een beetje maar*, beaamde de stem droefgeestig)
niet meer dan een beetje, want níemand slikt in één week honderdnegentig aspirines; níemand. Annie zei dat hij zich aanstelde. Bij het schoonmaken van de wasbak, zei ze, had ze de fles omgegooid. De dop zat er niet goed op en de meeste tabletten waren in de wastafel terechtgekomen. Ze begonnen uit elkaar te vallen en daarom had ze ze doorgespoeld.
Zei ze.
Maar hij was een smeris en zelfs buiten dienst kon hij het automatisme van zijn waarnemingsvermogen niet van zich af zetten. Hij kon de leugendetector niet uitschakelen. Als je naar de mensen keek die je vragen beantwoordden, als je echt kéék, kon je bijna altijd zien wanneer ze logen. Alan had eens een man verhoord die elke leugen verried door met zijn duimnagel aan een hoektand te pulken. De mond articuleerde de leugens; het was of het lichaam gedoemd was de waarheid te vertellen. Daarom had hij Annies handen in de zijne genomen op het tafeltje in Nan's Luncheonette en haar gevraagd de waarheid te vertellen. En hij had haar geloofd toen ze na een korte aarzeling zei dat de hoofdpijnen inderdaad wat erger waren geworden en dat ze werkelijk heel wat aspirines had genomen, maar dat ze niet de halve fles had opgemaakt, dat de tabletten ècht in de wasbak terecht waren gekomen. Hij had zich door het oudste trucje uit het boek laten beetnemen: als je op een leugen wordt betrapt, neem hem dan terug en vertel de halve waarheid. Als hij beter naar haar had gekeken, had hij geweten dat Annie nog steeds geen open kaart met hem speelde. Hij had haar kunnen dwingen iets te bekennen dat hem nagenoeg onmogelijk voorkwam, maar wat hij inmiddels als waar erkende: dat ze tegen de hoofdpijn minstens twintig tabletten per dag slikte. En als hij dàt had geweten, zou hij haar binnen enkele dagen naar een neuroloog in Portland of Boston hebben gebracht. Maar ze was zijn vrouw en in die tijd lette hij nog niet zo goed op als hij geen dienst had.
Hij had volstaan met een afspraak voor haar te maken met Ray Van Allen en aan die afspraak had ze zich gehouden. Ray had niets gevonden en Alan had hem dat nooit verweten. Ray had de gebruikelijke reflexen onderzocht, haar ogen bekeken met zijn beproefde oogspiegel, haar gezichtsvermogen getest en haar naar het streekziekenhuis in Oxford gestuurd voor een röntgenfoto. Maar hij had geen hersenscan voorgeschreven en toen Annie zei dat de hoofdpijn was verdwenen, geloofde Ray haar. Alan vermoedde dat de dokter daar misschien alle reden toe had. Hij wist dat artsen bijna net zo op lichaamstaal zijn afgestemd als smerissen. Patiënten kunnen bijna net zo hard liegen als verdachten en om dezelfde reden: doodgewone angst. En Ray was niet buiten dienst geweest toen hij

Annie zag. Misschien was de hoofdpijn dus werkelijk verdwenen sinds Alan zijn ontdekking had gedaan en Annie naar de dokter had gestuurd. Waarschíjnlijk was hij verdwenen. Ray had hem later, tijdens een lang gesprek bij een glas cognac thuis in Castle View, verteld dat de symptomen vaak periodiek waren bij een tumor hoog in de hersenstam. 'Toevallen worden vaak met zulke tumoren in verband gebracht,' zei hij tegen Alan. 'Misschien had ik dan...' En hij had zijn schouders opgehaald. Ja, misschien. En misschien was een zekere Thad Beaumont schuldig aan de dood van zijn vrouw en zoon, schuldig maar niet veroordeeld. Maar Alan kon in zijn hart ook Thad geen verwijt maken.

Niet alles wat er in een klein plaatsje gebeurt komt de bewoners ter ore, ook al zijn ze nog zo gespitst of al kletsen ze nog zo graag. In Castle Rock wist iedereen van Frank Dodd, de politieman die amok had gemaakt en een paar vrouwen had gedood toen Bannerman nog sheriff was, en van Cujo, de sint-bernard die op Town Road 3 dol was geworden, en van Thad Beaumont, schrijver en plaatselijke beroemdheid, wiens huis aan het meer in de zomer van 1989 was afgebrand. Maar de mensen wisten niet hoe die brand was ontstaan, of dat Beaumont was opgejaagd door een man die helemaal geen man was, maar een wezen waarvoor misschien geen naam bestaat. Alan Pangborn wist deze dingen echter wel en af en toe spookten ze nog steeds door zijn dromen. Het was allemaal achter de rug toen Alan goed en wel besefte wat Annies hoofdpijn betekende... maar niet heus. Thad had hem in zijn beschonken buien regelmatig opgebeld en hem daardoor onvrijwillig getuige gemaakt van zijn stuklopende huwelijk en de gestage uitholling van zijn geestesvermogens. En met zijn eigen geestesvermogens had hij ook het een en ander te stellen. Alan had in een wachtkamer een artikel gelezen over zwarte gaten, grote lege plekken in de ruimte, die als draaikolken van anti-materie alles opslokten wat binnen hun bereik kwam. In de nazomer en herfst van 1989 was de kwestie Beaumont voor Alan een eigen zwart gat geworden. Op sommige dagen twijfelde hij aan de meest elementaire beginselen van de werkelijkheid en vroeg hij zich af of het allemaal wel gebeurd was. 's Nachts lag hij soms wakker tot de lucht in het oosten licht begon te worden, bang om te gaan slapen, bang dat de droom zou komen: een zwarte Toronado die op hem afkwam, een zwarte Toronado met een half verrot monster achter het stuur en op de achterbumper een sticker: SUPERIEURE ROTZAK. In die tijd was het zien van een enkele mus op de leuning van de veranda of in het gras al genoeg om hem de stuipen op het lijf te jagen. Alan zou desgevraagd hebben gezegd: 'Ik was afgeleid toen Annie ziek werd.' Maar het was geen kwestie van afgeleid worden: heel diep in zichzelf had hij wan-

hopig moeten vechten om niet gek te worden. SUPERIEURE ROTZAK, dat kwam steeds maar terug. Dat joeg hem steeds maar op. Dat en de mussen.
Hij was nog steeds afgeleid toen Annie en Todd die dag in maart in de oude Scout waren gestapt die ze voor tochtjes in de buurt gebruikten, en op weg waren gegaan naar Hemphill's Market. Alan had regelmatig aan haar gedrag die ochtend gedacht en er niets ongewoons aan kunnen ontdekken, niets dat anders dan anders was. Hij had in zijn studeerkamer gezeten toen ze weggingen. Hij had uit het raam bij zijn bureau gekeken en naar ze gezwaaid. Todd had teruggezwaaid voordat hij in de Scout stapte. Het was de laatste keer dat hij hen in leven had gezien. Bijna vijf kilometer verder op Route 117, net een kilometer van Hemphill's Market, was de Scout met hoge snelheid van de weg geraakt en tegen een boom geknald. De staatspolitie maakte uit de toestand van het wrak op dat Annie, die doorgaans uiterst voorzichtig reed, meer dan honderd kilometer per uur had gereden. Todd had zijn gordel omgehad. Annie niet. Waarschijnlijk was ze gestorven zodra ze door de voorruit werd geslingerd, met achterlating van een been en een halve arm. Todd was misschien nog in leven geweest toen de gescheurde benzinetank ontplofte. Dat vrat nog het meest aan Alan. Dat zijn zoontje van tien, die in de schoolkrant een zogenaamde horoscoop schreef en voor het honkbal leefde, misschien nog in leven was geweest. Dat hij misschien levend was verbrand terwijl hij de sluiting van zijn gordel probeerde open te maken.
Er was sectie verricht. Uit die sectie bleek de hersentumor. Het was een klein gezwel, zei Van Allen. Ongeveer ter grootte van een pindarotsje, waren zijn woorden. Hij zei niet tegen Alan dat een operatie mogelijk was geweest als de tumor tijdig zou zijn ontdekt; dat leidde Alan af uit de ellendige uitdrukking op Ray's gezicht en uit zijn neergeslagen ogen. Van Allen geloofde dat ze eindelijk de toeval had gehad die een juiste diagnose mogelijk had kunnen maken als hij zich eerder had voorgedaan. Onwillekeurig, als getroffen door een sterke elektrische lading, had ze wellicht het gaspedaal helemaal ingedrukt en was ze de macht over het stuur kwijtgeraakt. Hij vertelde Alan deze dingen niet uit vrije wil; hij vertelde ze omdat Alan hem genadeloos uithoorde en omdat hij zag dat Alan, hoezeer het hem ook pijn deed, de waarheid boven tafel wilde hebben... in elk geval voor zover dat mogelijk was voor iemand die niet zelf die dag in de auto had gezeten. 'Alsjeblieft,' had Van Allen gezegd, terwijl hij in een vluchtig gebaar van medeleven Alans hand aanraakte, 'het was een afschuwelijk ongeluk, maar meer ook niet. Je moet het van je afzetten. Je hebt nog een zoon en jullie hebben elkaar even hard nodig. Je moet het van je afzetten en

doorgaan met je leven.' Hij had het geprobeerd. De irrationele verschrikking van wat er met Thad Beaumont was gebeurd, de kwestie met de vogels
(*mussen, de mussen vliegen*)
was weggeëbd en hij had echt geprobeerd zijn leven weer op orde te stellen. Weduwnaar, sheriff in een kleine plaats, vader van een tiener die te snel opgroeide en weggroeide... niet vanwege Polly, maar vanwege het ongeluk. Vanwege dat afschuwelijke, vermorzelende trauma: *Ik moet je iets verschrikkelijks vertellen, jongen: je moet sterk zijn*... En daarna was hij natuurlijk gaan huilen en het had niet lang geduurd voordat ook Al huilde.
Toch waren ze aan de slag gegaan met het herstel, en daar waren ze nog steeds mee bezig. Tegenwoordig ging het beter... maar er waren twee dingen die niet weg wilden gaan.
Het eerste was die grote fles aspirine, binnen een week al bijna leeg.
Het tweede was het feit dat Annie haar gordel niet om had.
Maar Annie deed altíjd haar gordel om.
Na drie weken vol kwellende en slapeloze nachten maakte hij toch nog een afspraak met een neuroloog in Portland, ook al moest hij aan verdronken kalveren en een gedempte put denken. Hij deed het omdat de man misschien betere antwoorden had op de vragen die Alan moest stellen en omdat hij het zat was Ray Van Allen telkens het mes op de keel te zetten om antwoord te krijgen. De arts heette Scopes en voor het eerst in zijn leven verschool Alan zich achter zijn werk: hij zei dat zijn vragen verband hielden met een lopend onderzoek. De neuroloog bevestigde Alans voornaamste vermoedens; ja, mensen met een hersentumor vertoonden soms ineens irrationeel gedrag en soms kregen ze zelfmoordneigingen. Als iemand met een hersentumor zelfmoord pleegde, zei Scopes, was dat vaak in een opwelling, na een overweging van misschien maar een minuut of zelfs van seconden. Alan vroeg of zulke mensen ook anderen in de dood konden meeslepen.
Scopes zat achter zijn bureau, naar achteren geleund met zijn handen in zijn nek, en hij kon niet zien dat Alan zijn eigen handen zo stijf tussen zijn knieën in elkaar had geslagen dat de vingers lijkwit waren. O ja, zei Scopes. Dat was in zulke gevallen een niet ongebruikelijk patroon: tumoren van de hersenstam leidden vaak tot gedragingen die de leek psychotisch zou vinden. Bijvoorbeeld tot de opvatting dat de ellende ook wordt gevoeld door zijn geliefden of door het hele menselijke ras, of het idee dat zijn naasten niet verder zouden willen leven als hij dood was. Scopes noemde Charles Whitman, de hopman die de Texas Tower had beklommen en meer dan vierentwintig mensen doodde voordat hij zichzelf van het leven beroofde, en een lerares uit Illinois die een aantal van haar

leerlingen had gedood voordat ze naar huis ging en zichzelf een kogel door het hoofd joeg. Bij de autopsie was in beide gevallen een hersentumor ontdekt. Het was een patroon, maar dat gold niet voor alle of zelfs maar de meeste gevallen. Hersentumoren leidden soms tot vreemde, zelfs buitenissige symptomen; soms leidden ze helemaal niet tot symptomen. Het was onmogelijk er iets eenduidigs over te zeggen.

Onmogelijk. Zet het dus maar van je af.

Een goede raad, maar moeilijk te verkroppen. Vanwege de fles aspirine. En de autogordel.

Het was vooral de gordel die in Alans achterhoofd bleef knagen, een klein zwart wolkje dat maar niet weg wilde gaan. Ze ging nóóit weg zonder haar gordel om te doen, zelfs niet als ze alleen maar naar het eind van de straat en terug moest. Maar Todd had de zijne wel omgehad, net als altijd. Was dat niet van belang? Als ze, nadat ze voor het laatst van huis was weggegaan, had besloten zichzelf en Todd te doden, zou ze de jongen dan niet ook zijn gordel hebben laten losmaken? Ook al leed ze pijn, ook al was ze depressief of verward, ze zou toch niet willen dat Todd pijn leed?

Onmogelijk er iets eenduidigs over te zeggen. Zet het van je af.

Maar zelfs nu, naast de slapende Polly in haar bed, vond hij die raad moeilijk op te volgen. In gedachten was hij er weer mee bezig, als een jonge hond die met zijn scherpe tandjes een oud en gerafeld stuk touw te lijf gaat.

Op dit punt zag hij altijd een bepaald beeld, een gruwelijk beeld dat hem ten slotte naar Polly Chalmers had gedreven, omdat Polly de vrouw was met wie Annie het meest was omgegaan. Waarschijnlijk had Polly, door het gebeurde met Beaumont en de psychische druk die dat op Alan had gelegd, de laatste maanden dichter bij Annie gestaan dan hij.

In het beeld maakte Annie haar eigen gordel los, drukte het gaspedaal helemaal in en haalde haar handen van het stuur. Ze haalde haar handen van het stuur omdat ze die laatste paar seconden iets anders te doen had.

Omdat ze ook Todds gordel wilde losmaken.

Dat was het beeld: de Scout raasde met honderd kilometer per uur over de weg en week af naar rechts, naar de bomen onder de grijze maartse hemel die regen beloofde, terwijl Annie koortsachtig Todds gordel probeerde los te maken en de jongen, schreeuwend van angst, haar handen probeerde weg te slaan. Hij zag Annies zo dierbare gezicht, vertrokken tot het afstotende masker van een heks, hij zag de ontstelde uitdrukking op het gezicht van Todd. Soms werd hij midden in de nacht wakker, badend in een klamme mantel van zweet, terwijl de stem van Todd in zijn oren galmde: *De bomen, mamma! Pas op de bomeeee…*

Daarom was hij op een dag tegen sluitingstijd naar Polly gegaan en had haar gevraagd of ze iets bij hem kwam drinken of, als ze dat geen prettig idee vond, of hij bij haar langs kon komen.
Thuis in de keuken (*de goede keuken*, had de stem in zijn binnenste gezegd), met een kop thee voor haar en koffie voor hem, was hij langzaam en met horten en stoten over zijn nachtmerrie begonnen.
'Als het kan, wil ik weten of ze aan depressies of perioden van verwarring leed, dingen waar ik niets van afwist of die ik niet heb opgemerkt,' zei hij. 'Ik moet weten of...' Hij zweeg, een ogenblik hulpeloos. Hij wist welke woorden hij moest gebruiken, maar het werd steeds moeilijker om ze uit te spreken. Het was alsof het communicatiekanaal tussen zijn ongelukkige, verwarde geest en zijn mond steeds kleiner en ondieper werd en weldra voor alle scheepvaart gesloten zou worden.
Met een grote inspanning ging hij verder.
'Ik moet weten of ze zelfmoordneigingen had. Het was namelijk niet alleen Annie die stierf, zie je. Todd stierf samen met haar en als er tekenen waren - tekenen, echte tekenen - die ik niet heb opgemerkt, ben ik ook verantwoordelijk voor zijn dood. En ik vind dat ik dat zou moeten weten.'
Daar was hij blijven steken, terwijl zijn hart dof klopte in zijn borst. Hij wreef over zijn voorhoofd en zag met enige verbazing dat er zweet op zijn hand zat.
'Alan,' zei ze, een hand op zijn pols leggend. Ze keek hem vast aan met haar lichtblauwe ogen. 'Als ik zoiets had gemerkt zonder het tegen iemand te zeggen, zou ik net zo schuldig zijn als jij blijkbaar wilt wezen.'
Hij had haar aangegaapt, dat herinnerde hij zich. Polly had iets aan Annie kunnen merken wat hem was ontgaan, tot zover was hij gekomen. Het idee dat ze daardoor verplicht zou kunnen zijn er iets mee te doen, kwam nu pas bij hem op.
'Je hebt niets gemerkt?' vroeg hij eindelijk.
'Nee. Ik heb er telkens weer over nagedacht. Ik wil jouw verdriet en verlies niet kleineren, maar je bent niet de enige met zulke gevoelens en je bent niet de enige die sinds Annies ongeluk heeft zitten tobben. Ik heb aan die laatste weken zitten denken tot ik er gek van werd, na de autopsie heb ik me steeds weer gebeurtenissen en gesprekken voor de geest gehaald. Dat doe ik nu weer, na wat je me over die aspirine hebt verteld. En weet je wat ik heb ontdekt?'
'Wat dan?'
'Helemaal niks.' Ze zei het met een gebrek aan nadruk dat vreemd genoeg des te overtuigender was. 'Soms vond ik dat ze er wat bleek uitzag. Ik herinner me dat ze een paar keer in zichzelf zat te praten terwijl ze een zoom aanzette of stoffen uitpakte. Iets vreemders

kan ik me van haar niet herinneren en in mezelf praten doe ik zo vaak. En jij?'
Alan knikte.
'Ze was doorgaans precies zoals ik haar had leren kennen: opgewekt, vriendelijk, behulpzaam... een goede vriendin.'
'Maar...'
Haar hand rustte nog steeds op zijn pols, alleen wat zwaarder. 'Nee Alan, geen maar. Ray Van Allen doet het ook, weet je. Net als sportmensen die een wedstrijd naspelen. Neem je het hèm kwalijk? Vind je dat Ray iets te verwijten valt omdat hij de tumor niet heeft gevonden?'
'Nee, maar...'
'En ik dan? Ik heb elke dag met haar gewerkt, meestal zij aan zij. Om tien uur dronken we samen koffie, 's middags gingen we lunchen en om drie uur was er weer koffie. Na verloop van tijd werden we erg vertrouwelijk, we leerden elkaar kennen en we mochten elkaar, Alan. Ik weet dat ze blij met je was, met jou als vriend en als minnaar, en ik weet dat ze van de jongens hield. Misschien dreef haar ziekte haar in de richting van zelfmoord... maar dat heb ik dan niet geweten. Dus vind je dat míj ook iets te verwijten valt?'
En ze had hem recht en vragend aangekeken met haar heldere blauwe ogen.
'Nee, maar...'
Ze kneep weer in zijn hand, licht maar bevelend.
'Ik wil je iets vragen. Iets belangrijks, dus denk goed na.'
Hij knikte.
'Ray was haar huisarts en hij heeft niet gezien wat er was. Ik was haar vriendin en ik heb niet gezien wat er was. Jij was haar man en jíj hebt evenmin gezien wat er was. En je denkt dat dat alles is, over en uit, maar dat is niet zo.'
'Ik begrijp niet wat je wilt zeggen.'
'Er was nog iemand anders die dicht bij haar stond,' had Polly gezegd. 'Dichterbij dan een van ons tweeën, denk ik.'
'Wie bedoe...'
'Wat heeft Tòdd gezegd, Alan?'
Hij kon haar alleen maar aanstaren, zonder begrip. Het was alsof ze een woord in een vreemde taal had gesproken.
'Tòdd,' zei ze op ongeduldige toon. 'Todd, je zóón. De jongen die je 's nachts uit je slaap houdt. Hij is het toch? Niet zij, maar hij.'
'Ja,' zei hij, 'hij is het.' Zijn stem klonk hoog en onvast, helemaal niet als zijn eigen stem, en hij voelde dat er in hem iets begon te gebeuren, iets groots en wezenlijks. Nu, in Polly's bed, kon hij zich dat moment aan zijn keukentafel met bijna bovennatuurlijke helderheid herinneren: haar hand op zijn pols, met haartjes als dun

gouddraad in een schuin invallende bundel licht van de namiddagzon, haar lichte ogen, haar milde aandrang.
'Heeft ze hem gedwongen in de auto te stappen, Alan? Schopte of schreeuwde hij? Stribbelde hij tegen?'
'Nee, natuurlijk niet, maar ze was zijn m...'
'Wiens idee was het dat Todd die dag met haar zou meegaan om boodschappen te doen? Was het haar idee of het zijne? Weet je dat nog?'
Hij wilde nee zeggen, maar ineens herinnerde hij het zich. Hij hoorde ze praten in de zitkamer terwijl hij aan zijn bureau arrestatiebevelen zat na te kijken:
Ik moet naar de supermarkt, Todd, heb je zin om mee te gaan?
Mag ik dan naar de nieuwe video's kijken?
Vooruit dan. Vraag of je vader nog iets nodig heeft.
'Het was haar idee,' zei hij tegen Polly.
'Weet je het zeker?'
'Ja. Maar ze vroeg het hem, het was geen bevel.'
Dat wezenlijke in zijn binnenste was nog steeds aan het gebeuren. Hij dacht dat het door hem heen zou zakken en dwars door de vloer zou vreten, want het had diepe wortels, die zich ook nog eens wijd vertakten.
'Was hij bang voor haar?'
Nu nam ze hem bijna een kruisverhoor af, zoals hij bij Ray van Allen had gedaan, maar hij leek haar niet tegen te kunnen houden. Hij wist ook niet of hij dat wel wilde. Hij had toch nog iets, iets waar hij in zijn lange nachten nooit aan had gedacht. Iets dat nog altijd leefde.
'Todd bang voor Annie? God nee!'
'Ook niet in de laatste maanden van hun leven?'
'Nee.'
'In de laatste paar weken?'
'Polly, toen was ik er nauwelijks aan toe om iets op te merken. Wat er gebeurd was met Thad Beaumont, die schrijver, dat was zo krankzinnig...'
'Bedoel je dat je Annie en Todd niet zag staan of dat je toch niet veel thuis was?'
'Nee... ja... Ik bedoel, natúúrlijk kwam ik thuis, maar...'
Het was een vreemd idee het lijdend voorwerp van zo'n verhoor te zijn. Het was alsof Polly hem een verdovend middel had toegediend en hem daarna als boksbal was gaan gebruiken. En dat wezenlijke in zijn binnenste, wat het ook was, bewoog nog altijd, voortrollend naar de grens waar de zwaartekracht het niet langer zou ondersteunen maar omlaag zou trekken.
'Is Todd ooit naar je toegekomen om te zeggen dat hij bang voor zijn moeder was?'

'Nee...'
'Heeft hij ooit gezegd dat hij dacht dat zijn moeder zelfmoord wilde plegen en hem mee in de dood wilde nemen?'
'Dat is bespottelijk, Polly! Ik...'
'Nou?'
'Néé!'
'Heeft hij dan wel eens gezegd dat ze vreemd praatte of deed?'
'Nee...'
'En Al zat op kostschool, nietwaar?'
'Wat heeft dat ermee te...'
'Ze had nog maar één nestjong over. Als jij weg was, naar je werk, zaten ze samen in dat nest. Ze at samen met hem, ze hielp hem met zijn huiswerk, keek met hem naar de televisie...'
'Las hem voor...' zei hij. Zijn stem werd onduidelijk, vreemd. Hij herkende hem amper.
'Zij was waarschijnlijk de eerste die Todd 's ochtends zag en 's avonds de laatste,' zei Polly. Haar hand lag op zijn pols. Haar ogen keken hem ernstig aan. 'Als iemand het had kunnen zien aankomen, dan was het degene die tegelijk met haar stierf. *En die heeft nooit een woord gezegd.*'
Plotseling brak het ding in zijn binnenste los. Zijn gezicht vertrok. Hij voelde het gebeuren; het was alsof het ding op twintig verschillende plaatsen met touwen was vastgebonden en aan elk daarvan trok nu een zachte maar dwingende hand. Een brandend gevoel trok door zijn keel en wilde die dichtknijpen. De hitte steeg naar zijn gezicht. Zijn ogen vulden zich met tranen. Polly Chalmers werd dubbel, driedubbel en splitste zich in prisma's van licht en beeld. Zijn borst ging zwaar op en neer, maar zijn longen leken geen lucht te krijgen. Hij draaide zijn hand om met die angstwekkende snelheid en klemde de hare vast. Ze moest een vreselijke pijn gevoeld hebben, maar ze gaf geen kik.
'*Ik mis haar!*' riep hij tegen Polly en een grote, pijnlijke snik brak de woorden in twee ademtochten. '*Ik mis ze allebei, o God, ik mis ze zo!*'
Hij begon te huilen. Al had twee weken lang elke nacht gehuild en Alan was bij hem geweest om hem vast te houden en zoveel mogelijk te troosten, maar Alan had zelf niet gehuild. Nu wel. Het snikken greep hem beet en nam hem mee waar het maar wilde; hij had niet de macht om het te laten ophouden of te keren. Hij kon zijn verdriet niet temperen en ten slotte merkte hij met diepe, ongerijmde opluchting dat hij daar geen behoefte aan had.
Verblind schoof hij het koffiekopje opzij, hoorde het in een andere wereld op de grond vallen en daar verbrijzelen. Hij legde zijn oververhitte, kloppende hoofd op de tafel, sloeg zijn armen eromheen en huilde.

Op een gegeven moment voelde hij hoe ze zijn hoofd optilde met haar koele handen, haar misvormde tedere handen, en tegen haar buik legde. Ze hield hem tegen zich aan en hij huilde lange, lange tijd.

8

Haar arm begon van zijn borst te glijden. Alan legde hem voorzichtig opzij, bang haar hand ergens tegen te stoten en haar wakker te maken. Hij keek naar het plafond en vroeg zich af of Polly die dag met opzet zijn tranen had uitgelokt. Eigenlijk dacht hij van wel, ze had geweten of aangevoeld dat hij veel meer zijn hart moest luchten dan dat hij antwoorden moest vinden die vrijwel zeker toch niet te krijgen waren.

Dat was het begin van hun verhouding geweest, ook al had hij het niet als een begin herkend; het was eerder iets als een afsluiting geweest. Tussen die dag en het moment waarop hij het eindelijk had aangedurfd om Polly mee uit eten te vragen, had hij vaak gedacht aan haar blauwe ogen en aan de aanraking van haar hand. Hij dacht aan de milde onverzettelijkheid waarmee ze hem op ideeën had gebracht die hij had genegeerd of anders over het hoofd had gezien. En in die tijd probeerde hij in het reine te komen met andere gevoelens rond Annies dood, gevoelens die zich onweerstaanbaar hadden geuit sinds hij aan zijn verdriet durfde toe te geven. Het voornaamste en het meest verontrustend was de geweldige woede omdat Annie een ziekte had verzwegen die behandeld en genezen had kunnen worden... en omdat ze hun zoon die dag met zich mee had genomen. Over sommige gevoelens had hij met Polly gepraat in The Birches, op een kille en regenachtige avond in april.

'Je denkt niet meer aan zelfmoord, je denkt aan moord,' had ze gezegd. 'Daarom ben je kwaad, Alan.'

Hij schudde zijn hoofd en wilde iets zeggen, maar ze leunde naar voren en drukte een van haar kromme vingers even stevig tegen zijn lippen. Wil je je mond houden? En het gebaar verraste hem zo dat hij werkelijk zijn mond hield.

'Ja,' zei ze. 'Ik zal je dit keer niet doorzagen, Alan... het is lang geleden dat ik met een man ergens ben gaan eten en ik vind het te fijn om mevrouw de procureur te spelen. Maar mensen worden niet kwaad – althans niet zoals jij – op anderen die een ongeluk hebben gehad, tenzij er sprake was van grote nalatigheid. Als Annie en Todd waren gestorven omdat de remmen van de Scout niet werkten, dan zou je jezelf misschien verwijten dat je ze niet had laten nakijken, of je zou Sonny Jackett vervolgen omdat hij de laatste

onderhoudsbeurt had verziekt, maar je zou háár niets verwijten. Dat is toch zo?'
'Ik denk het wel.'
'Ik wéét van wel. Misschien wàs het wel een ongeluk, Alan. Je weet dat ze misschien een toeval heeft gekregen, want dat heeft dokter Van Allen je verteld. Maar is het wel eens bij je opgekomen dat ze misschien voor een hert moest uitwijken? Dat er zo'n simpele verklaring mogelijk is?'
Dat was zo. Een hert, een vogel, zelfs een tegenligger die van zijn baan was afgeweken.
'Ja. Maar haar gordel...'
'O, vergéét die stomme gordel toch eens!' had ze gezegd, zo hartstochtelijk fel dat een paar mensen aan tafeltjes in de buurt even hun hoofd omdraaiden. 'Misschien had ze hoofdpijn en dacht ze daarom die ene keer niet aan haar gordel, maar dat betekent nog niet dat ze opzettelijk tegen een boom is gereden. En hoofdpijn, èchte hoofdpijn, zou verklaren waarom Todd zijn gordel wèl omhad. En daar gaat het nog steeds niet om.'
'Waar dan wel om?'
'Dat er te veel twijfels zijn om je woede gerechtvaardigd te maken. En zelfs al zijn je ergste vermoedens waar, je zult het toch nooit zeker weten.'
'Nee.'
'En als je het wèl wist...' Ze keek hem vast aan. Tussen hen in stond een kaars. In het licht waren haar ogen donkerder blauw en in allebei zag hij een lichtsprankje. 'Nou ja, een hersentumor is ook een ongeluk. Er is geen schuldige aan te wijzen, Alan, geen dader, zoals jullie zeggen. Zolang je dat niet aanvaardt, is er geen kans.'
'Kans waarop?'
'Een kans voor òns,' zei ze rustig. 'Ik mag je erg graag, Alan, en ik ben niet te oud om een gokje te wagen, maar ik ben wel oud genoeg om uit bittere ervaring te weten waar het op uit kan draaien als mijn emoties uit de hand lopen. Zover zal ik het zeker niet laten komen, tenzij je Annie en Todd rust kunt gunnen.'
Hij keek haar aan, sprakeloos. Ze keek ernstig terug in de oude, landelijke herberg, waar het licht van de haard een oranje gloed op een van haar gladde wangen en op de linkerkant van haar voorhoofd wierp. Buiten liet de wind onder de dakranden een lange, lage jammerklacht horen.
'Heb ik te veel gezegd?' vroeg Polly. 'Als dat zo is, moet je me maar naar huis brengen, Alan. Ik zit niet graag voor schut, alleen iets voor me moeten houden vind ik nog erger.'
Hij leunde naar voren en raakte haar hand even aan. 'Nee, je hebt

niet te veel gezegd. Ik luister graag naar je, Polly.'
Ze had geglimlacht en heel haar gezicht klaarde op. 'Dan krijg je je kans.'
Zo was het begonnen. Ze hadden zich niet schuldig gevoeld, maar wel ingezien dat ze voorzichtig moesten zijn; niet alleen omdat het een klein plaatsje was, waar hij gekozen ambtenaar was en zij afhankelijk van haar goede naam om haar winkel te kunnen drijven, maar ook omdat ze allebei rekening hielden met de mogelijkheid dat schuldgevoel een rol zou kunnen gaan spelen. Ze waren kennelijk geen van tweeën te oud om een gokje te wagen, maar ze waren allebei een tikkeltje te oud om overmoedig te zijn. Ze moesten op hun hoede blijven.
In mei was hij voor het eerst met haar naar bed geweest en ze had hem verteld over alle jaren tussen Toen en Nu... het verhaal dat hij niet helemaal geloofde, dat ze ongetwijfeld op een dag opnieuw zou vertellen, zonder hem al te direct aan te kijken en zonder voortdurend met haar linkerhand aan haar linker oorlelletje te plukken. Hij besefte dat het al moeilijk genoeg voor haar was geweest om dit te vertellen, en hij kon wachten op de rest. Hij móest wachten. Omdat ze op hun hoede moesten blijven. Het was voldoende, ruimschoots voldoende, dat hij verliefd op haar werd, terwijl de lange zomer van Maine voortdoezelde.
Nu, terwijl hij in het donker naar het met tinfolie beklede plafond van haar slaapkamer keek, vroeg hij zich af of het tijd was geworden weer over een huwelijk te praten. Hij had het eens te berde gebracht, in augustus, en toen had ze weer dat gebaar met haar vinger gemaakt. Wil je je mond houden? Hij nam aan...
Maar zijn bewuste gedachtengang begon te verbrokkelen en Alan viel ongemerkt in slaap.

9

In zijn droom was hij in een gigantische winkel en liep hij tussen de schappen over een pad dat in de verte in een punt oploste, zo lang was het. Alles was er te krijgen, alles wat hij altijd had willen hebben zonder het te kunnen betalen - een drukgevoelig horloge, een originele vilten gleufhoed van Abercrombie & Fitch, een 8mm Bell and Howell filmcamera, honderden andere dingen - maar er stond iemand achter hem die hij niet kon zien, vlak achter zijn schouder.
'Wij hier noemen zulke spullen maar zotternij, cowboy,' merkte een stem op.
Alan herkende de stem. Het was die van George Stark, de superieure rotzak met zijn Toronado.

‘Wij noemen deze zaak Endsville,’ zei de stem, ‘want hier komt een einde aan alle goederen en diensten.’
Alan zag een grote slang, als een python met de kop van een ratelslang, te voorschijn komen uit de reusachtige afdeling Apple-computers, waar boven de ingang een bord hing: VRIJ TOEGANG. Hij draaide zich om en wilde vluchten, maar een hand zonder lijnen in de palm greep hem bij zijn arm en hield hem tegen.
‘Vooruit maar, cowboy,’ zei de stem overredend. ‘Neem wat je wilt, neem àlles wat je wilt... en betaal ervoor.’
Maar elk artikel dat hij pakte bleek de zwart uitgeslagen en gesmolten gesp van Todds broekriem te zijn.

8

1

Danforth Keeton had geen hersentumor, maar hij had wèl een verschrikkelijke hoofdpijn toen hij zaterdagochtend vroeg in zijn kantoor zat. Op zijn bureau, naast een stapel in rood gebonden belastingregisters voor de jaren 1982 tot 1989, had hij zijn correspondentie uitgespreid: brieven van het bureau van de staatsbelastingen en kopieën van brieven die hij in antwoord had geschreven.
Alles begon in te storten en dat wist hij, maar hij kon er helemaal niets aan doen.
Keeton was gisteren laat naar Lewiston gegaan, was om half een teruggekeerd in de Rock en had de rest van de nacht in zijn werkkamer geijsbeerd, terwijl zijn vrouw boven de slaap der kalmerende middelen sliep. Onwillekeurig was zijn blik steeds vaker afgedwaald naar de kleine kast in de hoek van zijn kamer. Op de hoogste plank lag een stapel sweaters. De meeste daarvan waren oud en aangevreten door de motten. Eronder stond een bewerkt houten kistje dat zijn vader had gemaakt, lang voordat de ziekte van Alzheimer hem als een schaduw had beslopen en hem van al zijn aanzienlijke kwaliteiten en herinneringen had beroofd. Er lag een revolver in het kistje.
Keeton merkte dat hij steeds vaker aan de revolver dacht. Niet voor zichzelf, nee, althans niet in het begin. Voor Hen. De Belagers.
Om kwart voor zes was hij weggegaan en door de ochtendstille straten naar het gemeentehuis gereden. Eddie Warburton, een bezem in zijn hand en een Chesterfield in zijn mond (de massief gouden Sint-Christoffelspenning die hij de vorige dag in De NoodZaak had gekocht was veilig weggestopt onder zijn blauwe katoenen overhemd), zag hem zwaar de trap naar de eerste verdieping oplopen. De twee mannen wisselden geen woord. Eddie was er het laatste jaar aan gewend geraakt dat Keeton op de vreemdste uren verscheen en Keeton zag Eddie al heel lang niet meer staan.
Nu veegde Keeton zijn papieren bij elkaar, bestreed de neiging ze gewoon maar aan stukken te scheuren en de snippers door de kamer te gooien, en begon ze te sorteren. Ontvangen brieven in een stapel, zijn eigen antwoorden in een andere. Deze brieven bewaarde hij in de onderste lade van zijn archiefkast, een lade waarvan hij als enige een sleutel had.
De meeste brieven waren voorzien van de initialen DK/sl. DK stond

natuurlijk voor Danforth Keeton, sl voor Shirley Laurence, zijn secretaresse, die zijn correspondentie opnam en uittikte. Maar initialen of niet, Shirley had geen van zijn brieven aan het belastingkantoor getikt.
Sommige dingen kon je beter voor jezelf houden.
Onder het sorteren sprong hem een zinsnede in het oog: '... en wij merken tegenstrijdigheden op in de driemaandelijkse afdracht van gemeentebelasting voor het fiscale jaar 1989...'
Hij legde de brief snel weg.
Een andere passage: '... en na een onderzoek van de kostendeclaraties uit het laatste kwartaal van 1987 zijn ernstige twijfels gerezen aangaande...'
In het archief ermee.
Nog een andere: '... menen dat uw verzoek tot uitstel van het onderzoek op dit moment voorbarig lijkt...'
In een ziekmakende golf trokken ze aan hem voorbij, tot hij zich voelde alsof hij in een op hol geslagen draaimolen zat.
'... vragen ten aanzien van de subsidie voor deze boomkwekerij...'
'... ons is niet gebleken dat de gemeente de juiste formulieren...'
'... aanwending van de staatssubsidie is onvoldoende gedocumenteerd...'
'... de ontbrekende declaraties dienen...'
'... kasbonnen zijn niet toereikend...'
'... verzoeken volledige documentatie van gemaakte kosten...'
En nu deze laatste brief, die gisteren was gekomen. Die hem op zijn beurt de vorige avond naar Lewiston had gedreven, hoewel hij had gezworen daar nooit meer tijdens de paardenrennen heen te gaan.
Keeton staarde er somber naar. Zijn hoofd bonkte en klopte; een grote zweetdruppel rolde langzaam over zijn ruggegraat. Er zaten grote wallen van uitputting onder zijn ogen. Rond een mondhoek zaten blaasjes.

DE ONTVANGER DER BELASTINGEN
State House
Augusta, Maine 04330

Het briefhoofd onder het staatsstempel schreeuwde hem aan en de aanhef, koud en formeel, was een dreigement:
Aan de Wethouders van Castle Rock.
Dat was alles. Geen 'Beste Dan' of 'Geachte heer' meer. Tot besluit niet meer de beste wensen voor zijn gezin. De brief was net zo koud en hatelijk als de steek van een ijspegel.
Ze wilden de boeken van de gemeente controleren.
Alle boeken.

Belastingregisters van de gemeente, ontvangen subsidies van de staat en de federale overheid, gedeclareerde onkosten, uitgaven voor wegenonderhoud, justitie en de plantsoenendienst, zelfs voor de met staatssubsidie opgerichte experimentele boomkwekerij.
Ze wilden alles zien en Ze wilden het zien op 17 oktober. Dat was al over vijf dagen.
Ze.
De brief was ondertekend door de minister van financiën, door de staatsaccountant en, nog dreigender, door de minister van justitie: de hoogste smeris van Maine. En het waren échte handtekeningen, geen stempels.
'*Zij,*' fluisterde Keeton tegen de brief. Hij pakte hem op en zwaaide hem heen en weer in zijn gebalde vuist. Hij liet hem zijn tanden zien. 'Altijd zíj!'
Hij smeet de brief boven op de andere. Hij sloeg de map dicht. Op het etiket was netjes getikt: CORRESPONDENTIE BELASTINGKANTOOR. Keeton staarde een ogenblik naar het gesloten dossier. Daarna greep hij een pen uit het bakje (de standaard was hem geschonken door de Castle County Jaycees) en schreef driftig SCHIJTKANTOOR! op de omslag, met grote ongelijkmatige letters. Hij staarde er even naar en schreef eronder: KLOOTZAKKENKANTOOR!, de pen als een mes in zijn vuist houdend. Daarna gooide hij hem door de kamer. Hij viel met een harde tik in de hoek.
Keeton sloeg de tweede map dicht, met daarin kopieën van de brieven die hij zelf had geschreven (en waaraan hij altijd met kleine letters de initialen van zijn secretaresse toevoegde), brieven die hij in lange slapeloze nachten had uitgedokterd, brieven die uiteindelijk vruchteloos waren gebleken. Een ader klopte regelmatig midden op zijn voorhoofd.
Hij stond op, nam de twee mappen mee naar de kast, deed ze in de onderste lade, schoof die met een klap dicht en sloot hem af. Daarna ging hij naar het raam en keek uit over de slapende stad, diep ademend om zichzelf tot bedaren te brengen.
Ze moesten hem hebben. De Belagers. Voor de duizendste keer vroeg hij zich af wie ze op zijn spoor had gezet. Als hij die vuile verrader te pakken kon krijgen, zou Keeton de revolver uit het kistje onder de aangevreten sweaters halen en hem afmaken. Maar niet snel, o nee. Hij zou hem stukje bij beetje aan flarden schieten en de smeerlap intussen het volkslied laten zingen.
Hij moest aan die magere hulpsheriff denken, Ridgewick. Zou hij het kunnen zijn? Hij zag er niet snugger genoeg voor uit... maar het uiterlijk kon misleidend zijn. Pangborn zei dat hij Ridgewick opdracht had gegeven een bon uit te schrijven, maar daarom was dat nog niet de waarheid. En in het toilet, toen Ridgewick hem

Buster had genoemd, had hij een wetende blik in zijn ogen gehad, een blik van leedvermaak en verachting. Was Ridgewick al in dienst geweest toen de eerste brieven van het belastingkantoor waren binnengekomen? Keeton was er vrijwel zeker van. Vandaag nog zou hij het dossier van de man nakijken om het te controleren. En Pangborn zelf? Díe was zeker snugger genoeg, hij haatte Danforth Keeton zeer beslist (wie niet? haatten Ze hem niet allemaal?) en Pangborn kende veel mensen in Augusta. Hij kende Ze goed. Wat heet, het leek wel of hij Ze goddomme elke dag aan de lijn had. De telefoonrekeningen waren gruwelijk hoog, zelfs met de speciale verbinding.

Of speelden ze samen, Pangborn en Ridgewick? Waren het twee handen op één buik?

'De Lone Ranger en zijn trouwe Indiaanse metgezel Tonto,' zei Keeton zacht en met een onheilspellende glimlach. 'Daar zul je spijt van krijgen, Pangborn. En als jullie het allebei waren, dan krijgen jullie er allebei spijt van.' Zijn handen balden zich langzaam tot vuisten. 'Ik laat me niet eeuwig opjagen, denk dat maar niet.'

Zijn zorgvuldig gemanicuurde nagels sneden in zijn handpalmen. Hij merkte niet dat zijn huid begon te bloeden. Misschien Ridgewick. Misschien Pangborn, misschien Melissa Clutterbuck, dat frigide kreng dat over de financiën ging, misschien Bill Fullerton, de tweede wethouder (hij wist zeker dat Fullerton op zijn baantje aasde en niet zou rusten tot hij het had)...

Misschien waren ze het allemaal.

Een groot komplot.

Keeton loosde een diepe, gekwelde zucht, waardoor het draadglas van het raam besloeg. De vraag was wat hij eraan ging doen. Wat ging hij dóen tussen nu en de zeventiende?

Het antwoord was simpel: hij wist het niet.

2

Danforth Keeton had in zijn jonge jaren een zwartwit leven geleid en dat was hem prima bevallen. Hij was in Castle Rock naar school gegaan en begon op zijn veertiende mee te draaien in de autohandel van de familie door demonstratie- en showroommodellen te wassen. Keeton Chevrolet was een van de oudste filialen in New England en de hoeksteen van het familiekapitaal. Dat was bepaald een solide basis geweest, althans tot voor kort.

In zijn vier jaar op de middelbare school had bijna iedereen hem Buster genoemd. Hij concentreerde zich op handelswetenschap-

pen, haalde gemiddeld een acht, behartigde vrijwel in zijn eentje de belangen van de leerlingen en ging vervolgens naar het Traynor Business College in Boston. Daar haalde hij negens en tienen en voltooide de opleiding drie semesters voor het einde van het laatste jaar. Na zijn terugkeer in de Rock maakte hij snel duidelijk dat hij geen Buster meer was.
Hij had een prima leven geleid, totdat hij negen of tien jaar geleden met Steve Frazier een uitstapje naar Lewiston had gemaakt. Daarmee waren de moeilijkheden begonnen; daar had zijn zwartwitte bestaan steeds grijzere tinten gekregen.
Hij had nooit gegokt, niet als Buster op school, niet als Dan in Boston, niet als meneer Keeton van Keeton Chevrolet of als wethouder. Voor zover hij wist had niemand in heel zijn familie ooit gegokt. Hij kon zich niet eens onschuldige kaartspelletjes om geld herinneren. Er rustte geen taboe op zulke dingen, geen *gij zult niet*, maar niemand deed het. Keeton had nog nooit ergens op gewed tot dat eerste bezoek aan de renbaan van Lewiston met Steve Frazier. Hij had nooit ergens anders gewed en dat was ook niet nodig. Lewiston was ruimschoots voldoende om Danforth Keeton te ruïneren.
Toen was hij nog de derde wethouder geweest. Steve Frazier, nu al minstens vijf jaar in zijn graf, was de eerste wethouder van Castle Rock. Keeton en Frazier waren 'naar de stad' gegaan (zo werden uitstapjes naar Lewiston altijd aangeduid), samen met Butch Nedeau, het hoofd van de sociale dienst, en Harry Samuels, die nog steeds wethouder was en waarschijnlijk ook als zodanig zou sterven. De aanleiding was een bijeenkomst van bestuursambtenaren uit de hele staat, met als onderwerp de nieuwe regels voor de verdeling van overheidsgelden... en het waren natuurlijk die regels die voor de grootste ellende hadden gezorgd. Anders had Keeton zijn graf met zijn eigen handen moeten graven; nu kon hij er een financiële baggermolen voor gebruiken.
Het was een tweedaagse conferentie. Op de avond van de eerste dag stelde Steve voor in de grote stad de bloemetjes buiten te gaan zetten. Butch en Harry hadden de uitnodiging afgeslagen. Ook Keeton voelde er weinig voor de avond door te brengen met Steve Frazier, een vette oude blaaskaak met zaagsel in zijn kop. Toch ging hij mee. Waarschijnlijk was hij ook meegegaan als Steve een reisje langs de diepste beerputten van de hel had voorgesteld. Steve was niet voor niets de eerste wethouder. Harry Samuels zou tevreden zijn als hij de rest van zijn leven tweede, derde of vierde wethouder kon blijven, Butch Nedeau had al laten doorschemeren dat hij zich niet meer verkiesbaar zou stellen... maar Danforth Keeton had aspiraties en om die te verwezenlijken had hij Frazier nodig, vette ouwe blaaskaak of niet.

Dus waren ze naar Lewiston gegaan. Eerst naar The Holly, waar Frazier al heel erg vrolijk was geworden. Hij dronk whisky-soda's alsof de whisky was weggelaten en floot naar de strippers, die voornamelijk dik, voornamelijk oud en altijd traag waren. Keeton vond dat de meesten er stoned uitzagen. Hij dacht dat het een lange avond zou worden.
Daarna waren ze naar de renbaan gegaan en alles werd anders.
Ze arriveerden net voor het begin van de vijfde koers en Frazier duwde de tegenstribbelende Keeton naar de loketten als een hond die een verdwaald schaap terug naar de kudde jaagt.
'Ik weet helemaal niet hoe dat gaat, Steve.'
'Dat geeft niks,' antwoordde Frazier opgewekt, en Keeton rook de whisky in zijn adem. 'Vanavond hebben we geluk, Buster, dat voel ik gewoon.'
Hij had geen idee hoe het wedden in zijn werk ging en Fraziers onophoudelijke gebabbel maakte het lastig te horen wat de anderen in de rij voor het twee-dollarloket zeiden.
Toen het zijn beurt was, schoof hij een briefje van vijf over de toonbank en zei: 'Nummer vier.'
'Welke plaats?' vroeg de man, maar Keeton was een ogenblik sprakeloos geweest. Achter het loket zag hij iets verbazingwekkends. Drie mensen waren enorme stapels bankbiljetten aan het tellen en samenbinden, meer geld dan Keeton ooit bij elkaar had gezien.
'Een, twee of drie?' vroeg de man ongeduldig. 'Een beetje tempo, maat. Je bent hier niet in de leesbibliotheek.'
'Eerste,' zei Keeton.
De bediende duwde een kaartje onder zijn neus en het wisselgeld, waaronder een briefje van twee dollar. Keeton keek er verwonderd naar, terwijl Frazier zijn eigen geld inzette. Hij wist natuurlijk wel dat er briefjes van twee dollar bestonden, maar hij dacht niet dat hij er ooit een had gezíen. Thomas Jefferson stond erop afgebeeld. Aardig. Eigenlijk was alles nogal aardig: de geur van paarden, popcorn, pinda's; de dringende menigte; de gespannen sfeer. Er hing iets levendigs in de lucht, dat hij herkende en waar hij onmiddellijk op reageerde. Hij had die levendigheid bij zichzelf bespeurd, vele malen zelfs, maar nu voor het eerst in de grote wereld. Danforth 'Buster' Keeton, die zelden voelde dat hij ergens deel van uitmaakte, echt deel van uitmaakte, voelde dat hij hier thuishoorde. Heel erg.
'Dit is beter dan The Holly,' zei hij toen Frazier weer bij hem kwam.
'Ja, dat gaat best,' zei Frazier. 'Geef mij maar honkbal, maar het heeft wel wat. Laten we naar de baan gaan. Waar heb jij je geld op gezet?'

Keeton kon het zich niet herinneren. Hij moest op zijn kaartje kijken. 'Nummer vier,' zei hij.
'Tweede of derde?'
'Eh... eerste.'
Frazier schudde zijn hoofd over zoveel naïviteit en sloeg hem op de schouder. 'Alleen sukkels gokken op de winnaar, Buster, ook al zet je in op de favoriet. Maar je leert het wel.'
En hij had het natuurlijk ook geleerd.
Ergens klonk het schelle *Rrrrrinnggg!* van een bel. Keeton schrok ervan. Door de luidsprekers langs de baan klonk een stem: 'En ze zijn van start!' Een luid gebrul rees op uit de toeschouwers en Keeton voelde het kippevel op zijn huid komen. Hoeven tatoeëerden de aarde. Frazier pakte Keeton bij een elleboog en gebruikte zijn vrije hand om zich een weg naar de reling te banen. Ze kwamen nog geen twintig meter van de finish te staan.
De omroeper volgde het verloop van de koers. Nummer zeven, My Lass, lag in de eerste bocht aan de leiding, gevolgd door nummer acht Broken Field en nummer een, How Do? Nummer vier heette Absolutely - de stomste naam voor een paard die Keeton ooit had gehoord - en liep op de zesde plaats. Het kon hem nauwelijks iets schelen. Hij was geobsedeerd door de dravende paarden, door het glanzen van hun huid in de schijnwerpers, door het wentelen van de wielen terwijl de sulky's door de bocht vlogen, door de felle kleuren van de zijden hemden waarmee de berijders waren uitgedost.
Bij het begin van de tweede omloop werd My Lass aan de kop opgejaagd door Broken Field. My Lass raakte in galop en Broken Field vloog langs haar heen. Tegelijkertijd kwam Absolutely aan de buitenkant naar voren. Keeton zag het voordat de ontheemde stem van de omroeper het uitschreeuwde over de baan, hij voelde nauwelijks dat Frazier hem aanstootte, hoorde hem nauwelijks roepen: 'Dat is jouw paard, Buster! Dat is jouw paard en ze heeft een kans!'
De toeschouwers begonnen te schreeuwen toen de merries op het laatste rechte stuk naar de finish kwamen. Keeton kon de spanning amper verdragen en begon met ze mee te schreeuwen; de volgende dag was hij zo schor dat hij nog maar net kon fluisteren.
'*Absolutely!*' schreeuwde hij. '*Vooruit Absolutely, ren voor je leven!*'
'Drááf voor je leven,' zei Frazier, zo hard lachend dat de tranen over zijn wangen stroomden. 'Dat beest draaft, Buster.'
Keeton lette niet op hem. Hij was op een andere planeet. Hij had telepatisch contact met Absolutely en zond haar onzichtbare kracht toe.

'Broken Field en How Do? samen aan de leiding, How Do? en Broken Field,' verkondigde de goddelijke stem van de omroeper, 'maar Absolutely wint snel terrein op het laatste stuk van de mijl...'
De paarden kwamen dichterbij in een wolk van stof. Absolutely draafde met gebogen hals en haar hoofd naar voren gestoken, de benen op en neer gaand als zuigerstangen. Ze passeerde How Do? en Broken Field, die ernstig verslapte, precies op het punt waar Keeton en Frazier stonden. Haar voorsprong werd nog steeds groter toen ze de finishlijn passeerde.
Op het grote bord verscheen de uitslag en Keeton moest Frazier vragen wat alle cijfers betekenden. Frazier keek van het kaartje naar het bord. Hij floot geluidloos.
'Heb ik mijn geld terug?' vroeg Keeton gespannen.
'Je hebt het nog wat beter gedaan, Buster. Absolutely stond dertig tegen één genoteerd.'
Voordat hij die avond wegging, had Keeton iets meer dan driehonderd dollar verdiend. Zo was zijn obsessie geboren.

3

Hij pakte zijn jas van de kapstok in de hoek van zijn kantoor, trok hem aan en wilde weggaan. Ineens bleef hij staan, met de deurknop in zijn hand. Hij keek om. Aan de muur tegenover het raam hing een spiegel. Keeton wierp er een peinzende blik op en liep ernaar toe. Hij had gehoord hoe Ze spiegels gebruikten... hij was niet van gisteren.
Hij drukte zijn neus tegen het glas zonder op de weerspiegeling van zijn bleke huid en rode ogen te letten. Hij legde zijn handen tegen zijn slapen om het licht af te schermen en tuurde achter het glas, op zoek naar een camera.
Hij zag niets.
Na een lang ogenblik deed hij een stap terug, veegde nonchalant met zijn mouw het beslagen glas schoon en verliet het kantoor. Nog niets, maar dat wilde niet zeggen dat ze niet vanavond konden komen om het spiegelglas te vervangen en er een camera achter te zetten. Spionage was alledaags werk voor de Belagers. Voortaan moest hij elke dag de spiegel controleren.
'Maar dat kan ik wel,' zei hij tegen de lege gang op de eerste verdieping. 'Ik kan het, reken maar.'
Eddie Warburton was de vloer in de hal aan het dweilen en keek niet op toen Keeton naar buiten ging.
Zijn auto stond aan de achterkant, maar hij wilde liever niet rijden.

Daar was hij te zeer voor in de war: als hij het probeerde zou hij waarschijnlijk bij iemand naar binnen rijden. In zijn verwarring ontging het hem zelfs dat hij niet in de richting van zijn huis liep, maar juist de andere kant op. Het was zaterdagochtend kwart over zeven en hij was de enige voetganger in het kleine winkelcentrum van Castle Rock.
Even dacht hij terug aan die eerste avond op de renbaan van Lewiston. Het leek of hij niets verkeerd kon doen. Steve Frazier had dertig dollar verspeeld en zei na de negende koers dat hij wegging. Keeton dacht dat hij nog wat wilde blijven. Hij keek Frazier amper aan en merkte nauwelijks dat Frazier weg was. Hij dacht nog wel dat het prettig was dat er niemand meer naast hem stond die de hele tijd Buster zus en Buster zo zei. Hij had een hekel aan die bijnaam en natuurlijk wist Steve dat; daarom gebruikte hij hem.
De volgende week was hij teruggekomen, nu in zijn eentje, en had zestig dollar van zijn eerdere winst verspeeld. Het kon hem weinig schelen. Hoewel hij vaak aan die enorme stapels bankbiljetten dacht, ging het niet om het geld, niet echt; geld was maar een tastbaar symbool om te laten zien dat je erbij was geweest, dat je aan de show had meegedaan, ook al was het nog zo kort. Waar het echt om ging was de geweldige, meeslepende opwinding die zich van de toeschouwers meester maakte als de bel van de starter ging, de poortjes krakend opensloegen en de omroeper schreeuwde: 'Ze zijn van start!' Waar het om ging was het gebrul van de massa als de paarden door de voorlaatste bocht kwamen en alles op alles zetten, de hysterische fanatieke toejuichingen van de tribune als ze op het laatste rechte stuk kwamen en de eindstrijd aangingen. Alles bruiste van het leven. Het was zo bruisend dat het...
...dat het gevaarlijk was.
Keeton besloot dat hij maar beter kon wegblijven. Hij had zijn leven zo netjes uitgestippeld. Hij wilde eerste wethouder van Castle Rock worden als Steve Frazier het eindelijk voor gezien hield, en na zes of zeven jaar wilde hij een gooi doen naar een zetel in het huis van afgevaardigden van Maine. En wie wist wat er daarna nog kon komen? Een positie in de nationale politiek was niet uitgesloten voor iemand met ambitie, kwaliteiten... en een functionerend verstand.
Dat was de èchte ellende met de rennen. Hij had het de eerste keer niet beseft, maar daarna wel. Op de renbaan betaalden de mensen geld voor een kaartje... en gaven tijdelijk hun gezonde verstand op. Keeton had in zijn eigen familie te veel afwijkingen gezien om gerust te zijn over de aantrekkingskracht die de renbaan op hem uitoefende. Het was een kuil met gladde wanden, een klem met verborgen tanden, een geladen geweer zonder vergrendeling. Als hij er

was, kon hij niet meer weg totdat de laatste koers van de avond was gelopen. Hij wist het; hij had het geprobeerd. Eén keer had hij bijna het draaihekje bij de uitgang bereikt toen een primitieve, raadselachtige macht de controle over zijn hersenen had overgenomen en zijn voeten had omgedraaid. Keeton was doodsbang dat die macht helemaal zou ontwaken. Hij kon hem beter laten slapen.
Drie jaar lang had hij dat ook gedaan. Tot 1984, toen Steve Frazier zich terugtrok en Keeton tot eerste wethouder was gekozen. Toen was de echte ellende begonnen.
Hij was naar de rennen gegaan om zijn overwinning te vieren, en als hij toch iets te vieren had, dan maar goed ook. Hij liet de eerste loketten links liggen en ging meteen naar het tien-dollarloket. Die avond verloor hij honderdzestig dollar, meer dan hem lief was (de volgende dag zei hij tegen zijn vrouw dat hij veertig dollar had verspeeld), maar niet meer dan hij zich kon veroorloven. Helemaal niet. Een week later ging hij terug om zijn verlies goed te maken, zodat hij tenminste quitte kon ophouden. En het was hem bijna gelukt. Bíjna, daar zat hem de kneep. Net zoals hij bijna de uitgang had gehaald. De volgende week had hij honderdtien dollar verloren. Dat zou Myrtle in haar huishoudboekje merken en daarom had hij een greep in de kleine kas van de gemeente gedaan om het verschil grotendeels ongedaan te maken. Honderd dollar. Eigenlijk een kleinigheid.
Sindsdien was het van kwaad tot erger gegaan. Het was inderdaad een kuil met gladde wanden, en als je er eenmaal inzat gleed je helemaal naar beneden. Je kon je energie verspillen door je aan de wanden vast te klampen en je val vertragen... maar dat maakte de kwelling natuurlijk alleen maar langduriger.
Het breekpunt, als dat er al was geweest, had in de zomer van 1989 gelegen. 's Zomers werd er elke avond gekoerst en Keeton was de tweede helft van juli en heel augustus elke avond in Lewiston. Myrtle dacht een tijdje dat hij de rennen als dekmantel gebruikte, dat hij in werkelijkheid een verhouding had, maar dat was een lachertje, echt een lachertje. Keeton zou hem niet omhoog kunnen krijgen als Diana zelf van de maan was afgedaald met open mantel en op haar rijtuig een bordje: PAK ME, DANFORTH. De gedachte aan zijn toeëigening van gemeentegelden had zijn arme piemel gereduceerd tot de omvang van een vlakgommetje.
Myrtle was opgelucht toen ze eindelijk van de waarheid overtuigd was, dat hij uiteindelijk toch alleen maar naar de rennen ging. Het hield hem uit huis, waar hij nogal bazig wilde zijn, en aan hun privé-rekening te zien kon hij niet al te veel verliezen. Danforth had alleen maar een hobby gevonden die hem op zijn leeftijd aangenaam bezighield.

Alleen maar de rennen, dacht Keeton terwijl hij door Main Street liep, zijn handen diep in zijn jaszakken gestoken. Hij lachte luidkeels, een vreemd wild geluid, dat zeker de aandacht had getrokken als er iemand op straat was geweest. Myrtle had alleen oog voor hun lopende rekening. Het kwam niet bij haar op dat hij hun spaargeld kon hebben geplunderd. Zo was het ook zíjn geheim dat Keeton Chevrolet op de rand van het faillissement balanceerde.
Zíj lette alleen op de privé-rekening en de uitgaven voor het huishouden.
Híj was accountant in overheidsdienst.
Als accountant kun je veel meer zaken verduisteren dan de meeste andere mensen... al komt alles vroeg of laat altijd aan het licht. Bij Keeton waren de eerste scheurtjes ontstaan in de herfst van 1990. Hij had alles gedaan om het lek te dichten. Tegen die tijd had hij een bookmaker gevonden, waardoor hij hogere weddenschappen kon afsluiten dan op de baan zelf.
Maar aan zijn geluk had het niets veranderd.
En de afgelopen zomer waren zijn Belagers serieus in actie gekomen. Eerst hadden Ze alleen maar met hem gespeeld; nu maakten Ze zich op voor de genadeslag en Armageddon was geen week meer verwijderd.
Ik zal Ze krijgen, dacht Keeton. *Ze hebben me nog niet. Ik heb nog een paar troeven achter de hand.*
Hij wist alleen niet waar hij die troeven vandaan moest halen, dat was het probleem.
Maak je niet dik. Er is een uitweg, ik weet dat er een ui...
Hier hielden zijn gedachten op. Hij stond voor de nieuwe winkel, De NoodZaak, en wat hij in de etalage zag verdreef een ogenblik al het andere.
Het was een rechthoekige kartonnen doos, felgekleurd, met op de bovenkant een tekening. Een bordspel, dacht hij. Maar het was een spel van de paardenrennen en hij had durven zweren dat de afbeelding, twee paarden die nek-aan-nek op de finish afstormden, naar een foto van de renbaan in Lewiston was gemaakt. Hij mocht doodvallen als op de achtergrond niet de hoofdtribune te zien was. Het spel heette WED EN WIN.
Keeton stond er bijna vijf minuten naar te kijken, gehypnotiseerd als een kind dat naar elektrische treinen in een etalage kijkt. Daarna liep hij traag onder het donkergroene baldakijn naar de deur om te zien of de winkel op zaterdag open was. Achter het glas hing wel een bordje, maar daar stond maar één woord op en dat woord was natuurlijk:

OPEN.

Keeton keek er een ogenblik naar en dacht – net als Brian Rusk eerder had gedaan – dat het bordje bij vergissing was blijven hangen. In Castle Rock gingen de winkels niet om zeven uur open, zeker niet op zaterdag. Niettemin pakte hij de deurknop en draaide hem om. De deur ging meteen open.
Boven zijn hoofd tinkelde een kleine zilveren bel.

4

'Het is niet echt een spel,' zei Leland Gaunt vijf minuten later. 'Daar vergist u zich in.'
Keeton zat in de pluchen stoel met de hoge rug, waarin eerder die week Nettie Cobb, Cyndi Rose Martin, Eddie Warburton, Everett Frankel, Myra Evans en heel wat anderen hadden gezeten. Hij dronk een kop goede Jamaica-koffie. Gaunt, die voor een plattelander een verdomd schappelijke kerel leek te zijn, had hem de koffie bijna opgedrongen. Nu boog Gaunt zich in de etalage en haalde behoedzaam de doos eruit. Hij had een wijnrood huisjasje aan, zo chic als de pest, en al zijn haren zaten op hun plaats. Hij had Keeton verteld dat hij vaak op vreemde uren open was omdat hij last had van slapeloosheid.
'Sinds mijn jonge jaren al,' had hij met een spijtig lachje gezegd, 'en dat is lang geleden.' Toch vond Keeton dat hij er fris als een hoentje uitzag, afgezien van zijn ogen; die waren zo bloeddoorlopen dat rood hun natuurlijke kleur scheen te zijn.
Nu kwam hij terug en zette de doos op een kleine tafel naast Keeton.
'Ik werd door die afbeelding getroffen,' zei Keeton. 'Het lijkt net de renbaan in Lewiston. Daar kom ik wel eens.'
'U houdt wel van een gokje?' vroeg Gaunt glimlachend.
Keeton wilde zeggen dat hij nooit wedde, maar hij hield zijn mond. Gaunt glimlachte niet alleen vriendelijk, maar ook vol mededogen en hij begreep ineens dat hij met een lotgenoot te maken had. Wat maar weer eens bewees dat hij aan het aftakelen was, want toen Gaunt hem een hand had gegeven, voelde hij een golf van afkeer, die als een krampaanval door hem heen trok. Dat ene ogenblik had hij gemeend dat hij zijn grootste Belager had gevonden. Hij moest zichzelf in acht gaan nemen; het had geen zin helemaal door te slaan.
'Ik heb wel eens iets gewaagd,' zei hij.
'Ik ook, helaas,' zei Gaunt. Zijn rode ogen richtten zich op Keeton en even begrepen ze elkaar volledig... dat gevoel had Keeton althans. 'Ik ken de meeste renbanen van hier tot aan de westkust en

ik ben er vrijwel zeker van dat Longacre Park in Los Angeles op de doos staat. Die is nu natuurlijk weg; er worden huizen gebouwd.'
'O,' zei Keeton.
'Maar ik zal het eens laten zien. U zult het heel aardig vinden, denk ik.'
Hij haalde het deksel van de doos en pakte met voorzichtige gebaren een tinnen renbaan op een verhoging, ongeveer negentig centimeter lang en vijfenveertig centimeter breed. Het deed Keeton denken aan het speelgoed uit zijn eigen kindertijd, goedkoop spul dat na de oorlog in Japan werd gemaakt. Het model was een replica van een tweemijlsbaan. Er waren acht smalle gleuven in gemaakt en achter de startrij stonden acht smalle tinnen paardjes. Elk was door een tinnen staafje onder de buik met de eigen gleuf verbonden.
'Prachtig,' zei Keeton lachend. Het was de eerste keer in weken dat hij lachte en het gaf hem een vreemd, ongerijmd gevoel.
'U heeft nog niets gezien,' antwoordde Gaunt grinnikend. 'Dit schatje dateert uit 1930 of '35, meneer Keeton, het is echt antiek. Maar het was niet zomaar een speelgoedje voor paardenliefhebbers.'
'Niet?'
'Nee. Weet u wat een Ouijabord is?'
'Jazeker. Je stelt vragen en op het bord komen zogenaamd antwoorden uit de geestenwereld.'
'Precies. En in de crisisjaren waren er heel wat mensen die meenden dat Wed en Win hun eigen Ouijabord was.'
Hij richtte zijn ogen weer op Keeton, vriendelijk, glimlachend, en Keeton was net zo min in staat om zijn blik af te wenden als om een renbaan te verlaten voordat de laatste koers was gelopen.
'Kinderlijk, vindt u niet?'
'Ja,' zei Keeton. Maar hij vond het helemaal niet kinderlijk. Hij vond het heel... heel...
Heel logisch.
Gaunt keek in de doos en pakte een kleine tinnen sleutel. 'Elke keer wint een ander paard. Ik neem aan dat er een of ander mechanisme in zit, grof maar wel effectief. Kijk maar.'
Hij stak de sleutel in een opening aan de zijkant van het tinnen platform waarop de tinnen paarden stonden en draaide hem om. Er klonk wat geklik en geklak en geratel van een veer die werd opgewonden. Gaunt haalde de sleutel eruit toen hij niet verder kon draaien.
'Welk paard kiest u?' vroeg hij.
'Nummer vijf,' zei Keeton. Hij boog naar voren en voelde zijn hart sneller kloppen. Het was onzinnig – en het definitieve bewijs van

zijn verslaving, veronderstelde hij – maar hij voelde dezelfde opwinding als bij de echte rennen.
'Goed, dan kies ik nummer zes. Zullen we een klein gokje wagen, gewoon voor de spanning?'
'Best! Hoeveel?'
'Niet om geld,' zei Gaunt. 'Zulke weddenschappen heb ik lang geleden opgegeven, meneer Keeton. Die zijn het minst interessant. Laten we dit zeggen: als uw paard wint, zal ik u een dienst bewijzen. U mag zelf bepalen welke. Als het mijne wint, bewijst u míj een dienst.'
'En de weddenschap vervalt als een van de andere wint?'
'Juist. Klaar?'
'Ik wel,' zei Keeton strak. Hij bracht zijn gezicht dicht bij de tinnen baan. Zijn handen waren stijf ineengeslagen tussen zijn brede dijbenen.
Een kleine metalen hendel stak bij de startlijn uit een gleuf. 'En ze zijn van start,' zei Gaunt zacht, de hendel overhalend.
Het raderwerk onder de renbaan kwam knarsend in beweging. De paarden schoven langs de hun aangewezen gleuven weg van de startlijn. Eerst gingen ze langzaam, heen en weer zwaaiend en schoksgewijs terwijl de veer – of een hele serie – in het inwendige uitzette, maar de snelheid werd groter toen ze de eerste bocht naderden.
Paard nummer twee nam de leiding, gevolgd door nummer zeven; de andere vormden het peloton.
'Kom op, vijf!' riep Keeton zachtjes. 'Kom op, vijf, schiet op, kreng!'
Alsof het kleine tinnen paardje hem hoorde, begon het zich los te maken van de groep. Halverwege was het op gelijke hoogte met nummer zeven gekomen. Ook nummer zes – Gaunts keuze – was wat sneller gaan lopen.
Het bord rammelde en trilde op de kleine tafel. Keetons gezicht hing erboven als een grote hobbelige maan. Een zweetdruppel viel op de nietige tinnen jockey van paard nummer drie; in het echt zou hij samen met zijn paard zijn verdronken.
In de derde bocht kwam paard nummer zeven met een tussensprint en haalde de koploper in, maar Keetons paard gaf geen krimp en werd zelf opgejaagd door dat van Gaunt. De vier kwamen de bocht uit met een ruime voorsprong op de anderen, wild schokkend in hun gleuven.
'Sneller, rotbeest, sneller!' riep Keeton. Hij was vergeten dat het maar stukjes tin waren met de grove omtrekken van paarden. Hij was vergeten dat hij in de winkel was van iemand die hij net had leren kennen. De oude opwinding had hem te pakken en liet hem tril-

len als een rat in de bek van een terriër. 'Ga door, ga door! Je kan het, klootzak, ga door!'
Nu kwam nummer vijf gelijk met de koploper... en nam de leiding over. Gaunts paard kwam nog dreigend opzetten toen nummer vijf als winnaar over de eindstreep kwam.
Het mechanisme was aan het aflopen, maar de meeste paarden haalden de finish voordat het helemaal tot stilstand kwam. Gaunt duwde de achterblijvers met zijn vinger bij voor een nieuwe race.
'Oef,' zei Keeton, het zweet van zijn voorhoofd wissend. Hij voelde zich helemaal uitgeknepen... maar ook beter dan hij zich heel lang had gevoeld. 'Dat was erg aardig!'
'Heel erg aardig,' beaamde Gaunt.
'Vroeger wisten ze wel hoe ze zoiets moesten maken.'
'Dat wisten ze,' stemde Gaunt toe. Hij glimlachte. 'En het ziet ernaar uit dat ik u iets schuldig ben, meneer Keeton.'
'Ach, laat maar zitten. Dat was gewoon voor de lol.'
'Nee, nee. Een man houdt zich altijd aan zijn woord. Denk er over na, maar laat het me een dag of twee van tevoren weten voordat u me aan de tand voelt.'
Aan de tand voelt.
Alles kwam met een schok weer terug in zijn herinnering. Zíj zouden hem aan de tand komen voelen, Zij. Donderdag zouden ze verhaal komen halen en wat dan? Wat dan?
In gedachten zag hij de schreeuwende krantekoppen al.
'Wilt u weten hoe de grote gokkers in de jaren dertig dit speelgoed gebruikten?' vroeg Gaunt zacht.
'Graag,' zei Keeton, maar het kon hem niet schelen, niet echt... tot hij opkeek. Gaunts ogen richtten zich weer op hem, namen hem weer gevangen, en het leek weer heel logisch kinderspeelgoed te gebruiken om uitslagen te voorspellen.
'Ze namen de krant erbij en speelden de koersen na,' zei Gaunt. 'Op dit bord, wel te verstaan. Ze gaven elk paard in elke koers een naam door een van de tinnen paardjes aan te raken en tegelijkertijd de naam uit de krant te noemen, en dan ging het van start. Zo werkten ze het hele programma af, acht, tien of twaalf koersen. Daarna gingen ze naar de renbaan en zetten hun geld op de paarden die thuis hadden gewonnen.'
'Werkte dat?' vroeg Keeton. Het was alsof zijn stem ergens anders vandaan kwam. Van een verre plaats. Hij scheen te drijven in de ogen van Leland Gaunt, te drijven op rood schuim. Het was een idioot gevoel maar eigenlijk heel erg prettig.
'Blijkbaar wel,' zei Gaunt. 'Het zal wel kinderlijk bijgeloof zijn, maar... misschien wilt u het bord kopen en het zelf proberen?'
'Ja,' zei Keeton.

'U bent iemand die dringend moet winnen, nietwaar Danforth?'
'Ik moet een heleboel winnen. Hoeveel moet het kosten?'
Leland Gaunt lachte. 'O nee, zó komt u niet van me af! Ik ben u toch al iets schuldig! Ik doe u een voorstel: pak uw portemonnee en geef me het eerste het beste biljet dat u vindt. Het zal zeker het goede zijn.'
Dus pakte Keeton zijn portemonnee en haalde er een bankbiljet uit zonder zijn blik af te wenden van Gaunts gezicht, en natuurlijk was het een briefje van twee dollar... waar al deze ellende mee begonnen was.

5

Gaunt liet het even vlot verdwijnen als een goochelaar en zei: 'Dan is er nog iets.'
'Ja?'
Gaunt boog naar voren. Hij keek Keeton ernstig aan en legde een hand luchtig op zijn knie. 'Meneer Keeton, weet u dat Zij er zijn?'
Keetons adem stokte, als bij iemand die een nare droom heeft. 'Ja,' fluisterde hij. 'God ja.'
'Deze stad is er vol van,' hernam Gaunt op dezelfde zachte, vertrouwelijke toon. 'Het stíkt ervan. Ik ben nog geen week open en toch weet ik het al. Ik denk dat Ze achter mij aanzitten. Daar ben ik zelfs wel zeker van. Misschien heb ik uw hulp nodig.'
'Ja,' zei Keeton. Zijn stem werd vaster. 'Ik zweer het, u krijgt alle hulp die u nodig heeft!'
'Toch heeft u mij nu net ontmoet en u bent me helemaal niets schuldig...'
Keeton, die Gaunt al als zijn beste vriend van de laatste tien jaar beschouwde, deed zijn mond open om iets tegen te werpen. Gaunt stak zijn hand op en de protesten bleven achterwege.
'... en u heeft niet het flauwste idee of ik u echt iets bruikbaars heb verkocht of alleen maar een luchtkasteel... dat bij het minste of geringste uit elkaar spat. Ik twijfel er niet aan dat u er nu in gelooft; ik ben begiftigd met een grote overredingskracht, al zeg ik het zelf. Maar ik geloof in tevreden klanten, meneer Keeton, en alléén in tevreden klanten. Ik zit al jaren in zaken en ik heb mijn reputatie te danken aan tevreden klanten. Neem deze doos dus maar mee. Als het werkt, prima. Als het niet werkt, geef hem dan aan het Leger des Heils of gooi hem op de vuilnisbelt. Waar zit u om verlegen? Een paar centen?'
'Een paar centen,' gaf Keeton dromerig toe.
'Maar als het ècht werkt en u zich van deze onbeduidende financiële beslommeringen kunt bevrijden, kom dan terug. Dan zullen we samen koffie drinken, net als vanochtend... en praten over Hen.'
'Het is te ver gegaan om gewoon maar het geld terug te geven,' zei

Keeton op de duidelijke maar onsamenhangende toon van iemand die in zijn slaap praat. 'Er zijn meer sporen dan ik in vijf dagen kan uitwissen.'
'In vijf dagen kan er veel veranderen,' zei Gaunt peinzend. Hij stond op, bewegend met lenige gratie. 'U heeft een belangrijke dag voor de boeg... en ik ook.'
'Maar Zij dan?' protesteerde Keeton. 'Wat moet ik doen?'
Gaunt legde een van zijn lange koele handen op Keetons arm, en zelfs in zijn verdoving voelde Keeton zijn maag omkeren bij die aanraking. 'Daar zullen we later mee afrekenen,' zei Gaunt. 'Maakt u zich maar nergens zorgen over.'

6

'John!' riep Alan uit toen John LaPointe door de zijdeur zijn kantoor binnenglipte. 'Leuk je weer eens te zien!'
Het was zaterdagmorgen half elf en het bureau van de sheriff was bijna uitgestorven. Norris had een visstek gezocht en Seaton Thomas was in Sanford op bezoek bij zijn twee ongetrouwde zussen. Sheila Brigham bevond zich in de pastorie, waar ze haar broer hielp een nieuwe brief voor de krant op te stellen om het in wezen onschadelijke karakter van de casino-avond aan te tonen. De pastoor wilde met het ingezonden stuk ook uitdrukking geven aan zijn geloof dat William Rose zo gek was als een loden pijp. Zoiets kon je natuurlijk niet letterlijk opschrijven - niet in een dorpskrant - maar pastoor John en zuster Sheila probeerden er zo weinig mogelijk doekjes omheen te winden. Andy Clutterbuck was op patrouille, dat vermoedde Alan althans; hij had niets meer van zich laten horen sinds Alan een uur geleden was binnengekomen. Tot Johns verschijning was de enige andere aanwezige in het gemeentehuis Eddie Warburton, die aan de waterkoeler in de hoek stond te prutsen.
'Nog nieuws?' vroeg John, die op een hoek van Alans bureau ging zitten.
'Op zaterdagochtend? Niet veel. Maar kijk hier eens naar.' Alan knoopte de rechter mouw van zijn kaki overhemd open en rolde hem op. 'Let er goed op dat mijn hand altijd mijn pols raakt.'
John knikte. Hij haalde een reepje Juicy Fruit uit zijn broekzak, deed de wikkel eraf en stopte de kauwgom in zijn mond.
Alan liet zijn rechterhand van onder en van boven zien en balde hem tot een vuist. Met de wijsvinger van zijn linkerhand pulkte hij in zijn vuist en haalde er een propje zijde uit. Hij keek vragend naar John. 'Niet gek, hè?'
'Als dat Sheila's sjaaltje is, zal ze blij zijn dat het helemaal ver-

frommeld is en naar jouw zweet ruikt,' zei John. Hij leek niet bepaald met stomheid geslagen.
'Dan had ze het maar niet op haar bureau moeten laten liggen,' antwoordde Alan. 'Overigens zweten goochelaars niet. En nu, abracadabra!' Hij trok Sheila's sjaal helemaal tevoorschijn en gooide hem met een dramatisch gebaar in de lucht. Hij daalde neer en bleef als een bontgekleurde vlinder op Norris' schrijfmachine liggen. Alan keek naar John en zuchtte. 'Niet zo geslaagd, zeker?'
'Het is een aardig trucje,' zei John, 'maar ik heb het al eens eerder gezien. Een keer of veertig, denk ik.'
'Wat vind jij ervan, Eddie?' riep Alan. 'Niet kwaad voor een plattelandsjongen, hè?'
Eddie keek nauwelijks op van het apparaat, dat hij bijvulde met flessen bronwater. 'Ik heb het niet gezien, sheriff. Sorry.'
'Jullie zijn allebei hopeloos,' zei Alan. 'Maar ik ben aan een variant bezig, John. Het zal je verbazen, dat beloof ik je.'
'Jaja. Alan, wil je nog steeds dat ik de toiletten van dat nieuwe restaurant aan River Road inspecteer?'
'Nog steeds,' zei Alan.
'Waarom krijg ìk altijd die smerige karweitjes? Waarom kan Norris niet...'
'Norris heeft in juli èn in augustus de toiletten van het kampeerterrein voor zijn rekening genomen,' zei Alan. 'Dat heb ik in juni gedaan. Je hoeft niet te schelden, Johnny, het is gewoon jouw beurt. Ik wil dat je ook een paar watermonsters neemt. Gebruik die speciale zakken maar die we uit Augusta hebben gekregen. Er ligt nog een voorraadje in de gangkast. Ik geloof dat ik ze achter Norris' Hi-Ho crackers heb zien liggen.'
'Goed dan,' zei John. 'Maar op het gevaar af dat ik weer lijk te schelden, het water controleren op beestjes wordt geacht onder de verantwoordelijkheid van de restauranteigenaar te vallen. Ik heb het nagekeken.'
'Natuurlijk is dat zo,' zei Alan, 'maar we hebben het hier over Timmy Gagnon, als die naam je iets zegt.'
'Hij zegt me dat ik in die nieuwe Riverside B-B-Q Delish nog geen hamburger moet nemen, al sterf ik van de honger.'
'Goed geantwoord!' riep Alan uit. Hij stond op en gaf John een klap op zijn schouder. 'Ik hoop dat we de zaak van die smeerlap kunnen sluiten voordat de zwerfhonden en -katten van Castle Rock zijn gedecimeerd.'
'Dat is niet om te lachen, Alan.'
'Nee, dat is Timmy Gagnon. Neem vanmorgen een paar monsters, dan zal ik ze naar Augusta sturen voordat ik vanavond wegga.'
'En wat ga jij doen?'

Alan trok zijn mouw naar beneden en maakte het knoopje dicht. 'Ik ga nu naar De NoodZaak,' zei hij. 'Ik wil kennismaken met Leland Gaunt. Hij heeft aardig wat indruk op Polly gemaakt en zo te horen is zij niet de enige die met hem wegloopt. Heb jij hem al ontmoet?'
'Nog niet,' zei John. Ze liepen naar de deur. 'Ik ben wel een paar keer langs die winkel gekomen. Hij heeft een bonte verzameling in de etalage.'
Ze passeerden Eddie, die de grote glazen houder van de waterkoeler oppoetste met een doek die hij uit zijn achterzak had gehaald. Eddie keek niet op toen ze voorbijkwamen; hij leek verzonken in zijn eigen wereld. Maar zodra de achterdeur achter hen was dichtgevallen, haastte Eddie Warburton zich naar de meldkamer en pakte de telefoon.

7

'Goed... ja... ja, ik begrijp het.'
Leland Gaunt stond naast zijn kasregister en hield een draadloze Cobra telefoon tegen zijn oor. Een lachje als een dunne nieuwe maan krulde zijn lippen.
'Dank je, Eddie. Hartelijk bedankt.'
Gaunt liep naar het gordijn dat de winkelruimte van de achterkamer scheidde. Hij stak zijn bovenlijf naar binnen en ging weer rechtop staan, nu met een bordje in zijn hand.
'Je kunt nu naar huis gaan... ja... wees gerust, ik zal het nooit vergeten. Ik vergeet nooit een gezicht of een dienst, Eddie, en dat is een van de redenen waarom ik het heel vervelend vind aan een van beide herinnerd te worden. Tot ziens.'
Hij drukte op de EINDE-knop zonder op antwoord te wachten, schoof de antenne in en stopte de telefoon in de zak van zijn jasje.
Het rolgordijn voor de deur was weer neergelaten. Gaunt stak zijn hand erachter, verwijderde het bordje OPEN en hing er een ander bordje voor in de plaats. Daarna ging hij achter de etalage staan om de komst van Alan Pangborn af te wachten. Alan bleef een tijdje voor de etalage staan voordat hij naar de deur ging; hij legde zelfs zijn handen tegen zijn slapen en drukte zijn neus tegen het glas om even naar binnen te kijken. Hoewel Gaunt met over elkaar geslagen armen pal voor hem stond, zag de sheriff hem niet.
Gaunt had onmiddellijk een hekel aan Pangborns gezicht. Dat verbaasde hem overigens niet. Hij kon gezichten nog beter lezen dan onthouden, en de woorden op dit gelaat waren groot en op de een of andere manier gevaarlijk.
Pangborn kreeg plotseling een andere uitdrukking: zijn ogen werden iets groter, de vriendelijke stand van de mond verstrakte tot

een dunne streep. Gaunt werd overvallen door een kortstondig en totaal ongerijmd gevoel van angst. *Hij kan me zien!* dacht hij, hoewel dat natuurlijk onmogelijk was. De sheriff deed een halve stap naar achteren... en begon te lachen. Gaunt begreep meteen wat er gebeurd was, maar dat veranderde geen zier aan zijn onmiddellijke en diepe afkeer van Pangborn.

'Maak dat je wegkomt, sheriff,' fluisterde hij. 'Maak dat je wegkomt en laat me met rust.'

8

Alan bleef lang naar de etalage kijken. Onwillekeurig vroeg hij zich af waar iedereen nu feitelijk zo'n drukte om maakte. Gisterenavond, voordat hij naar Polly ging, had hij Rosalie Drake gesproken en als hij haar moest geloven was De NoodZaak het equivalent van Tiffany's, maar het porseleinservies in de etalage leek niet iets om midden in de nacht voor uit je bed te komen of om over naar huis te schrijven... zoiets kon je ook op een rommelmarkt kopen. Verscheidene borden waren aan de rand beschadigd en een ervan had een dunne barst dwars door het midden.

Nou ja, dacht Alan, ieder zijn meug. Trouwens, dat porselein zal wel een eeuw oud zijn en een vermogen waard, ik ben alleen te stom om het te zien.

Hij drukte zijn neus tegen de ruit om in de winkel te kijken, maar er viel niets te zien; het licht was uit en de zaak was leeg. Ineens zag hij iemand, een vreemde, transparante gedaante die hem met spookachtige en kwaadaardige belangstelling stond op te nemen. Hij deed een halve stap naar achteren en besefte toen pas dat hij alleen maar de weerkaatsing van zijn eigen gezicht had gezien. Hij lachte wat, verlegen met zijn vergissing.

Hij ging naar de deur. Het rolgordijn was neergelaten; achter het glas hing een met de hand beschreven bordje aan een bloedkommetje van doorzichtig plastic.

BEN NAAR PORTLAND OM EEN
ZENDING ARTIKELEN OP TE HALEN.
IK HOOP U EEN VOLGENDE KEER TE ZIEN.

Alan haalde zijn portefeuille uit zijn achterzak, pakte een van zijn visitekaartjes en krabbelde een briefje op de achterkant.

Beste meneer Gaunt,
Ik ben zaterdagochtend langs geweest om kennis te maken en u

welkom te heten. Ik hoop u een volgende keer te zien. Bent u al gewend in Castle Rock? Ik kom maandag nog eens aanlopen. Misschien kunnen we een kop koffie drinken. Als ik iets voor u kan doen, mijn telefoonnummers – thuis en op het bureau – staan op de andere kant.

Alan Pangborn

Hij bukte, schoof het kaartje onder de deur en ging weer rechtop staan. Nog even keek hij in de etalage en vroeg zich af wie zo'n onbeduidend servies zou willen hebben. Terwijl hij stond te kijken, kreeg hij het eigenaardig sterke gevoel dat hij in de gaten werd gehouden. Alan draaide zich om en zag alleen Lester Pratt. Lester was bezig weer zo'n vervloekte poster tegen een telefoonpaal te plakken en keek helemaal niet naar hem. Alan haalde zijn schouders op en keerde op zijn schreden terug naar het gemeentehuis. Maandag was vroeg genoeg voor een ontmoeting met Leland Gaunt; maandag was prima.

9

Gaunt keek hem na tot hij uit het zicht was verdwenen, daarna ging hij naar de deur om het kaartje op te rapen. Hij las beide zijden zorgvuldig en begon te glimlachen. Dus de sheriff wilde maandag terugkomen? Dat kwam dan goed uit, want Gaunt had zo het idee dat de sheriff van Castle County tegen die tijd wel iets anders aan zijn hoofd zou hebben. Een grote rotzooi, om precies te zijn. En dat was maar goed ook, want hij had al eerder met mensen als Pangborn te maken gehad en je kon maar beter met een grote boog om zulke lui heenlopen, in elk geval zolang je nog bezig was je eigen zaak op te bouwen en klanten te werven. Mensen als Pangborn zagen te veel.
'Er is iets met je gebeurd, sheriff,' zei Gaunt. 'Iets waardoor je nog gevaarlijker bent geworden dan je hoort te zijn. Ook dàt staat op je gezicht. Ik vraag me af wat het is? Iets wat je hebt gedaan of gezien, of misschien allebei?'
Hij bleef naar buiten staan kijken en zijn lippen weken langzaam terug van zijn grote ongelijke tanden. Hij sprak op de zachte ontspannen toon van iemand die al heel lang zichzelf als beste luisteraar heeft.
'Ik begrijp dat je een soort amateurgoochelaar bent, geüniformeerde vriend. Je houdt van trucs. Ik zal je een paar nieuwe laten zien voordat ik hier wegga. Ik weet zeker dat ze je zullen verbazen.'

Hij balde zijn vuist rond Alans kaartje tot het gebogen en verfrommeld was. Toen het helemaal was verdwenen, schoot een blauw vlammetje tussen zijn middel- en ringvinger vandaan. Hij opende zijn hand weer, en hoewel kleine sliertjes rook van zijn palm opstegen, was er van het kaartje geen spoor meer te zien... zelfs geen asresten.
'Abracadabra,' zei Gaunt zachtjes. Daarna wierp hij zijn hoofd in zijn nek en begon te lachen.

10

Myrtle Keeton ging voor de derde keer die dag naar de deur van Danforths werkkamer en luisterde. Toen ze om een uur of negen die ochtend was opgestaan, had Danforth zich al in zijn kamer opgesloten. Nu, om een uur 's middags, zat hij daar nog steeds opgesloten. Toen ze vroeg of hij iets wilde eten, zei hij met gedempte stem dat ze moest weggaan, hij was bezig.
Ze tilde haar hand op om weer op de deur te kloppen... en aarzelde. Ze hield haar hoofd wat schuin. Uit de kamer klonk een geluid, een knarsend en ratelend geluid. Het deed haar denken aan de koekoeksklok van haar moeder, die had net zo'n geluid gemaakt in de week voordat hij definitief stuk ging.
Ze klopte zacht op de deur. 'Danforth?'
'Ga toch weg, verdomme! Ik kom zo!'
Ratel en knars. Knars en ratel. Het klonk als steentjes in een deegmixer. Ze werd er een beetje bang van. Ze hoopte dat Danforth niet bezig was daarbinnen een zenuwinzinking te krijgen. Hij gedroeg zich de laatste tijd zo vreemd.
'Danforth, zal ik naar de bakker gaan en wat doughnuts halen?'
'Ja!' riep hij. 'Ja, ja, doughnuts! Pleepapier! Laat je neus rechtzetten! Ga vooral weg, het geeft niet waarvoor! *Laat me gewoon met rust!*'
Ze bleef nog even staan, verward. Ze overwoog nog eens te kloppen, maar zag ervan af. Misschien wilde ze toch liever niet weten wat Danforth in zijn kamer aan het doen was. Misschien wilde ze zelfs niet eens meer dat hij de deur opendeed.
Ze trok haar schoenen en haar zware herfstmantel aan – het was zonnig maar kil – en ging naar buiten. Ze reed naar The Country Oven aan het eind van Main Street en haalde zes doughnuts, met honing voor haar, met chocolade voor Danforth. Ze hoopte dat hij erdoor zou opvrolijken: een beetje chocolade was altijd goed voor háár humeur.
Op de terugweg wierp ze toevallig een blik in de etalage van De

NoodZaak. Wat ze daar zag deed haar met twee voeten tegelijk op de rem trappen. Ze had geluk dat er niemand achter haar zat, anders was ze zeker aangereden.
In de etalage lag de prachtigste pop die ze ooit had gezien.
Het rolgordijn was natuurlijk opgetrokken. En op het bordje aan de doorzichtige plastic bloedkom stond weer te lezen:

OPEN.

Natuurlijk.

11

Polly Chalmers bracht die zaterdagmiddag door op een voor haar zeer ongebruikelijke manier: met helemaal niets doen. Ze zat bij het raam in de schommelstoel met de gebogen rugleuning, haar handen netjes in haar schoot gevouwen, en keek naar het verkeer dat af en toe voorbijkwam. Alan had haar gebeld voordat hij op patrouille ging, gezegd dat hij Leland Gaunt was misgelopen, gevraagd of het goed met haar ging en of ze iets nodig had. Ze had geantwoord dat alles in orde was en dat ze helemaal niets nodig had, dank je. Beide verklaringen waren gelogen; ze was helemaal niet in orde en ze had verscheidene dingen nodig. Boven aan het lijstje stond een geneesmiddel tegen artritis.
Nee, Polly, wat jij echt nodig hebt is een beetje moed. Net genoeg om naar de man te gaan van wie je houdt en te zeggen: 'Alan, ik heb soms de waarheid verdraaid toen ik vertelde over mijn leven buiten Castle Rock en over mijn zoon heb ik ronduit gelogen. Nu wil ik je vragen of je me wilt vergeven en je de waarheid vertellen.'
Het klonk gemakkelijk als je het zo ronduit zei. Het werd pas moeilijk als je je geliefde recht aankeek, of als je de sleutel probeerde te vinden die je hart zou openen zonder het aan bloederige pijnlijke stukken te scheuren.
Pijn en leugens; leugens en pijn. De twee onderwerpen waar haar leven de laatste tijd om leek te draaien.
Hoe is het vandaag, Pol?
Goed, Alan. Het gaat goed met me.
In haar hart was ze doodsbang. Niet dat haar handen op dit moment zo verschrikkelijk pijn deden; ze zou bijna wensen van wel, want de pijn, hoe erg ook, was nog altijd beter dan het wachten.
Kort na de middag had ze een warm getintel in haar handen gevoeld, bijna een trilling. Het werden gloeiende kringen rond haar knokkels en onder aan haar duimen, terwijl de gloed op de loer lag

bij haar nagelbedden, kleine harde streepjes als vreugdeloze lachjes. Ze had het twee keer eerder gevoeld en wist wat het betekende. Het was de voorbode van wat tante Betty, die dezelfde vorm van artritis had gehad, een echte aanval noemde. 'Als mijn handen beginnen te tintelen alsof ik een elektrische schok heb gekregen, dan weet ik dat er zwaar weer op komst is,' had Betty gezegd. Polly probeerde zich nu op het zware weer voor te bereiden, maar dat ging haar bepaald slecht af.

Buiten liepen twee jongens op straat en gooiden elkaar een rugbybal toe. De jongen aan de rechterkant - de jongste van de broertjes Lawes - sprong op om een hoge pass te vangen. De bal schampte langs zijn vingers en viel in Polly's tuin. Hij zag haar uit het raam kijken toen hij hem ging halen en zwaaide naar haar. Polly wilde terugzwaaien... en voelde de pijn weerbarstig opspelen, als een dikke laag kool in een plotselinge windvlaag. De pijn trok weer weg en er bleef alleen dat vreemde tintelen over. Het deed haar denken aan de statische elektriciteit als er onweer op komst was.

De pijn kwam op zijn eigen tijd; daar kon ze niets aan veranderen. Maar de leugens over Kelton, dat was iets heel anders. En, dacht ze, het is niet dat de waarheid zo afschuwelijk is, zo weerzinwekkend, zo schokkend... en natuurlijk vermoedt of weet hij zelfs al dat je hebt gelogen. Dat heb ik aan zijn gezicht gezien. Waarom is het dan zo moeilijk, Polly? Waarom?

Gedeeltelijk vanwege de artritis, dacht ze, en gedeeltelijk vanwege de pijnstillers waar ze steeds afhankelijker van was geworden. Samen hadden die haar rationele gedachtengang verstoord, zodat een onmiskenbaar rechte weg vreemde kronkelingen scheen te maken. En ze hield rekening met Alans eigen verdriet... en de eerlijkheid waarmee hij die had geuit. Hij had zonder de geringste aarzeling zijn hart bij haar uitgestort.

Na het vreemde ongeval dat Annie en Todd het leven had gekost, was hij overgeleverd geweest aan verwarde en lelijke gedachten, beheerst door een onaangename (en beangstigende) golf van negatieve emoties, maar evengoed had hij die gevoelens aan haar voorgelegd. Omdat hij wilde weten of ze hem iets nieuws over Annies gemoedstoestand kon vertellen... maar ook omdat het bij zijn aard paste open kaart te spelen en zulke dingen niet te verbergen. Ze was bang voor zijn reactie als hij merkte dat open kaart spelen niet altijd bij háár aard paste; dat zowel haar hart als haar handen al vroeg waren aangetast.

Ze schoof onrustig heen en weer in de stoel.

Ik móet het hem vertellen, vroeg of laat móet het. En dat verklaart allemaal niet waarom het zo moeilijk is: het verklaart zelfs niet waarom ik met die leugens ben begonnen. Ik heb mijn zoon per slot van rekening niet vermoord...

Ze zuchtte met een geluid dat bijna een snik was en ging weer verzitten. Ze keek uit het raam, maar de jongens met de bal waren verdwenen. Polly leunde naar achteren en sloot haar ogen.

12

Ze was niet het eerste meisje dat zwanger raakte als gevolg van een partijtje vrij worstelen na een avondje uit, en ook niet het eerste dat om die reden bittere woorden kreeg met haar ouders en andere verwanten. Haar ouders wilden dat ze met Paul 'Duke' Sheehan zou trouwen, de jongen die haar zwanger had gemaakt. Ze antwoordde dat ze nog niet met Duke zou trouwen als hij de laatste jongen op aarde was. Dat was waar, maar haar trots verbood haar te zeggen dat Duke niet met háár wilde trouwen. Zijn beste vriend had haar verteld dat hij al overhaaste voorbereidingen aan het treffen was om op zijn achttiende bij de marine te gaan... wat over nog geen zes weken het geval zou zijn.
'Ik weet niet of ik het goed begrijp,' zei Newton Chalmers, de laatste wankele brug tussen zijn dochter en zichzelf verbrandend. 'Hij was goed genoeg om mee te naaien, maar hij is niet goed genoeg om mee te trouwen. Zit het zo?'
Ze probeerde het huis uit te rennen, maar haar moeder hield haar tegen. Als ze niet met die jongen wilde trouwen, zei Lorraine Chalmers op de bedaarde, lieve en o zo verstandige toon die Polly als jong meisje bijna krankzinnig had gemaakt, moest ze maar zolang naar tante Sarah in Minnesota. Ze kon in Saint Cloud blijven tot de bevalling, waarna ze de baby voor adoptie kon afstaan.
'Ik weet waarom jullie me weg willen hebben,' zei Polly. 'Het gaat zeker om oudtante Evelyn? Jullie zijn bang dat ze je zal onterven als ze erachter komt dat ik in verwachting ben. Het gaat jullie alleen maar om het geld. Om mij geven jullie niet, geen ene m...'
De lieve en verstandige toon van Lorraine Chalmers had altijd een opvliegend karakter gemaskeerd. Nu verbrandde ze de laatste wankele brug tussen haar dochter en zichzelf door Polly hard in haar gezicht te slaan.
Daarom was Polly van huis weggelopen. Dat was lang, lang geleden, in juli van het jaar 1970.
Ze kwam in Denver terecht en daar nam ze een baantje tot ze moest bevallen, in de liefdadigheidsvleugel van een ziekenhuis die door de patiënten het 'naaldenpark' werd genoemd. Ze was vast van plan geweest het kind af te staan, maar iets – misschien alleen het zien van haar zoontje toen de verpleegster hem na de bevalling in haar armen had gelegd – had haar op andere gedachten gebracht.

Ze noemde de jongen Kelton, naar haar opa van vaderskant. Het besluit om de baby te houden was een beetje beangstigend, want ze zag zichzelf graag als een praktisch en verstandig meisje en dat paste helemaal niet bij wat haar het laatste jaar was overkomen. Eerst was het praktische, verstandige meisje ongehuwd zwanger geraakt in een tijd dat praktische, verstandige meisjes zulke dingen gewoon niet deden. Daarna was het praktische, verstandige meisje van huis weggelopen om haar kind ter wereld te brengen in een stad waar ze nog nooit eerder was geweest en die ze helemaal niet kende. En ten slotte besloot het praktische, verstandige meisje ook nog eens de baby te houden en met zich mee te nemen in een toekomst die ze niet kon overzien en zich niet eens kon voorstellen.
Ze hield de baby tenminste niet uit rancune of wraakzucht, dat kon niemand haar verwijten. Ze was zelf verrast door haar liefde, die eenvoudigste, sterkste en onverbiddelijkste van alle emoties.
Ze was verhuisd. Nee, ze wáren verhuisd. Na een paar simpele baantjes belandden ze in San Francisco, waar ze van het begin af aan al naar toe had gewild. In de vroege zomer van 1971 was de stad een soort hippieparadijs, een heuvelachtig Xanadu vol freaks en folkies en yippies en popgroepen die zich Moby Grape of Thirteenth Floor Elevators noemden.
Als je het destijds populaire liedje van Scott McKenzie over San Francisco moest geloven, was het daar 's zomers een en al liefde. Dat ging op de een of andere manier voorbij aan Polly Chalmers, die zelfs naar de toenmalige maatstaven niets van een hippie had. Het gebouw waar ze met Kelton woonde was vol opengebroken brievenbussen en spuiters die het vredesteken om hun hals droegen en veelal een stiletto in hun vuile motorlaarzen hadden. De regelmatigste bezoekers van deze wijk waren deurwaarders en politiemannen. Veel politiemannen, die je niet in hun gezicht voor fascist uitmaakte; ook aan de politie was de liefde voorbijgegaan en daar hadden ze de pest over in.
Polly vroeg bijstand aan en kreeg te horen dat ze niet lang genoeg in Californië had gewoond om in aanmerking te komen. Tegenwoordig zou het wel anders zijn, maar in 1971 was het voor een jonge ongehuwde moeder net zo moeilijk om in San Francisco rond te komen als ergens anders. Ze diende een aanvraag in bij een particuliere instelling en wachtte af, in de hoop dat het iets zou opleveren. Kelton hoefde geen honger te lijden, maar zelf leefde ze van de hand in de tand, een magere jonge vrouw die vaak honger had en altijd bang was, een jonge vrouw die maar heel weinig leek op de huidige Polly. Haar herinneringen aan die eerste drie jaar aan de westkust, herinneringen die ze als oude kleren op zolder in haar hoofd had weggestopt, waren verwrongen en grotesk, beelden uit een nachtmerrie.

En was dat niet grotendeels de verklaring voor haar aarzeling om Alan over die jaren te vertellen? Wilde ze die tijd niet liever zelf in het verborgene houden? Ze was niet de enige die de gruwelijke gevolgen van haar trots had ondergaan, van haar koppige weigering bij anderen om hulp aan te kloppen en van de heersende hardvochtige hypocrisie, die de overwinning van de vrije liefde vierde en tegelijkertijd ongehuwde moeders brandmerkte als wezens die niet tot de normale samenleving behoorden. Ook Kelton had het meegemaakt. Kelton was soms een handenbinder geweest terwijl ze halsstarrig voortging met haar grimmige, dwaze kruistocht.
Het afschuwelijke was dat haar situatie langzamerhand verbeterde. In het voorjaar van 1972 kwam ze eindelijk in aanmerking voor bijstand, de eerste cheque van de particuliere instelling zou een maand later komen en ze was van plan om naar een iets beter onderkomen uit te kijken toen de brand uitbrak.
Ze werd gebeld in het restaurant waar ze werkte en in haar dromen zag ze steeds opnieuw Norville, de hulpkok die altijd achter haar aanzat. Hij draaide zich naar haar om met de hoorn in zijn hand en zei steeds maar hetzelfde: *Het is de politie, Polly. Ze willen met je praten. Het is de politie, Polly. Ze willen met je praten.*
Ze wilden zeker met haar praten, want in een van de rokende kamers op de tweede verdieping van haar flatgebouw hadden ze de lichamen gevonden van een jonge vrouw en een klein kind, allebei onherkenbaar verminkt. Ze wisten wie het kind was; als Polly niet op haar werk was, zouden ze ook de vrouw kennen.
De eerste drie maanden na Keltons dood was ze blijven werken. De eenzaamheid maakte haar half gek, ze voelde zich zo intens en compleet verlaten dat ze zelf niet eens besefte hoeveel verdriet ze had. Eindelijk schreef ze haar ouders een brief waarin ze alleen vertelde dat ze in San Francisco was en dat ze een zoontje had gekregen dat niet meer bij haar was. Voor geen geld zou ze iets meer hebben willen prijsgeven. Naar huis gaan was toen niet bij haar opgekomen, althans niet bewust, maar ze kreeg het idee dat ze iets van haar oude banden moest herstellen als ze niet stukje bij beetje iets kostbaars van zichzelf wilde verliezen, zoals een sterke boom sterft, te beginnen bij de takken, als hij te lang geen water krijgt.
Haar moeder schreef meteen terug naar het postbusnummer dat Polly had opgegeven en drong erop aan dat ze terugkwam naar Castle Rock... naar huis. Ze sloot een postwissel ter waarde van zevenhonderd dollar in. Het was erg warm in het appartement waar Polly sinds Keltons dood woonde en ze onderbrak het inpakken om een glas koud water te drinken. Terwijl ze dat deed, besefte Polly dat ze alleen naar huis wilde gaan omdat haar moeder dat had gevraagd – er bijna om had gesmeekt. Zelf had ze er eigenlijk

niet over nagedacht, wat vrijwel zeker een fout was. Juist dat onbezonnen gedrag had haar al die ellende bezorgd, niet het kleine pikkie van Duke Sheehan.
Dus zette ze zich neer op haar smalle eenvrouwsbed en dacht erover na. Ze dacht lang en ingespannen na. Ten slotte maakte ze de postwissel ongeldig en schreef haar moeder een brief. Het was minder dan een kantje, maar het kostte haar bijna vier uur om de tekst goed op papier te krijgen.
Ik wil wel terugkomen, in elk geval om te zien hoe het gaat, maar dan wil ik niet dat we weer al die oude koeien uit de sloot gaan halen. Ik weet niet of wat ik echt wil – een nieuw leven in mijn oude thuis beginnen – voor enig mens is weggelegd, maar dat wil ik proberen. Daarom heb ik een idee: laten we eerst een tijdje corresponderen. Jij en ik, ik en pa. Ik heb gemerkt dat het op papier moeilijker is om boos en bitter te zijn, dus laten we eerst een tijdje op deze manier praten voor we elkaar onder ogen zien.
Zo praatten ze bijna een half jaar, tot haar ouders op een dag in januari 1973 bij haar op de stoep stonden, koffers in de hand. Ze hadden een kamer genomen in het Mark Hopkins Hotel, zeiden ze, en ze gingen niet terug naar Castle Rock zonder haar.
Polly dacht erover na, bevangen door een hele reeks emoties: woede over hun hooghartigheid, bitter vermaak om het lieve en tamelijk naïeve van die hooghartigheid, paniek omdat de vragen die ze in haar brieven zo netjes had ontweken nu opnieuw gesteld zouden worden.
Ze beloofde met ze te gaan eten, meer niet; andere beslissingen zouden moeten wachten. Haar vader zei dat hij maar voor één nacht in het Mark Hopkins had geboekt. Dan moet je dat maar verlengen, zei Polly.
Ze wilde zo uitgebreid mogelijk met haar ouders praten voordat ze de knoop doorhakte, een intiemere proefneming dan met hun briefwisseling mogelijk was geweest. Maar bij die eerste avond zou het blijven. Het was de laatste avond waarop ze haar vader gezond en wel meemaakte, en ze was voornamelijk witheet op hem.
De oude argumenten, zo gemakkelijk in een brief te vermijden, doken alweer op voordat ze aan het drankje-vooraf toekwamen. Eerst waren het schermutselingen, maar hoe meer haar vader dronk, des te onbeheerster werden zijn aanvallen. Hij stak de lont aan met zijn opmerking dat ze allebei meenden dat Polly haar lesje had geleerd en dat het tijd was om de strijdbijl te begraven. Lorraine wakkerde het vuur aan, waarbij ze terugviel op haar koele, lieve en o zo verstandige toontje. Waar is de baby, kind? Dàt kun je ons toch wel vertellen? Je hebt hem zeker aan de nonnetjes afgestaan?
Polly kende die stemmen van lang geleden en ze wist wat ze bete-

kenden. Haar vader had er behoefte aan zijn gezag te herstellen; wat er ook gebeurde, gezag moest er zijn. Haar moeder kon haar liefde en bezorgdheid maar op één manier uiten, namelijk door alles te willen weten. Beide stemmen, zo vertrouwd, zo bemind en veracht, hadden bij Polly de oude blinde woede weer ontstoken. Halverwege het eten verlieten ze het restaurant en de volgende dag vlogen haar ouders alleen terug naar Maine.

Na een onderbreking van drie maanden hervatten ze hun correspondentie aarzelend. Haar moeder schreef de eerste brief, waarin ze haar excuses maakte voor de rampzalige avond. Ze vroeg niet meer of Polly thuis wilde komen. Dit verbaasde Polly... en raakte een snaar die diep was weggestopt en waarvan ze het bestaan nauwelijks had beseft. Ze had het gevoel dat haar moeder haar ten langen leste in de steek liet. Onder de omstandigheden was dat een dwaze en egoïstische gedachte, maar dat veranderde helemaal niets aan die elementaire gevoelens.

Je weet zelf wat het beste voor je is, schreef haar moeder. *Dat is voor je vader en mij moeilijk te aanvaarden, want wij zien je nog altijd als ons kleine meisje. Ik denk dat hij schrok toen hij zag hoe knap je bent geworden en hoeveel ouder. En je moet hem zijn gedrag niet al te kwalijk nemen. Hij voelt zich al een tijd niet zo goed: zijn maag speelt weer op. De dokter zegt dat het alleen maar zijn galblaas is, dat hij zich weer prima zal voelen als hij die laat weghalen, maar ik maak me zorgen om hem.*

Polly antwoordde op dezelfde verzoenende toon. Dat was een stuk makkelijker nu ze haar plan om naar Maine terug te gaan voor onbepaalde tijd in de ijskast had gestopt. Maar eind 1975 kwam het telegram. Het was kort en wreed: JE VADER HEEFT KANKER. HIJ IS STERVENDE. KOM ALSJEBLIEFT NAAR HUIS. LIEFS, MOEDER.

Hij leefde nog toen Polly in het ziekenhuis in Bridgton kwam, duizelig van de jetlag en van alle herinneringen bij het zien van de bekende plekjes. Dezelfde verwonderde gedachte kwam bij haar op bij elke nieuwe bocht in de weg tussen het vliegveld van Portland en Castle Rock: *De laatste keer dat ik dat zag, was ik nog een kind!*

Newton Chalmers lag op een eigen kamer, een groot deel van de tijd buiten bewustzijn, met buisjes in zijn neus en machines in een hongerige halve cirkel om hem heen. Hij stierf drie dagen later. Ze was van plan geweest meteen weer terug te gaan naar Californië – dat bijna haar thuis was geworden – maar vier dagen na de begrafenis van haar vader kreeg haar moeder een zware hartaanval.

Polly ging in het oude huis wonen. Ze verzorgde haar moeder drieënhalve maand en elke nacht droomde ze wel van Norville, de hulpkok van Yor Best Diner. Telkens weer draaide Norville zich naar haar toe, de telefoon in zijn uitgestoken rechterhand met op

de rug een getatoeëerde adelaar en de woorden: LIEVER DOOD DAN ROOD. *Het is de politie, Polly,* zei Norville. *Ze willen met je praten. Het is de politie, Polly. Ze willen met je praten.*
Haar moeder mocht weer uit bed en begon erover te praten het huis te verkopen en met Polly mee naar Californië te gaan (iets wat ze nooit zou doen, maar Polly hielp haar niet uit de droom: ze was ouder geworden en iets milder), toen ze haar tweede hartaanval kreeg. Op een gure middag in maart 1976 stond Polly naast haar oudtante Evelyn op de begraafplaats van Homeland en keek naar een kist die op draagstokken bij het graf van haar vader stond.
Newtons lichaam had de hele winter in de tombe gelegen, in afwachting van de dooi die het mogelijk zou maken hem in de aarde te leggen. Door een bizarre samenloop van omstandigheden, die geen fatsoenlijke schrijver zou durven verzinnen, was zijn graf gegraven op de dag voordat zijn vrouw stierf. Er waren nog geen graszoden op zijn laatste rustplaats gelegd: de aarde was nog kaal en het graf bood een obsceen naakte aanblik. Polly keek steeds van de kist van haar moeder naar het graf van haar vader. *Het is net of ze alleen maar heeft gewacht tot hij fatsoenlijk was begraven,* dacht ze.
Na de korte plechtigheid riep tante Evvie haar bij zich. Polly's laatste nog levende verwante stond naast de graafmachine, een magere lat van een vrouw, gekleed in de zwarte overjas van een man en ongepast vrolijke rode schoenen. Uit haar mondhoek stak een sigaret. Met haar duimnagel streek ze een lucifer af en stak de Herbert Tareyton aan. Ze inhaleerde diep en stootte de rook uit in de koude voorjaarslucht. Haar wandelstok (een eenvoudig ding van essehout: het zou nog drie jaar duren voordat ze als oudste inwoner van de stad de wandelstok van de Boston *Post* zou krijgen) had ze tussen haar voeten geklemd.
Polly deed haar ogen open. Zittend in de antieke schommelstoel die de oude dame ongetwijfeld prachtig had gevonden, rekende ze uit dat tante Evvie dat voorjaar achtentachtig moest zijn geweest. Achtentachtig en nog altijd rokend als een schoorsteen, en ze zag er niet eens zo anders uit dan toen Polly nog een klein meisje was dat op een snoepje hoopte uit de blijkbaar eindeloze voorraad die tante Evvie in de zak van haar schort bewaarde. Er was tijdens haar afwezigheid veel veranderd in Castle Rock, maar niet tante Evvie.
'Nou, dàt hebben we gehad,' had tante Evvie met haar doorrookte stem gezegd. 'Ze zijn dood en begraven, Polly. Vader en moeder samen.'
Polly was in tranen uitgebarsten, een ellendige stortvloed van tranen. Ze dacht eerst dat tante Evvie haar zou willen troosten en ze

schrok terug alleen al bij het idee dat de oude vrouw haar zou omhelzen: ze wìlde niet getroost worden.
Haar schrik was onnodig. Evelyn Chalmers had nooit geloofd in troost voor de verdrukten; misschien, dacht Polly later wel eens, vond ze het begrip troost op zichzelf al een illusie. Hoe dan ook, ze stond daar maar met haar stok tussen haar rode schoenen te roken en te wachten tot Polly haar tranen had gedroogd en haar snikken had bedwongen.
Toen Polly zover was, vroeg tante Evvie: 'Dat kind van je, waar iedereen zoveel drukte om maakte, dat is toch dood?'
Hoewel ze het geheim voor iedereen angstvallig had bewaard, knikte Polly. 'Hij heette Kelton.'
'Een aardige naam,' zei tante Evvie. Ze nam een trek van haar sigaret en blies de rook langzaam uit, om die door haar neus weer te kunnen inhaleren – een gewoonte die Lorraine Chalmers altijd met walging had vervuld. 'Dat wist ik al meteen toen je me weer kwam bezoeken. Ik zag het aan je ogen.'
'Hij is bij een brand omgekomen,' zei Polly, opkijkend. Haar zakdoekje was al te doorweekt om nog dienst te kunnen doen, daarom stopte ze het in haar jaszak en wreef met haar vuisten over haar ogen, als een klein meisje dat van haar fietsje is gevallen en haar knie heeft bezeerd. 'Het meisje dat op hem paste is waarschijnlijk onvoorzichtig geweest.'
'Afschuwelijk,' zei tante Evvie. 'Maar zal ik je eens een geheim vertellen, Trisha?'
Polly knikte met een flauwe glimlach. Eigenlijk heette ze Patricia, maar sinds ze in de wieg lag noemde iedereen haar Polly. Iedereen behalve tante Evvie.
'Je baby is dood... maar jíj niet.' Tante Evvie gooide haar sigaret weg en tikte met een magere wijsvinger op Polly's borst om haar woorden te benadrukken. 'Jíj niet. Dus wat ben je nu van plan?'
Polly dacht erover na. 'Ik ga terug naar Californië,' zei ze eindelijk. 'Meer weet ik niet.'
'Dat is aardig om mee te beginnen, maar het is niet genoeg.' En tante Evvie zei toen iets wat Polly zelf een paar jaar later in iets andere woorden tegen Alan Pangborn zou zeggen, toen ze met hem ging eten in The Birches: 'Jij hebt hier niets misdaan, Trisha. Ben je daar al achter?'
'Ik... ik weet het niet.'
'Dan niet. Maar zolang je dat niet weet, geeft het niet waar je naartoe gaat of wat je doet, je zult geen kans hebben.'
'Kans waarop?' vroeg Polly zonder begrip.
'Een kans voor jezèlf. Een kans om je eigen leven te leiden. Je ziet er op het ogenblik uit alsof je geesten ziet. Niet iedereen gelooft in

geesten, maar ik wel. Weet je wat geesten zijn, Trisha?'
Polly schudde langzaam haar hoofd.
'Mannen en vrouwen die het verleden niet kunnen vergeten,' zei tante Evvie. 'Dàt zijn geesten. Zíj niet.' Ze zwaaide met haar arm naar de kist op de draagstokken naast het onbedoeld verse graf. 'De doden zijn dood. Wij leggen ze in hun graf en daar blijven ze.'
'Ik voel me...'
'Ja,' zei tante Evvie, 'dat weet ik. Maar zíj voelen niks, je moeder en mijn neef. Net zo min als het kind dat stierf toen je weg was. Snap je?'
Dat deed ze. Althans, een beetje.
'Je hebt gelijk dat je hier niet wilt blijven, Polly, althans voorlopig. Ga terug naar waar je was. Of ga ergens anders heen, naar Salt Lake, Honolulu, Bagdad, waar je maar wilt. Het maakt niet uit, want vroeg of laat kom je hier toch weer terug. Dat weet ik: Castle Rock hoort bij jou en jij bij Castle Rock. Dat is aan elke rimpel in je gezicht te zien, aan de manier waarop je loopt en praat, zelfs aan de manier waarop je je ogen een beetje dichtknijpt als je naar een vreemde kijkt. Castle Rock is voor jou geschapen en omgekeerd. Daarom is er geen haast. "Ga waarheen gij wilt," zoals de Schrift zegt. Maar ga er lévend heen, Trisha. Wees geen geest. Anders kun je misschien maar beter wegblijven.'
De oude vrouw keek broedend om zich heen, haar hoofd wentelend boven haar wandelstok.
'Er zijn al genoeg geesten in dit vervloekte oord,' zei ze.
'Ik zal het proberen, tante.'
'Ja, dat weet ik. Proberen, dat zit nu eenmaal in je.' Tante Evvie nam haar eens goed op. 'Je was een knap kind en een aardig kind, hoewel je nooit een gelukkig kind bent geweest. Nou ja, het geluk is met de dommen. Meer kunnen ze niet verwachten, de arme donders. Het valt me op dat je nog steeds aardig en knap bent en daar gaat het maar om. Ik denk dat je het wel redt.' En fel, bijna arrogant, besloot ze: 'Ik hou van je, Trisha Chalmers. Dat heb ik altijd gedaan.'
'En ik van u, tante Evvie.'
En ze omarmden elkaar, op de behoedzame manier waarmee jong en oud hun genegenheid laten zien. Polly rook het bekende aroma van tante Evvies sachet - de geur van viooltjes - en dat bracht haar weer aan het huilen.
Tante Evvie deed een stap terug en stak een hand in haar jaszak. Polly dacht verbaasd dat de oude dame een zakdoekje wilde pakken en dat ze haar na al die lange jaren dan toch nog zou zien huilen. Dat gebeurde niet. In plaats van een zakdoek haalde tante Evvie een hard snoepje tevoorschijn, net als toen Polly Chalmers nog

een klein meisje was met vlechten die tot op haar matrozenblouse hingen.
'Wil je een snoepje, kind?' vroeg ze opgewekt.

13

De schemering was als een dief naderbij geslopen.
Polly ging rechtop zitten en schudde de slaap van zich af. Ze stootte met een hand tegen de leuning en een harde pijnscheut trok snel door haar arm voordat het gloeiende afwachtende getintel weer de overhand kreeg. Ja, het zou een echte aanval worden. Vanavond of morgen zou ze het zwaar te verduren krijgen.
Daar is niets aan te doen, Polly... maar er is wel iets anders dat je kùnt en móet veranderen. Je moet Alan de waarheid vertellen over Kelton. Je moet die geest niet langer in je hart blijven meedragen.
Maar er klonk een andere stem, een boze, angstige, luidruchtige stem. Niets anders dan de stem van haar trots, veronderstelde ze, maar ze stond versteld van de kracht en heftigheid waarmee die eiste dat de jaren van vroeger, haar oude leven, verborgen zouden blijven... voor Alan en voor alle anderen. Dat, bovenal, het korte leven en de ellendige dood van haar baby niet werden overgeleverd aan de scherpe en beweeglijke roddeltongen van de stad.
Wat haal je je toch in je hoofd, Trisha? vroeg tante Evvie, die op zo'n gezegende leeftijd was gestorven nadat ze tot het laatst haar favoriete Herbert Tareytons had leeggezogen. *Wat geeft het dat Alan weet hoe Kelton werkelijk is gestorven? Wat geeft het dat alle roddelaarsters het weten, van Lenny Partridge tot Myrtle Keeton? Denk je nu werkelijk dat het iemand een zier kan schelen wat er met jouw kindje is gebeurd, domme gans? Hou jezelf maar niet voor de gek: het is oud nieuws. Daar heeft niemand een tweede kop koffie bij Nan voor over.*
Misschien niet... maar het was háár kind geweest, godverdomme, háár kind. Levend of dood, hij was van haar geweest. En ze had haar eigen leven geleid, ze was niet het bezit van haar vader of moeder of van Duke Sheehan geweest. Dat bange eenzame meisje, dat elke avond haar broekje had gewassen in de roestige gootsteen omdat ze maar drie stuks had, dat bange meisje dat regelmatig uitslag op haar lip of neusvleugel had, dat meisje dat soms bij het raam naast de luchtkoker ging zitten en haar gloeiende voorhoofd op haar armen legde om te huilen – dat meisje was zíj geweest. De herinneringen aan zichzelf en haar zoontje in de donkere nacht, terwijl Kelton aan een kleine borst dronk en zij een paperback van John D. MacDonald las of naar de sirenes luisterde die her en der

opklonken in de smalle heuvelachtige straten van de stad, het waren háár herinneringen. De tranen die ze had vergoten, de stiltes die ze had verduurd, de lange mistige middagen in het restaurant met Norville Bates' ruwe handen en scherpe vingers, de schaamte waarmee ze ten slotte een wapenstilstand had gesloten, de onafhankelijkheid en waardigheid waarvoor ze zo hard en soms zo vergeefs had moeten vechten... dat was allemaal van háár, en anderen hadden er niets mee te maken.

Het gaat niet om anderen, Polly, dat weet je best. Het gaat erom of Alan er iets mee te maken heeft.

Ze schudde haar hoofd terwijl ze in de schommelstoel zat, hoewel ze zich daar totaal niet bewust van was. Waarschijnlijk had ze te vaak slapeloze donkere uren en eindeloze nachten meegemaakt om haar innerlijk zonder slag of stoot prijs te geven. Op den duur zou ze Alan alles vertellen - ze was toch al niet van plan geweest de waarheid zo lang geheim te houden - maar de tijd was nog niet rijp. Nee, zeker niet nu haar handen duidelijk maakten dat ze de komende dagen alleen maar aan hen zou kunnen denken en nergens anders aan.

De telefoon begon te rinkelen. Dat zou Alan wel zijn, terug van zijn patrouille. Polly stond op en liep de kamer door. Ze nam voorzichtig op, met beide handen, gereed om hem te vertellen wat hij zou willen horen. De stem van tante Evvie probeerde haar te zeggen dat ze zich misdroeg, kinderlijk en egoïstisch en misschien zelfs gevaarlijk. Polly duwde die stem snel en ruw opzij.

'Hallo?' zei ze opgewekt. 'O, Alan! Hoi! Hoe is het? Mooi.'

Ze luisterde even en glimlachte. De spiegel in de gang liet een vrouw zien die leek te schreeuwen... maar ze keek er niet naar.

'Goed, Alan,' zei ze. 'Het gaat best met me.'

14

Het was bijna tijd om naar de renbaan te gaan.

Bijna.

'Schiet op,' fluisterde Danforth Keeton. Het zweet vormde een glimmend laagje op zijn gezicht. 'Schiet op, schiet nou toch op!'

Hij zat gebogen over Wed en Win. Hij had alles van zijn bureau geveegd om plaats te maken en hij had er het grootste deel van de dag mee gespeeld. Hij was begonnen met *Veertig jaar Kentucky Derby*, waarvan hij een exemplaar in de boekenkast had staan. Hij had vijfentwintig koersen nagespeeld en de paarden op het bord precies zo hun juiste namen gegeven als Gaunt had beschreven. En de tinnen paardjes met de naam van hun winnende voorbeelden kwamen

als eerste over de eindstreep, telkens weer. Het was wonderbaarlijk... zo wonderbaarlijk dat het al vier uur was toen hij besefte dat hij de hele dag historische koersen had nagespeeld, zonder erg te hebben in de tien gloednieuwe koersen die deze avond in Lewiston op het programma stonden.
Het geld lag op hem te wachten.
Het laatste uur had de *Daily Sun*, opengeslagen op de pagina met de koersen, aan de linkerkant van het speelbord gelegen. Rechts lag een blaadje dat hij uit zijn agenda had gescheurd. Daar had hij met grote haastige krabbels op geschreven:

1e koers: BAZOOKA JOAN
2e koers: FILLY DELFIA
3e koers: TAMMY'S WONDER
4e koers: I'M AMAZED
5e koers: BY GEORGE
6e koers: PUCKY BOY
7e koers: CASCO THUNDER
8e koers: DELIGHTFUL SON
9e koers: TIKO-TIKO

Het was pas vijf uur 's middags, maar Keeton was al bezig met de laatste koers van de avond. De paarden zwaaiden rammelend over de baan. Een ervan had zes lengtes voorsprong en bereikte de finish ver voor de andere.
Keeton greep de krant en keek weer naar het programma voor Lewiston. Zijn gezicht straalde alsof hij een heilige was. 'Malabar!' fluisterde hij, met twee vuisten zwaaiend. De pen in zijn ene hand danste op en neer als een op hol geslagen stopnaald. 'Malabar wordt het! Dertig tegen een! Eindelijk dertig tegen een! Malabar, God zij geloofd!'
Hij krabbelde de naam op het blaadje, wild naar adem snakkend. Vijf minuten later had hij Wed en Win opgeborgen in zijn kast en was Danforth Keeton in zijn Cadillac op weg naar Lewiston.

9

1

Zondagmorgen om kwart voor tien trok Nettie Cobb haar jas aan en knoopte hem vlug dicht. Op haar gezicht lag een trek van grimmige vastberadenheid. Ze stond in haar keuken. Raider zat op de vloer en keek naar haar op alsof hij wilde vragen of ze dit keer werkelijk van plan was door te zetten.
'Ja, dat ben ik van plan,' zei ze tegen hem.
Raider bonkte met zijn staart op de vloer, alsof hij wilde zeggen dat hij er alle vertrouwen in had.
'Ik heb lekker lasagna voor Polly gemaakt en die ga ik haar brengen. Mijn lampekap is veilig in de kast en ik wéét dat die op slot zit, ik weet het in mijn hóófd, dus ik hoef niet telkens terug te komen om het na te kijken. Ik laat me door dat gekke Poolse mens niet in mijn eigen huis opsluiten. Als ik haar op straat tegenkom, krijgt ze ervan langs! Ik heb haar gewaarschuwd!'
Ze moest naar buiten. Ze móest, en dat wist ze. Ze was twee dagen het huis niet uitgeweest en ze had ingezien dat uitstel het alleen maar moeilijker zou maken. Hoe langer ze met neergelaten jaloezieën in de woonkamer zat, des te moeilijker werd het om ze weer op te halen. Ze voelde dat de verwarde angst van vroeger weer in haar gedachten sloop.
Daarom was ze vanochtend vroeg opgestaan – om vijf uur! – en had een lekkere lasagna gemaakt, net zoals Polly het graag had, met veel spinazie en champignons. Het waren champignons uit blik, want ze had de vorige avond niet naar de winkel durven gaan, maar ze vond dat het toch heel goed was gelukt. De pan stond nu op het aanrecht, afgedekt met aluminiumfolie.
Ze pakte de pan en marcheerde door de zitkamer naar de deur.
'Braaf zijn, Raider. Ik ben over een uur terug. Tenzij Polly me koffie geeft, dan wordt het nog wat later. Maar maak je geen zorgen, alles zal goed gaan. Ik heb helemaal niets met de lakens van dat gekke Poolse mens gedaan en als ze mij lastigvalt, krijgt ze de wind van voren.'
Raider blafte ernstig om duidelijk te maken dat hij haar begreep en geloofde.
Ze deed de deur open, gluurde naar buiten, zag niets. Ford Street was verlaten, zoals alleen een straat in een kleine plaats op een vroege zondagmorgen verlaten kan zijn. In de verte riep de ene

kerkklok de doopsgezinden van dominee Rose naar de dienst, de andere de katholieken van pastoor Brigham.
Nettie raapte al haar moed bijeen, stapte de zondagse zon in, zette de pan met lasagna op de stoep, trok de deur dicht en sloot hem af. Daarna maakte ze met haar huissleutel een dunne rode schram op haar onderarm. Ze bukte om de pan te pakken en dacht: *Als je nu bij de hoek bent, of misschien al eerder, begin je te denken dat je de deur toch niet op slot hebt gedaan. Maar dat heb je wel. Je hebt de pan ervoor neergezet. En als je het dan nog niet gelooft, kijk dan naar je arm en herinner je dat je die striem met je eigen sleutel hebt gemaakt... nadàt je de deur op slot had gedaan. Denk daaraan, Nettie, dan is er niets aan de hand als je begint te twijfelen.*
Dat was een prachtig idee, net zoals de kras op haar arm een prachtig idee was. De rode striem was iets tastbaars, en voor het eerst in twee dagen (en grotendeels slapeloze nachten) voelde Nettie zich werkelijk beter. Met geheven hoofd marcheerde ze naar het trottoir, haar lippen zo fel op elkaar geknepen dat ze bijna niet te zien waren. Ze keek naar links en naar rechts, op zoek naar de kleine gele auto van het gekke Poolse mens. Ze had zich voorgenomen er recht op af te gaan en het gekke Poolse mens te zeggen dat ze haar met rust moest laten. Maar er was geen spoor van de auto te zien. Het enige zichtbare voertuig was een oude oranje truck die een eindje verder in de straat stond, en die was leeg.
Goed zo.
Nettie zette koers naar Polly Chalmers' huis, en toen de twijfel haar overviel dacht ze eraan dat de glazen lampekap was opgeborgen, dat Raider de wacht hield en dat de voordeur op slot was. Vooral dat laatste. De voordeur was op slot en ze hoefde alleen maar naar de verdwijnende rode striem op haar arm te kijken om het zeker te weten.
Dus marcheerde Nettie met geheven hoofd verder en sloeg de hoek om zonder om te kijken.

2

Toen het gestoorde wijf uit het zicht was, ging Hugh Priest rechtop zitten achter het stuur van de oranje truck die hij om zeven uur die ochtend van de parkeerplaats van Gemeentewerken had gehaald (hij was plat op de bank gaan liggen zodra hij Malle Nettie naar buiten zag komen). Hij zette de versnelling in zijn vrij en liet de wagen langzaam en geruisloos van de flauwe helling naar het huis van Nettie Cobb rollen.

3

De deurbel wekte Polly uit haar verdwaasde staat; niet echt slaap, maar een door de pijnstiller veroorzaakte en door dromen gekwelde verdoving. Ze ging rechtop zitten en merkte dat ze haar ochtendjas aanhad. Wanneer had ze die aangetrokken? Even kon ze het zich niet herinneren en dat beangstigde haar, maar al gauw wist ze het weer. De verwachte pijn was ook inderdaad gekomen, veruit de ergste gewrichtspijn die ze ooit had meegemaakt. Ze was er om vijf uur wakker van geworden. Ze was naar de badkamer gegaan om te plassen en ontdekte dat ze zelfs geen stukje papier van de rol kon scheuren. Dus had ze een pil genomen en was ze in haar ochtendjas bij het raam van de slaapkamer gaan zitten om te wachten tot het middel werkte. Op een gegeven moment moest ze slaperig zijn geworden en weer naar bed zijn gegaan.

Haar handen waren net ruwe aardewerkvormen, gebakken tot ze op het punt van barsten stonden. De pijn was tegelijkertijd heet en koud, diep onder de huid als een ingewikkeld netwerk van giftige draden. Ze tilde haar handen op in een radeloos gebaar, handen van een vogelverschrikker, afschuwelijk verminkte handen, en beneden ging de bel weer. Een zachte kreet van wanhoop ontsnapte aan haar keel.

Ze ging naar de overloop, haar handen uitgestoken als de poten van een hond die rechtop zit om te bedelen. 'Wie is daar?' riep ze naar beneden. Haar stem was schor, dik van de slaap. Haar tong smaakte alsof hij uit de kattebak kwam.

'Ik ben het, Nettie!' klonk de stem van beneden. 'Is alles goed, Polly?'

Nettie. Lieve God, wat deed Nettie hier voor het krieken van de dag?

'Ja!' riep ze terug. 'Ik moet even iets aantrekken! Gebruik je sleutel maar!'

Ze hoorde de sleutel in het slot rammelen en haastte zich terug naar haar slaapkamer. Ze keek op de klok op het nachtkastje en zag dat het krieken van de dag al een paar uur geleden was. Iets aantrekken hoefde ze ook niet; haar ochtendjas was goed genoeg voor Nettie. Maar ze moest wel een pil hebben. Nog nooit, nooit in haar leven had ze een pil zo hard nodig gehad als nu.

Ze besefte pas hoe slecht ze eraan toe was toen ze er een probeerde te pakken. De pillen – eigenlijk capsules – zaten in een glazen kommetje dat op de mantel van de sierschouw in haar slaapkamer stond. Ze kon wel haar hand in het kommetje krijgen, maar slaagde er niet in een van de capsules beet te pakken. Haar vingers waren net de grijpers van een machine die bij gebrek aan olie onbeweeglijk waren geworden.

Ze probeerde het nog eens, concentreerde zich om haar vingers te dwingen een van de gelatinecapsules te pakken. Ze werd beloond met een flauwe beweging en een heftige steek. Dat was alles. Ze kreunde van pijn en frustratie.
'Polly?' Nettie stond nu aan de voet van de trap en klonk bezorgd. De mensen in Castle Rock mochten Nettie dan vaag noemen, maar als het om de wederwaardigheden van Polly's aandoening ging, was Nettie helemaal niet vaag. Ze kende Polly al te lang om zich voor de gek te laten houden... en ze hield te veel van haar. 'Gaat het heus wel goed met je, Polly?'
'Ik ben zo beneden, lieverd!' riep ze, zo opgewekt en levendig mogelijk. Ze haalde haar hand uit het glazen kommetje, boog haar hoofd ernaar toe en dacht: *O God, laat haar alstublieft niet naar boven komen. Laat haar mij niet zo zien.*
Ze drukte haar gezicht tegen de rand, als een hond die uit zijn bakje wil drinken, en stak haar tong uit. Ze werd overspoeld door pijn, schaamte, afschuw en bovenal door een donkere depressie, met alleen maar bruine en grijze tinten. Ze drukte haar tong tegen een van de capsules tot die bleef plakken. Daarna likte ze hem op, niet als een hond, maar als een miereneter die een lekker hapje heeft gevonden, en slikte.
Terwijl de pil zijn kleine harde spoor door haar keel volgde, dacht ze weer: *Ik zou er alles voor overhebben om hier vanaf te zijn. Alles, wat dan ook.*

4

Hugh Priest droomde nog maar zelden: tegenwoordig raakte hij meer buiten westen dan dat hij in slaap viel. Maar vannacht had hij dan toch gedroomd, en niet zo misselijk ook. De droom had hem alles verteld wat hij moest weten en alles wat hij moest doen.
In de droom zat hij aan zijn keukentafel een pilsje te drinken en naar een tv-kwis te kijken, *Alles moet weg*. Alle prijzen waren dingen die hij in die winkel had gezien, De NoodZaak. En alle deelnemers bloedden uit hun oren en uit hun ooghoeken. Ze lachten, maar ze zagen er doodsbang uit.
Uit het niets klonk een gedempte stem: 'Hugh! Hugh! Laat me eruit, Hugh!'
De stem kwam uit de kast. Hij ging ernaar toe en deed hem open, klaar om de indringer te vloeren. Maar er zat niemand tussen de gebruikelijke wanorde van laarzen, dassen, jassen, vistuig en zijn twee jachtgeweren.
'Hugh!'

Hij keek naar boven, want de stem kwam van de plank.
Het was de vossestaart die hem riep. En Hugh herkende de stem meteen. Het was de stem van Leland Gaunt. Hij nam de staart van de plank en genoot weer van de pluizige zachtheid, een beetje als zijde, een beetje als wol, maar eigenlijk alleen maar als zijn eigen geheime ik.
'Bedankt, Hugh,' zei de vossestaart. 'Het is hier erg benauwd. En je hebt een oude pijp op de plank laten liggen. Oei, wat stinkt dat ding!'
'Had je ergens anders heen gewild?' vroeg Hugh. Hij vond het nogal stom om tegen een vossestaart te praten, zelfs in een droom.
'Nee, ik begin eraan te wennen. Maar ik moet met je praten. Je moet iets doen, weet je nog? Dat heb je beloofd.'
'Malle Nettie,' gaf hij toe. 'Ik moet een geintje uithalen met Malle Nettie.'
'Zo is het,' zei de vossestaart, 'en dat moet je doen zodra je wakker wordt. Dus luister goed.'
Hugh had geluisterd.
De vossestaart had hem verteld dat alleen de hond er zou zijn, maar nu Hugh er eenmaal was, besloot hij dat het verstandig zou zijn om aan te kloppen. Dat deed hij. Binnen hoorde hij poten snel over een houten vloer trippelen, maar dat was alles. Hij klopte nog een keer, om helemaal zeker te zijn. Achter de deur klonk een enkele dreigende blaf.
'Raider?' vroeg Hugh. De vossestaart had hem verteld dat de hond zo heette. Hugh vond het een heel geschikte naam voor een hond, ook al was zijn baasje zo gek als een deur.
Er klonk een nieuwe blaf, wat minder dreigend nu.
Hugh haalde een sleutelbos uit het borstzakje van zijn geruite jagersjack en keek ernaar. Hij had dat ding al heel lang en hij kon zich niet eens meer herinneren waar sommige sleutels van waren. Maar er waren vier lopers bij, gemakkelijk te herkennen aan hun lange schacht, en die had hij nodig.
Hugh keek om zich heen, zag dat de straat nog even uitgestorven was als bij zijn komst, en begon de sleutels een voor een te proberen.

5

Toen ze Polly's witte, opgeblazen gezicht en holle ogen zag, vergat Nettie haar eigen angsten, die onderweg als de scherpe tanden van een wezel aan haar hadden geknaagd. Ze hoefde niet eens naar de handen te kijken die Polly nog steeds naast haar middel hield (het

deed te veel pijn om ze gewoon te laten hangen), om te weten hoe ze eraan toe was.
De lasagna werd zonder plichtplegingen op een tafel bij de trap gekwakt. Van Nettie had de pan op de grond mogen vallen. De nerveuze vrouw aan wie Castle Rock gewend was geraakt, de vrouw die zelfs op weg naar het postkantoor schichtig keek alsof ze iets vreselijks had gedaan, die vrouw was hier niet. Dit was een andere Nettie: de Nettie van Polly Chalmers.
'Kom mee,' zei ze op besliste toon. 'Naar de zitkamer. Ik zal je handschoenen halen.'
'Het gaat best, Nettie,' zei Polly zwakjes. 'Ik heb net een pil genomen en over een paar minuten...'
Maar Nettie sloeg een arm om haar heen en voerde haar mee naar de zitkamer. 'Wat heb je gedaan? Heb je er misschien op geslapen?'
'Nee, dan was ik wakker geworden. Het is gewoon...' Ze lachte. Het was een zwak, radeloos geluid. 'Het is gewoon de pijn. Ik wist dat het een kwade dag zou worden, maar ik had geen idee dat het zó erg zou zijn. En de handschoenen helpen niet.'
'Soms wel. Je weet dat ze soms helpen. Ga hier nu maar zitten.'
Netties toon duldde geen tegenspraak. Ze bleef in de buurt tot Polly in een zware leunstoel was gaan zitten. Daarna ging ze de elektrische handschoenen uit de badkamer beneden halen. Polly had haar vertrouwen in die dingen een jaar geleden verloren, maar Nettie scheen er een bijna bijgelovig ontzag voor te hebben. Netties versie van kippesoep, had Alan ze eens genoemd, en ze hadden allebei gelachen.
Polly's handen lagen als stukken versplinterd wrakhout op de leuningen van de stoel, terwijl ze verlangend keek naar de bank waarop zij en Alan vrijdagavond hadden gevreeën. Haar handen hadden helemaal geen pijn gedaan en dat leek al duizend jaar geleden. De gedachte trof haar dat plezier, hoe intens ook, een ijl en vluchtig iets was. De wereld draaide misschien om liefde, maar ze was ervan overtuigd dat de grote glazen as van het universum draaide om de jammerklachten van de zwaargewonden en gekwetsten.
Stomme rotbank, dacht ze. *Stomme, lege rotbank, wat heb ik nou aan je?*
Nettie kwam terug met de handschoenen. Ze zagen eruit als gevoerde ovenwanten aan een stroomkabel. Aan de linker hanschoen zat een snoer met een stekker. Polly had ze nota bene in een advertentie in *Alles voor het huishouden* zien staan. Telefonische navraag bij de Nationale Reuma Stichting had haar geleerd dat de handschoenen in sommige gevallen inderdaad tijdelijk verlichting brachten. Toen ze de advertentie aan dokter Van Allen liet zien,

kwam die met de dooddoener die twee jaar geleden al zo vermoeiend was geweest: 'Baat het niet, dan schaadt het niet.'
'Nettie, over een paar minuten...'
'...gaat het vast wel beter,' besloot Nettie. 'Natuurlijk. En misschien heb je hier wat aan. Hou je handen omhoog, Polly.'
Polly gaf toe en hield haar handen omhoog. Nettie hield de wanten bij de uiteinden vast, kneep ze open en schoof ze over Polly's vingers, even behoedzaam als een bomexpert die een schokdeken over een explosieve lading legt. Ze was voorzichtig, bedreven en meelevend. Polly geloofde niet dat de handschoenen ook maar iets zouden uitrichten... maar ze onderging wel het effect van Netties merkbare zorgzaamheid.
Nettie ging op haar knieën zitten en stopte de stekker in het contact bij de stoel. De wanten begonnen zachtjes te zoemen en de eerste droge en warme tentakels streelden de huid van Polly's handen.
'Je bent veel te goed voor me,' zei Polly zacht. 'Weet je dat?'
'Dat is helemaal niet waar,' antwoordde Nettie. Haar stem was een tikkeltje schor en in haar ogen lag een heldere, glanzende blik. 'Polly, ik weet dat het mijn zaak niet is, maar ik kan me echt niet langer inhouden. Je moet iets aan die arme handen van je laten doen. Je móet. Zo kun je gewoon niet doorgaan.'
'Dat weet ik, meisje, dat weet ik.' Polly deed alle moeite om de depressie te bedwingen die zich als een muur in haar hoofd had gevestigd. 'Waarom ben je eigenlijk gekomen, Nettie? Toch niet alleen om mijn handen te roosteren?'
Netties gezicht klaarde op. 'Ik heb lasagna voor je gemaakt!'
'Echt waar? Ach, dat had je niet moeten doen, Nettie!'
'Niet? Ik zou niet weten waarom niet. Volgens mij kom je vandaag niet aan koken toe en morgen ook niet. Ik zet de pan wel in de koelkast.'
'Dank je. Je bent erg aardig.'
'Ik ben blij dat ik het heb gedaan. En helemaal nu ik jou zo zie.' Bij de gangdeur keek ze om. Een bundel zonlicht viel op haar gezicht, en als Polly zelf niet zoveel pijn had gehad, zou ze op dat moment hebben kunnen zien hoe afgetobd en moe Nettie er uitzag. 'Niet weggaan, hoor!'
Polly barstte in lachen uit, wat hen allebei verbaasde. 'Met die wanten zeker!'
Ze hoorde de deur van de koelkast open en dicht gaan. Vanuit de keuken riep Nettie: 'Zal ik koffie zetten? Ik kan je wel helpen als je ook wilt.'
'Ja,' zei Polly, 'graag.' Het gezoem van de wanten was luider geworden. Ze waren erg warm. En die dingen hielpen werkelijk, of anders was de laatste pil effectiever dan die ze om vijf uur had ge-

nomen. Waarschijnlijk was het een combinatie van de twee, dacht ze. 'Maar ik wil je niet ophouden, Nettie...'
Nettie verscheen in de deuropening. Ze had haar schort uit de bijkeuken gehaald en aangetrokken en in haar hand had ze de oude tinnen koffiepot. Ze weigerde het nieuwe digitale Toshiba-koffiezetapparaat te gebruiken... en Polly moest toegeven dat de koffie uit Netties tinnen pot beter smaakte.
'Ik hoor hier te zijn,' zei ze. 'Trouwens, ik heb thuis alles afgesloten en Raider houdt de wacht.'
'Dat geloof ik graag,' zei Polly glimlachend. Ze kende Raider erg goed. Hij woog wel tien kilo en voor iedereen die aan de deur kwam - postbode, meteropnemer, handelsreiziger - ging hij op zijn rug liggen om zijn buik te laten krabben.
'Ze zal me nu toch wel met rust laten,' zei Nettie. 'Ik heb haar gewaarschuwd. Ik heb niets meer van haar gezien of gehoord, dus ze zal wel weten dat ik het meen.'
'Gewaarschuwd? Waar heb je het over?' vroeg Polly, maar Nettie was al weer weg en Polly zat inderdaad gevangen in de elektrische handschoenen. Toen Nettie even later terugkwam met de kopjes, voelde ze de verdovende uitwerking van de pijnstiller en was ze Netties vreemde opmerking al vergeten... wat niet zo bijzonder was, want Nettie maakte met enige regelmaat vreemde opmerkingen.
Nettie deed melk en suiker in Polly's kopje en hielp haar met drinken. Ze praatten nog wat en natuurlijk duurde het niet lang voor ze over de nieuwe winkel begonnen. Nettie vertelde weer over de glazen lampekap die ze had gekocht, maar zonder de adembenemende details die Polly, gezien de buitengewone betekenis van het voorval in Netties leven, had verwacht. Maar het deed haar wel ergens aan denken: aan het briefje dat Gaunt in de cakedoos had gestopt.
'Dat zou ik bijna vergeten: meneer Gaunt vroeg of ik vanmiddag langs wilde komen. Hij zei dat hij misschien iets voor me in de aanbieding had.'
'Je gaat er toch niet heen nu je er zo aan toe bent?'
'Misschien wel. Mijn handen zijn al een stukje beter. Ik geloof dat de handschoenen dit keer echt hebben geholpen, al is het maar een beetje. En ik moet toch íets doen.' Ze keek wat smekend naar Nettie.
'Nou ja, misschien kan het geen kwaad.' Plotseling kreeg Nettie een ingeving. 'Ik kan op weg naar huis bij hem aanlopen en vragen of hij híer wil komen!'
'Welnee, Nettie, dan moet je een heel eind om!'
'Twee straten maar.' Nettie wierp een vertederend-sluwe blik op Polly. 'Trouwens, misschien heeft hij nog wel meer Victoriaans

glas binnengekregen. Ik heb niet genoeg geld om nog iets te kopen, maar dat weet híj niet en kijken staat vrij.'
'Maar hij kan toch niet hier...'
'Ik zeg hem wel hoe het met je is,' zei Nettie op besliste toon. Ze zette de kopjes op het dienblad. 'Er worden zo vaak demonstraties aan huis gegeven... nou ja, als ze er genoeg aan kunnen verdienen, dan.'
Polly keek haar geamuseerd en liefdevol aan. 'Weet je dat je hier anders bent, Nettie?'
Nettie keek haar verrast aan. 'Echt waar?'
'Ja.'
'Hoe anders?'
'Op een goede manier. Laat maar zitten. Tenzij ik een terugslag krijg, denk ik dat ik er vanmiddag toch nog uit wil. Maar als je toevallig in de buurt van De NoodZaak komt...'
'Afgesproken.' Netties ogen straalden een nauwverholen gretigheid uit. Nu het idee bij haar was opgekomen, vatte het post met alle kracht van een obsessie. Iets voor Polly doen was heilzaam voor haar zenuwen, daar kon geen twijfel over bestaan.
'...en àls hij er toevallig is, geef hem dan mijn telefoonnummer en vraag of hij me wil bellen als hij het artikel heeft binnengekregen. Wil je dat doen?'
'Reken maar!' zei Nettie. Ze stond op en bracht het dienblad naar de keuken. Ze hing haar schort weer aan de haak en kwam terug naar de zitkamer om de handschoenen uit te trekken. Ze had haar jas al aan. Polly bedankte haar nogmaals, en niet alleen voor de lasagna. Haar handen deden nog steeds pijn, maar het was niet ondraaglijk meer. En ze kon haar vingers weer bewegen.
'Graag gedaan,' zei Nettie. 'En weet je wat? Je ziet er ècht beter uit. Je krijgt weer kleur. Ik schrok toen ik je voor het eerst zag. Kan ik nog iets doen voor ik ga?'
'Nee, dat geloof ik niet.' Polly pakte onhandig Netties hand. Haar eigen handen waren nog steeds rood en heel warm van de wanten.
'Ik ben heel erg blij dat je bij me bent geweest, meisje.'
Als Nettie al eens een keer glimlachte, deed ze het ook met heel haar gezicht; het was alsof de zon op een grijze ochtend door de wolken brak. 'Ik hou van je, Polly.'
'En ik van jou, Nettie,' antwoordde Polly geroerd.
Nettie ging weg. Het was de laatste keer dat Polly haar in levenden lijve zag.

6

Het slot van Nettie Cobbs voordeur was ongeveer net zo moeilijk te forceren als het deksel van een snoeptrommel. Na enig duwen en trekken kreeg Hugh het open met de derde loper. Hij opende de deur.
Een kleine hond, geel met een witte borst, zat op de vloer in de gang. Hij liet zijn enkele dreigende blaf horen toen het vroege zonlicht naar binnen viel en Hughs grote schaduw over hem heen gleed.
'Jij moet Raider zijn,' zei Hugh zachtjes. Hij voelde in zijn zak.
De hond blafte weer en ging prompt op zijn rug liggen, alle vier zijn pootjes slap in de lucht.
'Da's een mooi kunstje!' zei Hugh. Raiders stompe staartje bonkte op de houten vloer, vermoedelijk uit instemming. Hugh deed de deur dicht en hurkte bij het dier neer. Met een hand krabbelde hij over dat magische plekje op de borst dat op de een of andere manier verbonden is met de rechter achterpoot, die daardoor driftig in de lucht begon te maaien. Met zijn andere hand haalde hij een Zwitsers zakmes uit zijn zak.
'Ja, brave jongen,' kweelde Hugh. 'Goed zo, braaf!'
Hij hield op met krabben en haalde een stukje papier uit zijn borstzakje. Met zijn moeizame jongenshandschrift had hij er de woorden opgeschreven die de vossestaart hem had voorgezegd. Hugh had het aan de keukentafel gedaan, nog voor hij zich had aangekleed, zodat hij geen enkel woord zou vergeten.

Niemand bederft ongestraft mijn schone
Lakens. ik zei toch dat ik je zou krijgen!

Hij trok de kurketrekker uit het zware mes en prikte het papiertje erop. Daarna draaide hij het mes tot de kurketrekker tussen de middel- en ringvinger van zijn sterke rechterhand naar buiten stak. Met zijn andere hand begon hij Raider weer te krabbelen, die intussen vrolijk naar hem had liggen kijken. Dat beest was een makkie, dacht Hugh.
'Ja, wat ben je toch braaf! O, wat een braaf beest ben je!' zei Hugh, al krabbelend. Raider lag nu met beide achterpoten te maaien, als een hond die op een onzichtbare fiets rijdt. 'En weet je wat ik heb? Ik heb een vossestaart! Echt waar!'
Hugh hield de punt van de kurketrekker met het papiertje tegen de witte vlek op Raiders borst.
'En zal ik je nog eens wat vertellen? *Ik wil hem houden!*'

Zijn rechterhand stootte hard toe. Met zijn vrije hand drukte hij Raider tegen de grond terwijl hij de kurketrekker drie keer heftig omdraaide. Warm bloed spoot omhoog en vloeide over zijn handen. De hond trappelde nog even wild en bleef daarna roerloos liggen. Hij zou zijn dreigende maar ongevaarlijke blaf nooit meer laten horen.
Hugh stond op. Zijn hart bonkte als een gek. Plotseling had hij een rotgevoel over wat hij had gedaan, bijna of hij misselijk werd. Ze mocht dan misschien gek zijn, ze was alleen op de wereld en hij had vermoedelijk haar enige godvergeten vriend vermoord.
Hij veegde een bloederige hand af aan zijn overhemd. Het was nauwelijks te zien op de donkere wol. Hij kon zijn ogen niet van de hond afhouden. Dat had híj gedaan. Ja, hij had het gedaan en dat wist hij, maar hij kon het amper geloven. Hij moest in trance geweest zijn of zoiets.
Plotseling klonk de stem in zijn binnenste, de stem die wel eens over de bijeenkomsten van de AA begon. *Ja, en na een tijdje ga je dat zelf nog geloven ook. Maar dat van die trance is gezeik: je wist precies wat je aan het doen was.*
En waarom.
Paniek beving hem. Hij moest hier weg. Langzaam liep hij achteruit door de gang en stootte een ruwe kreet uit toen hij tegen de dichte voordeur botste. Blindelings tastte hij achter zich naar de knop, zonder erg te hebben in de vingerafdrukken die hij achterliet. Hij deed de deur open en verdween schielijk uit het huis van Malle Nettie. Verwilderd keek hij om zich heen, bijna verwachtend dat half Castle Rock op de stoep zou staan om hem ernstig en kritisch aan te staren. Hij zag alleen een jongen die door de straat fietste. In het mandje aan het stuur was een Playmate koelbox gepropt. De jongen keurde Hugh Priest geen blik waardig en toen hij uit het zicht was verdwenen, waren alleen de kerkklokken er nog... nu voor de methodisten.
Hugh haastte zich over het pad. Hij hield zichzelf voor dat hij niet moest rennen, maar desondanks ging hij op een draf naar de truck, rukte het portier open en sprong achter het stuur. Drie of vier keer probeerde hij tevergeefs het sleuteltje in het contact te krijgen, maar dat lukte pas toen hij zijn pols met zijn linkerhand in bedwang hield. Zijn voorhoofd was bedekt met fijne zweetdruppeltjes. Hij had heel wat katers meegemaakt, maar dit was iets heel anders... dit was alsof hij malaria had of iets dergelijks.
De motor startte met een brul en een blauwe rookwolk. Hughs voet gleed van de koppeling. De wagen gleed weg van de stoeprand en na twee schokken sloeg de motor af. Terwijl de adem door zijn keel gierde, bracht Hugh hem weer op gang en reed snel weg.

Tegen de tijd dat hij op de parkeerplaats van Gemeentewerken (die nog steeds zo verlaten was als de bergen op de maan) zijn oude gedeukte Buick had opgehaald, dacht hij al helemaal niet meer aan Raider en aan wat voor afschuwelijks hij met de kurketrekker had gedaan. Hij had iets anders aan zijn hoofd, iets veel belangrijkers. Op de terugweg naar de parkeerplaats was hij gegrepen door een koortsige gedachte: tijdens zijn afwezigheid was er iemand in zijn huis geweest en die iemand had zijn vossestaart gestolen.
Hugh reed plankgas naar huis, kwam met knarsende banden en in een wolk van stof tien centimeter voor zijn gammele veranda tot stilstand en rende met twee treden tegelijk de trap op. Hij holde naar binnen, ging naar de kast en rukte de deur open. Op zijn tenen begon hij de plank af te zoeken met angstig bevende handen.
Eerst voelde hij alleen maar kaal hout en Hugh snikte het uit van angst en woede. Ineens zonk zijn linkerhand diep weg in het borstelige pluche dat geen zijde en ook geen wol was en een diep besef van vrede en voldoening kwam over hem. Het was als voedsel voor de honger, rust voor de vermoeidheid... kinine voor de malaria. Het staccato tromgeroffel in zijn borst werd eindelijk minder. Hij haalde de vossestaart uit zijn schuilplaats en ging aan de keukentafel zitten. Hij legde de staart over zijn dikke dijbenen en begon hem met twee handen te strelen.
Hugh bleef meer dan drie uur zo zitten.

7

De jongen die Hugh had gezien maar niet herkend, de jongen op de fiets, was Brian Rusk. Brian had die nacht zelf gedroomd en was dientengevolge op een eigen missie uit.
In zijn droom stond de zevende en beslissende wedstrijd van de World Series op het punt van beginnen, een wedstrijd uit een voorbije tijd tussen de oude apocalyptische rivalen, de archetypen van het honkbal, de Dodgers en de Yankees. Sandy Koufax was op het oefenveld aan het ingooien voor Da Bums. Tussen de worpen door zei hij iets tegen Brian Rusk, die naast hem stond. Sandy Koufax vertelde hem precies wat hij moest doen. Hij liet er geen twijfel over bestaan: hij zette alle puntjes op de i. Dat was het probleem niet.
Het probleem was dat Brian niet wilde.
Hij schaamde zich een legendarische speler als Sandy Koufax tegen te spreken, maar dat had hij toch geprobeerd. 'U begrijpt het niet, meneer Koufax,' zei hij. 'Ik moest een grapje uithalen met Wilma Jerzyck en dat heb ik gedaan. Ik heb het al gedáán.'

'Ja, en?' zei Sandy Koufax. 'Wat wil je daarmee zeggen, krullebol?'
'Nou, dat was de afspraak. Vijfentachtig cent en dat grapje.'
'Weet je dat wel zeker, krullebol? Echt maar één grapje? Heeft hij dat met zoveel woorden gezegd, zodat het wettig is?'
Brian kon het zich niet precies herinneren, maar hij kreeg steeds sterker het gevoel dat hij ertussen was genomen. Nee, erger nog, dat hij in de val was gelokt. Als een muis met een stukje kaas.
'Ik zal je eens wat vertellen, krullebol. De afspraak...'
Hij zweeg en steunde zacht toen hij een harde overhandse bal gooide. De bal plofte met een krakend geluid in de handschoen van de catcher. Een stofwolkje steeg op van de handschoen en Brian zag tot zijn schrik twee blauwe ogen achter het masker van de catcher naar hem kijken. Het waren de ogen van meneer Gaunt.
Sandy Koufax ving de bal die Gaunt hem toewierp en keek Brian aan met ogen die even vlak waren als bruin glas. 'De afspraak is wat ìk ervan maak, krullebol.'
Sandy Koufax had helemaal geen bruine ogen, besefte Brian in zijn droom: hij had ook blauwe en dat klopte precies, want Sandy Koufax was tegelijkertijd meneer Gaunt.
'Maar...'
Koufax/Gaunt tilde zijn handschoen op. 'Ik zal je wat zeggen, krullebol: ik heb de pèst aan dat woord. Dat is verreweg het lelijkste woord in onze taal. In èlke taal, als je het mij vraagt.'
De man in het ouderwetse tenue van de Brooklyn Dodgers stopte de bal in zijn handschoen en draaide zich helemaal naar Brian toe. Hij was werkelijk meneer Gaunt en Brian voelde zijn hart samenkrimpen van angst. 'Ik heb inderdaad gezegd dat je een grap met Wilma Jerzyck moest uithalen, Brian, dat is waar, maar ik heb het niet over de énige grap gehad. Dat heb je alleen maar áángenomen, krullebol. Geloof je me of wil je de bandopname van ons gesprek horen?'
'Ik geloof het,' zei Brian. Hij kon elk ogenblik in tranen uitbarsten. 'Ik geloof het wel, maar...'
'Wat heb ik nou net over dat woord gezegd, krullebol?'
Brian liet zijn hoofd zakken en slikte moeilijk.
'Je hebt nog een hoop te leren over afdingen,' zei Koufax/Gaunt. 'Jij en iedereen in Castle Rock. Maar dat is een van de redenen waarom ik ben gekomen; om een cursus in de edele kunst van het afdingen te geven. Er was hier een zekere Merrill en die knaap had er wel een handje van, maar hij is naar die grote rommelmarkt in de hemel gegaan.' Hij grinnikte, waardoor Leland Gaunts grote, ongelijke tanden zichtbaar werden in Sandy Koufax' smalle, peinzende gezicht. 'En over koopjes, Brian... over dat onderwerp heb ik jullie ook nog het een en ander te leren.'

'Maar...' Het was eruit voor Brian er erg in had.
'Geen gemaar,' zei Koufax/Gaunt. Hij boog zich naar voren. Hij staarde Brian ernstig aan van onder de klep van zijn honkbalpet. 'Meneer Gaunt weet het beter. Kun je dat zeggen, Brian?'
Brians adamsappel ging op en neer, maar hij kon geen geluid uitbrengen. Hij voelde hete, losse tranen achter zijn ogen.
Een grote koude hand daalde op Brians schouder neer. En greep die vast. 'Zèg het!'
'Meneer Gaunt...' Brian moest weer slikken om ruimte te maken voor de woorden. 'Meneer Gaunt weet het beter.'
'Zo is het, krullebol. Zo is het maar net. En dat betekent dat je doet wat ik je zeg... of anders.'
Brian verzamelde al zijn moed en deed een laatste poging.
'En als ik het nou toch niet doe? Als ik het nou niet doe omdat ik de dinges... de voorwaarden niet begreep?'
Koufax/Gaunt pakte de bal uit zijn handschoen en kneep er zacht in. Kleine bloeddruppels begonnen uit de naden te zweten.
'Nee zeggen is er niet bij, Brian,' zei hij zacht. 'Niet meer. Dit is de zevende wedstrijd van de World Series, moet je rekenen. Iedereen zit op de tribune en het is nu buigen of barsten. Kijk eens om je heen. Toe maar, kijk goed om je heen.'
Brian keek en zag tot zijn schrik dat Ebbets Field uitpuilde van de toeschouwers... *die hij allemaal kende*. Hij zag zijn ouders met zijn broertje Sean in de ereloge achter de thuisplaat zitten. De leerlingen van spraakles zaten aan de kant van het eerste honk Royal Crown cola te drinken en hotdogs te eten, geflankeerd door juffrouw Ratcliffe en haar grote stomme vriend, Lester Pratt. Op de onoverdekte tribune zat het hele sheriffskantoor van Castle Rock bier te drinken uit plastic bekertjes met daarop afbeeldingen van de deelneemsters aan de Miss Rheingold-verkiezing. Hij zag zijn klasgenoten van de zondagsschool, de wethouders, Myra en Chuck Evans, zijn tantes, zijn ooms, zijn neven en nichten. Daar, achter het derde honk, zat Sonny Jackett, en toen Koufax/Gaunt de bloedende bal weer zo keihard in de handschoen van de catcher wierp, zag Brian dat het gezicht achter het masker nu aan Hugh Priest toebehoorde.
'Ik rij je te pletter, rotjoch,' zei Hugh terwijl hij de bal teruggooide. 'Dan piep je wel anders.'
'Zie je, krullebol, het gaat niet meer alleen om dat honkbalplaatje,' zei Koufax/Gaunt van opzij. 'Dat weet je toch wel? Je hebt iets in gang gezet toen je die modder naar Wilma Jerzycks lakens gooide. Net zoals je een lawine in gang kunt zetten door op een warme winterdag te schreeuwen. De keus is eenvoudig. Je kunt blijven meedoen... of je kunt blijven waar je bent en een schietgebedje zeggen.'

In zijn droom begon Brian eindelijk te huilen. Ja, hij wist het. Hij wist het maar al te goed, nu het te laat was om nog iets uit te maken.
Gaunt kneep in de bal. Er kwam opnieuw bloed uit en zijn vingertoppen zonken diep weg in het vlezige witte oppervlak. 'Als je niet iedereen in Castle Rock wilt laten weten dat jíj de lawine hebt veroorzaakt, Brian, kun je maar beter doen wat ik zeg.'
Brian begon harder te huilen.
Gaunt maakte zich op voor een nieuwe worp. 'Als je met mij te maken hebt, is het goed om twee dingen in de gaten te houden: meneer Gaunt weet het beter... en de koop is pas gesloten als meneer Gaunt zègt dat hij gesloten is.'
Hij gooide met die soepele, onvoorziene snelheid die Sandy Koufax zo'n geweldige werper maakte (althans naar de bescheiden mening van Brians vader), en toen de bal de handschoen van Hugh Priest trof, ontplofte hij. Bloed en haar en rafelige stukken vlees spatten omhoog in de felle herfstzon. En Brian was wakker geworden, huilend tegen zijn kussen.

8

Nu was hij op weg om gehoor te geven aan Gaunts bevel. Het begin was makkelijk geweest: hij had gewoon tegen zijn vader en moeder gezegd dat hij die ochtend niet mee naar de kerk wilde omdat hij maagpijn had (wat niet gelogen was). Zodra ze weg waren, begon hij met de voorbereidingen.
Het viel niet mee om te trappen en zijn fiets in evenwicht te houden, want de Playmate koelbox in het mandje was erg zwaar. Hij zweette en was buiten adem toen hij bij het huis van de Jerzycks kwam. Ditmaal aarzelde hij niet, belde niet aan en had ook geen verhaaltje voorbereid. Er was niemand thuis. Sandy Koufax/Leland Gaunt had hem in de droom verteld dat de Jerzycks na de dienst van elf uur nog zouden nablijven om over de komende casino-avond te praten en dat ze daarna nog bij kennissen op bezoek zouden gaan. Brian geloofde hem. Hij wilde deze afschuwelijke taak alleen maar zo snel mogelijk achter de rug hebben. En daarna zou hij naar huis gaan, zijn fiets neerzetten en de rest van de dag in bed doorbrengen.
Hij tilde de koelbox met twee handen uit het mandje en zette hem in het gras. Hij stond achter de heg, waar niemand hem kon zien. Hij zou lawaai moeten maken, maar Koufax/Gaunt had hem gezegd dat hij zich daar geen zorgen over hoefde te maken. De meeste bewoners van Willow Street waren katholiek en zaten óf in de

kerk, óf waren al om acht uur geweest en nu op weg voor hun diverse zondagse uitstapjes. Brian wist niet of dat zo was. Hij wist maar twee dingen: meneer Gaunt wist het beter en de koop was pas gesloten als meneer Gaunt zéi dat hij gesloten was.
En dit hoorde bij de koop.
Brian maakte de koelbox open. Er zaten een stuk of tien keien in, elk ter grootte van een honkbal. Om elke steen was met een elastiekje een blaadje uit Brians schoolagenda bevestigd. In grote letters stond er op elk blaadje:

JE MOET ME MET RUST LATEN.

DIT IS DE LAATSTE WAARSCHUWING.

Brian nam een van de stenen en liep de tuin in naar het grote raam van de zitkamer, het 'panoramaraam' zoals dat bij de bouw in het begin van de jaren zestig was genoemd. Op twee meter afstand bleef hij staan, aarzelde slechts een ogenblik en gooide de steen alsof hij Sandy Koufax was, die in de beslissende wedstrijd van de World Series de eerste slagman onderhanden nam. De steen boorde zich met een geweldig, onmuzikaal geluid door het glas en viel bonkend op het tapijt in de zitkamer.
Het geluid had een vreemde uitwerking op Brian. Zijn angst verdween, net als zijn afkeer van het vervolg... dat toch allerminst als een onschuldig grapje kon worden afgedaan. Het geluid van brekend glas wond hem op, het gaf hem hetzelfde gevoel dat hij kreeg als hij over juf Ratcliffe dagdroomde. Dat laatste was kinderlijk geweest, dat wist hij nu, maar dít had niets kinderlijks. Dit was ècht.
Bovendien merkte hij dat hij het plaatje van Sandy Koufax nu meer dan ooit wilde hebben. Hij had nog iets belangrijks ontdekt over bezittingen en de eigenaardige psychologische toestand die ze met zich meebrengen: hoe meer moeite je ergens voor moet doen, des te kostbaarder is het bezit ervan.
Brian pakte nog twee keien en liep naar het gebroken panoramaraam. Hij keek naar binnen en zag de steen die hij had gegooid in de deuropening tussen de zitkamer en de keuken liggen. Het was een heel vreemd gezicht, als een rubberlaars op een kerkaltaar of een roos op het motorblok van een tractor. Een van de elastiekjes was gebroken, maar het tweede zat er nog omheen met het briefje.
Brian keek naar links, tot zijn blik bleef rusten op de Sony televisie van de Jerzycks.
Brian gooide de tweede steen. Hij raakte de Sony midden op het scherm. De holle klap werd gevolgd door een lichtflits, en een re-

gen van glas daalde neer op het tapijt. Het toestel wankelde, maar viel niet van het kastje. 'Twee slag!' mompelde Brian. Hij stootte een vreemde, verstikte lach uit.
Hij gooide de volgende steen naar een paar beeldjes op een tafel naast de sofa, maar miste. De steen raakte de muur met een doffe klap en sloeg een gat in het pleisterwerk.
Brian pakte het hengsel van de Playmate en sleepte hem mee naar de achterkant. Daar gooide hij twee ruiten van de slaapkamer in. Met de grootste kei maakte hij een gat in het bovenraam van de keukendeur en hij gooide een paar stenen door de opening. Een ervan verbrijzelde de keukenmachine op het aanrecht. Een andere versplinterde het glas van de magnetron en bleef in het inwendige liggen. 'Drie slag en uit! Ga maar zitten, krullebol!' riep Brian, en hij lachte zo hard dat hij bijna in zijn broek piste.
Toen de aanval voorbij was, voltooide hij zijn ronde om het huis. De Playmate was een stuk lichter: hij kon hem met één hand dragen. Met de laatste drie stenen brak hij de kelderramen achter Wilma's herfstbloemen, waarvan hij er nog een handvol uitrukte. Daarna deed hij de koelbox dicht, ging terug naar zijn fiets, legde de Playmate in het mandje en sprong op het zadel om naar huis te gaan.
In het huis ernaast woonde de familie Mislaburski. Terwijl Brian de inrit afreed, deed mevrouw Mislaburski de voordeur open en ging op het stoepje staan. Ze had een felgroene peignoir aan en een rode doek om haar hoofd. Ze leek iemand uit een advertentie voor kerstmis in de hel.
'Wat gebeurt daar, jongen?' vroeg ze scherp.
'Ik weet het niet precies,' zei Brian zonder te stoppen. 'Ik geloof dat meneer en mevrouw Jerzyck ruzie hebben. Ik kwam alleen maar vragen of ik van de winter hun paadje sneeuwvrij mag houden, maar ik kan beter een andere keer terugkomen.'
Mevrouw Mislaburski wierp een sombere blik op het huis van de Jerzycks. Achter de heggen was alleen de bovenverdieping te zien.
'Ik zou helemaal niet terugkomen als ik jou was,' zei ze. 'Die vrouw doet me denken aan die kleine vissen die je in Zuid-Amerika hebt. Die in één keer een hele koe opvreten.'
'Piranha's,' zei Brian.
'Ja, die bedoel ik.'
Brian trapte door. Langzaam liet hij de vrouw met de groene peignoir en de rode hoofddoek achter zich. Zijn hart klopte wel, maar niet overdreven snel of luid. Een deel van hem was ervan overtuigd dat hij nog droomde. Hij was zichzelf helemaal niet, niet de Brian Rusk die allemaal achten en negens haalde, de Brian Rusk die lid was van de leerlingenraad, de Brian Rusk die voor 'gedrag' alleen maar de beste beoordeling kreeg.

'Vandaag of morgen vermoordt ze nog eens iemand!' riep mevrouw Mislaburski hem verontwaardigd na. 'Let maar op!'
'Dat zou me helemaal niet verbazen,' fluisterde Brian binnensmonds.
De rest van de dag bracht hij inderdaad in bed door. Normaal zou Cora zich dat aantrekken, misschien wel genoeg om Brian naar de dokter in Norway te sturen. Maar vandaag viel het haar nauwelijks op dat haar zoon zich niet lekker voelde. Dat kwam door de fantastische zonnebril die meneer Gaunt haar had verkocht; ze was er helemaal weg van.
Brian kwam tegen zes uur uit bed, ongeveer een kwartier voordat zijn vader thuiskwam na een dagje vissen op het meer met twee vrienden. Hij nam een Pepsi uit de koelkast en dronk het flesje leeg bij het fornuis. Hij voelde zich heel wat beter.
Misschien had hij nu eindelijk zijn deel van de overeenkomst met meneer Gaunt vervuld.
En hij was ook tot de conclusie gekomen dat meneer Gaunt het inderdaad beter wist.

9

Nettie Cobb had niet het geringste vermoeden van de onplezierige verrassing die haar thuis te wachten stond en liep in opperbeste stemming door Main Street naar De NoodZaak. Ze had het sterke gevoel dat de winkel open zou zijn, zondag of geen zondag, en ze werd niet teleurgesteld.
'Mevrouw Cobb!' zei Leland Gaunt toen ze binnenkwam. 'Wat leuk u weer te zien!'
'Dat is wederzijds, meneer Gaunt,' zei ze... en zo was het ook.
Gaunt kwam met uitgestoken hand naar haar toe, maar ze schrok terug voor zijn aanraking. Het was afschuwelijk om je zo onbeleefd te gedragen, maar ze kon er niets aan doen. En meneer Gaunt leek het te begrijpen, de goeierd. Hij glimlachte en veranderde van koers om de deur achter haar te sluiten. Even snel als een beroepskaarter een aas inpalmt, draaide hij het bordje voor de deur van OPEN naar GESLOTEN.
'Ga toch zitten, mevrouw Cobb, ga zitten!'
'Nou, even dan... ik kwam alleen maar zeggen dat Polly... dat ze...' Ze voelde zich ineens heel vreemd. Niet slecht, maar vreemd. Zweverig in het hoofd. Tamelijk plomp zette ze zich neer op een van de pluchen stoelen. Gaunt ging voor haar staan, zijn blik op haar gericht, en de wereld leek zich rondom hem te concentreren en weer roerloos te worden.

'Polly voelt zich niet zo goed, zeker?' vroeg Gaunt.
'Dat is het,' beaamde Nettie dankbaar. 'Het zijn haar handen, weet u. Ze heeft...'
'Artritis, ja, het is zonde. Zulke dingen gebeuren, het leven is kort, ach wat een ellende nu toch. Ik weet het, Nettie.' Gaunts ogen begonnen weer groter te worden. 'Maar ik hoef haar niet te halen... en ik hoef ook niet naar háár toe te gaan. Het gaat al beter met haar handen.'
'Echt?' vroeg Nettie afwezig.
'Nou en of! Ze doen natuurlijk nog pijn, en dat is goed, maar ze hoeft er niet door weg te blijven en dat is nog beter... vind je ook niet, Nettie?'
'Ja,' zei Nettie vaag, maar ze had geen idee waar ze mee instemde.
'Je hebt een grote dag voor je, Nettie,' zei Gaunt met zijn zachtste en vrolijkste stem.
'Is het heus?' Het was nieuw voor haar; ze was van plan geweest de middag door te brengen in haar eigen stoel om wat te breien en naar de televisie te kijken, met Raider aan haar voeten.
'Ja, een héél grote dag. Daarom wil ik dat je hier even rustig blijft zitten terwijl ik iets ga halen. Wil je dat doen?'
'Ja...'
'Fijn. En ik zou mijn ogen maar dichtdoen. Rust maar eens goed uit, Nettie!'
Nettie sloot gehoorzaam haar ogen. Onbepaalde tijd later zei Gaunt dat ze ze weer open kon doen. Ze deed het en voelde een lichte teleurstelling. Als iemand je je ogen dicht liet doen, dan kreeg je soms iets aardigs. Een cadeautje. Ze had gehoopt dat meneer Gaunt nog zo'n glazen lampekap voor haar zou hebben als ze haar ogen weer opende, maar hij had alleen een blocnote in zijn hand. De blaadjes waren klein en roze. Elk droeg het opschrift:

WAARSCHUWING.

'O,' zei ze. 'Ik dacht dat u misschien glaswerk voor me had.'
'Ik denk niet dat je nog glaswerk nodig hebt, Nettie.'
'Niet?' De teleurstelling keerde terug, sterker dan eerst.
'Nee. Het is jammer maar waar. Toch denk ik dat je nog wel weet dat je iets voor me zou doen.' Gaunt ging naast haar zitten. 'Dat wéét je toch nog?'
'Ja,' zei ze. 'U wilt dat ik een grapje met Buster uithaal. Ik moet iets in zijn huis leggen.'
'Zo is het, Nettie, heel goed. Heb je de sleutel nog die ik je heb gegeven?'

Langzaam, als een vrouw in een waterballet, haalde Nettie de sleutel uit de rechterzak van haar jas. Ze liet hem zien.
'Dat is heel goed!' zei hij hartelijk. 'Stop hem nu maar terug, Nettie. Berg hem weer veilig op.'
Ze deed het.
'En hier heb je de papieren.' Hij stopte de roze blocnote in een van haar handen. In de andere legde hij een rol plakband. In haar hoofd begonnen alarmbellen te rinkelen, maar het geluid kwam van heel ver en was nauwelijks te horen.
'Ik hoop niet dat het lang duurt. Ik moet eigenlijk snel naar huis. Ik moet Raider zijn eten geven. Dat is mijn hondje.'
'Ik ken Raider heel goed,' zei Gaunt met een brede glimlach. 'Maar ik heb het idee dat hij vandaag niet zo'n trek heeft. En ik geloof ook niet dat hij op de keukenvloer zal poepen, dus maak je daar geen zorgen over.'
'Maar...'
Hij legde een van zijn lange vingers tegen haar lippen en plotseling voelde ze zich misselijk.
'Niet doen,' jammerde ze, ineengedoken in de stoel. 'Niet doen, het is vreselijk.'
'Ja, dat zeggen ze,' beaamde Gaunt. 'Dus als je niet wilt dat ik iets vreselijks met je doe, Nettie, dan moet je dat vreselijke woord nooit tegen me zeggen.'
'Welk woord?'
'*Maar*. Ik heb een hekel aan dat woord. Je mag wel zeggen dat ik het háát. In de best denkbare van alle werelden zou er geen plaats zijn voor zo'n jengelwoordje. Ik wil dat je iets anders tegen me zegt, Nettie, ik wil woorden horen waar ik van hou. Woorden waar ik helemaal wèg van ben.'
'Welke woorden?'
'Meneer Gaunt weet het beter. Zeg dat.'
'Meneer Gaunt weet het beter,' herhaalde ze, en zodra ze de woorden had uitgesproken besefte ze hoe totaal en volmaakt waar ze waren.
'Meneer Gaunt weet het altíjd beter.'
'Meneer Gaunt weet het altíjd beter.'
'Juist! Net als meneer pastoor,' zei Gaunt. Hij lachte akelig, met het geluid van steenplaten die diep in de aarde langs elkaar schuren, en daarbij veranderden zijn ogen snel van kleur: van blauw naar groen, bruin en zwart. 'Luister nu goed, Nettie. Je moet nog een kleinigheid voor me doen en dan kun je naar huis. Begrijp je me?'
Nettie begreep hem.
En ze luisterde heel erg goed.

10

1

South Paris is een klein en vuil fabrieksstadje bijna dertig kilometer ten noordoosten van Castle Rock. Het is niet het enige dichtgeplakte gat in Maine dat naar een Europese stad of staat is genoemd: er is een Madrid (met de klemtoon op de eerste lettergreep), een Sweden, een Etna, een Calais (uitgesproken zodat het op Dallas rijmt), een Cambridge en een Frankfort. Wellicht is er iemand die weet hoe of waarom zoveel afgelegen plaatsen aan zulke exotische namen zijn gekomen, maar ik weet het niet.

Wat ik wel weet is, dat ongeveer twintig jaar geleden een uitstekende Franse kok besloot uit New York weg te gaan om een eigen restaurant in het merendistrict van Maine te beginnen, en ook dat er geen betere plek voor zo'n onderneming kon zijn dan een plaats die South Paris heette. Zelfs de stank van de leerlooierijen kon hem niet op andere gedachten brengen. Het resultaat was een etablissement onder de naam *Maurice*. Het is er nog steeds, aan Route 117 naast het spoor en recht tegenover McDonald's. En het was in *Maurice* dat Danforth 'Buster' Keeton op zondag 13 oktober samen met zijn vrouw ging lunchen.

Myrtle verkeerde een groot deel van die zondag in een extatische roes, en niet als gevolg van het heerlijke eten. De laatste maanden, eigenlijk al het laatste jaar, aan de zijde van Danforth waren heel erg onaangenaam geweest. Hij liet haar bijna helemaal links liggen... behalve als hij tegen haar schreeuwde. Haar zelfvertrouwen, toch al nooit haar sterkste punt, had een nieuw dieptepunt bereikt. Zoals iedere vrouw wist ze dat mishandeling niet alleen met de vuisten hoeft te geschieden om effectief te zijn. Zowel mannen als vrouwen kunnen met hun tong kwetsen en Danforth Keeton wist dit wapen heel goed te hanteren; het laatste jaar had hij met de scherpe kanten wel duizend onzichtbare wonden toegebracht.

Van het gokken was ze niet op de hoogte, ze geloofde echt dat hij voornamelijk naar de rennen ging om te kijken. Ook van de verduistering was ze niet op de hoogte. Ze wist wel dat verscheidene leden van Danforths familie labiel waren geweest, maar dat bracht ze niet in verband met Danforth zelf. Hij dronk niet onmatig, vergat niet zich aan te kleden voordat hij 's morgens de deur uitging en praatte niet tegen mensen die er niet waren, zodat ze aannam dat hij niets mankeerde. Met andere woorden, ze nam aan dat zíj iets

mankeerde. Dat Danforth daardoor op een gegeven moment gewoon niet meer van haar kon houden.
De laatste zes maanden had ze geprobeerd zich te verzoenen met het sombere vooruitzicht van nog eens dertig of zelfs veertig liefdeloze jaren als levensgezellin van deze man, die beurtelings kwaad, kil sarcastisch en onverschillig was. Voor Danforth was ze een deel van het meubilair geworden... behalve als ze hem in de weg stond, uiteraard. In dat geval - als zijn eten niet snel genoeg naar zijn zin klaarstond, als hij de vloer in zijn werkkamer vuil vond, zelfs als de krant uit elkaar was gehaald als hij aan de ontbijttafel kwam - noemde hij haar stom. Hij zei dat ze te stom was om voor de duvel te dansen. Hij zei dat ze alleen maar zaagsel in haar kop had. In het begin had ze geprobeerd zich tegen deze tirades te verweren, maar hij walste over haar verdediging heen alsof het de kartonnen muur van een speelgoedkasteel was. Als ze op haar beurt boos werd, overtrof hij haar met aanvallen van razernij die haar doodsbang maakten. Daarom had ze haar boosheid laten varen en zich overgegeven aan sombere hopeloosheid. Tegenwoordig glimlachte ze alleen nog machteloos als hij woedend was, beloofde beterschap en ging naar hun slaapkamer, waar ze op bed lag te snikken en zich afvroeg wat er toch van haar moest worden en wenste-wenste-wènste dat ze iemand had om mee te praten.
In plaats daarvan praatte ze met haar poppen. Die had ze in de eerste jaren van hun huwelijk verzameld en sindsdien bewaard in dozen op zolder. Het laatste jaar had ze ze echter naar beneden gehaald en soms, als haar tranen waren opgedroogd, sloop ze naar de naaikamer om ermee te spelen. Zíj schreeuwden nooit. Zíj lieten haar nooit links liggen. Zíj vroegen nooit hoe ze toch zo stom was geworden, helemaal vanzelf of had ze les genomen?
Gisteren had ze de mooiste pop van allemaal gevonden, in de nieuwe winkel.
En vandaag was alles anders geworden.
Vanmorgen, om precies te zijn.
Haar hand verdween onder de tafel en ze kneep zichzelf (niet voor het eerst) om er zeker van te zijn dat ze niet droomde. Maar ze zat nog steeds hier in *Maurice*, in het volle licht van de oktoberzon, en Danforth zat nog steeds tegenover haar en deed zich te goed aan het eten. Zijn gezicht straalde op een manier die bijna nieuw voor haar was, zo lang had ze dat al niet meer gezien.
Ze wist niet wat de reden van die verandering was en ze durfde er niet naar te vragen. Ze wist dat hij de vorige avond naar Lewiston was gegaan, zoals bijna elke avond (vermoedelijk omdat hij daar interessantere mensen zag dan elke dag in Castle Rock... zijn vrouw, bijvoorbeeld), en bij het ontwaken had ze verwacht zijn

helft van het bed leeg te vinden (of onbeslapen, wat zou betekenen dat hij de rest van de nacht in zijn kamer had zitten dommelen) en hem beneden slechtgehumeurd in zichzelf te horen praten.
Maar hij lag naast haar in bed, in de gestreepte rode pyjama die ze hem met de laatste kerst had gegeven. Dit was de eerste keer dat ze hem die zag dragen... de eerste keer dat de pyjama uit de doos kwam, voor zover ze wist. Hij was wakker. Hij draaide zich naar haar toe en glimlachte al. Eerst werd ze er bang van. Ze dacht dat hij misschien van plan was haar te vermoorden.
Maar hij legde zijn hand op een borst en knipoogde. 'Heb je zin, Myrt? Of is het nog te vroeg dag voor je?'
Ze hadden gevreeën, voor het eerst in ruim vijf maanden hadden ze gevreeën en hij was absoluut fantàstisch geweest. En nu zaten ze hier op een vroege zondagmiddag als een jong stel in *Maurice* te eten. Ze wist niet wat deze wonderbaarlijke verandering in haar man had bewerkstelligd en het kon haar ook niet schelen. Ze wilde er alleen maar van genieten en hopen dat het zou blijven.
'Alles goed, Myrt?' vroeg Keeton. Hij keek op van zijn bord en veegde ijverig zijn mond af.
Verlegen leunde ze naar voren en raakte zijn hand aan. 'Heel goed. Het is gewoon... gewoon heerlijk.'
Ze moest haar hand terugtrekken om haastig met haar servet haar ogen te betten.

2

Keeton concentreerde zich weer met grote eetlust op zijn beuf borginon of hoe de Fransozen het noemden. De reden voor zijn opgewektheid was eenvoudig. Elk paard dat hij gisteren met behulp van Wed en Win had uitgekozen, was ook als winnaar over de streep gekomen. Zelfs Malabar, dertig-tegen-een in de laatste koers. Bijna zwevend was hij teruggegaan naar Castle Rock, zijn jaszakken volgepropt met meer dan achttienduizend dollar. Zijn bookmaker zat zich waarschijnlijk nu nog af te vragen waar het geld was gebleven. Keeton wist het: veilig weggestopt achter in de kast op zijn werkkamer. Het zat in een enveloppe en de enveloppe zat met het spel in de doos van Wed en Win.
Voor het eerst in maanden had hij goed geslapen en de volgende ochtend had hij misschien een ideetje voor het komende onderzoek. Een ideetje was natuurlijk nog niet veel, maar beter dan de chaotische duisternis die in zijn hoofd had geheerst sinds de ontvangst van die gruwelijke brief. Eén goede avond bij de rennen was blijkbaar alles wat hij nodig had om zijn hersens weer op gang te brengen.

Hij kon niet het hele tekort aanzuiveren voor de bijl viel, dat was wel duidelijk. Om te beginnen was Lewiston Raceway de enige baan die in de herfst elke avond open was en daar viel naar verhouding weinig te winnen. Hij kon de streek afreizen en op kermiskoersen een paar ruggen winnen, maar ook dat zou niet voldoende zijn. Hij kon zich trouwens niet te veel avonden zoals gisteren veroorloven, zelfs niet in Lewiston. Zijn bookmaker zou argwaan krijgen en na een tijdje helemaal geen inzetten meer accepteren.
Maar hij dacht dat hij het bedrag gedeeltelijk zou kunnen terugstorten en tegelijk voorwenden dat de omvang van zijn geknoei wel meeviel. Of een verhaal verzinnen. Over een onfeilbaar bouwproject dat de mist in was gegaan. Een gruwelijke misrekening... waarvoor hij de totale verantwoording op zich nam en waarvan hij de schade al aan het herstellen was. Hij kon erop wijzen dat iemand zonder enig sociaal gevoel in zijn positie heel goed een nog grotere greep in de stadskas had kunnen doen om vervolgens de benen te nemen naar een land (een zònnig land met veel palmbomen en veel witte stranden en veel jonge meiden in stringbikini) waarmee geen uitleveringsverdrag bestond.
Hij kon zich als een jezusfiguur voordoen en de eerste steen laten werpen door wie zonder zonde was. Dat zou ze aan het denken moeten zetten. Als er ook maar iemand bij was die niet van tijd tot tijd uit de staatskas snoepte, zou Keeton diens onderbroek opeten. Zonder zout.
Ze zouden hem de tijd moeten geven. Daar was hij bijna zeker van, nu hij in staat was zijn hysterie opzij te zetten en de situatie rationeel onder ogen te zien. Per slot van rekening waren het allemaal politici, net als hij. Ze wisten dat de pers, als ze eenmaal met Danforth Keeton afgerekend hadden, nog genoeg pek en veren over had voor lui zoals zij, de zogenaamde behoeders van het publieke welzijn. Ze wisten welke vragen gesteld zouden worden bij een hoorzitting of zelfs (God verhoede) bij een proces wegens verduistering. Vragen als: hoe lang – in belastingjaren graag, heren – hoe lang had meneer Keeton al zijn gang kunnen gaan? Hoe was het mogelijk dat het belastingkantoor niet eerder lont had geroken? Vragen die mannen met ambitie vervelend zouden vinden.
Hij geloofde dat hij door de mazen heen kon glippen. Hij had geen garanties, maar het zag er haalbaar uit.
Allemaal dankzij Leland Gaunt.
God, hij hield gewoon van Leland Gaunt.
'Danforth?' vroeg Myrt schuchter.
Hij keek op. 'Hmmm?'
'Zo'n fijne dag heb ik in jaren niet meer gehad. Dat wilde ik je vertellen. Ik ben er erg blij mee. En met jou.'

'O!' zei hij. Er was hem net iets heel vreemds overkomen. Even kon hij zich niet herinneren hoe de vrouw heette die tegenover hem zat. 'Ik heb het ook fijn gehad, Myrt.'
'Ga je vanavond naar de rennen?'
'Nee,' zei hij, 'ik denk dat ik vanavond thuis blijf.'
'Dat is leuk,' zei ze. Ze vond het zelfs zo leuk dat ze haar ogen weer moest betten met haar servet.
Hij glimlachte tegen haar. Het was niet de lieve lach van vroeger waarmee hij haar had gewonnen, maar het scheelde niet veel. 'Zeg eens, Myrt... wil je mij als toetje?'
Ze giechelde en sloeg speels met haar servet naar hem. 'Gekkerd!'

3

De Keetons bewoonden een splitlevel bungalow in Castle View. Het was een hele klim voor Nettie Cobb, en toen ze boven was had ze zere benen en was ze koud tot op het bot. Ze kwam maar drie of vier andere voetgangers tegen, die geen van allen naar haar keken: ze waren diep weggedoken in hun kragen, want er was een koude wind opgestoken. De advertentiebijlage van de zondagse *Telegram* waaide over straat en vloog als een vreemde vogel de strakblauwe lucht in toen ze de oprit van de Keetons bereikte. Meneer Gaunt had haar gezegd dat Buster en Myrtle niet thuis zouden zijn en meneer Gaunt wist het beter. De garage stond open en Busters protserige Cadillac was weg.
Nettie volgde het tegelpad naar de voordeur, waar ze de blocnote en het plakband uit haar linker jaszak haalde. Ze verlangde erg naar huis, naar de zondagse superfilm op televisie met Raider aan haar voeten. En ze zou ook meteen naar huis gaan als dit achter de rug was. Misschien zou ze haar breiwerkje wel laten liggen en gewoon maar in haar stoel gaan zitten met haar lampekap op schoot.
Ze scheurde het eerste roze blaadje af en plakte het naast de deurbel op het plaatje met het opschrift KEETON en AAN HUIS WORDT NIET GEKOCHT. Ze stopte plakband en blocnote weer in haar linker jaszak, haalde de sleutel uit de andere zak en deed die in het slot. Voor ze hem omdraaide keek ze vluchtig naar het roze blaadje dat ze net had opgeplakt.
Al was ze dan koud en moe, ze moest er een beetje om lachen. Het was eigenlijk een erg leuk grapje, vooral als je wist hoe Buster reed. Het was een wonder dat hij nog niemand had doodgereden. Maar ze zou niet graag in de schoenen staan van de man wiens naam onder de waarschuwing stond. Buster kon erg bokkig zijn. Zelfs als kind kon hij al niet tegen een grapje.

Ze draaide de sleutel om. De deur ging vlot open. Nettie ging naar binnen.

4

'Nog koffie?' vroeg Keeton.
'Voor mij niet,' zei Myrtle. 'Ik zit helemaal vol.' Ze glimlachte.
'Laten we dan maar naar huis gaan. Ik wil de Patriots op de televisie zien.' Hij keek op zijn horloge. 'Als we opschieten, kan ik nog net de aftrap halen.'
Myrtle knikte, zo gelukkig als wat. De televisie stond in de zitkamer en als Dan de wedstrijd wilde zien, zou hij zich 's middags in elk geval niet in zijn werkkamer opsluiten. 'Laten we dan maar opschieten,' zei ze.
Keeton stak een dwingende vinger op. 'Juffrouw? De rekening graag.'

5

Nettie had geen haast meer om naar huis te gaan: ze vond het fijn in het huis van Buster en Myrtle.
Het was er bijvoorbeeld warm. En haar aanwezigheid gaf haar een onverwacht gevoel van macht, alsof ze achter de schermen van twee echte mensenlevens kon kijken. Ze ging eerst naar boven om alle kamers te bekijken. Het waren er nog veel ook voor mensen zonder kinderen, maar geld trekt geld aan, zoals haar moeder altijd graag zei.
Ze deed de laden van Myrtles dressoir open en bekeek haar ondergoed. Er zat mooi zijden goed bij, maar dat zag er in Netties ogen nogal oud uit. Dat gold ook voor de jurken in de hangkast. Nettie liep door naar de badkamer, waar ze de inhoud van het medicijnkastje inspecteerde, en vandaar naar de naaikamer, waar ze de poppen bewonderde. Een mooi huis. Een prachtig huis. Jammer dat de man die hier woonde zo'n hufter was.
Nettie keek op haar horloge. Eigenlijk moest ze beginnen de roze blaadjes op te hangen. En dat zou ze ook doen.
Zodra ze beneden alles had gezien.

6

'Ga je niet een beetje te hard, Danforth?' vroeg Myrtle ademloos toen ze een trage vrachtwagen inhaalden. Een tegenligger toeterde woedend terwijl Keeton weer naar rechts zwenkte.
'Ik wil de aftrap halen,' zei Keeton. Hij sloeg linksaf Maple Sugar Road in en passeerde een bord CASTLE ROCK 8 MIJL.

7

Nettie zette de tv aan – de Keetons hadden een grote Mitsubishi kleurentelevisie – en zag een stukje van de zondagse superfilm. Ava Gardner speelde erin, en Gregory Peck. Gregory leek verliefd op Ava te zijn, hoewel het niet erg duidelijk was; misschien was hij wel verliefd op de andere vrouw. Er was een kernoorlog geweest. Gregory Peck was kapitein van een duikboot. Dat interesseerde Nettie allemaal niet zo, dus deed ze het toestel uit, plakte een roze blaadje op het scherm en ging naar de keuken. Ze keek in de kastjes (de borden waren Corelle-porselein, erg mooi, maar de potten en pannen waren niets bijzonders) en daarna in de koelkast. Ze trok haar neus op. Wat een kliekjes! Veel kliekjes waren het ondubbelzinnige bewijs van een slordig huishouden. Niet dat Buster er iets van zou merken, daar durfde ze alles om te verwedden. Een man als Buster Keeton zou in de keuken de weg nog niet kunnen vinden met een plattegrond en een blindengeleidehond.
Ze keek weer op haar horloge en schrok. Ze had wel erg lang in het huis rondgelopen. Té lang. Vlug scheurde ze de roze blaadjes af en plakte ze her en der op, aan de koelkast, het fornuis, de telefoon aan de keukenmuur bij de garagedeur, de tussenmuur in de eetkamer. En hoe vlugger ze werkte, des te zenuwachtiger werd ze.

8

Nettie was net bezig toen Keetons rode Cadillac de Tin Bridge passeerde en Watermill Lane in de richting van Castle View begon te volgen.
'Danforth?' vroeg Myrtle ineens. 'Wil je me bij Amanda Williams afzetten? Ik weet dat het een eindje om is, maar ze heeft mijn fonduepan. Ik dacht...' De verlegen glimlach trok weer over haar gezicht. 'Ik dacht dat ik je – òns – eens kon verwennen, voor de wedstrijd. Je hoeft me alleen maar af te zetten.'
Hij deed zijn mond open om te zeggen dat Amanda een héél eind

om was, dat de wedstrijd elk moment zou beginnen en dat ze die stomme fonduepan morgen wel kon halen. Hij hield toch niet van die gloeiende vloeibare kaas. Die rotzooi zou wel vol bacteriën zitten.
Maar hij bedacht zich. De raad van wethouders bestond, afgezien van hem, uit twee stomme idioten en een stom wijf. Mandy Williams was het wijf. Keeton had vrijdag de moeite genomen om Bill Fullerton, de plaatselijke kapper, en Harry Samuels, de enige begrafenisondernemer van Castle Rock, te spreken. Hij had het doen voorkomen alsof het terloopse bezoekjes waren. Het was heel goed mogelijk dat Augusta ook naar hèn brieven was gaan sturen. Hij was ervan overtuigd dat dit niet het geval was – althans nog niet – maar het wijf was vrijdag niet in de stad geweest.
'Goed,' zei hij, en voegde eraan toe: 'Misschien kun je haar vragen of ze nog nieuws heeft. Iets waarover ik haar zou moeten spreken.'
'O lieverd, je weet dat ik zulke dingen nooit goed...'
'Dat wéét ik wel, maar je kunt het toch vrágen? Daar ben je toch zeker niet te stom voor?'
'Nee,' zei ze snel en met een klein stemmetje.
Hij klopte op haar hand. 'Het spijt me.'
Ze keek hem stomverbaasd aan. Hij had gezegd dat het hem spéét. Misschien had hij dat in hun lange huwelijk wel eens eerder gedaan, maar dat kon ze zich niet herinneren.
'Vraag haar alleen maar of ze in Augusta de laatste tijd moeilijk zitten te doen,' zei hij. 'Over grondgebruik, die vervloekte riolering... misschien over de belastingen. Ik zou het zelf wel kunnen vragen, maar ik wil beslist de aftrap zien.'
'Ik doe het wel, Dan.'
Het huis lag halverwege Castle View. Keeton draaide de oprit in en stopte achter de auto van het wijf. Natuurlijk een buitenlandse auto. Een Volvo. Mandy zou wel een crypto-communiste zijn ook, of lesbisch, of allebei.
Myrtle deed het portier open en stapte uit, waarbij ze weer zo verlegen en lichtelijk nerveus glimlachte.
'Ik ben over een half uur thuis.'
'Goed. Vergeet niet te vragen of ze nog nieuws heeft,' zei hij. En als Myrts weergave – hoe verdraaid die ook ongetwijfeld zou zijn – van Amanda Williams' antwoord ook maar de geringste achterdocht bij hem opwekte, zou hij het wijf persoonlijk bezoeken... morgen. Niet vanmiddag. Deze middag was voor hèm. Hij voelde zich veel te goed om zelfs maar naar Amanda Williams te kijken, laat staan met haar te kletsen.
Hij wachtte amper tot Myrtle het portier had gesloten voordat hij de Cadillac in zijn achteruit zette en weer naar de straat reed.

9

Nettie had net het laatste roze blaadje aan de kastdeur in Keetons werkkamer geplakt toen ze een auto over de oprit hoorde naderen. Een gesmoorde kreet ontsnapte aan haar keel. Even verstarde ze waar ze stond, niet in staat zich te verroeren. Een straaltje warme, prikkende urine liep in haar onderbroek.

Ik ben erbij! dacht ze in paniek terwijl ze naar het zachte, sterk gedempte snorren van de Cadillac luisterde. *Betrapt! O lieve heertje, ik ben erbij! Hij vermoordt me!*

De stem van meneer Gaunt gaf antwoord. Hij was nu niet vriendelijk: hij was koud en bevelend en hij kwam uit het diepste van haar hersenen. *Ja, hij vermoordt je als hij je ziet, Nettie. En als je in paniek raakt, ziet hij je zeker. Het antwoord is simpel: niet in paniek raken. Ga de kamer uit, nu. Niet rennen, maar loop snel de kamer uit. En zo stil als je kunt.*

Ze haastte zich over het tweedehands Turkse tapijt op de vloer van de werkkamer, met benen die zo stijf waren als stokken. Onderweg mompelde ze 'Meneer Gaunt weet het beter' bij wijze van litanie. In de zitkamer werd ze aangestaard door roze rechthoekige stukjes papier, die op bijna elk geschikt oppervlak geplakt waren. Er hing er zelfs een aan de plafondlamp aan een lang stuk plakband.

Het geluid van de automotor was hol en galmend geworden. Buster had de Cadillac in de garage gereden.

Weg, Nettie! Ga naar buiten! Dit is je enige kans!

Ze vloog de zitkamer door, struikelde over een poef en kwam languit ten val. Ze sloeg met haar hoofd tegen de grond en zou zeker buiten westen zijn geraakt als de klap niet door een dun kleedje was opgevangen. Felle lichtpuntjes schoten heen en weer voor haar ogen. Ze krabbelde weer overeind, zich vaag bewust van het bloed dat over haar voorhoofd liep, en tastte naar de knop van de voordeur terwijl in de garage de motor werd afgezet. Ze wierp een verschrikte blik achterom, in de richting van de keuken. Ze kon de garagedeur zien, de deur waardoor hij zou komen. Een van de roze blaadjes zat erop.

Ze draaide de knop om, maar de deur ging niet open. Het was of hij klemde.

In de garage klonk een luid *woesj-klink* toen Keeton het portier dichtsmeet, gevolgd door het gerammel waarmee de automatische garagedeur omlaag zakte. Ze hoorde zijn schoenen over het beton knerpen. Buster floot een deuntje.

Netties radeloze blik, gedeeltelijk vertroebeld door het bloed uit haar voorhoofd, viel op de deurgrendel. Die was dichtgeschoven. Daarom ging de deur niet open. Ze moest de grendel er zelf voor

hebben geschoven toen ze binnenkwam, al kon ze zich dat niet herinneren. Ze schoof de grendel weg, trok de deur open en stapte naar buiten.
Nog geen seconde daarna ging de deur tussen de garage en de keuken open. Danforth Keeton kwam binnen en knoopte zijn jas los. Hij bleef staan. Het deuntje stierf op zijn lippen. Zijn handen lagen roerloos op een van de onderste knopen en zijn lippen waren nog getuit toen hij om zich heen keek. Zijn ogen werden groot.
Als hij meteen naar de zitkamer was gegaan, zou hij Nettie hals over kop door zijn tuin hebben zien rennen, haar losse mantel om haar heen fladderend als de vleugels van een vleermuis. Misschien had hij haar niet herkend, maar hij had beslist gezien dat ze een vrouw was, en dat had de latere gebeurtenissen ingrijpend kunnen wijzigen. Maar het zien van al die roze blaadjes nagelde hem aan de grond en in de eerste schok kon hij maar aan één ding denken, een woord dat als een reusachtige neonreclame met schreeuwende vuurrode letters telkens weer opflitste: *Zij! Zij! Zij!*

10

Nettie kwam op de stoep en rende zo snel als ze kon naar beneden. De hakken van haar schoenen lieten een angstig geroffel horen en ze was ervan overtuigd dat er achter haar nog andere voetstappen te horen waren: Buster zat achter haar aan, Buster wilde haar grijpen en als hem dat lukte zou hij haar pijn doen... maar dat gaf niet. Het gaf niet omdat hij iets veel ergers zou kunnen doen. Buster was een belangrijk man, en als hij wilde dat ze naar Juniper Hill werd teruggestuurd, dan werd ze teruggestuurd. Dus rende Nettie door. Bloed sijpelde van haar voorhoofd in haar oog en even zag ze de wereld door een bleekrode lens, alsof al die mooie huizen van Castle View waren gaan bloeden. Ze wreef het weg met de mouw van haar mantel en rende verder.
Er was niemand op de stoep en binnen waren de meeste ogen deze vroege zondagmiddag gericht op de wedstrijd tussen de Patriots en de Jets. Nettie werd door slechts één persoon gezien.
Tansy Williams, net terug van twee dagen in Portland, waar ze met mama bij opa had gelogeerd, stond bij het raam in de zitkamer naar buiten te kijken met in de ene hand een lolly en in de andere Owen, haar teddybeer, toen Nettie als een bezetene voorbij rende.
'Mammie, die mevrouw loopt heel hard,' meldde Tansy.
Amanda Williams zat met Myrtle Keeton in de keuken. Ze hadden allebei een kop koffie. Tussen hen in stond de fonduepan. Myrtle had net gevraagd of er nog nieuws voor Dan was, wat Amanda trof

als een heel eigenaardige vraag. Als Buster iets wilde weten, waarom was hij dan zelf niet binnengekomen? En waarom zou hij zoiets op een zondagmiddag willen weten?
'Ik zit met mevrouw Keeton te praten, lieverd.'
'Ze had bloed op haar hoofd,' rapporteerde Tansy nog.
Amanda glimlachte. 'Ik zei nog tegen Buddy dat hij niet naar *Fatal Attraction* moest kijken voordat Tansy in bed lag.'
Inmiddels holde Nettie door. Bij de kruising van Castle View en Laurel Street moest ze een tijdje blijven staan. Op de hoek lag de bibliotheek, met een bochtige stenen muur rond de tuin. Ze leunde tegen de muur, hijgend en snakkend naar adem, terwijl de wind langs haar heen gierde en aan haar jas trok. Ze drukte haar handen tegen haar linkerzij, waar ze een stekende pijn voelde.
Ze keek om naar de heuvel en zag dat de straat verlaten was. Buster had haar dus toch niet achtervolgd; het was alleen maar haar verbeelding geweest. Even later was ze in staat haar zakken af te zoeken naar een doekje om het bloed wat van haar gezicht te vegen. Daarbij ontdekte ze dat ze de sleutel van Busters huis niet meer had. Misschien was die onderweg uit haar zak gevallen, maar het leek haar waarschijnlijker dat ze hem in het slot van de voordeur had laten zitten. Maar wat gaf het? Ze was ontsnapt voordat Buster haar had gezien, dat was het belangrijkste. Ze dankte God dat meneer Gaunt haar net op tijd had geholpen... en vergat dat ze zonder meneer Gaunt helemaal nooit bij Buster in huis zou zijn geweest.
Ze keek naar de bloedvlek op het zakdoekje. Blijkbaar viel de wond mee; er kwam niet zoveel bloed meer uit. Ook de steken in haar zij werden minder. Ze zette zich af tegen de muur en begon met zware tred naar huis te lopen, haar hoofd gebogen om de wond verborgen te houden.
Thuis, daar wilde ze nu aan denken. Thuis met haar prachtige glazen lampekap. Thuis met de zondagse superfilm. Thuis met Raider. Als ze thuis zat, met de deur op slot, de gordijnen dicht, de televisie aan en Raider slapend aan haar voeten, zou dit allemaal een afschuwelijke droom lijken, zo'n droom als ze in Juniper Hill had gehad nadat ze haar man had vermoord.
Thuis, daar wilde ze zijn.
Nettie liep wat sneller. Nog even en ze was er.

11

Pete en Wilma Jerzyck aten na de mis een hapje mee met de Pulaski's en daarna gingen Pete en Jake Pulaski voor de televisie zitten

om te zien hoe de Patriots het team uit New York te grazen zouden nemen. Wilma gaf geen zier om rugby... en trouwens ook niet om honkbal, basketbal of ijshockey. De enige beroepssport die haar aantrok was worstelen en hoewel Pete het niet wist, zou Wilma hem ogenblikkelijk in de steek laten voor Chief Jay Strongbow.
Ze hielp Frieda met de afwas en zei dat ze thuis de rest van de zondagse superfilm wilde zien: *On the Beach* met Gregory Peck. Tegen Pete zei ze dat ze de auto nam.
'Dat is goed,' zei hij zonder zijn blik van de televisie af te wenden. 'Ik vind het niet erg om te lopen.'
'Dat is dan reuze fijn voor je,' bromde ze terwijl ze naar buiten ging.
Toch was Wilma in een goed humeur, en dat had vooral te maken met de casino-avond. Pastoor John krabbelde niet zo terug als Wilma had verwacht en ze was tevreden over zijn houding tijdens de preek, 'Onze eigen wijngaard'. Zijn toon was net zo mild geweest als anders, maar er was niets milds aan zijn blauwe ogen of aan zijn vooruitgestoken kin. Evenmin had zijn fraaie beeldspraak Wilma of iemand anders zand in de ogen gestrooid omtrent zijn eigenlijke boodschap: als de baptisten hun collectieve neus in de katholieke wijngaard bleven steken, zouden ze er een lelijke tik op krijgen.
Het idee een tik te kunnen uitdelen (vooral op grote schaal) bracht Wilma altijd in een goed humeur.
Dit vooruitzicht was nog niet het enige prettige aan Wilma's zondag. Vandaag had ze eens geen stevige maaltijd hoeven te koken en Pete was veilig opgeborgen bij Jake en Frieda. Met een beetje geluk zat hij de hele middag te kijken naar een stel kerels die elkaar de ingewanden probeerden uit te rukken, zodat zij in alle rust de film kon zien. Maar misschien zou ze eerst die goede Nettie bellen. Ze dacht dat ze Malle Nettie aardig had gekoeioneerd en dat was prima... om mee te beginnen. Meer ook niet. Nettie moest nog steeds betalen voor haar vuile lakens, of ze het wist of niet. Het was tijd Miss Geschift 1991 een nieuw lesje te leren. Dit gaf Wilma een blij voorgevoel en ze reed zo snel ze kon naar huis.

12

Als een man in een droom liep Danforth Keeton naar zijn koelkast en pakte het roze blaadje dat erop was geplakt. In zwarte blokletters stond bovenaan:

WAARSCHUWING

Daaronder was het volgende bericht te lezen:

Gelieve deze waarschuwing niet in de wind te slaan!
U bent gesignaleerd bij het overtreden van een of meer verkeersregels. De verbalisant heeft besloten het ditmaal bij een vermaning te laten, maar hij heeft merk, model en nummerplaat van uw auto geregistreerd en de volgende keer kunt u een bekeuring verwachten. Denk eraan dat verkeersregels voor iedereen gelden.
Rij voorzichtig!
Kom heelhuids aan!
Hartelijk dank namens uw gemeentepolitie!

Onder de preek was ruimte opengelaten voor merk, model en nummerplaat. Bij de eerste twee was respectievelijk 'Cadillac' en 'Seville' ingevuld en bij de nummerplaat stond:

BUSTER I

Het grootste deel van het blaadje werd in beslag genomen door een lijst van veel voorkomende verkeersovertredingen, zoals geen richting aangeven, een stopverbod negeren en verkeerd parkeren. Geen ervan was aangekruist. Bijna onderaan stond OVERIGE, gevolgd door twee witregels. OVERIGE was aangekruist en daaronder volgde de omschrijving, eveneens in nette kleine blokletters:

DE GROOTSTE KLOOTZAK IN CASTLE ROCK ZIJN.

Onderaan, boven het woord VERBALISANT, was de gestempelde handtekening van Norris Ridgewick te lezen.
Langzaam, heel langzaam, kneep Keeton het roze blaadje in elkaar. Het verboog en kreukte en verdween ten slotte krakend tussen Keetons grote knokkels. Hij bleef midden in de keuken staan en keek naar alle andere roze blaadjes. Een ader klopte regelmatig midden op zijn voorhoofd.
'Ik maak hem af,' fluisterde Keeton. 'Ik zweer bij God en alle heiligen dat ik die vuile schrielkip afmaak.'

13

Het was pas tien voor half twee toen Nettie thuiskwam, maar ze had het gevoel dat ze maanden of zelfs jaren was weggeweest. Terwijl ze over het betonnen paadje naar haar deur liep, gleed al haar doodsnood als een onzichtbare last van haar schouders. Haar

hoofd deed nog pijn van de val, maar dat was niets nu ze veilig en wel naar haar eigen huisje mocht teruggaan.
Haar eigen sleutel had ze nog; die zat in de zak van haar jurk. Ze stak de sleutel in het slot. 'Raider?' riep ze terwijl ze hem omdraaide. 'Raider, ik ben thuis!'
Ze deed de deur open.
'Waar is mijn lieve jongen dan, hmmm? Waar is-ie dan? Hebbie al honger?' Het was donker in de gang en ze had nog geen erg in het donkere hoopje op de grond. Ze trok de sleutel uit het slot en stapte naar binnen. 'Heeft het jochie dan zo'n hongertjes, hè? Heeft-ie dan zoooo'n...'
Ze stootte met haar voet tegen iets stijfs dat een beetje meegaf en ze hield abrupt op met haar gekweel. Ze keek omlaag en zag Raider. Eerst probeerde ze zich wijs te maken dat haar ogen haar bedrogen... het was niet waar, niet waar, niet waar. Het was Raider niet die op de vloer lag met dat ding in zijn borst, dat kon niet.
Ze deed de deur dicht en tastte wild naar de muurschakelaar. Eindelijk ging het ganglicht aan en zag ze het. Raider lag op de grond. Hij lag op zijn rug, net als altijd wanneer hij gekrabbeld wilde worden, en er was iets roods op zijn borst, iets dat eruitzag als... als...
Nettie stootte een hoge jammerklacht uit - zo hoog dat het net het gezoem van een reusachtige mug was - en liet zich naast haar hond op haar knieën vallen.
'Raider! O lieve heertje! O god, Raider, je bent toch niet dood? Je bent niet dood?'
Haar hand - haar koude, koude hand - tastte naar het rode ding in Raiders borst, zoals ze net naar de lichtschakelaar had getast. Eindelijk kreeg ze het te pakken en ze rukte het los met een kracht die ze uit de diepste bronnen van haar verdriet en angst haalde. De kurketrekker liet los met een fel scheurend geluid en er bleven stukjes vlees, kleine bloedstolsels en verwarde haren aan hangen. In Raiders borst zat een klein donker gat met kartelige randen. Nettie gilde. Ze liet de smerige kurketrekker vallen en nam het verstarde lijfje in haar armen.
'*Raider!*' riep ze. '*O, mijn lieve kleine hond! Nee, o nee!*' Ze wiegde hem tegen haar borst om hem met haar warmte weer tot leven te brengen, maar ze had blijkbaar geen warmte meer te geven. Ze was koud. Koud.
Na enige tijd legde ze zijn lijfje weer op de vloer en pakte aarzelend het Zwitserse zakmes met het uitgeklapte moordwapen. Iets van haar verdoving verdween toen ze zag dat er een briefje aan de kurketrekker was geprikt. Met gevoelloze vingers haalde ze het eraf en hield het vlak bij haar ogen. Het papier was stijf van arme Raiders bloed, maar ze kon de woorden nog lezen:

Niemand bederft ongestraft mijn schone lakens. ik zei toch dat ik je zou krijgen!

Langzaam verdween de blik van verwezen verdriet en angst uit Netties ogen. Hij maakte plaats voor een gruwelijk inzicht dat als beslagen zilver in haar ogen glinsterde. Haar wangen, die melkwit waren geworden toen ze eindelijk begreep wat er was gebeurd, begonnen donkerrood te worden. Haar lippen weken langzaam terug van haar tanden, die ze dreigend aan het briefje liet zien. Giftige woorden kwamen uit haar open mond, heet en schor en snijdend: '*Smerig... kreng!*'
Ze verfrommelde het papiertje in haar vuist en gooide het tegen de muur. Het kaatste terug en viel naast Raiders lijfje op de grond. Nettie sloeg erop met haar vuist, raapte het op en spuwde ernaar. Daarna gooide ze het weer weg. Ze stond op en liep langzaam naar de keuken, terwijl ze haar handen telkens weer balde tot vuisten.

14

Wilma Jerzyck zette haar kleine gele Yugo op de inrit, stapte uit en liep met snelle pas naar de voordeur. Ze zocht de sleutel in haar handtas en neuriede intussen 'Love Makes the World Go Round'. Ze vond de sleutel, deed hem in het slot... en verstrakte toen ze uit een ooghoek iets zag bewegen. Ze keek naar rechts en haar mond viel open.
De gordijnen van de zitkamer wapperden in de middagbries. Ze wapperden búiten. En de reden daarvan was, dat de grote panoramaruit – die de Clooneys vierhonderd dollar had gekost nadat hun achterlijke zoontje hem drie jaar geleden met zijn bal had gebroken – aan scherven lag. Rond het gat in het midden zaten lange glaspijlen.
'Wat krijgen we nóu?' riep Wilma uit, en ze draaide de sleutel zo driftig om dat hij bijna brak.
Ze vloog naar binnen en wilde de deur achter zich dichtsmijten toen ze stokstijf bleef staan. Voor het eerst in haar volwassen bestaan was Wilma Wadlowski Jerzyck totaal aan de grond genageld van ontzetting.
De zitkamer was een chaos. De televisie – het prachtige grootbeeld waarop ze nog elf termijnen moesten afbetalen – lag aan scherven. Er kwam rook uit het geblakerde inwendige. De beeldbuis lag in duizend glanzende fragmenten op het kleed. In een van de muren

was een gapend gat geslagen en daaronder lag een soort pakje. Net zo'n pakje lag in de deuropening van de keuken.
Ze deed de deur dicht en liep in de richting van de keuken. Verward dacht ze dat ze voorzichtig moest zijn: het zou een bom kunnen zijn. Bij de televisie rook ze een warm, onaangenaam aroma, een mengeling van verschroeide isolatie en aangebrand spek.
Ze hurkte neer bij het pakje in de deuropening en zag dat het helemaal geen pakje was, althans niet in de gewone zin des woords. Het was een kei waar met een elastiekje een stuk gelinieerd papier omheen was gebonden. Ze maakte het papier los en las deze boodschap:

JE MOET ME MET RUST LATEN.
DIT IS DE LAATSTE WAARSCHUWING.

Nadat ze het twee keer had gelezen, keek ze naar de andere steen. Ze ging ernaar toe en haalde het papier onder het elastiek vandaan. Hetzelfde papier, dezelfde boodschap. Ze ging staan met in elke hand een gekreukt papiertje en keek telkens van het ene naar het andere en weer terug, als een vrouw die een felle pingpongrally volgt. Eindelijk sprak ze drie woorden:
'Nettie. Dat kutwijf.'
Ze ging naar de keuken, de adem met een ruw gierend geluid naar binnen zuigend. Ze sneed zich aan een stukje glas toen ze de steen uit de magnetron haalde en plukte de splinter afwezig uit haar handpalm voordat ze het papier erafhaalde. Er stond dezelfde mededeling op.
Wilma liep snel door de andere kamers beneden en zag nog meer schade. Ze las alle briefjes. De inhoud was steeds hetzelfde. Daarna ging ze terug naar de keuken. Ze keek ongelovig naar de troep.
'Nettie,' zei ze weer.
Eindelijk begon haar ijzige verdoving te smelten. De eerste emotie die ervoor in de plaats kwam was niet woede, maar ongeloof. Dat wijf is ècht gek, dacht ze. Dat móet wel als ze denkt mij - míj! - zoiets ongestraft te kunnen flikken. Met wie dacht ze dat ze te maken had, met achterlijke Lotje?
Wilma's hand verkrampte rond de briefjes. Ze boog voorover en wreef met het verfrommelde papier driftig over haar brede achterste.
'Ik veeg mijn reet af aan je laatste waarschuwing!' riep ze en smeet de papieren weg.
Ze keek weer om zich heen met de verwonderde ogen van een kind. Een gat in de magnetron. Een grote deuk in de Amana koelkast.

Overal glasscherven. In de andere kamer stonk de televisie, die hun bijna zestienhonderd dollar had gekost, als een oven vol gloeiende hondedrollen. En wie had dat allemaal gedaan? Wie?
Nettie Cobb natuurlijk, Miss Geschift 1991.
Wilma begon te glimlachen.
Als je Wilma niet kende zou je kunnen denken dat het een milde lach was, een vriendelijke lach vol warmte en kameraadschap. Een sterke emotie deed haar ogen oplichten: je zou het voor extase hebben kunnen houden. Maar als Peter Jerzyck, die haar het beste kende, haar gezicht op dat moment had gezien, zou hij zich zo snel mogelijk uit de voeten hebben gemaakt.
'Nee,' zei Wilma op een zachte, bijna strelende toon. 'O nee, meisje. Je hebt geen idee. Je hebt geen idee wat het is om met Wilma aan te rotzooien. Je hebt geen fláuw idee wat het is om met Wilma Wadlowski Jerzyck aan te rotzooien.'
Haar lach werd breder.
'Maar dat komt nog wel.'
Twee magnetische stalen strips waren naast de magnetron tegen de muur aangebracht. De meeste messen die daaraan hadden gehangen waren losgeslagen door de steen die Brian in de magnetron had gegooid en lagen als stokjes van een mikadospel op het aanrecht. Wilma pakte het langste, een Kingsford vleesmes met een witte benen handgreep, en streek langzaam met haar gekwetste palm langs de snijkant. Er kwam een streep bloed op het staal.
'Ik zal je een lesje leren dat je nog lang zal heugen.'
Met het mes in haar vuist liep Wilma de zitkamer door. Glas van de kapotte ruit en van de beeldbuis kraakte onder de lage hakken van haar zwarte zondagse schoenen. Ze ging naar buiten zonder de deur achter zich te sluiten en liep dwars door haar tuin in de richting van Ford Street.

15

Op hetzelfde ogenblik dat Wilma een van de messen op het aanrecht uitkoos, pakte Nettie Cobb een hakmes uit de keukenla. Ze wist dat het scherp was, want Bill Fullerton van de kapperszaak had het nog geen maand geleden voor haar geslepen.
Nettie draaide zich om en liep langzaam door de gang naar de voordeur. Even bleef ze staan en knielde neer bij Raider, haar arme hondje dat nooit een vlieg kwaad had gedaan.
'Ik heb haar gewaarschuwd,' zei ze zachtjes terwijl ze Raiders vacht streelde. 'Ik heb haar gewaarschuwd, ik heb dat gekke Pool-

se mens alle kans gegeven. Alle kans. Arme kleine hond. Wacht maar op me. Wacht maar, want ik ben zo bij je.'
Ze stond op en ging het huis uit, net zo min de deur sluitend als Wilma had gedaan. Nettie bekommerde zich niet meer om veiligheid. Een ogenblik bleef ze op het stoepje staan om een paar keer diep adem te halen, daarna liep ze door de tuin in de richting van Willow Street.

16

Danforth Keeton holde naar zijn werkkamer en rukte de kastdeur open. Hij kroop helemaal naar achteren. Eén verschrikkelijk ogenblik dacht hij dat de doos weg was, dat die vervloekte klootzak van een bemoeizuchtige smeris hem had meegenomen, tegelijk met zijn toekomst. Maar zijn handen voelden de doos en hij rukte het deksel eraf. Het tinnen speelbord was er nog. En de envelop zat er nog onder. Hij boog hem op en neer, hoorde het papiergeld knisperen en legde de envelop weer terug.
Snel ging hij naar het raam om te kijken of Myrtle er al aankwam. Ze mocht de roze blaadjes niet zien. Hij moest ze allemaal weghalen voordat Myrtle kwam, en hoeveel waren er wel niet? Honderd? Hij keek zijn kamer door en zag overal roze. Duizend? Ja, misschien wel duizend. Zelfs tweeduizend leek niet geheel en al uitgesloten.
Hij rende door de zitkamer (waarbij hij het blaadje aan de plafondlamp raakte, waardoor die heen en weer zwaaide), deed de deur op slot en schoof ook de grendel ervoor toen hij bedacht dat ze haar sleutel bij zich zou hebben. Om helemaal zeker te zijn maakte hij ook de ketting nog vast. Als ze kwam voordat hij klaar was, moest ze maar lekker op de stoep wachten. Hij was niet van plan haar binnen te laten voordat hij al die pleurisdingen in de oven had verbrand. Stuk... voor... stuk.
Hij trok het blaadje van de plafondlamp. Het plakband bleef aan zijn wang kleven en hij graaide ernaar met een geërgerde uitroep. Zijn blik viel op het woord dat bij OVERIGE was ingevuld:

VERDUISTERING

Hij holde naar de leeslamp bij zijn leunstoel. Griste het blaadje van de kap.

OVERIGE:
MISBRUIK VAN GEMEENTEGELDEN.

Op de televisie:

SODOMIE

Op de glasplaat van zijn Lions Club-onderscheiding die boven de open haard hing:

JE MOEDER NEUKEN

Aan de keukendeur:

DWANGMATIG GOKKEN IN LEWISTON

Aan de garagedeur:

PSYCHOTISCH INGEBEELDE ACHTERVOLGINGSWAANZIN

Hij griste ze zo snel mogelijk weg. Zijn ogen puilden uit zijn vlezige gezicht en het haar op zijn kalende schedel zat helemaal in de war. Hij liep al gauw te hijgen en te kuchen, en een lelijke roodpaarse tint begon zijn wangen te verkleuren. Hij zag eruit als een dik kind met het gezicht van een volwassene, dat koortsachtig aan een vreemde, maar o zo belangrijke speurtocht meedoet.
Hij trok een blaadje van de deur van de porseleinkast:

STELEN UIT HET GEMEENTELIJK PENSIOENFONDS OM OP DE PAARDJES TE KUNNEN WEDDEN

Keeton haastte zich naar zijn werkkamer met in zijn rechterhand een stapeltje briefjes. Het plakband hing in slierten achter hem aan. In deze kamer concentreerden alle aanklachten zich met ontstellende finesse op één punt:

VERDUISTERING
DIEFSTAL
ONTVREEMDING
VERDUISTERING
FRAUDE
MISBRUIK
WANBEHEER
VERDUISTERING.

Vooral dat laatste woord, schril, schreeuwend, beschuldigend:

OVERIGE: VERDUISTERING.

Hij dacht dat hij buiten iets hoorde en rende weer naar het raam. Misschien was het Myrtle. Misschien was het Norris Ridgewick die hem kwam bespotten en uitlachen. In dat geval zou Keeton zijn revolver pakken en hem doodschieten. Maar niet in zijn kop. Nee, dat zou te aardig zijn, te snel voor zulk tuig als Ridgewick. Keeton zou zijn buik aan flarden schieten en hem zichzelf in de tuin laten doodschreeuwen.
Maar het was alleen maar de Scout van de Garsons die over de View naar de stad reed. Scott Garson was de belangrijkste bankier van Castle Rock. Keeton en zijn vrouw gingen wel eens bij de Garsons eten; het waren aardige lui en Garson zelf was ook politiek van belang. Wat zou híj wel denken als hij die briefjes zag? Wat zou hij denken van dat VERDUISTERING dat door al die blaadjes werd uitgeschreeuwd, gillend als een vrouw die midden in de nacht wordt aangerand?
Hij holde terug naar de eetkamer, hijgend. Had hij er nog een over het hoofd gezien? Hij dacht van niet. Hij had ze allemaal, althans hier bene...
Nee, daar was er nog een! Op de spijl van de trapleuning! Hij moest er niet aan denken dat hij die had laten hangen!
Hij holde naar de trap en trok het los.

MERK: SHITMOBIEL
MODEL: OUD EN VERSLETEN
KENTEKEN: AFGELIKT I
OVERIGE: FINANCIËLE VUILAKKERIJ

Meer? Waren er nog meer? Keeton stormde als een gek door de kamers beneden. Zijn overhemd hing uit zijn broek en zijn harige buik deinde op en neer boven zijn riem. Hij zag geen andere briefjes, althans niet hier beneden.
Na een laatste snelle, koortsige blik uit het raam om te zien of Myrtle er nog niet aankwam, vloog hij de trap op terwijl zijn hart wild tekeerging in zijn borst.

17

Wilma en Nettie troffen elkaar op de hoek van Willow en Ford Street. Daar bleven ze staan en staarden elkaar aan als cowboys bij een duel. Hun mantels wapperden in de wind. De zon kwam telkens even achter de wolken vandaan en hun schaduwen kwamen en gingen als rusteloze bezoekers.
Er was geen verkeer in een van beide straten en er waren ook geen voetgangers. Het was hun eigen stille plekje op deze herfstmiddag.

'Je hebt mijn hond vermoord, kreng!'
'Je hebt mijn televisie kapot gemaakt! Mijn ruiten! Mijn magnetròn, kutwijf!'
'Ik heb je gewaarschuwd!'
'Pers maar in je kanaal!'
'Ik maak je af!'
'Nog één stap en er gaat hier iemand kapot, maar ik niet!'
Wilma zei het geschrokken en met een begin van verbazing. De uitdrukking op Netties gezicht maakte haar voor het eerst duidelijk dat ze ergens mee bezig waren dat verder kon gaan dan elkaar de haren uittrekken of elkaars kleren aan stukken scheuren. Wat deed Nettie hier trouwens? Wilma had haar willen overvallen en nu was het al ineens op een confrontatie uitgedraaid.
Maar Wilma's karakter had veel van een Poolse kozak, en die vond zulke kwesties bijzaak. Er moest hier slag worden geleverd, daar ging het om.
Nettie stormde met geheven hakmes op haar af. Ze liet haar tanden zien en slaakte een langgerekte kreet.
Wilma zakte door haar knieën en hield haar mes als een reusachtige stiletto voor zich uit. Ze stak het naar voren toen Nettie vlak bij haar was. Het blad boorde zich diep in Netties ingewanden en scheurde haar maag open. Een golf stinkende smurrie spoot naar buiten. Wilma was een ogenblik verstijfd van afschuw - kon het werkelijk Wilma Jerzyck zijn die dat mes vasthield? - en haar arm werd slap. De punt van het mes reikte daardoor niet tot Netties bonkende hart.
'*Vuil kreng!*' schreeuwde Nettie. Ze haalde uit met het hakmes, dat tot aan het heft in Wilma's schouder verdween en met een dof gekraak het sleutelbeen in tweeën sneed.
De pijn dreef als een grote houten balk alle objectieve gedachten uit Wilma's hoofd. Alleen de dolle kozak was er nog. Ze rukte haar mes los.
Nettie rukte haar hakmes los. Ze moest het met twee handen doen en toen het haar eindelijk lukte, gleed er een streng darmen door het bloederige gat in haar jurk en bleef in een glanzende knoop tegen haar buik hangen.
De twee vrouwen cirkelden langzaam om elkaar heen, voetstappen in hun eigen bloed achterlatend. Het trottoir kreeg het aanzien van een dansvloer waarop Arthur Murray zijn grillige passen had afgetekend. Nettie voelde dat ze langzaam begon te hallucineren. Alles verloor zijn kleur, tot er alleen nog een wit waas over was, daarna kwam de kleur langzaam weer terug. Ze hoorde het bloed traag en hortend in haar oren ruisen. Ze wist dat ze gewond was, maar ze voelde geen pijn. Ze dacht dat Wilma haar in haar zij had gestoken of zoiets.

Wilma wist heel goed hoe erg ze eraan toe was; ze kon haar rechterarm niet meer optillen en de achterkant van haar jurk zat onder het bloed. Maar ze was niet van plan zelfs maar te proberen weg te rennen. Dat had ze nog nooit in haar leven gedaan en ze wilde er nu niet mee beginnen.
'*Hela!*' riep iemand met schrille stem van de overkant. *'Hé, wat gebeurt daar? Hou op! Hou er onmiddellijk mee op of ik roep de politie!'*
Wilma draaide haar hoofd om. Nettie maakte van haar onoplettendheid gebruik, stapte naar voren en maaide met haar hakmes naar Wilma. Het blad trof Wilma's ronde heup en kraakte haar bekken. Het bloed spoot in een waaier naar buiten. Wilma schreeuwde en deinsde naar achteren, wild met haar mes zwaaiend. Ze struikelde over haar eigen voeten en viel hard op het trottoir.
'*Hé daar!*' Het was een oude vrouw, die bij haar voordeur stond en een muisgrijze sjaal tegen haar hals drukte. Haar ogen waren waterige schoteltjes van angst achter haar dikke brilleglazen. '*Help, politie!*' toeterde ze met haar heldere en doordringende oude-vrouwenstem. '*Moord! Brand!*'
De vrouwen op de hoek van Willow en Ford Street letten niet op haar. Wilma was in een bloederige hoop bij het stopbord neergevallen. Ze hees zich half overeind aan de paal toen Nettie dichterbij kwam en hield het mes naar voren.
'Kom maar op, kutwijf,' snauwde ze. 'Kom maar op als je durft.'
Nettie kwam met vertrokken mond. Haar ingewanden schommelden heen en weer tegen haar jurk als een misgeboorte. Ze struikelde over Wilma's uitgestoken linkervoet en viel voorover. Het vleesmes boorde zich in haar lichaam, net onder het borstbeen. Ze kreunde met een mond vol bloed, tilde het hakmes op en haalde uit. Met een enkel dof geluid – *tsjak!* – bleef het in Wilma's schedel steken. Wilma verkrampte en ze begon te stuiptrekken. Met elke beweging dreef ze het vleesmes dieper in Netties lichaam, dat half op haar lag.
'Mijn... hondje... vermoord,' snakte Nettie, met elk woord een fijne nevel van bloed in Wilma's opgeheven gezicht spuwend. Een laatste rilling trok door haar lichaam en ze werd slap. Haar hoofd gleed naar voren en bonkte tegen de paal van het stopbord.
Wilma's schokkende voet gleed in de goot. Haar zwarte zondagse schoen raakte los en bleef op een hoopje bladeren liggen, de lage hak omhoog gekeerd naar de voortjagende wolken. Haar tenen kromden zich... nog een keer... en verslapten.
De twee vrouwen hingen als een verliefd stel over elkaar heen, terwijl hun bloed over de kaneelkleurige bladeren in de goot stroomde.

‘*Moooooord!*’ toeterde de oude vrouw aan de overkant weer, daarna kreeg ze een flauwte en viel languit achterover in haar eigen gang.
Andere omwonenden kwamen voor de ramen of op de stoep staan en vroegen aan elkaar wat er was gebeurd. Ze kwamen naar buiten en gingen aarzelend naar de plek des onheils, waarna ze met een hand voor hun mond haastig terugdeinsden toen ze zagen wat er was gebeurd... en wat de afzichtelijke gevolgen ervan waren.
Eindelijk kwam iemand op het idee de sheriff te waarschuwen.

18

Polly Chalmers liep langzaam door Main Street naar De Nood-Zaak, haar pijnlijke handen behoedzaam in haar warmste wanten gepakt, toen ze de eerste sirene hoorde. Ze bleef staan en zag een van de drie bruine Plymouth patrouillewagens met flitsend zwaailicht over het kruispunt van Main en Laurel Street scheuren. De wagen versnelde nog steeds en werd op de voet gevolgd door een tweede.
Ze keek de wagens fronsend na. Sirenes en scheurende politieauto’s waren een zeldzaamheid in de Rock. Ze vroeg zich af wat er was gebeurd. In elk geval iets ernstigers dan een kat in een boom, dacht ze. Alan zou het haar wel vertellen als hij die avond belde.
Polly keek weer voor zich uit en zag Leland Gaunt in de deuropening van zijn winkel staan. Ook hij stond met een enigszins bevreemde uitdrukking naar de politiewagens te kijken. Daarmee was in elk geval één vraag beantwoord: hij was open. Nettie had niet meer gebeld om het haar te laten weten. Dat had Polly niet erg verbaasd; Nettie had een bot verstand, waar sommige dingen eenvoudig van afgleden.
Ze liep verder. Gaunt draaide zijn hoofd om en zag haar. Zijn gezicht klaarde op.
‘Mevrouw Chalmers! Wat leuk dat u even langskomt!’
Ze glimlachte flauwtjes. De pijn, die ’s ochtends wat minder was geworden, begon weer op te komen en spreidde zijn web van dunne, wrede draden in haar handen. ‘U zou toch Polly zeggen?’
‘Polly dan. Kom binnen, ik vind het erg leuk je weer te zien. Wat zou al die herrie zijn?’
‘Ik weet het niet,’ zei ze. Hij hield de deur voor haar open en ze ging hem voor naar binnen. ‘Ik denk dat er iemand naar het ziekenhuis moet. In het weekend duurt het vreselijk lang voordat er een ambulance uit Norway is. Hoewel ik niet snap waarom ze dan twéé wagens sturen...’

Gaunt deed de deur achter hen dicht. De bel tinkelde. Het rolgordijn was neergelaten, en nu de zon niet meer in de straat scheen, was het behoorlijk donker in De NoodZaak. Maar dat kwam Polly wel goed uit. Een kleine leeslamp wierp een goudgele kring op de toonbank naast Gaunts ouderwetse kasregister. Er lag een open boek. Het was *Schateiland* van Robert Louis Stevenson.
Gaunt stond haar scherp op te nemen, en Polly moest weer glimlachen om de bezorgde blik in zijn ogen.
'Mijn handen geven me de laatste dagen heel wat te stellen,' zei ze. 'Ik zal er wel niet uitzien als Demi Moore.'
'Je ziet eruit als een vrouw die erg moe is en veel ongemak te verdragen heeft,' zei hij.
De glimlach op haar gezicht aarzelde. Zijn stem was vol begrip en diep mededogen, en Polly was even bang dat ze in tranen zou uitbarsten. Dat werd verhinderd door een vreemde gedachte: *Zijn handen. Als ik huil, zal hij me willen troosten. Hij zal me aanraken met die handen.*
Ze glimlachte dapper.
'Ik red het wel, zo gaat het altijd. Maar zeg eens, is Nettie Cobb nog langs geweest?'
'Vandaag?' Hij fronste. 'Nee, vandaag niet. Anders had ik haar een nieuw stuk glaswerk kunnen laten zien dat gisteren is aangekomen. Het is niet zo mooi als de lampekap die ik haar vorige week heb verkocht, maar misschien heeft ze er toch wel belangstelling voor. Waarom vraag je dat?'
'Och, zomaar,' zei Polly. 'Ze zei dat ze langs zou gaan, maar Nettie... Nettie vergeet vaak dingen.'
'Ze lijkt me een vrouw die een zwaar leven achter de rug heeft,' zei Gaunt ernstig.
'Ja. Ja, dat is zo.' Polly sprak deze woorden langzaam en mechanisch uit. Ze leek haar blik niet van Gaunts ogen te kunnen afwenden, tot ze met een hand tegen de rand van een glazen vitrine stootte. Ze slaakte een zachte kreet van pijn.
'Gaat het?'
'Ja, het is niets,' zei Polly, maar dat was een leugen; het was allesbehalve niets.
Gaunt had het kennelijk door. 'Je voelt je niet goed,' zei hij op besliste toon. 'Daarom zal ik de formaliteiten achterwege laten. Ik heb het artikel waarover ik je schreef inderdaad binnengekregen. Je krijgt het van me en dan stuur ik je naar huis.'
'Ik kríjg het van u?'
'Nou, het is geen geschenk,' zei hij terwijl hij achter de kassa ging staan. 'Zo goed kennen we elkaar nu ook weer niet.'
Ze glimlachte. Hij was duidelijk een vriendelijk mens, iemand die

alleen maar iets terug wilde doen voor de eerste persoon in Castle Rock die aardig voor hem was geweest. Maar het kostte haar moeite erop te reageren... het kostte haar zelfs moeite haar hoofd bij het gesprek te houden. De pijn in haar handen was verschrikkelijk. Ze wou dat ze niet was gekomen en aardig of niet, ze wilde alleen maar naar huis om een pijnstiller te nemen.

'Dit is zo'n artikel dat een verkoper wel op proef móet aanbieden... als hij tenminste ethisch te werk gaat.' Hij haalde een sleutelbos te voorschijn, koos een van de sleutels en maakte de lade onder de kassa open. 'Als je na een paar dagen merkt dat je er niets aan hebt - en ik moet erbij zeggen dat het daar waarschijnlijk op neer zal komen - dan breng je het terug. Als je er integendeel baat bij hebt, dan kunnen we het over de prijs hebben.' Hij glimlachte tegen haar. 'En voor jou reken ik de allerlaagste prijs, daar kun je zeker van zijn.'

Ze keek hem verbaasd aan. Baat? Wat bedoelde hij?

Hij haalde een kleine witte doos te voorschijn en zette die op de toonbank. Met zijn vreemde, lange vingers haalde hij het deksel eraf en pakte de mooie ketting met een klein zilveren sieraad die op het katoen lag. Het was een soort halsketting, maar toen Gaunt hem omhoog hield zag het sieraad eruit als een theebuiltje of een grote vingerhoed.

'Dit is Egyptisch, Polly. Erg oud. Niet zo oud als de piramiden - allemachtig, nee! - maar toch erg oud. Er zit iets in de hanger. Een soort kruid, meen ik, al ben ik daar niet zeker van.' Hij bewoog zijn vingers op en neer. Het zilveren theebuiltje (als het dat was) danste aan de ketting. Binnenin bewoog iets met een stoffig, schuifelend geluid. Polly vond het een tikkeltje onaangenaam.

'Het heet een *azka*, of misschien *azakah*,' zei Gaunt. 'Hoe dan ook, het is een amulet dat tegen pijn moet helpen.'

Polly probeerde te glimlachen. Ze wilde beleefd zijn, maar zóiets... had ze daar al die moeite voor gedaan? Het ding had niet eens esthetische waarde. Het was lelijk, om er maar niet omheen te draaien.

'Ik geloof echt niet...'

'Ik ook niet,' zei hij, 'maar in een noodsituatie moet je soms een noodmaatregel nemen. Ik verzeker je dat het origineel is... dat wil zeggen, het is in elk geval niet in Taiwan gemaakt. Het is authentiek Egyptisch - niet echt een relikwie, maar wel degelijk een kunstvoorwerp - uit de periode van de Tweede Tussentijd. Op het certificaat van herkomst staat dat het een hulpmiddel bij de *benka-litis* of witte magie was. Neem het en draag het. Het zal wel kinderachtig klinken. Waarschijnlijk is het dat ook. Maar er zijn vreemdere dingen tussen hemel en aarde dan waar sommigen van dromen, zelfs in onze wildere filosofische ogenblikken.'

‘Gelooft u dat echt?’ vroeg Polly.
‘Ja. Ik heb in mijn leven dingen gezien waarbij een medaillon of amulet met genezende krachten in het niet valt.’ Even glinsterde er een ontwijkende blik in zijn lichtbruine ogen. ‘Véél dingen. De uithoeken van de wereld zitten vol met fabelachtige rommel, Polly. Maar dat doet er niet toe, het gaat nu om jóu. Zelfs de vorige keer, toen de pijn vermoedelijk lang niet zo erg was als nu, kreeg ik een aardige indruk van de vervelende toestand waarin je verkeert. Ik dacht dat dit kleine... voorwerp... de moeite van het proberen waard kon zijn. Wat heb je tenslotte te verliezen? Al het andere heeft toch niet geholpen, is het wel?’
‘Ik waardeer uw belangstelling, meneer Gaunt, echt, maar...’
‘Zeg toch Leland.’
‘Ja, goed. Ik waardeer je belangstelling, Leland, maar ik vrees dat ik niet bijgelovig ben.’
Ze keek op en zag dat zijn glanzende bruine ogen strak op haar gericht waren.
‘Het doet er niet toe of jíj dat bent of niet, Polly... dit ís namelijk bijgelovig.’ Hij bewoog zijn vingers. De *azka* danste licht aan het eind van de ketting.
Ze deed haar mond weer open, maar ze wist niets te zeggen. Ze moest denken aan een dag in het voorjaar, toen Nettie haar *Inside View* had laten liggen toen ze naar huis ging. Polly bekeek onverschillig de artikelen over weerwolfjonkies in Cleveland en een rotsformatie op de maan die op het gezicht van John Kennedy leek, toen haar oog werd getroffen door een advertentie voor de Gebedswijzer van de Ouden, zoals het werd genoemd. Het instrument werd geacht hoofdpijn, maagpijn en artritis te genezen.
De advertentie werd gedomineerd door een zwartwit-tekening van een man met een lange baard en een tovenaarsmuts (hij moest Nostradamus of Gandalf voorstellen, vermoedde Polly), die met een soort tol bij een man in een rolstoel stond. De tol wierp een gloed over de invalide, en hoewel de tekst dat niet met zoveel woorden aangaf, moest de lezer blijkbaar aannemen dat hij over een dag of wat de Copacabana op stelten zou zetten. Het was natuurlijk bespottelijk, bijgelovig gezwets voor mensen die geestelijk waren aangetast of zelfs geknakt door jaren van pijn en invaliditeit, maar toch...
Ze had heel lang naar die advertentie zitten kijken en, bespottelijk of niet, ze had bijna het opgegeven nummer gedraaid om een telefonische bestelling te plaatsen. Want vroeg of laat...
‘Vroeg of laat moet iemand met pijn zelfs twijfelachtige wegen bewandelen als die wegen verlichting zouden kunnen brengen,’ zei Gaunt. ‘Vind je niet?’

'Ik... ik weet niet...'
'Mergtransplantatie... bevriezing... elektrische handschoenen... zelfs bestraling... dat heeft toch allemaal niets uitgehaald?'
'Hoe weet je dat allemaal?'
'Een goede verkoper zorgt dat hij de behoeften van zijn klanten kent,' zei Gaunt met zijn zachte, hypnotische stem. Hij kwam naar haar toe en hield uitnodigend de zilveren ketting met de *azka* op. Ze deinsde terug voor de lange handen met hun leerachtige nagels.
'Geen angst, lieve Polly. Ik zal geen haar op je hoofd aanraken... als je rustig blijft... en heel stil blijft staan.'
En Polly werd heel rustig. Ze bleef heel stil staan. Ze vouwde haar handen (nog steeds in de dikke wanten) kuis voor haar buik en liet toe dat Gaunt de zilveren ketting om haar hals hing. Hij deed het even teder als een vader die de bruidssluier van zijn dochter opslaat. Ze voelde zich ver verwijderd van Gaunt, van De NoodZaak, van Castle Rock, zelfs van zichzelf. Ze voelde zich als een vrouw die op een stoffige hoogvlakte en onder een eindeloze lucht stond, honderden kilometers bij andere mensen vandaan.
De *azka* viel met een zacht getinkel tegen de rits van haar leren jekker.
'Stop hem in je jack. En als je thuis bent, stop hem dan ook in je blouse. Hij moet op de huid worden gedragen voor het beste resultaat.'
'Ik kan hem niet in mijn jack doen,' zei Polly langzaam en op dromerige toon. 'De rits... ik kan de rits niet naar beneden krijgen.'
'Nee? Probeer het eens.'
Dus deed Polly een van haar wanten uit en probeerde het. Tot haar grote verbazing merkte ze dat ze de duim en wijsvinger van haar rechterhand net genoeg kon buigen om de rits te kunnen pakken en naar beneden te trekken.
'Zie je wel?'
Het zilveren balletje viel tegen de stof van haar blouse. Het voelde erg zwaar en niet direct prettig aan. Ze vroeg zich vaag af wat erin zat, wat dat stoffige schuifelende geluid had gemaakt. Een of ander kruid, had hij gezegd, maar bij het geluid had ze niet aan blaadjes of aan poeder moeten denken. Het was eerder alsof er iets uit zichzelf had bewogen.
Gaunt leek haar ongerustheid te begrijpen. 'Je went er wel aan, en veel eerder dan je misschien denkt. Geloof me, het went.'
Buiten, duizenden kilometers ver weg, hoorde ze nog meer sirenes. Ze klonken als onrustige geesten.
Gaunt wendde zich af en toen zijn ogen haar loslieten, merkte Polly dat haar concentratievermogen begon terug te keren. Ze voelde zich wat verward, maar ze voelde zich ook goed. Het was alsof ze

een kort, maar opwekkend slaapje achter de rug had. Het gevoel van ongemak en onrust was verdwenen.
'Mijn handen doen nog steeds pijn,' zei ze, en dat was waar... maar waren ze nog net zo pijnlijk? Ze meende dat het iets beter ging, hoewel dat niets anders dan suggestie kon zijn; ze had het idee dat Gaunt haar had gehypnotiseerd of zoiets om haar de *azka* te laten aannemen. Of misschien was het alleen de overgang van de kou buiten naar de warmte in de winkel.
'Ik betwijfel sterk of het beloofde effect zich onmiddellijk doet gevoelen,' zei Gaunt droog. 'Maar geef het een kans, Polly. Wil je dat doen?'
Ze haalde haar schouders op. 'Best.'
Ja, wat hàd ze eigenlijk te verliezen? Het balletje zou onder een blouse en een sweater nauwelijks opvallen, en het was wel zo prettig dat ze dan ook geen vragen hoefde te beantwoorden. Rosalie Drake zou anders wel nieuwsgierig zijn en Alan, die ongeveer net zo bijgelovig was als een boomstam, zou het waarschijnlijk grappig vinden. En Nettie... nou ja, Nettie zou waarschijnlijk eerbiedig zwijgen als ze wist dat Polly een heuse talisman droeg, zo een als uit een advertentie in haar geliefde *Inside View*.
'Je moet hem niet afdoen, zelfs niet onder de douche,' zei Gaunt. 'Dat is niet nodig ook. De hanger is van echt zilver en roest niet.'
'En als ik hem toch afdoe?'
Hij kuchte achter zijn hand alsof hij in verlegenheid was gebracht. 'Nou ja, de gunstige uitwerking van de *azka* is cumulatief. De drager voelt zich vandaag wat beter, morgen nog een beetje beter enzovoort. Dat heb ik tenminste gehoord.'
Gehoord van wie? vroeg ze zich af.
'Maar als de *azka* wordt afgedaan, keert de vroegere pijn niet langzaam, maar onmiddellijk terug. En als je de *azka* opnieuw gaat dragen, duurt het dagen of misschien wel weken om het verloren terrein terug te winnen.'
Polly lachte een beetje. Ze kon er niets aan doen en tot haar opluchting deed Leland Gaunt met haar mee.
'Ik weet hoe het klinkt,' zei hij, 'maar ik wil je alleen maar helpen. Geloof je dat?'
'Ja,' zei ze. 'Dank je.'
Maar terwijl ze zich door hem naar de deur liet brengen, merkte ze dat er nog meer vragen bij haar opkwamen. Over de halve hypnose waarin ze verkeerde toen hij haar de ketting omhing, bijvoorbeeld. En de sterke afkeer die zijn handen haar inboezemden. Die dingen strookten helemaal niet met het vriendelijke, respectvolle en meelevende karakter dat hij als een bijna tastbaar aura uitstraalde.
Maar had hij haar wèrkelijk gehypnotiseerd? Dat was een stomp-

zinnige gedachte... of niet? Ze probeerde zich precies te herinneren hoe ze zich voelde toen ze het over de *azka* hadden, maar daar slaagde ze niet in. Als er al sprake was geweest van hypnose, dan was het ongetwijfeld per ongeluk en met haar hulp gebeurd. Het was waarschijnlijker dat haar verdoving het gevolg was van de pijnstiller die ze had genomen. Dat was het vervelendste van die pillen. Of nee, dat was het op een na vervelendste. Het ergste was dat ze tegenwoordig niet altijd meer zo effectief waren.
'Als ik kon rijden zou ik je thuisbrengen,' zei Gaunt. 'Maar ik heb het nooit geleerd.'
'Dat geeft helemaal niet,' zei Polly. 'Je bent erg aardig voor me geweest.'
'Wacht met je bedankje tot het werkt,' antwoordde hij. 'Nog een prettige middag, Polly.'
Nog meer sirenes werden hoorbaar. Het geluid kwam uit het oosten, uit de richting van Elm, Willow, Pond en Ford Street. Polly draaide zich in die richting. Het geluid van sirenes, vooral op zo'n stille middag, riep tamelijk sombere gedachten – niet direct beelden – op aan een naderend onheil. Het geluid begon te verzwakken, aflopend als een veer in de heldere herfstlucht.
Ze draaide zich om en wilde iets over de sirenes tegen Gaunt zeggen, maar de deur was dicht. Tussen de ruit en het rolgordijn hing het bordje:

GESLOTEN.

Het zwaaide licht heen en weer aan het touwtje. Gaunt was weer naar binnen gegaan toen ze zich had omgedraaid, zo zacht dat ze hem niet eens had gehoord.
Polly begon langzaam naar huis te lopen. Voordat ze het eind van Main Street bereikte werd ze gepasseerd door een volgende patrouillewagen, ditmaal van de staatspolitie.

19

'Danforth?'
Myrtle Keeton stapte door de voordeur naar binnen. Ze stak de fonduepan onder haar linkerarm om de sleutel uit het slot te halen die Danforth had laten zitten.
'Danforth, ik ben thuis!'
Ze kreeg geen antwoord en de televisie stond niet aan. Dat was raar; hij wilde toch zo snel naar huis om de aftrap te kunnen zien. Ze vroeg zich vluchtig af of hij misschien bij iemand anders was

gaan kijken, bij de Garsons bijvoorbeeld, maar de garagedeur was dicht en dat betekende dat hij de auto had weggezet. En Danforth ging nooit lopen als het niet nodig was. Zeker niet op de steile View.
'Danforth? Ben je daar?'
Nog steeds geen antwoord. In de eetkamer zag ze een omgevallen stoel. Fronsend zette ze de fonduepan op tafel en pakte de stoel op. Een eerste angstig voorgevoel, dun als spinrag, kwam bij haar op. Ze liep naar de gesloten deur van zijn werkkamer. Ze hield haar hoofd tegen het hout en luisterde. Ze was er nagenoeg zeker van dat ze het zachte piepen van zijn bureaustoel hoorde.
'Danforth? Ben je daar?'
Geen antwoord... maar ze dacht dat ze een kuch hoorde. Ze schrok. Danforth had de laatste tijd onder grote spanning gestaan – hij was de enige wethouder die echt hard werkte – en hij had meer te dragen dan goed voor hem was. Als hij nu eens een hartaanval had gehad en daarbinnen op de grond lag? Als dat geluid geen kuch was geweest, maar Danforth die naar adem lag te snakken?
De heerlijke ochtend en voormiddag die ze samen hadden beleefd maakten het idee afschuwelijk genoeg nog geloofwaardiger; eerst de verwachtingsvolle opbouw, daarna de vernietigende klap. Ze stak haar hand uit naar de deurknop... en bracht hem omhoog om zenuwachtig aan het losse vel van haar hals te plukken. Er waren maar weinig scheldpartijen voor nodig geweest om haar te leren dat je Danforth niet in zijn kamer stoorde zonder te kloppen... en dat je nooit, nooit, nóóit ongevraagd zijn *sanctum sanctorum* betrad.
Ja, maar als hij nu een hartaanval heeft gehad... of... of...
Ze dacht aan de omgevallen stoel en haar angst sloeg om in paniek. *Misschien heeft hij een insluiper betrapt. Misschien heeft die hem buiten westen geslagen en naar zijn kamer gesleept.*
Ze roffelde met haar knokkels op de deur. 'Danforth? Is alles in orde?'
Geen antwoord. Geen geluid in huis behalve het statige tik-tak van de grootvadersklok in de zitkamer en... ja, ze was er nu zeker van: het kraken van de stoel in Danforths werkkamer.
Haar hand bewoog weer langzaam in de richting van de knop.
'Danforth, ben je...'
Haar vingertoppen raakten de knop toen hij ineens begon te brullen. Met een hoge kreet sprong ze weg van de deur.
'Laat me met rust! Kan je me niet met rust laten, stomme trut?'
Ze kreunde. Haar hart klopte wild in haar keel. Het was niet alleen de schrik; het was ook de woede en de tomeloze haat in zijn stem. Na die vredige en prettige ochtend had hij haar niet meer pijn kun-

nen doen als hij haar wang met een handvol scheermesjes had gestreeld.
'Danforth... ik dacht dat je ziek was...' Ze hoorde zelf amper het zwakke geluid van haar stem.
'*Laat me met rust!*' Aan het geluid te horen stond hij nu pal achter de deur.
O God, hij klinkt net of hij gek is geworden. Is dat mogelijk? Hóe is dat mogelijk? Wat is er gebeurd nadat hij me bij Amanda heeft afgezet?
Maar er waren geen antwoorden op deze vragen. Er was alleen pijn. En daarom kroop ze naar boven, haalde haar prachtige nieuwe pop uit de kast in de naaikamer en nam die mee naar de slaapkamer. Ze deed haar schoenen uit en ging aan haar kant van het bed liggen met de pop in haar armen.
Ergens in de verte hoorde ze sirenes tegen elkaar janken. Ze sloeg er geen acht op.
Hun slaapkamer was prachtig op dit uur van de dag, vol stralend najaarslicht. Myrtle zag het niet. Ze zag alleen duisternis. Ze voelde alleen ellende, een diepe zwarte ellende, die zelfs de mooie pop niet kon verlichten. De ellende leek haar keel te blokkeren en haar adem tegen te houden.
O, ze was vandaag zo gelukkig geweest, zo heel erg gelukkig. Híj was ook gelukkig geweest. Daar was ze zeker van. En nu was alles erger dan ooit. Veel erger.
Wat was er gebeurd?
O God, wat was er gebeurd en wie was de schuldige?
Myrtle trok de pop tegen zich aan en keek naar het plafond, en na een tijdje begon ze te huilen met grote, diepe snikken waarvan haar hele lichaam schokte.

11

1

Om kwart voor twaalf 's avonds op die lange, lange zondag in oktober ging een deur in het souterrain van het Kennebec Valley Hospital open. Sheriff Alan Pangborn stapte over de drempel. Hij liep langzaam, met zijn hoofd naar de grond. Zijn voeten, geschoeid in rekbare ziekenhuissandalen, sloften over het linoleum. Terwijl de deur achter hem dichtzwaaide werd het bordje leesbaar:

MORTUARIUM
VERBODEN TOEGANG VOOR ONBEVOEGDEN.

Aan het eind van de gang was een man in een grijze overall met een dweilmachine de vloer aan het zwabberen, traag en loom bewegend. Alan ging naar hem toe en deed intussen zijn monddoekje af. Hij tilde zijn groene ziekenhuisjas op en stopte de monddoek in een achterzak van de spijkerbroek die hij eronder aanhad. Het zachte brommen van de dweilmachine maakte hem slaperig. Een ziekenhuis in Augusta was de laatste plaats op aarde waar hij vanavond wilde zijn.

De schoonmaker keek op toen hij naderde en schakelde zijn machine uit.

'Je ziet er niet zo goed uit, vriend,' begon hij.

'Dat verbaast me niks. Heb je een sigaret voor me?'

De man haalde een pakje Lucky Strike uit zijn borstzakje en gaf Alan een sigaret. 'Alleen kun je hem hier niet oproken,' zei hij. Hij gebaarde met zijn hoofd naar de deur van het lijkenhuis. 'Doc Ryan zou een rolberoerte krijgen.'

Alan knikte. 'Waar?'

De schoonmaker nam hem mee naar de volgende gang en wees naar een deur ongeveer in het midden. 'Die komt uit op het straatje naast het gebouw. Maar zet iets tussen de deur, anders moet je helemaal naar de voorkant lopen om weer binnen te komen. Heb je lucifers?'

Alan liep de gang in. 'Ik heb een aansteker bij me. Bedankt voor de peuk.'

'Ik hoor dat het vanavond een dubbele voorstelling was,' riep de man hem na.

'Dat klopt,' zei Alan zonder zich om te draaien.

'Autopsie is nooit een leuk gezicht, hè?'
'Nee,' zei Alan.
Achter hem begon de dweilmachine weer zacht te brommen. Nee, het was geen leuk gezicht. Nettie Cobb en Wilma Jerzyck waren nummer drieëntwintig en vierentwintig in zijn loopbaan en veruit de ergste die hij had meegemaakt.
De deur waarnaar de schoonmaker had gewezen was er een van het soort dat vanzelf dichtviel. Alan keek om zich heen, maar zag niets om de deur mee open te houden. Hij trok zijn ziekenhuisjas uit, propte hem in elkaar en deed de deur open. De avondlucht stroomde naar binnen, kil maar ongelooflijk opwekkend na de geur van belegen alcohol in het mortuarium en de aangrenzende snijkamer. Alan legde de verfrommelde jas tegen de deurpost en ging naar buiten. Voorzichtig liet hij de deur terugvallen, zag dat zijn voorzorgsmaatregel afdoende was en keek er niet meer naar om. Hij leunde tegen de ruwe betonblokken van de muur naast het dunne streepje licht dat door de kier naar buiten viel en stak zijn sigaret aan.
De eerste trek gaf hem een draaierig gevoel in zijn hoofd. Al bijna twee jaar probeerde hij met roken te stoppen en bijna elke keer lukte het hem. Tot er iets tussen kwam. Dat was zowel de vloek als de zegen van politiewerk: er kwam altijd iets tussen.
Hij keek naar de sterren, wat hem meestal kalmeerde, en kon er niet veel zien: de sterke verlichting rond het ziekenhuis wiste ze uit. Hij kon de Grote Beer en Orion onderscheiden en een vage, rossige punt die vermoedelijk Mars was, maar dat was alles.
Mars, dacht hij. *Dat is het, natuurlijk. De Marsmannetjes zijn tegen de middag in Castle Rock geland en de eersten die ze tegenkwamen waren Nettie en dat mens van Jerzyck. De Marsmannetjes beten ze en maakten ze hondsdol. Dat is de enige verklaring.*
Hij overwoog naar binnen te gaan en tegen Henry Ryan, de eerste patholoog-anatoom van Maine, te zeggen: *Het gaat om een buitenaardse invasie, Doc. Zaak gesloten.* Hij betwijfelde of Ryan het geestig zou vinden. Ook voor hem was het een lange avond geweest.
Alan inhaleerde diep. De smaak was fantastisch, draaierig in zijn hoofd of niet, en hij meende heel goed te begrijpen waarom roken in de publieke ruimten van elk ziekenhuis in Amerika nu verboden was. Johannes Calvijn had het bij het rechte eind gehad: iets waardoor je je zo prettig voelde, kon onmogelijk goed voor je zijn. Ik wou dat ik er nog een had, dacht hij.
Het zou wel aardig zijn om een hele doos van deze eigenste Lucky's te kopen, aan twee kanten open te scheuren en de hele zaak met een vlammenwerper in de fik te steken. Het zou ook wel aardig zijn als

hij zich ging bezatten. Het leek hem niet het geschikte moment om zat te worden. Weer zo'n onwrikbare leefregel: *Als je er echt aan toe bent om te drinken, kun je het je nooit veroorloven.* Alan vroeg zich vaag af of de dronkelappen misschien de enigen in de wereld waren die wisten wat het belangrijkste was.
De dunne streep licht bij zijn voeten verbreedde zich. Alan keek om en zag Norris Ridgewick. Norris kwam naar buiten en leunde naast Alan tegen de muur. Hij had zijn groene monddoek nog om, maar die zat scheef en de koordjes hingen over zijn schouders. Zijn gezicht had dezelfde kleur als zijn jas.
'Jezus, Alan.'
'Dit waren toch je eerste?'
'Nee, ik heb eens een autopsie meegemaakt toen ik in North Wyndham zat. Zelfmoord met uitlaatgassen. Maar dit... Jezus, Alan.'
'Ja,' zei hij, de rook uitblazend. 'Jezus.'
'Heb je een sigaret voor me?'
'Nee, sorry. Ik heb deze gebietst van de schoonmaker.' Hij keek zijn assistent lichtelijk bevreemd aan. 'Ik wist niet dat je rookte, Norris.'
'Dat doe ik ook niet. Misschien is dit een goed moment om te beginnen.'
Alan lachte zacht.
'Man, ik zal blij zijn als ik morgen kan gaan vissen. Of kan ik mijn vrije dagen wel vergeten zolang we met deze troep bezig zijn?'
Alan dacht erover na en schudde zijn hoofd. Het waren toch niet de Marsmannetjes geweest; het geval zag er eigenlijk nogal eenvoudig uit. In zekere zin was het daarom juist zo afschuwelijk. Hij zag geen reden Norris zijn vrije dagen te ontzeggen.
'Geweldig,' zei Norris. 'Maar als je wilt kom ik opdagen, Alan,' voegde hij eraan toe. 'Geen probleem.'
'Dat lijkt me niet nodig, Norris. John en Clut hebben contact opgenomen. Clut is met een paar jongens van de recherche meegegaan naar Pete Jerzyck en John met de anderen om bij Nettie thuis te kijken. Ze hebben zich allebei gemeld. De zaak is wel duidelijk. Smerig, maar duidelijk.'
En dat was het ook... en toch zat hij er mee. Intuïtief zat hij er erg mee in zijn maag.
'En wat is er nou gebeurd? Dat mens van Jerzyck vroeg er natuurlijk al jaren om, maar ik had gedacht dat iemand zou volstaan met haar een blauw oog of een gebroken arm te bezorgen... en niet zóiets. Is ze toevallig tegen de verkeerde aangelopen?'
'Ik denk dat je het daarmee ongeveer zegt,' zei Alan. 'Wilma had in heel Castle Rock geen slechtere kunnen uitzoeken om ruzie mee te maken.'

'Ruzie?'
'Polly had Nettie van het voorjaar een jonge hond gegeven. Die blafte in het begin wel eens. Wilma maakte er een hoop stennis over.'
'Echt waar? Ik herinner me geen klachten.'
'Ze heeft maar één keer een formele klacht ingediend. Die heb ik opgevangen, op verzoek van Polly. Ze voelde zich gedeeltelijk verantwoordelijk omdat zij Nettie die hond had gegeven. Nettie zei dat ze hem zoveel mogelijk binnen zou houden en voor mij was het daarmee afgelopen. De hond hield op met blaffen, maar Wilma blijkbaar niet met schelden tegen Nettie. Volgens Polly ging Nettie altijd aan de overkant lopen als ze Wilma zag aankomen, al was die een halve kilometer weg. Het ontbrak er nog maar aan dat Nettie het teken van het boze oog tegen haar maakte. En vorige week ging ze te ver. Ze ging naar het huis van de Jerzycks toen Pete en Wilma op hun werk waren, zag de lakens aan de drooglijn hangen en gooide er modder uit de tuin tegenaan.'
Norris floot. 'Hebben we dáár geen klacht over gekregen, Alan?'
Alan schudde zijn hoofd. 'Tot vanmiddag was het een zaak tussen de beide dames.'
'En Pete Jerzyck?'
'Kèn jij Pete?'
'Nou...' Norris zweeg. Dacht aan Pete. Dacht aan Wilma. Dacht aan die twee samen. Knikte langzaam van ja. 'Hij was bang dat Wilma hem met huid en haar zou verslinden als hij probeerde te bemiddelen... en dus deed hij niets. Zit het zo?'
'Ongeveer. Misschien heeft hij de boot wel afgehouden, althans enige tijd. Volgens Clut heeft hij tegen de recherche gezegd dat Wilma meteen naar Nettie wilde toen ze haar lakens had gezien. Ze was tot alles in staat. Blijkbaar heeft ze Nettie opgebeld en gezegd dat ze haar de nek zou omdraaien.'
Norris knikte. Tussen de twee autopsieën in had hij de meldkamer in Castle Rock gebeld en gevraagd om een lijst met klachten waarbij de twee vrouwen betrokken waren geweest. Nettie had een kort lijstje: ze was doorgeslagen en had haar echtgenoot vermoord. Einde van het verhaal. Daarvoor en daarna geen uitspattingen, ook niet in de laatste jaren waarin ze weer op zichzelf had gewoond. Met Wilma was het heel andere koek. Zij had nooit iemand vermoord, maar er was een lange lijst met klachten - zowel van als tegen haar - en die ging terug tot haar schooltijd, toen ze een invalkracht een blauw oog had geslagen omdat ze moest nablijven. Twee keer hadden angstige vrouwen die zo ongelukkig of onverstandig waren geweest Wilma voor de voeten te lopen, om politiebescherming gevraagd. Verder was er in de loop der jaren drie keer

een klacht tegen haar ingediend wegens mishandeling. Uiteindelijk waren alle aanklachten ingetrokken, maar het kostte weinig moeite om te ontdekken dat niemand bij zijn of haar volle verstand uitgerekend met Wilma Jerzyck ruzie zou zoeken.
'Ze konden elkaar slecht verdragen,' bromde Norris.
'Wat heet.'
'Dus haar man praatte haar om toen ze de eerste keer naar Nettie wilde gaan?'
'Dat liet hij wel uit zijn hoofd. Hij zei tegen Clut dat hij iets in haar thee deed waardoor ze afkoelde. Volgens Jerzyck was de hele kwestie zelfs afgedaan.'
'Geloof jij hem, Alan?'
'Jawel... voor zover ik tenminste iemand kan geloven die ik niet onder vier ogen heb gesproken.'
'Wat voor spul deed hij in haar thee? Drugs?'
'Een kalmeringsmiddel. Jerzyck zei dat hij het al twee keer eerder had gedaan toen ze dreigde over te koken en dat het aardig hielp. Hij dacht dat het nu ook geholpen had, zei hij.'
'Maar dat was niet zo.'
'In het begin misschien wel. Dat wil zeggen, Wilma ging niet meteen naar Nettie om haar af te straffen. Maar ik ben er vrijwel zeker van dat ze Nettie bleef lastig vallen. Dat deed ze ook toen het alleen nog maar over die hond ging. Opbellen, langs Netties huis rijden en zo. Nettie kon niet zoveel hebben en het was genoeg om haar de zenuwen te bezorgen. John LaPointe is om een uur of zeven met de recherche bij Polly geweest. Polly was er zeker van dat Nettie zich ergens zorgen over maakte. Zoiets liet ze zich ontvallen toen ze vanmorgen bij haar was. Alleen had Polly het toen niet door.' Alan zuchtte. 'Ze zal nu wel wensen dat ze wat beter had geluisterd.'
'Hoe vat Polly het op, Alan?'
'Dat gaat wel, geloof ik.' Hij had haar twee keer opgebeld, eerst uit het huis van een van de omwonenden en later hier vanuit het ziekenhuis, kort nadat hij en Norris waren aangekomen. Beide keren had haar stem rustig en beheerst geklonken, al kon hij de tranen en verwarring onder dat zorgvuldig opgehouden masker bespeuren. Bij het eerste telefoontje had het hem niet helemaal verbaasd dat ze in grote lijnen al wist wat er was gebeurd; nieuws, vooral slecht nieuws, doet snel de ronde in kleine plaatsen.
'Waardoor is het uit de hand gelopen?'
Alan keek hem verbaasd aan, tot hij besefte dat Norris het nog niet wist. Alan had tussen beide autopsieën een min of meer volledig verslag van John LaPointe gekregen, terwijl Norris in gesprek was geweest met Sheila Brigham om een lijst met klachten betreffende de twee vrouwen samen te stellen.

'Een van hen besloot de zaak op de spits te drijven,' zei hij. 'Wilma, zou ik denken, maar de details zijn nog vaag. Blijkbaar is Wilma naar Nettie gegaan toen die vanmorgen bij Polly op bezoek was. Nettie moet de deur niet goed dicht hebben gedaan en waarschijnlijk is hij opengewaaid. Je weet hoe winderig het vandaag was.'
'Ja.'
'Misschien wilde Wilma dus alleen maar weer eens voorbij rijden om Nettie te laten pruttelen. Tot ze de deur open zag staan en een heel ander idee kreeg. Misschien is het niet precíes zo gegaan, maar het lijkt me aannemelijk.'
De woorden waren uit zijn mond voordat hij wist dat het gelogen was. Het leek hem níet aannemelijk, dat was het probleem. Het zóu aannemelijk moeten zijn, dat wílde hij, maar het was niet zo. Hij werd er vooral gek van dat er geen réden voor zijn aarzeling was, althans geen reden die hij kon bedenken. Hoogstens kon hij zich afvragen of Nettie zo achteloos met haar deur zou omspringen als ze werkelijk zo bang voor Wilma Jerzyck was geweest... en dat was niet genoeg om zijn argwaan aan op te hangen. Niet genoeg, omdat Nettie ze niet allemaal op een rijtje had en van zo iemand kon je nooit iets met zekerheid voorspellen. En toch...
'Wat deed Wilma?' vroeg Norris. 'De boel kort en klein slaan?'
'Ze vermoordde Netties hond.'
'Wàt?'
'Je hebt me gehoord.'
'Jezus! Wat een krèng!'
'Nou ja, dat wisten we al, nietwaar?'
'Ja, maar toch...'
Daar had je het weer. Zelfs van Norris Ridgewick, die na al die jaren nog minstens twintig procent van zijn papierwerk met twee vingers in zijn neus deed: *Ja, maar toch*.
'Ze deed het met een Zwitsers zakmes. Met de kurketrekker om precies te zijn, en een briefje eraan om te zeggen dat dit de wraak was voor haar bemodderde lakens. Daarna ging Nettie met een stapel keien naar Wilma's huis. Daar bond ze met elastiek haar eigen briefjes omheen met de mededeling dat dit de laatste waarschuwing was. Ze gooide de stenen door alle ruiten op de benedenverdieping van de Jerzycks.'
'Grote goden,' zei Norris, niet zonder enige bewondering.
'De Jerzycks waren om ongeveer half elf naar de kerk gegaan. Na de mis aten ze bij de Pulaski's. Pete Jerzyck bleef met Jake Pulaski naar de Patriots kijken, zodat hij ditmaal niet eens kon probéren Wilma af te koelen.'
'Kwamen ze elkaar toevallig op die hoek tegen?' vroeg Norris.

'Ik betwijfel het. Ik denk dat Wilma thuiskwam, de schade overzag en Nettie uitdaagde.'
'Net als bij een duel, bedoel je?'
'Dat bedoel ik.'
Norris floot. Daarna bleef hij even roerloos naar het donker staan kijken, met zijn handen op de rug. 'Alan, waarom moeten we eigenlijk zo'n verdomde autopsie bijwonen?' vroeg hij eindelijk.
'Voor het protocol, denk ik,' zei Alan, maar dat was het niet alleen... althans niet voor hem. Als een zaak er niet goed uitzag of rook (zoals in dit geval), dan zag je misschien iets waardoor je hersenen in een hogere versnelling kwamen. Een kapstok om je hoed aan op te hangen.
'Dan wordt het tijd dat we er een collega voor het protocol bij krijgen,' bromde Norris, en Alan lachte.
Maar zijn hart deed niet mee, en niet alleen omdat Polly het er de komende dagen zo moeilijk mee zou hebben. De zaak zelf zat hem niet lekker. Van buiten zag het er allemaal goed uit, maar waar het instinct zat (en zich soms verborg) leken de Marsmannetjes nog de meest logische verklaring. In elk geval voor Alan.
Hé, kom op! Heb je het niet net van A tot Z uit de doeken gedaan voor Norris in de tijd die er voor nodig is om een sigaret te roken?
Ja, dat had hij. Dat was een deel van het probleem. Zouden twee vrouwen, ook als de een halfgaar en de ander asociaal was, elkaar om zulke simpele redenen op een hoek van de straat aan stukken hakken als een stel geflipte crackverslaafden?
Alan wist het niet. En omdàt hij het niet wist, gooide hij de sigaret weg en begon weer bij het begin.

2

Voor Alan begon het met een telefoontje van Andy Clutterbuck. Alan had net de televisie uitgezet (de Patriots stonden al tien punten achter en het tweede kwart was nog geen drie minuten oud) en stond zijn jas aan te trekken toen de telefoon ging. Alan was van plan geweest naar De NoodZaak te gaan om te kijken of Gaunt er was. Hij hield het zelfs voor mogelijk dat hij Polly daar zou treffen. Cluts telefoontje had dat allemaal veranderd.
Clut zei dat hij net terugkwam van zijn middagpauze toen Eddie Warburton de telefoon neerlegde. Er was iets aan de hand in de 'bomenbuurt' van Castle Rock. Een paar vrouwen waren aan het vechten of zoiets. Het leek Eddie een goed idee de sheriff te bellen om hem de melding door te geven.

‘Sinds wanneer neemt Eddie Warburton in godsnaam de telefoon op?’ vroeg Alan geërgerd.
‘Nou ja, nu er niemand in de meldkamer was zal hij wel gedacht hebben...’
‘Eddie dènken? Hij kent de procedure net zo goed als wij: als de meldkamer onbemand is, worden binnenkomende telefoontjes door het antwoordapparaat doorgegeven.’
‘Ik weet niet waarom hij opnam,’ zei Clut met nauwverholen ongeduld, ‘maar ik denk niet dat het daarom gaat. De tweede melding kwam vier minuten geleden, toen ik met Eddie zat te praten. Een oude dame. Een naam heb ik niet: ze was te erg in de war of anders wilde ze gewoon niet. In elk geval zei ze dat er op de hoek van Ford en Willow een stevig gevecht aan de gang is. Tussen twee vrouwen. Ze zei dat er messen aan te pas komen. De vrouwen moeten er nog zijn.’
‘Nog steeds aan het vechten?’
‘Nee, ze liggen allebei op de grond. Het gevecht is voorbij.’
‘Oké.’ Alan schakelde over op het tempo van een sneltrein. ‘Heb je de melding genoteerd, Clut?’
‘Reken maar.’
‘Goed zo. Seaton heeft vanmiddag toch dienst? Stuur hem er onmiddelijk op af.’
‘Is al gebeurd.’
‘Je bent onbetaalbaar. Waarschuw de staatspolitie dan maar.’
‘Wil je de recherche erbij?’
‘Nog niet. Vraag alleen of ze paraat willen staan. Ik zie je daar wel, Clut.’
Nadat Alan ter plaatse de schade had overzien, riep hij de staatspolitie in Oxford op en vroeg of ze onmiddellijk een team rechercheurs wilden sturen... twee, als ze die konden missen. Clut en Seaton Thomas stonden inmiddels met uitgespreide armen voor de twee gevallen vrouwen en probeerden omstanders naar huis te sturen. Norris arriveerde, overzag de situatie in een oogopslag en haalde een rol geel plakband uit de kofferbak van zijn wagen. ACHTER DE STREEP BLIJVEN, stond erop. Er zat een dikke laag stof op en Norris vertelde later dat hij niet wist of het nog zou plakken, zo oud was het.
Het bleef plakken. Norris spande het plakband rond een paar eikebomen, een grote driehoek vormend om de twee vrouwen die elkaar onder het stopbord schenen te omhelzen. De omstanders waren niet naar huis gegaan, maar hadden zich wel in hun eigen tuinen teruggetrokken. Het waren er ongeveer vijftig en dat aantal groeide naarmate meer mensen werden opgebeld en omwonenden het drama kwamen bezichtigen. Andy Clutterbuck en Seaton Tho-

mas leken elk ogenblik hun wapen te kunnen grijpen om waarschuwingsschoten te lossen, zo gespannen waren ze. Andy kon zich hun gemoedstoestand voorstellen.
In Maine worden moorden onderzocht door de recherche van de staatspolitie, en voor de kleine plaatselijke korpsen (ze zijn bijna allemaal klein) is de gevaarlijkste tijd die tussen de ontdekking van het misdrijf en de komst van de recherche. Dat is immers de tijd, zoals ze heel goed weten, waarin het bewijsmateriaal meestal wordt verknoeid. De meesten weten ook dat hun doen en laten gedurende deze tijd nauwkeurig zal worden nagegaan door de stuurlui aan de wal – voornamelijk functionarissen van de gerechtelijke politie en het openbaar ministerie – die vinden dat lokale politieambtenaren een stelletje kinkels met vlezige poten en botte vingers zijn.
Verder was het een verdomd rotgezicht die groepjes mensen in de tuinen aan de overkant van de straat te zien staan. Ze deden Alan denken aan zombies uit een horrorfilm.
Hij haalde de draagbare megafoon uit zijn wagen en zei dat iedereen onmiddellijk naar binnen moest. Ze begonnen zijn bevel op te volgen. Daarna liep hij in gedachten het protocol nog eens na en riep de meldkamer op. Sandra McMillan was naar het bureau gegaan om de taken waar te nemen. Ze was niet zo betrouwbaar als Sheila Brigham, maar nood breekt wet... en Alan vermoedde dat Sheila wel naar het bureau zou gaan als ze hoorde wat er was gebeurd. Misschien niet uit plichtsbesef, maar dan toch uit nieuwsgierigheid.
Alan liet Sandy Ray Van Allen opsporen. Ray was de politiearts en lijkschouwer van Castle County en Alan wilde hem zo mogelijk ter plaatse hebben als de recherche arriveerde.
'Begrepen, sheriff,' zei Sandy gewichtig. 'Hier is alles onder controle.'
Alan voegde zich weer bij zijn assistenten. 'Wie van jullie heeft de dood vastgesteld?'
Clut en Seat Thomas keken elkaar onzeker en verrast aan en Alan kreeg een akelig voorgevoel. Eén-nul voor de stuurlui aan de wal... of misschien ook niet. De recherche was nog niet gearriveerd, hoewel hij nieuwe sirenes hoorde naderen. Alan dook onder het lint door en ging naar het stopbord, op zijn tenen lopend als een jongen die tegen het verbod van zijn ouders uit huis probeert te sluipen.
Het meeste bloed lag in plassen tussen de slachtoffers en in de met bladeren bezaaide goot naast hen, maar een serie dunne spetters vormde een ruwe kring om hen heen. Alan ging net buiten deze kring op een knie zitten, stak een arm uit en kon de lijken – hij twijfelde er niet aan dat ze dood waren – nog net bereiken door helemaal naar voren te buigen.

Hij keek om naar Seat, Norris en Clut. Ze stonden dicht bij elkaar en staarden met grote ogen naar hem.
'Zet me op de foto,' zei hij.
Clut en Seaton keken hem aan alsof hij een bevel in het Swahili had gegeven, maar Norris holde naar Alans wagen en rommelde op de achterbank tot hij de oude Polaroid vond, een van de twee camera's die ze gebruikten om de plaats van een misdrijf te fotograferen. Alan had bij de budgetvergadering om minstens één nieuwe camera willen vragen, maar vanmiddag leek die bespreking heel erg onbeduidend.
Norris haastte zich terug met de camera, richtte en drukte af. Het toestel draaide zoemend door.
'Neem er voor de zekerheid nog maar een,' zei Alan. 'Zorg dat de stoffelijke overschotten er ook op staan. Ik wil van die lui niet horen dat we het bewijsmateriaal hebben verziekt. Over mijn lijk.' Hij besefte dat zijn stem een tikkeltje gemelijk klonk, maar dat kon hij niet helpen.
Norris nam een tweede foto om Alans positie buiten de kring van bloedspatten en de houding van de twee vrouwen bij het stopbord vast te leggen. Daarna boog Alan zich behoedzaam weer naar voren en legde zijn vingers tegen de bebloede hals van de bovenste vrouw. Er was natuurlijk geen hartslag te bespeuren, maar na een seconde gleed het hoofd onder de druk van zijn vingers weg van de paal en viel opzij. Alan herkende Nettie onmiddellijk en hij moest aan Polly denken.
Ach God, dacht hij somber. Daarna legde hij zijn vingers tegen Wilma's hals, ook al stak er een hakmes in haar schedel. Haar wangen en voorhoofd waren bezaaid met kleine stippels bloed, als een heidense tatoeage.
Alan stond op en ging terug naar zijn mannen aan de andere kant van het lint. Hij moest steeds maar aan Polly denken en hij wist dat hij daarmee moest ophouden. Hij moest haar van zich afzetten, anders zou hij deze zaak zeker verzieken. Hij vroeg zich af of een van die starende toeschouwers Nettie al had herkend. In dat geval zou Polly zeker op de hoogte zijn voordat hij de kans kreeg haar te bellen. Hij hoopte vurig dat ze niet zelf zou komen.
Daar mag je nu niet over inzitten, zei hij vermanend tegen zichzelf. *Zo te zien heb je een dubbele moord om je druk over te maken.*
'Pak je boekje,' zei hij tegen Norris. 'Jij mag de notulen bijhouden.'
'Verdomme, Alan, je weet hoe slecht mijn spelling is.'
'Schrijf op.'
Norris gaf de camera aan Clut en haalde zijn opschrijfboekje uit zijn achterzak. Daarbij verloor hij zijn boekje met waarschuwin-

gen wegens verkeersovertredingen: roze blaadjes papier met onderaan zijn gestempelde handtekening. Norris bukte, raapte het op van het trottoir en stopte het afwezig weer in zijn achterzak.
'Noteer dat het hoofd van de bovenste vrouw, aangeduid als eerste slachtoffer, tegen de paal van het stopbord rustte. Ik heb het ongewild weggeduwd toen ik de hartslag controleerde.'
Wat is het toch makkelijk om in Politiepraat te vervallen, dacht Alan, *met 'voertuigen' voor auto's, 'daders' voor criminelen en 'slachtoffer nummer zoveel' voor een dode. Politiepraat, dat prachtige schuifraam waarachter je je kunt verbergen.*
Hij richtte zich tot Clut en vroeg hem de veranderde ligging van de lichamen te fotograferen. Hij was bijzonder blij dat hij Norris een foto had laten nemen voordat hij Nettie had aangeraakt.
Clut nam de foto.
Alan keek weer naar Norris. 'Noteer verder dat ik het eerste slachtoffer bij het draaien van haar hoofd kon identificeren als Netitia Cobb.'
Seaton floot. 'Is dat Nèttie?'
'Ja. Dat is ze.'
Norris schreef het op in zijn boekje. 'Wat doen we nu, Alan?' vroeg hij.
'We wachten op het rechercheteam en proberen druk bezig te zijn als ze komen,' zei Alan.
De recherche arriveerde nog geen drie minuten later in twee auto's, gevolgd door Ray Van Allen in zijn oude rammelkast van een Subaru. Vijf minuten later arriveerde een identificatieteam van de staatspolitie in een blauwe stationcar. De leden daarvan staken allemaal een sigaar op, zoals Alan van tevoren wist. Er hing nog geen lijkengeur en ze waren buiten, maar het ritueel met de sigaren was onvermijdelijk.
Nu begon het vervelende werk dat in Politiepraat het 'vastleggen van de plaats des misdrijfs' heette. Het duurde tot na zonsondergang. Alan had al diverse keren samengewerkt met Henry Payton, de grote baas van Oxford en daarom formeel leider van het onderzoek. Hij had Henry nooit betrapt op ook maar de geringste verbeeldingskracht. De man was een dienstklopper, maar hij deed zijn werk grondig en met plichtsgevoel. Door Henry's aanwezigheid had Alan het gewaagd zich even terug te trekken om Polly te bellen.
Toen hij terugkwam werden de handen van de slachtoffers net in speciale zakken gestopt. Wilma Jerzyck had een van haar schoenen verloren en haar kousevoet kreeg dezelfde behandeling. Het identificatieteam nam bijna driehonderd foto's. Inmiddels waren nog meer agenten van de staatspolitie gearriveerd. Sommigen hielden

de weer opdringende toeschouwers op een afstand en anderen stuurden de aankomende televisieploegen naar het gemeentehuis. Een tekenaar maakte een vlugge schets van de plek.
Ten slotte konden de lichamen zelf worden weggehaald... na een laatste noodzakelijke formaliteit. Payton gaf Alan een paar operatiehandschoenen en een plastic zak. 'Welk mes neem jij?'
'Het hakmes,' zei Alan. Het zou niet prettig zijn om het mes met een deel van Wilma Jerzycks hersenen uit haar schedel te trekken, maar hij wilde Nettie niet aanraken. Hij had haar aardig gevonden.
Na het verwijderen, etiketteren, inpakken en naar Augusta sturen van de moordwapens begon de technische recherche de omgeving af te zoeken, terwijl de lichamen nog steeds in hun dodelijke omhelzing verstrengeld waren en het bloed stolde tot glanzend vernis.
Toen Ray Van Allen eindelijk toestemming kreeg de lijken naar de ambulance te brengen, konden ze in het licht van schijnwerpers slechts met moeite uit elkaar gehaald worden.
Een groot deel van de tijd hadden de 'beste vrienden' van Castle Rock er als zoutzakken bijgestaan.
Henry Payton ging naast Alan bij het lint staan terwijl het vreemd sierlijke ballet van het technisch onderzoek werd afgerond. 'Een verdomd rottige manier om je zondagmiddag door te brengen,' zei hij.
Alan knikte.
'Het is jammer dat je haar hoofd hebt bewogen. Dat was pech hebben.'
Alan knikte nogmaals.
'Maar ik denk niet dat iemand je erover zal doorzagen. Je hebt in elk geval één goede opname van de oorspronkelijke situatie.' Hij keek naar Norris, die met Clut en de pas gearriveerde John LaPointe stond te praten. 'Je hebt alleen geluk gehad dat die knaap daar zijn vinger niet voor de lens hield.'
'Ach, Norris is zo kwaad niet.'
'Net als slagroompudding... op zijn tijd. De hele zaak ziet er in elk geval nogal simpel uit.'
Alan beaamde het. Dat was de moeilijkheid, zoals hij al wist lang voordat hij en Norris hun zondagse dienst zouden afsluiten in een steegje achter het Kennebec Valley Hospital. De hele zaak was misschien té 'nogal simpel'.
'Ben je van plan naar de autopsie te gaan?' vroeg Henry.
'Ja. Doet Ryan het zelf?'
'Dat heb ik begrepen, ja.'
'Ik denk dat ik Norris meeneem. De overschotten gaan toch eerst naar Oxford?'
'Ja. Daar worden ze geregistreerd.'

'Als Norris en ik nu weggaan, zijn we op tijd in Augusta voor de autopsie.'
Henry Payton knikte. 'Waarom niet? Het lijkt me hier wel afgerond.'
'Ik zou graag twee van mijn mensen met jouw teams laten meegaan. Als waarnemers. Heb je daar moeite mee?'
Payton dacht erover na. 'Nee, maar wie moet jullie normale taken dan waarnemen? Die ouwe Seat Thomas?'
Alan voelde een plotselinge steek die te fel was om als gewone irritatie af te doen. Het was een lange dag geweest en hij had Henry vaker op zijn assistenten horen afgeven dan hem lief was... maar technisch gesproken was het nu eenmaal een zaak van de staatspolitie en als hij op de hoogte wilde blijven, moest hij zijn mond houden.
'Alsjeblieft, Henry. Het is zondagavond. Zelfs The Mellow Tiger is dicht.'
'Waarom trek je het je zo aan, Alan? Zit er iets scheef? Ik begrijp dat er kwaad bloed tussen de twee vrouwen was en dat die ene al eens eerder iemand om zeep had geholpen. Haar eigen man nogal liefst.'
Alan dacht erover na. 'Nee, er zit niets scheef. Althans niet dat ik weet. Het is alleen...'
'In je hoofd klikt het nog niet helemaal?'
'Zoiets.'
'Goed dan. Zolang het je mensen duidelijk is dat ze moeten luisteren en verder niks.'
Alan glimlachte flauw. Als hij Clut en John LaPointe opdracht gaf vragen te stellen, zouden ze waarschijnlijk hard weglopen, maar dat zei hij toch maar niet tegen Payton. 'Ze zullen zwijgen als het graf,' zei hij. 'Daar kun je op rekenen.'

3

En zo waren ze hier beland, hij en Norris Ridgewick, na de langste zondag in mensenheugenis. Maar dc dag had één ding gemeen met het leven van Nettie en Wilma: hij was voorbij.
'Wilde je vannacht een motelkamer nemen?' vroeg Norris aarzelend. Alan hoefde geen gedachten te kunnen lezen om te weten waar híj aan dacht: aan het vistochtje dat hij zou mislopen.
'Ach, welnee.' Alan bukte en pakte de groene jas die de deur openhield. 'Laten we pleite gaan.'
'Goed idee,' zei Norris, voor het eerst opgewekt sinds Alan hem op de plaats van de dubbele moord had gezien. Vijf minuten later

volgden ze Route 43 in de richting van Castle Rock. De koplampen van de patrouillewagen boorden gaten in het winderige donker. Toen ze Castle Rock bereikten, was de maandagochtend bijna drie uur oud.

4

Alan parkeerde achter het gemeentehuis en stapte uit. Zijn stationcar stond aan de andere kant van de parkeerplaats naast Norris' vervallen Kever.
'Ga je meteen naar huis?' vroeg hij aan Norris.
Norris glimlachte verlegen en sloeg zijn ogen neer. 'Zodra ik mijn gewone kloffie heb aangetrokken.'
'Norris, hoe vaak moet ik nog zeggen dat het toilet geen kleedkamer is?'
'Toe nou, Alan, ik doe het niet altijd.' Maar ze wisten allebei dat dat nu juist wel het geval was.
Alan zuchtte. 'Laat maar zitten. Het is een verdomd lange dag voor je geweest. Het spijt me.'
Norris haalde zijn schouders op. 'Het was moord. Dat gebeurt hier niet al te vaak. Iedereen doet wat extra's in zo'n geval.'
'Laat Sandy of Sheila een overwerkbon voor je uitschrijven als een van hen er nog is.'
'En Buster weer een reden tot klagen geven?' Norris lachte enigszins bitter. 'Ik denk dat ik oversla. Dit komt uit mijn eigen zak, Alan.'
'Heeft hij weer aan je kop lopen zeuren?' Alan had de laatste twee dagen helemaal niet meer aan de eerste wethouder gedacht.
'Nee, maar hij kijkt wel heel eigenaardig als we elkaar op straat tegenkomen. Als blikken konden doden, was ik nu net zo stijf als Nettie en Wilma.'
'Ik schrijf morgenochtend zelf die bon wel voor je.'
'Als jouw naam erop staat is het goed,' zei Norris. Hij draaide zich om naar de personeelsingang. 'Welterusten, Alan.'
'Goede vangst morgen.'
Norris werd meteen vrolijk. 'Bedankt. Je zou die hengel eens moeten zien die ik in de nieuwe winkel heb gekocht, Alan. Het is een schoonheid.'
Alan grinnikte. 'Dat zal best. Ik ben steeds van plan die knaap eens op te zoeken. Ik geloof dat hij voor iedereen iets heeft, dus waarom niet voor mij?'
'Ja, waarom niet?' beaamde Norris. 'Hij heeft in elk geval van alles. Het zal je verbazen.'

'Slaap ze, Norris. En nogmaals bedankt.'
'Laat maar zitten.' Maar Norris was merkbaar voldaan.
Alan stapte in zijn auto, reed achteruit de parkeerplaats af en begon Main Street te volgen. Werktuiglijk inspecteerde hij de gebouwen aan weerskanten, zonder het zelf in de gaten te hebben... maar niettemin registrerend wat hij zag. Een van de dingen die hij opmerkte, was het feit dat er licht brandde in de woonruimte boven De NoodZaak. Dat was erg laat voor mensen in zo'n kleine plaats. Hij vroeg zich af of Leland Gaunt aan slapeloosheid leed en hij herinnerde zichzelf weer aan zijn voornemen om bij hem langs te gaan... maar vermoedelijk zou dat moeten wachten tot het trieste incident tussen Nettie en Wilma naar zijn tevredenheid was opgehelderd.
Hij bereikte de hoek van Main Street en Laurel en wilde linksaf gaan, maar midden op het kruispunt remde hij af en ging naar rechts. Waarom zou hij in vredesnaam naar huis gaan? Daar was het koud en leeg nu zijn enige nog levende zoon feestvierde met zijn vriend in Cape Cod. Er waren in dat huis te veel gesloten deuren waarachter te veel herinneringen schuilden. Aan de andere kant van de stad was een vrouw van vlees en bloed die op dit moment misschien heel erg behoefte had aan gezelschap. Misschien wel net zo erg als deze man van vlees en bloed haar nodig had.
Vijf minuten later doofde Alan de koplampen en liet zijn auto uitrollen op Polly's inrit. De deur zou op slot zijn, maar hij wist onder welke hoek van het trapje hij moest kijken.

5

'Wat doe jij hier nog, Sandy?' vroeg Norris, terwijl hij zijn das losmaakte.
Sandra McMillan, een tanende blondine die al bijna twintig jaar parttime op de meldkamer werkte, was net bezig haar jas aan te trekken. Ze zag er erg moe uit.
'Sheila had kaartjes voor Bill Cosby in Portland,' zei ze tegen Norris. 'Ze wilde wel blijven, maar ik heb gezegd dat ze kon gaan. Ik moest haar zowat de deur uitduwen. Hoe vaak komt Bill Cosby nou naar Maine, moet je rekenen.'
Hoe vaak besluiten twee vrouwen elkaar aan stukken te hakken om een hond die waarschijnlijk ook nog uit het asiel kwam? dacht Norris... maar hij zei het niet. 'Niet zo vaak, denk ik.'
'Bijna nóóit.' Sandy zuchtte diep. 'Maar ik zal je een geheim vertellen; nu het allemaal achter de rug is, zou ik bijna willen dat Sheila vanavond was gebleven. Het was hier een gèkkenhuis, ik geloof

dat elk televisiestation in de staat minstens negen keer heeft gebeld en tot een uur of elf leek het hier net een warenhuis op kerstavond.'
'Nou, ga nu maar naar huis. Je hebt mijn toestemming. Heb je de automaat aangezet?'
De automaat was het apparaat dat telefoontjes doorschakelde naar Alans huis als de meldkamer onbezet was. Als er na vier zoemtonen niemand bij Alan opnam, meldde het antwoordapparaat dat de beller contact kon opnemen met de staatspolitie in Oxford. Het was een noodgreep die in de grote stad niet zou werken, maar die het prima deed in Castle County, dat van alle zestien counties in Maine het kleinste inwonertal had.
'Hij staat aan.'
'Goed zo. Ik heb het idee dat Alan misschien niet rechtstreeks naar huis gaat.'
Sandy trok begrijpend haar wenkbrauwen op.
'Nog iets van inspecteur Payton gehoord?' vroeg Norris.
'Geen woord.' Ze aarzelde even. 'Was het erg, Norris? Ik bedoel... die twee vrouwen?'
'Tamelijk erg, ja,' gaf hij toe. Zijn gewone kleren hingen netjes aan een knaapje dat hij over de knop van een archiefkast had gehangen. Hij pakte ze en ging op weg naar de toiletten. Al minstens drie jaar had hij de gewoonte zich op zijn werk te verkleden, hoewel dat zelden op zo'n onchristelijk uur voorkwam als nu. 'Ga naar huis, Sandy, ik sluit wel af als ik klaar ben.'
Hij ging naar het herentoilet en hing het knaapje aan de deur van het hokje. Hij stond zijn overhemd los te knopen toen er zacht op de deur werd geklopt.
'Norris?' riep Sandy.
'Ik geloof dat ik hier de enige ben,' riep hij terug.
'Ik zou het bijna vergeten. Iemand heeft een cadeautje voor je achtergelaten. Het ligt op je bureau.'
Norris hield op met het losmaken van zijn riem. 'Een cadeautje? Van wie?'
'Ik weet het niet, het was echt razend druk. Maar er hoort een kaartje bij. En er zit een mooi lint omheen. Zeker van een stille aanbidster.'
'Zó stil dat zelfs ik nog nooit van haar heb gehoord,' zei Norris met oprechte spijt. Hij stapte uit zijn uniformbroek, legde die op het hokje en trok zijn spijkerbroek aan.
Buiten glimlachte Sandy McMillan niet zonder venijn. 'Meneer Keeton is vanavond nog geweest,' zei ze. 'Misschien heeft híj het achtergelaten. Om het weer goed te maken.'
Norris lachte. 'Dat moet ik eerst zien.'
'Als je het me morgen maar vertelt, ik sterf van nieuwsgierigheid.

Het is een mooi pakje. Welterusten, Norris.'
'Dag.'
Wie heeft er voor mij nou een cadeautje gebracht? vroeg hij zich af. Hij pakte zijn uniformbroek en legde hem zorgvuldig in de vouw.

6

Sandy ging naar buiten en sloeg de kraag van haar mantel op. Het was erg koud, een teken dat de winter naderde. Cyndi Rose Martin, de vrouw van de advocaat, was een van de vele mensen die ze die avond had gezien. Cyndi Rose was al vroeg verschenen. Maar Sandy dacht er niet aan dat tegen Norris te zeggen; hij bewoog zich niet in de ijlere sociale kringen van de Martins. Cyndi Rose zei dat ze haar man zocht, wat Sandy niet onlogisch voorkwam (hoewel ze het op deze krankzinnige avond waarschijnlijk niet eens vreemd zou hebben gevonden als de vrouw op zoek was geweest naar Michail Barysjnikov), want Albert Martin deed wel eens juridisch werk voor de gemeente.
Sandy zei dat ze hem de hele avond niet gezien had, maar dat Cyndi Rose desgewenst boven mocht gaan kijken of hij niet bij meneer Keeton op de kamer was. Cyndi Rose zei dat ze dat maar zou doen nu ze er toch was. Inmiddels was het schakelbord weer net zo verlicht als een kerstboom. Daardoor zag Sandy niet dat Cyndi Rose het rechthoekige pakje met het glanzende papier en de blauwe fluwelen strik uit haar grote handtas haalde en op het bureau van Norris Ridgewick legde. Haar knappe gezicht straalde terwijl ze dat deed, maar haar glimlach stond haar helemaal niet; die was eerlijk gezegd nogal lelijk.

7

Norris hoorde de buitendeur dichtvallen en vaag het geluid van een startende motor. Hij stopte zijn overhemd in zijn broek, stapte in zijn schoenen en hing zijn uniform netjes over het knaapje. Hij rook aan de oksels van het overhemd en besloot dat het nog niet meteen naar de stomerij hoefde. Dat was mooi: elke cent telde.
Hij ging terug naar de grote zaal en hing het knaapje aan dezelfde knop van de archiefkast, waar hij het niet over het hoofd kon zien als hij wegging. Ook dàt was mooi, want Alan kon knap pissig worden als Norris zijn bullen op het bureau liet slingeren. Hij zei dat het hier niet op een wasserette hoefde te lijken.

Hij ging naar zijn bureau. Iemand had werkelijk een cadeautje voor hem achtergelaten, verpakt in glanzend lichtblauw papier en met een blauw fluwelen lint dat in een sierlijke strik was samengebonden. Onder het lint stak een vierkante witte envelop. Norris was erg nieuwsgierig geworden, pakte de envelop en scheurde hem open. Er zat een kaartje in. Met hoofdletters was een korte, raadselachtige mededeling getikt:

!!!!!EEN KLEINE HERINNERING!!!!!

Hij fronste. Hij kon maar twee mensen bedenken die hem altijd ergens aan herinnerden, Alan en zijn moeder... en zijn moeder was vijf jaar geleden gestorven. Hij pakte de doos op, trok het lint los en legde de strik netjes neer. Onder het papier zat een gewone witte kartonnen doos, ongeveer dertig centimeter lang, tien centimeter breed en tien centimeter hoog. Het deksel was dichtgeplakt.
Norris trok het plakband los en maakte de doos open. De inhoud was afgedekt met een dun laagje wit papier waaronder hij niet meer van zijn cadeautje kon zien dan een plat oppervlak waar een paar ribbels overheen liepen.
Hij stak zijn hand in de doos om het papier weg te halen. Zijn wijsvinger stootte tegen iets hards: een uitgestoken metalen tong. Een zware stalen kaak beet zich vast in het papier en ook in drie van Norris Ridgewicks vingers. Een pijnscheut trok door zijn arm. Hij schreeuwde het uit en deinsde terug, zijn rechterpols omklemmend met zijn linkerhand. De witte doos viel op de grond. Het papier knisperde.
Au, wat een pijn! Hij greep het papier, dat verfrommeld over het ding hing, en rukte het los. Nu zag hij een grote Victory ratteval. Iemand had hem gespannen, in een doos gestopt, verborgen onder een laagje papier en vervolgens in mooi blauw papier verpakt. Nu zat hij aan drie vingers van zijn rechterhand. Hij zag dat de nagel van zijn wijsvinger was gescheurd: er was alleen nog een bloedend rauw bed te zien.
'*Hoerenloper!*' schreeuwde Norris. In zijn pijn en verwarring sloeg hij de val eerst tegen het bureau van John LaPointe in plaats van gewoon de stalen klem terug te klappen. Het enige resultaat was dat hij met zijn gekwetste vingers tegen de metalen rand van het bureau ramde en er een nieuwe pijnscheut door zijn arm trok. Hij slaakte een nieuwe kreet, greep de spanner en trok hem naar achteren. Hij bevrijdde zijn vingers en liet de val los. Het ding viel op de grond en de stalen klem sloeg met een klap op het houten onderstuk.
Norris bleef een ogenblik trillend staan, daarna rende hij terug

naar het toilet, draaide met zijn linkerhand de kraan open en stak zijn getroffen vingers onder de straal. Met een grimas van pijn keek hij naar de dunne bloedsliertjes die in de wasbak verdwenen en hij dacht aan Sandy's woorden: *Keeton is nog geweest... om het weer goed te maken.*
En het kaartje: EEN KLEINE HERINNERING.
O ja, dit was Busters werk. Daar twijfelde hij geen moment aan. Het was echt iets voor Buster.
'Vuile smeerlap,' kreunde Norris.
Het koude water werkte verdovend en verminderde het wilde kloppen in zijn vingers, maar dat zou weer terug zijn tegen de tijd dat hij thuis was. Misschien zou aspirine een beetje helpen, maar hij dacht dat hij slapen vannacht wel kon vergeten. En het vissen morgen trouwens ook.
Dat had je gedacht. Ik ga vissen, al valt verdomme mijn hele klerehand eraf. Alles ligt klaar, ik verheug me erop en ik laat me niet tegenhouden door Buster Klootzak Keeton.
Hij deed de kraan dicht en nam een papieren doekje om zijn hand voorzichtig droog te deppen. Geen van de drie vingers was gebroken – hij dacht tenminste van niet – maar koud water of geen koud water, ze begonnen al te zwellen. De klem had een donkere roodpaarse striem tussen de voorste vingerkootjes achtergelaten. Op het naakte nagelbed van zijn wijsvinger kwamen kleine bloeddruppeltjes en het wilde kloppen werd alweer voelbaar.
Hij ging terug naar de verlaten zaal en keek naar de dichtgeklapte val die op zijn zijkant bij Johns bureau lag. Hij raapte hem op en ging naar zijn eigen bureau. Hij legde de val in de doos en stopte die in de bovenste lade van zijn bureau. Hij pakte zijn doosje aspirine uit de onderste la en schudde er drie in zijn mond. Daarna verzamelde hij al het papier, het lint en de strik. Hij propte alles onder in de prullenmand en verstopte het onder proppen weggegooid papier.
Hij was niet van plan Alan of iemand anders te vertellen wat een rotstreek Buster met hem had uitgehaald. Ze zouden niet lachen, maar Norris wist wat ze zouden denken... althans dat meende hij: *Alleen Norris Ridgewick zou erin trappen... je hand in een ratteval stoppen, dat is toch niet te geloven?*
Zeker van een stille aanbidster... Keeton is vanavond nog geweest... om het weer goed te maken.
'Dit handel ik zelf wel af,' zei Norris zacht en grimmig. Hij hield zijn gewonde hand tegen zijn borst. 'Op mijn eigen manier en mijn eigen tijd.'
Plotseling drong zich een nieuwe gedachte aan hem op: als Buster nu eens niet tevreden was geweest met de ratteval? Dat had per slot

van rekening kunnen mislukken. Als hij nu eens naar Norris' huis was gegaan? Thuis lag zijn Bazun en die had hij niet eens goed opgeborgen; hij had de hengel in een hoek van de schuur gezet, naast zijn fuik.
Als Buster nu eens van die hengel wist en hem in tweeën had gebroken?
'Als hij dat heeft gedaan, breek ik hèm in tweeën,' zei Norris. Hij sprak op een zachte, snauwende toon die Henry Payton niet zou hebben herkend... net zo min als veel van zijn andere collega's trouwens. Hij vergat af te sluiten toen hij het bureau verliet. Hij vergat tijdelijk zelfs de pijn in zijn hand. Hij wilde alleen maar naar huis. Naar huis om te zien of zijn Bazun nog heel was.

8

De gestalte onder de dekens bewoog niet toen Alan stil de kamer binnenkwam en hij dacht dat Polly sliep... waarschijnlijk dankzij een Percodan voor ze naar bed was gegaan. Hij kleedde zich geruisloos uit en liet zich naast haar in bed glijden. Terwijl hij zijn hoofd op het kussen legde, zag hij dat ze haar ogen open had en naar hem lag te kijken. Hij schrok ervan.
'Welke vreemdeling belaagt deze maagd?' vroeg ze zachtjes.
'Ik ben het slechts,' antwoordde hij met een flauwe glimlach. 'Maar het spijt deze vreemdeling dat ik u heb gewekt, jonkvrouw.'
'Ik was al wakker,' zei ze en sloeg haar armen om zijn hals. Zelf liet hij zijn armen om haar middel glijden. Haar volle bedwarmte gaf hem een prettig gevoel: ze was net een slaperig fornuis. Even voelde hij iets hards tegen zijn borst en het drong bijna tot hem door dat ze iets onder haar katoenen nachthemd droeg. Daarna zakte de zilveren hanger tussen haar linkerborst en haar oksel.
'Is het goed met je?' vroeg hij.
Ze drukte de zijkant van haar gezicht tegen zijn wang zonder hem los te laten. Hij voelde haar verstrengelde handen in zijn nek. 'Nee,' zei ze. Het klonk als een bevende zucht en ze begon te snikken.
Hij hield haar vast terwijl ze huilde en streelde haar haar.
'Waarom heeft ze niet gezegd wat die vrouw deed, Alan?' vroeg Polly na een tijdje. Ze schoof een eindje van hem af. Zijn ogen waren nu gewend aan het donker en hij kon haar gezicht zien: donkere ogen, donker haar, witte huid.
'Ik weet het niet,' zei hij.
'Dan had ik iets kunnen doen! Ik zou zelf naar Wilma Jerzyck zijn gegaan en...'

Dit was niet het ogenblik om haar te vertellen dat Nettie bijna even fel en kwaadaardig te werk was gegaan als Wilma zelf. Of dat er een moment kwam waarop de Nettie Cobbs op de wereld – en ook de Wilma Jerzycks, veronderstelde hij – niet meer te helpen waren. Er kwam een moment waarop niemand meer iets voor ze kon doen.
'Het is half vier in de nacht,' zei hij. 'Dat is niet het goede tijdstip om over "als" en "zou" te beginnen.' Hij aarzelde een ogenblik voor hij verder ging. 'Volgens John LaPointe heeft Nettie vanmorgen iets tegen je gezegd over Wilma... gisteren, inmiddels. Wat zei ze?'
Polly dacht erover na. 'Nou, ik wist niet dat het over Wilma ging, toen niet in elk geval. Nettie had lasagna voor me meegebracht. Nettie is... was... was misschien, ík weet het niet... vaag over sommige dingen, maar ik kon niets voor haar verborgen houden.'
'Ze hield heel veel van je,' zei Alan ernstig en dat bracht haar opnieuw aan het snikken. Dat wist hij van tevoren, net zoals hij wist dat je soms ongeacht het tijdstip moet huilen omdat je tranen anders maar blijven woelen en branden.
Na een tijdje kon Polly weer praten. Haar handen gleden weer om Alans hals terwijl ze sprak.
'Ze pakte die stomme elektrische handschoenen voor me, alleen leken ze dit keer nog te helpen ook – ik geloof dat deze crisis trouwens voorbij is – en daarna zette ze koffie. Ik vroeg of ze thuis niets te doen had en ze zei van niet. Ze zei dat Raider de wacht hield en daarna iets als: "Ik denk dat ze me wel met rust zal laten. Ik heb niets meer van haar gezien of gehoord, dus ze zal het nu wel weten." Dat is het niet precies, Alan, maar wel ongeveer wat ze zei.'
'Hoe laat was ze bij je?'
'Om kwart over tien ongeveer. Het kan iets eerder of later zijn geweest, maar niet veel. Waarom, Alan? Is het van belang?'
Toen Alan tussen de lakens was gestapt, had hij gedacht dat hij binnen tien seconden in slaap zou zijn. Nu was hij weer klaarwakker en zijn hersenen draaiden op volle toeren.
'Nee,' zei hij even later. 'Ik geloof niet dat het iets zegt, behalve dat Nettie aan Wilma liep te denken.'
'Ik kan het gewoon niet geloven. Ze leek een heel stuk beter, dat is echt zo. Weet je nog dat ik vertelde hoe dapper het was dat ze donderdag helemaal alleen naar De NoodZaak ging?'
'Ja.'
Ze liet hem los en ging onrustig op haar rug liggen. Alan hoorde een zacht *ting!* van metaal en opnieuw sloeg hij er geen acht op. Hij dacht nog steeds na over wat Polly hem net had verteld, haar woorden om en om draaiend als een juwelier die een verdachte steen inspecteert.

'Ik moet de begrafenis regelen,' zei ze. 'Nettie heeft nog een paar verwanten in Yarmouth, maar die wilden niets met haar te maken hebben toen ze nog leefde, en nu ze dood is waarschijnlijk helemaal niet meer. Toch zal ik ze morgenochtend moeten bellen. Kan ik in Netties huis, Alan? Ik geloof dat ze een adresboekje had.'
'Ik breng je wel. Je mag niets meenemen, althans niet tot dokter Ryan het autopsierapport klaar heeft, maar het lijkt me geen kwaad kunnen als je een paar telefoonnummers overschrijft.'
'Dank je.'
Hij kreeg een ingeving. 'Hoe laat is Nettie hier weggegaan, Polly?'
'Om kwart voor elf, geloof ik. Het kan ook elf uur zijn geweest. Ik denk niet dat ze een heel uur is gebleven. Waarom?'
'Niets,' zei hij. Het was ineens bij hem opgekomen dat Nettie tamelijk lange tijd bezig moest zijn geweest: naar huis gaan, haar hond dood aantreffen, de keien bij elkaar zoeken, de briefjes schrijven, die aan de keien binden, naar Wilma's huis gaan en de ruiten ingooien. Maar als Nettie om kwart voor elf bij Polly was weggegaan, had ze meer dan twee uur de tijd gehad. Ruim voldoende.
Hé, Alan! sprak de stem, de gemaakt vrolijke stem die zijn bijdrage meestal beperkte tot Annie en Todd. *Waarom wil je het jezelf zo moeilijk maken, ouwe jongen?*
En Alan wist het niet. Iets anders wist hij trouwens ook niet: hoe had Nettie die lading stenen eigenlijk naar het huis van de Jerzycks gebracht? Ze had geen rijbewijs en geen flauw idee hoe een auto werkte.
Hou nou maar op, ouwe jongen, adviseerde de stem. *Ze heeft de briefjes thuis geschreven – waarschijnlijk in de gang waar haar dode hondje lag – en de elastiekjes uit haar eigen keukenla gehaald. Ze hóefde die stenen helemaal niet te brengen: er lagen er meer dan genoeg in Wilma's moestuin, of niet soms?*
Dat was zo. Toch kon hij niet het idee van zich afzetten dat de briefjes van het begin af aan al om de stenen hadden gezeten. Er was geen concrete aanleiding om dat te denken, maar dat leek het eenvoudigste... iets wat je van een kind zou verwachten of van iemand die dàcht als een kind.
Iemand als Nettie Cobb.
Hou toch op... laat het los!
Maar hij kon het niet.
Polly raakte zijn wang aan. 'Ik ben heel blij dat je bent gekomen, Alan. Het moet voor jou ook een afschuwelijke dag zijn geweest.'
'Ik heb wel betere dagen gehad, maar het is nu voorbij. Laat jij het ook maar los. Probeer wat te slapen. Je hebt morgen een hoop te regelen. Zal ik een pil voor je halen?'

'Nee, mijn handen zijn tenminste een beetje beter. Alan...' Ze zweeg, maar schoof rusteloos heen en weer onder de dekens.
'Ja?'
'Niets,' zei ze. 'Het was niet belangrijk. Ik denk dat ik wel kan slapen nu je hier bent. Welterusten.'
'Welterusten, lieverd.'
Ze rolde bij hem vandaan, trok de dekens tegen haar kin en bleef roerloos liggen. Even dacht hij aan haar omhelzing, aan haar verstrengelde handen in zijn nek. Als ze haar vingers zo goed kon buigen, dan ging het ècht beter met haar. Dat was goed, misschien wel het beste dat hem was overkomen sinds Clut tijdens de wedstrijd had gebeld. Als het maar beter zou blijven.
Polly had een lichte afwijking aan haar neusschot en ze begon zachtjes te snurken, een geluid dat Alan heimelijk nogal aangenaam vond. Het was fijn om het bed met een ander te delen, met iemand van vlees en bloed, die echt geluid maakte... en soms alle dekens inpikte. Hij grinnikte in het donker.
Daarna moest hij weer aan de moorden denken en de lach verdween.
Ik denk dat ze me wel met rust zal laten. Ik heb niets meer van haar gezien of gehoord, dus ze zal het nu wel weten.
Ik heb niets meer van haar gezien of gehoord.
Dus ze zal het nu wel weten.
Een zaak als deze hoefde niet opgelost te worden; zelfs Seat Thomas had na één blik door zijn trifocale brilleglazen precies kunnen zeggen wat er was gebeurd. Het waren keukenmessen geweest in plaats van een duel bij zonsopgang, maar het resultaat was hetzelfde: twee lichamen in het mortuarium van het ziekenhuis, opengesneden voor autopsie. De enige vraag was waaròm het was gebeurd. Hij zat nog met een paar andere vragen, een paar vage twijfels, maar die zouden zeker zijn weggewaaid voordat Wilma en Nettie waren begraven.
Maar zijn twijfels werden sterker en sommige
(dus ze zal het nu wel weten)
hadden een naam.
Alan beschouwde een misdrijf als een tuin achter een hoge muur. Je moest daar zijn, dus zocht je het hek. Soms waren er meerdere hekken, maar hij had ervaren dat er altijd minstens één was – uiteraard. Hoe zou de tuinman anders zaadjes in de grond hebben kunnen stoppen? Het hek kon groot zijn, met een pijl die ernaar wees en flikkerend neonlicht, INGANG, of klein en met zoveel klimop bedekt dat je een hele tijd goed moest zoeken voor je het vond, maar het was er altijd, en als je maar lang genoeg goed zocht en niet bang was om je handen aan de klimop vuil te maken, vond je het altijd.

Soms was het hek een voorwerp of een aanwijzing op de plaats van het misdrijf. Soms was het een getuige. Soms was het een veronderstelling, stevig gebaseerd op feiten en logica. Zijn veronderstellingen in deze zaak waren: ten eerste, dat Wilma een heel oud patroon van rotgeintjes en pesterij had gevolgd; ten tweede, dat ze ditmaal de verkeerde had uitgezocht om haar mentale spelletjes mee te spelen; ten derde, dat bij Nettie de stoppen weer waren doorgeslagen, net als toen ze haar man vermoordde. Maar...

Ik heb niets meer van haar gezien of gehoord.

Als Nettie dat werkelijk had gezegd, wat veranderde er dan? Hoeveel veronderstellingen werden door dat ene zinnetje onjuist? Alan wist het niet.

Hij staarde in het donker van Polly's slaapkamer en vroeg zich af of hij het hek nu wel of niet had gevonden.

Misschien had Polly niet goed gehoord wat Nettie had gezegd. Technisch gesproken was het mogelijk, maar Alan geloofde het niet. Netties optreden bevestigde tot op zekere hoogte Polly's weergave. Nettie was vrijdag niet bij haar komen schoonmaken, ze had gezegd dat ze zich niet lekker voelde. Misschien was dat zo, misschien was ze alleen maar bang voor Wilma. Dat laatste kon kloppen; van Pete Jerzyck wisten ze dat Wilma na het ontdekken van haar bevuilde lakens ten minste één dreigend telefoongesprek met Nettie had gevoerd. De volgende dag had ze opnieuw kunnen bellen zonder dat Pete het wist. Maar zondagochtend had Nettie eten voor Polly meegebracht. Zou ze dat hebben gedaan als Wilma nog steeds bezig was het vuur op te stoken? Alan dacht van niet.

Dan was er de kwestie van de stenen die door Wilma's ruiten waren gegooid. Op elk briefje stond hetzelfde: JE MOET ME MET RUST LATEN. DIT IS DE LAATSTE WAARSCHUWING. Een waarschuwing betekent doorgaans dat de ontvanger nog de tijd heeft zijn of haar gedrag te veranderen, maar voor Wilma en Nettie was de tijd om. Slechts twee uur na het gooien van de stenen hadden ze elkaar op die straathoek ontmoet.

Vermoedelijk was daar desnoods wel een mouw aan te breien. Nettie moest buiten zinnen zijn geweest toen ze haar hond vond. Wilma idem dito toen ze thuiskwam en de schade aan haar woning zag. Een enkel telefoontje zou genoeg zijn geweest om de lont in het kruitvat te steken. Een van de twee had gebeld... en alles was uit de hand gelopen.

Alan ging op zijn zij liggen. Hij wou dat het langer geleden gebeurd was, toen lokale telefoongesprekken nog geregistreerd werden. Hij zou zich een stuk beter voelen als hij kon aantonen dat Wilma en Nettie elkaar voor hun laatste ontmoeting nog gesproken hadden.

Maar ook als hij een laatste telefoongesprek als gegeven beschouwde, zat hij nog met de briefjes zelf.
Zo moet het zijn gegaan, dacht hij. *Nettie komt thuis van Polly en vindt haar hond dood in de gang. Ze leest het briefje aan de kurketrekker. Daarna schrijft ze dezelfde boodschap op een stuk of vijftien blaadjes en stopt die in haar jaszak. Ze neemt ook een stel elastiekjes mee. Bij Wilma gaat ze naar de achtertuin. Ze verzamelt een stuk of vijftien stenen en wikkelt de briefjes eromheen met het elastiek. Dat moet allemaal zijn gebeurd voordat ze de eerste steen gooide, want het zou te veel tijd hebben gekost om midden in het feest nieuwe stenen te zoeken en daar weer briefjes om te doen. En als ze klaar is, gaat ze thuis weer over haar dode hondje zitten tobben.*
Hij geloofde er geen woord van.
Het klopte van geen kanten.
Het veronderstelde een logische opeenvolging van gedachten en handelingen die helemaal niet pasten bij wat hij van Nettie Cobb afwist. De moord op haar echtgenoot was het resultaat geweest van een lange periode van systematische mishandeling, maar de daad zelf was een impuls geweest, begaan door een vrouw die niet meer bij zinnen was. Als het oude dossier van George Bannerman accuraat was, had Nettie in elk geval geen waarschuwende briefjes aan Albion Cobb geschreven.
Een veel eenvoudiger verklaring lag voor de hand. Nettie komt thuis van Polly. Ze vindt haar hond dood in de gang. Ze pakt een hakmes uit de keukenla en gaat de straat op om een flinke lap Pools vlees af te snijden.
Maar wie had Wilma Jerzycks ruiten dan ingegooid?
'En van de tíjd klopt ook helemaal niks,' bromde hij terwijl hij rusteloos op zijn andere zij ging liggen.
John LaPointe had het rechercheteam gevolgd dat 's middags en 's avonds Netties gangen was nagegaan. Die waren niet erg ingewikkeld. Ze had de lasagna naar Polly gebracht. Tegen Polly zei ze dat ze op weg naar huis waarschijnlijk bij De NoodZaak zou langsgaan om te zien of Leland Gaunt er was. Polly was door hem uitgenodigd die middag naar een artikel te komen kijken en Nettie zou tegen hem zeggen dat Polly wel zou komen, ook al had ze behoorlijk last van haar handen.
Als Nettie ècht in De NoodZaak zou zijn geweest en daar enige tijd had doorgebracht – met rondkijken, praten met de nieuwe winkelier die iedereen zo fascinerend vond en die Alan maar niet te pakken kreeg – dan zou ze misschien te weinig tijd hebben gehad om de ruiten in te gooien en was de mogelijkheid weer open van een geheimzinnige stenengooier. Maar Nettie was er niet geweest. De

winkel was gesloten. Gaunt had zowel tegen Polly, die later inderdaad bij hem was geweest, als tegen de recherche gezegd dat hij Nettie helemaal niet meer gezien had sinds ze de glazen lampekap bij hem had gekocht. Overigens had hij 's ochtends in de achterkamer naar klassieke muziek geluisterd en zijn administratie bijgewerkt, zodat hij het waarschijnlijk niet zou hebben gemerkt als er iemand had aangeklopt. Nettie moest dus rechtstreeks naar huis zijn gegaan en dat gaf haar de tijd al die dingen te doen die Alan zo onwaarschijnlijk vond.

Voor Wilma Jerzyck waren er nog minder mogelijkheden. Haar man was een doe-het-zelver en had zondagochtend tussen acht uur en even na tienen in de kelder gewerkt. Toen hij zag hoe laat het was, had hij verteld, had hij zijn houtzaag uitgezet en was naar boven gegaan om zich aan te kleden voor de mis van elf uur. Wilma stond onder de douche toen hij de slaapkamer inkwam en Alan had geen reden om aan de verklaring van de kersverse weduwnaar te twijfelen.

Het moest zo zijn gegaan: Wilma gaat tussen vijf en tien over half tien de deur uit om bij Nettie langs te rijden. Pete is in de kelder bezig met een vogelhuisje of wat dan ook en heeft niet in de gaten dat ze weg is. Wilma is om ongeveer kwart voor tien bij Netties huis – slechts een paar minuten nadat Nettie op weg is gegaan naar Polly – en ziet de deur openstaan. Die gelegenheid kan ze niet laten lopen. Ze stapt uit, gaat naar binnen, komt dan ineens op het idee de hond te doden en het briefje te schrijven en gaat weer weg. Geen van de buren kon zich herinneren Wilma's knalgele Yugo gezien te hebben. Dat kwam niet zo goed uit, maar het was bepaald geen bewijs dat de Yugo er niet was geweest. De meeste omwonenden waren trouwens naar de kerk of buiten de stad op bezoek geweest.

Wilma rijdt terug naar huis, gaat naar boven terwijl Pete zijn houtzagerijtje stillegt en kleedt zich uit. Ze staat net onder de douche als Pete naar de badkamer gaat om het zaagsel van zijn handen te spoelen voordat hij zich verkleedt; waarschijnlijk is ze aan één kant nog droog.

Dat Pete Jerzyck merkt dat zijn vrouw onder de douche staat, was het enige aan de hele zaak dat Alan volkomen logisch vond. De kurketrekker was voor de hond een dodelijk instrument geweest, maar wel kort. Wilma moest natuurlijk het bloed van haar handen en armen wassen.

Wilma ontloopt Nettie in het ene huis en haar man in het andere. Was dat mogelijk? Ja. Het scheelde weliswaar een haar, maar het wàs mogelijk.

Laat dus maar zitten, Alan. Laat maar zitten en ga slapen.

Maar hij kon het nog steeds niet, omdat het nog steeds niet lekker zat. Helemáál niet lekker.

Alan ging weer op zijn rug liggen. Beneden hoorde hij de klok in de zitkamer zachtjes vier uur slaan. Hij schoot hier helemaal niets mee op, maar hij kon zijn gedachten niet uitschakelen.
Hij probeerde zich voor te stellen hoe Nettie aan haar keukentafel zat en geduldig steeds maar weer DIT IS DE LAATSTE WAARSCHUWING schreef, terwijl net vijf meter verder haar lieve kleine hond dood op de grond lag. Het lukte hem niet, al deed hij nog zo zijn best. Het hek van deze tuin begon meer en meer op een levensechte tekening van een hek op de hoge, ononderbroken muur te lijken. Een *trompe l'oeil.*
Was Nettie werkelijk naar Wilma's huis in Willow Street gegaan om de ruiten in te gooien? Hij wist het niet, maar hij wist wèl dat Nettie Cobb in Castle Rock nog altijd in de belangstelling stond als de gekke vrouw die haar man had vermoord en daarna jaren in Juniper Hill had gezeten. Het viel op als ze eens een enkele keer van haar vaste gewoonten afweek. Het moest zijn opgevallen als ze zondagochtend naar Willow Street was gegaan, misschien in zichzelf mompelend en bijna zeker huilend. Morgen zou Alan bij de mensen in die buurt aanbellen om vragen te stellen.
Eindelijk kreeg de slaap de overhand. Hij nam het beeld met zich mee van een stapel stenen met om elk daarvan een elastiekje en een stuk papier. En weer dacht hij: *Als Nettie die stenen niet heeft gegooid, wie dan wel?*

9

Terwijl de kleine uurtjes van de zondagnacht naar de dageraad en naar het begin van een nieuwe en belangwekkende week kropen, kwam de jonge Ricky Bissonette achter de heg rond de doopsgezinde pastorie vandaan. In die nette woning sliep dominee William Rose de slaap der rechtvaardigen.
Ricky, negentien jaar en niet begiftigd met een overmaat aan hersenen, werkte in Sonny's garage. Uren geleden had hij de zaak gesloten en daarna in het kantoortje gewacht tot het laat genoeg (of vroeg genoeg) was om een grapje met de dominee uit te halen. Vrijdagmiddag was Ricky in de nieuwe winkel geweest en had een praatje gemaakt met de eigenaar, een interessante oude baas. Van het een kwam het ander en op een gegeven moment merkte Ricky dat hij meneer Gaunt zijn diepste en geheimste verlangen opbiechtte. Hij noemde de naam van een jonge actrice en mannequin – een héél jonge actrice en mannequin – en zei dat hij bijna alles over zou hebben voor een paar naaktfoto's van deze jonge vrouw.
'Ik heb misschien iets aardigs voor u,' had Gaunt gezegd. Hij keek

om zich heen om zich ervan te overtuigen dat er verder niemand was, ging naar de deur en hing het bordje GESLOTEN ervoor. Hij kwam terug naar de kassa, rommelde onder de toonbank en haalde een blanco envelop van manillapapier te voorschijn. 'Kijk hier eens naar, meneer Bissonette,' zei Gaunt, met een tamelijk wulpse, wereldwijze knipoog. 'U zult er van opkijken, denk ik. Schrikken, misschien wel.'
Perplex staan was de goede uitdrukking. Het was de actrice-mannequin naar wie Ricky's begeerte uitging – het kòn niet anders! – en ze was veel meer dan alleen maar naakt. Op sommige foto's was ze samen met een bekende acteur te zien. Op andere met twéé bekende acteurs, van wie de een oud genoeg was om haar opa te zijn. En op weer andere...
Maar voor hij die kon zien (en het waren er minstens vijftig, allemaal prachtige grote kleurenfoto's), had Gaunt ze uit zijn handen gegrist.
'Dat is...!' hijgde Ricky, een naam noemend die heel bekend moest klinken voor wie de roddelbladen en de praatshows volgde.
'O nee,' zei Gaunt, terwijl zijn jade-kleurige ogen 'ja' zeiden. 'Dat zal hij zeker niet zijn... maar is het geen opmerkelijke gelijkenis? Dergelijke foto's mogen natuurlijk niet verkocht worden – afgezien van de seksuele inhoud kan het meisje geen dag ouder dan vijftien zijn, wíe het ook is – maar misschien kunt u mij toch wel overhalen een prijs te noemen, meneer Bissonette. Het vuur in mijn bloed is geen malaria, maar handel. Dus zeg het maar! Zullen we onderhandelen?'
Ze onderhandelden. Ten slotte kocht Ricky Bissonette tweeënzeventig pornofoto's voor zesendertig dollar... en dit kleine grapje.
Hij rende gebukt door de tuin van de pastorie, luisterde een ogenblik in de schaduw van de veranda en beklom het trapje. Uit zijn achterzak haalde hij een gewoon wit kaartje, deed de brievenbus open en gooide het kaartje naar binnen. Om geen lawaai te maken liet hij de koperen klep met zijn vingertoppen terugzakken. Daarna sprong hij over de balustrade van de veranda en rende lichtvoetig terug door de tuin. Hij had grote plannen voor de twee of drie nachtelijke uren die hem nog tot maandagmorgen restten: er kwamen tweeënzeventig foto's en een grote fles Jergens handlotion aan te pas.
Het kaartje fladderde als een witte mot naar beneden en landde op de vale loper in de gang van de pastorie. De beschreven kant lag boven:

Hoe gaat het ermee Stomme Doperse Rattekop.
Wij schrijfen jou alsdat jij beter ophout tegen ons Casino Avond

te lullen. Wij wille alleen maar wat lol make zonder jou Pijn te doen. Wij zijn Goeie Katolieken en wij moeten niks hebben van jullie Doperse Gezijk. Jullie Dopers zijn toch alemaal Reetlikers. Let dus heel goed op, Stoombootje. Als jij je Rattesnuit niet in je eigen zaken steek laten we jou en al die andere Reetlikers es een poepie ruike!

Laat ons met rust Stomme Doperse Rattekop want anders KRIJGT JE ER SPIJT VAN. Een waarschuwing van

DE BEZORGDE KATHOLIEKEN
VAN CASTLE ROCK.

Dominee Rose ontdekte het kaartje toen hij in zijn badjas naar beneden kwam om de krant te pakken. Zijn reactie kan men zich misschien maar beter voorstellen dan lezen.

10

Leland Gaunt stond aan het raam van de voorkamer boven De NoodZaak met zijn handen op zijn rug en keek uit over Castle Rock.

Zijn vier kamers tellende appartement zou in het stadje opschudding hebben gewekt, want er stond niets in... helemaal niets. Geen bed, geen apparaat, geen enkele stoel. De open kasten waren leeg. Een paar stofnesten schoven traag over de kale vloeren in de tocht die op enkelhoogte voelbaar was. De enige uitzondering was letterlijk uiterlijke schijn: voor het raam hingen knusse geruite gordijnen. Alleen die waren van belang, want verder was er vanaf de straat niets van de woning te zien.

Het stadje lag te slapen. De winkels waren donker, de huizen waren donker en de enige beweging in Main Street was het geknipper van het stoplicht op de hoek van Main en Laurel, een slaperig oranje geflits. Hij bekeek de stad met een mild en welgevallig oog. Het was nog niet zíjn stad, maar dat zou niet lang meer duren. Hij had er al een optie op genomen. Dat wisten ze niet... maar dat kwam wel. O ja, dat kwam wel.

De feestelijke opening was heel, heel goed verlopen.

Gaunt beschouwde zichzelf als een elektricien van de menselijke ziel. In een klein plaatsje als Castle Rock waren alle stoppen netjes naast elkaar aangebracht. Je hoefde ze alleen maar open te maken... en de draden te verwisselen. Je koppelde Wilma Jerzyck aan Nettie Cobb door de draden van twee andere stoppen te gebruiken, die van een jonge knaap als Brian Rusk en van een dronkelap als Hugh Priest, om maar iets te noemen. Op dezelfde manier koppel-

de je andere mensen aan elkaar, een Buster Keeton aan een Norris Ridgewick, een Frank Jewett aan een George Nelson, een Sally Ratcliffe aan een Lester Pratt.
Soms testte je een van je befaamde klussen om na te gaan of alles naar behoren werkte - zoals hij vandaag had gedaan - en daarna stuurde je af en toe een lading door de circuits om de zaak spannend te houden. Om het vuurtje weer wat op te stoken. Maar voornamelijk hield je je koest tot alles achter de rug was... en dan gaf je ze de volle laag.
Alles in één keer tegelijk.
Je hoefde alleen maar inzicht in de menselijke natuur te hebben en...
'Natuurlijk is het éigenlijk een kwestie van vraag en aanbod,' zei Leland Gaunt peinzend, terwijl hij uitkeek over het slapende stadje.
En waarom? Nou, gewoon daarom, meer niet. Gewoon daarom.
Mensen hadden het altijd over hun ziel, en natuurlijk zou hij er daar zoveel mogelijk van meenemen als hij zijn zaak sloot; voor Leland Gaunt waren zielen wat een trofee voor de jager was, een opgezette vis voor de visser. Tegenwoordig hadden ze maar weinig praktische betekenis voor hem, maar hij pikte er toch zoveel mogelijk in, al zei hij ook van niet; anders kon hij er net zo goed mee ophouden.
Toch ging het hem voornamelijk om het vertier en niet om zielen. Gewoon vertier. Na een tijdje was dat de enige reden die overbleef, want als de jaren zo lang waren, greep je alles aan om je te amuseren.
Gaunt hield zijn handen voor zijn buik - de handen die met hun afstotende aanraking zoveel schrik verspreidden - en sloeg ze stevig in elkaar. Zijn nagels waren lang en dik en geel. Ze waren ook erg scherp, en na een ogenblik sneden ze zijn vingers open. Dik zwartrood bloed stroomde in zijn handen.
Brian Rusk gilde in zijn slaap.
Myra Evans stak een hand tussen haar benen en begon heftig te masturberen; in haar droom werd ze bezeten door de King.
Danforth Keeton droomde dat hij op het laatste rechte stuk van de renbaan in Lewiston lag en hij drukte zijn handen tegen zijn gezicht toen de paarden op hem af stormden.
Sally Ratcliffe droomde dat ze het portier van Lester Pratts Mustang opende en zag dat de auto vol slangen zat.
Hugh Priest schreeuwde zichzelf wakker uit een droom waarin Henry Beaufort, de barkeeper van The Mellow Tiger, aanstekerbenzine over zijn vossestaart sprenkelde en in brand stak.
Everett Frankel, de assistent van dokter Ray Van Allen, droomde

dat hij zijn nieuwe pijp in zijn mond stopte en dat hij zijn eigen tong afsneed met de steel, die in een scheermes was veranderd.
Polly Chalmers begon zacht te kreunen en in de kleine zilveren hanger begon iets te bewegen met het geruis van kleine stoffige vleugels. Er steeg een vaag, stoffig aroma uit op... als een flauwe geur van viooltjes.
Leland Gaunt verminderde langzaam de druk op zijn handen. Zijn grote kromme tanden waren ontbloot in een grijns die zowel opgewekt als onbeschrijflijk lelijk was. In heel Castle Rock waaiden dromen weg en kregen onrustige slapers weer rust.
Voorlopig.
Weldra zou de zon opkomen. Niet lang daarna zou een nieuwe dag beginnen, met tal van verrassingen en wonderen. Hij geloofde dat het tijd was een medewerker aan te stellen... maar niet iemand die immuun was voor het proces dat hij nu in gang had gezet. Alsjeblieft niet.
Dat zou alles maar bederven.
Leland Gaunt stond voor het raam en keek naar het stadje onder zich, weerloos neergevleid in heel die prachtige duisternis.

II
Caveat emptor

12

1

Maandag 14 oktober, Columbusdag, begon mooi en warm in Castle Rock. De inwoners klaagden over de warmte en toen ze in groepjes bij elkaar kwamen – op het plein, bij Nan, op de bankjes voor het gemeentehuis – zeiden ze tegen elkaar dat het onnatuurlijk was. Het zou wel iets met die vervloekte Irakezen te maken hebben, zeiden ze, of misschien met dat gat in de ozonlaag waar ze op de televisie de hele tijd over zaten te zeuren. Verscheidene oudjes verklaarden dat het, toen zíj jong waren, in de tweede week van oktober om zeven uur 's ochtends nooit twintig graden was.
Dat was natuurlijk niet waar en dat wisten de meesten (zo niet allen) ook wel; om de paar jaar was er wel een warme herfst met vier of vijf dagen die aan half juli deden denken... tot je met een zomerkoutje wakker werd en buiten de rijp op het gras in de voortuin lag en de sneeuwvlokken voorbij het raam joegen. Dat wisten ze wel, maar het weer was nu eenmaal een te goed gespreksthema om zomaar te bederven. Niemand had zin in een woordenwisseling; daar kon niets goeds van komen als het zo vreemd warm was. Mensen werden er opvliegend van en als de inwoners van Castle Rock dáár een ontnuchterend voorbeeld van wilden zien, hoefden ze niet verder te kijken dan het kruispunt van Willow en Ford Street.
'Die twee wijffies vroegen erom,' oordeelde Lenny Partridge, de oudste inwoner en voornaamste kletskous van Castle Rock. Hij stond op de trap van het sierlijke gerechtsgebouw dat de westelijke vleugel van het gemeentehuis in beslag nam. 'Ze waren allebei net zo gek als een stel ratten in een verstopt schijthuis. Dat mens van Cobb had al eens een vleesvork in haar man geprikt, mot je weten.' Lenny verschoof de breukband onder zijn slobberbroek. 'Als een varken aan het spit, goddomme! Zijn die wijven gek of niet?' Hij keek naar de hemel en vervolgde: 'Met zulke hitte krijg je nog meer ruzie. Dat heb ik eerder gezien. Sheriff Pangborn zou meteen de Tiger dicht motte gooien tot we weer gewoon weer hebben.'
'Van mij mag het, ouwe,' zei Charlie Fortin. 'Ik kan wel voor twee dagen bij Hemphill's inslaan en thuis mijn biertje drinken.'
De anderen konden erom lachen, alleen Lenny Partridge zelf keek hem afkerig aan. Het groepje viel uiteen. De meeste mannen moesten werken, feestdag of geen feestdag. De eerste gammele houtwagens reden al van de parkeerplaats bij Nan's Luncheonette, op weg

om een nieuwe lading te halen in Sweden en Nodd's Ridge en bij het Castle Lake.

2

Danforth 'Buster' Keeton zat in zijn werkkamer met alleen een onderbroek aan. Het was een vuile onderbroek. Hij had de kamer niet meer verlaten sinds zondagavond, toen hij een kort uitstapje naar het gemeentehuis had gemaakt. Hij had zijn correspondentie met het belastingkantoor opgehaald en mee naar huis genomen. De eerste wethouder van Castle Rock zat voor de derde keer zijn Colt te oliën. Hij was van plan de revolver nog deze morgen te laden. Hij was van plan zijn vrouw te doden. Hij was van plan naar het gemeentehuis te gaan, die smeerlap van een Ridgewick te zoeken (hij had geen idee dat Norris een vrije dag had) en ook hèm te doden. Ten slotte was hij van plan zich in zijn kantoor op te sluiten en zichzelf te doden. Hij was tot de conclusie gekomen dat hij alleen door deze maatregelen definitief aan de Belagers kon ontkomen. Al het andere was gekkigheid geweest. Zíj lieten zich zelfs niet tegenhouden door een spel dat op magische wijze de winnende paarden aanwees, o nee. Die les had hij gisteren geleerd, toen hij in het hele huis die afschuwelijke roze blaadjes had gevonden.
De telefoon op het bureau rinkelde. Geschrokken haalde Keeton de trekker van de Colt over. Er klonk een droge klik. Als de revolver geladen was geweest, had hij een kogel dwars door de deur gejaagd.
Hij griste de hoorn van de haak. 'Kunnen jullie me dan nooit eens even met rust laten?' riep hij boos.
De bedaarde stem bracht hem meteen tot zwijgen. Het was de stem van Leland Gaunt en hij werkte als koele balsem op Keetons geschroeide gemoed.
'Heeft mijn speelbord u nog geluk gebracht, meneer Keeton?'
'Het werkte!' zei Keeton opgetogen. Hij vergat, althans voorlopig, zijn plannen voor een inspannende ochtend van moord en zelfmoord. 'Elke koers heeft opgeleverd, godlof!'
'Dat is dan heel mooi,' zei Gaunt hartelijk.
Keetons gezicht betrok weer. Zijn stem daalde tot weinig meer dan een gefluister. 'Maar gisteren... toen ik thuiskwam...' Hij merkte dat hij geen woord meer kon uitbrengen. Even later ontdekte hij – tot zijn grote verrassing en nog grotere opluchting – dat dit ook niet nodig was.
'...merkte u dat Zij in uw huis waren geweest?' vroeg Gaunt.
'Ja! Já! Hoe wist u da...'

'Ze zijn hier overal,' zei Gaunt. 'Dat heb ik u de laatste keer toch gezegd?'
'Ja! En...' Keeton zweeg abrupt. Zijn gezicht vertrok van schrik. 'Beseft u dat Zij deze verbinding afgetapt kunnen hebben? *Ze kunnen op dit moment naar ons luisteren!*'
Gaunt bewaarde zijn kalmte. 'Dat zou kunnen, maar het is niet zo. Denk alstublieft niet dat ik naïef ben, meneer Keeton. Ik heb al vaker met Ze te maken gehad. Veel vaker.'
'Dat geloof ik graag,' zei Keeton. Hij begon te ontdekken dat zijn uitgelaten vreugde over Wed en Win weinig of niets voorstelde in vergelijking hiermee: met het vinden, na wat een eeuwigheid van strijd en duisternis scheen, van een verwante geest. 'Maar...'
'Er zit een klein elektronisch apparaatje aan mijn telefoon,' vervolgde Gaunt op bedaarde en geruststellende toon. 'Als er iemand meeluistert, gaat er een lampje branden. Ik zit naar dat lampje te kijken, meneer Keeton, en het is donker. Net zo donker als het hart van sommige mensen hier.'
'U weet ècht wie Ze zijn,' zei Danforth Keeton, gespannen en met bevende stem. Hij kon wel huilen.
'Ja. En ik bel om te zeggen dat u geen overhaaste dingen moet doen, meneer Keeton.' De stem was zacht, sussend. Terwijl hij ernaar luisterde, merkte Keeton dat zijn gedachten begonnen weg te zweven als de met helium gevulde ballon van een kind. 'Dat zou het Ze veel te gemakkelijk maken. Weet u wel wat er zou gebeuren als u zou sterven?'
'Nee,' mompelde Keeton. Hij zat uit het raam te kijken. Zijn ogen waren leeg en dromerig.
'Ze zouden een groot feest geven!' riep Gaunt zachtjes uit. 'Zich bedrinken bij sheriff Pangborn! Naar Homeland gaan en op uw graf wateren!'
'Sheriff Pangborn?' zei Keeton onzeker.
'U gelooft toch niet echt dat een sukkel als Ridgewick in een dergelijke zaak iets kan ondernemen zonder toestemming van zijn meerderen?'
'Nee, natuurlijk niet.' Hij begon de dingen scherper te zien. Zíj, het waren altijd Zíj geweest, een verstikkende donkere wolk om hem heen, en als je ze probeerde te grijpen bleef je met lege handen achter. Nu begon hij eindelijk te begrijpen dat Zij namen en gezichten hadden. Misschien waren ze zelfs kwetsbaar. Deze wetenschap was een geweldige opluchting.
'Pangborn, Fullerton, Samuels, dat mens van Williams, uw eigen vrouw. Ze horen er allemaal bij, meneer Keeton, maar ik vermoed – en dat tamelijk sterk – dat sheriff Pangborn de aanvoerder is. In dat geval zou hij niets liever willen dan dat u een of twee van

zijn handlangers doodde en daarna uzelf uit de weg ruimde. Sterker nog, ik vermoed dat hij daar van het begin af aan op uit is geweest. Maar daar zult u een stokje voor steken, nietwaar meneer Keeton?'
'*Ja!*' fluisterde Keeton heftig. 'Wat moet ik doen?'
'Vandaag niets. Doe net als anders. Als u wilt kunt u vanavond gewoon naar de rennen gaan en van uw nieuwe aankoop profiteren. Het zal Ze uit hun evenwicht brengen als u niets laat merken. Het zal verwarring en onzekerheid in het vijandelijke kamp zaaien.'
'Verwarring en onzekerheid,' bromde Keeton. Het waren de heerlijkste woorden die hij ooit had gehoord.
'Ja. Ik ben zelf met een plannetje bezig en als het zover is, laat ik het u weten.'
'Echt waar?'
'Daar kunt u op rekenen, meneer Keeton. U bent behoorlijk belangrijk voor me. Ik durf wel te zeggen dat ik niet zonder u zou kunnen.'
Gaunt verbrak de verbinding. Keeton borg zijn revolver en de schoonmaakspullen op. Daarna ging hij naar boven, stopte zijn muffe kleren in de wasmand, nam een douche en kleedde zich aan. Beneden deinsde Myrtle eerst voor hem terug, maar Keeton sprak haar vriendelijk toe en drukte een zoen op haar wang. Myrtle kalmeerde wat. Wat voor crisis er ook geweest mocht zijn, hij leek nu achter de rug.

3

Everett Frankel was een grote roodharige man, zo Iers als groen gras... wat niet verwonderlijk was, aangezien zijn familie van moederskant uit Cork afkomstig was. Sinds vier jaar, nadat hij als marinier was afgezwaaid, werkte hij als assistent van dokter Ray Van Allen. Die maandagochtend kwam hij om kwart voor acht in de praktijk, waar hoofdzuster Nancy Ramage hem vroeg meteen naar de boerderij van de Burgmeyers te gaan. Helen Burgmeyer had 's nachts waarschijnlijk een epileptische aanval gehad. Als Everetts diagnose dit bevestigde, moest hij haar in zijn auto meenemen zodat dokter Van Allen - die elk moment kon komen - kon besluiten of ze voor nader onderzoek naar het ziekenhuis moest.
Normaal gesproken ging Everett niet graag meteen op huisbezoek, zeker niet als het zo'n eind uit de buurt was, maar met die ongewone warmte leek een ritje naar buiten precies wat hij nodig had.
En hij had natuurlijk de pijp.
Zodra hij in zijn Plymouth zat, maakte hij het handschoenenkastje

open en haalde hem eruit. Het was een Meerschaum met een diepe en brede kop. Hij was vervaardigd door een meester, die pijp; vogels en bloemen en wijnranken draaiden rond de kop in een patroon dat waarachtig leek te veranderen als je er van een andere kant naar keek. Hij had de pijp in het kastje laten liggen, niet alleen omdat roken in de praktijk verboden was, maar ook omdat hij hem niet graag aan anderen liet zien (vooral niet aan zo'n nieuwsgierige ekster als Nancy Ramage). Eerst zouden ze willen weten waar hij hem had gekocht en daarna hoeveel hij ervoor had betaald.
En sommigen zouden hem misschien wel willen inpikken.
Hij nam de steel tussen zijn tanden en voelde meteen weer hoe perfect de pijp daar zat, zo volkomen *op zijn plaats*. Hij draaide het spiegeltje even omlaag om zichzelf te bekijken en was bijzonder tevreden met wat hij zag. De pijp maakte hem ouder, verstandiger, knapper. En met de steel tussen zijn tanden kwam de kop iets omhoog, nonchalant zonder overdrijving, en hij vóelde zich ook ouder, verstandiger, knapper.
Hij reed door Main Street in de richting van de Tin Bridge die hem buiten de stad zou brengen, maar bij het naderen van De NoodZaak vertraagde hij. Het groene baldakijn trok aan hem als een angel. Het leek ineens erg belangrijk - noodzakelijk zelfs - dat hij stopte.
Hij parkeerde langs de stoeprand en wilde uitstappen, toen hij zich herinnerde dat hij de pijp nog tussen zijn tanden had. Hij nam hem uit zijn mond (waarbij hij een lichte steek van spijt voelde) en borg hem weer veilig op in het kastje. Hij liep om de Plymouth heen om alle vier de portieren af te sluiten. Met zo'n mooie pijp wilde hij geen risico nemen. Iedereen zou zo'n mooie pijp wel willen stelen als de gelegenheid zich voordeed. Iedereen.
Hij ging naar de winkel en bleef teleurgesteld staan. Achter de deur hing een bordje.

COLUMBUSDAG GESLOTEN

stond er.
Everett wilde zich net omdraaien toen de deur openging. Gaunt stond in de opening, chic en zelf ook aardig nonchalant gekleed, in een lichtbruin colbert met leren stukken op de ellebogen en een antracietgrijze broek.
'Kom binnen, meneer Frankel,' zei hij. 'Ik ben erg blij dat u kon komen.'
'Eigenlijk ben ik op huisbezoek en ik wilde alleen nog maar eens zeggen hoe blij ik met mijn pijp ben. Ik heb er altijd al zo een willen hebben.'

'Dat weet ik,' zei Gaunt stralend.
'Maar ik zie dat u gesloten bent, dus ik zal u niet langer...'
'Voor mijn beste klanten ben ik nooit gesloten, meneer Frankel, en u bent een van hen. En niet de minste. Kom verder.' En hij stak zijn hand uit.
Everett deed een stap terug. Leland Gaunt lachte er vrolijk om en ging opzij om de jonge doktersassistent binnen te laten.
'Ik kan echt niet lang...' begon Everett, maar zijn voeten leken het beter te weten en brachten hem de winkel in.
'Natuurlijk niet,' zei Gaunt. 'De geneesheer moet zijn ronde doen om de ketenen te verbreken die het lichaam met ziekte binden en –' hij grijnsde met opgetrokken wenkbrauwen en met opeengeklemde scheve tanden '– en de duivels uit te drijven die de geest binden. Zo is het toch?'
'Zoiets,' zei Everett. Enigszins ongerust zag hij Gaunt de deur sluiten. Hij hoopte dat er niets met zijn pijp zou gebeuren. Er werd wel eens ingebroken in auto's. En dat gebeurde zelfs wel eens op klaarlichte dag.
'Maakt u zich geen zorgen over uw pijp,' zei Gaunt sussend. Uit zijn zak haalde hij een envelop met op de voorkant een enkel woord. Dat woord was *Liefste*. 'Weet u nog dat u een grapje voor mij zou uithalen, dokter Frankel?'
'Ik ben geen dok...'
Gaunt fronste zijn wenkbrauwen en Everett zag onmiddellijk af van zijn tegenwerping. Hij deed een klein stapje terug.
'Wéét u het nog of weet u het niet?' vroeg Gaunt scherp. 'Ik zou maar snel antwoord geven, jongeman... ik weet toch niet of die pijp wel zo veilig is.'
'Ik weet het nog!' zei Everett. Zijn toon was gehaast en geschrokken. 'Sally Ratcliffe! De spraaklerares!'
Het borstelige midden van Gaunts bijna versmolten wenkbrauwen ontspande iets. Everett Frankel deed mee. 'Zo is het. En de tijd voor dat grapje is aangebroken, dokter. Hier.'
Hij stak de envelop uit. Everett pakte hem aan, waarbij hij zorgvuldig vermeed Gaunts vingers aan te raken.
'Er is vandaag geen school, maar onze jonge lerares is er toch om haar administratie bij te werken,' zei Gaunt. 'Ik weet dat u eerst naar de Burgmeyers moet...'
'Hoe weet u dat toch allemaal?' vroeg Everett op verdwaasde toon.
Gaunt wuifde deze opmerking ongeduldig weg. '...maar op de terugweg kunt u misschien wel even tijd vrijmaken, nietwaar?'
'Ik denk...'
'En aangezien vreemden op een school enigszins argwanend worden bekeken, zelfs als er geen leerlingen zijn, kunt u ter verklaring wellicht even langsgaan bij de schoolverpleegster.'

'Als ze er is wel,' zei Everett. 'Ik moet haar trouwens toch nodig spreken, want...'
'...u heeft de inentingsrapporten van de kleuters nog niet opgehaald,' besloot Gaunt. 'Prima. Overigens zal ze er níet zijn, maar dat kunt ú immers niet weten? U hoeft alleen uw hoofd om de hoek te steken. Maar daarvoor of daarna wil ik dat u die envelop in de auto legt die juffrouw Ratcliffe van haar jonge vriend heeft geleend. Ik wil dat u hem onder de voorbank legt... maar niet helemáál eronder. Ik wil dat u een hoekje laat uitsteken.'
Everett wist heel goed wie de 'jonge vriend' van Sally Ratcliffe was: de sportleraar. Everett had liever Lester Pratt een streek geleverd dan zijn verloofde. Pratt was een potige jonge baptist die meestal een blauw T-shirt en een blauwe traningsbroek met een witte streep op de naden droeg. Hij was er zo eentje die in dezelfde (en overvloedige) mate transpiratie en Jezus uit zijn poriën zweette. Everett had weinig met hem op. Hij vroeg zich vaag af of Lester al met Sally had geslapen; ze was een echte stoot. Hij dacht van niet. Verder dacht hij dat Sally, als Lester een beetje te hitsig werd van het zoenen op de veranda, hem waarschijnlijk in de achtertuin kniebuigingen liet maken of een keer of dertig rond het huis liet sprinten.
'Gebruikt Sally de Prattmobiel weer?'
'Inderdaad,' zei Gaunt ietwat geprikkeld. 'Bent u klaar met uw geestigheden, dokter Frankel?'
'Jawel,' zei hij. Eerlijk gezegd voelde hij zich verrassend opgelucht. Hij had zich enigszins bezorgd gemaakt over het 'grapje' dat Gaunt hem wilde laten uithalen. Nu begreep hij dat zijn bezorgdheid voor niets was geweest. Gaunt wilde hem helemaal geen voetzoeker in haar schoen laten stoppen of laxeermiddel in haar chocolademelk. Een envelop kon toch zeker geen kwaad?
Gaunt liet zijn zonnige en luisterrijke glimlach weer zien. 'Heel goed,' zei hij. Hij deed een stap naar voren en Everett zag tot zijn afschuw dat Gaunt kennelijk een arm over zijn schouders wilde slaan.
Everett stapte haastig achteruit. Op deze manier stuurde Gaunt hem terug naar de voordeur en deed die open.
'Veel plezier met die pijp,' zei hij. 'Heb ik u verteld dat hij ooit van Sir Arthur Conan Doyle is geweest, de schepper van de grote Sherlock Holmes?'
'Nee!' riep Everett Frankel uit.
'Nee, natuurlijk niet,' zei Gaunt grinnikend. 'Dat zou een leugen zijn geweest... en in zaken lieg ik nooit, dokter Frankel. Vergeet uw kleine boodschap niet.'
'Ik zal eraan denken.'

'Dan wens ik u verder een prettige dag.'
'Insgelij...'
Maar Everett praatte tegen niemand. De deur met het neergelaten gordijn was al achter hem dichtgegaan.
Hij keek er een ogenblik naar en liep toen langzaam terug naar zijn Plymouth. Het zou hem slecht zijn afgegaan als iemand hem had gevraagd te vertellen wat er precies tussen hem en Gaunt was gezegd, want hij kon het zich niet goed herinneren. Hij voelde zich als een man die een snuifje ether heeft gekregen.
Zodra hij weer achter het stuur zat, maakte Everett het dashboardkastje open, stopte de envelop voor *Liefste* erin en haalde de pijp eruit. Hij herinnerde zich nog wèl dat Gaunt hem had geplaagd door te zeggen dat de pijp aan A. Conan Doyle had toebehoord. En hij had hem nog bijna geloofd. Kinderachtig! Je hoefde de pijp maar in je mond te nemen en de steel tussen je tanden te klemmen om te weten dat de echte eigenaar Hermann Göring was geweest.
Everett Frankel startte de motor en reed langzaam de stad uit. En op weg naar de boerderij van Burgmeyer hoefde hij maar twee keer te stoppen om bewonderend naar zijn verbeterde uiterlijk te kijken.

4

Albert Gendron had zijn tandartspraktijk in het Castle Building, een onaanzienlijk bakstenen gebouw tegenover het gemeentehuis en de gedrongen betonnen bunker waarin het Waterschap was gehuisvest. Het Castle Building wierp sinds 1924 zijn schaduw over de Castle Stream en de Tin Bridge en herbergde drie van de vijf advocaten van het district, een opticien, een oorarts, diverse zelfstandige makelaars, een financieel adviseur, een door een vrouw beheerde antwoorddienst en een lijstenmakerij. Een handvol kantoorruimten in het gebouw stond momenteel leeg.
Albert, sinds de dagen van pastoor O'Neal een van de katholieke voorvechters in Castle Rock, begon zelf op leeftijd te raken. Zijn vroeger zwarte haar kreeg grijze strepen en zijn brede schouders begonnen te hangen zoals hem in zijn jonge jaren nooit zou zijn overkomen, maar hij was nog altijd een man van indrukwekkende omvang; met zijn twee meter en 127 kilo was hij de grootste man in misschien wel heel Castle Rock County.
Langzaam beklom hij de smalle trap naar de derde en hoogste verdieping, op elke overloop pauzerend om op adem te komen met het oog op de hartruis die dokter Van Allen bij hem had geconstateerd. Halverwege de laatste trap zag hij dat het opschrift ALBERT GEN-

DRON – TANDARTS op de matglazen deur van zijn kantoor aan het gezicht was onttrokken door een stuk papier.
Hij kon de eerste woorden al lezen toen hij op de vijfde trede van boven stond en zijn hart begon luider te bonken, ruis of geen ruis. Het gebonk kwam niet van inspanning, maar van woede.
LUISTER GOED, KLEINE GARNALEKOP! stond met grote felrode viltstiftletters boven aan het blad te lezen.
Albert trok het papier van de deur en las het snel. Hij ademde door zijn neus, luidruchtig snuivend als een stier die elk moment tot de aanval kan overgaan.

LUISTER GOED, KLEINE GARNALEKOP!

We hebben je al eens gewaarschuwd – 'wie oren heeft, die hore' – maar je hebt niet geluisterd. JE VOLHARDT IN JE VERVLOEKTE WEGEN EN AAN HUN WERKEN ZULT GIJ HEN KENNEN. Wij hebben je lang genoeg je gang laten gaan met je paapse afgoderij en zelfs met je losbandige verering van de Hoer van Babel. Nu ben je te ver gegaan. IN CASTLE ROCK GEEN GEDOBBEL MET DE DUIVEL!
Fatsoenlijke christenen kunnen dit najaar HELLEVUUR en ZWAVEL ruiken in Castle Rock. Jouw eigen neus daarentegen is verstopt door al je zonden en uitspattingen. HOOR NAAR ONZE VERMANING: GEEF JE PLAN OP OM DEZE STAD TOT EEN HOL VAN ROVERS EN GOKKERS TE MAKEN, ANDERS ZUL JE ZELF HELLEVUUR EN ZWAVEL RUIKEN!
'De goddelozen zullen terugkeren naar de hel, alle godvergetende heidenen.' Psalm 9:17.
HOOR NAAR ONZE VERMANING, ANDERS ZULLEN AL JE JAMMERKLACHTEN TEVERGEEFS ZIJN.

DE VERONTRUSTE DOOPSGEZINDEN VAN CASTLE ROCK

'Wat een gezeik,' zei Albert ten slotte. Hij verfrommelde de brief in zijn machtige vuist. 'Dat stompzinnige doopsgezinde schoenverkopertje is eindelijk helemaal gek geworden.'
Hij ging zijn kantoor binnen en belde allereerst pastoor John om te vertellen dat hun tussen nu en de casinoavond nog het een ander te wachten kon staan.
'Maak je geen zorgen, Albert,' zei Brigham rustig. 'Als die idioot ons dwarszit, komt hij er vanzelf achter hoe hard wij garnalekoppen kunnen terugslaan... of niet soms?'
'Dat is waar,' zei Albert. Hij had het verfrommelde briefje nog steeds in zijn hand. Nu keek hij ernaar en een onaangenaam lachje kwam te voorschijn onder zijn walrussnor. 'Dat is waar.'

5

Om kwart over tien die ochtend gaven de cijfers in de gevel van de bank aan dat het in Castle Rock vijfentwintig graden was. Achter de Tin Bridge veroorzaakte de ongewoon felle zon een heldere schittering waar Route 117 aan de einder zichtbaar werd en de stad naderde. Alan Pangborn zat in zijn kantoor verbalen over de dubbele moord te lezen en had geen erg in die weerspiegeling van de zon op metaal en glas. Overigens zou het toch nauwelijks zijn belangstelling hebben gewekt; het was immers slechts een naderende auto. Niettemin was die onverdraaglijk felle schittering van chroom en glas die met ruim honderd kilometer per uur de brug naderde, een voorbode van een belangrijk deel van Alan Pangborns toekomst... en die van heel de stad.

In de etalage van De NoodZaak werd het bordje

COLUMBUSDAG GESLOTEN

weggehaald door een langvingerige hand die uit de mouw van een bruin sportjasje stak. Een nieuw bordje kwam ervoor in de plaats. Hierop stond:

HULP GEVRAAGD.

6

De auto reed nog altijd tachtig toen hij de brug passeerde, het dubbele van de toegestane snelheid. Het was een wagen die bij alle schooljongens bewondering en jaloezie zou hebben gewekt: een lichtgroene Dodge Challenger, van achteren opgekrikt zodat de neus naar de grond wees. Door de donkere ruiten was nog net de rolstang aan het dak tussen de voor- en achterbank te zien. De achterkant was bezaaid met stickers: KANJER, SPUITER, DE QUAKERSTAAT, GOODYEAR BREDE ELLIPSBANDEN, RAMMER. De achtcilindermotor snorde tevreden, verzadigd met de vette brandstof die je ten noorden van Portland alleen maar op de speedway van Oxford Plains kon krijgen.

De wagen vertraagde iets bij de kruising van Main en Laurel Street en stopte met zacht gierende banden in een van de schuine parkeervakken bij The Clip Joint. Er waren op dat moment geen klanten in de kapperszaak. Bill Fullerton en zijn compagnon Henry Gendron zaten in de kappersstoelen het ochtendblad te lezen onder de oude reclamebordjes van Brylcreem en Wildroot Creme Oil. Ze ke-

ken op toen de bestuurder nog even gas gaf, waardoor de uitlaatpijpen knallend en krakend rook uitbraakten.
'Als dat geen doodrijder is,' zei Henry.
Bill knikte en plukte aan zijn onderlip met de duim en wijsvinger van zijn rechterhand. 'Wat je zegt.'
Ze keken allebei verwachtingsvol toe, terwijl het geluid van de motor wegstierf en het portier openging. Een voet in een kaalgesleten zwarte soldatenlaars kwam uit het donkere inwendige van de Challenger. Er zat een been in strakke, gebleekte spijkerstof aan vast. Een ogenblik later stapte de bestuurder uit en bleef staan in het ongewoon hete daglicht. Hij nam zijn zonnebril af, hing hem in de hals van zijn overhemd en wierp een lome, verachtelijke blik in het rond.
'Oh-oh,' zei Henry. 'Ik geloof dat we moeilijkheden krijgen.'
Bill Fullerton staarde naar de verschijning met de sportpagina op schoot en zijn mond enigszins open. 'Ace Merrill,' zei hij. 'Zowaar als ik hier zit.'
'Wat moet hij hier in vredesnaam?' vroeg Henry verontwaardigd. 'Ik dacht dat hij de boel in Mechanic Falls aan het verzieken was.'
'Geen idee,' zei Bill. Hij trok weer aan zijn onderlip. 'Mot je hem zien! Net een grijze rat en twee keer zo giftig! Hoe oud is hij, Henry?'
Henry haalde zijn schouders op. 'Tussen de veertig en de vijftig, meer weet ik niet. Wat maakt het trouwens uit? Hij is nooit te oud om rotzooi te schoppen, als je het mij vraagt.'
Alsof hij hem gehoord had, draaide Ace zich om naar de spiegelruit en zwaaide traag en sarcastisch met zijn hand. De twee mannen schrokken en rechtten verontwaardigd de rug, als een stel oude vrijsters die vanuit de deuropening van een speelhal worden nagefloten.
Ace stopte zijn handen in de zakken van zijn Low Riders en slenterde weg, toonbeeld van een man die alle tijd van leven heeft en precies weet hoe hij zich moet gedragen.
'Denk je dat we sheriff Pangborn moeten bellen?' vroeg Henry.
Bill Fullerton plukte nog wat aan zijn onderlip. Eindelijk schudde hij zijn hoofd. 'Die weet gauw genoeg dat Ace Merrill terug is,' zei hij. 'Daar heeft hij mij niet voor nodig. En jou ook niet.'
Zwijgend keken ze Ace na tot die in Main Street uit hun gezicht was verdwenen.

7

Wie Ace Merrill zo op zijn gemak door Main Street zag flaneren, zou niet kunnen denken dat hij een man met een dringend probleem was. Een probleem waar Buster Keeton tot op zekere hoogte begrip voor zou opbrengen: Ace was een paar mensen een flinke dot geld schuldig. Ruim tachtigduizend dollar, om precies te zijn. Maar Busters schuldeisers konden hem hoogstens in de gevangenis stoppen. Als Ace het geld niet snel bij elkaar had, zo tegen 1 november, zouden zíjn schuldeisers hem vermoedelijk onder de grond stoppen.

De jongens die Ace Merrill ooit had geterroriseerd – jongens als Teddy Duchamp, Chris Chambers en Vern Tessio – zouden hem ondanks zijn grijzende haar zonder moeite herkennen. Dat was misschien anders geweest toen Ace nog werkte in de plaatselijke textielfabriek (die sinds vijf jaar was gesloten). In die tijd was hij zich te buiten gegaan aan bier en kruimeldiefstallen. Een gevolg van het eerste was een groot overgewicht en van het tweede de ruime belangstelling van wijlen sheriff George Bannerman. Daarna ontdekte Ace cocaïne.

Hij nam ontslag bij de fabriek, raakte vijftig kilo kwijt als gevolg van zijn snelle, zéér snelle levenswijze en raakte dankzij deze wonderbaarlijke substantie op het betere dievenpad. Zijn financiële positie wisselde op de grootse manier die alleen is weggelegd voor beursspeculanten en cocaïnehandelaars. Hij kon een maand zonder een rooie cent beginnen en eindigen met vijftig of zestigduizend dollar onder de wortels van de dode appelboom achter zijn huis aan Cranberry Bog Road. De ene dag liet hij zich bij *Maurice* een diner van zeven gangen voorzetten, de volgende at hij macaroni met kaas uit blik in de keuken van zijn caravan. Het hing allemaal af van de markt en van het aanbod, want zoals de meeste cocaïnehandelaars was Ace zelf zijn beste klant.

Ongeveer een jaar nadat de nieuwe Ace – lang, slank, grijzend en verslaafd – was ontloken aan het vet waarmee hij zich sinds zijn afscheid van het onderwijs had bekleed, kwam hij in contact met een paar gasten uit Connecticut. Deze gasten handelden behalve in verdovende middelen ook in vuurwapens. Ace herkende meteen zijn gelijken; net als hij waren de broertjes Corson zelf hun beste klanten. Ze boden Ace onder ronduit gunstige voorwaarden de handel in Central Maine aan en daar ging hij gretig op in. Dit was net zo min een zuiver zakelijk besluit als zijn eerdere besluit om in coke te gaan handelen. Als er iets was waar Ace nog meer van hield dan van auto's en coke, dan waren het wapens.

In een van zijn armlastige perioden was hij naar zijn oom gestapt,

die half Castle Rock geld had geleend en naar zeggen in zijn geld zwom. Ace zag geen reden waarom hij niet voor zo'n lening in aanmerking zou komen; hij was jong (nou ja, achtenveertig... betrèkkelijk jong), hij had vooruitzichten en hij was familie.
Zijn oom hield er echter een heel andere visie op na.
'Vergeet het,' zei Reginald Marion 'Pop' Merrill. 'Ik weet hoe jij aan je geld komt... als je tenminste geld hèbt. Je rommelt met die witte troep.'
'Ach, oom Reginald...'
'Laat dat "oom Reginald" maar achterwege,' antwoordde Pop. 'Je neus ziet nou nog wit. Slordig, dat worden àl die lui die zich met die witte troep inlaten. Slordige mensen belanden vroeg of laat in de bak. Als ze geluk hebben, tenminste. Anders mogen ze zes voet onder de grond een stuk moeras bemesten. Ik kan geen geld terugvragen van lui die dood zijn of op staatskosten logeren. Ik wil maar zeggen dat ik je nog geen druppel zweet uit mijn vuile reet zou lenen.'
Die armlastige periode had zich voorgedaan kort nadat Alan Pangborn als sheriff van Castle County was aangetreden. En Alans eerste grote vangst was die van Ace met twee van zijn maten, die hij betrapte toen ze bezig waren Henry Beauforts brandkast in The Mellow Tiger te kraken. Dat was een heel goede vangst, een vangst uit het boekje, en nog geen vier maanden na de voorspelling van zijn oom zat Ace in de gevangenis. Hij bekende schuld en daarom werd hem geen poging tot roof ten laste gelegd, maar hij werd wegens nachtelijke inbraak toch voor een flinke tijd naar Shawshank gestuurd.
Hij kwam in het voorjaar van 1989 vrij en verhuisde naar Mechanic Falls. Daar wachtte een baantje op hem; de speedway van Oxford Plains deed mee aan een reclasseringsprogramma en John 'Ace' Merrill werd aangenomen als onderhoudsman en monteur in deeltijd.
Hij kwam veel oude vrienden tegen – om van zijn oude klanten nog maar te zwijgen – en weldra kreeg Ace weer handel en bloedneuzen.
Hij bleef bij de speedway werken tot zijn straftijd erop zat en nam toen onmiddellijk ontslag. Hij had een telefoontje gekregen van de Vliegende Corson Brothers in Danbury, Connecticut, en al gauw verhandelde hij behalve het Boliviaanse wonderpoeder ook weer schietijzers.
De zaken waren blijkbaar opgeleefd terwijl hij in de bajes zat; in plaats van pistolen, revolvers en jachtgeweren had hij nu zijn handen vol aan automatische en halfautomatische wapens. Het hoogtepunt was bereikt in juni dit jaar, toen hij een Thunderboltraket

verkocht aan een zeeman met een Zuidamerikaans accent. De zeeman borg de Thunderbolt benedendeks en betaalde zeventienduizend dollar in nieuwe biljetten van honderd met wisselende serienummers.
'Waar gebruik je zo'n ding voor?' had Ace niet zonder verwondering gevraagd.
'Voor alles wat je maar wilt, señor,' had de zeeman zonder glimlach geantwoord.
Maar in juli was zijn wereld ingestort. Ace begreep nu nog steeds niet goed hoe het had kunnen gebeuren, alleen dat het waarschijnlijk beter zou zijn geweest als hij ook in de coke met de Vliegende Corson Brothers was blijven samenwerken. Hij had bijna een kilogram Colombiaans spul in ontvangst genomen van iemand uit Portland, en Mike en Dave Corson hadden ongeveer vijfentachtigduizend dollar in de transactie gestoken. Die partij moest ongeveer het dubbele van de vraagprijs kunnen opbrengen; bij de test was het eersteklas spul gebleken. Ace wist dat vijfentachtig ruggen heel wat meer dan gebruikelijk was, maar hij dacht dat het wel snor zat en hij was toe aan grotere zaken. 'Geen probleem!' was in die dagen Ace Merrills voornaamste levensvisie geweest. Sindsdien was er iets veranderd. Was er veel veranderd.
Deze veranderingen begonnen toen Dave Corson uit Danbury, Connecticut opbelde om te vragen wat Ace bezielde om bakmeel voor cocaïne te laten doorgaan. Die knaap uit Portland was er blijkbaar in geslaagd Ace te belazeren, test of geen test, en toen dit tot Dave Corson doordrong, klonk hij niet zo vriendelijk meer. Sterker nog, hij begon bepaald ònvriendelijk te klinken.
Ace had zijn snor kunnen drukken. In plaats daarvan verzamelde hij al zijn moed - en dat was nog aardig wat, zelfs op zijn leeftijd - en ging de Vliegende Corson Brothers opzoeken. Hij gaf hun zijn visie op het gebeurde. Dat deed hij in de laadruimte van een Dodge-bestelwagen met kamerbreed tapijt, een verwarmd modderbed en aan het plafond een spiegel. Hij was erg overtuigend. Hij móest ook erg overtuigend zijn, want de Dodge stond aan het eind van een hobbelige zandweg een paar kilometer ten westen van Danbury, achter het stuur zat een zwarte die naar de naam Too-Tall Timmy luisterde en de Vliegende Corson Brothers, Mike en Dave, zaten aan weerskanten van Ace met terugslagvrije wapens in hun handen.
Onder het praten moest Ace denken aan wat zijn oom had gezegd voordat hij in The Mellow Tiger was betrapt. *Slordige mensen eindigen in de bak. Als ze geluk hebben, tenminste. Anders mogen ze zes voet onder de grond een stuk moeras bemesten.* Wat het eerste betreft had Pop gelijk gekregen; Ace was van plan al zijn overre-

dingskracht aan te wenden om het tweede te voorkomen. Er waren geen reclasseringsprogramma's om je uit het moeras te helpen.
Hij was erg overtuigend. En op een gegeven moment sprak hij twee magische woorden: Ducky Morin.
'Heb je die troep van Dùcky gekocht?' zei Mike Corson met grote, bloeddoorlopen ogen. 'Weet je zeker dat hij het was?'
'Ja, vanzelf,' antwoordde Ace. 'Hoezo?'
De Vliegende Corson Brothers keken elkaar aan en begonnen te lachen. Ace wist niet waarom ze lachten, maar hij was er evengoed blij mee. Het leek een goed teken.
'Hoe zag hij eruit?' vroeg Dave Corson.
'Een lange gozer, hoewel niet zo lang als hij.' Ace wees met zijn duim naar de bestuurder, die een walkman ophad en meedeinde op een alleen voor hem hoorbaar ritme. 'Hij praatte als een Canadees. Gouden ringetje in zijn oor.'
'Jawel, dat is Daffy Duck,' beaamde Mike Corson.
'Om je de waarheid te zeggen, verbaast het me dat niemand hem nog te pakken heeft gekregen,' zei Dave Corson. Hij keek naar zijn broer Mike en ze schudden simultaan het hoofd van verwondering.
'Ik dacht dat Ducky te vertrouwen was,' zei Ace. 'Vroeger wàs dat ook zo.'
'Je bent er toch een tijdje tussenuit geweest?' vroeg Mike Corson.
'Je hebt een tijdje in Hotel Tralie gezeten,' zei Dave Corson.
'Je was zeker weg toen de Duckman freebase ontdekte,' zei Mike. 'Daarna ging het hard achteruit met hem.'
'Ducky houdt tegenwoordig van grapjes,' zei Dave. 'Hij heeft een worst voor je neus gehouden. Snap je wel, Ace?'
Ace dacht even na. Daarna schudde hij zijn hoofd.
'Jawel,' zei Dave. 'Daarom zit je nou in de nesten. Ducky heeft je een heleboel baggies met wit poeder laten zien. Eén ervan zat vol met goede coke. De rest was nep. Net als jij, Ace.'
'We hebben het spul getest!' zei Ace. 'Ik heb een willekeurig zakje gekozen!'
Mike en Dave wierpen elkaar een onheilspellend geamuseerde blik toe.
'Ze hebben het getest,' zei Dave Corson.
'Hij heeft een willekeurig zakje gekozen,' vulde Mike Corson aan. Ze sloegen hun ogen ten hemel en keken elkaar aan in de spiegel aan het plafond.
'Nou?' zei Ace, van de een naar de ander kijkend. Hij was blij dat ze wisten wie Ducky was, hij was óók blij dat ze geloofden dat hij hen niet wilde oplichten, maar hij was niettemin ongerust. Ze deden alsof hij een ezel was, en daar hield Ace Merrill niet van.
'Wat nou?' vroeg Mike Corson. 'Natuurlijk dacht je dat je zomaar

een zakje kon uitkiezen, anders zou Ducky er niet aan beginnen. Hij is net een goochelaar die steeds dezelfde stomme kaarttruc uithaalt. "Neem een kaart, geeft niet welke." Heb je dat wel eens gehoord, uilskuiken?'
Wapens of geen wapens, Ace vloog op. 'Zo laat ik me niet noemen.'
'We noemen je precies zoals we willen,' zei Dave. 'We krijgen vijfentachtig ruggen van je, Ace, en ons enige onderpand tot nu toe is een lading Arm & Hammer bakmeel ter waarde van een daalder. Desnoods noemen we jou Pietje Ruigpoot als we daar zin in hebben.'
De broers keken elkaar aan. Ze kwamen zwijgend tot een besluit. Dave stond op en tikte Too-Tall Timmy op de schouder. Hij gaf Timmy zijn wapen. Daarna stapten Dave en Mike uit de wagen en begonnen ernstig te overleggen bij een groepje struiken aan de rand van een akker. Ace wist niet wat er werd gezegd, maar hij wist heel goed wat er gebeurde. Ze overlegden wat ze met hem gingen doen. Hij zat op de rand van het modderbed, zwetend als een rund, en wachtte tot ze terugkwamen. Too-Tall Timmy zat op zijn gemak in Mike's leunstoel en hield het wapen op Ace gericht terwijl hij naar zijn muziek luisterde. Ace hoorde heel vaag de stemmen van Marvin Gaye en Tammy Terrell uit de walkman komen. Marvin en Tammy, die allebei erg in de mode waren, zongen 'My Mistake.'
Mike en Dave kwamen terug.
'We geven je drie maanden om te dokken,' zei Mike. Ace werd slap van opluchting. 'We hebben op het ogenblik liever geld dan jouw huid. En er is nog iets.'
'We willen Ducky Morin,' zei Dave. 'Hij is lang genoeg bezig geweest.'
'Die knaap bezorgt ons allemaal een slechte naam,' zei Mike.
'Je kunt hem wel vinden, denken we,' zei Dave. 'Hij gelooft vast dat je stom genoeg bent om er nog een keer in te trappen, denken we.'
'Heb je nog commentaar, Ruigpoot?' vroeg Mike.
Ace had geen commentaar. Hij was al blij dat hij het volgende weekend zou halen.
'Je hebt tot 1 november de tijd,' zei Dave. 'Kom over de brug en we gaan allemaal samen achter Ducky aan. Anders zullen we eens zien wat je allemaal van je lijf kan missen voordat je eindelijk de pijp uitgaat.'

8

Ace had rond die tijd een half dozijn zware wapens onder zijn hoede gehad, zowel automatische als halfautomatische. Tot nu toe had hij voornamelijk geprobeerd deze wapens in geld om te zetten en daarmee weer coke aan te schaffen. Niets was beter dan cocaïne als je snel veel geld nodig had.

Maar de wapenhandel zat in een luwte. Hij was de helft van zijn voorraad kwijtgeraakt, maar geen enkel echt duur wapen. In de tweede week van september had hij een veelbelovende ontmoeting gehad met iemand in de Piece of Work in Lewiston. De potentiële klant had op werkelijk alle mogelijke manieren laten doorschemeren dat hij minstens zes en misschien wel tien automatische wapens wilde kopen, althans als Ace hem de naam van een betrouwbare ammunitieleverancier kon geven. Dat kon Ace: hij kende geen betrouwbaardere leveranciers dan de Vliegende Corson Brothers.

Ace ging naar de smerige toiletten om twee lijntjes te nemen voordat hij de zaak afmaakte. Hij werd bevangen door de blijde, opgeluchte warmte die ook een aantal Amerikaanse presidenten heeft misleid; hij meende licht aan het einde van de tunnel te zien.

Hij haalde het spiegeltje uit zijn borstzakje, legde het op de spoelbak en begon de cocaïne erop te strooien toen er in het hokje naast hem een stem klonk. Ace zou er nooit achterkomen van wie die stem was; hij wist alleen dat de onbekende hem waarschijnlijk voor vijftien jaar strafgevangenis had behoed.

'Je contact heeft een zender bij zich,' zei de stem uit het hokje en Ace ging door de achterdeur de kroeg uit.

9

Sinds die nipte ontsnapping (het kwam nooit bij hem op dat zijn ongeziene tipgever misschien alleen maar een geintje uithaalde) maakte een eigenaardige verlamming zich meester van Ace. Hij durfde alleen nog maar af en toe wat coke voor eigen gebruik te kopen. Hij had nog nooit zo in het slop gezeten. Het was een rotgevoel, maar hij wist niet wat hij eraan moest doen. Elke dag keek hij allereerst op de kalender. November scheen razendsnel op hem af te komen.

Maar vandaag was hij nog voor het ochtendgloren wakker geworden met een gedachte die als een vreemd blauw licht in zijn hoofd straalde: hij moest naar huis. Hij moest terug naar Castle Rock. Daar lag het antwoord. Naar huis gaan leek een goed idee... en zelfs als het dat niet bleek te zijn, zou een andere omgeving de vreemde blokkade in zijn hoofd kunnen doorbreken.

In Mechanic Falls was hij alleen maar John Merrill, een ex-gedetineerde die in een hut met plastic ruiten en een kartonnen deur woonde. In Castle Rock was hij altijd Ace Merrill geweest, de boeman die een hele generatie kleine kinderen nachtmerries bezorgde. In Mechanic Falls was hij een aan lager wal geraakte schooier met een op bestelling geleverde Dodge, maar zonder garage om hem in te zetten. In Castle Rock was hij, althans een tijdje, de koning te rijk geweest.
Daarom was hij teruggekomen en hier was hij – maar wat nu?
Ace wist het niet. Castle Rock leek kleiner, smeriger en leger dan hij zich herinnerde. Pangborn zou wel ergens rondlopen en die ouwe Fullerton zou hem wel gauw bellen om te waarschuwen dat Ace terug was. Pangborn zou willen weten of hij werk had. Dat was niet zo en hij kon niet eens beweren dat hij zijn oom kwam bezoeken, want Pop had binnen gezeten toen zijn zaak afbrandde. Dus zou Pangborn tegen hem zeggen dat hij maar weer in zijn scheurijzer moest stappen en maken dat hij wegkwam.
En wat zou hij daarop antwoorden?
Ace wist het niet... hij wist alleen dat de donkerblauwe lichtflits die hem had gewekt nog ergens in hem nagloeide.
Op de plaats van het Emporium Galorium was nog steeds niet gebouwd, zag hij. Niets dan onkruid, een paar verkoolde stukken hout en wat afval. Gebroken glas weerkaatste de zon in oogverblindende scherven gloeiend licht. Er viel daar niets te zien, maar Ace wilde er toch naar kijken. Hij begon over te steken. Hij was bijna aan de overkant toen het groene baldakijn iets verderop zijn blik trok.

DE NOODZAAK

stond op de zijkant. Dat was toch geen naam voor een winkel? Ace liep door naar de etalage. De lege plek waar zijn oom toeristen had belazerd kon hij later wel bekijken; niemand zou hem weghalen, dacht hij.
Het eerste wat hij zag was het bordje:

HULP GEVRAAGD.

Hij schonk er weinig aandacht aan. Hij wist niet waarom hij was teruggekomen naar Castle Rock, maar in elk geval niet om magazijnknecht te worden.
In de etalage lagen een paar tamelijk sjieke spulletjes, dingen die hij zou meenemen als hij ergens in een bungalow nachtwerk deed. Een schaakspel met wilde dieren als stukken. Een ketting met zwar-

te parels zag er kostbaar uit, maar Ace vermoedde dat het imitatie was. In dit dichtgeplakte gat kon niemand zich een ketting met echte zwarte parels veroorloven. Toch was het knap gedaan: Ace kon ze niet van echt onderscheiden. En...
Ace keek scherp naar het boek achter de parels. Het stond rechtop en op het omslag waren de silhouetten te zien van twee mannen die in het donker op een bergkam stonden. De een had een houweel, de ander een schop in zijn handen. Het was of ze een gat aan het graven waren. De titel luidde: *Verdwenen en begraven schatten van New England*. Onder de afbeelding stond de naam van de schrijver in kleine witte letters.
Het was Reginald Merrill.
Ace ging naar de deur, die vlot openging. De bel boven zijn hoofd tinkelde. Ace Merrill betrad De NoodZaak.

10

'Nee,' zei Ace, naar het boek kijkend dat Gaunt uit de etalage had gehaald en in zijn hand had gestopt. 'Dit is het niet. U heeft een ander gepakt.'
'Ik verzeker u dat er geen ander boek in de etalage ligt,' zei Gaunt met een ondertoon van verbazing. 'Kijkt u zelf maar als u mij niet gelooft.'
Ace had het bijna gedaan, maar ten slotte zuchtte hij geprikkeld. 'Nee, laat maar zitten,' zei hij.
Het boek in zijn hand was *Schateiland* van Robert Louis Stevenson. Hij had aan Pop lopen denken en daardoor had hij zich natuurlijk vergist. Hoewel de echte vergissing was dat hij naar Castle Rock was gekomen. Waarom had hij dat in vredesnaam gedaan?
'U heeft hier een leuk zaakje, maar ik moet weer eens verder. Ik kom nog wel eens langs, meneer...'
'Gaunt,' zei de winkelier, zijn hand uitstekend. 'Leland Gaunt.'
Ace zag zijn hand in die van Gaunt verdwijnen. Meteen voelde hij een sterke prikkelende kracht door zich heen stromen. Hij zag dat donkerblauwe licht weer, nu als een felle dichte gloed.
Hij trok zijn hand terug, verdoofd en met knikkende knieën.
'Wat was dàt?' fluisterde hij.
'Dat noemen ze een lokkertje, meen ik,' zei Gaunt heel bedaard. 'Ik wil dat u goed oplet, meneer Merrill.'
'Hoe weet u hoe ik heet? Ik heb mijn naam niet genoemd.'
'O, ik weet wie u bent,' zei Gaunt met een flauw lachje. 'Ik verwachtte u al.'
'Hoe kan dat? Ik wist zelf pas dat ik hierheen zou gaan toen ik in mijn auto stapte.'

'Een ogenblikje graag.'
Gaunt ging naar de etalage, bukte en pakte een bordje dat tegen de muur stond. Daarna boog hij zich naar de ruit, haalde

HULP GEVRAAGD

weg en zette

COLUMBUSDAG GESLOTEN

ervoor in de plaats.
'Waarom doet u dat?' Ace voelde zich als een man die tegen schrikdraad is aangelopen.
'Het is in onze branche gebruikelijk geen hulp meer te vragen zodra de post bezet is,' zei Gaunt wat zwaar op de hand. 'Mijn omzet in Castle Rock vertoont een heel bevredigende groei en ik heb behoefte aan een sterke rug en een extra paar handen. Ik word tegenwoordig zo gauw moe.'
'Maar ik...'
'Ik heb ook een chauffeur nodig,' zei Gaunt. 'Autorijden is je beste eigenschap, meen ik. Je eerste opdracht, Ace, is naar Boston te rijden. Daar heb ik een wagen staan. Je zult er om kunnen lachen: het is een Tucker.'
'Een Tucker?' Ace vergat even dat hij niet was teruggekomen om magazijnknecht te worden... of chauffeur, trouwens. 'Net als in die film, bedoelt u?'
'Niet precies,' zei Gaunt. Hij ging achter de toonbank met het ouderwetse kasregister staan, pakte een sleutel en maakte de lade open. Hij haalde er twee kleine enveloppen uit. Een ervan legde hij op de toonbank. De andere stak hij Ace toe. 'Hij is in enkele opzichten aangepast. Hier. De sleutels.'
'Zeg, wacht eens even! Ik zei toch...'
Gaunt had ogen van een vreemde kleur die Ace niet goed kon thuisbrengen, maar hij voelde zijn knieën weer slap worden toen die ogen eerst donker werden en hem daarna vlammend aankeken.
'Je zit in de knoei, Ace, maar als je niet ophoudt de struisvogel te spelen, geloof ik niet dat ik je nog langer wil helpen. Ik kan hulp genoeg krijgen. Dat weet ik, geloof me. Ik heb in de loop der jaren honderden assistenten gehad. Misschien wel duizenden. Hou dus op met dat gelazer *en neem de sleutels*.'
Ace nam de kleine envelop aan. Hij raakte Gaunts vingertoppen aan en hij zag opnieuw die donkere, dichte vuurgloed. Hij kreunde.
'Je rijdt naar het adres dat ik je zal opgeven,' zei Gaunt, 'en laat je wagen achter op de plaats waar de mijne staat. Ik verwacht je uiter-

lijk om middernacht terug. Ik denk dat het heel wat eerder moet kunnen. Mijn wagen is veel sneller dan hij eruitziet.'

Hij grijnsde en liet al die tanden zien.

Ace probeerde het nog een keer. 'Meneer...'

'Gaunt.'

Ace knikte, heftig als een marionet die door een onervaren poppenspeler wordt gehanteerd. 'Onder andere omstandigheden zou ik het aannemen. U bent... interessant.' Het was niet het woord dat hij zocht, maar voorlopig het beste dat hij over zijn lippen kon krijgen. 'Maar u had gelijk... ik zít in de knoei en als ik binnen twee weken niet tegen een hoop geld aanloop...'

'En het boek dan?' vroeg Gaunt. Zijn toon was tegelijk geamuseerd en berispend. 'Bent u daarvoor niet binnengekomen?'

'Het is niet wat ik...'

Hij merkte dat hij het nog steeds in zijn hand had en keek er weer naar. De afbeelding was dezelfde, maar de titel was nu weer wat hij in de etalage had gelezen: *Verdwenen en begraven schatten van New England*, door Reginald Merrill.

'Wat ís dit?' vroeg hij moeilijk. Maar ineens wist hij het. Hij was helemaal niet in Castle Rock: hij was thuis in Mechanic Falls en lag in zijn eigen smerige bed te dromen.

'Het ziet eruit als een boek, vind ik,' zei Gaunt. 'En heette wijlen uw oom niet Reginald Merrill? Wat een toeval.'

'Mijn oom heeft zijn hele leven nooit iets anders geschreven dan bonnen en kwitanties,' zei Ace op dezelfde dikke, slaperige toon. Hij keek Gaunt weer aan en merkte dat hij zijn blik niet kon afwenden. Gaunts ogen veranderden telkens van kleur. Blauw... grijs... bruin... zwart.

'Nou,' zei Gaunt, 'misschien is dit dan een pseudoniem. Misschien heb ik dat boek zelf wel geschreven.'

'U?'

Gaunt drukte zijn vingertoppen tegen elkaar onder zijn kin. 'Misschien is het helemaal geen boek. Misschien zijn al mijn speciale aanbiedingen helemaal niet wat ze lijken. Misschien zijn het eigenlijk grijze dingen met maar één bijzondere eigenschap: het vermogen om de vorm aan te nemen van alles waar mannen en vrouwen in hun dromen door gekweld worden.' Hij pauzeerde en besloot peinzend: 'Misschien zijn het zelf dromen.'

'Ik snap er niks van.'

Gaunt glimlachte. 'Dat weet ik. Het heeft geen belang. Als je oom een boek geschreven zóu hebben, Ace, waarom dan niet over begraven schatten? Zou je niet zeggen dat schatten – in de grond of in de zakken van zijn medemensen – een onderwerp waren dat hem bijzonder aan het hart ging?'

'Hij lustte er wel pap van,' zei Ace grimmig.
'En wat heeft hij ermee gedaan?' riep Gaunt uit. 'Heeft hij jou iets nagelaten? Dat moet haast wel; ben jij niet zijn enige nog levende verwant?'
'Hij heeft me geen rooie rotcent nagelaten!' riep Ace woedend op zijn beurt. 'Iedereen hier zei dat hij zijn allereerste cent nog had, maar op zijn bankrekeningen stond nog geen vierduizend dollar toen hij stierf. Dat was net genoeg om hem te begraven en de rotzooi hier in de straat op te ruimen. En weet u wat ze vonden toen ze zijn kluis openmaakten?'
'Ja,' zei Gaunt, en hoewel er een ernstige en zelfs meelevende trek om zijn mond lag, lachten zijn ogen. 'Waardebonnen. Zes boekjes met textielbonnen en veertien met bonnen voor levensmiddelen.'
'Zo is het!' zei Ace. Hij keek somber naar *Verdwenen en begraven schatten van New England*. Zijn onrust en dromerige verwarring waren althans voorlopig opgeslokt door zijn woede. 'En zal ik u eens wat vertellen? Die bonnen voor levensmiddelen zijn waardeloos. De fabriek is op de fles. Iedereen in Castle Rock was bang voor hem – zelfs ík was een beetje bang – en iedereen dacht dat hij zo rijk was als Dagobert Duck, maar hij stierf platzak.'
'Misschien had hij geen vertrouwen in banken,' zei Gaunt. 'Misschien heeft hij zijn schat begraven. Lijkt je dat mogelijk, Ace?'
Ace deed zijn mond open. Deed hem weer dicht. Open. Dicht.
'Hou daarmee op,' zei Gaunt. 'Je lijkt net een vis in een aquarium.'
Ace keek naar het boek in zijn hand. Hij legde het op de toonbank en begon erin te bladeren. De bladzijden waren dichtbedrukt met kleine letters. En er gleed iets uit. Het was een groot en gekarteld stuk bruin papier, slordig dubbelgevouwen, en hij herkende het meteen: het was een stuk van een boodschappentas van Hemphill's Market. Hoe vaak had hij als kleine jongen zijn oom niet net zo'n stukje zien afscheuren van de tassen die hij onder zijn antieke Tokeheim kasregister bewaarde? Hoe vaak had hij hem niet berekeningen zien maken of kwitanties zien schrijven?
Met bevende handen vouwde hij het open.
Het was een landkaart, dat was wel duidelijk, maar eerst kon hij er geen touw aan vastknopen; het was een wirwar van strepen en kruisen en kronkelige cirkels.
'Wat is dit nou?'
'Je hebt iets nodig om je op te richten, meer niet,' zei Gaunt. 'Misschien komt dit van pas.'
Ace keek op. Gaunt had een kleine spiegel in een fraaie zilveren lijst op de vitrine naast zijn eigen kassa gelegd. Nu maakte hij de andere envelop open die hij uit de afgesloten lade had gehaald en

strooide een ruime hoeveelheid cocaïne op het spiegeltje. In de niet onervaren ogen van Ace was het spul van de allerbeste kwaliteit; de schone kristallen flonkerden in het licht van de spot boven de vitrine.
'Allemachtig!' Zijn neus begon te prikken van verwachting. 'Is dat Colombia?'
'Nee, dit is een speciale melange,' zei Gaunt. 'Afkomstig van de Lengvlakte.' Hij haalde een gouden briefopener uit de binnenzak van zijn bruine jasje en begon het poeder in lange hobbelige lijntjes te verdelen.
'Waar is dat?'
'O, heel ver weg,' antwoordde Gaunt zonder op te kijken. 'Stel geen vragen, Ace. Mensen met schulden doen er goed aan alleen maar te genieten van de gelukjes die ze tegenkomen.'
Hij stopte de briefopener weg en haalde uit dezelfde zak een kort glazen rietje. Hij gaf het aan Ace. 'Ga je gang.'
Het buisje was verrassend zwaar; toch niet van glas, dacht Ace, maar van bergkristal of zoiets. Hij boog zich over het spiegeltje en aarzelde. Als die ouwe vent nou eens aids had?
Stel geen vragen, Ace. Mensen met schulden doen er goed aan alleen maar te genieten van de gelukjes die ze tegenkomen.
'Amen,' zei Ace hardop en snoof diep. Zijn hoofd vulde zich met die vage banaan-citroensmaak die echt goede cocaïne altijd scheen te hebben. Het gaf hem een wee, maar ook een machtig gevoel. Zijn hart begon te bonken. Tegelijkertijd werden zijn gedachten helder en vlijmscherp. Hij herinnerde zich wat iemand tegen hem had gezegd toen hij nog niet zo lang voor het spul was gevallen: *De dingen hebben meer namen als je een lijntje hebt genomen. Veel meer namen.*
Indertijd had hij het niet begrepen, maar nu wel, dacht hij.
Hij hield het buisje voor aan Gaunt, maar die schudde zijn hoofd.
'Nooit voor vijven,' zei hij. 'Ga gerust je gang, Ace.'
'Bedankt,' zei Ace.
Hij keek weer naar de kaart en merkte dat hij hem heel vlot kon ontcijferen. De twee evenwijdige lijnen met de x ertussen moesten natuurlijk de Tin Bridge voorstellen en als je dat eenmaal doorhad, viel de rest vanzelf op zijn plaats. De kronkellijn die door de x over de brug naar boven liep was Route 117. De kleine en de grote cirkel waren respectievelijk de boerderij van Gavineaux en de koeiestal. Het klopte allemaal. Het was net zo duidelijk en zuiver en flonkerend als de eersteklas coke die deze onvoorstelbaar hippe vogel uit de kleine envelop had gestrooid.
Ace boog zich weer over het spiegeltje. 'Klaar om te vuren,' mompelde hij en nam nog twee lijntjes. Bang! Knal! 'Jezus, dat spul is heavy,' zei hij, naar adem snakkend.

'Dat zou ik denken,' beaamde Gaunt ernstig.
Ace keek op, ineens overtuigd dat de man hem uitlachte, maar Gaunt stond rustig en neutraal naar hem te kijken. Ace keek weer naar de kaart.
Nu waren het de kruisen die zijn blik trokken. Er waren er zeven... of nee, acht. Er was er nog eentje te zien op het dode drasland van de oude Treblehorn... alleen was die oude Treblehorn zelf dood, al jaren, en was het niet zo dat oom Reginald het grootste deel van dat land had gekregen bij wijze van terugbetaling van een lening? Hier was er nog een, op de rand van het natuurgebied aan de andere kant van Castle View, als hij het goed in zijn hoofd had. Er waren twee kruisen op Town Road 3, dicht bij een cirkel die vermoedelijk Seven Oaks Farm voorstelde, de oude boerderij van Joe Camber. En nog twee op het land aan de westkant van Castle Lake, dat waarschijnlijk aan Diamond Match toebehoorde.
Ace staarde met wilde, bloeddoorlopen ogen naar Gaunt. 'Heeft hij zijn geld begraven? Zijn dat die kruisen? *Heeft hij daar zijn geld begraven?*'
Gaunt haalde sierlijk zijn schouders op. 'Dat zou ik echt niet weten. Het lijkt logisch, maar logica heeft vaak weinig te maken met het menselijk gedrag.'
'Maar het kàn best,' zei Ace. Hij begon wild te worden van opwinding en een overmaat aan cocaïne. In de grote spieren van zijn armen en buik leken stijve bundels koperdraad te ontploffen. Zijn grauwe gezicht, ontsierd door de littekens van jeugdpuistjes, had een donkere blos gekregen. 'Het kàn best! Overal waar die kruisen staan... *dat kan allemaal Pops land zijn!* Kijk maar! Misschien heeft hij het ondergebracht in een stichting of weet ik veel, zodat niemand eraan kon komen... zodat niemand kon vinden wat hij in de grond had gestopt...'
Hij snoof de laatste coke van het spiegeltje en boog zich over de toonbank. Zijn uitpuilende rode ogen schoten heen en weer in zijn gezicht.
'Dan ben ik niet alleen maar uit de rotzooi,' zei hij met een bevende fluisterstem. 'Ik ben in één klap rijk!'
'Ja,' zei Gaunt, 'dat lijkt me heel goed mogelijk. Maar vergeet dat niet, Ace.' Hij wees met zijn duim naar de muur en naar het bordje met het opschrift:

IK DOE NIET AAN GELD TERUG OF RUILEN
CAVEAT EMPTOR!

Ace keek naar het bordje. 'Wat betekent dat?'
'Het betekent dat je niet de eerste bent die in een oud boek de sleu-

tel tot het grote geld gevonden denkt te hebben,' zei Gaunt. 'Het betekent ook dat ik nog steeds een magazijnhulp en een chauffeur nodig heb.'
Ace keek hem bijna geschokt aan. Daarna lachte hij. 'Dat is zeker een grap?' Hij wees naar de kaart. 'Ik heb een hoop graafwerk te doen.'
Gaunt zuchtte spijtig, vouwde het stuk bruin papier op, legde het terug in het boek en stopte het boek in de lade onder de kassa. Dat alles deed hij met ongelooflijk snelle gebaren.
'Hé!' riep Ace. 'Wat flik je me nou?'
'Ik denk er ineens aan dat ik dit boek al aan een andere klant heb beloofd, meneer Merrill. Het spijt me. En ik ben echt gesloten... het is immers Columbusdag.'
'Wacht eens even!'
'Natuurlijk was er wel iets te regelen geweest als u op mijn voorstel was ingegaan. Maar ik begrijp dat u het erg druk heeft: u moet uiteraard orde op zaken stellen voordat de Corson Brothers gehakt van u maken.'
Ace stond zijn mond weer open en dicht te doen. Hij probeerde zich te herinneren waar de kruisjes hadden gestaan en merkte dat het niet lukte. Ze leken in zijn opgefokte, verwarde geest samen te smelten tot één groot kruis... zo'n kruis dat je op een kerkhof kon zien.
'Goed dan!' riep hij. 'Ik neem dat klotebaantje wel!'
'In dat geval geloof ik dat dit boek toch nog te koop is,' zei Gaunt. Hij haalde het uit de lade en keek op het schutblad. 'Het kost eigenlijk anderhalve dollar.' Hij ontblootte zijn scheve tanden in een brede haaiegrijns. 'Maar voor het personeel reken ik één vijfendertig.'
Ace haalde zijn portemonnee uit zijn achterzak, liet hem vallen en stootte bijna zijn hoofd tegen de rand van de vitrine toen hij hem wilde oprapen.
'Maar ik heb wel een paar vrije dagen nodig,' zei hij tegen Gaunt.
'Inderdaad.'
'Want ik moet echt gaan graven.'
'Uiteraard.'
'De tijd gaat snel.'
'U bent heel wijs.'
'Als ik terug ben uit Boston?'
'Ben je dan niet moe?'
'Meneer Gaunt, ik kan me niet veroorloven moe te zijn.'
'Daar kan ik je misschien bij helpen,' zei Gaunt. Zijn lach werd nog breder en zijn gebit puilde uit als de tanden van een doodshoofd. 'Ik heb misschien nog een opkikkertje voor je, wil ik maar zeggen.'

Ace zette grote ogen op. 'Wat? Wat zei u?'
'Pardon?'
'Niks,' zei Ace. 'Laat maar zitten.'
'Goed. Heb je de sleutels nog?'
Ace ontdekte tot zijn verrassing dat hij de envelop met de sleutels in zijn achterzak had gestopt.
'Mooi.' Gaunt sloeg een dollar vijfendertig op het oude register aan, pakte het briefje van vijf dat Ace op de toonbank had gelegd en gaf hem drie dollar vijfenzestig terug. Ace pakte het aan als een man in een droom.
'Ik zal je de weg wijzen, Ace,' zei Gaunt. 'En denk eraan, ik wil dat je tegen middernacht terug bent. Anders ben ik ontevreden. Als ik ontevreden ben, wil ik nog wel eens uit mijn slof schieten. Dat wil je niet meemaken, geloof me.'
'Wordt u dan de Hulk?' vroeg Ace spottend.
Gaunt grijnsde zo woest dat Ace een stap terug deed. 'Ja,' zei hij. 'Dat is precies wat er gebeurt, Ace. Ik word de Hulk, zeker. Let nu op.'
Ace lette op.

11

Het was kwart voor elf en Alan wilde net naar Nan gaan om vlug een kop koffie te drinken toen Sheila Brigham hem opriep. Sonny Jacket was aan de lijn. Hij wilde per se Alan spreken en niemand anders.
Alan nam op. 'Hallo, Sonny. Wat kan ik voor je doen?'
'Nou,' zei Sonny met zijn lijzige, zuidoostelijke accent, 'ik wil je na die toestand van gisteren niet met nog meer sores opzadelen, sheriff, maar ik geloof dat een oude kennis van je weer in de stad is.'
'Wie dan?'
'Ace Merrill. Zijn kar staat een eindje verder in de straat.'
O shit, wat nou weer? dacht Alan. 'Heb je hem gezien?'
'Nee, maar die kar kan je niet missen. Een smerig groene Dodge Challenger, een echt scheurijzer. Ik herkende hem van de speedway.'
'Bedankt, Sonny.'
'Graag gedaan. Wat denk je dat die smeerlap hier te zoeken heeft, Alan?'
'Ik weet het niet,' zei Alan, en terwijl hij neerlegde dacht hij: *Maar dat kan ik maar beter gaan uitzoeken.*

12

De parkeerplaats naast de groene Challenger was vrij. Alan zette zijn patrouillewagen er neer en stapte uit. Hij zag Bill Fullerton en Henry Gendron achter de ruit van de kapperszaak zeer geboeid staan kijken en zwaaide naar ze. Henry wees naar de overkant. Alan knikte en stak over. De ene dag maken Wilma Jerzyck en Nettie Cobb elkaar af op een straathoek en de volgende duikt Ace Merrill op, dacht hij. Het begint hier op circus Barnum & Bailey te lijken.

Toen hij op de stoep aan de overkant kwam, zag hij Ace uit de schaduw van het groene baldakijn voor De NoodZaak tevoorschijn komen. Ace had iets in zijn hand. Alan kon het eerst niet goed zien, maar toen Ace dichterbij kwam moest hij zichzelf verbeteren: hij had het wèl goed gezien, alleen niet geloofd. Je verwachtte gewoon niet dat iemand als Ace Merrill een boek in zijn hand had.

Ze ontmoetten elkaar voor de lege plek waar het Emporium Galorium had gestaan.

'Hallo Ace,' zei Alan.

Ace leek niet in het minst verbaasd hem te zien. Hij pakte zijn zonnebril, schudde met één hand de poten uit en zette hem op. 'Kijk eens aan... alles kits, boss?'

'Wat doe jij in Castle Rock, Ace?' vroeg Alan vlak.

Ace keek overdreven belangstellend naar de lucht. Lichtpuntjes flonkerden op de glazen van zijn Ray-Ban. 'Het is mooi weer voor een ritje,' zei hij. 'Het lijkt wel zomer.'

'Prachtig,' beaamde Alan. 'Heb je een geldig rijbewijs, Ace?'

Ace keek hem verwijtend aan. 'Dacht je dat ik anders zou gaan rijden? Dat mag toch zeker niet?'

'Je geeft geen antwoord.'

'Ik heb meteen herexamen gedaan toen ik vrijkwam,' zei Ace. 'Ik mag rijden. Is dat een antwoord, boss?'

'Misschien mag ik zelf even kijken.' Alan stak zijn hand uit.

'Als je het mij vraagt vertrouw je me niet!' zei Ace. Zijn stem was nog steeds opgewekt, plagend, maar Alan hoorde de woedende ondertoon.

'Laten we doen alsof ik uit Missouri kom.'

Ace nam het boek in zijn linkerhand om met zijn rechter- zijn portefeuille uit zijn broekzak te pakken. Alan kon de omslag zien. Het was *Schateiland* van Robert Louis Stevenson.

Hij controleerde het rijbewijs. Het was getekend en geldig.

'Het registratiebewijs ligt in de auto. Als je dat ook wil zien moet je maar oversteken.' Alan hoorde de woede in zijn stem nu duidelijker. Net als de arrogantie van vroeger.

'Nee, dat wil ik wel geloven, Ace. Als je eens vertelde wat je echt hier komt doen?'
'Ik wilde dàt zien,' zei Ace, en hij wees naar de lege plek. 'Ik weet niet waarom, maar zo is het. Je zult me wel niet geloven, maar toevallig is het de waarheid.'
Vreemd genoeg geloofde Alan hem werkelijk.
'Je hebt ook een boek gekocht, zie ik.'
'Ik kan lezen,' zei Ace. 'Dat zul je ook wel niet geloven.'
'Nou, nou.' Alan stopte zijn duimen onder zijn riem en keek Ace aan. 'Je kwam hier kijken en je geest verrijken.'
'Hij is een poëet zonder dat hij het weet.'
'Ik ben blij dat je me erop attent maakt, Ace. Maar nu is het zeker weer tijd om te verdwijnen?'
'En als ik dat niet doe? Je zou wel iets vinden om me op te pakken, denk ik. Ken je het woord "reclassering", sheriff Pangborn?'
'Jawel,' zei Alan, 'maar daar staat bij mij geen "Ace Merrill" achter.'
'Ik laat me niet opnaaien, man.'
'Dat doe ik niet. Anders zou je het wel merken.'
Ace nam zijn zonnebril af. 'Jullie houden ook nooit op, hè? Jullie houden goddomme... nooit... op.'
Alan zei niets.
Ace leek zichzelf weer in de hand te krijgen. Hij zette zijn Ray-Ban weer op. 'Weet je,' zei hij, 'ik denk dat ik ècht ga. Ik heb nog een hoop te doen.'
'Mooi zo. Dat houd je van de straat.'
'Maar als ik hier wil terugkomen dan doe ik dat. Versta je?'
'Ik versta je, Ace, en ik moet zeggen dat me dat helemaal geen goed idee lijkt. Versta je míj?'
'Ik ben niet bang voor je.'
'Dan ben je nog stommer dan ik dacht,' zei Alan.
Ace keek hem een ogenblik aan door zijn donkere glazen, daarna lachte hij. Het geluid beviel Alan niet; het was een gluiperig gelach, vreemd en niet in de haak. Hij bleef staan kijken terwijl Ace met zijn ouderwetse boeventred de straat overstak, het portier van zijn auto opende en instapte. Even later kwam de motor brullend tot leven. Rook ontsnapte knallend aan de dubbele uitlaat; voorbijgangers bleven staan kijken.
Die knalpot deugt niet, dacht Alan. Daar kan ik hem op pakken. Maar wat had het voor zin? Hij had wel iets anders aan zijn hoofd dan Ace Merrill, die trouwens zelf al wegging. Ditmaal voorgoed, hoopte hij.
Hij zag de groene Challenger tegen de regels in keren in Main Street en verdwijnen in de richting van Castle Stream. Daarna

draaide hij zich om en keek bedachtzaam naar het groene baldakijn. Ace was naar zijn geboorteplaats teruggekomen en had een boek gekocht. *Schateiland*, om precies te zijn. Hij had het in De NoodZaak gekocht.
Die zaak was vandaag toch gesloten? dacht Alan. Dat stond toch op het bordje?
Hij liep naar de winkel. Hij had zich niet vergist, want op het bordje stond:

COLUMBUSDAG GESLOTEN.

Als hij Ace binnenlaat, waarom mij dan niet? dacht Alan. Hij tilde zijn hand op en wilde aankloppen, maar op dat moment ging de pieper aan zijn riem over. Alan drukte op de knop om het rotding af te zetten en bleef nog een ogenblik besluiteloos voor de winkel staan... maar het was wel duidelijk wat hem te doen stond. Een advocaat of zakenman kon een oproep misschien een tijdje negeren, maar als sheriff – en zeker als gekozen sheriff – had je weinig keus. Alan liep naar de stoeprand, waar hij bleef staan en zich snel omdraaide. Hij voelde zich een beetje als het kind dat 'hem' is in diefje-met-verlos, het kind dat de anderen moet zien te betrappen voordat ze 'buut vrij!' kunnen roepen. Net als eerst had hij het gevoel dat er iemand naar hem keek, en dat gevoel was erg sterk. Hij was er zeker van dat hij het rolgordijn achter de deur zou zien bewegen. Maar hij zag niets. De winkel dommelde verder in de onnatuurlijke oktoberhitte en het was dat hij Ace met eigen ogen naar buiten had zien komen, anders zou Alan hebben gezworen dat er niemand binnen was, gevoel of geen gevoel.
Hij liep naar zijn wagen, stak zijn arm naar binnen om de microfoon te pakken en meldde zich.
'Henry Payton heeft gebeld,' vertelde Sheila. 'Hij heeft al voorlopige rapporten gekregen van Henry Ryan over Nettie Cobb en Wilma Jerzyck. Over.'
'Ga verder. Over.'
'Als je zijn conclusies uit zijn eigen mond wil horen, hij is nog tot ongeveer twaalf uur op het bureau. Over.'
'Goed. Ik zit nu in Main Street, ik ben er zo. Over.'
'Alan..?
'Ja?'
'Henry vroeg ook of we voor het eind van de eeuw nog een fax krijgen, zodat hij gewoon kopieën kan sturen in plaats van voortdurend te moeten bellen om het voor te lezen. Over.'
'Laat hem maar een brief naar de eerste wethouder sturen,' bromde Alan. 'Ik ga niet over de begroting, zoals hij heel goed weet.'

'Ik geef alleen maar door wat hij zéi. Je hoeft niet zo te snauwen. Over.'
Alan vond eerder dat Sheila nogal snauwerig klonk. 'Over en sluiten,' zei hij.
Hij stapte in en legde de microfoon terug. De rode cijfers boven de ingang van de bank gaven aan dat het tien voor elf was en achtentwintig graden. Verdomme, daar zitten we niet op te wachten, dacht hij. Iedereen heeft toch al de zenuwen.
Alan reed langzaam terug naar het gemeentehuis, diep in gedachten. Hij kon het idee niet van zich afzetten dat er iets aan het gebeuren was in Castle Rock, iets dat elk moment uit de hand kon lopen. Dat was natuurlijk belachelijk, volslagen belachelijk, maar hij kon het gewoon niet van zich afzetten.

13

1

De scholen waren op deze feestdag gesloten, maar ook op een gewone dag zou Brian Rusk niet naar school zijn gegaan.
Brian was ziek.
Het was geen lichamelijke aandoening, geen mazelen of waterpokken en zelfs geen racekak, de meest vernederende en slopende van alle kwalen. Het was trouwens ook niet direct iets geestelijks. Zijn hoofd had er wel degelijk mee te maken, maar dat leek meer een bijverschijnsel. Diep van binnen was er iets aangetast bij hem: een essentieel orgaan, niet toegankelijk voor een doktersnaald of microscoop, was grijs en ziek geworden. Hij was altijd een tamelijk vrolijke jongen geweest, het zonnetje in huis, maar die zon ging nu schuil achter zware wolkenbanken die nog steeds dikker werden.
De eerste wolken waren verschenen op de middag nadat hij Wilma Jerzycks lakens met modder had besmeurd, ze waren dikker geworden toen meneer Gaunt in het tenue van de Dodgers in een droom opdook om te zeggen dat hij het Sandy Koufax-plaatje nog niet helemaal had betaald... maar de lucht betrok pas helemaal toen hij vanmorgen voor het ontbijt naar beneden ging.
Zijn vader, gehuld in de overall die hij voor zijn werk bij Dick Perry's Bouwmaterialen in South Paris nodig had, zat aan de keukentafel met de Portland *Press-Herald* voor zich.
'Die stomme Patriots,' zei hij vanachter zijn papieren barricade. 'Wanneer nemen die klootzakken nou eens een quarterback die een godverdomse bal kan gooien?'
'Niet vloeken waar de jongens bij zijn,' zei Cora bij het fornuis, maar niet zo fel en geprikkeld als anders; ze klonk afwezig, alsof ze met haar gedachten elders was.
Brian ging zitten en schonk melk over zijn cornflakes.
'Hé, Bri!' zei Sean vrolijk. 'Zullen we vandaag naar de videotheek gaan en spelletjes doen?'
'Misschien,' zei Brian. 'Ik denk...' Toen zag hij de kop op de voorpagina en zweeg abrupt.

BURENRUZIE LOOPT UIT DE HAND:
TWEE DODEN IN CASTLE ROCK
Vete op straat uitgevochten

Er waren foto's van twee vrouwen, zij aan zij. Brian herkende ze allebei. De ene was Nettie Cobb, die om de hoek in Ford Street woonde. Volgens zijn moeder was ze niet goed wijs, maar Brian had nooit iets aan haar gemerkt. Hij was wel eens blijven staan om haar hondje te aaien als ze ermee liep te wandelen en ze leek eigenlijk net als andere mensen.
De andere vrouw was Wilma Jerzyck.
Hij speelde alleen maar wat met zijn cornflakes. Nadat zijn vader naar zijn werk was gegaan, gooide Brian ze op de composthoop en sloop de trap op naar zijn kamer. Hij verwachtte dat zijn moeder hem achterna zou komen om te zeuren hoe hij het in zijn hoofd haalde eten weg te gooien terwijl de kinderen in Afrika stierven van de honger (het denken aan stervende kinderen was goed voor je eetlust, dacht ze zeker), maar dat deed ze niet; ze leek vanochtend op een andere planeet te zijn.
Maar Sean was er wel, net zo vervelend als altijd.
'Nou, Bri? Ga je mee de stad in? Nou?' In zijn opwinding stond hij bijna van de ene voet op de andere te dansen. 'We kunnen een paar spelletjes doen, of naar die gave dingen kijken in de etalage van die nieuwe winkel...'
'Daar blijf je uit de buurt!' schreeuwde Brian. Zijn broertje deinsde terug met een ontstelde en geschrokken uitdrukking op zijn gezicht.
'Hé, het spijt me,' zei Brian. 'Maar ik zou daar niet naar binnen gaan, Sean-O. Die zaak stinkt.'
Sean keek hem met trillende onderlip aan. 'Kevin Pelkey zegt...'
'Wie geloof je nou? Die slappe dweil of je eigen broer? Het zit daar niet goed, Sean. Het is...' Hij bevochtigde zijn lippen en zei toen waar het volgens hem op neerkwam: 'Het is slecht.'
'Wat heb je?' vroeg Sean. Zijn stem was fel en huilerig. 'Je doet het hele weekend al zo gek. En mamma ook!'
'Ik voel me gewoon niet zo lekker.'
'Nou...' Sean dacht erover na. Ineens klaarde hij op. 'Misschien voel je je beter als we een paar spelletjes doen. We kunnen Air Raid spelen, Bri! Ze hebben Air Raid! Dan zit je in de cabine en die gaat heen en weer! Schitterend!'
Brian dacht er vluchtig over na. Nee. Hij kon zich niet voorstellen dat hij naar de speelhal ging, niet vandaag. Misschien nooit meer. Alle andere kinderen waren er natuurlijk – je zou vandaag in de rij moeten staan voor iets goeds zoals Air Raid – maar hij hoorde er nu niet bij en misschien zou hij altijd wel anders blijven.
Per slot van rekening had híj een Sandy Koufax-plaatje uit 1956.
Toch wilde hij iets aardigs doen voor Sean of voor wie dan ook... om iets goed te maken voor de gruwelijke streek die hij met Wilma

Jerzyck had uitgehaald. Daarom zei hij tegen Sean dat hij 's middags misschien wel zin zou hebben en gaf hem vast een paar kwartjes, die hij uit de grote plastic colafles schudde die hij als spaarvarken gebruikte.
'Jeetje!' zei Sean met grote ogen. 'Dat zijn acht... negen... tien kwartjes! Je bent ècht ziek!'
'Ja, dat zal wel. Veel plezier, Sean-O. En zeg niks tegen mam, anders moet je het geld teruggeven.'
'Ze loopt op haar kamer rond te spoken met die zonnebril,' zei Sean. 'Ze weet niet eens dat wij bestaan.' Hij pauzeerde even en vervolgde: 'Ik haat die bril. Ik krijg er de rillingen van.' Hij keek wat beter naar zijn grote broer. 'Je ziet er echt niet zo goed uit, Bri.'
'Ik voel me ook niet zo goed,' zei Brian naar waarheid. 'Ik denk dat ik even ga liggen.'
'Nou, dan wacht ik nog een tijdje op je. Misschien voel je je straks beter. Ik ga tekenfilms kijken. Kom maar naar beneden als je je beter voelt.' Sean liet de kwartjes in zijn samengebalde handen rinkelen.
'Dat is goed,' zei Brian. Hij deed de deur zachtjes dicht terwijl zijn broertje wegliep.
Maar het ging niet beter met hem. Naarmate de dag vorderde, voelde hij zich steeds
(*bewolkter*)
slechter. Hij dacht aan meneer Gaunt. Hij dacht aan Sandy Koufax. Hij dacht aan die vette krantekop: BURENRUZIE LOOPT UIT DE HAND: TWEE DODEN IN CASTLE ROCK. Hij dacht aan die foto's van bekende gezichten, half verborgen onder zwarte vlekken.
Op een gegeven moment was hij bijna in slaap gevallen, toen de kleine pickup in de slaapkamer van zijn vader en moeder begon te spelen. Zijn moeder draaide haar oude 45-toerenplaten van Elvis weer. Dat deed ze al bijna het hele weekend.
Gedachten draaiden om en om in zijn hoofd als stukken papier in een wervelstorm.
Burenruzie.
'Ze zeggen van je dat je zo chic bent... maar dat is gewoon gelogen...'
Burenruzie: Nettie Cobb, de vrouw met het hondje.
'Jij hebt nog nooit een haas gevangen...'
Wie met mij te maken krijgt, moet twee dingen in de gaten houden.
Burenruzie: Wilma Jerzyck, de vrouw met de lakens.
Meneer Gaunt weet het beter...
'...en je bent geen vriendje van me.'
...en de koop is pas gesloten als meneer Gaunt zègt dat hij gesloten is.

Om en om gingen deze gedachten, een rondedans van angst, schuld en ellende op de maat van Elvis Presley's gouden hits. Tegen de middag voelde Brian zich misselijk worden. Op kousevoeten holde hij naar de badkamer aan het eind van de gang, deed de deur dicht en kotste zo stil hij kon in de toiletpot. Zijn moeder hoorde het niet. Ze was nog steeds in haar kamer, waar Elvis nu tegen haar zei dat hij haar teddybeer wilde zijn.

Terwijl Brian langzaam terugging naar zijn kamer, ellendiger dan ooit, werd hij gegrepen door een afschuwelijke, angstaanjagende zekerheid: zijn Sandy Koufax-plaatje was weg. Iemand had het 's nachts gestolen toen hij lag te slapen. Voor dat plaatje had hij meegedaan aan een moord en nu was het weg.
Hij begon te rennen, gleed bijna weg op het kleed in het midden van zijn slaapkamer en griste zijn album van de kast. In zijn koortsige haast rukte hij een paar bladzijden uit de ringband. Maar het plaatje - hèt plaatje - was er nog; dat smalle gezicht keek naar hem achter het plastic hoesje op de laatste bladzijde. Het was er nog en Brian voelde een grote, ellendige opluchting.
Hij haalde het plaatje uit de hoes en nam het mee naar zijn bed. Hij hield het met twee handen vast. Hoe zou hij het ooit weer los kunnen laten? Het was het enige wat hij aan deze nachtmerrie had overgehouden. Het enige. Hij was er niet blij meer mee, maar het was van hem. Als hij Nettie Cobb en Wilma Jerzyck weer tot leven kon wekken door het te verbranden, zou hij onmiddellijk op jacht gaan naar lucifers (zo meende hij althans hartgrondig), maar hij kòn ze niet tot leven wekken, en daarom was het een onverdraaglijke gedachte het plaatje kwijt te raken en helemaal niets meer te hebben.
Daarom hield hij het in zijn handen en keek naar het plafond en luisterde naar de doffe klanken van Elvis, die aan 'Wooden Heart' was begonnen. Het was niet zo vreemd dat Sean hem er slecht vond uitzien: zijn gezicht was wit, zijn ogen waren groot en donker en mat. En zijn eigen hart leek wel van hout, nu hij erover nadacht.
Plotseling doorboorde een nieuwe gedachte, een echt gruwelijke gedachte, de duisternis in zijn hoofd met de schrikwekkend snelle helderheid van een komeet. *Ze hadden hem gezien!*
Hij schoot recht overeind en staarde ontzet naar zichzelf in de spiegel op de kastdeur. Een felgroene peignoir! Een felrode hoofddoek over een stel krulspelden! Mevrouw Mislaburski!
Wat gebeurt daar, jongen?
Ik weet het niet precies. Ik geloof dat ze ruzie hebben.
Brian stapte van zijn bed en ging naar het raam, half in de verwachting dat hij sheriff Pangborn de inrit op zou zien rijden. Dat was

niet zo, maar het kon niet lang meer duren. Want als twee vrouwen elkaar vermoordden bij een uit de hand gelopen burenruzie, dan moest er een onderzoek komen. Ze zouden mevrouw Mislaburski verhoren. En zij zou zeggen dat ze een jongen bij het huis van de Jerzycks had gezien. Die jongen, zou ze tegen de sheriff zeggen, was Brian Rusk geweest.
Beneden begon de telefoon te rinkelen. Zijn moeder nam niet op, hoewel er een toestel in de slaapkamer stond. Ze zong gewoon verder met de plaat. Ten slotte hoorde hij Sean opnemen. 'Met wie spreek ik?'
Rustig dacht Brian: *Hij krijgt de waarheid uit me. Ik kan niet liegen, niet tegen de politie. Ik kon niet eens liegen tegen mevrouw Leroux over wie de vaas op haar bureau had gebroken toen ze was weggeroepen. Hij krijgt de waarheid uit me en ik ga naar de gevangenis wegens moord.*
Dat was de eerste keer dat Brian Rusk aan zelfmoord begon te denken. Het waren geen lugubere, geen romantische gedachten; ze waren heel bedaard, heel rationeel. Zijn vader had een jachtgeweer in de garage en op dat ogenblik leek het geweer dé oplossing. Het geweer leek het antwoord op alles.
'*Briaaan! Telefoon!*'
'Ik wil niet met Stan praten!' schreeuwde hij. 'Laat hem morgen maar terugbellen!'
'Het is Stan niet,' riep Sean terug. 'Het is een vent.'
Grote ijskoude handen knepen Brians hart samen. Daar had je het: sheriff Pangborn wilde hem spreken.
Brian? Ik moet je een paar vragen stellen. Het zijn erg belangrijke vragen. Als je niet meteen naar het bureau komt, ben ik bang dat ik je moet komen halen. Met de politiewagen. Binnenkort zal je naam in de krant staan, Brian, en al je vrienden zullen je gezicht op de televisie zien. Net als je vader en moeder en je kleine broertje. En als ze je foto laten zien, zegt de nieuwslezer erbij: 'Dit is Brian Rusk, de jongen die medeplichtig is aan de moord op Wilma Jerzyck en Nettie Cobb.'
'W-w-wie is het?' riep hij met een angstig stemmetje naar beneden.
'Weet ik niet!' Sean moest een stuk van de *Transformers* missen en klonk geprikkeld. 'Ik geloof dat hij Crowfix heet of zoiets.'
Crowfix?
Brian bleef met bonzend hart in de deuropening staan. Twee grote rode clownsvlekken waren op zijn bleke wangen verschenen.
Nee, niet Crowfix.
Koufax.
Sandy Koufax had gebeld. Alleen kon Brian wel raden wie het ècht was.

Met lood in zijn schoenen liep hij de trap af. De hoorn van de telefoon leek minstens tweehonderd kilo te wegen.
'Hallo, Brian,' zei meneer Gaunt zachtjes.
'H-h-hallo,' antwoordde Brian met hetzelfde angstige stemmetje.
'Je hoeft je helemaal geen zorgen te maken,' zei meneer Gaunt. 'Als mevrouw Mislaburski je die stenen had zien gooien, had ze je toch zeker niet gevraagd wat er aan de hand was?'
'Hoe weet u dat?' Brian dacht dat hij weer moest overgeven.
'Dat doet er niet toe. Het gaat er alleen om dat je het goed hebt gedaan, Brian. Precies goed. Je zei dat de Jerzycks wel ruzie zouden hebben. Als de politie tòch bij je komt, zullen ze alleen denken dat jij iemand met stenen had horen gooien. Iemand die je niet kon zien omdat die aan de achterkant was.'
Brian keek door de deuropening naar de televisiekamer om te zien of Sean niet meeluisterde. Dat was niet zo: hij zat met gekruiste benen en een zak popcorn op schoot voor de televisie.
'Ik kan niet liegen!' fluisterde hij door de telefoon. 'Ze hebben me altijd door als ik lieg!'
'Deze keer niet, Brian,' zei meneer Gaunt. 'Deze keer ben je een echte kampioen.'
En het verschrikkelijkste was nog dat meneer Gaunt ook dit wel weer beter zou weten, dacht Brian.

2

Terwijl haar oudste zoon aan zelfmoord dacht en daarna radeloos met Gaunt fluisterde, was Cora Rusk in haar ochtendjas stil aan het dansen op haar slaapkamer.
Alleen was het haar slaapkamer niet.
Als ze de zonnebril droeg die Gaunt haar had verkocht, was ze in Graceland.
Ze danste door schitterende kamers die naar boenwas en braadvet roken, kamers met als enige geluiden het zachte zoemen van ventilators (er konden maar een paar ramen ook werkelijk open in Graceland; veel waren dichtgespijkerd en er hingen overal gordijnen voor), het gefluister van haar voeten op dikke vloerkleden en Elvis zelf, die met zijn opzwepende smekende stem 'My Wish Came True' zong. Ze danste onder de enorme kroonluchter van Frans kristal in de eetkamer en langs de gebrandschilderde pauwen. Ze liet haar handen over het volle blauwe fluweel van de gordijnen glijden. Het meubilair was Frans antiek. De muren waren bloedrood.
De omgeving veranderde als een langzame shotwisseling in een film

en Cora bevond zich in het souterrain. Aan twee wanden hingen rekken met horens van dieren en ingelijste gouden platen. Aan een derde wand hingen zwarte monitoren. De planken achter de lange halfronde bar waren gevuld met flessen Gatorade: sinas, lime en citroen.
De platenwisselaar van haar oude draagbare pickup met de foto van de King op de voorkant klikte. Elvis begon 'Blue Hawaii' te zingen en Cora heupwiegde naar de Jungle Room met zijn fronsende Tikigoden, de bank met de gargouilles op de armleuningen, de spiegel met de kantachtige omlijsting van veren, geplukt van de borst van levende fazanten.
Ze danste. Ze danste met haar ogen achter de zonnebril uit De NoodZaak. Ze danste in Graceland, terwijl haar zoon weer naar boven sloop, op zijn bed ging liggen en naar het smalle gezicht van Sandy Koufax keek en aan alibi's en jachtgeweren dacht.

3

De basisschool van Castle Rock was een streng gebouw van rode baksteen tussen het postkantoor en de bibliotheek, een overblijfsel uit de tijd waarin de stadsbestuurderen nooit helemaal gelukkig waren als een school er niet uitzag als een verbeteringsgesticht. Deze school was in 1926 gebouwd en voldeed uitstekend aan die voorwaarde. Elk jaar kwam het gemeentebestuur dichter bij het besluit om aan nieuwbouw te beginnen, een gebouw met echte ramen in plaats van kijkgaten, een speelplein dat minder aan de luchtplaats van een strafinrichting deed denken en lokalen die in de winter ook verwarmd konden worden.
Het lokaal waar Sally Ratcliffe haar spraaklessen gaf, was als een aanhangsel in de kelder ondergebracht, weggestopt tussen de ketelruimte en het magazijn met zijn stapels papieren handdoeken, krijt, schoolboeken en tonnen met geurig rood zaagsel. De ruimte werd bijna helemaal in beslag genomen door haar eigen bureau en de zes kleinere van haar leerlingen, maar Sally had toch geprobeerd er zoveel mogelijk van te maken. Ze wist dat de meeste pupillen – stotteraars, slissers, leesblinden en neuzelaars – spraakles een beangstigende en vervelende ervaring vonden. Ze werden door andere kinderen gepest en door hun ouders streng in de gaten gehouden. Daar konden ze niet ook nog eens een onnodig somber lokaal bij gebruiken. Daarom hingen er twee mobiles aan de stoffige pijpen, foto's van televisie- en popsterren aan de wanden en een grote poster van Garfield aan de deur. In Garfields tekstballon stond: 'Als een cool cat kan praten, waarom jullie dan niet?'

Ze was hopeloos achter met haar administratie, ook al was de school pas vijf weken bezig. Ze had de hele dag willen werken, maar om kwart over een raapte Sally al haar papieren bij elkaar, stopte ze terug in de lade, schoof die met een klap dicht en deed hem op slot. Ze hield er vroeg mee op omdat het veel te mooi weer was om je in de kelder op te sluiten, hield ze zichzelf voor, ook al was de ketel goddank eens een keer stil. Maar dat was niet helemaal de waarheid. Ze had heel bepaalde plannen voor de middag. Ze wilde naar huis, ze wilde in de volle zon bij het raam zitten en ze wilde mediteren over de fantastische houtspaander die ze in De NoodZaak had gekocht.

Ze was er steeds meer van overtuigd geraakt dat de splinter een authentieke relikwie was, een van de kleine gewijde schatten die God voor zijn gelovigen over de aarde had verspreid. Als ze hem in haar hand hield, was het of ze op een warme dag verfrissing vond in een heldere bron. Als ze hem in haar hand hield, was het of haar honger werd gestild. Als ze hem in haar hand hield...

Kortom, het was extase.

En er zat ook iets aan haar te knagen. Ze had de splinter in de onderste lade van haar kast gelegd, onder haar lingerie, en bij het weggaan de voordeur op slot gedaan, maar ze werd voortdurend gekweld door het afschuwelijke idee dat er iemand zou inbreken om de

(*relikwie heilige relikwie*)

splinter te stelen. Ze wist dat het onzin was: welke inbreker zou een oud stukje grijs hout willen meenemen, als hij het al vond? Maar als de dief het *aanraakte*... als hij dezelfde geluiden en beelden ervoer als zij wanneer ze de splinter in haar kleine vuist hield...

Daarom wilde ze naar huis. Luchtige kleren aantrekken en een uur of wat

(*extase*)

mediteren, de vloer onder haar voeten voelen veranderen in een zachtjes deinend dek, naar het mekkeren en loeien en blaten van dieren luisteren, het licht van een andere zon voelen, wachten op het magische moment – ze wist zeker dat het zou komen als ze de splinter maar lang genoeg vasthield, als ze heel, heel erg stil bleef zitten en heel, heel intens bad – waarop de boeg van de enorme deinende boot met een zacht schurend geluid op de bergtop zou vastlopen. Ze wist niet waarom God juist haar uit alle gelovigen had bevoorrecht om dit schitterende wonder te ondergaan, maar nu dat zo was, nam Sally zich vast voor er alles uit te halen wat erin zat.

Ze ging door de zijdeur naar buiten en liep over het plein naar de parkeerplaats, een aantrekkelijke jonge vrouw met donkerblond haar en lange benen. Over die benen werd veel gepraat in de kap-

perszaak als Sally Ratcliffe langsliep op haar degelijke lage schoenen, meestal met haar tas in de ene hand en in de andere haar bijbel, volgestopt met tractaatjes.
'Jezus, die benen lopen helemaal door tot haar kin,' zei Bobby Dugas eens.
'Zit daar maar niet over in,' antwoordde Charlie Fortin. 'Jíj zult ze nooit te zien krijgen. Ze is van Jezus en Lester Pratt. In die volgorde.'
De mannen in de kapperszaak hadden smakelijk gelachen om die dijenkletser van Charlie. En buiten was Sally Ratcliffe doorgelopen op weg naar de wekelijkse bijbelstudie voor jonge volwassenen van dominee Rose, onbewust en onbezorgd, veilig opgesloten in haar eigen vrolijke onschuld en kuisheid.
In The Clip Joint werden geen grapjes gemaakt over Sally's benen of Sally's wat dan ook als Lester Pratt er was (en hij liet zijn stekelhaar elke drie weken een keer bijscherpen). Wie oog had voor zulke dingen, was er al snel achter dat Sally in zijn ogen uitsluitend geurige petunia's uitpoepte en met iemand van Lesters postuur zocht je geen ruzie. Hij was best een schappelijke kerel, maar altijd bloedserieus als het over God en Sally Ratcliffe ging. En iemand als Lester kon je armen en benen losrukken en ze op een heel vreemde manier weer aan je lijf zetten, als hij daar zin in had.
Het was dik aan tussen hem en Sally, maar ze hadden Het nog nooit gedaan. Na een avondje stoeien kwam Lester meestal volkomen ontredderd thuis, met zijn hoofd in de wolken en zijn ballen in de knoop, verlangend naar de dag - niet al te ver meer weg - waarop hij zich niet hoefde in te houden. Hij vroeg zich wel eens af of hij haar niet zou verzuipen als ze Het voor de eerste keer deden.
Ook Sally keek uit naar het huwelijk en naar de oplossing van hun seksuele frustratie... hoewel Lesters omhelzingen de laatste paar dagen wat minder belangrijk voor haar leken te zijn. Ze had erover nagedacht hem te vertellen over de houtsplinter uit het Heilige Land die ze in De NoodZaak had gekocht, de splinter met die wonderbaarlijke eigenschappen, maar dat had ze toch maar niet gedaan. Ze zóu het hem natuurlijk een keer vertellen; wonderen waren er om te delen. Het was ongetwijfeld zondig om ze níet te delen. Maar tot haar verrassing (en lichte ergernis) voelde ze elke keer een jaloerse bezitsdrang in zich opkomen als ze Lester de splinter wilde tonen en laten vasthouden.
De eerste keer had ze een boze kinderstem gehoord. *Nee! Nee, hij is van mij! Het betekent niet zoveel voor hem als voor mij! Dat kàn niet!*
Op een dag zou ze het ècht met hem delen, net zoals ze op een dag haar lichaam met hem zou delen... maar voor geen van beide was de tijd nog rijp.

Deze hete oktoberdag was uitsluitend voor háár.
Er stonden maar enkele auto's op de gereserveerde plaatsen en daarvan was Lesters Mustang de nieuwste en mooiste. Ze had een hoop problemen met haar eigen auto, waarvan de versnellingsbak het steeds begaf, maar dat vond ze niet erg. Toen ze Les 's ochtends belde om te vragen of ze toch nog een keer zijn auto kon gebruiken (ze had hem net de vorige middag na zes dagen teruggebracht), wilde hij hem meteen komen brengen. Op de terugweg kon hij joggen, zei hij, en later zou hij met De Jongens een potje gaan voetballen. Vermoedelijk zou hij haar de auto ook hebben aangeboden als hij hem zèlf nodig had gehad, en dat vond ze prima. Ze besefte – op een vage, ongerichte manier die uit intuïtie en niet uit ervaring voortkwam – dat Les door brandende hoepels zou springen als ze dat vroeg en hierdoor ontstond een band van verering die ze met naïeve vanzelfsprekendheid aanvaardde. Les aanbad haar; allebei aanbaden ze God; alles was zoals het hoorde, tot in alle eeuwigheid, amen.
Ze stapte in de Mustang en toen ze zich half omdraaide om haar tas op het dashboard te leggen, viel haar blik op iets wits dat onder de voorbank uitstak. Het zag eruit als een envelop.
Ze bukte en raapte hem op, verbaasd dat ze zoiets in de Mustang zag slingeren; Les was meestal net zo schoon op zijn wagen als op zichzelf. Er stond slechts een enkel woord op de envelop, maar Sally kreeg er een akelig voorgevoel van. Het woord was *Liefste*, geschreven in enigszins vloeiende letters.
Een vróuwelijk handschrift.
Ze draaide de envelop om. Er stond niets op de achterkant en de envelop was dichtgeplakt.
'Liefste?' vroeg Sally weifelend, en ineens merkte ze dat ze als een gek zat te zweten in Lesters gesloten auto. Ze startte de motor, draaide haar raampje omlaag en boog opzij om ook het andere raampje te openen.
Het was of ze een vage geur van parfum rook. Het kon niet van haar zijn: ze gebruikte geen parfum en trouwens ook geen make-up. Hàar geloof leerde dat zulke dingen de instrumenten van hoeren waren (en afgezien daarvan had ze ze ook niet nodig).
Nee, het was geen parfum. Je ruikt alleen maar de laatste bloeiende kamperfoelie langs het hek.
'Liefste?' zei ze weer, naar de envelop kijkend.
De envelop zei niets. Hij lag alleen maar genoeglijk in haar handen. Aarzelend wiebelde ze met haar vingers en boog de envelop heen en weer. Er zat een stuk papier in, dacht ze – minstens één – en ook nog iets anders. Dat voelde aan als een foto.
Ze hield de envelop omhoog tegen de voorruit, maar dat hielp niet:

de zon was al te ver gevorderd. Na een korte overweging stapte ze uit en hield de envelop omhoog naar de zon. Ze zag alleen een lichte rechthoek - een briefje, dacht ze - en een donkerder vierkante vorm die waarschijnlijk een foto was van
(*Liefste*)
wie de brief dan ook had gestuurd.
Alleen was de brief natuurlijk niet gestúúrd, althans niet met de post. Er was geen postzegel, geen adres. Alleen dat ene verwarrende woord. De envelop was ook niet geopend en dat betekende... Ja, wat eigenlijk? Dat iemand hem in Lesters Mustang had gelegd terwijl Sally binnen had zitten werken?
Dat was mogelijk. Het kon ook betekenen dat iemand hem de vorige avond of overdag in de auto had gelegd en dat Lester hem niet had gezien. Per slot van rekening stak alleen het hoekje onder de bank uit. Misschien was de brief verschoven toen ze die ochtend naar school reed.
'Dag juf!' riep iemand. Sally liet snel haar hand zakken en verstopte de envelop in de plooien van haar rok. Haar hart bonkte schuldig.
Het was de kleine Billy Marchant, die met zijn skateboard onder zijn arm over de speelplaats liep. Sally zwaaide naar hem en stapte haastig weer in de auto. Haar gezicht gloeide. Ze bloosde. Het was stom - àchterlijk - maar ze gedroeg zich bijna alsof Billy haar op iets verkeerds had betrapt.
Is dat dan niet zo? Probeerde je geen brief te lezen die niet voor jou is?
Nu voelde ze de eerste steek van jaloezie. Misschien wàs de brief wel voor haar: zoveel mensen in Castle Rock wisten dat ze de laatste weken net zo vaak Lesters auto gebruikte als haar eigen. En al was de brief misschien niet van haar, Lester Pratt was dat wèl. Had ze niet net nog lopen denken, met de vaste en aangename vanzelfsprekendheid die alleen jonge en knappe christelijke vrouwen zo uitbundig kunnen voelen, dat hij voor haar door brandende hoepels zou springen?
Liefste.
Niemand had die envelop voor háár achtergelaten, daar was ze wel zeker van. Zíj had geen vrienden die haar Schat of Engel of Liefste noemden. Hij was bestemd voor Lèster. En...
Plotseling begreep ze hoe het zat en met een kleine zucht van verlichting zakte ze onderuit in de kobaltblauwe kuipstoel. Lester was sportleraar aan de middelbare school. Natuurlijk gaf hij alleen les aan de jongens, maar er waren genoeg meisjes - jonge meisjes, ontvankelijke meisjes - die hem elke dag zagen. En Les was een aantrekkelijke jonge man.

Die brief is van een verliefde bakvis. Iets anders zit er niet achter. Ze durfde hem niet eens op het dashboard te leggen, waar hij hem meteen zou vinden.
'Hij vindt het vast niet erg als ik hem openmaak,' zei Sally hardop. Ze scheurde een randje van de zijkant af en stopte dat in de asbak waarin nog nooit een sigaret had gelegen. 'We zullen er vanavond hartelijk om lachen.'
Ze hield de envelop schuin en er gleed een kleurenfoto in haar hand. Ze keek ernaar en haar hart sloeg een slag over. Haar adem stokte. Een felle blos overtoog haar wangen en ze sloeg een hand voor haar mond, die zichzelf tot een kleine, geschokte o van ontzetting had gevormd.
Sally was nooit in The Mellow Tiger geweest en daarom herkende ze de achtergrond niet, maar ze was niet helemáál onwetend; ze had vaak genoeg tv gekeken om te weten wat een kroeg was. De foto toonde een man en een vrouw aan een tafel in een hoek (een knùsse hoek, dacht ze telkens) van een grote ruimte. Op de tafel stonden een bierkan en twee pilsglazen. Aan andere tafels achter en naast het stel zaten andere mensen. Op de achtergrond was een dansvloer.
De man en de vrouw zoenden elkaar.
De vrouw droeg een glinsterend gebreid topje dat haar middenrif bloot liet en een wit linnen rokje. Een erg kòrt rokje. De man drukte zijn ene hand vrijpostig tegen haar middel en schoof zijn andere hand *onder haar rok*. Sally kon nog net een stukje van haar onderbroek zien.
Zo'n rotgrietje, dacht Sally boos en geërgerd.
De man zat met zijn rug naar de fotograaf; Sally kon alleen zijn kin en een oor zien. Maar ze zag ook dat hij erg gespierd was en zijn zwarte haar tot minieme stekeltjes had laten maaien. Hij had een blauw T-shirt aan – wat ze op school een spierballenshirt noemden – en een blauwe trainingsbroek met op de naad een witte streep.
Lester.
Lester zat dat grietje onder de rok te voelen.
Nee! zei een paniekerige stem in haar hoofd. Hij kàn het niet zijn! Lester komt niet in kroegen! Hij drinkt helemaal niet! En hij zou nooit een andere vrouw zoenen, want hij houdt van mij! Dat weet ik omdat...
'Omdat hij het zegt.' Ze schrok van haar eigen stem, die dof en lusteloos klonk. Ze had de foto wel willen verfrommelen en uit het raampje gooien, maar dat kon ze niet doen; iemand zou hem kunnen vinden, en wat moest die dan wel niet denken?
Ze boog zich weer over de foto en bestudeerde hem met jaloerse, gespannen ogen.

Het gezicht van de vrouw ging grotendeels schuil achter dat van de man, maar Sally zag de boog van haar wenkbrauw, haar linker wang en de ronding van haar kaak. Wat belangrijker was, ze zag hoe haar donkere haar was geknipt: in een pony, met twee waaiers over haar voorhoofd.
Judy Libby had donker haar. En Judy Libby had een pony, met twee waaiers over haar voorhoofd.
Je vergist je. Nee, erger nog: je bent gek. Les heeft het uitgemaakt met Judy toen ze uit de kerk ging. En daarna is ze verhuisd. Naar Portland of Boston of zoiets. Iemand wil zogenaamd leuk zijn, iemand die niet goed bij zijn hoofd is. Je weet dat Les nooit...
Maar wíst ze dat wel? Echt?
Alle eerdere vanzelfsprekendheid scheen haar nu uit te lachen en een stem die ze nooit eerder had gehoord begon ineens te spreken in een verborgen plekje van haar hart: *Onschuldig vertrouwen is het fort van de leugenaar*.
Toch hóefde het Judy niet te zijn en evenmin hóefde het Lester te zijn. Je kon mensen immers nooit goed zien als ze aan het zoenen waren. Zelfs in de film kon je ze niet herkennen als je te laat kwam, ook al waren het nog zulke beroemdheden. Je moest wachten tot ze ophielden en weer naar de camera keken.
Dit was geen film, verzekerde de nieuwe stem. *Dit was echt. En als zij het niet waren, wat deed die envelop dan in deze auto?*
Nu richtte haar blik zich op de rechterhand van de vrouw, die luchtig tegen de hals van
(*Lester*)
haar vriend lag. Ze had lange puntige nagels, donker gelakt. Judy Libby had vroeger zulke nagels. Sally herinnerde zich dat het haar niets verbaasde toen Judy niet meer naar de kerk ging. Een meisje met zulke nagels, dacht ze indertijd, denkt aan heel andere dingen dan de Heer der Heerscharen.
Goed, dan is het waarschijnlijk Judy Libby. Dat wil nog niet zeggen dat Lester bij haar is. Misschien heeft Judy deze rotstreek met ons uitgehaald omdat Lester haar liet vallen toen hij eindelijk inzag dat ze ongeveer net zo christelijk was als Judas Iskariot. Er zijn immers zoveel mannen met stekelhaar en iedereen kan een blauw T-shirt en een blauwe sportbroek met een witte streep aantrekken.
Haar blik bleef op iets anders rusten en plotseling was het of haar hart werd doorboord met hagel. De man had een digitaal polshorloge om. Ze herkende het, ook al stond het niet helemaal scherp op de foto. Dat was ook logisch: had ze het niet zelf een maand geleden aan Lester gegeven, voor zijn verjaardag?
Misschien is het toeval, dacht ze slapjes. Het was maar een Seiko, iets anders kon ik me niet veroorloven. Iedereen kon zo'n horloge

hebben. Maar de nieuwe stem lachte wild, radeloos. De nieuwe stem wilde weten wie ze voor de gek hield. En er was nog meer. Ze kon de hand onder de rok van het meisje niet zien (een geluk bij een ongeluk!), maar ze zag wel de arm waaraan die vastzat. Er zaten twee grote moedervlekken op die arm, net onder de elleboog. Ze zaten vlak bij elkaar en vormden bijna een acht.
Hoe vaak had ze niet liefkozend haar vinger over diezelfde moedervlekken laten gaan als ze naast Lester op de schommelbank zat? Hoe vaak had ze hem niet teder gekust terwijl hij haar borsten (stevig afgeschermd door een speciaal voor zulke ontmoetingen op de veranda aangeschafte J.C. Penney beha) streelde en lieve woordjes in haar oor fluisterde en haar eeuwige trouw beloofde?
Ja, het was Lester. Je kon een horloge om- en weer afdoen, maar moedervlekken niet. Ineens kwam er een regel uit een oud discoliedje bij haar op: *'Stoute meisjes... toet-toet...beep-beep...'*
'Kreng, kreng, krèng!' siste ze ineens giftig tegen de foto. Waarom was hij in vredesnaam naar haar teruggegaan? Hoe kon hij dat doen?
Misschien, zei de stem, *omdat ze hem laat doen wat jij niet wilt.*
Haar boezem kwam met een schok omhoog toen ze de adem sissend van schrik tussen haar tanden naar binnen zoog.
Maar ze zitten in een bar! Lester drinkt ni...
Ze besefte dat ze dat niet met zekerheid kon zeggen. Als Lester met Judy omging en dáár over loog, dan kon hij ook wel liegen dat hij geen bier dronk.
Sally legde de foto met een bevende hand weg en pakte snel het opgevouwen briefje uit de envelop. Het was een vel perzikkleurig briefpapier met een scheprand. Er kwam een lichte geur vanaf, stoffig en zoet, toen ze de brief eruithaalde. Sally hield hem voor haar neus en snoof diep.
'Krèng!' riep ze met een schorre, gekwelde ondertoon. Als Judy Libby op dit moment voor haar zou zijn verschenen, zou Sally haar met haar eigen nagels te lijf zijn gegaan, hoe degelijk kort die ook waren. Ze wou dat Judy er was. En Lester ook. Hij zou een tijd niet meer kunnen sporten als ze met hèm klaar was. Een héle tijd.
Ze vouwde de brief open. De inhoud was kort en geschreven in het gelijkmatige handschrift van een schoolmeisje.

Lieve Les,
Felicia heeft deze foto genomen toen we laatst in de Tiger waren. Ze zei dat ze ons ermee moest chanteren! Maar dat was maar een grapje. Ik heb hem van haar gekregen en nu geef ik hem aan jou als aandenken aan onze GROTE NACHT. Het was HEEL ERG ONDEUGEND van je om je hand onder mijn rok te steken 'waar iedereen

bij was,' maar ik werd er ZO OPGEWONDEN van. En je bent zo STERK. Ik kon er niet naar kijken zonder weer helemaal 'warm' te worden. Als je goed kijkt, zie je mijn slipje! Gelukkig was Felicia er later niet bij, toen ik helemaal niets meer aanhad!!! Tot gauw. Intussen mag je deze foto hebben 'tot mijne gedachtenis.' Ik zal aan jou en je GROTE DINGES denken. Ik moet nu gauw ophouden, anders word ik nog heter en ga iets ondeugends doen. En maak je alsjeblieft geen zorgen over JE WEET WEL WIE. Die heeft het veels te druk met haar Jezus om over ons in te zitten.

Je
Judy

Sally bleef bijna een half uur achter het stuur van Lesters Mustang zitten en las het briefje telkens opnieuw. Haar gedachten en haar emoties waren een chaos van woede, jaloezie en pijn. Er was ook een zekere seksuele opwinding in haar gedachten en gevoelens... maar dat was iets wat ze nooit tegen iemand zou opbiechten, al helemaal niet tegen zichzelf.
De stomme trut kan niet eens goed schrijven, dacht ze.
Haar ogen vonden telkens andere passages om zich op te richten, vooral de woorden die met blokletters waren geschreven.

Onze GROTE NACHT.
HEEL ERG ONDEUGEND.
ZO OPGEWONDEN.
ZO STERK.
Je GROTE DINGES.

Maar de passage die ze steeds weer zocht, die het vuur van haar woede het meest opstookte, was die godslasterlijke verlaging van het Laatste Avondmaal:
...tot mijne gedachtenis.
Ongevraagd kwamen obscene taferelen bij haar op. Lesters mond die zich aan een van Judy Libby's tepels hechtte terwijl ze kreunde: 'Neem en drink dit tot mijne gedachtenis.' Lester op zijn knieën tussen Judy Libby's gespreide benen terwijl ze hem gebood te nemen en te eten tot mijne gedachtenis.
Ze frommelde het perzikkleurige vel in elkaar en gooide het op de vloer. Ze zat stijf rechtop achter het stuur, fel ademend. Haar haar stak uit in zweterige pieken (ze had er met haar vrije hand gedachteloos doorheen gestreken terwijl ze het briefje zat te lezen). Daarna bukte ze, raapte de brief op, streek hem glad en stopte hem samen met de foto weer in de envelop. Ze moest het drie keer probe-

ren, zo erg beefden haar handen, en toen scheurde ze nog de envelop aan de zijkant half open.
'Kreng!' riep ze weer, en barstte in snikken uit. Het waren hete tranen; ze brandden als zuur. '*Slet!* En jíj, jíj... vuile leugenaar!'
Driftig stak ze het sleuteltje in het slot. De motor kwam op gang met een gebrul dat even woedend klonk als zij zich voelde. Ze schakelde en reed met een wolk blauwe rook en een jammerend gekrijs van geschroeid rubber de parkeerplaats af.
Billy Marchant, die op de speelplaats aan het oefenen was met zijn skateboard, keek verrast op.

4

Vijftien minuten later stond ze op haar slaapkamer tussen haar ondergoed te graaien zonder de splinter te vinden. Haar woede over Judy en haar vuile leugenachtige vriend waren overschaduwd door een allesoverheersende angst: dat de splinter er niet meer was. Dat iemand hem toch gestolen had.
Sally had de gescheurde envelop mee naar binnen genomen en merkte dat ze hem nog steeds in haar linkerhand hield. Hij hinderde haar bij het zoeken. Ze smeet hem weg en begon met twee handen haar degelijke katoenen ondergoed uit de lade te gooien. Net toen ze het wilde uitschreeuwen van paniek, woede en frustratie, zag ze de splinter. Ze had de la zo hard opengerukt dat hij helemaal naar de achterste hoek was geschoven.
Ze pakte hem snel op en voelde meteen vrede en rust door zich heen stromen. Met haar vrije hand pakte ze de envelop en daarna stak ze beide handen voor zich uit, goed en kwaad, gewijd en profaan, alfa en omega. Daarna stopte ze de gescheurde envelop in de la en bedolf hem onder bundels ondergoed.
Ze ging zitten, trok haar benen op en boog haar hoofd naar de splinter. Ze sloot haar ogen en verwachtte dat de vloer onder haar zacht zou gaan deinen, verwachtte de vrede te voelen als ze de stemmen van de dieren hoorde, de stomme dieren die door Gods genade behouden bleven in een goddeloze tijd.
In plaats daarvan hoorde ze de stem van de man die haar de splinter had verkocht. *Je zou er toch echt iets aan moeten doen*, zei Gaunt uit het binnenste van de relikwie. *Je zou toch echt iets aan deze... deze vervelende kwestie moeten doen*.
'Ja,' zei Sally Ratcliffe. 'Ja, ik weet het.'
Zo zat ze de hele middag in haar warme maagdelijke slaapkamer, denkend en dromend in de donkere cirkel die de splinter om haar heen trok, even donker als het schild van een cobra.

5

'Lookit my king, all dresses in green... iko-iko one day... he's not a man, he's a lovin' machine...'

Terwijl Sally Ratcliffe in haar nieuwe duisternis mediteerde, zat Polly Chalmers in een bundel stralend zonlicht bij het raam dat ze had geopend om iets binnen te laten van de ongewoon warme oktobermiddag. Ze zat aan haar Singer te werken en zong 'Iko Iko' met haar heldere, prettige altstem.

Rosalie Drake kwam bij haar staan. 'Ik ken iemand die zich vandaag beter voelt. Een stùk beter, zo te horen.'

Polly keek naar Rosalie op met een merkwaardig dubbelzinnige glimlach. 'Ja en nee,' zei ze.

'Je bedoelt dat je je beter voelt en er niets aan kunt doen.'

Polly dacht daar even over na en knikte toen. Het was niet helemaal juist, maar het kon ermee door. De twee vrouwen die gisteren samen waren gestorven, waren vandaag opnieuw bij elkaar: in de rouwkamer bij Samuels. Morgenochtend zouden ze in verschillende kerken worden herdacht, maar tegen de middag zouden Nettie en Wilma weer buren zijn, ditmaal op de Homeland begraafplaats. Polly hield zichzelf deels verantwoordelijk voor hun dood; per slot van rekening zou Nettie zonder haar nooit in Castle Rock zijn teruggekomen. Zij had de nodige brieven geschreven, de nodige commissies te woord gestaan, ze had zelfs een woning voor Netitia Cobb gevonden. En waarom? Het ergste was dat Polly het zich niet goed meer kon herinneren, behalve dat het indertijd een daad van christelijke barmhartigheid en niet meer dan normaal had geleken.

Ze ging deze verantwoordelijkheid niet uit de weg en zou hem ook door niemand uit haar hoofd laten praten (Alan had het verstandig genoeg niet eens geprobeerd), maar ze wist niet of ze iets zou veranderen als ze het nog eens over moest doen. Blijkbaar was Netties afwijking ten diepste iets geweest waar Polly geen invloed op kon uitoefenen, maar ze had toch drie gelukkige en werkzame jaren in Castle Rock beleefd. Misschien waren drie van zulke jaren beter dan de lange grauwe tijd die haar in de inrichting te wachten had gestaan voordat ze van ouderdom of eenvoudig van verveling zou zijn bezweken. En misschien had Polly door haar ingrijpen het doodvonnis van Wilma Jerzyck getekend, maar had Wilma de tekst van dat document niet zelf opgesteld? Het was tenslotte Wilma en niet Polly die Nettie Cobbs vrolijke en onschadelijke hondje met een kurketrekker had doodgestoken.

Er was nog een ander deel, een eenvoudiger deel, dat alleen maar treurde om het verlies van haar vriendin en zich verbaasde over het

feit dat Nettie tot zoiets in staat was terwijl het echt zoveel beter met haar scheen te gaan.
Ze had een groot deel van de ochtend besteed aan het regelen van de begrafenis en het opbellen van Netties weinige bloedverwanten (die allemaal zeiden dat ze niet bij de begrafenis aanwezig zouden zijn, wat Polly's verwachting slechts bevestigde), en die zakelijke beslommeringen van de dood hadden haar geholpen haar eigen verdriet te verwerken... zoals ook ongetwijfeld de bedoeling is van de begrafenisrituelen.
Toch waren er nog een paar dingen die haar niet loslieten.
De lasagna, bijvoorbeeld, die nog steeds in de koelkast stond, in aluminiumfolie verpakt om niet uit te drogen. Ze kon de lasagna vanavond samen met Alan opeten, als hij tenminste kon komen. Alleen zou ze er niet aan beginnen. Daar kon ze niet tegen.
Ze bedacht steeds weer hoe snel Nettie had gezien dat haar handen pijn deden en hoe erg de pijn precies was, hoe ze de wanten had gebracht en telkens zei dat ze deze keer misschien wel zouden helpen. En natuurlijk dacht ze aan het laatste wat Nettie tegen haar had gezegd: 'Ik hou van je, Polly.'
'Aarde aan Polly, Aarde aan Polly, hoor je mij?' riep Rosalie. Polly en zij hadden 's morgens deze en andere herinneringen aan Nettie opgehaald en ze hadden samen gehuild in de achterkamer, elkaar vasthoudend tussen de rollen stof. Nu maakte ook Rosalie een gelukkige indruk, misschien alleen omdat ze Polly had horen zingen.
Of misschien omdat Nettie voor geen van ons helemaal te begrijpen was, peinsde Polly. Er hing een schaduw rond haar, weliswaar niet helemaal zwart, maar net dik genoeg om haar moeilijk te kunnen doorgronden. Dat maakt ons verdriet zo vluchtig.
'Ik hoor je,' zei Polly. 'Ik voel me ècht beter, ik kàn er niets aan doen en ik ben er toch erg dankbaar voor. Weet je nu genoeg?'
'Zo ongeveer,' gaf Rosalie toe. 'Ik weet niet wat me het meest verbaasde toen ik terugkwam, dat ik je hoorde zingen of dat je weer achter een naaimachine zat. Hou je handen eens op.'
Polly deed het. Het zouden nooit de handen van een schoonheidskoningin zijn, met hun kromme vingers en grotesk vergroeide knokkels, maar Rosalie zag dat de zwelling dramatisch was afgenomen sinds vrijdag, toen de aanhoudende pijn Polly had genoodzaakt vroeger naar huis te gaan.
'Kijk eens aan!' zei Rosalie. 'Heb je nog wel pijn?'
'Jawel, maar ze zijn toch beter dan de laatste maand. Kijk.'
Langzaam balde ze haar handen tot losse vuisten. Daarna strekte ze haar vingers weer net zo behoedzaam. 'Dat heb ik zeker een maand niet kunnen doen.' De waarheid was nog wat extremer, wist

Polly; al sinds april of mei had ze dat niet meer kunnen doen zonder te vergaan van de pijn.
'Jee!'
'Dus ik voel me beter,' zei Polly. 'Het zou helemaal volmaakt zijn als Nettie er was om ervan te genieten.'
De winkeldeur ging open.
'Wil jij even kijken?' vroeg Polly. 'Ik wil deze mouw afmaken.'
'Natuurlijk.' Rosalie liep weg, bleef nog even staan en keek om. 'Weet je, Nettie zou het niet erg vinden dat je je goed voelde.'
Polly knikte. 'Ja, dat weet ik,' zei ze ernstig.
Rosalie ging naar de winkel. Toen ze weg was tastte Polly met haar linkerhand naar de kleine bobbel, niet groter dan een eikel, die onder haar roze sweater en tussen haar borsten rustte.
Azka, wat een prachtig woord, dacht ze. Ze ging weer verder met naaien, de stof - haar eerste ontwerp sinds de zomer - heen en weer schuivend onder het trillende zilver van de naald.
Ze vroeg zich vaag af hoeveel meneer Gaunt voor het amulet zou vragen. Het kan nooit teveel zijn, dacht ze. Dat mag ik niet denken als ik met hem ga onderhandelen, dat kàn ik niet denken, maar het is de simpele waarheid. Het zal een koopje zijn, wat hij er ook voor vraagt.

14

1

De drie mannelijke en enige vrouwelijke wethouders van Castle Rock hadden gezamenlijk de beschikking over een enkele fulltime secretaresse, een jonge vrouw met de exotische naam Ariadne St. Claire. Ze was een vrolijk ding, niet gehinderd door intelligentie, maar onvermoeibaar en leuk om te zien. Ze had grote borsten, die als zachte steile heuvels oprezen onder een schijnbaar eindeloze voorraad angorasweaters, en een prachtige huid. Ze had ook erg slechte ogen. Die zwommen, bruin en vergroot, achter de dikke glazen van haar hoornen bril. Buster mocht haar graag. Hij achtte haar te dom om bij de Belagers te horen.

Om kwart voor vier stak Ariadne haar hoofd om de deur van zijn kantoor. 'Deke Bradford is geweest, meneer Keeton. Hij heeft een handtekening nodig voor een betaalbon. Kunt u die zetten?'

'Laat maar eens zien,' zei Buster. Vlot schoof hij de pagina met de paardenkoersen uit de *Daily Sun* in zijn bureaula.

Hij voelde zich vandaag beter: doelgericht en alert. Die vervloekte roze bonnen waren in het fornuis opgestookt, Myrtle kroop niet meer als een gebeten hond voor hem weg (hij voelde niet veel meer voor Myrtle, maar het was toch vervelend om met een vrouw te leven die deed alsof je een massamoordenaar was), en hij verwachtte die avond in Lewiston weer flink te incasseren. Vanwege de vrije dag zouden er meer toeschouwers zijn (om over hogere inzetten maar te zwijgen). Hij begon zelfs al aan bedragen met vier of vijf nullen te denken. Wat hulpsheriff Reetlik en sheriff Bangebroek en al die anderen betrof... hij en Gaunt wisten alles van ze af en Buster geloofde dat ze het samen verdomd goed gingen klaren.

Om al deze redenen kon hij Ariadne met een gerust hart in zijn kantoor ontvangen... en er was zelfs weer iets van zijn oude plezier in de blik die hij liet glijden over de welving van haar borsten in hun ongetwijfeld indrukwekkende harnas.

Ze legde een betaalbon op zijn bureau. Buster pakte hem op en leunde naar achteren in zijn draaistoel om hem te bekijken. Het gevraagde bedrag stond in een hokje bovenaan: negenhonderd en veertig dollar. De begunstigde was Case Aannemerswerken in Lewiston. Achter *Geleverde goederen en/of diensten* had Deke met blokletters geschreven: 16 KISTJES DYNAMIET. Daaronder, in de ruimte voor *Commentaar/toelichting*, had hij geschreven:

We zijn eindelijk op de granietlaag gestuit in de grindput bij Town Road 5, de laag waarvoor de staatsgeoloog ons in '87 had gewaarschuwd (zie mijn rapport voor details). Daarachter zit in elk geval nog meer dan genoeg grind, maar dan zullen we eerst het graniet moeten opblazen. Dit moet gebeuren voordat het koud wordt en de eerste sneeuw valt. Als we voor de hele winter grind in Norway moeten halen, zullen de belastingbetalers moord en brand schreeuwen. Twee of drie explosies moeten afdoende zijn en Case heeft een grote hoeveelheid Taggart Hi-Impact in voorraad – ik heb het nagetrokken. We kunnen het desgewenst morgenmiddag binnen hebben en woensdag beginnen. Ik heb de plekken gemarkeerd voor het geval iemand van het kantoor zelf wil komen kijken.

Hieronder had Deke zijn handtekening neergekrabbeld.
Buster las het briefje twee keer, peinzend tegen zijn voortanden tikkend terwijl Ariadne stond te wachten. Ten slotte boog hij met een ruk naar voren, veranderde iets in de tekst, voegde een zin toe, voorzag beide van zijn initialen en zette sierlijk zijn eigen handtekening onder die van Deke. Met een glimlach gaf hij de roze bon terug aan Ariadne.
'Zo!' zei hij. 'En laat ze nu nog maar eens zeggen dat ik zo'n krent ben!'
Ariadne keek naar de bon. Buster had het bedrag van negenhonderd en veertig dollar veranderd in veertienhonderd. Onder Deke's toelichting had hij als commentaar toegevoegd: *Neem minstens twintig kistjes nu ze toch genoeg in voorraad hebben.*
'Gaat u zelf nog naar de grindput, meneer Keeton?'
'Nee, nee, dat is niet nodig.' Buster leunde weer naar achteren en vouwde zijn handen in zijn nek. 'Maar laat Deke me even bellen als het dynamiet komt. Dat is gevaarlijk spul. We zouden het niet graag in verkeerde handen terecht laten komen, of wel soms?'
'Zeker niet,' zei Ariadne. Ze was blij dat ze weg kon. Ze vond meneer Keetons glimlach een beetje... een beetje eng.
Buster had zijn stoel inmiddels omgedraaid om naar Main Street te kijken. Het was heel wat drukker dan toen hij zaterdagochtend zo radeloos over de stad had uitgekeken. Er was sindsdien veel gebeurd en hij vermoedde dat er de komende twee dagen nog veel meer zou gaan gebeuren. Met twintig kistjes dynamiet in de loods van Gemeentewerken – een loods waarvan hij natuurlijk een sleutel had – was bijna alles mogelijk.
Wat dan ook.

2

Om vier uur die middag reed Ace Merrill via de Tobin Bridge Boston binnen, maar het was al over vijven voordat hij eindelijk naar hij hoopte zijn bestemming bereikte. Het was in een vreemde, vrijwel verlaten sloppenwijk in Cambridge, dicht bij het centrum van een wirwar van straten. In de helft daarvan gold eenrichtingsverkeer en de andere helft bestond uit doodlopende stegen. De vervallen panden in deze verlopen buurt wierpen lange schaduwen over de straten toen Ace stopte voor een groot, laag gebouw van grove cementblokken in Whipple Street. Het stond midden op een met onkruid begroeid terrein.
Het terrein werd omgeven door een metalen hek, maar dat was geen hindernis: de poort was gestolen. Alleen de scharnieren waren er nog. Ace herkende de sporen van een metaalschaar. Voorzichtig stuurde hij de Challenger door de opening en reed langzaam naar het betonnen gebouw.
Er zaten geen ramen in de kale muren. Diepe wielsporen liepen naar een gesloten garage naast het gebouw, aan de kant van de River Charles. Ook in de garagedeur zaten geen ramen. De Challenger schommelde op zijn veren en bonkte lelijk door de gaten in wat ooit een asfaltweg leek te zijn geweest. Hij passeerde een achtergelaten kinderwagen die in een zee van gebroken glas stond. In de wagen lag nog een verweerde pop met een half gezicht, dat hem met een schimmelig blauw oog aanstaarde terwijl hij voorbijreed. Hij stopte voor de gesloten garagedeur. Wat moest hij nu in vredesnaam beginnen? Het betonnen gebouw zag eruit alsof het sinds 1945 had leeggestaan.
Ace stapte uit. Uit zijn borstzakje haalde hij een stukje papier met daarop het adres waar Gaunts auto zou moeten staan. Hij keek er weifelend naar. Afgaand op de andere huisnummers zóu dit Whipple Street 85 kunnen zijn, maar waar kon hij dat aan zien? Er hing geen bordje aan de gevel en er was geen mens in de buurt aan wie hij het kon vragen. Trouwens, deze hele buurt was zo uitgestorven en naargeestig dat Ace er de zenuwen van kreeg. Lege plekken. Auto's die van de laatste bruikbare onderdelen en elke centimeter koperdraad waren ontdaan. Lege panden die onder de slopershamer zouden vallen zodra de politici voldoende smeergeld hadden geïnd. Kronkelige zijstraatjes die doodliepen op smerige binnenplaatsen en sloppen vol rotzooi. Het had hem een uur gekost om Whipple Street te vinden en nu wenste hij bijna dat hij definitief was verdwaald. In dit deel van de stad vond de politie wel eens de lijkjes van zuigelingen, weggestopt in roestige vuilnisbakken en weggegooide koelkasten.

Hij liep naar de garagedeur en zocht een bel. Die was er niet. Hij drukte zijn oor tegen het roestige metaal en luisterde of er binnen iemand te horen was. Het zou een clandestiene garage kunnen zijn, dacht hij; wie aan zulke goede coke kon komen als Gaunt, zou best eens kennissen kunnen hebben die bij donker contant Porsches en Lamborghini's van de hand deden.
Hij hoorde niets dan stilte.
Ik zal wel weer verkeerd wezen, dacht hij, maar hij had deze rotstraat twee keer uitgereden en dit was de enige ruimte die groot en stevig genoeg was om een antieke auto in te bewaren. Tenzij hij er helemaal naast zat en in de verkeerde wijk zat. Het idee maakte hem zenuwachtig. *Ik wil dat je tegen middernacht terug bent*, had Gaunt gezegd. *Anders ben ik ontevreden. Als ik ontevreden ben, wil ik nog wel eens uit mijn slof schieten*.
Maak je niet dik, zei Ace onrustig bij zichzelf. Hij is gewoon een ouwe vent met een slecht kunstgebit. Waarschijnlijk nog een flikker ook.
Maar hij kòn zich niet ontspannen en hij geloofde niet echt dat Leland Gaunt gewoon maar een ouwe vent met een slecht kunstgebit was. En hij dacht niet dat hij Gaunt wat dat betrof graag op de proef zou stellen.
Maar voorlopig had hij iets anders aan zijn hoofd; het werd weldra donker en Ace voelde er niets voor in het donker in deze buurt te zijn. Er was iets mee. Nog iets anders dan de naargeestige huizen met hun dode starende ramen en de onttakelde auto's op straat. Sinds hij in de buurt van Whipple Street was gekomen, had hij geen mens gezien, niemand op het trottoir of in een deuropening of achter een raam... en toch had hij het gevoel dat er naar hem werd gekeken. Dat was ook nu het geval; de korte haartjes in zijn nek gingen er overeind van staan.
Het was net alsof hij helemaal niet meer in Boston was. Het leek hier goddomme wel de 'Twilight Zone'.
Als je om middernacht niet terug bent, ben ik ontevreden.
Ace balde zijn vuist en bonkte op het roestige, nietszeggende gezicht van de garagedeur. 'Hallo! Is er iemand geïnteresseerd in een partijtje Tupperware?'
Geen antwoord.
Onder aan de deur zat een handgreep. Hij trok eraan. Geen geluk. De deur rammelde niet eens, laat staan dat hij omhoog gleed.
Ace maakte een blazend geluid tussen zijn tanden en keek nerveus in het rond. Zijn Challenger stond vlakbij en nog nooit in zijn leven was hij zo graag gewoon ingestapt en weggegaan. Maar hij durfde niet.
Hij liep om het gebouw heen zonder iets te vinden. Er was helemaal niets. Alleen lange muren van betonblokken, geverfd met een

sombere tint groen. Met een spuitbus was er iets op de achterkant van de garage geschreven en Ace keek er even naar zonder te begrijpen waarom hij er kippevel van kreeg.

YOG-SOTHOTH HEERST

stond er in verbleekte rode letters.
Hij kwam weer bij de garagedeur. *Wat nu?* dacht hij.
Omdat hij niets anders kon bedenken, stapte hij weer in de Challenger en bleef gewoon maar naar de garagedeur zitten kijken. Eindelijk drukte hij beide handen op de claxon en liet een lang, gefrustreerd getoeter horen.
De garagedeur gleed onmiddellijk geruisloos naar boven.
Ace keek ernaar met open mond en het liefst had hij de motor gestart en was hij zo snel en zo ver mogelijk weggereden. Naar Mexico City bijvoorbeeld. Maar hij dacht weer aan Gaunt en stapte langzaam uit. Hij liep naar de garage, terwijl de deur onder het plafond tot stilstand kwam.
Het inwendige werd fel verlicht door een handvol lampen van tweehonderd Watt die aan dikke kabels hingen. Elke lamp was afgeschermd met een kegelvormig stuk blik, zodat het licht in ronde plassen op de betonnen vloer viel. Achterin stond een auto onder een dekzeil. Tegen een van de muren stond een tafel met allerlei werktuigen, tegen een andere drie kratten met daarop een ouderwetse bandrecorder.
Voor het overige was de garage leeg.
'Wie heeft die deur opengedaan?' vroeg Ace met een droog stemmetje. 'Wie heeft die stomme déur opengedaan?'
Maar hij kreeg geen antwoord op deze vraag.

3

Hij reed de Challenger naar binnen en zette die bij de achterwand, er was ruimte genoeg. Daarna liep hij terug naar de ingang. Aan de muur zat een kastje. Ace drukte op DICHT. Het braakliggende terrein waarop deze raadselachtige bunker stond begon donker te worden en de schaduwen maakten hem zenuwachtig. Hij dacht telkens dat hij iets zag bewegen.
De deur kwam omlaag zonder ook maar één keer te piepen of te rammelen. Terwijl hij wachtte tot de deur helemaal was gesloten, probeerde Ace de ontvanger te ontdekken die op het geluid van zijn claxon had gereageerd. Hij zag hem nergens. Toch moest hij er zijn, garagedeuren gingen niet uit zichzelf open.

Hoewel, dacht hij, Whipple Street is wel de plek waar je zulke grappen kan verwachten.
Ace ging naar de opgestapelde kratten met de bandrecorder erop. Zijn zolen maakten een hol knarsend geluid op het beton. *Yog-Sothoth heerst*, dacht hij vaag, en hij huiverde. Hij had geen flauw idee wie Yog-Sothoth was, zeker een of andere reggaezanger met vijftig kilo dreadlocks op zijn vuile kop, maar Ace kreeg de rillingen van die klanken in zijn hoofd. Op zo'n plek als deze kon je maar beter niet aan die naam denken. Dat kon wel eens gevaarlijk zijn.
Op een van de spoelen was een stukje papier geplakt. Er stond een enkel woord op in grote blokletters:

AFSPELEN.

Ace haalde het briefje eraf en drukte de knop in. De spoelen begonnen te draaien en hij schrok een beetje toen hij die stem hoorde. Maar wie had hij dan verwacht? Richard Nixon?
'Hallo, Ace,' zei Gaunts opgenomen stem. 'Welkom in Boston. Wees zo goed het zeildoek van mijn auto te halen en de kratten in te laden. Er zitten tamelijk bijzondere artikelen in die ik heel binnenkort nodig denk te hebben. Ik vrees dat je minstens één krat op de achterbank moet zetten, de kofferbak van de Tucker laat iets te wensen over. Je eigen auto zal hier volkomen veilig zijn en je terugreis zal vlot verlopen. En denk eraan: hoe eerder je terug bent, des te eerder je kunt beginnen de kruisen op je kaart te onderzoeken. Goede reis.'
Het bericht werd gevolgd door leeg geruis van de band en zacht gepiep van de spanningsregelaar.
Ace liet de spoelen toch nog bijna een minuut draaien. Deze hele toestand was krankzinnig... en werd met de minuut krankzinniger. Gaunt moest hier die middag nog zijn geweest; dat móest wel, want hij had de kaart genoemd en Ace had zowel de kaart als Leland Gaunt 's ochtends pas voor het eerst gezien. De ouwe peer moest een vliegtuig hebben genomen terwijl Ace onderweg was. Maar waarom? Wat had het in vredesnaam allemaal te betekenen?
Hij ìs hier niet geweest, dacht hij. Ook al kan het niet anders, hij is hier toch niet geweest. Kijk maar naar die stomme bandrecorder. Níemand gebruikt zulke dingen nog. En kijk eens naar het stof op de spoelen. Het briefje zat ook onder het stof. Je werd al lang verwacht. Misschien was dit hier allemaal al sinds Pangborn je naar de bajes stuurde.
O, maar dat was achterlijk.
Dat was gewoon gezeik.

Toch geloofde hij diep van binnen dat het waar was. Gaunt was vanmiddag helemaal niet in de buurt van Boston geweest. Gaunt had de hele middag in Castle Rock voor het raam gestaan – Ace wist het – om naar voorbijgangers te kijken. Misschien had hij af en toe zelfs het bordje

COLUMBUSDAG GESLOTEN

weggehaald en daarvoor in de plaats

OPEN

gehangen. Als hij tenminste de juiste persoon zag naderen, iemand met wie een kerel als Gaunt wel zaken zou willen doen.
In wat voor zaken zat hij eigenlijk?
Ace wilde het misschien niet eens weten. Maar hij wilde wel weten wat er in die kratten zat. Dat was verdomme zijn rècht, als hij ze helemaal naar Castle Rock moest brengen.
Hij zette de bandrecorder stil en tilde hem van de kisten. Hij pakte een hamer van de werkbank, evenals de koevoet die ernaast tegen de muur stond. Hij ging terug naar de kratten en drukte het platte eind van de koevoet onder het houten deksel van de bovenste. De spijkers kwamen met een schurend geluid los. De inhoud van de krat ging schuil onder een zwaar stuk canvas. Hij schoof het opzij en keek met open mond naar wat eronder lag.
Slaghoedjes.
Tientallen slaghoedjes.
Misschien wel hònderden slaghoedjes, stuk voor stuk opgeborgen in een knus nestje houtwol.
Jezus Christus, wat is hij van plan? De Derde Wereldoorlog laten beginnen?
Met zwaar bonzend hart sloeg Ace de spijkers weer op hun plaats en tilde de kist met slaghoedjes op de grond. Hij maakte de tweede kist open in de verwachting ordelijke rijen dikke rode staven te vinden die eruitzagen als bermreflectors.
Maar het was geen dynamiet. Het waren wapens.
Meer dan twintig snelle automatische pistolen. Hij snoof de geur op van de vette olie waarmee ze waren verpakt. Hij wist niet wat voor soort het waren – misschien Duitse – maar wel wat ze betekenden: van twintig jaar tot levenslang als hij daarmee in Massachusetts werd gepakt. Daar hadden ze bijzonder weinig op met vuurwapens, vooral met automatische.
Hij zette deze krat op de grond zonder hem weer af te sluiten. Hij maakte de derde kist open. Die was gevuld met ammunitie voor de pistolen.

Ace ging een eindje naar achteren en wreef met de palm van zijn linkerhand nerveus over zijn mond.
Slaghoedjes.
Automatische wapens.
Ammunitie.
Waren dít zijn artikelen?
'Niks voor mij,' zei Ace zacht en hoofdschuddend. 'Vergeet het maar, deze jongen past.'
Mexico begon een steeds beter idee te lijken. Rio misschien wel. Ace wist niet of Gaunt bezig was een verbeterde muizeval of een dito elektrische stoel te ontwikkelen, maar wat het ook was, hij wilde er niets mee te maken hebben. Hij vertrok, en wel meteen.
Zijn blik bleef rusten op de krat met automatische pistolen.
En ik neem een van die schatjes mee, dacht hij. Een kleinigheid voor de moeite. Een souvenir, zullen we maar zeggen.
Hij deed een stap naar voren en op dat moment begonnen de spoelen van de bandrecorder weer te draaien, hoewel geen enkele knop was ingedrukt.
'Laat dat maar uit je hoofd, Ace,' adviseerde de koele stem van Gaunt, en Ace schreeuwde het uit. 'Mij flik je zoiets niet. Probeer het maar, dan zou je willen dat de Corson Brothers je nog eens een dagje mee naar buiten namen. Je bent nu van mij. Doe wat ik zeg, dan kan het nog leuk worden. Doe wat ik zeg en je kunt wraak nemen op iedereen die in Castle Rock nog iets te goed heeft van je... en je zult als een rijk man weggaan. Als je tegenwerkt, begin dan maar vast met kermen.'
De bandrecorder stopte.
Ace keek met uitpuilende ogen naar het elektrische snoer. De stekker lag op de grond, bedekt met een dun laagje stof.
Trouwens, er was nergens een stopcontact te zien.

4

Ace begon zich ineens wat rustiger te voelen, en dat was niet zo vreemd als het leek. Er waren twee redenen waarom zijn emotionele barometer kalmer weer aangaf.
De eerste was, dat Ace in zekere zin een atavisme was. Hij zou heel goed op zijn plaats zijn geweest als holenmens, die zijn vrouw aan d'r haar meezeulde als hij het niet te druk had met het smijten van stenen naar zijn vijanden. Hij was zo iemand wiens reactie volstrekt voorspelbaar is als hij wordt geconfronteerd met een hogere macht en gezag. Zulke confrontaties deden zich niet vaak voor, maar als het gebeurde boog hij vrijwel onmiddellijk voor de over-

macht. Ook al wist hij het niet, het was deze eigenschap die hem had verhinderd voor de Vliegende Corson Brothers op de vlucht te slaan. Voor iemand als Ace Merrill is er maar één neiging sterker dan de neiging tot domineren: de diepe behoefte zich gewonnen te geven en onderdanig de kwetsbare nek te tonen als de echte leider van de troep op het toneel verschijnt.
De tweede reden was nog eenvoudiger: hij gaf de voorkeur aan het idee dat het een droom was. Een deel van zijn brein wist dat het niet waar was, maar het idee was nog geloofwaardiger dan wat hij met zijn zintuigen waarnam; hij weigerde zelfs te overwegen dat er een wereld zou kùnnen bestaan waarin iemand als Gaunt bestond. Het zou gemakkelijker zijn - veiliger - om zijn gedachten maar een tijdje uit te schakelen en mee te lopen totdat dit achter de rug was. Dan zou hij op den duur weer kunnen ontwaken in de wereld die hij altijd had gekend. God wist dat ook die wereld zijn gevaren kende, maar hij was er tenminste thuis.
Hij spijkerde de deksels weer op de kratten met pistolen en ammunitie. Daarna liep hij naar de tweede auto en pakte het zeildoek, dat eveneens met een mantel van stof was bedekt. Hij trok het weg... en van verrukking en verbazing vergat hij even al het andere.
Ja, het was een Tucker, en wat voor een.
De kleur was kanariegeel. Het gestroomlijnde chassis was langs de zijkanten en onder de ingekeepte voorbumper afgezet met glanzend chroom. Een derde koplamp staarde uit het midden van de kap, onder een zilveren ornament dat eruitzag als de motor van een futuristische sneltrein.
Ace liep er langzaam omheen, kijkend alsof hij hem wilde verslinden.
Aan weerszijden van de achterkap zaten verchroomde roosters, hij had geen idee waar die voor dienden. De dikke witte Goodyear banden waren zo schoon dat ze bijna gloeiden in het licht van de hanglampen. In vloeiende chroomletters stonden op de achterkap de woorden: Tucker Talisman. Ace had nog nooit van zo'n model gehoord. Hij dacht dat de Torpedo de enige auto was die Preston Tucker ooit had gemaakt.
Je hebt nog een probleem, ouwe jongen: er zitten geen nummerplaten op deze kar. Ben je van plan helemaal naar Maine te rijden met een auto waar iedereen naar kijkt, een auto zonder nummerplaten, een auto vol wapens en ammunitie?
Ja, dat was hij. Het was geen goed idee, natuurlijk, helemaal geen goed idee... maar het alternatief, proberen Leland Gaunt een geintje te flikken, leek nog véél slechter. Trouwens, dit was een dróóm.
Hij schudde de sleutels uit de envelop, liep naar de achterkap en

zocht tevergeefs een sleutelgat. Even later herinnerde hij zich de film met Jeff Bridges en snapte het: net als bij de Kever en de Chevrolet Corvair zat de motor van de Tucker achterin. De kofferbak was aan de voorkant.
Het sleutelgat zat vlak onder die rare derde koplamp. Hij deed de kofferbak open. Die was inderdaad erg krap en bijna leeg. Er lag alleen een kleine ampul in met wit poeder en een lepeltje dat met een ketting aan de stop vastzat. Er was een stukje papier aan de ketting geplakt. Ace maakte het los en las de in piepkleine blokletters geschreven mededeling:

GEBRUIK ME

Ace gehoorzaamde.

5

Gaunts onovertroffen coke verlichtte zijn geest als de voorkant van Henry Beauforts jukebox en Ace voelde zich stukken beter. Hij laadde de wapens en de patronen in de kofferbak. De kist met slaghoedjes zette hij op de achterbank, slechts een ogenblik pauzerend om diep adem te halen. De sedan had die onvergelijkelijke geur van nieuwe auto's, lekkerder dan wat ook (behalve een poes, misschien), en bij het instappen zag hij dat de wagen ook nieuw wàs: de teller van Gaunts Tucker Talisman stond op 00000,0.
Ace stopte het sleuteltje in het contact en draaide het om.
De Talisman startte met een zacht, laag, heerlijk gebrom. Hoeveel pk zat er onder de kap? Hij wist het niet, maar zo te horen was het heel wat. In de gevangenis hadden ze veel boeken over auto's en Ace had de meeste gelezen. De Tucker Torpedo was een platte zescilinder, ongeveer 5700 cc, net als de meeste auto's die Ford tussen 1948 en 1952 had gebouwd. Hij had ongeveer honderdvijftig paardekrachten onder de kap.
Deze voelde groter aan. Véél groter.
Ace was graag uitgestapt om te zien of hij de motorkap open kon krijgen, maar dat deed hem te veel denken aan die gekke naam... Yog-en-nog-wat. Op de een of andere manier leek het geen goed idee. Het leek wèl een goed idee om gewoon zo snel mogelijk terug te gaan naar Castle Rock.
Hij wilde uitstappen om de garagedeur te openen, maar bedacht zich en drukte op de claxon om te zien of er iets zou gebeuren. Er gebeurde iets. De deur gleed geluidloos naar boven.
Er moet hier ergens een ontvanger zitten, zei hij bij zichzelf, maar

dat geloofde hij niet meer. Het kon hem niet eens meer schelen. Hij schakelde en de Talisman hobbelde de garage uit. Hij toeterde weer aan het begin van het ongelijkmatige pad naar het hek en in zijn spiegeltje zag hij de lichten in de garage doven en de deur naar beneden zakken. Hij ving ook een glimp op van zijn Challenger, die met zijn neus tegen de muur stond, naast het gekreukte zeildoek. Hij had het vreemde gevoel dat hij hem nooit meer zou zien. Ace merkte dat ook dat hem niet kon schelen.

6

De Talisman liep niet alleen als een trein, het leek wel alsof hij zelf de weg naar Storrow Drive en de grote weg wist te vinden. Af en toe gingen de richtingaanwijzers vanzelf aan en dan nam Ace eenvoudig de eerstvolgende bocht. Binnen de kortste keren lag de naargeestige sloppenwijk van Cambridge waar hij de Tucker had gevonden, achter hem. Voor hem uit doemde de omtrek op van de Tobin Bridge, beter bekend als de Mystic River Bridge, zwart tegen de donker wordende hemel.
Ace trok aan de lichtknop en meteen vouwde een scherpe gloed zich als een waaier voor hem uit. Als hij aan het stuur draaide, draaide de waaier mee. Die koplamp in het midden was een vondst. Geen wonder dat de concurrentie de arme uitvinder kapot heeft gemaakt, dacht Ace.
Hij was bijna vijftig kilometer boven Boston toen hij merkte dat de naald van de brandstofmeter op leeg stond. Hij nam de eerste afslag en bracht Gaunts karretje tot stilstand bij de pomp van een Mobil tankstation naast de snelweg. De pompbediende schoof zijn pet naar achteren met een vette duim en liep bewonderend om de wagen heen. ‘Mooi ding!’ zei hij. ‘Waar heeft u die vandaan?’
‘De vlakte van Leng,’ zei Ace zonder nadenken. ‘Yog-Sothoth Antieke Automobielen.’
‘Watte?’
‘Gooi hem maar vol, jongen. Dit is geen quiz.’
‘O!’ zei de pompbediende. Hij keek nog eens naar Ace en werd meteen gedienstig. ‘Ik ben al bezig!’
En hij probeerde het, maar de pomp sloeg af toen er net voor veertien cent was getankt. De bediende probeerde de pomp met de hand te bedienen, maar de benzine stroomde over de glanzende gele zijkant van de Talisman en droop op het asfalt.
‘Hij zit geloof ik vol,’ zei de jongen schuchter.
‘Het lijkt erop.’
‘Misschien is uw meter...’

'Veeg dat spul van mijn wagen. Moet de verf er soms af? Wat mankeer je?'
De jongen ging aan het werk en Ace ging naar de toiletten om zijn neus een beetje op te peppen. Toen hij terugkwam stond de bediende op eerbiedige afstand van de Talisman te wachten, zenuwachtig met twee handen aan zijn doek friemelend.
Hij is bang, dacht Ace. Maar waarvoor? Voor mij?
Nee, de knaap in het Mobil-uniform keek nauwelijks naar Ace. Het was de Tucker die telkens zijn blik trok.
Hij heeft er met zijn vingers aangezeten, dacht Ace.
Die onthulling - en dat was het, dat was het precies - bracht een grimmig lachje op zijn mond.
Hij wilde hem aanraken en toen gebeurde er iets. Het doet er niet toe wat. Hij weet nu dat hij wel mag kijken maar niet aanraken, en daar gaat het maar om.
'Het kost niks,' zei de pompbediende.
'Dat heb je goed gezien.' Ace ging achter het stuur zitten en reed haastig weg. Hij had iets nieuws bedacht over de Talisman. Het was een beetje beangstigend, maar aan de andere kant ook weer prachtig. Hij dacht dat de brandstofmeter misschien altijd op nul stond... en dat de tank altijd vol was.

7

De tolhekken voor passagiersauto's zijn in New Hampshire geautomatiseerd: je gooit een piek in het apparaat (geen stuivers s.v.p.), het rode licht springt op groen en je rijdt door. Maar toen Ace de Tucker Talisman bij de betaalautomaat tot stilstand bracht, sprong het vanzelf op groen en lichtten de kleine letters op:

TOL BETAALD, DANK U.

'Niks te danken,' mompelde Ace en reed door naar Maine.
Voorbij Portland hield hij de Talisman op een snelheid van honderddertig kilometer per uur, hoewel er nog veel meer onder de motorkap zat. Kort na de afslag voor Falmouth passeerde hij een heuvel en zag een surveillancewagen van de staatspolitie verdekt in de berm opgesteld staan. De opvallende torpedovorm van een radarpistool stak uit het raampje.
'Oh-oh,' dacht Ace. Hij heeft me. In de roos. Jezus Christus, waarom moest ik ook zo nodig te hard rijden met al die rotzooi in mijn wagen?
Maar hij wist waarom, en het lag niet aan de coke die hij had ge-

snoven. Een andere keer misschien wel, maar nu niet. Het lag aan de Talisman. Die wìlde hard rijden. Ook als hij na een blik op de meter de druk op het gaspedaal wat verminderde, merkte hij vijf minuten later dat hij het al weer voor driekwart had ingedrukt.
Hij verwachtte dat de politiewagen met blauwe zwaailichten achter hem aan zou scheuren, maar dat gebeurde niet. Ace passeerde hem met honderddertig en er gebeurde helemaal niets.
Die kerel zat zeker te pitten.
Maar Ace wist wel beter. Een radarpistool uit het raam betekende dat ze wakker waren en klaar om in te grijpen. Nee, er was iets anders gebeurd: de smeris had de Talisman niet kunnen zien. Het klonk krankzinnig, maar dat moest het zijn. De grote gele wagen met zijn drie opvallende koplampen was onzichtbaar, zowel voor de moderne techniek als voor de smerissen die er gebruik van maakten.
Grinnikend gaf Ace gas en voerde de snelheid van Gaunts Tucker Talisman op tot honderdtachtig. Om kwart over acht was hij terug in de Rock, met bijna vier uur speling.

8

Gaunt kwam uit zijn winkel en bleef onder het baldakijn staan kijken terwijl Ace de Talisman behoedzaam in een van de drie schuine parkeervakken voor De NoodZaak zette.
'Dat is snel werk, Ace.'
'Ja. Het is een droom van een auto.'
'Dat zou ik denken,' zei Gaunt. Hij streek met een hand over de licht aflopende voorkant van de Tucker. 'Zo is er maar één. Ik neem aan dat je mijn artikelen hebt meegebracht?'
'Ja. Meneer Gaunt, op de terugweg heb ik gemerkt hoe speciaal die wagen van u is, maar misschien is het toch niet zo'n gek idee om er nummerplaten voor aan te schaffen en een keuringsbe...'
'Die zijn niet nodig,' zei Gaunt onverschillig. 'Zet hem maar achter bij de dienstingang, wil je? Als je hebt uitgeladen breng ik hem zelf wel naar de garage.'
'Waar?' Ace vond het ineens vervelend de auto aan Gaunt te moeten afstaan. Het was niet alleen dat hij zijn eigen auto in Boston had achtergelaten en voor vannacht vervoer nodig had; in vergelijking met de Talisman was elke andere auto waarin hij ooit had gezeten, inclusief de Challenger, rijp voor de sloop.
'Dat,' zei Gaunt, 'is mijn zaak.' Hij keek Ace onverstoorbaar aan. 'Je zult merken dat alles een stuk vlotter gaat als je net doet of je in het leger bent, Ace. Er zijn drie manieren waarop je het nu kunt

aanpakken: de goede manier, de verkeerde manier en de manier van meneer Gaunt. Als je steeds de derde mogelijkheid kiest, kom je nooit in moeilijkheden. Begrijp je?'
'Ja. Ja, ik begrijp het.'
'Prima. Rij nu naar de achterdeur.'
Ace stuurde de gele wagen de hoek om en reed langzaam door het smalle straatje achter de winkelpanden aan de westkant van Main Street. De achterdeur van De NoodZaak was open. Gaunt stond in een schuine rechthoek van geel licht te wachten. Hij nam niet de moeite te helpen terwijl Ace de kisten naar de achterkamer droeg, blazend van inspanning. Hij wist het niet, maar veel klanten zouden zich verbazen als ze die kamer zagen. Ze hadden Gaunt in de ruimte achter het fluwelen gordijn horen slepen met dozen en andere spullen... maar de kamer was geheel leeg voordat Ace op Gaunts aanwijzing de kratten in een hoek op elkaar zette.
Of nee, er was toch iets. Achterin lag een bruine rioolrat onder de neergeslagen klem van een grote Victory ratteval. De nek van het beest was gebroken en zijn voortanden waren zichtbaar in een dode grijns.
'Mooi werk,' zei Gaunt. Hij wreef zijn langvingerige handen tegen elkaar en glimlachte. 'Alles bij elkaar is het een vruchtbare avond geweest. Je hebt aan mijn verwachtingen voldaan, Ace, helemaal.'
'Dank u.' Ace kon zijn eigen oren niet geloven. Hij was het niet gewend mensen ergens voor te bedanken.
'Hier is een kleinigheid voor de moeite.' Gaunt gaf hem een bruine envelop. Ace drukte ertegen met zijn vingertoppen en voelde het rulle poeder. 'Als ik me niet vergis ga je vanavond nog op onderzoek uit. Dit geeft je misschien een beetje extra kracht, zoals dat in die oude Esso-reclames heette.'
Ace schrok. 'O, verdomme. Verdòmme! Ik heb dat boek in mijn auto laten liggen, het boek met de kaart! Het ligt nog in Boston! Goddòmme!' Hij balde zijn vuist en sloeg op zijn dijbeen.
Gaunt glimlachte. 'Dat denk ik niet,' zei hij. 'Ik denk dat het in de Tucker ligt.'
'Nee, ik...'
'Waarom kijk je zelf niet even?'
Dat deed Ace en natuurlijk lag het boek er, op het dashboard met de rug tegen de gepatenteerde uitneembare voorruit van de Tucker. *Verdwenen en begraven schatten van New England*. Hij pakte het en bladerde erin. De kaart was er nog. In stille dankbaarheid keek hij naar Gaunt.
'Ik zal je pas morgenavond weer nodig hebben, zo rond deze tijd,' zei Gaunt. 'Ik stel voor dat je overdag thuis in Mechanic Falls blijft. Dat lijkt me geen probleem, ik denk dat je wel zult willen uit-

slapen. Je hebt nog een drukke nacht voor de boeg, als ik me niet vergis.'
Ace dacht aan de kleine kruisen op de kaart en knikte.
'En,' vervolgde Gaunt, 'misschien is het verstandig als je de eerste twee dagen uit de buurt van sheriff Pangborn blijft. Daarna is het niet meer van belang, denk ik.' Hij trok zijn lippen terug; zijn tanden sprongen naar voren in grote, verscheurende groepjes. 'Aan het eind van de week zullen een heleboel zaken voor de inwoners van deze stad helemaal niet meer van belang zijn, stel ik me voor. Denk je ook niet, Ace?'
'Als u het zegt,' antwoordde Ace. Hij begon zich weer zo vreemd verdoofd te voelen en vond het helemaal niet erg. 'Alleen weet ik niet hoe ik me moet verplaatsen.'
'Dat is allemaal geregeld,' zei Gaunt. 'Bij de voordeur staat een auto met de sleutels in het contact. Een wagen van de zaak, zullen we maar zeggen. Ik vrees dat het maar een Chevrolet is – een heel gewóne Chevrolet – maar voor jou is het een betrouwbaar en onopvallend vervoermiddel. Je zult natuurlijk meer plezier hebben van de zenderwagen, maar...'
'Zenderwagen? Welke zenderwagen?'
Gaunt gaf er de voorkeur aan geen antwoord te geven. 'Maar ik verzeker je dat de Chevrolet voorlopig aan al je behoeften zal voldoen. Ik zou alleen niet proberen met te hoge snelheid radarposten te passeren. Dat zal helaas niet gaan. Niet met dit voertuig. Helemaal niet.'
Ace hoorde zichzelf zeggen: 'Ik zou dolgraag zo'n auto willen hebben als uw Tucker, meneer Gaunt. Hij is schitterend.'
'Nou, misschien kunnen we tot overeenstemming komen. Ik heb namelijk een heel eenvoudige zakelijke stelregel, Ace. Wil je weten welke?'
'Graag.' En Ace meende het.
'Alles is te koop. Dat is mijn filosofie. Alles is te koop.'
'Alles is te koop,' zei Ace dromerig. 'Te gek! Heavy!'
'Juist! Heavy! Maar nu ga ik eens een hapje eten, Ace. Daar heb ik het gewoon te druk voor gehad, vrije dag of niet. Ik wil je wel iets aanbieden, maar...'
'Jammer, ik kan echt niet blijven.'
'Nee, uiteraard niet. Je moet ergens kuilen gaan graven, meen ik. Ik verwacht je morgenavond tussen acht en negen.'
'Tussen acht en negen.'
'Ja. Als het donker is.'
'Als niemand iets weet en niemand iets ziet,' zei Ace dromerig.
'In één keer goed! Tot morgen, Ace.'
Gaunt stak zijn hand uit. Ace deed hetzelfde... en zag dat Gaunt

iets in zijn hand had. Het was de bruine rat uit de val in de achterkamer. Ace trok een gezicht van afkeer en deed een stap terug. Hij had geen flauw idee wanneer Gaunt de dode rat had opgeraapt. Of was het misschien een andere?
Ace besloot dat hij het niet hoefde te weten. Hij wist alleen dat hij niet van plan was een dode rat de hand te schudden, al was Gaunt nog zo'n hippe vogel.
'Neem me niet kwalijk,' zei Gaunt glimlachend. 'Ik word elk jaar een beetje verstrooider. Ik geloof waarachtig dat ik je mijn eten wilde geven, Ace!'
'Eten,' zei Ace met een zwak stemmetje.
'Inderdaad.' Een dikke gele duimnagel verdween in de witte vacht op de buik van de rat. Een ogenblik later kwamen de ingewanden van het beest naar buiten en dropen op Gaunts ongelijnde handpalm. Voordat Ace nog meer kon zien, had Gaunt zich omgedraaid om de achterdeur te sluiten. 'Waar heb ik die kaas nu gelaten?'
Met een zwaar metalen *snok!* viel de deur in het slot.
Ace boog zijn hoofd en dacht dat hij zou gaan kotsen. Zijn maag keerde om, hij proefde gal in zijn keel... en daarna was de aanval voorbij.
Want hij had niet gezien wat hij dàcht gezien te hebben. 'Het was een grap,' bromde hij. 'Hij had een rubberen rat in zijn jaszak of zoiets. Het was gewoon een grap.'
Echt waar? En die darmen dan? En die koude, geleiachtige troep eromheen? Wat was dat?
Je bent gewoon moe, dacht hij. Je hebt het je ingebeeld. Het was een namaakrat. En de rest... een goocheltruc.
Maar even greep alles hem naar de keel, de verlaten garage, de automatisch werkende Tucker, zelfs dat onheilspellende YOG-SOTHOTH, en een machtige stem riep: Maak dat je hier wegkomt! Verdwijn voor het te laat is!
Maar dat was helemáál achterlijk. Buiten in de nacht lag het geld op hem te wachten. Een heleboel geld, misschien wel. Een godvergeten kapitáál.
Ace bleef een paar minuten in het donker staan als een robot met lege batterijen. Geleidelijk keerde er iets van de werkelijkheid terug – keerde hijzèlf terug – en hij besloot dat de rat niet van belang was. Net zo min als de Tucker Talisman. De coke was van belang, en de kaart, en hij had het idee dat Gaunts heel eenvoudige stelregel van belang was, maar verder niets. Dat kon hij zich domweg niet veroorloven.
Hij liep terug door het straatje en de hoek om naar de voorkant van De NoodZaak. De winkel was gesloten en donker, net als alle winkels in Lower Main Street. Een Chevy Celebrity stond in een van de

schuine parkeervakken voor Gaunts winkel, zoals beloofd. Ace probeerde zich te herinneren of de Chevrolet er bij zijn terugkomst ook al had gestaan, maar het lukte hem niet. Elke herinnering aan wat er vóór de laatste paar minuten was gebeurd, leek geblokkeerd; hij zag zichzelf alleen naar voren gaan om Gaunts uitgestoken hand aan te nemen, de gewoonste zaak ter wereld, en ineens tot de ontdekking komen dat Gaunt een grote dode rat in zijn hand had.
Nu ga ik eens een hapje eten. Ik wil je wel iets aanbieden, maar...
Nou ja, ook dat was niet van belang. De Chevy was er nu en daar ging het maar om. Ace deed het portier open, legde het boek met de kostbare kaart op de voorbank en haalde de sleutels uit het contact. Hij ging naar de kofferbak en deed die open. Hij had een aardig idee van wat hij zou aantreffen en hij werd niet teleurgesteld. Een houweel en een schop met een korte steel lagen netjes kruislings over elkaar in de vorm van een x. Ace zag dat Gaunt er zelfs een paar dikke handschoenen bij had gedaan.
'Je denkt ook overal aan,' zei hij en sloot de kofferbak. Daarbij zag hij dat er een sticker op de achterbumper van de Celebrity zat en hij bukte zich om hem te lezen:

ik ♥ antiek.

Ace begon te lachen. Hij lachte nog steeds terwijl hij de Tin Bridge passeerde en op weg ging naar het oude stuk grond van Treblehorn, waar hij met zijn graafwerk wilde beginnen. Op Panderly's Hill aan de andere kant van de brug kwam hem een cabriolet tegemoet. De cabriolet zat vol met jonge mannen. Ze zongen luidkeels 'Jezus is onze beste vriend', in volmaakte eenstemmige doopsgezinde harmonie.

9

Een van die jonge mannen was Lester Ivanhoe Pratt. Na het partijtje rugby was hij met een stel kameraden naar Lake Auburn gereden, ongeveer veertig kilometer verderop. Daar werden de hele week evangelisatiebijeenkomsten gehouden, en volgens Vic Tremayne zouden er om vijf uur speciaal vanwege Columbusdag bidstonde en samenzang zijn. Omdat Sally zijn auto had en ze geen plannen hadden gemaakt – niet naar de film, niet naar McDonald's in South Paris – was hij meegegaan met Vic en de anderen, allemaal degelijke mannenbroeders.
Hij wist natuurlijk waarom de anderen zo graag naar het meer wilden – en dat was niet vanwege het geloof, althans niet uitslúitend.

Er waren altijd een heleboel leuke meisjes op de openluchtbijeenkomsten die tussen mei en de laatste kermisraces eind oktober in heel New England werden gehouden, en die meisjes werden altijd vrolijk en opgewonden van een goede lofzang (om maar te zwijgen van de vurige preken en een dosis ouderwetse Jezussfeer).
Lester, die een meisje had, bezag de plannen en verwachtingen van zijn vrienden met de toegeeflijkheid waarmee een lang getrouwd man de capriolen van een stel jonge knapen kan bezien. Hij ging voornamelijk mee om zijn goede wil te tonen en ook omdat het altijd prettig was een goede preek te horen en te zingen na een uitputtende middag van rennen en tackelen. Hij kende geen beter middel om af te koelen.
Het was een goede samenkomst geweest, maar aan het slot waren er wel erg veel mensen die gered wilden worden. Daardoor had het wat langer geduurd dan Lester lief was. Hij had Sally willen bellen om te vragen of ze zin had bij Weeksie een sorbet of zoiets te gaan halen. Hij had gemerkt dat meisjes het soms wel leuk vonden iets impulsiefs te doen.
Ze reden over de Tin Bridge en Vic zette hem af op de hoek van Main en Laurel.
'Goed gespeeld, Les!' riep Bill MacFarland van de achterbank.
'Dacht ik ook!' riep Lester opgewekt terug. 'Laten we het zaterdag nog eens doen. Dan bezorg ik je wat anders dan een arm uit de kom!'
De vier jonge mannen in de auto lachten hartelijk om deze geestigheid en Vic reed weg. De klanken van 'Jezus is een vriend voor eeuwig' zweefden in de lucht, die nog altijd vreemd zomers aanvoelde. Je zou denken dat het fris begon te worden, ook op de mooiste herfstavonden. Maar vanavond niet.
Lester liep langzaam de heuvel op naar huis, moe, met pijnlijke spieren en volmaakt tevreden. Elke dag was een fijne dag als je je hart aan Jezus had gegeven, maar sommige dagen waren nog beter dan andere. Dit was een van de beste geweest en hij wilde alleen nog maar een douche nemen, Sally opbellen en in bed duiken.
Hij keek naar de hemel en probeerde het sterrenbeeld Orion te ontdekken toen hij bij zijn huis kwam. Daardoor, en door zijn stevige pas, knalde hij met zijn ballen tegen de achterkant van zijn Mustang.
'*Aaauw!*' riep Lester Pratt. Hij deed een stap terug, boog voorover en drukte zijn handen tegen zijn gekwetste testikels. Na een tijdje slaagde hij erin zijn hoofd op te tillen en keek met tranende ogen naar zijn auto. Wat deed dat ding hier eigenlijk? Sally's Honda zou op zijn vroegst woensdag uit de garage komen, met die vrije dag waarschijnlijk pas donderdag of vrijdag.

Plotseling ging hem een helder rozerood licht op. Sally was binnen! Ze was naar hem toe gekomen toen hij weg was en nu zat ze op hem te wachten! Misschien vond ze dat het vannacht dé nacht moest worden! Natuurlijk was seks voor het huwelijk niet goed, maar soms moest je een uitzondering maken. En hij was maar al te graag bereid voor deze zonde te boeten als zij dat ook wilde.
'Tetterdetet!' riep Lester Pratt geestdriftig. 'Lieve kleine Sally bloot in bed!'
Hij hobbelde zo snel mogelijk naar de voordeur, zonder zijn kloppende ballen los te laten. Ze klopten niet alleen meer van de pijn, maar ook van verlangen. Hij haalde de sleutel onder de deurmat vandaan en ging naar binnen.
'Sally?' riep hij. 'Ben je daar, Sal? Het spijt me dat ik zo laat ben. Ik ben met een paar jongens naar de samenkomst in Lake Auburn geweest en...'
Hij zweeg. Er kwam geen antwoord en dat betekende dat ze er toch niet was. Tenzij...!
Hij rende als een gek naar boven, ineens overtuigd dat ze in zijn bed lag te slapen. Ze zou haar ogen openen en rechtop gaan zitten, waardoor het laken van haar prachtige borsten zou glijden (hij had ze wel gevoeld, zo'n beetje dan, maar nooit echt gezien), daarna zou ze haar armen naar hem uitsteken, en hem aankijken met die prachtige, slaperige, korenbloemblauwe ogen en om tien uur zouden ze geen maagd meer zijn. Tetterdetet!
Maar de slaapkamer was al even leeg als de keuken en de zitkamer. De lakens en dekens lagen op de vloer, zoals meestal. Lester was altijd zo vervuld van energie en de heilige geest dat hij 's ochtends niet gewoon uit bed kon stappen: hij spròng eruit, klaar om de dag te tackelen, tegen het gras te werken en te dwingen de bal prijs te geven.
Maar nu ging hij naar beneden met een frons op zijn brede, openhartige gelaat. De auto was er, maar Sally niet. Wat betekende dat? Hij wist het niet, maar het beviel hem allerminst.
Hij deed de buitenlamp aan en wilde in de auto kijken: misschien had ze een briefje voor hem achtergelaten. Boven aan het trapje van de veranda bleef hij stokstijf staan. Ja, er was een briefje. Dat wil zeggen, er stond iets op de voorruit van zijn Mustang geschreven met glanzende roze verf, vermoedelijk uit zijn eigen garage. De grote letters schreeuwden hem toe:

LOOP NAAR DE DUIVEL VUILE BEDRIEGER.

Lester bleef nog lang op de bovenste trede staan en las telkens opnieuw die boodschap van zijn verloofde. De gebedsbijeenkomst?

Was dat het? Dacht ze dat hij naar de gebedsbijeenkomst in Lake Auburn was gegaan om een of ander grietje te ontmoeten? In zijn verwarring was dat de enige verklaring die mogelijk scheen te zijn. Hij ging naar binnen en belde Sally. Hij liet de telefoon vijfentwintig keer overgaan, maar niemand nam op.

10

Sally wist dat hij zou bellen en daarom had ze Irene Lutjens gevraagd of ze bij haar kon slapen. Irene barstte zowat van nieuwsgierigheid en zei van harte ja. Sally zat ergens mee, dat was duidelijk, ze zag er bijna niet leuk meer uit. Irene kon het nauwelijks geloven, maar het was waar.
Wat Sally betrof, zij was niet van plan Irene of iemand anders te vertellen wat er was gebeurd. Daarvoor was het te verschrikkelijk, te beschamend. Ze zou het met zich meenemen in haar graf. Daarom weigerde ze een half uur lang Irenes vragen te beantwoorden. Daarna barstte ze in hete tranen uit en deed het hele verhaal. Irene nam haar in haar armen en luisterde met grote, ronde ogen.
'Stil maar,' suste Irene, Sally in haar armen wiegend. 'Stil maar, Sally. Die viezerik houdt misschien niet van je, maar Jezus wel. Ik ook. Net als dominee Rose. En je hebt het die enge spierbal tenminste goed laten weten, of niet soms?'
Sally knikte snuivend terwijl het andere meisje haar hoofd streelde en sussende geluidjes maakte. Irene kon nauwelijks tot morgen wachten, als ze haar andere vriendinnen kon bellen. Ze zouden haar niet gelóven! Irene had medelijden met Sally, echt waar, maar ze was ook een beetje blij dat dit was gebeurd. Sally was zo léuk en Sally was zo verdraaid héilig. Het was voor deze ene keer wel aardig om te zien dat ze haar neus stootte.
En Lester is de knapste jongen in de kerk. Als hij en Sally écht uit elkaar gaan, zou hij mij dan niet eens mee uit vragen? Hij kijkt wel eens naar me alsof hij wil weten wat voor ondergoed ik draag, dus het is niet onmogelijk...
'Ik voel me zo ellendig!' snikte Sally. 'Zo s-s-smérig!'
'Natúúrlijk,' zei Irene, nog steeds wiegend en aaiend. 'Je hebt de brief en die foto zeker niet meer?'
'Ik heb ze v-v-verbrand!' riep Sally luid tegen Irenes vochtige blouse en een nieuwe huilbui overmande haar.
'Ja, natuurlijk,' mompelde Irene. 'Daar heb je heel goed aan gedaan.' Maar, dacht ze, je had wel even kunnen wachten tot ik die foto had gezien, stommerd.
Sally bracht de nacht door in de logeerkamer, maar van slapen

kwam niet veel. Het huilen hield na een tijdje op en het grootste deel van de nacht lag ze met droge ogen in het donker te staren, in de ban van die duistere en bitterzoete wraakgedachten die alleen een in de steek gelaten en voorheen zelfgenoegzame geliefde volledig kan koesteren.

15

1

Gaunts eerste klant 'uitsluitend op afspraak' arriveerde stipt om acht uur dinsdagochtend. Het was Lucille Dunham, een van de serveersters in Nan's Luncheonette. Lucille was bevangen door een diep, reddeloos verlangen bij het zien van de zwarte parels in een van de vitrines in De NoodZaak. Ze wist dat ze zich nooit zo'n kostbare ketting zou kunnen veroorloven, van haar levensdagen niet. Niet van het loon dat die krenterige Nan Roberts haar betaalde. Maar toen Gaunt, terwijl de halve stad stond mee te luisteren (bij wijze van spreken), voorstelde er eens rustig over te praten, had Lucille toegehapt als een hongerige vis die zich op het smakelijke aas stort.
Om twintig over acht verliet ze De NoodZaak met op haar gezicht een uitdrukking van verdoofd, dromerig geluk. Ze had de zwarte parels gekocht voor de ongelooflijke prijs van achtendertig dollar en vijftig cent. Ze had ook beloofd een - volmaakt onschuldig - grapje uit te halen met die opgeblazen doopsgezinde predikant William Rose. Voor Lucille zou dat geen werk zijn, maar een puur genoegen. Die bijbelvaste stinkerd had haar nog nooit een fooi gegeven, nog geen rooie cent. Lucille (een goede methodiste die er niet het minste bezwaar tegen had op zaterdagavond met haar kontje te zwaaien op het vurige ritme van een boogie) wist dat je schatten in de hemel kon verzamelen; ze vroeg zich af of dominee Rose wist dat het zaliger was te geven dan te ontvangen.
Ze zou hem eens mooi terugpakken... en zonder dat er kwaad achter stak. Dat had Gaunt gezegd.
De bedoelde heer keek haar na met een aangename glimlach op zijn gezicht. Hij had een bijzonder drukke dag voor de boeg, bijzónder druk, met ongeveer elk half uur een klant en veel telefoontjes. De kermis was opgebouwd; één grote attractie was met succes beproefd; nu was het bijna tijd om alle festiviteiten tegelijk van start te laten gaan. Zoals altijd in dit stadium, of het nu in Libanon was, in Ankara, het westen van Canada of in dit met kranten dichtgeplakte gat in de Verenigde Staten, was het of een dag domweg niet genoeg uren telde. Toch deed je alles om je doel te bereiken, ledigheid is des duivels oorkussen, het streven zelf is een nobel doel en...
...en als zijn oude ogen hem niet bedrogen, haastte zijn tweede

klant, Yvette Gendron, zich op dit moment over het trottoir naar het baldakijn.
'Druk, druk, druk,' mompelde Gaunt en hij plooide zijn gezicht in een grote, hartelijke glimlach.

2

Alan Pangborn kwam om half negen in zijn kantoor en zag dat er al een memo tegen de zijkant van zijn telefoon was geplakt. Henry Payton van de staatspolitie had om kwart voor acht gebeld. Hij vroeg Alan z.s.m. terug te bellen. Alan ging zitten, klemde de hoorn tussen zijn oor en zijn schouder en drukte op de toets die automatisch de verbinding met het hoofdbureau in Oxford tot stand bracht. Uit de bovenste lade van zijn bureau haalde hij vier zilveren dollars.
'Hallo, Alan,' zei Henry. 'Ik ben bang dat ik slecht nieuws voor je heb over je dubbele moord.'
'O, dus het is nu ineens míjn dubbele moord,' zei Alan. Hij sloot zijn vuist rond de vier munten, kneep, en opende zijn hand weer. Nu waren er nog drie. Hij leunde naar achteren en legde zijn voeten op het bureau. 'Dan is het zeker slecht nieuws.'
'Je klinkt niet verbaasd.'
'Ben ik ook niet.' Hij kneep zijn hand weer dicht en duwde met zijn pink tegen de onderste zilveren dollar. Het was een operatie die enige vaardigheid vereiste... maar die bezat Alan in voldoende mate. De zilveren dollar schoof over zijn handpalm en gleed in zijn mouw. Met een zacht *ting!* raakte hij de eerste munt, een geluid dat de goochelaar tijdens zijn echte optreden met zijn gepraat zou overstemmen. Alan deed zijn hand weer open en nu waren er nog maar twee munten.
'Misschien wil je me ook nog vertellen waarom niet?' vroeg Henry. Hij klonk een tikkeltje geprikkeld.
'Nou, ik heb er de laatste twee dagen bijna de hele tijd over nagedacht,' zei Alan. Zelfs dit was nog zwak uitgedrukt. Sinds zondagmiddag, toen hij voor het eerst Nettie Cobb herkende als een van de twee vrouwen die dood onder het stopbord lagen, had hij aan weinig anders gedacht. Hij droomde er zelfs over en het gevoel dat er iets niet klopte was een knagende zekerheid geworden. Henry's telefoontje was daarom niet hinderlijk, maar juist een opluchting, en het bespaarde Alan de moeite zelf te bellen.
Hij balde zijn vuist om de twee zilveren dollars.
Ting.
Deed zijn hand open.

Nu was er nog een.
'Wat zit je dwars?' vroeg Henry.
'Alles,' zei Alan vlak. 'Te beginnen met het feit dàt het is gebeurd. Wat me het meest steekt is de chronologie, denk ik... of het ontbreken daarvan. Ik probeer me steeds voor te stellen dat Nettie Cobb haar hond dood aantreft en dan gaat zitten om al die briefjes te schrijven. En zal ik je eens wat vertellen? Het wil steeds maar niet lukken. En dan vraag ik me elke keer af hoeveel ik van dit vervloekte stompzinnige geval over het hoofd zie.'
Alan kneep zijn vuist fel dicht, maakte hem open en toen was er geen een meer.
'Ja. Misschien is mijn slechte nieuws dan goed nieuws voor je. Er was nog iemand anders bij betrokken, Alan. We weten niet wie Cobbs hond heeft gedood, maar we kunnen er wel van uitgaan dat het niet Wilma Jerzyck was.'
Alans voeten kwamen haastig van het bureau. De munten gleden uit zijn mouw en vielen als een kleine zilveren waterval naar beneden. Een ervan kwam op zijn zijkant terecht en rolde naar de rand van het bureau. Alans hand schoot akelig snel uit en greep de munt voor hij kon vallen. 'Vertel me maar wat je weet, Henry.'
'Goed. Laten we met de hond beginnen. Het lijk is overgedragen aan John Palin, een dierenarts in South Portland. Hij is voor beesten wat Henry Ryan voor mensen is. Hij zegt dat de kurketrekker in het hart is doorgedrongen en vrijwel onmiddellijk de dood heeft veroorzaakt, waardoor hij in staat is het tijdstip van overlijden aardig nauwkeurig te bepalen.'
'Dat is leuk voor de verandering,' zei Alan. Hij dacht aan de verhalen van Agatha Christie die Annie bij tientallen had gelezen. Daarin scheen altijd een bejaarde dorpsdokter voor te komen die maar al te graag bereid was het tijdstip van overlijden tussen half vijf en kwart over vijf 's middags vast te stellen. Na bijna twintig jaar politiewerk, wist Alan dat een realistischer antwoord zou zijn: 'Een week geleden. Ongeveer.'
'Vind je ook niet? In elk geval zegt die dokter Palin dat de hond tussen tien en twaalf uur 's ochtends is gestorven. Volgens Peter Jerzyck stond zijn vrouw onder de douche toen hij op de slaapkamer kwam om zich te verkleden... *even na tien uur*.'
'Ja, we wisten dat het nauw luisterde,' zei Alan. Hij was enigszins teleurgesteld. 'Maar die Palin moet een zekere speling in acht nemen, tenzij hij God is. Vijftien minuten is voldoende om Wilma in aanmerking te laten komen.'
'Ja? En hoe graag zou je haar de schuld willen geven, Alan?'
Hij dacht even na en zei ernstig: 'Om je de waarheid te zeggen, ouwe jongen, heel graag. Ik heb haar nooit gemogen.' Alan dwong

zichzelf eraan toe te voegen: 'Toch zou het nogal knullig zijn als we de zaak in onderzoek houden alleen vanwege een paardendokter en een hiaat van, wat is het, vijftien minuten.'
'Best, laten we het dan over dat briefje aan de kurketrekker hebben. Weet je het nog?'
'"Ik laat mijn schone lakens niet besmeuren. Ik zei toch dat ik je zou pakken."'
'Dat is het. De deskundige in Augusta buigt zich nog over het handschrift, maar Pete Jerzyck heeft ons een paar brieven van zijn vrouw gegeven en ik heb kopieën daarvan naast het briefje voor mijn neus liggen. Het is niet hetzelfde handschrift. Het lijkt er niet op.'
'Wat zeg je me nou?'
'Je hoort me. Ik dacht dat je niet verbaasd was?'
'Ik wist dat er iets niet klopte, maar daarbij moest ik steeds denken aan de stenen die door de ruiten zijn gegooid. De tijd zit scheef en dat beviel me inderdaad niet, maar over het geheel genomen had ik er nog wel mee akkoord kunnen gaan. Voornamelijk omdat het echt iets voor Wilma Jerzyck was. Weet je zeker dat ze haar handschrift niet heeft verdraaid?' Hij geloofde het niet – Wilma Jerzyck had er nooit van gehouden incognito te reizen – maar het was een mogelijkheid die onderzocht moest worden.
'Ik? Ik ben er zeker van, ja. Maar ik ben geen deskundige en aan wat ik denk hebben ze in de rechtszaal niks. Daarom wordt het briefje onderzocht door de grafoloog.'
'Wanneer komt hij met zijn rapport?'
'Wie weet? Intussen mag je op mijn woord afgaan, Alan: het zijn appelen en peren. Ze lijken helemaal niet.'
'Maar al heeft Wilma het dan niet gedaan, iemand wilde Nettie beslist laten geloven van wél. Wie? En waarom? Waarom in godsnaam?'
'Geen idee, knul – het is jouw thuisbasis. Overigens heb ik nog twee dingen voor je.'
'Vertel maar op.' Alan legde de zilveren dollars weer in zijn la en liet vervolgens een lange, magere man met een hoge hoed over de muur lopen. Op de terugweg veranderde de hoed in een wandelstok.
'De dader heeft een stel bloederige vingerafdrukken op de knop van Netties deur achtergelaten, aan de binnenkant. Dat is de eerste klapper.'
'Verdomd!'
'Wind je niet op: ze zijn uitgesmeerd. De dader heeft ze waarschijnlijk achtergelaten toen hij de deurknop pakte om weg te gaan.'

'Helemaal niet bruikbaar?'
'Wellicht een paar fragmenten, maar er is niet veel kans dat we die als bewijsmateriaal kunnen gebruiken. Ik heb ze naar de FBI in Virginia gestuurd. Met Print-Magic kunnen ze tegenwoordig nog verbazingwekkend veel afleiden uit gedeeltelijke afdrukken. Ze werken als slakken – het zal wel een week of tien dagen duren voordat ik iets hoor – maar inmiddels heb ik de afdrukken vergeleken met die van Wilma, die ik gisteravond van onze altijd attente patholoog mocht ontvangen.'
'Ze kwamen niet overeen?'
'Nou, het is net als met het handschrift, Alan. Je moet weinig met veel vergelijken en als ik daarover iets tegen de rechter zeg, zou de verdediging me met huid en haar opvreten. Maar nu we toch aan de borreltafel zitten, zogezegd: nee, ze lijken helemaal niet op elkaar. Wat grootte betreft, om maar iets te noemen. Wilma Jerzyck had kleine handen. De gedeeltelijke afdrukken zijn van iemand met grote handen. Ook als je in aanmerking neemt dat ze zijn uitgesmeerd, het moet iemand met verdomd flinke poten zijn.'
'Een man?'
'Daar ben ik zeker van. Maar nogmaals, daar hebben we in de rechtszaal niets aan.'
'Wat kan ons dat verrotten?' Op de muur verscheen plotseling het silhouet van een vuurtoren, die vervolgens in een piramide veranderde. De piramide ging open als een bloem en werd een vliegende gans in de zon. Alan probeerde het gezicht te zien van de man – niet Wilma Jerzyck, maar een màn – die zondagochtend tijdens Netties afwezigheid in haar huis was gedrongen. De man die Netties Raider met een kurketrekker had afgemaakt en daarna de schuld op Wilma had geschoven. Hij zocht een gezicht en zag alleen maar rook en schaduwen. 'Als het Wilma niet was, Henry, wie zou dan in vredesnaam zoiets maar in zijn hóófd halen?'
'Ik weet het niet. Maar misschien hebben we iemand die de stenen heeft zien gooien.'
'Wàt? Wie dan?'
'Ik zei misschíen, weet je nog?'
'Ik weet wat je zei. Zit me niet te treiteren. Wie is het?'
'Een jochie. De buurvrouw van de Jerzycks hoorde lawaai en ging naar buiten om te zien wat er aan de hand was. Ze dacht dat het "kreng" – haar eigen term – misschien eindelijk zo kwaad was geworden dat ze haar man uit het raam had gegooid. Ze zag een jongen met een angstig gezicht bij het huis wegfietsen. Ze vroeg wat er aan de hand was. Hij dacht dat de Jerzycks misschien ruzie hadden. Nou ja, dat dacht zíj ook en aangezien het lawaai tegen die tijd was opgehouden, stond ze er verder niet bij stil.'

'Dat moet Jillian Mislaburski zijn geweest,' zei Alan. 'Het huis aan de andere kant van de Jerzycks staat leeg. Het is te koop.'
'Ja. Jillian Misla-dinges. Dat heb ik hier staan.'
'Hoe heet die jongen?'
'Weet ik niet. Ze herkende hem wel, maar ze kon zich zijn naam niet herinneren. Maar ze zegt dat hij vlak in de buurt woont. We vinden hem wel.'
'Hoe oud?'
'Tussen de elf en de veertien, zei ze.'
'Henry? Doe me een plezier en laat míj hem vinden. Wil je dat voor me doen?'
'Jawel,' zei Henry onmiddellijk en Alan slaakte een zucht van verlichting. 'Ik begrijp toch al niet waarom wij het onderzoek moeten doen als het misdrijf bij jullie plaatsvindt. In Portland en Bangor laten ze het ook over aan de plaatselijke politie, waarom dan niet in Castle Rock? Verdomme, ik wist niet eens hoe ik de náám van die vrouw moest uitspreken voordat jij het zei!'
'Er wonen veel Polen in Castle Rock,' zei Alan afwezig. Hij scheurde een roze bon uit het boekje op zijn bureau en schreef op de achterkant: *Jill Mislaburski* en *Jongen, 11-14*.
'Als mijn jongens die knaap vinden, ziet hij drie van die grote kerels en vergeet hij van schrik alles wat er is gebeurd,' zei Henry. 'Jou zal hij wel kennen... je houdt toch praatjes op scholen?'
'Ja, over drugs en vandalisme,' zei Alan. Hij probeerde zich te herinneren of er mensen met kinderen bij Jerzyck en Mislaburski in de buurt woonden. Als Jill Mislaburski de jongen alleen van gezicht kende, woonde hij waarschijnlijk om de hoek of misschien in Pond Street. Alan schreef snel drie namen op de bon: *DeLois, Rusk, Bellingham*. Vermoedelijk waren er nog meer gezinnen met jongens in de juiste leeftijdsgroep die hij zich niet zo snel kon herinneren, maar drie was genoeg om mee te beginnen. Een kort buurtonderzoek zou de jongen vrijwel zeker boven water brengen.
'Wist Jill hoe laat ze dat lawaai hoorde en de jongen zag?' vroeg Alan.
'Niet precies, maar volgens haar was het na elven.'
'Dan waren het in elk geval niet de Jerzycks die ruzie maakten, want die zaten in de kerk.'
'Klopt.'
'Dus was het de stenengooier.'
'Alweer goed.'
'Het begint nou ècht krankzinnig te worden, Henry.'
'Drie op een rij. Nog één en je wint een magnetron.'
'Zou die jongen gezien hebben wie het was?'
'Normaal zou ik zeggen: "Te mooi om waar te zijn," maar volgens

Mislaburski zag hij er angstig uit, dus misschien wel. Ik durf er wel een paar pilsjes om te verwedden dat hij in elk geval niet Nettie Cobb heeft gezien. Ik denk dat iemand anders ze tegen elkaar heeft uitgespeeld, knul, en misschien alleen voor de lol. Anders niet.'
Maar Alan, die Castle Rock beter kende dan Henry ooit mocht hopen, vond het fantastisch klinken. 'Misschien heeft die jongen het zèlf gedaan,' zei hij. 'Misschien zag hij er dáárom zo bang uit. Misschien hebben we hier gewoon met vandalisme te maken.'
'In een wereld met Michael Jackson en een idioot als Axyl Rose is alles mogelijk,' zei Henry, 'maar bij zulk vandalisme denk ik eerder aan een knaap van zestien of zeventien, jij niet?'
'Ja,' zei Alan.
'En waarom zouden we daarover speculeren als je hem kunt vinden? Dat kun je toch wel?'
'Daar ben ik wel zeker van, ja. Maar ik wacht liever tot na schooltijd, als je het goed vindt. Het is net wat je zegt, we hebben er niks aan als we hem laten schrikken.'
'Mij best, die twee dames gaan toch nergens meer heen, behalve de grond in. De pers zit hier, maar dat is alleen maar hinderlijk – ik pak ze met mijn vliegemepper.'
Alan keek uit het raam en zag een zenderwagen van WMTW langzaam voorbijrijden, waarschijnlijk op weg naar de hoofdingang van het gerechtsgebouw om de hoek.
'Ja, ze zitten hier ook.'
'Kun je me tegen vijf uur bellen?'
'Tegen vier uur,' zei Alan. 'Bedankt, Henry.'
'Niks te danken,' zei Henry Payton, en legde neer.
Alan wilde meteen Norris Ridgewick halen om hem al het nieuws te vertellen, want Norris was op zijn minst een uitstekend klankbord, maar hij herinnerde zich dat Norris met zijn nieuwe vishengel ergens op het Castle Lake moest zitten.
Hij maakte nog een paar schaduwdieren op de muur en daarna stond hij op. Hij voelde zich rusteloos, vreemd geagiteerd. Het kon geen kwaad eens in de buurt te gaan kijken waar de moorden hadden plaatsgevonden. Misschien herinnerde hij zich nog een paar gezinnen met jongens in de goede leeftijdsgroep als hij de huizen zelf zag. En wie weet was Henry's uitspraak over kinderen ook geldig voor Poolse vrouwen van middelbare leeftijd die hun kleren bij Lane Bryant kochten. Misschien werd Jill Mislaburski's geheugen opgefrist als ze iemand tegenover zich had met een vertrouwd gezicht.
Hij wilde zijn dienstpet van de kapstok bij de deur pakken, maar bedacht zich. Misschien kan ik er vandaag beter niet al te officieel uitzien, dacht hij. En daarom kan het ook geen kwaad als ik de stationcar neem.

Hij verliet zijn kantoor en bleef een ogenblik verbijsterd in de grote zaal staan. John LaPointe had zijn bureau en de ruimte eromheen veranderd in een overstromingsgebied waar dringend hulp van het Rode Kruis geboden was. Overal lagen stapels papieren. Zijn bureauladen lagen op elkaar en vormden een toren van Babel op zijn vloeiblad. De toren leek elk moment te kunnen omvallen. En John, doorgaans de vrolijkste van het hele korps, zat met een rood gezicht te vloeken.
'Ga je mond spoelen, Johnny,' zei Alan grinnikend.
John schrok en draaide zich om. Hij grinnikte terug, zowel beschaamd als verstrooid. 'Sorry, Alan, ik...'
Alan kwam in beweging. Hij stak de zaal door met dezelfde vloeiende, geruisloze snelheid die Polly Chalmers vrijdagavond zo had getroffen. John LaPointe keek met open mond naar hem, tot hij uit een ooghoek zag wat er gebeurde: de twee bovenste laden van zijn toren begonnen te schuiven.
Alan was snel genoeg om een volledige instorting te voorkomen, maar niet snel genoeg om de bovenste la te pakken. Het ding landde op zijn voeten en strooide papieren, paperclips en pakken nietjes in het rond. Alan drukte de twee andere laden met zijn handpalmen tegen de zijkant van Johns bureau.
'Grote goden, wat ben jij snel, Alan!' riep John.
'Dank je, John,' zei Alan met een pijnlijke glimlach. De laden begonnen weg te glijden. Harder duwen had geen zin, hij schoof alleen het bureau weg. En zijn tenen deden zeer. 'Ik ben gek op complimentjes. Maar zou je intussen die stomme la van mijn voeten kunnen halen?'
'O shit! Ik kom al!' John sprong overeind. In zijn haast botste hij tegen Alan, die zijn moeizame greep op de twee laden verloor. Ook die kwamen op zijn voeten terecht.
'*Au!*' riep Alan. Hij wilde zijn rechtervoet pakken, maar merkte dat zijn linker- nog meer pijn deed. 'Stommeling!'
'Grote goden! Het spijt me, Alan!'
'Wat zit er allemaal in die laden?' vroeg Alan, wegdansend met zijn linkervoet in zijn hand. 'Een halve grindput soms?'
'Het is wel een tijdje geleden dat ik ze heb opgeruimd.' John glimlachte schuldbewust en begon de papieren en kantoorspullen ongezien weer in de laden te proppen. Zijn conventioneel knappe gezicht was vuurrood. Hij lag op zijn knieën en toen hij zich omdraaide om de paperclips en nietjes onder Cluts bureau op te rapen, stootte hij de formulieren en dossiers omver die hij op de vloer had opgestapeld. Het kantoor begon het aanzien te krijgen van een gebied dat door een tornado was getroffen.
'Oeps!' zei John.

'Oeps,' zei Alan. Hij was op het bureau van Norris Ridgewick gaan zitten en probeerde zijn tenen te masseren in zijn zware zwarte dienstschoenen. 'Daarmee heb je de situatie heel goed samengevat, John. Als dit niet oeps is, dan weet ik het niet meer.'
'Sorry,' zei John weer. Hij kroop nu op zijn buik onder zijn bureau en veegde met twee handen paperclips en nietjes naar zich toe. Alan wist niet of hij moest lachen of huilen. John lag met zijn voeten te spartelen als een droogzwemmer en verspreidde de papieren nog gelijkmatiger over de vloer.
'Sta in vredesnaam op, John!' riep Alan. Hij probeerde niet te lachen, maar hij wist al dat het een verloren zaak was.
LaPointe schoot overeind. Zijn hoofd bonkte met een pittige slag tegen de onderkant van zijn bureau. En een nieuwe stapel papieren, die op het randje de zwaartekracht trotseerde om ruimte te maken voor de laden, viel op de grond. De meeste ploften recht naar beneden, maar tientallen losse vellen zweefden loom zigzaggend omlaag.
Daar is hij de hele dag zoet mee, dacht Alan berustend. Of de hele week.
Hij kon zich niet langer inhouden. Hij gooide zijn hoofd naar achteren en barstte in lachen uit. Andy Clutterbuck kwam uit de meldkamer om te zien wat er aan de hand was.
'Sheriff?' vroeg hij. 'Alles in orde?'
'Ja,' zei Alan. Hij keek naar de rapporten en formulieren waarmee de vloer bezaaid was en begon opnieuw te lachen. 'John heeft een nieuwe manier bedacht om zijn papieren op te bergen, meer niet.'
John kroop onder zijn bureau vandaan en stond op. Hij keek alsof hij vurig hoopte dat iemand hem zou bevelen in de houding te gaan staan of dat hij zich veertig keer moest opdrukken. Zijn eerst zo smetteloze uniform zat onder het stof, wat Alan ondanks zijn plezier niet ontging; Eddie Warburton had de vloer onder de bureaus al lang niet meer gedweild. Daarna begon hij weer te lachen. Hij kon er gewoon niets aan doen. Clut keek van John naar Alan en weer terug naar John, verwonderd.
'Nou goed,' zei Alan, die zichzelf eindelijk weer in de hand kreeg. 'Wat zocht je eigenlijk, John? De Heilige Graal? De gulden snede? Wat?'
'Mijn portefeuille,' zei John, die tevergeefs het stof van zijn uniform probeerde te slaan. 'Ik kan mijn stomme portefeuille niet vinden.'
'Heb je in je auto gekeken?'
'In allebei,' zei John. Hij wierp een afkerige blik over de asteroidengordel van troep rond zijn bureau. 'In de surveillancewagen die ik gisteravond heb gebruikt en in mijn Pontiac. Maar als ik hier ben

stop ik hem wel eens in een la, omdat hij me hindert bij het zitten. Daarom zocht ik...'
'Dat ding zou je niet zo hinderen als je niet je hele privé-leven met je meezeulde, John,' zei Andy Clutterbuck wijs.
'Clut,' zei Alan, 'als jij eens buiten ging spelen?'
'Watte?'
Alan rolde met zijn ogen. 'Ga iets doen. Ik denk dat John en ik dit wel afkunnen; we zijn opgeleid om iets op te sporen. Als we niet zonder jou kunnen, hoor je het wel.'
'O goed. Ik wilde anders alleen maar helpen. Ik ken die portefeuille van hem. Het lijkt wel of hij heel de nationale bibliotheek erin heeft zitten. Hij...'
'Bedankt voor je bijdrage, Clut. Tot kijk.'
'Graag gedaan,' zei Clut. 'Tot straks, jongens.'
Alan draaide met zijn ogen. Hij had weer willen lachen, maar hij beheerste zich. Johns ongelukkige gelaatsuitdrukking maakte duidelijk dat het voor hem geen grap was. Hij voelde zich voor schut staan, maar dat was niet alles. Alan was zelf wel eens zijn portefeuille kwijtgeraakt en hij wist wat een rotgevoel dat gaf. Het verloren geld en al het gedoe om nieuwe creditcards te krijgen was nog niet eens het ergste. Je was nog veel meer dingen kwijt, spullen die een ander waardeloos zou vinden maar die voor jou onvervangbaar waren.
John zat op zijn hurken papieren op te rapen, te sorteren en weer op te stapelen. Hij had een treurig gezicht. Alan hielp hem.
'Doen je tenen nog pijn, Alan?'
'Ach nee. Je kent die schoenen, daar hebben ze Fort Knox mee beveiligd. Hoeveel geld had je in je portefeuille, John?'
'O, niet meer dan twintig piek, geloof ik. Maar ik heb vorige week mijn jachtvergunning gekregen en die zat erin. En mijn MasterCard. Als ik dat stomme ding niet vind moet ik de bank bellen om hem te laten schrappen. Maar het gaat me vooral om de foto's. Mijn ouders, mijn zusters, je weet wel. Zulke dingen.'
Maar het ging John niet echt om de foto van zijn vader en moeder of die van zijn zussen, het belangrijkst was de foto van hem en Sally Ratcliffe. Clut had hem genomen op de kermis in Fryeburg, ongeveer drie maanden voordat Sally hem had laten vallen ten gunste van die nitwit Lester Pratt.
'Hij komt wel weer tevoorschijn,' zei Alan. 'Zonder je geld en kaarten waarschijnlijk, maar meestal laten ze de foto's zitten, John. Dat weet je.'
'Ja,' zei John met een zucht. 'Het is alleen... verdorie, ik probeer me steeds te herinneren of ik hem vanochtend bij me had toen ik binnenkwam. Ik weet het gewoon niet.'

'Nou, ik hoop dat je hem vindt. Ik zou maar een briefje op het bord hangen.'
'Dat doe ik. En ik ruim deze troep zelf wel op.'
'Dat is goed, John. Doe maar rustig aan.'
Alan ging hoofdschuddend naar de parkeerplaats.

3

Het zilveren belletje boven de deur van De NoodZaak tinkelde en Babs Miller, vooraanstaand lid van de Ash Street bridgeclub, kwam enigszins schuchter binnen.
'Mevrouw Miller!' Leland Gaunt begroette haar met een blik op het papier dat naast zijn kasregister lag. Hij kruiste iets aan. 'Wat aardig dat u kon komen! En precies op tijd ook! U had toch belangstelling voor de speeldoos, meen ik? Een prachtig stukje vakwerk.'
'Ik wilde het er graag over hebben,' zei Babs. 'Maar hij is zeker al verkocht.' Ze kon zich moeilijk voorstellen dat zo'n mooie speeldoos níet verkocht zou zijn. Haar hart brak een beetje als ze er alleen maar aan dacht. Het melodietje, dat Gaunt zich niet kon herinneren... ze dacht precies te weten wat het was. Op die wijs had ze eens gedanst in het paviljoen van Old Orchard Beach met de aanvoerder van het rugbyteam en later die avond had ze zich gewillig door hem laten ontmaagden onder een schitterende meimaan. Hij had haar het eerste en laatste orgasme van haar leven geschonken en sindsdien zat de melodie in haar bloed, kronkelend als een gloeiende draad.
'Nee, hier is hij,' zei Gaunt. Hij haalde de doos uit de glazen vitrine, waar hij achter de polaroidcamera had gestaan, en zette hem erbovenop. Het gezicht van Babs Miller klaarde op.
'Hij is vast te duur voor me,' zei Babs, 'althans om in één keer te betalen, maar ik vind hem echt mooi, meneer Gaunt, en als u denkt dat ik in termijnen zou kunnen betalen...'
Gaunt glimlachte. Het was een verfijnde, geruststellende glimlach. 'Ik geloof dat u zich nodeloos bezorgd maakt,' zei hij. 'Het zal u verbazen hoe redelijk deze prachtige speeldoos is geprijsd, mevrouw Miller. Heel erg verbazen. Ga zitten, dan praten we erover.'
Ze ging zitten.
Hij kwam op haar af.
Zijn ogen hielden haar vast.
Die melodie klonk weer in haar hoofd.
En ze was verloren.

4

'Nu weet ik het weer,' zei Jillian Mislaburski tegen Alan. 'Het was die jongen van Rusk. Billy, geloof ik. Of Bruce misschien.'
Ze stonden in haar zitkamer, die werd gedomineerd door de Sony-televisie en een reusachtig plastic kruisbeeld dat aan de muur achter het toestel hing. Ze keek naar de praatshow van Oprah Winfrey. Aan zijn ten hemel geslagen ogen te zien, gaf de met doornen gekroonde Jezus de voorkeur aan Geraldo, dacht Alan. Jillian had hem een kop koffie aangeboden, maar die had hij afgeslagen.
'Brian,' zei hij.
'O ja!' zei ze. 'Brian!'
Ze had haar felgroene ochtendjas aan, maar vandaag had ze afgezien van de rode hoofddoek. De krullen op haar hoofd, ongeveer even groot als het karton van een wc-rol, wekten de indruk alsof ze een groteske kroon droeg.
'Weet u zeker dat hij het was, mevrouw Mislaburski?'
'Ja. Ik herinnerde het me vanochtend toen ik opstond. Zijn vader heeft twee jaar geleden aluminium strips op de ramen gezet. Zijn zoon heeft hem geholpen. Hij leek me een aardige jongen.'
'Heeft u enig idee wat hij hier deed?'
'Hij zei dat hij wilde vragen of ze al iemand hadden om van de winter de oprit sneeuwvrij te houden, geloof ik. Hij zou later wel terugkomen, als ze geen ruzie maakten. De arme jongen keek zó geschrokken, en dat begrijp ik heel goed.' Ze schudde haar hoofd. De grote krullen deinden zachtjes mee. 'Het is afschuwelijk dat ze zo moest sterven...' Jill Mislaburski liet vertrouwelijk haar stem dalen. 'Maar voor Péte ben ik blij. Niemand weet wat hij met zo'n vrouw moest doorstaan. Niemand.' Ze keek veelzeggend naar Jezus aan de muur en daarna weer naar Alan.
'Hm,' zei Alan. 'Is u nog iets anders opgevallen, mevrouw Mislaburski? Iets aan het huis, aan het lawaai of aan de jongen?'
Ze legde een vinger tegen haar neus en hield haar hoofd schuin. 'Nee, niet echt. Die jongen – Brian Rusk – had een koelbox op zijn fiets. Dat weet ik nog, maar ik denk niet dat u daar...'
'Ho even,' zei Alan, zijn hand opstekend. Er ging hem een licht op. 'Een koelbox?'
'Ja, zo'n ding dat je meeneemt als je gaat picknicken, weet u wel? Ik weet het nog omdat hij eigenlijk te groot was voor zijn mandje. Hij zat er helemaal scheef in, net of hij er elk moment uit kon vallen.'
'Dank u, mevrouw Mislaburski,' zei Alan zacht. 'Dank u wel.'
'Betekent het iets? Is het een aanwijzing?'
'O, dat betwijfel ik.' Maar hij wist het nog zo net niet.

Bij zulk vandalisme denk ik eerder aan een knaap van zestien of zeventien, had Henry Payton gezegd. Alan was dezelfde mening toegedaan... maar hij had al eerder te maken gehad met vandalen van twaalf, en in zo'n koelbox kon je waarschijnlijk aardig wat stenen meenemen.
Hij begon ineens heel wat meer te verwachten van het gesprekje dat hij 's middags met de jonge Brian Rusk zou hebben.

5

De zilveren bel tinkelde. Sonny Jackett kwam langzaam en op zijn hoede De NoodZaak binnen, zijn besmeurde Sunoco-pet om en om draaiend in zijn handen. Hij gedroeg zich als iemand die zeker weet dat hij allerlei kostbaarheden zal breken, ook al wil hij dat helemaal niet; dingen kapot maken, verkondigde zijn gezicht, was niet zijn wens maar zijn karma.
'Meneer Jackett!' Leland Gaunt toonde zijn gebruikelijke geestdrift over een nieuwe bezoeker en kruiste weer iets aan op het papier naast de kassa. 'Wat aardig dat u kon komen!'
Sonny deed nog drie passen naar voren en bleef staan, behoedzaam van de glazen vitrines naar Gaunt kijkend.
'Ik kom anders niks kopen,' zei hij. 'Dat mot ik meteen zeggen. Ouwe Samuels zei dat u naar me had gevraagd. Vanwege een sleutelsetje dat wel wat most wezen. Daar ben ik naar op zoek, maar dit is geen zaak voor lui als ik. Ik kom alleen maar effe gedag zeggen.'
'Ik ben blij dat u zo openhartig bent,' zei Gaunt, 'maar ik zou niet te snel oordelen, meneer Jackett. Dit is een erg nuttige set, ook geschikt voor vreemde formaten.'
'Zo?' Sonny trok zijn wenkbrauwen op. Hij wist dat er zulke dingen bestonden, die het mogelijk maakten met een en dezelfde sleutel aan Amerikaanse en buitenlandse auto's te werken, maar hij had er nog nooit een gezien. 'U zegt het.'
'Ja. Ik heb ze in de achterkamer gelegd zodra ik hoorde dat u ernaar op zoek was, meneer Jackett. Anders zouden ze bijna meteen verkocht zijn en ik wilde u in elk geval de kans geven er als eerste naar te kijken.'
Sonny Jackett reageerde met altijd op de loer liggend Yankee wantrouwen. 'En waarom dan wel?'
'Omdat ik een antieke wagen heb en zulke klassiekers hebben regelmatig onderhoud nodig. Ik hoor dat u de beste monteur aan deze kant van Derry bent.'
'O.' Sonny ontspande zich. 'Dat ken wezen. Wat heb u voor kar?'

'Een Tucker.'
Sonny's wenkbrauwen schoten omhoog en hij bekeek Gaunt met nieuw ontzag. 'Een Torpedo, kijk eens aan!'
'Nee. Ik heb een Talisman.'
'Zo? Nooit gehoord van een Tucker Talisman.'
'Er zijn er maar twee gebouwd: het prototype en de mijne. In 1953 was dat. Tucker vertrok kort daarna naar Brazilië, waar hij is overleden.' Gaunt glimlachte met vochtige ogen. 'Preston was een goed mens en een tovenaar als het op ontwerpen aankwam... maar hij was geen zakenman.'
'Is het heus?'
'Ja.' Het vocht verdween uit Gaunts ogen. 'Maar dat is gisteren en we leven in het heden! Een nieuwe bladzijde, wat u, meneer Jackett? Sla de bladzij om, zeg ik altijd maar. Op naar de toekomst, met het gezicht naar voren, en nooit omkijken!'
Sonny keek enigszins onrustig vanuit zijn ooghoeken naar Gaunt en zei niets.
'Mag ik u de sleutels laten zien?'
Sonny ging er niet meteen op in. Weifelend keek hij weer naar de artikelen in de vitrines. 'Ik kan me niks bijzonders veroorloven. Ik heb rekeningen van hier tot gunder lopen. Ik denk wel eens dat ik mijn zaak er maar aangeef en een uitkering vraag.'
'Ik weet wat u bedoelt,' zei Gaunt. 'Het komt door die vervloekte republikeinen, als u het mij vraagt.'
Sonny's verknoopte, achterdochtige gezicht klaarde onmiddellijk op. 'Dàt heb je goed gezien, maat! George Bush brengt ons land op de rand van de afgrond met die godvergeten oorlog van hem! Maar hebben de democraten iemand die het volgend jaar van hem kan winnen?'
'Ik betwijfel het,' zei Gaunt.
'Neem Jesse Jackson nou... een nikker.'
Hij keek strijdlustig naar Gaunt, die zijn hoofd enigszins schuin hield, alsof hij wilde zeggen: *Ga gerust je gang, vriend. We zijn allebei mannen van de wereld en we zijn niet bang om de dingen bij hun naam te noemen*. Sonny Jackett ontspande nog wat meer. Het vuil op zijn handen hinderde hem niet meer zo, hij begon zich thuis te voelen.
'Ik heb niks tegen zwarten, begrijpt u, maar het idee dat er eentje in het Witte Huis zit – het Wítte Huis! – geeft me de rillingen.'
'Dat is heel begrijpelijk,' stemde Gaunt toe.
'En dan die spaghettivreter uit New York! Mar-i-o Koe-o-mo! Met zo'n naam ken je toch niet van die brillenjood in het Witte Huis winnen?'
'Nee,' zei Gaunt. Hij hield zijn rechterhand op, de lange wijsvinger

vlak bij zijn lelijke spatelvormige duim. 'Bovendien heb ik geen vertrouwen in mannen met zulke kleine koppies, als u begrijpt wat ik bedoel.'
Sonny staarde hem even aan, daarna sloeg hij op zijn knie en lachte amechtig. 'Met kleine koppies, ha! Dat is een goeie, maat! Wat een vondst!'
Gaunt stond te grinniken.
Ze keken elkaar lachend aan.
Gaunt haalde de sleutelset, verpakt in een leren, met zwart fluweel gevoerde tas. Het waren de mooiste verchroomd stalen sleutels die Sonny Jackett ooit had gezien.
Ze stonden er grinnikend naar te kijken, grijnzend als apen vlak voor een gevecht.
En natuurlijk kocht Sonny de set. De prijs was verrassend laag: honderdzeventig dollar, plus twee echt leuke grappen die hij met Don Hemphill en dominee Rose moest uithalen. Sonny zei dat hij het met genoegen zou doen; hij deed niets liever dan die kerkse republikeinse hufters een loer draaien.
Ze grinnikten om het grapje dat hij met Stoomboot Willie en Don Hemphill zou uithalen.
Sonny Jackett en Leland Gaunt... twee mannen die gewoon maar wat stonden te lachen.
En boven de deur tinkelde de kleine zilveren bel.

6

Henry Beaufort, eigenaar en barkeeper van The Mellow Tiger, woonde in een huis op vierhonderd meter van zijn kroeg. Myra Evans zette haar auto op de parkeerplaats van de Tiger – er stonden geen andere wagens in de ongewoon hete ochtendzon – en liep naar het huis. Gezien de aard van haar bezoek, leek dit een verstandige voorzorg. Maar het was niet nodig. De Tiger ging pas om één uur 's nachts dicht en Henry kwam zelden voor de middag uit zijn bed. Alle gordijnen, zowel beneden als boven, waren dicht. Zijn auto, een prachtig onderhouden Thunderbird uit 1960 die zijn lust en zijn leven was, stond in de oprit.
Myra had een spijkerbroek en een blauw overhemd van haar man aan. Het overhemd hing uit haar broek en viel bijna op haar knieën. Daardoor was haar broekriem niet te zien, evenmin als de schede die eraan hing. Chuck Evans verzamelde voorwerpen uit de Tweede Wereldoorlog (en had op dat gebied al iets aangeschaft in de nieuwe winkel, hoewel Myra dat niet wist), en in de schede zat een Japanse bajonet. Myra had hem een half uur geleden van de

muur in Chucks hobbykamer in de kelder gehaald. Bij elke stap bonkte hij tegen haar rechter dijbeen.
Ze wilde het zo snel mogelijk achter de rug hebben, zodat ze weer kon teruggaan naar haar foto van Elvis. Als ze de foto vasthield, had ze ontdekt, was het net of ze in een toneelstuk speelde. Het was niet echt, maar in veel opzichten - eigenlijk in àlle opzichten - was het beter dan een echt toneelstuk. Het eerste bedrijf was Het Concert, waarin de King haar op het podium trok om met haar te dansen. Het tweede bedrijf was De Groene Kamer na de Voorstelling en het derde In de Limousine. Een van Elvis' jongens uit Memphis zat achter het stuur en de King nam niet eens de moeite om de zwarte glaswand dicht te schuiven voordat hij onderweg naar het vliegveld de schandaligste en verrukkelijkste dingen met haar op de achterbank deed.
Het vierde bedrijf was In het Vliegtuig. Hierin zaten ze in de *Lisa Marie*, Elvis' particuliere Convair... om precies te zijn in het grote tweepersoonsbed in de aparte ruimte achter de cockpit. Daar had Myra gisteren en vanochtend van genoten, op tienduizend meter hoogte samen met de King in de *Lisa Marie*. Daar had ze graag eeuwig met hem willen blijven, maar dat kon niet. Ze waren op weg naar het vijfde bedrijf: Graceland. En daar kon alles alleen nog maar beter worden.
Maar eerst moest ze dit karweitje afwerken.
Vanochtend, nadat haar man was weggegaan, had ze op bed gelegen met alleen een kouseband aan (de King stond erop dat Myra die altijd droeg). Met de foto in haar handen geklemd lag ze langzaam te kreunen en te kronkelen op het laken. En ineens was het dubbele bed verdwenen. Het fluisterende brommen van de *Lisa Marie* was verdwenen. De geur van Elvis' Engelse leer was verdwenen.
Voor deze zalige dingen was het gezicht van meneer Gaunt in de plaats gekomen... alleen zag hij er nu anders uit dan in zijn winkel. Zijn gezicht leek onder de blaren te zitten, geschroeid door een geweldige verborgen hitte. Zijn huid klopte en bobbelde alsof er dingen onder zaten die naar buiten wilden. En toen hij glimlachte, waren zijn grote vierkante tanden een dubbele rij slagtanden geworden.
'Het is tijd, Myra,' had Gaunt gezegd.
'Ik wil bij Elvis zijn,' jammerde ze. 'Ik doe het wel, maar niet nu... niet nu meteen.'
'Ja, nu meteen. Je hebt het beloofd en je zult je belofte nakomen. Anders krijg je er veel spijt van, Myra.'
Ze hoorde een licht gekraak. Ze keek omlaag en zag met afschuw dat het glas boven het gezicht van de King gebarsten was.

'*Nee,*' schreeuwde ze, '*nee, niet doen!*'
'*Ik* doe niets,' antwoordde Gaunt met een lach. 'Jíj doet het. Je doet het zelf omdat je zo'n stomme luie trut bent. We zijn in Amerika, Myra, waar alleen hoeren in bed zaken doen. In Amerika moeten fatsoenlijke mensen uit bed komen om te verdíenen wat ze nodig hebben, anders raken ze alles kwijt. Dat ben je blijkbaar vergeten. Natuurlijk kan ik altijd iemand anders vinden om dat grapje met meneer Beaufort uit te halen, maar wat jouw prachtige *affaire de coeur* met de King betreft...'
Een tweede barst schoot als een zilveren bliksemschicht door het glas dat de foto bedekte. En het gezicht daaronder, zag ze met klimmende ontzetting, begon oud en gerimpeld en schrompelig te worden onder de bederflijke invloed van de lucht.
'*Nee! Ik ga al! Ik ga nu meteen! Ik ben al uit bed, kijk maar! Laat het ophouden! Laat het ophouden!*'
Myra was van het bed gesprongen alsof ze net een nest schorpioenen had ontdekt.
'Eerst moet je je aan je belofte houden, Myra,' zei Gaunt. Hij sprak nu uit een verborgen diepte in haar binnenste. 'Je weet wat je moet doen?'
'Ja, ik weet het!' Myra keek radeloos naar de foto en naar de oude, zieke man, zijn gezicht opgezwollen door jaren vol overdaad en uitspattingen. De hand met de microfoon was de klauw van een gier.
'Als je je opdracht voltooit,' zei Gaunt, 'is de foto weer in orde. Maar niemand mag je zien, Myra. Als iemand je ziet, zul jij hèm nooit meer zien.'
'Niemand zal me zien!' brabbelde ze. 'Ik zweer het!'
En nu, terwijl ze bij het huis van Henry Beaufort kwam, moest ze aan die bezwering denken. Ze keek de weg langs, maar die was naar beide kanten verlaten. Een kraai kraste verwezen op een kale herfstakker. Er was geen ander geluid te horen. De dag scheen te kloppen als een levend wezen en het land lag roerloos onder de trage slag van het misplaatste hart.
Myra liep over de inrit en trok het blauwe overhemd op om de schede met de bajonet te voelen. Zweet droop prikkelend langs haar rug en onder haar beha. Hoewel ze het niet wist en ook niet zou willen geloven, had ze in die landelijke stilte een vluchtige schoonheid gekregen. Haar vage, onnadenkende gezicht had althans voor even een doelbewuste en vastberaden uitdrukking gekregen die het nooit eerder had gekend. Haar jukbeenderen waren voor het eerst duidelijk zichtbaar sinds haar schooltijd, toen ze als haar levensdoel het eten van alle taartjes, koekjes en snoepjes op aarde had aangenomen. De laatste vier dagen had ze het veel te

druk gehad met de steeds buitenissiger standjes die ze met de King opvoerde om zich met eten bezig te houden. Ze had haar doorgaans steil en slap afhangende haar in een strakke korte vlecht gebonden, waardoor haar voorhoofd te zien was. Wellicht door de schok van de plotselinge overdosis aan hormonen en het even plotselinge gebrek aan suiker na jaren van dagelijkse overschotten, waren de meeste puistjes verdwenen die vanaf haar twaalfde als onrustige vulkanen haar gezicht hadden getekend. Nog opmerkelijker waren haar ogen: groot, blauw, bijna dierlijk. Het waren niet de ogen van Myra Evans, maar van een of ander wild beest dat elk moment tot de aanval kon overgaan.

Ze kwam bij Henry's auto. Nú kwam er iets aan op Route 117: een oude, rammelende vrachtwagen op weg naar de stad. Myra dook weg achter de motorkap van de T-Bird tot de vrachtwagen was gepasseerd. Daarna stond ze weer op. Uit het borstzakje van haar overhemd haalde ze een opgevouwen blad papier. Ze vouwde het open, streek het zorgvuldig glad en stak het onder een ruitenwisser van de Bird. De korte inhoud was duidelijk zichtbaar:

WAAG HET NOG EENS MIJ DROOG TE
ZETTEN EN DAN MIJN SLEUTELS TE
HOUDEN, OPGEBLAZEN PAD!

Nu de bajonet.

Ze wierp weer een snelle blik in het rond, maar alles wat er in de zonnige hitte bewoog was een eenzame kraai, misschien dezelfde die ze eerder had gehoord. De vogel landde op een telefoonpaal recht tegenover de oprit en leek naar haar te kijken.

Myra trok de bajonet uit de schede, greep hem stevig met twee handen beet, bukte en stootte het staal tot aan het gevest in de voorband. Ze wendde haar vertrokken gezicht af tegen de luide knal die ze verwachtte, maar er klonk alleen een abrupt zacht *oeeeef!*, als het geluid van een grote man die onverhoeds een klap in zijn maag krijgt. De T-Bird zakte merkbaar door naar links. Myra rukte aan de bajonet om het gat groter te maken, blij dat Chuck zijn speelgoedjes altijd scherp hield.

Toen er een gekartelde rubberen glimlach in de snel leeglopende band zat, liep ze naar de andere kant van de wagen en begon aan de tweede. Ze verlangde nog steeds naar haar foto, maar ze merkte toch ook dat ze blij was dat ze was gekomen. Het was nogal opwindend. Ze werd al nat als ze dacht aan het gezicht dat Henry zou trekken als hij zag wat er met zijn kostbare Thunderbird was gebeurd. God wist waarom, maar als ze eindelijk weer aan boord van

de *Lisa Marie* kwam, zou ze de King misschien een paar nieuwe trucjes kunnen leren.
Ze gaf ook de achterbanden een beurt. De bajonet sneed niet meer zo vlot door het rubber, maar dat compenseerde ze met haar eigen enthousiasme en de energie waarmee ze de zijkanten te lijf ging.
Ten slotte, toen alle vier de banden waren uitgebeend, stapte Myra naar achteren om het resultaat van haar werk te bekijken. Ze ademde snel en met een mannelijk gebaar wiste ze met een arm het zweet van haar voorhoofd. Henry Beauforts Thunderbird was zeker vijftien centimeter gezakt. Hij rustte op zijn velgen, de dure banden uitgezakt in verfomfaaide rubberen poelen. En Myra besloot een eigen accentje aan te brengen, ook al was haar dat niet gevraagd. Met de punt van de bajonet streek ze over de zijkant van de wagen, de glimmende lak bedervend met een lange, kronkelige striem.
De bajonet veroorzaakte een zacht jammerend gekras en Myra keek naar het huis, ineens overtuigd dat Henry Beaufort het had gehoord, dat het gordijn in de slaapkamer plotseling opzij geschoven zou worden en dat hij haar zou zien.
Dat gebeurde niet, maar ze wist dat ze hier weg moest. Ze had te lang van de gastvrijheid geprofiteerd en bovendien... de King wachtte op haar in haar eigen slaapkamer. Myra liep haastig de oprit af, terwijl ze de bajonet in de schede stopte en Chucks overhemd er weer overheen trok. Op weg naar The Mellow Tiger werd ze ingehaald door een auto, maar de bestuurder had alleen haar rug kunnen zien, aangenomen dat hij niet in zijn spiegeltje keek.
Ze stapte in haar eigen auto, trok de haarband los en schudde haar lokken zoals gewoonlijk steil rond haar gezicht en reed terug naar de stad. Dat deed ze met één hand. Haar andere hand had iets onder haar middel te zoeken. Thuis ging ze naar binnen en holde met twee treden tegelijk de trap op. De foto lag nog op bed, waar ze hem had laten liggen. Myra schopte haar schoenen uit, trok haar broek uit, pakte de foto en sprong ermee in bed. De barsten in het glas waren verdwenen, de King had zijn jeugd en schoonheid weer terug.
Dat kon ook gezegd worden van Myra Evans... zo lang het duurde.

7

De zilveren bel boven de deur liet zijn vrolijke deuntje horen.
'Dag mevrouw Potter!' zei Leland Gaunt opgewekt. Hij zette een kruisje op het papier naast de kassa. 'Ik dacht al dat u vandaag niet meer zou komen.'

'Ik had er bijna van afgezien,' zei Lenore Potter. Ze zag er ontdaan, afwezig uit. Haar zilvergrijze haar, doorgaans tot in de puntjes verzorgd, was onverschillig in een netje gebonden. De zoom van haar onderrok was te zien onder de rand van haar kostbare gekeperde grijze jurk en er zaten donkere wallen onder haar ogen. De ogen zelf waren rusteloos, heen en weer schietend met een sombere blik vol woede en achterdocht.
'U wilde toch de Howdy Doody pop eens zien? Als ik me niet vergis had u zelf een hele verzameling kinder...'
'Weet u, ik geloof echt niet dat ik vandaag naar zulke tere dingen kan kijken,' zei Lenore. Ze was de vrouw van de rijkste advocaat in Castle Rock en ze sprak op een afgemeten juristentoon. 'Ik ben er geestelijk heel slecht aan toe. Ik heb een magenta dag. Niet gewoon rood, maar magènta!'
Gaunt liep langs de grootste vitrine naar haar toe, zijn gezicht onmiddellijk vol zorg en medeleven. 'Maar wat is er gebeurd, beste mevrouw Potter? U ziet er afschuwelijk uit!'
'Natúúrlijk zie ik er afschuwelijk uit!' snauwde ze. 'De normale stroom van mijn psychisch aura is verstoord, èrnstig verstoord! In plaats van blauw, de kleur van kalmte en vrede, is heel mijn *kalava* fel magenta geworden! En het komt allemaal door dat kreng van de overkant! Dat opgefokte krèng!'
Gaunt maakte eigenaardige, bezwerende gebaren zonder enig deel van Lenore Potters lichaam feitelijk aan te raken. 'Welk kreng mag dat zijn, mevrouw Potter?' vroeg hij, hoewel hij dat heel goed wist.
'Bonsaint, natuurlijk! Bonsaint! Dat vuile liegbeest Stephanie Bonsaint! Mijn aura is nog nóóit magenta geweest, meneer Gaunt! Een paar keer donkerroze, ja, en misschien een paar minuten rood nadat ik in Oxford bijna door een dronkelap was doodgereden, maar het is nog nóóit magenta geweest! Zo kan ik gewoon niet léven!'
'Maar natuurlijk niet,' suste Gaunt. 'Dat verwacht ook niemand van u, beste mevrouw Potter.'
Eindelijk wist hij haar blik te vangen. Dat was niet gemakkelijk nu ze zo opgewonden om zich heen keek, maar ten slotte lukte het hem. En toen bedaarde Lenore ook bijna onmiddellijk. Als ze in zijn ogen keek, ontdekte ze, was het bijna of ze haar eigen aura zag nadat ze al haar oefeningen had gedaan, het juiste voedsel had gegeten (vooral taugé) en de oppervlakten van haar *kalava* had verzorgd door na het opstaan en voordat ze naar bed ging minstens een uur te mediteren. Zijn ogen waren sereen vaalblauw, als woestijnluchten.
'Kom,' zei hij. 'Ga zitten.' Hij bracht haar naar het rijtje van drie

pluchen stoelen met de hoge ruggen waarin de laatste week al zoveel inwoners van Castle Rock hadden gezeten. En toen ze zat, zei Gaunt uitnodigend: 'Vertel me er alles over.'
'Ze heeft altijd een hekel aan me gehad,' zei Lenore. 'Ze denkt dat haar man niet zo snel bij de firma is opgeklommen als ze wilde doordat míjn man hem tegenwerkte. En dat ìk hem daartoe heb aangezet. Ze is een vrouw met een bekrompen geest en een grote boezem en een vuilgrijze aura. U kent het type wel.'
'Inderdaad,' zei Gaunt.
'Maar vanmorgen kwam ik er pas achter dat ze me echt háát!' Lenore Potter werd weer geagiteerd, ondanks Gaunts rustgevende invloed. 'Toen ik opstond waren mijn bloemperken volkomen vernield. Vernield! Wat gisteren nog zo mooi was, ligt vandaag op sterven! Alles wat de aura kalmeerde en de *kalava* voedde is vermóórd! Door dat kreng! Door dat smerige kreng van een Bonsaint!'
Lenore balde haar vuisten, waardoor haar goed verzorgde nagels verdwenen, en bonkte ermee op de bewerkte armleuningen van de stoel.
'Chrysanten, cimicifuga, asters, goudsbloemen... dat kreng is 's nachts gekomen en heeft ze allemaal uit de grond gerukt! Ze liggen door de hele tuin! Weet u waar mijn sierkool vandaag is, meneer Gaunt?'
'Nee, waar dan?' vroeg hij mild, nog steeds strijkende gebaren boven haar huid makend.
In werkelijkheid kon hij wel raden waar de kool was en hij wist zonder de geringste twijfel wie verantwoordelijk was voor het aangetaste *kalava*: Melissa Clutterbuck. Lenore Potter koesterde geen verdenking jegens de vrouw van hulpsheriff Clutterbuck omdat ze die niet kende... net zo min als Melissa Clutterbuck Lenore kende, behalve dan van gezicht. Melissa had het niet uit kwaadaardigheid gedaan (afgezien, dacht Gaunt, van het normale kwaadaardige genoegen dat iederéén beleeft aan het vernielen van andermans gekoesterde bezittingen). Ze had Lenore Potters bloemperken vernield bij wijze van gedeeltelijke betaling voor een servies van Limoges-porselein. In wezen was het dus een zuiver zakelijke aangelegenheid. Genoeglijk, zeker, dacht Gaunt, maar wie zei dat zaken altijd saai moesten zijn?
'Die ligt op straat!' riep Lenore. 'Midden in Castle View! Ze heeft niets overgeslagen! Zelfs mijn afrikaantjes zijn weg. Allemaal weg! *Allemaal... weg!*'
'Heeft u haar gezien?'
'Dat was nergens voor nodig! Zij is de enige die me zoiets zou aandoen. En overal staan de afdrukken van haar naaldhakken in de

grond. Ik durf te zweren dat die kleine del die zelfs in bèd aanheeft. O, meneer Gaunt,' jammerde ze, 'alles wordt páárs als ik mijn ogen dichtdoe! Wat moet ik begìnnen?'
Gaunt zweeg een ogenblik. Hij keek haar alleen maar strak aan tot ze rustig en afwezig werd.
'Is het zo beter?' vroeg hij ten slotte.
'Ja!' antwoordde ze met een zwakke, opgeluchte stem. 'Ik geloof dat ik het blauw weer kan zien...'
'Maar u bent te opgewonden om zelfs maar aan poppen te dènken.'
'Ja...'
'Door wat dat kreng u heeft aangedaan.'
'Ja...'
'Ze zou ervoor moeten betalen.'
'Ja.'
'En als ze ooit nog eens zoiets probeert, dan zàl ze ervoor betalen.'
'Já!'
'Misschien heb ik wel iets. Blijf rustig zitten, mevrouw Potter. Ik ben zo terug. Intussen moet u blauwe gedachten denken.'
'Blauw,' beaamde ze dromerig.
Gaunt kwam terug en stopte een van de automatische pistolen die Ace uit Cambridge had gehaald in Lenore Potters handen. Het was geladen en glansde met een vettige blauwzwarte kleur onder de spots.
Lenore hield het wapen voor haar gezicht. Ze keek ernaar met een blik van voldoening en nog intensere opluchting.
'Nu zou ik nooit iemand aanraden een ander dood te schieten,' zei Gaunt. 'Althans niet zonder een zeer goede réden. Maar u lijkt me een vrouw die een zeer goede reden hééft, mevrouw Potter. Niet de bloemen, we weten allebei dat het daar niet om gaat. Bloemen zijn vervangbaar. Maar uw karma... uw *kalava*... Ja, wat hebben wij, wij mensen, eigenlijk nog meer?' En hij lachte geringschattend.
'Niets,' gaf ze toe, en richtte het pistool op de muur. 'Pow. Pow, pow, pow. Dat is voor jou, kleine jaloerse del met je hoge hakjes. Ik hoop dat je man binnenkort het huisvuil moet gaan ophalen. Dat verdient hij. Dat verdienen jullie allebéi.'
'Ziet u dit knopje hier, mevrouw Potter?' Hij wees het aan.
'Ja, ik zie het.'
'Dat is de veiligheidspal. Als het kreng nog eens komt om u schade te berokkenen, dan moet u eerst die pal wegschuiven. Begrijpt u?'
'O ja,' zei Lenore met haar slaapstem. 'Ik begrijp het heel goed. Ka-pów!'
'Niemand zal het u kwalijk nemen. Per slot van rekening moet een vrouw haar bezit verdedigen. Een vrouw moet haar karma verdedi-

gen. Dat mens zal waarschijnlijk niet meer terugkomen, maar als ze het toch doet...'
Hij keek haar veelzeggend aan.
'Als ze het toch doet, zal het de laatste keer zijn.' Lenore bracht de korte loop van het pistool naar haar lippen en kuste hem licht.
'Stop hem in uw tas,' zei Gaunt, 'en ga naar huis. Wie weet staat ze op dit moment in uw tuin. Ze kan zelfs al in uw huis zijn.'
Lenore keek geschrokken op. Dunne draadjes van een akelige paarse kleur begonnen door haar blauwe aura te kronkelen. Ze stond op en propte het automatische pistool in haar tas. Gaunt wendde zijn blik af en meteen knipperde ze een paar keer snel met haar ogen.
'Het spijt me, maar ik zal de marionet een andere keer moeten bekijken, meneer Gaunt. Ik kan maar beter naar huis gaan. Wie weet staat dat mens op dit moment in mijn tuin. Ze kan zelfs in mijn huis zijn!'
'Wat een afschuwelijk idee,' zei Gaunt.
'Ja, maar bezit brengt verantwoordelijkheid met zich mee, het moet verdedigd worden. We moeten zulke dingen onder ogen zien, meneer Gaunt. Hoeveel ben ik u schuldig voor de... de...' Maar ze kon zich niet precies herinneren wat hij haar had verkocht, hoewel ze ervan overtuigd was dat het elk moment kon terugkomen. In plaats daarvan gebaarde ze vaag naar haar tas.
'Ik breng u niets in rekening. Dit is vandaag een speciale aanbieding.' Zijn glimlach werd breder. 'Ziet u het maar als een kennismakingsgeschenk.'
'Dank u,' zei Lenore. 'Ik voel me een heel stuk beter.'
'Zoals altijd,' zei Gaunt met een kleine buiging, 'is het mij een genoegen u van dienst te zijn geweest.'

8

Norris Ridgewick was niet aan het vissen.
Norris Ridgewick keek door het raam in de slaapkamer van Hugh Priest.
Hugh lag uitgeteld op zijn rug te snurken. Hij had alleen een lange onderbroek aan, die onder de urinevlekken zat. In zijn grote knokkelige handen lag een dof stuk bont. Norris kon het niet goed zien – Hugh had grote knuisten en het raam was erg vuil – maar hij dacht dat het een oude, door de motten aangevreten vossestaart was. Dat deed er trouwens niet toe; Hugh lag te slapen en daar ging het maar om.
Norris liep door de tuin terug naar zijn eigen auto, die achter

Hughs Buick in de oprit stond. Hij deed het portier open en bukte. Zijn tas met vistuig stond op de vloer. De Bazun lag op de achterbank; hij vond het prettiger, véiliger, om de hengel bij zich te hebben.
Hij had hem nog niet gebruikt. De waarheid was heel eenvoudig: hij was bàng om hem te gebruiken. Gisteren had hij hem meegenomen naar Castle Lake, helemaal opgetuigd en klaar voor gebruik... en net toen hij wilde uitwerpen, de hengel al over zijn schouder, had hij geaarzeld.
Als een grote kanjer nu eens het aas pakt? dacht hij. *Zoals Smokey?*
Smokey was een oude meerforel, het onderwerp van legenden onder de vissers van Castle Rock. Hij moest meer dan zestig centimeter lang zijn, sluw als een vos, sterk als een os, koppig als een ezel. Volgens de oudjes glinsterde Smokey's bek van de vishaken die hij had afgerukt.
Als hij de hengel nou eens breekt?
Het leek een belachelijk idee dat een meerforel, zelfs zo'n grote als Smokey (als Smokey werkelijk bestond), een Bazun in tweeën kon breken, maar Norris hield het voor mogelijk... vooral na alle ongelukjes die hem de laatste tijd waren overkomen. In gedachten hoorde hij het akelige knappen en zag hij de hengel in twee stukken, een in de boot en een in het water ernaast. En als een hengel eenmaal was gebroken, was het afgelopen... je kon er niets meer mee doen behalve weggooien.
Daarom had hij ten slotte toch de oude Zebco maar genomen. Die avond had hij geen vis gegeten... maar hij had wel van Gaunt gedroomd. In de droom droeg Gaunt heuplaarzen en een oude gleufhoed met harige kunstvliegen die vrolijk aan de rand bungelden. Hij zat in een roeiboot op Castle Lake, zo'n tien meter uit de oever, terwijl Norris op de kant stond met achter zich de oude hut van zijn vader die tien jaar geleden was afgebrand. Hij stond daar en luisterde terwijl Gaunt het woord deed. Gaunt had hem aan zijn belofte herinnerd en Norris was ontwaakt met een volstrekte zekerheid; hij had er gisteren goed aan gedaan de Bazun weg te leggen en de oude Zebco te gebruiken. De Bazun was te mooi, veel te mooi. Het zou misdadig zijn hem op het spel te zetten door hem werkelijk te gebrúiken.
Norris deed zijn tas open. Hij haalde er een lang schubmes uit en nam het mee naar de Buick.
Als iemand het verdient dan is het die dronkelap, zei hij tegen zichzelf, maar iets in zijn binnenste was het daar niet mee eens. Een stem zei dat hij een duistere en fatale vergissing maakte waarvan hij misschien nooit meer zou herstellen. Hij was een politieman,

het hoorde bij zijn werk mensen aan te houden voor wat hij zelf op het punt stond te gaan doen. Het was vandalisme, daar kwam het op neer, en vandalen waren de verkeerde partij.
Je mag het zelf uitmaken, Norris, zei de stem van Gaunt ineens in zijn hoofd. *Het is jouw hengel. En God heeft je het recht op een vrije wil gegeven. Je mag kiezen. Je mag altijd kiezen. Maar...*
De stem in Norris Ridgewicks hoofd maakte de zin niet af. Dat was niet nodig. Norris wist wat er zou gebeuren als hij nu afhaakte. Als hij terugging naar zijn auto, zou hij de Bazun in twee stukken zien liggen. Want elke keuze had gevolgen. Want in Amerika kon je alles hebben wat je wilde, althans zolang je ervoor kon betalen. Als je niet kon of niet wílde betalen bleef je voor altijd zonder.
Trouwens, dacht Norris gemelijk, hij zou bij mij hetzelfde doen. En niet eens voor zo'n mooie hengel als mijn Bazun. Hugh Priest zou zijn eigen moeder de strot afsnijden voor een fles Old Duke en een pakje Lucky's.
Zo verdrong hij zijn schuldgevoel. Hij smoorde het stemmetje dat weer wilde protesteren, dat hem bezwoer na te denken voordat hij verder ging, ná te denken. Hij bukte en begon de banden van Hughs Buick stuk te snijden. Net als bij Myra Evans begon hij na een tijdje enthousiast te worden. Voor de volledigheid schopte hij ook de koplampen en achterlichten van de Buick aan diggelen. Ten slotte stopte hij een briefje onder de ruitenwisser:

DIT IS NOG MAAR EEN KLEINE
WAARSCHUWING, HUBERT. VOORTAAN LAAT
JE MIJN JUKEBOX MET RUST.
BLIJF UIT MIJN KROEG!

Daarna sloop hij terug naar het slaapkamerraam, zijn hart driftig bonkend in zijn smalle borst. Hugh Priest was nog steeds diep in slaap, met die luizige vacht in zijn handen.
Wie wil er nou in godsnaam zo'n smerig oud ding hebben? dacht Norris. Hij houdt hem beet alsof het verdomme een teddybeer is.
Hij ging terug naar zijn auto. Hij stapte in, zette de versnelling in zijn vrij en liet zijn oude Kever geruisloos van de afrit rollen. Pas op straat startte hij de motor. Daarna reed hij zo snel mogelijk weg. Hij had hoofdpijn. Hij had maagkramp. En hij zei telkens tegen zichzelf dat het er niet toe deed; hij voelde zich goed, hij voelde zich goed, verdomme, hij voelde zich *heel erg goed*.
Veel helpen deed het niet, totdat hij achter zich tastte en met zijn

linkerhand de buigzame, slanke vishengel pakte. Dat bracht hem weer tot bedaren.
Norris hield de Bazun vast tot hij thuis was.

9

De zilveren bel tinkelde.
Slopey Dodd kwam De NoodZaak binnen.
'Hallo, Slopey,' zei Gaunt.
'H-h-hallo, meneer G-g-g..'
'Je hoeft hier niet te stotteren, Slopey,' zei Gaunt. Hij tilde een hand op en stak zijn wijs- en middelvinger als een vork naar voren. Hij zwaaide ermee voor Slopey's onbeduidende gezicht en als bij toverslag voelde de jongen iets in zijn hoofd – een verwarde, kronkelige knoop – verdwijnen. Zijn mond viel open.
'Wat heeft u gedaan?' hijgde hij. De woorden rolden volmaakt uit zijn mond, als kralen aan een ketting.
'Een trucje dat juf Ratcliffe ongetwijfeld dolgraag zou leren,' zei Gaunt. Hij glimlachte en zette een kruisje achter Slopey's naam. Hij wierp een blik op de staande klok die in de hoek vrolijk de tijd wegtikte. Het was kwart voor een. 'Hoe ben je van school weggekomen? Heeft niemand argwaan gekregen?'
'Nee.' Slopey had nog steeds een verwonderde uitdrukking op zijn gezicht, en het leek alsof hij naar zijn eigen mond probeerde te kijken terwijl hij praatte, om de woorden te zien die zo ongekend netjes naar buiten kwamen. 'Ik heb tegen mevrouw DeWeese gezegd dat ik maagpijn had. Zij stuurde me naar de zuster. Ik zei dat ik me wat beter voelde, maar nog steeds misselijk. Ze vroeg of ik naar huis kon lopen. Ik zei van wel en ze liet me gaan.' Slopey pauzeerde. 'Ik ben gekomen omdat ik in het huiswerklokaal in slaap viel. Ik droomde dat u me riep.'
'Dat deed ik ook.' Gaunt drukte zijn even lange vingers tegen elkaar onder zijn kin en keek glimlachend naar de jongen. 'Vertel me eens... was je moeder blij met de tinnen theepot die je voor haar had gekocht?'
Een blos kwam op Slopey's wangen, die de kleur van oude baksteen kregen. Hij wilde iets zeggen, bedacht zich en keek in plaats daarvan naar zijn voeten.
'Je hebt hem zelf gehouden, nietwaar?' vroeg Gaunt, zo zacht en vriendelijk als hij kon.
Slopey knikte zonder zijn hoofd op te tillen. Hij was beschaamd en verward. Erger nog, hij had het vreselijke gevoel dat hij iets was kwijtgeraakt; meneer Gaunt had die vermoeiende, frustrerende knoop in zijn hoofd laten verdwijnen... en wat had hij eraan? Hij was te beschaamd om iets te kunnen zeggen.

'En vertel me dan eens wat een jongen van twaalf met een tinnen theepot moet?'
Slopey's vetkuif, die daarnet nog op en neer was gegaan, zwaaide van links naar rechts toen hij zijn hoofd schudde. Hij wíst niet wat een jongen van twaalf met een tinnen theepot moest. Hij wist alleen dat hij hem wilde houden. Hij vond hem mooi. Hij vond hem echt... echt... heel mooi.
'...aan te raken,' mompelde hij eindelijk.
'Pardon?' vroeg Gaunt, zijn enkele golvende wenkbrauw optrekkend.
'Het is fijn om hem aan te raken, zei ik!'
'Slopey, Slopey,' zei Gaunt, die achter de toonbank vandaan kwam. 'Dat hoef je míj echt niet uit te leggen. Ik weet alles van de eigenaardige zaken die mensen hun "trotse bezit" plegen te noemen. Dat is de hoeksteen van mijn professie.'
Slopey Dodd deinsde geschrokken terug. 'Raak me niet aan! Raak me niet aan!'
'Slopey, ik ben allerminst van plan om je aan te raken. En ik zal je ook niet gebieden de theepot aan je moeder te geven. Hij is van jóu. Je kunt er alles mee doen wat je wilt. Sterker nog, ik juich het tóe dat je hem hebt gehouden.'
'Echt... echt waar?'
'Echt waar! Egoïstische mensen zijn gelukkige mensen. Dat geloof ik met heel mijn hart. Maar Slopey...'
Slopey tilde zijn hoofd wat op en keek bevreesd langs zijn rode kuif naar Leland Gaunt.
'Het is tijd dat je me de volle prijs betaalt.'
'O!' Slopey voelde een geweldige opluchting. 'Is dat alles wat u van me wilde? Ik dacht dat u...' Maar hij kon of wilde zijn zin niet afmaken. Hij wist ook niet zeker wàt meneer Gaunt anders had gewild.
'Ja. Weet je nog met wie je een grapje zou uithalen?'
'Tuurlijk. Met de sportleraar.'
'Juist. Het bestaat uit twee delen: je moet ergens iets neerleggen en je moet iets tegen meneer Pratt zeggen. En als je de aanwijzingen exact opvolgt, is de theepot voorgoed van jou.'
'Kan ik dan ook zo praten?' vroeg Slopey gretig. 'Zal ik nooit meer stotteren?'
Gaunt zuchtte spijtig. 'Ik vrees dat je weer gaat stotteren zodra je de winkel uit bent, Slopey. Nu meen ik dat ik wel ergens een middeltje daartegen heb, maar...'
'Mag ik het hebben, meneer Gaunt? Alstublieft? Ik zal alles doen wat u wilt, àlles! Ik wìl niet stotteren!'
'Dat weet ik wel, maar dat is juist het probleem, snap je? Ik raak

snel door mijn grapjes heen, mijn strippenkaart is bijna vol, zogezegd. Je zou me niet kunnen betalen.'
Slopey aarzelde lange tijd voordat hij weer iets zei. Zijn stem klonk zacht en bedeesd. 'Kunt u niet... ik bedoel, geeft u nooit eens iets zomaar weg, meneer Gaunt?'
Leland Gaunt kreeg een diepbedroefde uitdrukking op zijn gezicht. 'Ach, Slopey! Daar heb ik zo vaak aan gedacht en zo verlàngend! In mijn hart is een diepe, ongebruikte bron van liefdadigheid. Maar...'
'Maar?'
'Dat zou domweg niet zakelijk zijn,' besloot Gaunt. Hij schonk Slopey een meewarige glimlach... maar zijn ogen glinsterden zo venijnig dat Slopey een stap terug deed. 'Dat begrijp je toch wel?'
'Eh... ja! Natuurlijk!'
'Trouwens,' vervolgde Gaunt, 'ik heb een paar hoogst belangrijke uren voor de boeg. Als de zaken eenmaal in gang zijn gezet, is er meestal geen houden meer aan... maar voorlopig is uiterste voorzichtigheid geboden. Als je ineens niet meer stotterde, zouden de mensen vragen gaan stellen. Dat zou niet goed zijn. De sheriff vraagt toch al naar dingen waar hij niets mee te schaften heeft.' Zijn gezicht betrok een ogenblik, daarna verscheen zijn lelijke, aantrekkelijke, scheve glimlach weer. 'Maar met hem ben ik nog niet klaar, Slopey. Reken maar.'
'Sheriff Pangborn, bedoelt u?'
'Ja, ik bedoel sheriff Pangborn.' Gaunt stak zijn wijs- en middelvinger naar voren en haalde ze van boven naar beneden langs het gezicht van Slopey Dodd. 'Maar over hem hebben we het niet gehad, of wel soms?'
'Over wie niet?' vroeg Slopey verward.
'Juist.'
Leland Gaunt had vandaag een jasje van donkergrijs suède aan en uit een van zijn zakken haalde hij een zwarte leren portefeuille. Hij gaf hem aan Slopey, die goed oppaste Gaunts vingers niet aan te raken.
'Je weet welke wagen Lester Pratt heeft?'
'De Mustang? Ja, natuurlijk.'
'Leg de portefeuille erin. Onder de voorbank, maar zorg dat er een klein stukje uitsteekt. Ga nu meteen naar de middelbare school, het moet gebeuren voordat de school uitgaat. Begrepen?'
'Ja.'
'Daarna wacht je tot hij naar buiten komt. En dan...'
Gaunt praatte zachtjes verder en Slopey keek naar hem op met open mond en glazige ogen. Hij knikte af en toe.
Een paar minuten later ging Slopey Dodd weg, met onder zijn overhemd de portefeuille van John LaPointe.

16

1

Nettie lag in een eenvoudige grijze kist die door Polly Chalmers was betaald. Alan had aangeboden de kosten te delen, maar dat had ze afgewezen op de simpele maar definitieve manier die hij had leren kennen, respecteren en aanvaarden. De kist stond op een stalen draagstel boven het graf op het terrein van Homeland, dichtbij de plek waar Polly's familie begraven lag. De hoop aarde ernaast was overdekt met een stuk felgroen kunstgras, dat onrustig flonkerde in de hete zon. Alan kreeg onveranderlijk de rillingen van dat namaakgras. Het had iets obsceens, iets walgelijks. Het beviel hem nog minder dan het gebruik om de doden eerst op te maken en vervolgens de mooiste kleren aan te trekken, waardoor ze eruitzagen alsof ze een weekend stappen in Boston voor de boeg hadden in plaats van een lang seizoen van verval tussen de wortels en de wormen.

Tom Killingworth, de methodistische predikant die twee keer per week een dienst in Juniper Hill hield en Nettie goed had gekend, leidde op Polly's verzoek de herdenking. De preek was kort maar innig geweest, vol herinneringen aan de Nettie Cobb zoals hij die had gekend, een vrouw die langzaam en dapper uit de duisternis van de waanzin was geklommen, een vrouw die het moedige besluit had genomen opnieuw de wereld onder ogen te zien die haar zo diep had gekwetst.

'Toen ik opgroeide,' zei Tom Killingworth, 'had mijn moeder in haar naaikamer een bordje met een prachtig Iers gezegde: "Bid dat je een half uur in de hemel mag zijn voor de duivel weet dat je dood bent." Nettie Cobb heeft een hard leven gehad, in veel opzichten een triest leven, maar toch geloof ik niet dat zij en de duivel ooit veel met elkaar te maken hebben gehad. Ondanks haar afschuwelijke ontijdige dood, geloof ik in mijn hart dat zij naar de hemel is gegaan en dat de duivel het nog altijd niet weet.' Killingworth hief zijn armen in het traditionele gebaar van zegening. 'Laat ons bidden.'

Aan de andere kant van de heuvel, waar op dat moment Wilma Jerzyck werd begraven, klonk het geluid van vele stemmen die samen met vader John Brigham baden. Aan die kant stonden de auto's van het graf tot helemaal aan de oostelijke ingang van de begraafplaats; de mensen waren misschien niet voor Wilma, maar in

elk geval wel voor de levende Peter Jerzyck gekomen. Rond Netties graf stonden slechts vijf rouwenden: Polly, Alan, Rosalie Drake, de oude Lenny Partridge (die uit beginsel elke begrafenis bijwoonde, althans zolang er geen paap werd begraven), en Norris Ridgewick. Norris zag er bleek en verstrooid uit. De vis wou zeker niet bijten, dacht Alan.
'Moge de Heer u allen zegenen en de herinnering aan Nettie Cobb fris en levend houden in uw hart,' zei Killingworth, en Polly begon aan Alans zijde weer te huilen. Hij sloeg een arm om haar heen en ze leunde dankbaar tegen hem aan. Ze pakte zijn hand en hield hem stevig vast. 'Moge de Heer Zijn gezicht tot u wenden; moge Hij u Zijn genade schenken; moge Hij uw ziel verlichten en u vrede schenken. Amen.'
Het was nog warmer dan op Columbusdag en toen Alan zijn hoofd optilde, knipperde hij met zijn ogen tegen het felle licht dat door het metalen onderstel van de kist werd weerkaatst. Met zijn vrije hand wreef hij over zijn voorhoofd, waar een laagje zomers zweet op was gekomen. Polly haalde een doekje uit haar tas en bette haar tranende ogen.
'Gaat het, lieverd?' vroeg Alan.
'Ja... maar ik heb zo met haar te doen, Alan. Arme Nettie. Arme, arme Nettie. Waarom is dit gebeurd? Waarom toch?' En ze begon weer te snikken.
Alan, die zich precies hetzelfde afvroeg, sloot haar in zijn armen. Over haar schouder zag hij Norris naar het rijtje auto's gaan, onzeker lopend, als iemand die niet weet welke kant hij uit moet of niet helemaal wakker is. Alan fronste zijn wenkbrauwen. Rosalie Drake ging naar Norris toe en zei iets tegen hem. Norris omhelsde haar.
Hij heeft haar ook gekend, dacht Alan, hij is alleen maar verdrietig. Je zoekt tegenwoordig ook overal wat achter... misschien moet je je gaan afvragen wat er met jóu aan de hand is.
Killingworth kwam naar hen toe en Polly, die zichzelf weer in de hand kreeg, bedankte hem. Met stille verbazing zag Alan hoe Polly zonder enige aarzeling de hand van de predikant drukte. Hij had haar nog nooit zo vrij en onbekommerd met haar handen zien omspringen.
Het gaat niet een beetje beter, het gaat véél beter met haar. Wat is er in vredesnaam gebeurd?
Aan de andere kant van de heuvel zei vader John brigham met zijn tamelijk irritante neusstem: 'Vrede zij met u.'
'En met u,' antwoordden de rouwenden *en masse*.
Alan keek naar de eenvoudige grijze kist naast dat afzichtelijke kunstgras. Vrede met jou, Nettie, dacht hij. Misschien vind je nu eindelijk vrede.

2

Terwijl de dubbele begrafenis op Homeland ten einde liep, parkeerde Eddie Warburton voor Polly's huis. Hij stapte uit zijn auto - niet zo'n mooie nieuwe als die de opgeblazen idioot van de Sunoco had verziekt, gewoon een vervoermiddel - en keek behoedzaam naar twee kanten de straat door. Alles leek in orde: de straat doezelde in wat een vroege augustusmiddag had kunnen zijn.

Eddie liep snel het tegelpad af, onderweg een officieel uitziende envelop uit zijn overhemd halend. Gaunt had hem net tien minuten geleden gebeld om te zeggen dat het tijd was dat hij zijn medaillon afbetaalde en hier was hij dan... vanzelfsprekend. Gaunt was iemand die maar 'kikker' hoefde te zeggen en je sprong al.

Eddie beklom de drie treden naar de veranda. Een heet briesje beroerde de klokjes boven de deur, die zachtjes tegen elkaar tinkelden. Het was het allerbeschaafdste geluid dat je je kon voorstellen, maar Eddie maakte een sprongetje van schrik. Hij keek weer om zich heen, zag niemand en keek naar de envelop. Geadresseerd aan 'Mej. Patricia Chalmers' - alsof ze een prinses was! Eddie had er geen flauw idee van dat Polly eigenlijk Patricia heette en het kon hem ook niet schelen. Hij kwam alleen om een grapje uit te halen en daarna zou hij maken dat hij wegkwam.

Hij stopte de envelop in de brievenbus. Het ding gleed omlaag en landde op de andere post: twee catalogi en een reclamefolder voor kabeltelevisie. Het was een rechthoekige envelop, machinaal gefrankeerd, met in het midden Polly's naam en adres en in de linker bovenhoek de afzender:

Dienst voor Jeugdwelzijnswerk
666 Geary Street
San Francisco, California 94112

3

'Wat is er?' vroeg Alan terwijl hij met Polly langzaam van de heuvel naar zijn stationcar liep. Hij had gehoopt althans een enkel woord met Norris te kunnen wisselen, maar Norris was al in zijn Volkswagen gestapt en weggereden. Terug naar het meer om nog wat te vissen voor de zon onderging, vermoedelijk.

Polly keek naar hem op, nog steeds met rode ogen en te bleek, maar ze probeerde te glimlachen. 'Wat bedoel je?'

'Je handen. Ze zijn helemaal beter. Het lijkt wel tovenarij.'

'Ja,' zei ze. Ze hield haar handen op en spreidde haar vingers zodat

ze er allebei naar konden kijken. 'Vind je ook niet?' Haar glimlach was iets natuurlijker.
Haar vingers waren nog steeds krom, nog steeds gedraaid, en er zaten nog steeds knobbels op de gewrichten, maar de acute zwelling van vrijdagavond was bijna helemaal verdwenen.
'Hou me niet voor de gek, zus. Vertel op.'
'Ik weet niet of ik dat wel wil,' zei ze. 'Eerlijk gezegd schaam ik me een beetje.'
Ze bleven staan en zwaaiden naar Rosalie, die in haar oude blauwe Toyota voorbij reed.
'Kom op,' zei Alan. 'Beken.'
'Nou,' zei ze, 'ik denk dat ik eindelijk de goede dokter heb gevonden, meer niet.' Haar wangen werden langzaam rood.
'Wie dan?'
'Dokter Gaunt,' zei ze met een nerveus lachje. 'Dokter Leland Gaunt.'
'*Gaunt!*' Hij keek haar verrast aan. 'Wat heeft hij met je handen te maken?'
'Je mag me naar zijn winkel brengen, dan vertel ik het je onderweg.'

4

Vijf minuten later (een van de prettigste dingen van Castle Rock, dacht Alan wel eens, was dat bijna alles maar vijf minuten rijden was) draaide hij in een van de schuine parkeervakken voor De NoodZaak. Er stond een bordje in de etalage, een dat Alan eerder had gezien:

DI. EN DO. BEZOEK UITSLUITEND OP AFSPRAAK.

Het kwam ineens bij Alan op – hij had tot nu toe helemaal niet over dit aspect van de nieuwe winkel nagedacht – dat 'alleen op afspraak' wel een verdomd vreemde manier van zakendoen was in zo'n kleine plaats.
'Alan?' vroeg Polly aarzelend. 'Je kijkt zo boos.'
'Ik ben niet boos,' zei hij. 'Waar zou ik in vredesnaam boos om moeten zijn? Al weet ik eerlijk gezegd niet wàt ik ervan vind. Ik denk...' Hij stootte een kort lachje uit, schudde zijn hoofd en begon opnieuw. 'Ik denk dat ik me vernacheld voel, zoals Todd altijd zei. Een kwakzalver? Dat lijkt me niks voor jou, Pol.'
Haar lippen verstrakten meteen en er lag een waarschuwing in haar ogen toen ze hem aankeek. 'Ik zou hem geen kwakzalver willen

noemen. Bij een kwakzalver denk je aan paardemiddelen en... en aan gebedsmolens uit advertenties in *Inside View*. Als iets werkt, dan is het geen paardemiddel, Alan. Vind je dat ik ongelijk heb?'
Hij deed zijn mond open - zonder te weten wat hij ging zeggen - maar ze was hem voor.
'Kijk maar eens.' Ze hield haar handen op in het zonlicht dat door de voorruit naar binnen viel, waarna ze de vingers moeiteloos een paar keer kromde en weer ontspande.
'Akkoord, ik heb me slecht uitgedrukt. Wat ik...'
'Dat zou ik denken, ja. Heel slecht.'
'Het spijt me.'
Ze draaide zich helemaal naar hem toe, naast hem op de plaats waar Annie zo vaak had gezeten in wat ooit hun gezinswagen was geweest. Waarom heb ik dit ding nog niet ingeruild? vroeg Alan zich af. Ik ben toch niet gek?
Polly legde haar handen teder op de zijne. 'Hè, wat vervelend is dit nou. We maken nóóit ruzie en daar wil ik nu niet mee beginnen. Ik heb vandaag een goede vriendin begraven. Ik heb geen zin ook nog eens ruzie met mijn vriendje te krijgen.'
Hij grinnikte traag. 'Ben ik dat? Je vriendje?'
'Nou ja... je bent mijn vríend. Mag ik je zo dan noemen?'
Hij omhelsde haar, lichtelijk verbaasd over de bijna-woordenwisseling die ze hadden gehad. En niet omdat ze zich slechter voelde: omdat ze zich béter voelde. 'Je mag me alles noemen wat je wilt, schat. Ik ben gek op je.'
'En we maken geen ruzie, wat er ook gebeurt.'
Hij knikte plechtig. 'Wat er ook gebeurt.'
'Want ik ben ook gek op jou, Alan.'
Hij zoende haar op de wang en liet haar los. 'Laat me die asbak eens zien die hij je heeft gegeven.'
'Het is geen asbak, maar een *azka*. En hij heeft me hem niet gegéven, ik heb hem alleen gekregen om te proberen. Daarom ben ik hier: om hem te kopen. Dat heb ik je verteld. Ik hoop alleen maar dat hij er geen kapitaal voor vraagt.'
Alan keek naar het bordje in de etalage en naar het neergelaten gordijn achter de deur. Ik ben bang dat hij dat nou juist wel van plan is, schat, dacht hij.
Het beviel hem helemaal niet. Tijdens de rouwdienst had hij nauwelijks zijn ogen van Polly's handen kunnen afhouden. Hij had gezien hoe moeiteloos ze haar tas openknipte, een doekje pakte en daarna de tas weer met haar vingertoppen dichtdeed in plaats van onhandig met haar duimen, die doorgaans lang niet zo pijnlijk waren. Het mocht dan beter gaan met haar handen, het verhaal over een tovermiddel - en daar kwam het toch op neer als je de

bijzaken wegliet - maakte hem bijzonder nerveus. Het riekte naar bedrog.

DI. EN DO. BEZOEK UITSLUITEND OP AFSPRAAK.

Nee, afgezien van enkele sjieke restaurants zoals *Maurice*, had hij sinds zijn komst naar Maine geen enkele zaak gezien die aan bezoek op afspraak deed. En zelfs bij *Maurice* kon je zo naar binnen lopen en een tafeltje krijgen... behalve natuurlijk in de zomer, als het druk was met toeristen.

UITSLUITEND OP AFSPRAAK.

Toch had hij (uit een ooghoek zogezegd) de hele week mensen in en uit zien lopen. Misschien niet in dròmmen, maar het was duidelijk dat Gaunts manier van werken, raar of niet, hem niet schaadde. Soms kwamen zijn klanten in een groepje, maar veel vaker alleen... althans zo kwam het Alan voor nu hij over de laatste week nadacht. En was dat niet zoals oplichters het aanpakten? Ze weekten je los van de kudde en als je alleen was, stelden ze je op je gemak en boden je voor een zeldzaam laag prijsje de Lincoln Tunnel aan.
'Alan?' Ze tikte met haar knokkels tegen zijn voorhoofd. 'Ben je daar, Alan?'
Hij keek haar glimlachend aan. 'Ik ben er, Polly.'
Bij Netties begrafenis had ze een donkerblauwe jumper met een bijpassend blauw tricotsjaaltje gedragen. Terwijl Alan zat na te denken, had ze het sjaaltje afgedaan en vlot de bovenste twee knoopjes van haar witte blouse opengemaakt.
'Ga door!' zei hij met een wulpse blik. 'Decolleté willen we zien!'
'Hou op,' zei ze quasi-preuts. 'We zijn midden in Main Street en het is half drie in de middag. Trouwens, we komen net van een begrafenis, als je dat nog weet.'
Hij schrok op. 'Is het echt al zo laat?'
'Als je half drie laat noemt, ja.' Ze klopte op zijn pols. 'Kijk je wel eens op dat ding?'
Hij keek er nu op en zag dat het al bijna tien over half was. De school ging om drie uur uit. Als hij Brian Rusk nog wilde opvangen, moest hij meteen op weg.
'Laat me dat ding eens zien,' zei hij.
Ze trok aan de dunne zilveren ketting om haar hals en haalde de kleine zilveren hanger tevoorschijn. Ze liet hem in haar hand glijden... en sloot haar vingers eromheen toen hij hem wilde aanraken.
'Eh... ik weet niet of dat wel mag.' Ze glimlachte, maar ze was duidelijk ongerust. 'Misschien verstoort het de uitstraling of zoiets.'

'Toe nou, Pol,' zei hij geërgerd.
'Laten we één ding duidelijk stellen, goed?' De woede was terug in haar stem. Ze probeerde zich te beheersen, maar het was onmiskenbaar. 'Jij kunt er makkelijk de spot mee drijven. Jij hebt geen telefoon met grote druktoetsen nodig en ook geen overdosis pijnstillers.'
'Hé zeg, dat is...'
'Nee, laat maar zitten.' Felle blosjes waren op haar wangen verschenen. Haar woede, zou ze later bedenken, kwam voort uit een heel eenvoudige bron: zondag had ze zich precies zo gevoeld als Alan nu. Sindsdien was er iets gebeurd waardoor ze op andere gedachten was gekomen, en die verandering was niet zo makkelijk te verwerken. 'Dit ding wèrkt. Ik weet dat het waanzin is, maar het *werkt echt*. Zondagochtend, toen Nettie kwam, voelde ik me afschuwelijk. Ik begon te denken dat de echte oplossing voor al mijn problemen een dubbele amputatie was. De pijn was zo erg, Alan, dat ik dat idee bijna als een geschenk uit de hemel beschouwde. Zo van: "O ja, amputatie! Waarom heb ik dáár nooit aan gedacht? Het ligt zo voor de hand!" En nu, twee dagen later maar, heb ik alleen nog wat dokter Van Allen "valse pijn" noemt, en zelfs dat lijkt minder te worden. Ik weet nog dat ik ongeveer een jaar geleden een week lang alleen witte rijst at omdat dat zou helpen. Is dit zo anders?'
De woede was onder het praten uit haar stem verdwenen en nu keek ze hem bijna smekend aan.
'Ik weet het niet, Polly. Ik weet het echt niet.'
Ze had haar hand weer geopend en nu hield ze de *azka* tussen haar duim en wijsvinger. Alan boog opzij om er van dichtbij naar te kijken, maar ditmaal probeerde hij niet hem aan te raken. Het was een klein zilveren voorwerp, niet helemaal rond. Piepkleine gaatjes, niet veel groter dan de zwarte stippels waaruit krantefoto's bestaan, zaten in de onderste helft. Het ding glansde zacht in het zonlicht.
En terwijl Alan ernaar keek, werd hij overvallen door een machtig, irrationeel gevoel; het beviel hem niet. Het beviel hem helemaal niet. Hij weerstond een korte, sterke aandrang het ding gewoon van Polly's hals te rukken en uit het raampje te gooien.
Ja, dat moet je doen, jongen! Dan kun je gelijk je tanden van de vloer oprapen!
'Soms is het net of er iets in beweegt,' zei Polly glimlachend. 'Een Mexicaanse springboon of zoiets. Vind je dat niet gek?'
'Ik weet het niet.'
Hij keek vol bedenkingen toe terwijl ze de hanger weer in haar blouse stopte... maar die ebden weg toen de *azka* uit het gezicht

was en Polly met haar ontegenzeglijk soepele vingers de knoopjes weer vastmaakte. Wat niet verdween was zijn steeds sterkere vermoeden dat Leland Gaunt zijn geliefde belazerde... en als dat zo was, zou Polly niet de enige zijn.
'Heb je eraan gedacht dat het iets anders zou kunnen zijn?' vroeg hij, omzichtig als iemand die van de ene glibberige steen op de andere springt om een snelle stroom over te steken. 'Je hebt immers vaker perioden waarin het beter gaat.'
'Ja, dat weet ik natuurlijk ook wel,' zei Polly een tikkeltje ongeduldig. 'Het zijn mijn eigen handen.'
'Polly, ik probeer alleen maar...'
'Ik had wel gedacht dat je zo zou reageren, Alan. Het is heel eenvoudig: ik weet hoe het voelt als het eens een tijdje beter gaat, maar dit is bepaald iets anders. Ik heb de laatste vijf of zes jaar goede perioden gehad, maar dat háált het niet bij hoe ik me nu voel. Dit is anders. Dit is net...' Ze aarzelde, dacht na en maakte met handen en schouders een machteloos gebaar. 'Dit is net of ik weer béter ben. Ik denk niet dat je me precies kunt begrijpen, maar duidelijker kan ik het niet zeggen.'
Hij knikte fronsend. Hij begreep wel degelijk wat ze zei en hij begreep ook dat ze het meende. Misschien had de *azka* een latente genezende kracht bij haar losgemaakt. Was dat mogelijk, ook al had de ziekte zelf geen psychosomatische oorsprong? De Rozenkruisers geloofden dat zulke dingen voortdurend gebeurden. Net als de miljoenen die het boek van L. Ron Hubbard over Dianetica hadden gekocht, trouwens. Zelf wist hij het niet, hij kon alleen zeggen dat hij nog nooit een blinde zichzelf het gezichtsvermogen had zien teruggeven of een bloedende wond had zien genezen door meditatie. Hij wist wel dat de toestand hem niet lekker zat. Iets aan deze zaak stonk net zo erg als een dode vis die drie dagen in de gloeiende zon heeft gelegen.
'Laten we alsjeblieft ophouden,' zei Polly. 'Ik probeer niet boos op je te worden en dat is vermoeiend. Ga mee naar binnen. Praat zelf met meneer Gaunt. Het is trouwens toch tijd dat je met hem kennismaakt. Misschien kan hij beter uitleggen wat dit ding doet... en wat het niet doet.'
Hij keek weer op zijn horloge. Veertien minuten voor drie. Even overwoog hij op haar suggestie in te gaan en Brian Rusk te laten wachten. Maar het leek een goed idee de jongen op te vangen als hij uit school kwam, in elk geval niet thuis. Brian zou zinniger antwoorden geven zonder zijn moeder, die hem zou beschermen als een leeuwin haar jong. Ze zou hen in de rede vallen en haar zoon misschien gebieden geen antwoord te geven. Ja, daar kwam het op neer; als bleek dat haar zoon iets te verbergen had, of als zijn moe-

der zelfs maar dat idee had, zou Alan nog wel eens moeilijk of helemaal niet aan de nodige informatie kunnen komen.
Hier zat hij met een mogelijke oplichter, Brian Rusk was wellicht de sleutel tot de oplossing van een dubbele moord.
'Ik moet weg, lieverd,' zei hij. 'Misschien later nog. Ik moet naar de middenschool om met iemand te praten en daar is haast bij.'
'Over Nettie?'
'Over Wilma Jerzyck... maar als mijn gevoel me niet bedriegt, gaat het ook over Nettie, ja. Je hoort het van me als ik iets ontdek. Wil je me intussen een plezier doen?'
'Ik koop hem, Alan! Het zijn jouw handen niet!'
'Nee, dat bedoel ik niet. Ik wil alleen dat je met een cheque betaalt. Hij heeft geen reden om een cheque te weigeren... als hij een fatsoenlijke ondernemer is, tenminste. Je woont hier en je bank is aan de overkant. Maar als er iets scheef blijkt te zitten, heb je een paar dagen de tijd om je rekening te blokkeren.'
'Is het dat,' zei Polly. Ze klonk beheerst, maar Alan besefte met akelige zekerheid dat hij op een van die glibberige stenen was uitgegleden en languit in het water was gevallen. 'Dus je denkt dat hij een bedrieger is, Alan? Je denkt dat hij het naïeve vrouwtje haar geld aftroggelt, zijn bullen pakt en met de noorderzon verdwijnt.'
'Ik weet het niet,' zei Alan neutraal. 'Maar ik weet wèl dat hij hier pas een week zaken doet. Een cheque lijkt me daarom een redelijke voorzorgsmaatregel.'
Ja, het was redelijk, dat erkende Polly. Maar haar woede werd juist gewekt door die redelijkheid, die koppige nuchterheid waarmee Alan een echt wonderbaarlijke genezing benaderde. Ze bedwong de neiging vlak voor zijn neus in haar vingers te knippen en te roepen: 'Zíe je dat, Alan? Je bent toch niet blìnd?' Het feit dat Alan gelijk had, dat Gaunt helemaal niet moeilijk over een cheque zou doen als zijn handel zuivere koffie was, maakte haar alleen nog maar bozer.
Pas op je tellen, fluisterde een stem. Pas op je tellen, doe geen overhaaste dingen, gebruik je hersens voordat je je mond opendoet. Vergeet niet dat je van deze man houdt.
Maar er klonk een andere stem, een koelere stem, die ze nauwelijks als de hare herkende: Is dat wel zo? Hou ik echt van hem?
'Goed,' zei ze met strakke mond, naar het portier schuivend. 'Het is fijn dat je zo bezorgd om me bent, Alan. Ik vergeet namelijk wel eens dat ik zo iemand hard nodig heb. Ik zal zeker een cheque voor hem uitschrijven.'
'Polly...'
'Nee, Alan. Geen gepraat meer. Ik kan vandaag niet nog langer boos op je zijn.' Ze deed het portier open en stapte in één vloeiende

beweging uit. De jumper schoof omhoog en bood hem een korte, adembenemende blik op haar dijbeen.
Hij wilde uitstappen om haar tegen te houden, met haar te praten, alles glad te strijken, haar duidelijk te maken dat hij zijn twijfels alleen had uitgesproken omdat hij om haar gaf. In plaats daarvan keek hij weer op zijn horloge. Het was negen voor drie. Zelfs als hij zich haastte, zou hij Brian Rusk nog kunnen mislopen.
'Ik praat vanavond wel met je,' riep hij uit het raampje.
'Goed,' zei ze. 'Doe dat, Alan.' Ze liep rechtstreeks naar de deur onder het baldakijn zonder zich om te draaien. Voordat Alan achteruit van de parkeerplaats reed, hoorde hij het getinkel van een kleine zilveren bel.

5

'Mevrouw Chalmers!' riep Gaunt opgewekt uit, en hij zette een kruisje op het papier naast de kassa. Hij was bijna door zijn lijstje heen: Polly was de voorlaatste klant.
'Zeg toch Polly,' zei ze.
'Neem me niet kwalijk.' Zijn lach werd breder. 'Pòlly.'
Ze glimlachte terug, maar daar moest ze zich toe dwingen. Nu ze hier was, voelde ze bittere spijt om de boze manier waarop zij en Alan afscheid hadden genomen. Plotseling merkte ze dat ze tegen haar tranen moest vechten.
'Polly? Voel je je niet goed?' Gaunt kwam achter de toonbank vandaan. 'Je ziet wat bleek.' Zijn gezicht was gerimpeld van oprechte zorg. En Alan denkt dat hij een oplichter is, dacht ze. Hij zou hem nu eens moeten zien.
'Het komt door de zon, denk ik,' zei ze met een stem die heel licht trilde. 'Het is zo warm buiten.'
'Maar hier is het koel,' zei hij sussend. 'Kom, Polly. Kom verder en ga zitten.'
Hij bracht haar naar een van de roodfluwelen stoelen, zijn hand vlak bij haar rug zonder haar aan te raken. Ze ging zitten met haar knieën tegen elkaar.
'Ik stond toevallig naar buiten te kijken,' zei Gaunt. Hij ging op de stoel naast haar zitten en vouwde zijn lange handen in zijn schoot. 'Het leek wel of jij en de sheriff ruzie hadden.'
'Het is niets,' zei ze, maar een enkele grote traan welde op in de hoek van haar linkeroog en rolde over haar wang, een zwijgende weerlegging van haar woorden.
'Integendeel,' zei hij. 'Het is heel veel.'
Ze keek verrast naar hem op... en Gaunt ving haar blik met zijn

lichtbruine ogen. Waren ze eerst ook bruin geweest? Ze kon het zich niet herinneren, niet goed. Ze wist alleen dat alle ellende van die dag - de begrafenis van arme Nettie en daarna de stomme ruzie met Alan - begon op te lossen als ze in die ogen keek.
'Wat... wat dan?'
'Polly,' zei hij zacht, 'ik denk dat alles helemaal in orde zal komen. Als je mij vertrouwt. Doe je dat? Vertrouw je mij?'
'Ja,' zei Polly, hoewel een zwakke, vage stem in haar binnenste haar radeloos waarschuwde. 'Dat doe ik... wat Alan ook zegt, ik vertrouw u met heel mijn hart.'
'Dat is dan prima,' zei Gaunt. Hij pakte een van Polly's handen. Even vertrok haar gezicht van afkeer, maar al snel kreeg het weer die lege en dromerige uitdrukking. 'Prima. En je sheriff had zich geen zorgen hoeven te maken, weet je: een cheque is me net zo lief als baar goud.'

6

Alan begreep dat hij te laat dreigde te komen, daarom pakte hij het zwaailicht en drukte dat op het dak van zijn auto. Hij had het liever niet gedaan, want hij wilde niet dat Brian Rusk een politiewagen zag, maar een enigszins afgetakelde stationcar, net zo een als zijn eigen vader vermoedelijk had.
De lessen zouden voor vandaag al afgelopen zijn en daarom stopte Alan bij de kruising van Main en School Street. Normaal gesproken zou Brian daar op weg naar huis langs moeten komen; hij kon alleen maar hopen dat er vandaag eens iets volgens de regelen der logica zou gaan.
Alan stapte uit, leunde tegen de bumper van de stationcar en haalde een stuk kauwgom uit zijn zak. Hij stond de wikkel los te maken toen hij de bel van de middenschool drie uur hoorde aangeven, dromerig en ver in de warme lucht.
Hij besloot direct na zijn gesprek met Brian Rusk kennis te gaan maken met meneer Leland Gaunt uit Akron in Ohio, afspraak of geen afspraak... en veranderde onmiddellijk weer van gedachte. Eerst zou hij het kantoor van de openbare aanklager in Augusta bellen om te vragen of Gaunt bekend stond als oplichter. Als ze daar niets hadden, konden ze de naam doorsturen naar de centrale LAWS-computer in Washington. In Alans ogen was LAWS een van de weinige positieve dingen die Nixon ooit tot stand had gebracht.
De eerste kinderen kwamen door de straat, schreeuwend, springend, lachend. Alan kreeg een ingeving en hij deed het portier van de stationcar open. Hij stak zijn hoofd naar binnen, opende het

dashboardkastje en begon rond te tasten. Todds namaakblikje met noten viel daarbij op de grond.
Alan wilde het net opgeven toen hij vond wat hij zocht. Hij pakte het, klapte het kastje dicht en ging rechtop staan. In zijn hand had hij een kartonnen houder met daarop een sticker:

De Toverdoos
Blackstone Magic Co.
19 Greer Street
Paterson, N.J.

Uit dit pakje haalde Alan een nog kleiner vierkantje: een dik blok veelkleurig zijdepapier, geschikt voor het vouwen van bloemen. Hij stopte het blokje onder de band van zijn polshorloge. Alle goochelaars hebben een aantal 'bergplaatsen' op hun lichaam en in hun kleren en ieder heeft zo zijn voorkeur. Alan gaf de voorkeur aan zijn horlogeband.
Met de befaamde vouwbloemen in de aanslag wachtte Alan op de komst van Brian Rusk. Oplettend keek hij naar een jongen die op zijn fiets wild tussen de groepjes turfhoge voetgangers slalomde. Hij ontspande toen hij zag dat het een van de tweelingbroertjes Hanlon was.
'Doe voorzichtig of ik geef je een bon,' bromde Alan terwijl de jongen voorbijschoot. Jay Hanlon keek geschrokken naar hem en reed bijna tegen een boom. Hij fietste in een veel bezadigder tempo verder.
Alan keek hem even glimlachend na, draaide zijn hoofd weer om in de richting van de school en wachtte op Brian Rusk.

7

Vijf minuten na de bel van drie uur verliet Sally Ratcliffe haar kleine leslokaal in de kelder van de middenschool en liep door de gang naar de kamer van de rector. De gang raakte snel leeg, zoals altijd als het mooi en warm weer was. Buiten joelden groepjes kinderen over het grasveld naar de schoolbussen die slaperig bij de stoeprand stonden te wachten. Sally's lage hakken klikten en klakten. Ze had een lichtbruine envelop in haar hand. De naam van de geadresseerde, Frank Jewett, hield ze verborgen tegen de lichte zwelling van haar boezem.
Ze bleef staan voor de zesde klas, naast de rectorskamer, en keek naar binnen door het draadglas. Jewett was in gesprek met een handvol docenten die betrokken waren bij de sportactiviteiten in de

herfst en winter. Frank Jewett was een pafferig mannetje, dat Sally altijd aan een stripfiguur deed denken. Zijn bril zakte altijd van zijn neus.
Rechts van hem zat Alice Tanner, de administratrice. Blijkbaar hield zij de notulen bij.
Jewett keek naar links, zag Sally door het raam kijken en wierp haar een nuffig lachje toe. Ze zwaaide met haar hand en dwong zichzelf te glimlachen. Ze herinnerde zich de tijd waarin dat vanzelf was gegaan; na bidden was glimlachen de gewoonste zaak van de wereld geweest.
Een paar van de andere docenten volgden de blik van hun onbevreesde leidsman. Zo ook Alice Tanner. Alice wiebelde koket met haar vingers naar Sally en glimlachte quasi suikerzoet.
Ze weten het, dacht Sally. Ze weten allemaal dat het uit is tussen Lester en mij. Irene was gisteren zo lief... zo meelevend... en ze kon niet wachten om het iedereen te vertellen. Rotwijf.
Sally wiebelde onverstoorbaar terug en rekte haar lippen uit in een koket – en totaal ongemeend – lachje. Ik hoop dat je straks onder een vuilniswagen komt, geverfde trut, dacht ze, en ze klikte en klakte verder op haar degelijke lage schoenen.
Toen Gaunt haar in haar vrije uur had gebeld om te zeggen dat ze haar wonderbaarlijke splinter moest afbetalen, had Sally enthousiast en met bitter genoegen gereageerd. Ze voelde dat het 'grapje' dat ze met Jewett moest uithalen iets gemeens zou zijn en dat vond ze prima. Ze was vandaag in een gemene bui.
Ze kwam bij de deur van de rectorskamer... en aarzelde.
Wat mankeert je? vroeg ze zich opeens af. Je hebt de splinter, die prachtige heilige splinter met daarin dat prachtige heilige visioen. Door zulke dingen moet een mens zich toch beter voelen? Rustiger? Meer in contact met God de almachtige vader? Jíj voelt je niet rustiger of meer in contact met wie dan ook. Je voelt je alsof er prikkeldraad in je hoofd zit.
'Ja, maar dat ligt niet aan mij of aan de splinter,' mompelde Sally. 'Het ligt aan Lester. Meneer Lester Pratt met zijn grote dinges.'
Een klein meisje met een bril en een zware beugel wendde haar blik af van de Pep Club-poster waarvoor ze stond en keek nieuwsgierig naar Sally.
'Waar sta jíj naar te kijken, Irvina?' vroeg Sally.
Irvina knipperde met haar ogen. 'Nergens naar, juf.'
'Ga dat dan ergens anders doen,' snauwde Sally. 'De lessen zijn afgelopen, als je het nog niet wist.'
Irvina liep haastig weg door de gang, af en toe een argwanende blik over haar schouder werpend.
Sally deed de deur open en ging naar binnen. Ze had de envelop ge-

vonden op de door Gaunt aangeduide plek, achter de vuilnisbakken bij de kantine-ingang. Ze had er zelf Jewetts naam op geschreven.
Ze wierp een laatste blik achter zich om zich ervan te overtuigen dat die kleine del van een Alice Tanner niet achter haar aankwam. Daarna liep ze haastig door het kantoor van de secretaresse naar de rectorskamer en legde de envelop op het bureau van Frank Jewett. Nu het tweede nog.
Ze trok de bovenste lade open en pakte er een grote schaar uit. Ze bukte en trok aan de onderste lade links. Die was op slot. Gaunt had haar voor die mogelijkheid gewaarschuwd. Sally keek op. De kamer van de secretaresse was nog steeds leeg, de gangdeur nog steeds dicht. Mooi zo. Geweldig. Ze duwde de punt van de schaar in de smalle opening boven de gesloten lade en begon hard te drukken. Hout versplinterde en Sally merkte tot haar verbazing dat haar tepels aangenaam stijf werden. Dit was eigenlijk nogal leuk. Angstig, maar leuk.
Ze duwde de schaar nog verder in de opening en drukte nog een keer. Het slot sprong open en de lade schoof naar buiten, zodat de inhoud zichtbaar werd. Sally's mond viel open van geschokte verbazing. Daarna begon ze te giechelen, een hijgerig, gesmoord geluid dat dichter bij een uitroep dan bij lachen kwam.
'Maar Frank toch! Wat een stoute jongen ben jij!'
In de la lag een stapel geïllustreerde tijdschriften, met bovenop *Stoute Jongens*. De wazige foto op het omslag toonde een jongen van een jaar of negen. Hij had een motorpet uit de jaren vijftig op zijn hoofd en dat was zijn enige kledingstuk.
Sally pakte de tijdschriften uit de lade, het waren er wel vijftien. *Lieve Kleintjes. Kleine Schatjes. Puur Natuur. Bobby op de Boerderij*. Ze sloeg een van de boekjes open en kon haar ogen nauwelijks geloven. Waar haalde hij zoiets vandaan? Hier in de winkel kon je ze niet krijgen, zelfs niet in het tijdschriftenrek waar dominee Rose wel eens over preekte, met het bordje erbij ALLEEN VOOR OGEN VAN 18 JAAR EN OUDER.
Een erg bekende stem klonk opeens in haar hoofd. *Opschieten, Sally. De vergadering is bijna afgelopen en je wilt hier toch niet betrapt worden?*
En er klonk ook een andere stem, de stem van een vrouw, een stem waar Sally bijna een naam aan kon geven. Het was alsof ze een telefoongesprek met iemand voerde en op de achtergrond iemand anders hoorde praten.
Wat heet redelijk, zei deze tweede stem. *Het is een geschenk uit de hémel.*
Sally draaide de stem weg en deed wat Gaunt haar had opgedragen:

ze verspreidde dc pornoboekjes over de hele kamer. Daarna borg ze de schaar weer op en ging snel weg, de deur achter zich sluitend. Ze deed de gangdeur open en loerde naar buiten. Niemand... maar de stemmen in de zesde klas klonken luider en er werd gelachen. Ze waren inderdaad bijna klaar, het was een ongewoon korte vergadering geweest.

Leve meneer Gaunt! dacht ze, en liep de gang in. Ze had bijna de uitgang bereikt toen ze de docenten uit het lokaal hoorde komen. Sally keek niet om. Ze besefte dat ze de laatste vijf minuten niet aan meneer Lester Pratt met zijn grote dinges had gedacht en dat was verrukkelijk. Misschien zou ze thuis een lekker bubbelbad nemen, er met haar wonderbaarlijke splinter in gaan liggen en twee úúr niet aan meneer Grote Dinges denken. Wat zou dat een heerlijke afwisseling zijn, reken ma...

Wat heb je uitgehaald? Wat zat er in die envelop? Wie heeft hem daar bij de kantine neergelegd? Wanneer? En vooral, Sally, wat heb je in gang gezet?

Ze bleef een ogenblik staan, terwijl kleine zweetdruppeltjes op haar voorhoofd en in de holten van haar slapen kwamen. Er kwam een geschrokken blik in haar grote ogen, de ogen van een angstig hert. Daarna bedaarde ze en ze begon weer te lopen. Haar lange broek wreef op een vreemd aangename manier langs haar kruis en ze moest denken aan haar regelmatige stoeipartijtjes met Lester.

Het kan me niet schélen wat ik heb gedaan, dacht ze. Sterker nog, ik hoop dat het een echte rotstreek is. Hij verdíent niet beter met zijn schijnheilige kop en al die smerige boekjes. Ik hoop dat hij een rolberoerte krijgt als hij in zijn kamer komt.

'Ja, ik hoop dat die lul erin blíjft,' fluisterde ze. Het was voor het eerst in haar leven dat ze iemand hardop een lul had genoemd en haar tepels werden weer stijf en begonnen te tintelen. Sally liep sneller door, vaag denkend dat ze misschien nog iets ànders in bad zou kunnen doen. Plotseling was het alsof ze zelf het een en ander nodig had. Ze wist niet precies wat... maar daar kon ze misschien wel achterkomen.

De Heer ziet immers genadig neer op wie zichzelf de helpende hand biedt.

8

'Lijkt je dat een redelijke prijs?' vroeg Gaunt.

Polly wilde antwoord geven, maar ze aarzelde. Plotseling leek Gaunt afgeleid; hij staarde voor zich uit en zijn lippen bewogen geluidloos alsof hij zat te bidden.

'Meneer Gaunt?'
Hij schrok even. Daarna richtte hij zijn blik weer op haar en glimlachte. 'Neem me niet kwalijk, Polly. Ik ben nog wel eens verstrooid.'
'Wat heet redelijk,' zei Polly. 'Het is een geschenk uit de hémel.' Ze haalde haar chequeboekje uit haar tas en begon te schrijven. Af en toe vroeg ze zich vaag af waar ze mee bezig was en dan voelde ze Gaunts ogen roepen. Zodra ze hem aankeek, verdwenen de vragen en twijfels weer.
De cheque die ze hem gaf was goed voor zesenveertig dollar. Gaunt vouwde hem netjes dubbel en stopte hem in de borstzak van zijn sportjasje.
'Vul vooral het strookje in,' zei Gaunt. 'Dat wil je nieuwsgierige vriend ongetwijfeld zien.'
'Hij komt zelf nog,' zei Polly, gehoorzaam zijn suggestie opvolgend. 'Hij denkt dat u een bedrieger bent.'
'Hij zit vol gedachten en vol plannen,' zei Gaunt, 'maar zijn plannen zullen veranderen en zijn gedachten zullen worden weggeblazen als mist op een winderige ochtend. Neem dat maar van mij aan.'
'U... u doet hem toch geen kwaad?'
'Ik? Dat is een groot onrecht, Patricia Chalmers. Ik ben een pacifist... een van de gróte pacifisten op aarde. Ik zal geen haar van onze sheriff krenken. Ik bedoelde alleen maar dat hij vanmiddag iets buiten de stad te doen heeft. Hij weet het nog niet, maar het is zo.'
'O.'
'En Polly?'
'Ja?'
'Je cheque dekt nog niet de hele prijs van de *azka*.'
'Niet?'
'Nee.' Hij had een blanco witte envelop in zijn handen. Polly had geen flauw idee waar die vandaan kwam, maar daar schonk ze verder geen aandacht aan. 'Ter afbetaling van je talisman, Polly, moet je me helpen een grapje met iemand uit te halen.'
'Met Alan?' Plotseling was ze net zo geschrokken als een wild konijn dat op een warme zomermiddag de droge geur van een bosbrand opsnuift. 'Bedoelt u met *Alan?*'
'Dat bedoel ik zeer zeker níet,' zei hij. 'Het zou onethisch zijn je een grapje te laten uithalen met iemand die je kènt, laat staan met iemand van wie je denkt te hóuden.'
'O ja?'
'Ja... hoewel ik oprecht van mening ben dat je nog eens goed over je omgang met de sheriff zou moeten nadenken, Polly. Misschien

kom je dan tot de conclusie dat de keuze tamelijk eenvoudig is; een beetje pijn nu kan je later veel pijn besparen. Om het anders te zeggen: haastig getrouwd, lang berouwd.'
'Ik begrijp u niet.'
'Dat weet ik. Je zult me beter begrijpen, Polly, als je thuis de post hebt bekeken. Ik ben namelijk niet de enige in wiens zaken hij zijn nieuwsgierige loopneus wil steken. Maar laten we het nu over dat grapje hebben. Het onderwerp van deze aardigheid is een knaap die nog maar net bij mij in dienst is. Hij heet Merrill.'
'*Ace* Merrill?'
Zijn glimlach verbleekte. 'Val me niet in de rede, Polly. Val me nooit in de rede als ik aan het woord ben... tenzij je je handen wilt zien opzwellen als binnenbanden vol gifgas.'
Haar dromerige droomogen werden groot en ze deinsde terug. 'Het... het spijt me.'
'Goed, je excuses zijn aanvaard... voorlopig. Luister nu goed naar me. Luister heel goed.'

9

Frank Jewett en Brion McGinley, de aardrijkskundeleraar en basketbalcoach van de middenschool, liepen achter Alice Tanner aan van de zesde klas naar de rectorskamer. Frank vertelde Brion grinnikend een mop die hij eerder die dag van een verkoper van schoolboeken had gehoord. De mop ging over een dokter die bij een vrouw moeilijk een diagnose kon stellen. Er waren twee mogelijkheden, aids of de ziekte van Alzheimer, maar meer kon hij niet zeggen.
'Haar kerel neemt de dokter apart,' vervolgde Frank, toen ze in de kamer van de secretaresse kwamen. Alice bleef bij haar bureau staan om een paar memo's door te nemen en Frank liet zijn stem dalen. Alice was nogal rechtlijnig als het om ook maar enigszins pikante moppen ging.
'Ja?' Brion begon nu ook te grinniken.
'Ja. Hij is erg ongerust. "Kunt u echt niets definitiefs zeggen, dokter?" vraagt hij. "Is er geen enkele manier om erachter te komen welke van de twee het is?"'
Alice pakte twee memo's uit het stapeltje en nam ze mee naar de rectorskamer. In de deuropening bleef ze abrupt staan, alsof ze tegen een onzichtbare stenen muur was gelopen. De twee grinnikende, middelbare, kleinsteedse blanke mannen hadden er geen erg in.
'"Dat is gemakkelijk," zegt de dokter. "Breng haar tien kilometer het bos in en laat haar achter. Als ze zelf de weg terug vindt, zou ik haar niet meer neuken."'

Brion McGinley keek een ogenblik schaapachtig naar zijn baas, daarna barstte hij uit in een luid gelach. Rector Jewett deed met hem mee. Ze lachten zo hard dat ze geen van beiden Alice Franks naam hoorden roepen. De tweede keer ging het beter: de tweede keer schreeuwde ze zijn naam bijna.
Frank haastte zich naar haar toe. Hij dacht eerst aan vandalisme, aan een of andere jeugddelinquent die een rotstreek had uitgehaald. 'Alice? Wat is...' Toen zàg hij wat er was en hij werd bevangen door een afschuwelijke, breekbare angst. Hij kon geen woorden vinden. Zijn testikels begonnen wild te kriebelen alsof ze zich wilden terugtrekken naar waar ze vandaan waren gekomen.
Het waren de boekjes.
De geheime boekjes uit de onderste la.
Ze lagen als schrikbarende confetti door de hele kamer: jongens in uniform, jongens op hooizolders, jongens met strohoedjes, jongens op hobbelpaarden op een manier die de fabrikant nooit had bedoeld.
'Wat krijgen we nou?' De stem klonk naast hem, hees van ontzetting en fascinatie. Frank draaide zijn hoofd naar links (de pezen in zijn hals kraakten als roestige veren) en zag Brion McGinley naar de bonte verzameling tijdschriften staren. Zijn ogen vielen bijna uit hun kassen.
Het is een grap, probeerde hij te zeggen. *Gewoon maar een stomme grap, die boekjes zijn niet van mij. Je hoeft maar naar me te kijken om te weten dat zulke boekjes nooit de... de belangstelling kunnen trekken van iemand... iemand van mijn... mijn...*
Zijn wat?
Hij wist het niet en eigenlijk deed het er ook niet toe, want hij kon geen woord uitbrengen. Hij was stom geworden.
De drie volwassenen stonden in een geschokt zwijgen naar de kamer van schooldirecteur Frank Jewett te kijken. De bladzijden van een tijdschrift dat op het randje van de stoel bij het bureau was blijven liggen, sloegen om in een vlaagje warme wind door het half geopende raam en het tijdschrift viel op de grond. *Hete Schandknapen*, beloofde het omslag.
Een grap, ja, ik zal zeggen dat het een grap was, maar zullen ze me geloven? Als mijn lade nu eens is opengebroken? Zullen ze me geloven als ze dat zien?
'Mevrouw Tanner?' vroeg een meisjesstem achter hen.
Alle drie – Jewett, Tanner, McGinley – draaiden ze zich schuldbewust om. Er stonden twee meisjes uit de negende groep, gekleed in het roodwitte uniform van een cheerleader. Alice Tanner en Brion McGinley kwamen tegelijkertijd in beweging om hun het zicht op Franks kamer te ontnemen (Frank Jewett zelf scheen aan de grond

te zijn vastgenageld, versteend), maar ze waren een fractie te laat. De meisjes zetten grote ogen op. Een van hen - Darlene Vickery - sloeg haar handen voor haar pruimemondje en staarde ongelovig naar Frank Jewett.
O geweldig, dacht Frank, morgenochtend weten alle leerlingen het. En morgenavond tegen etenstijd weet de hele stad het.
'Ga maar weg,' zei Alice tegen de meisjes. 'Iemand heeft een lelijk grapje met meneer Jewett uitgehaald - een héél lelijk grapje - en jullie houden je mond erover. Begrepen?'
'Ja, mevrouw,' zei Erin McAvoy; drie minuten later zou ze tegen haar beste vriendin, Donna Beaulieu, vertellen dat er in de kamer van meneer Jewett allemaal foto's lagen van jongens die zware metalen armbanden droegen en verder bijna niets.
'Ja, mevrouw,' zei Darlene Vickery; vijf minuten later zou zij het tegen háár beste vriendin vertellen, Natalie Priest.
'Opschieten,' zei Brion McGinley. Hij probeerde zich te beheersen, maar zijn stem was nog schor van ontsteltenis. 'Maak dat je wegkomt.'
De twee meisjes vluchtten de kamer uit, terwijl hun rokjes rond hun stevige knieën wapperden.
Brion draaide zich langzaam om naar Frank. 'Ik denk...' begon hij, maar Frank sloeg geen acht op hem. Hij ging zijn kamer binnen, traag bewegend als een man in een droom. Hij sloot de deur met het bordje DIRECTEUR in fraaie zwarte letters en begon langzaam de boekjes op te rapen.
Je kunt net zo goed een schriftelijke bekentenis opstellen, schreeuwde een stem in zijn hoofd.
Hij lette er niet op. Hij hoorde ook een andere stem, de primitieve stem van zijn overlevingsdrift, en die waarschuwde hem dat hij nu uiterst kwetsbaar was. Als hij nu met Alice of Brion sprak, als hij dit probeerde uit te leggen, zou hij zichzelf de das omdoen.
Alice klopte op de deur. Frank nam er geen notitie van en vervolgde zijn droomtocht door de kamer om de tijdschriften op te rapen die hij de laatste negen jaar had verzameld. Hij had ze steeds per stuk besteld en opgehaald in het postkantoor van Gates Falls, elke keer benauwd dat de staatspolitie of de postale recherche hem onverhoeds zou overvallen. Dat was nooit gebeurd. Maar nu... dit.
Ze geloven toch niet dat ze van jou zijn, zei de primitieve stem. Dat mógen ze van zichzelf niet; dat zou te veel van hun comfortabele kleinsteedse opvattingen omvergooien. Als je jezelf weer in de hand hebt, kun je hen ervan overtuigen. Maar... wie zou zoiets met hem willen uithalen? Wie kòn zoiets met hem uithalen? (Het kwam nooit bij Frank op wat hem bezield had de boekjes hier te bewaren, uitgerekend híer.)

Er was maar één naam die Frank Jewett kon bedenken, de naam van de enige persoon met wie hij zijn geheime leven had gedeeld. George T. Nelson, de leraar handenarbeid van de middelbare school. George T. Nelson, die onder zijn stoere macho uiterlijk een grote nicht was. George T. Nelson, met wie Frank Jewett eens naar een soort feestje in Boston was geweest, het soort feestje met een heleboel mannen van middelbare leeftijd en een handvol naakte jongens. Het soort feestje waarvoor je de rest van je leven achter de tralies kon zitten. Het soort feestje...

Op zijn bureaublad lag een bruine envelop. Zijn naam stond erop. Frank Jewett voelde zijn maag in zijn keel, alsof hij een vrije val met een lift maakte. Hij tilde zijn hoofd op en zag Alice en Brion om de hoek van de deur naar hem kijken, bijna wang tegen wang. Hun ogen waren groot, hun mond hing open en Frank dacht: nu weet ik hoe een vis in een aquarium zich voelt.

Hij gebaarde naar ze: *Ga weg!* Ze gingen niet en om de een of andere reden verbaasde dat hem niet. Dit was een nachtmerrie, en in nachtmerries gebeurde nooit wat je wilde. Daar waren het nachtmerries voor. Hij was verward en had het afschuwelijke gevoel dat er iets onherstelbaars was gebeurd... maar ergens daaronder, als een levende vonk onder een hoop nat brandhout, was een blauw vlammetje van woede.

Hij ging achter zijn bureau zitten en legde de stapel tijdschriften op de vloer. Hij zag dat de onderste lade was opengebroken, net als hij had gevreesd. Hij scheurde de envelop open en schudde de inhoud eruit. Het waren voornamelijk foto's. Foto's van hem en George T. Nelson op dat feestje in Boston. Ze waren aan het stoeien met een stel leuke jonge knapen (de oudste van die leuke jonge knapen was misschien twaalf) en op elke foto was het gezicht van George T. Nelson onherkenbaar, maar dat van Frank Jewett zo duidelijk als wat. Ook dit verbaasde Frank niet erg.

Er zat een briefje in de envelop. Hij haalde het eruit en las het.

> Beste Frank,
> Het spijt me erg, maar ik moet de stad uit en ik heb geen tijd om spelletjes te spelen. Ik wil 2000 dollar. Breng het vanavond om zeven uur bij me. Nu kun je je nog redden, al zal het zelfs voor zo'n gluiperige vos als jij nog niet meevallen, maar bedenk eens wat er gebeurt als je deze schatjes op elke telefoonpaal in de stad ziet hangen, recht onder die affiches van de casino-avond. Ze zullen je lynchen, ouwe jongen. Denk eraan, uiterlijk om kwart over zeven 2000 dollar bij mij thuis of je zou willen dat je als een eunuch was geboren.
>
> Je vriend,
> GEORGE

Je vriend.
Je vríend!
Zijn blik keerde steeds terug naar die afsluiting, gevuld met ongelovige, bevreemde afschuw.
Je vuile vieze verraderlijke Júdas van een vriend!
Brion McGinley stond nog steeds op de deur te bonken, maar hij hield abrupt op toen Frank Jewett eindelijk opkeek van wat hem zo in beslag had genomen. Het gezicht van de rector was lijkbleek, afgezien van twee felrode clownsvlekken op zijn wangen. Hij lachte dun.
Hij zag er helemaal niet uit als een stripfiguur.
Mijn vríend, dacht Frank Jewett. Hij verfrommelde het briefje en schoof met zijn andere hand de foto's weer in de envelop. De blauwe vonk van woede was oranje geworden. Het natte hout vatte vlam. *Ja, ik zal er zijn. Ik zal er zijn om deze kwestie met mijn vriend George T. Nelson te bespreken.*
'Reken maar,' zei Frank Jewett. 'Réken maar.' Hij begon te glimlachen.

10

Het liep tegen kwart over drie en Alan was tot de conclusie gekomen dat Brian Rusk een andere weg genomen moest hebben; de stroom leerlingen op weg naar huis was bijna opgedroogd. Net toen hij de sleuteltjes uit zijn zak wilde halen, zag hij een een eenzame fietser door School Street naderen. De jongen reed langzaam, diep over het stuur gebogen zodat Alan zijn gezicht niet kon zien. Maar hij kon wel zien wat er in het mandje op de fiets zat: een Playmate koelbox.

11

'Begrijp je?' vroeg Gaunt aan Polly, die nu de envelop in haar hand had.
'Ja, ik... ik begrijp het.' Maar haar dromende gezicht had een verwarde uitdrukking.
'Je ziet er niet gelukkig uit.'
'Nou... ik...'
'Een *azka* werkt niet altijd even goed bij mensen die niet gelukkig zijn,' zei Gaunt. Hij wees naar de kleine uitstulping die de zilveren hanger onder haar blouse maakte, en opnieuw was het of ze daarbinnen iets voelde bewegen. Tegelijk verspreidde een afschuwelijke

kramp zich door haar handen, als een net vol wrede, stalen haken. Polly kreunde luid.
Gaunt kromde zijn uitgestoken vinger in een 'hier komen' gebaar. Ditmaal voelde ze de beweging in de zilveren bol duidelijker en de pijn was verdwenen.
'Je wilt toch niet terug naar vroeger, Polly?' vroeg Gaunt met een fluweelzachte stem.
'Nee!' riep ze. Haar boezem ging snel op en neer. Haar handen wreven fel langs elkaar, alsof ze wasgoed schuurde, en haar grote ogen keken hem smekend aan. 'Nee, alstublieft niet!'
'Want dan zou het nog wel eens erger kunnen worden, nietwaar?'
'Ja! Ja, dat kan!'
'En er is immers niemand die het begrijpt? Zelfs de sheriff niet. Híj weet niet wat het is om midden in de nacht wakker te worden met die afschuwelijke pijn, of wel soms?'
Ze schudde haar hoofd en begon te snikken.
'Doe wat ik zeg, dan hoef je daar nooit meer wakker van te worden, Polly. En er is nog iets... doe wat ik zeg en niemand in Castle Rock zal van míj horen dat je kind in San Francisco bij een brand om het leven is gekomen.'
Polly slaakte een schorre, hopeloze kreet, de kreet van een vrouw die reddeloos is gevangen in een gruwelijke nachtmerrie.
Gaunt glimlachte.
'Ja, er is meer dan één hel, Polly.'
'Hoe weet u dat?' fluisterde ze. 'Niemand weet iets van hem af. Zelfs Alan niet. Ik heb Alan verteld...'
'Ik weet het omdat ik daar mijn kostwinning van heb gemaakt. En de zijne is wantrouwen, Polly; Alan heeft nooit geloofd wat je hem hebt verteld.'
'Hij zei...'
'Hij heeft ongetwijfeld van alles gezegd, maar hij heeft je nooit geloofd. Die oppas was verslaafd, nietwaar? Dat was jóuw schuld niet, maar natuurlijk had je er zelf voor gekozen de weg te gaan die naar die omstandigheden leidde. Het was je éigen keus. Het meisje dat op Kelton paste raakte buiten westen en liet een sigaret - of misschien was het een joint - in de prullenmand vallen. Zij heeft de trekker overgehaald, zogezegd, maar het wapen was geladen met je eigen trots, je onvermogen om je hoofd te buigen voor je ouders en de andere brave mensen van Castle Rock.'
Polly zat harder te snikken.
'Maar heeft een jonge vrouw dan geen recht op haar trots?' vroeg Gaunt mild. 'Als al het andere is verdwenen, heeft ze daar dan ten minste geen recht op, de munt zonder welke haar beurs helemaal leeg is?'

Polly tilde fier haar betraande gezicht op. 'Ik dacht dat het mijn eigen zaak was,' zei ze. 'Dat denk ik nu nog steeds. Noem het trots, wat dan nog?'
'Ja,' zei hij sussend, 'dat is mooi gezegd... maar je vader en moeder zóuden je weer hebben opgenomen, nietwaar? Het was misschien niet aangenaam geweest – met het kind om hen er voortdurend aan te herinneren wat er was gebeurd, met het geroddel in zo'n aardig plaatsje als dit – maar wel mogelijk.'
'Ja, en dan had ik elke dag tegen mijn moeder moeten vechten!' riep ze met een woeste, lelijke stem, die bijna niets meer had van haar gewone stem.
'Ja,' zei Gaunt op dezelfde sussende toon. 'Daarom bleef je waar je was. Je had Kelton en je had je trots. En toen Kelton dood was, had je nog steeds je trots.'
Polly schreeuwde het uit van verdriet en pijn en verborg haar natte gezicht in haar handen.
'Het is erger dan je handen, nietwaar?' vroeg Gaunt. Polly knikte zonder haar handen weg te halen. Gaunt legde zijn eigen lelijke, langvingerige handen in zijn nek en sprak op de toon van iemand die een grafrede houdt: 'De mens! Wat een edelmoedig wezen! Altijd bereid om zijn naaste op te offeren!'
'Hou op!' kreunde ze. 'Waarom houdt u niet op!'
'Het is iets geheims, nietwaar Patricia?'
'Ja.'
Hij raakte haar voorhoofd aan. Polly maakte een gesmoord geluid, maar ze trok haar hoofd niet weg.
'Die poort van de hel zou je graag gesloten houden, geloof ik.'
Ze knikte met haar gezicht in haar handen.
'Doe dan wat ik zeg, Polly,' fluisterde Gaunt. Hij pakte een van haar handen en begon die te strelen. 'Doe wat ik zeg en hou je mond dicht.' Hij keek scherp naar haar natte wangen en haar betraande rode ogen. Even vertrok zijn mond van afkeer.
'Ik weet niet wat ik erger vind: een huilende vrouw of een lachende man. Wrijf in vredesnaam je smoel af, Polly.'
Langzaam, dromerig, haalde ze een kanten zakdoekje uit haar tas en gehoorzaamde.
'Goed zo,' zei hij, opstaand. 'Ik zal je nu laten gaan, Polly, je hebt nog iets te doen. Maar ik wil wel zeggen dat het heel fijn zakendoen is met je. Ik ben altijd gèk geweest op vrouwen die weten wat eigenwaarde is.'

12

'Hé, Brian, zal ik eens een grap uithalen?'
De jongen op de fiets keek met een ruk op, zodat het haar van zijn voorhoofd vloog, en Alan kon zich niet vergissen in de uitdrukking op zijn gezicht: pure, onversneden angst.
'Een grap?' zei de jongen met bevende stem. 'Wat voor grap?'
Alan wist niet waar de jongen bang voor was, maar hij besefte wel dat zijn goochelkunst - die hij vaak gebruikte om bij kinderen het ijs te breken - ditmaal om de een of andere reden volkomen misplaatst was. Hij moest het maar zo snel mogelijk afwerken en opnieuw beginnen.
Hij stak zijn linkerarm - met het horloge om de pols - naar voren en keek glimlachend in het bleke, waakzame, angstige gezicht van Brian Rusk. 'Je ziet dat ik niets in mijn mouw heb en dat mijn arm gewoon doorloopt tot aan mijn schouder. Maar nu... *presto!*'
Alan liet zijn vlakke rechterhand langzaam over zijn arm naar beneden glijden, waarbij hij moeiteloos met zijn duim het kleine pakje onder zijn horlogeband vandaan schoof. Terwijl hij zijn vuist balde, maakte hij het minuscule strikje los. Hij legde zijn handen op elkaar, maakte ze weer los en een groot boeket van onbestaanbare papieren bloemen ontvouwde zich waar er een ogenblik tevoren nog slechts lucht was geweest.
Alan had deze truc al honderden keren gedaan en nooit beter dan op deze warme oktobermiddag, maar de verwachte reactie op Brians gezicht - een ogenblik van volkomen verrassing, gevolgd door een grijns van één deel verbazing en twee delen bewondering - bleef uit. Hij wierp een vluchtige blik op het boeket (blijkbaar met enige opluchting, alsof hij iets veel onaangenamers had verwacht) en keek weer naar Alan.
'Niet gek, hè?' vroeg Alan. Hij forceerde een glimlach die net zo natuurlijk was als het kunstgebit van zijn opa.
'Nee,' zei Brian.
'Hm, ik zie dat je niet erg onder de indruk bent.' Alan bracht zijn handen bij elkaar en liet het boeket vlot weer verdwijnen. Het was simpel... te simpel, eigenlijk. Het werd tijd dat hij een nieuw exemplaar aanschafte, die dingen gingen niet zo lang mee. De piepkleine veer begon los te raken en binnenkort zou het bontgekleurde papier gaan scheuren.
Hij vouwde zijn handen weer open en glimlachte met wat meer hoop. Het boeket was weg, opgevouwen tot een klein pakje papier onder zijn horlogeband. Brian Rusk glimlachte niet; er lag helemaal geen uitdrukking op zijn gezicht. Zijn bleke huid werd niet verborgen door de laatste sporen van zijn zomerse tint en ook niet

door het feit dat hij geplaagd werd door een aanval van jeugdpuistjes op zijn voorhoofd en bij zijn mond, met meeëters aan weerskanten van zijn neus. Er zaten paarse kringen onder zijn ogen, alsof hij lang geleden voor het laatst goed had geslapen.
Die knaap maakt het lang niet best, dacht Alan. Hij heeft lelijk zijn neus gestoten of misschien wel gebroken. Twee mogelijkheden kwamen bij hem op: Brian Rusk had degene gezien die de ruiten bij de Jerzycks had ingegooid, òf hij had het zelf gedaan. In beide gevallen moest het hem dwarszitten, maar in het laatste geval was het onvermijdelijk dat de jongen werd geplaagd door een bijna ondraaglijk schuldgevoel.
'Dat is een mooie truc, sheriff,' zei Brian met een stem zonder kleur of emotie. 'Prachtig.'
'Dank je. Weet je waar ik het over wil hebben, Brian?'
'Ik... ik geloof het wel,' zei Brian en Alan was er ineens van overtuigd dat de jongen zou opbiechten dat hij de dader was. Hier op de hoek van de straat zou hij bekennen en Alan zou een geweldige stap dichter bij het ontrafelen komen van wat er tussen Nettie en Wilma was gebeurd.
Maar Brian zei niets meer. Hij keek hem alleen maar aan met zijn vermoeide, enigszins rode ogen.
'Wat is er gebeurd, jongen?' vroeg Alan op dezelfde rustige toon. 'Wat is er gebeurd toen je bij de Jerzycks kwam?'
'Ik weet het niet,' zei Brian. Zijn stem was lusteloos. 'Maar ik heb er vannacht van gedroomd. En zondag ook. Ik droom dat ik naar dat huis ga, alleen in mijn droom zie ik waar al dat lawaai vandaan komt.'
'Waar dan, Brian?'
'Het is een monster,' zei Brian. Zijn stem bleef hetzelfde, maar in elk oog welde een grote traan op. 'In mijn droom fiets ik niet weg, maar klop op de deur en het monster doet open en... en eet me... op.' De tranen rolden uit zijn ooghoeken en gleden langzaam over de aangetaste huid van Brians wangen.
Ja, dacht Alan, dat kan het ook zijn: pure angst. De angst van een klein kind dat op het verkeerde moment de slaapkamer binnenkomt en zijn vader en moeder in bed bezig ziet. Alleen omdat hij te jong is om te weten wat dat betekent, denkt hij dat ze aan het vechten zijn. En als ze een hoop herrie maken, denkt hij misschien wel dat ze elkaar proberen te vermoorden.
Maar...
Maar het zat hem niet lekker. Zo simpel was het. Hij dacht dat de jongen hem stond te belazeren, ondanks de radeloze blik in zijn ogen, de blik die zei: *Ik wil alles vertellen*. Wat betekende dat? Alan wist het niet zeker, maar uit ervaring zou hij zeggen dat Brian

degene kende die de stenen had gegooid. Misschien iemand die Brian wilde beschermen. Of misschien wist Brian dat de dader hèm had gezien. Misschien was de jongen bang voor wraak.
'Iemand heeft een lading stenen door de ruiten gegooid,' zei Alan op een zachte en (hoopte hij) geruststellende toon.
'Dat heb ik gehoord,' zei Brian bijna zuchtend. 'Misschien is het dat geweest. Ik dacht dat ze ruzie hadden, maar het kunnen ook stenen zijn geweest. Krak, boem, knal.'
Het lijkt de Purple Gang wel, dacht Alan, maar dat hield hij voor zich. 'Jij dacht dat ze ruzie hadden?'
'Ja, sheriff.'
'Is dat echt wat je dacht?'
'Ja, sheriff.'
Alan zuchtte. 'Nu weet je beter. En je weet ook dat het verkeerd was. Bij iemand stenen door de ruiten gooien is geen kleinigheid, ook al blijft het daarbij.'
'Ja, sheriff.'
'Maar in dit geval bleef het daar níet bij. Dat weet je toch, Brian?'
'Ja, sheriff.'
Die ogen in dat rustige, bleke gezicht. Alan begon twee dingen in te zien: deze jongen wílde hem wel vertellen wat er was gebeurd, maar het zou er bijna zeker niet van komen.
'Je ziet er erg ongelukkig uit, Brian.'
'Ja, sheriff.'
'"Ja, sheriff..." Bedoel je dat je ongelukkig bènt?'
Brian knikte en twee nieuwe tranen welden op in zijn ogen en rolden over zijn wangen. Alan werd heen en weer geslingerd tussen twee sterke emoties: diep medelijden en grote ergernis.
'Wat maakt je dan zo ongelukkig, Brian? Zeg op.'
'Ik droomde altijd zo fijn,' zei Brian, bijna onverstaanbaar zacht. 'Het was een stomme droom, maar toch fijn. Hij ging over juf Ratcliffe, mijn spraaklerares. Ik weet nú dat het stom is. Vroeger niet, dat was leuker. Maar ik weet nog iets anders.'
Die donkere, verschrikkelijk ongelukkige ogen keken hem weer aan.
'Die andere droom... over het monster dat met stenen gooit... daar word ik bang van, sheriff... maar niet ongelukkig. Ik ben ongelukkig door de dingen die ik nu weet. Net alsof je weet hoe de truc van een goochelaar gaat.'
Hij knikte vluchtig en Alan had durven zweren dat Brian naar zijn horlogeband keek.
'Soms kun je iets maar beter niet weten, heb ik gemerkt.'
Alan legde een hand op de schouder van de jongen. 'Brian, laten we er niet meer omheen draaien, oké? Zeg me wat er is gebeurd.

Wat je hebt gezien en wat je hebt gedaan.'
'Ik kwam vragen of ik van de winter hun oprit sneeuwvrij mocht houden,' zei de jongen met een mechanisch klinkende stem die Alan de rillingen gaf. De jongen zag eruit zoals bijna alle Amerikaanse jongens van elf of twaalf jaar – Converse gympies, spijkerbroek, een T-shirt met Bart Simpson erop – maar hij klonk als een robot die slecht is geprogrammeerd en elk ogenblik kan doorslaan. Voor het eerst vroeg Alan zich af of Brian misschien een van zijn eigen ouders die stenen door de ruiten had zien gooien.
'Ik hoorde lawaai,' vervolgde de jongen. Hij sprak in korte, feitelijke zinnen, als een politieman die voor de rechtbank een verklaring aflegt. 'Ik werd er bang van. Gebonk en gerinkel en dingen die omvielen. Daarom reed ik zo snel mogelijk weg. De buurvrouw stond op het stoepje. Ze vroeg wat er aan de hand was. Ik geloof dat zij ook bang was.'
'Ja,' zei Alan. 'Jillian Mislaburski. Ik heb haar gesproken.' Hij legde zijn hand op de Playmate koelbox in het mandje aan Brians fiets. Het ontging hem niet dat Brians mond verstrakte. 'Had je deze koelbox zondagochtend bij je, Brian?'
'Ja, sheriff,' zei Brian. Hij wreef met de rug van zijn handen over zijn wangen en keek behoedzaam naar Alan.
'Wat zat erin?'
Brian zei niets, maar Alan dacht dat hij zijn lippen zag trillen.
'Wat zat erin, Brian?'
Brian zei nog steeds niets.
'Zaten er stenen in?'
Brian schudde langzaam en nadrukkelijk met zijn hoofd: nee.
Voor de derde keer vroeg Alan: 'Wat zat erin?'
'Hetzelfde als nu,' fluisterde Brian.
'Mag ik hem openmaken?'
'Ja, sheriff,' zei Brian met zijn lusteloze stem. 'Doe maar.'
Alan draaide het deksel los en keek in de box.
Er zaten honkbalplaatjes in: Topps, Fleer, Donruss.
'Dat zijn mijn dubbele. Ik heb ze bijna altijd bij me,' zei Brian.
'Je... je hebt ze bij je.'
'Ja, sheriff.'
'Waarom dan, Brian? Waarom zeul je een koelbox vol honkbalplaatjes met je mee?'
'Dat heb ik al gezegd, het zijn dubbele. Je weet nooit wanneer je een goede ruil met iemand kunt maken. Ik zoek nog steeds een Joe Foy – hij zat in '67 in de ploeg van de Onmogelijke Droom – en een Mike Greenwell uit zijn eerste seizoen. De Gator is mijn favoriete speler.' En nu dacht Alan dat hij een flauwe, vluchtige schittering van vermaak in de ogen van de jongen zag, Brian bijna telepathisch

hoorde uitroepen: *Gefopt! Gefopt!* Maar dat lag natuurlijk aan hèm, alleen zijn eigen ergernis bracht hem op dat idee.
Of toch niet?
Maar wat had je dàn in die koelbox verwacht? Een berg stenen met briefjes eromheen? Dacht je soms dat hij op weg was om bij iemand ànders de ruiten in te gooien?
Ja, bekende hij. Gedeeltelijk had hij dat of iets soortgelijks werkelijk gedacht. Brian Rusk, de Turfhoge Schrik van Castle Rock. De Waanzinnige Werper. En het ergste was: hij wist bijna zeker dat Brian Rusk zijn gedachten kon raden.
Gefopt! Ik heb je gefopt, sheriff!
'Brian, vertel me alsjeblieft wat er aan de hand is. Als je het weet, vertel het me dan.'
Brian drukte het deksel op de Playmate en zei niets. Het deksel maakte een zacht *snik!* in de doezelige herfstmiddag.
'Kun je het niet vertellen?'
Brian knikte langzaam, wat Alan als een bevestiging opvatte: hij kon het niet vertellen.
'Zeg me dan ten minste of je bang bent. Ben je bang, Brian?'
Brian knikte opnieuw, net zo langzaam.
'Waar ben je dan bang voor, jongen? Misschien kan ik er iets aan doen.' Met een vinger tikte hij op het schildje op de linker borst van zijn overhemd. 'Daarom laten ze mij die ster meesjouwen: omdat ik soms spoken kan wegjagen.'
'Ik...' begon Brian, maar op dat moment kwam de politieradio die Alan drie of vier jaar geleden in zijn stationcar had laten inbouwen krakend tot leven.
'Wagen 1, Wagen 1, hier de centrale. Ontvang je mij? Over.'
Brian wendde zijn blik af. Hij keek naar de stationcar waaruit de stem van Sheila Brigham klonk, de stem van het gezag, de stem van de politie. Als de jongen hem al iets had willen vertellen (en misschien was het alleen maar Alans hoopvolle verbeelding geweest), dan was dat nu voorbij. Zijn gezicht was even gesloten als een oester.
'Ga maar naar huis, Brian. We zullen later nog wel eens over die... over die droom van je praten. Afgesproken?'
'Ja, sheriff,' zei Brian. 'Als u het zegt.'
'Intussen moet je maar eens nadenken over wat ik zei: een sheriff is er vooral om spoken weg te jagen.'
'Ik moet nu naar huis, sheriff. Als ik niet gauw thuis ben, wordt mijn moeder boos op me.'
Alan knikte. 'Dat moeten we niet hebben. Ga maar, Brian.'
Hij keek de jongen na. Brian hield zijn hoofd gebogen en opnieuw was het of hij maar wat voortsjokte met die fiets onder zich. Er zat

hier iets scheef en het was bijna alsof het drama tussen Wilma en Nettie minder belangrijk was geworden dan de reden waarom die jongen zo'n vermoeide, opgejaagde uitdrukking op zijn gezicht had gekregen.
De vrouwen waren per slot van rekening dood en begraven. Brian Rusk leefde nog.
Hij ging naar de afgeleefde, oude stationcar die hij een jaar geleden had moeten inruilen, stak zijn arm door het raampje, pakte de microfoon en drukte de zendknop in. 'Dit is Wagen 1, Sheila. Ik ontvang je. Kom er maar in.'
'Henry Payton heeft gebeld, Alan,' zei Sheila. 'Ik moest zeggen dat het dringend was. Hij wil dat ik je doorverbind. Klaar?'
'Doe maar,' zei Alan. Hij voelde zijn hart sneller kloppen.
'Het kan een paar minuten duren, akkoord?'
'Best. Ik blijf hier. Over en sluiten.'
Hij leunde tegen de zijkant van de auto in de schaduwplekken, met de microfoon in zijn hand wachtend om te horen wat er zo dringend was in Henry Paytons leven.

13

Het was twintig over drie toen Polly thuiskwam en ze voelde zich volkomen verscheurd. Enerzijds voelde ze een diepe, knagende behoefte om aan Gaunts opdracht te beginnen (ze sprak niet graag van een grapje, zoals hij; Polly Chalmers was niet zo jolig van aard), om het zo snel mogelijk achter de rug te hebben zodat de *azka* eindelijk van haar zou zijn. Het kwam totaal niet bij haar op dat de koop pas was gesloten als Gaunt zéi dat hij gesloten was.
Anderzijds voelde ze een diepe, knagende behoefte om Alan op te zoeken en hem precies te vertellen wat er was gebeurd... althans voor zover ze zich kon herinneren. Eén ding kon ze zich herinneren, ook al vervulde het haar met schaamte en met een onderhuidse afschuw: Leland Gaunt haatte de man die Polly liefhad en Gaunt was iets aan het doen - íets - dat helemaal verkeerd was. Dat moest Alan weten. Hij moest het weten, zelfs al zou de *azka* daardoor niet meer helpen. Dat meen je niet.
Maar ja, een deel van haar meende dat nu juist wèl. Het deel dat doodsbang voor Leland Gaunt was, ook al kon ze zich niet herinneren wat hij precies had gedaan om haar die angst in te boezemen.
Je wilt toch niet terug naar vroeger, Polly? Je wilt toch geen handen meer hebben die aanvoelen of ze vol hagel zitten?
Nee... maar ze wilde ook niet dat Alan iets overkwam. Of dat Gaunt zijn zin kreeg, tenminste als het (naar ze vermoedde) iets

was waardoor Castle Rock schade zou lijden. Evenmin wilde ze er zelf bij betrokken raken door naar dat verlaten huis van Camber aan het eind van Town Road 3 te gaan en een of ander grapje uit te halen dat ze zelf niet eens begreep.
Al deze tegenstrijdige wensen, elk verwoord door een eigen opdringerige stem, trokken aan haar terwijl ze langzaam naar huis liep. Als Gaunt haar had gehypnotiseerd (daar was ze zeker van geweest toen ze de winkel verliet, maar die overtuiging was steeds minder geworden), dan waren de gevolgen inmiddels verdwenen. (Dat geloofde Polly werkelijk.) En ze had zich haar hele leven nog nooit zo besluiteloos gevoeld als nu. Het was alsof een vitale stof, nodig voor het nemen van een besluit, in één klap uit haar hoofd was verdwenen.
Ten slotte ging ze naar huis met de bedoeling Gaunts advies op te volgen (hoewel ze zich dat advies niet precies meer kon herinneren). Ze zou de post nakijken en daarna Alan bellen om te vertellen wat Gaunt van haar wilde.
Als je dat doet, zei de stem in haar binnenste grimmig, zal de *azka* ècht geen effect meer hebben. En dat weet je.
Ja, maar er was ook nog zoiets als goed en kwaad. Dat bleef. Ze zou Alan bellen, zeggen dat het haar speet dat ze zo kortaf was geweest, en vertellen wat Gaunt van haar wilde. Misschien zou ze hem zelfs de envelop geven die ze van Gaunt had gekregen, de envelop die ze in de tinnen pot moest doen.
Misschien.
Enigszins opgelucht stak Polly de sleutel in de voordeur van haar huis - weer genietend van het gemak waarmee het haar afging, bijna ongemerkt - en draaide hem om. De post lag op de gebruikelijke plek op het kleed. Er was niet veel vandaag, meestal was er meer reclametroep na een vrije dag. Ze bukte en raapte de post op. Een folder over kabeltelevisie met op de voorkant het glimlachende, onbestaanbaar knappe gezicht van Tom Cruise; een catalogus van de Horchow Collection en een van The Sharper Image; en...
Polly zag de enige brief en ze kreeg een wee gevoel in haar maag. Aan Patricia Chalmers, Castle Rock, afzender Dienst voor Jeugdwelzijnswerk, Geary Street 666. Ze kende dat adres zo heel goed van haar eigen bezoeken, drie in totaal. Drie gesprekken met drie bureaucraten van het kinderfonds, onder wie twee mannen... mannen die haar aankeken zoals je naar een snoepwikkel kijkt die aan een van je beste schoenen is blijven plakken. De derde was een bijzonder omvangrijke zwarte vrouw geweest, een vrouw die wist wat luisteren en lachen was en het was deze vrouw die Polly eindelijk haar toestemming had gegeven. Maar ze herinnerde zich die eerste etage van Geary Street 666 zo heel, heel goed. Ze herinnerde zich het licht dat als een lange melkwitte vlek door het grote raam aan

het eind van de gang op het linoleum viel; ze herinnerde zich het holle geluid van schrijfmachines in kantoren waarvan de deuren altijd openstonden; ze herinnerde zich het groepje mannen dat aan de andere kant van de gang stond te roken bij de met zand gevulde bak, en de manier waarop die naar haar keken. Vooral herinnerde ze zich hoe ze zich voelde in haar ene goede stel kleren - een donker polyester broekpak, een witte zijden blouse, een panty van L'Eggs Nearly Nude, lage schoenen - en hoe doodsbenauwd en eenzaam ze was, want die halfdonkere gang op de eerste verdieping van Geary 666 scheen een plek zonder hart of ziel. Haar aanvraag was daar eindelijk goedgekeurd, maar natuurlijk herinnerde ze zich de afwijzingen: de blikken van de mannen, kruipend over haar borsten (ze waren beter gekleed dan Norville in de eetzaak, maar verder eigenlijk niet veel anders, dacht ze); de monden van de mannen, getuit in correcte afkeuring terwijl ze nadachten over het probleem van Kelton Chalmers, de buitenechtelijke telg van deze kleine del, deze spring-in-'t-veld die er nú niet als een hippie uitzag, o nee, maar die thuis ongetwijfeld haar zijden blouse en mooie broekpak zou uittrekken, om over haar beha maar te zwijgen, en een strakke spijkerbroek met wijde pijpen zou aantrekken en een geknoopverfde doorkijkblouse. Dat zeiden hun ogen en nog veel meer, en hoewel het antwoord van de Dienst schriftelijk zou komen, wist Polly al meteen dat ze afgewezen zou worden. De eerste twee keer was ze telkens huilend weggegaan, en nu was het of ze het prikkelen van elke traan op haar wangen weer voelde. Net als de blikken van de mensen op straat. Blikken zonder mededogen, alleen met een zekere doffe nieuwsgierigheid.
Ze had nooit meer aan die tijd willen denken, aan die halfdonkere gang op de eerste etage, maar nu was het er weer; zo duidelijk dat ze de boenwas kon ruiken, het melkwitte licht op de vloer bij het grote raam kon zien, het holle, dromerige geluid kon horen van oude schrijfmachines die een nieuwe dag in de ingewanden van de bureaucratie wegratelden.
Wat wilden ze? Lieve God, wat wilden die mensen van Geary 666 na al die tijd nog van haar?
Verscheur hem! klonk een stem in haar hoofd, bijna schreeuwend, en hij was zo gebiedend dat ze er haast gehoor aan had gegeven. In plaats daarvan scheurde ze de envelop open. Er zat een enkel vel kopieerpapier in. En hoewel de envelop aan haar was geadresseerd, zag ze tot haar verbazing dat de brief gericht was aan sheriff Alan Pangborn.
Haar blik gleed naar de slotregel. Onder de kriebelige handtekening stond de naam John L. Perlmutter getikt, en die naam deed een klein belletje bij haar rinkelen. Helemaal onderaan stond de opmerking: 'kopie naar: Patricia Chalmers.' Dat verklaarde het

merkwaardige feit dat zij een brief voor Alan in handen had (en verloste haar van haar eerste verwarde idee dat de brief per abuis bij haar was bezorgd). Maar wat kon er in godsnaam...
Polly ging op de Shakerbank in het halletje zitten en begon de brief te lezen. Daarbij wisselden de uitdrukkingen op haar gezicht elkaar op een verbazingwekkende manier af, als wolkenvelden op een onrustige, winderige dag: bevreemding, begrip, schaamte, afschuw, woede en ten slotte razernij. Ze schreeuwde een enkele keer - *Nee!* - en dwong zichzelf vervolgens de brief nog een keer te lezen, langzaam, van begin tot eind.

Dienst voor Jeugdwelzijnswerk
Geary Street 666
San Francisco, California 94112

23 september 1991

Sheriff Alan J. Pangborn
Gemeentehuis 2
Castle Rock, Maine 04055

Geachte sheriff Pangborn,

Wij danken u voor uw brief van 1 september j.l. Ik moet u meedelen dat ik u in deze zaak in het geheel niet behulpzaam kan zijn. Onze Dienst heeft als politiek uitsluitend inlichtingen over aanvragers van bijstand te verstrekken onder dwang van een geldig gerechtelijk bevel. Ik heb uw brief voorgelegd aan Martin D. Chung, onze juridisch adviseur, die mij liet weten dat een kopie van uw brief is doorgezonden aan het bureau van de openbare aanklager van Californië. Dhr. Chung heeft bij het bureau geïnformeerd of uw verzoek als illegaal kan worden gezien. Los van deze kwestie, moet mij van het hart dat ik uw vragen naar het leven van deze vrouw in San Francisco zowel ongepast als hinderlijk acht.
Ik stel daarom voor, sheriff Pangborn, dat u deze zaak laat rusten voordat u zich juridische problemen op de hals haalt.

Met vriendelijke groeten,

John L. Perlmutter,
adjunct-directeur

kopie naar: Patricia Chalmers

Nadat ze deze verschrikkelijke brief voor de vierde keer had gelezen, stond Polly op van de bank en ging naar de keuken. Ze bewoog langzaam en sierlijk, bijna als iemand die zwemt. Haar ogen waren eerst glazig en verward, maar die klaarden op toen ze de hoorn van de muurtelefoon pakte en op de grote toetsen het nummer van het politiebureau intikte. De blik in haar ogen was simpel en onmiskenbaar: een woede die heel dicht bij haat kwam.
Haar minnaar had in haar verleden gesnuffeld... het idee was tegelijkertijd ongelooflijk en op een vreemde, afschuwelijke manier geloofwaardig. Ze had zichzelf de laatste vier of vijf maanden vaak met Alan Pangborn vergeleken en daarbij was ze vaak niet als beste uit de bus gekomen. Zijn tranen; haar bedrieglijke rust waarachter zoveel schaamte en pijn en stille, koppige trots schuilgingen. Zijn eerlijkheid; haar kleine stapeltje leugens. Hoe heilig had ze zich voorgedaan! Hoe smetteloos volmaakt! Hoe hypocriet was ze geweest toen ze zei dat hij het verleden moest vergeten!
En al die tijd had hij lopen snuffelen om te weten te komen wat er echt met Kelton Chalmers was gebeurd.
'Vuile leugenaar,' fluisterde ze, en terwijl ze naar de zoemtoon luisterde werden de knokkels van de hand waarmee ze de telefoon vasthield wit van inspanning.

14

Lester Pratt verliet het schoolgebouw meestal in het gezelschap van een aantal vrienden; samen gingen ze dan naar Hemphill's Market om sorbets te halen en daarna naar een van hen thuis om een paar uur psalmen te zingen, spelletjes te doen of gewoon maar lol te maken. Maar vandaag ging Lester alleen weg met zijn kleine rugzak (hij moest niets hebben van de traditionele leraarstas) en met zijn hoofd naar de grond. Als Alan hem langzaam over het gras naar de parkeerplaats had zien lopen, zou hij zijn getroffen door de gelijkenis van Lesters houding met die van Brian Rusk.
Lester had die dag drie keer geprobeerd Sally te bereiken om uit te vinden waar ze in hemelsnaam zo kwaad over was. De laatste keer was tijdens de middagpauze geweest. Hij wist dat ze op de middenschool was, maar hij kwam niet verder dan Mona Lawless, die wiskunde gaf aan de zesde en zevende groep en veel met Sally optrok.
'Ze kan niet aan de telefoon komen,' zei Mona, net zo hartelijk als een diepvrieskist vol waterijsjes.
'Waarom niet?' had hij gevraagd, bijna jammerend. 'Zeg op nou, Mona!'
'Ik weet het niet.' Mona's toon was verschoven van waterijsjes in

de diepvriezer naar vloeibare stikstof. 'Ze logeert bij Irene Lutjens, ze ziet eruit alsof ze de hele nacht heeft gehuild en ze zegt dat ze niet met je wil praten. Meer weet ik niet.' *En dat is allemaal jouw schuld*, zei Mona's vriestoon. *Dat weet ik, want jij bent een man en alle mannen zijn hondedrollen... wat dit voorval maar weer eens bewijst.*
'Maar ik heb geen flauw idee wat er is gebeurd!' riep Lester. 'Wil je dat dan tegen haar zeggen? Ik weet niet waarom ze boos op me is! Zeg tegen haar dat het een misverstand moet zijn, *want ik snap er niks van!*'
Het bleef lang stil. Toen Mona weer begon te praten, was haar toon iets warmer geworden. Niet veel, maar een stuk beter dan vloeibare stikstof. 'Goed, Lester, ik zal het tegen haar zeggen.'
Nu tilde hij zijn hoofd op, half in de hoop dat Sally in de Mustang zou zitten om hem te zoenen en het weer goed te maken, maar de auto was leeg. De enige in de buurt was die halfzachte Slopey Dodd, die toeren uithaalde met zijn skateboard.
Steve Edwards haalde Lester in en gaf hem een klap op zijn schouder. 'Les, ouwe jongen! Heb je zin om bij mij een cola te komen pakken? Er zouden nog meer lui komen. We moeten het over die bespottelijke acties van de katholieken hebben. Denk eraan dat de grote vergadering vanavond in de kerk is, en het zou goed zijn als wij jongeren met één standpunt kwamen als er besluiten genomen moeten worden. Ik heb het er met Don Hemphill over gehad en die was meteen enthousiast.' Hij keek Lester aan alsof hij een aai over zijn bol verwachtte.
'Vanmiddag kan ik niet, Steve. Een andere keer misschien.'
'Snap je het niet, Les? Misschien kòmt er geen andere keer! Het is de papen menens!'
'Ik kan niet komen,' zei Les. En als je verstandig bent, zei zijn gezicht, dring je niet langer aan.
'Maar... waarom niet?'
Omdat ik erachter moet komen waarom mijn vriendin zo boos op me is, dacht Lester. En daar zàl ik achter komen, al moet ik het uit haar schudden.
Hardop zei hij: 'Ik heb iets te doen, Steve. Iets belangrijks. Geloof dat maar gerust.'
'Als het met Sally te maken heeft, Les...'
Lesters ogen glinsterden dreigend. 'Hou je mond over Sally.'
Steve, een bescheiden jongeman die in vuur en vlam was geraakt door de twist over de casino-avond, brandde nog niet fel genoeg om de door Lester Pratt zo duidelijk getrokken lijn te overschrijden. Maar hij wilde het ook nog niet opgeven. Zonder Lester Pratt was een bijeenkomst van de Jonge Volwassenen een aanfluiting,

hoeveel leden er ook kwamen opdagen. Op een wat redelijker toon zei hij: 'Heb je gehoord dat Bill een anoniem briefje heeft gekregen?'
'Ja,' zei Lester. Dominee Rose had het op de deurmat van zijn pastorie gevonden: het nu al beruchte 'rattekop'-kaartje. De dominee had het laten rondgaan op een haastig bijeengeroepen bijeenkomst 'alleen voor mannen'. omdat je de afschuwelijke tekst zelf gelezen moest hebben om hem op waarde te kunnen schatten, zoals hij zei. Het was moeilijk volledig te doorgronden, had dominee Rose eraan toegevoegd, tot welke diepten de katholieken konden zinken-eh om de gerechtvaardigde protesten tegen hun door de Satan geïnspireerde gokavond; misschien zou het zien van deze vuilspuiterij de 'brave jonge borsten' doen begrijpen met welke tegenstander ze te maken hadden. 'Telt een-eh gewaarschuwd man niet voor twee?' had dominee Rose veelzeggend besloten. Daarna bracht hij het kaartje tevoorschijn (het zat in een plastic hoesje, alsof het gevaar voor besmetting opleverde) en liet het rondgaan.
Toen Lester het net had gelezen, was hij maar al te graag bereid geweest om de katholieken er van langs te geven, maar nu leek de hele kwestie ver van zijn bed en tamelijk kinderachtig. Wie kon het eigenlijk iets schelen of de katholieken voor eigen geld wilden spelen en een stel nieuwe banden en keukenspullen weggeven? Als hij moest kiezen tussen de katholieken en Sally Ratcliffe, wist Lester wat hem het meest zorgen baarde.
'... een bijeenkomst om onze volgende stap te bepalen!' zei Steve inmiddels. Hij begon zich weer op te winden. 'We moeten het initiatief nemen, Les... dat móet! Dominee Bill is bang dat die zogenaamde verontruste katholieken uitgepraat zijn. Misschien gaan ze een volgende keer...'
'Doe jij maar waar je zin in hebt, Steve... *maar laat mij erbuiten!*'
Steve bleef staan en staarde hem aan, zichtbaar geschokt en zichtbaar verwachtend dat Lester, doorgaans de redelijkheid zelve, zijn verontschuldigingen zou aanbieden. Toen hij zag dat het er niet van zou komen, draaide hij zich om en liep terug in de richting van de school. 'Ben jij even in een rothumeur,' zei hij.
'Dat heb je goed gezien!' riep Lester strijdlustig. Hij balde zijn grote handen tot vuisten en zette die op zijn heupen.
Maar Lester was niet gewoon kwaad: hij was gekwetst, verdomme, van top tot teen gekwetst en nog het meest in zijn hóófd. Hij wilde iemand terugpakken. Niet Steve Edwards, die arme donder; het was net of die woordenwisseling alleen maar een schakelaar had omgezet. Die schakelaar had de stroom gestuurd naar een heleboel eigenschappen die doorgaans donker en ongebruikt bleven. Voor het eerst sinds hij verliefd was geworden op Sally, was Lester – nor-

maal zo gelijkmoedig van aard – ook kwaad op haar. Welk recht had ze hem naar de hel te wensen? Welk recht had ze hem een bedrieger te noemen?
Dus ze was ergens kwaad over? Best, dan was ze kwaad. Misschien had hij daar zelfs aanleiding toe gegeven. Hij had geen flauw idee waardoor, maar hij was bereid om daar voorlopig van uit te gaan. Gaf dat haar het recht hem aan de dijk te zetten zonder zelfs maar uitleg te geven? Gaf dat haar het recht naar Irene Lutjens te gaan zodat hij niet bij haar kon binnenvallen, of te weigeren al zijn telefoontjes aan te nemen, of Mona Lawless als tussenpersoon te gebruiken?
Ik zal haar vinden, zei Lester, en ik zal erachter komen wat haar dwarszit. Dan kunnen we het daarna weer goedmaken. En dan leer ik haar hetzelfde als mijn leerlingen bij de eerste basketbaltraining: dat vertrouwen de basis van elke sportploeg is.
Hij deed zijn rugzak af, gooide die op de achterbank en stapte in zijn auto. Daarbij zag hij iets onder de voorbank uitsteken. Iets zwarts. Het zag eruit als een portefeuille.
Lester raapte hem snel op met het idee dat het Sally's portefeuille moest zijn. Als ze hem tijdens het lange weekend in de auto had laten liggen, moest ze hem nu wel missen. Ze zou denken dat ze hem had verloren. En als hij haar verdwenen portefeuille terugbracht, zou de rest van hun gesprek misschien wat vlotter verlopen.
Maar hij was niet van Sally, dat zag hij zodra hij de portefeuille van de vloer had opgeraapt. Hij was van zwart leer. Sally had er een van versleten blauw suède en die was veel kleiner.
Nieuwsgierig maakte hij hem open. Het eerste wat hij zag trof hem als een vuistslag op zijn borst. Het was het rijbewijs van John LaPointe.
Wat had John LaPointe in godsnaam in zíjn auto uitgespookt?
Sally heeft hem het hele weekend gehad, fluisterde een stem in zijn hoofd. Dus wat dènk je dat hij in je auto heeft uitgespookt?
'Nee,' zei hij. 'O nee, vergeet het maar, dat zou ze nooit doen. Niet met hèm. Geen sprake van.'
Maar ze hàd hem heel goed gekend. Zij en hulpsheriff John LaPointe hadden een jaar lang verkering gehad, ondanks de toenemende spanningen tussen de katholieken en baptisten in Castle Rock. Ze hadden het uitgemaakt voordat het huidige gekrakeel over de casino-avond was losgebroken, maar...
Lester stapte weer uit de auto en bekeek de rest van de inhoud. Zijn ongeloof nam toe. Hij vond het identiteitsbewijs van LaPointe; op de foto droeg hij het snorretje dat hij had laten staan toen hij met Sally omging. Lester wist hoe zulke snorren wel eens werden genoemd: beflappen. Hij vond John LaPointes visakte. Hij vond een

foto van John LaPointes vader en moeder. Hij vond zijn jachtakte. En dit... dít...
Lester staarde strak naar de foto die hij had gevonden. Het was een foto van John en Sally. Van een vent en zijn meisje. Ze stonden voor een soort schiettent op een kermis. Ze keken lachend naar elkaar. Sally hield een grote dikke teddybeer in haar armen. Die had LaPointe zeker net voor haar gewonnen.
Lester staarde naar de foto. Een ader zwol op, midden op zijn voorhoofd, en klopte regelmatig.
Hoe had ze hem ook alweer genoemd? Vuile bedrieger?
'Ik weet wie het zegt,' mompelde Lester Pratt.
Zijn woede nam toe. Het ging heel snel. En toen iemand hem op zijn schouder tikte draaide hij zich met een ruk om, liet de portefeuille vallen en hief zijn vuisten. Bijna had hij de onschuldige, stotterende Slopey Dodd het ziekenhuis ingeslagen.
'Co-coach?' vroeg Slopey. Zijn ogen waren groot en rond, maar niet angstig. Belangstellend, maar niet angstig. 'I-i-is er ie-iets?'
'Niks,' zei Lester moeilijk. 'Ga naar huis, Slopey. Wees een brave jongen en ga naar huis. Je hebt met dat skateboard niets te zoeken op de parkeerplaats.'
Hij bukte om de gevallen portefeuille op te rapen, maar Slopey was zestig centimeter kleiner en was hem voor. Hij keek nieuwsgierig naar de foto op LaPointes rijbewijs voordat hij de portefeuille teruggaf aan coach Pratt. 'Ja,' zei Slopey. 'D-dat is d-d-dezelfde.'
Hij sprong op zijn skateboard en wilde weggaan. Lester greep hem bij zijn T-shirt. De plank schoot onder Slopey's voet uit, rolde een eindje weg en sloeg over de kop in een kuil. Slopey's shirt – van de popgroep AC/DC met de tekst ZIJ DIE GAAN ROCKEN, GROETEN U – scheurde aan de hals stuk, maar Slopey leek dat niet erg te vinden. Hij leek niet eens erg verbaasd over Lesters optreden, laat staan bang. Lester merkte het niet. Lester was er niet aan toe om details op te merken. Hij was een van die grote en doorgaans rustige mannen die onder die rust een kortaangebonden karakter herbergen, een gevaarlijke emotionele tornado-in-wording. Sommige mannen voltooien hun leven zonder ooit die lelijke wervelwind te ontdekken. Maar Lester had dat wel gedaan (of beter gezegd, de wervelwind had hem ontdekt) en hij werd er compleet door meegesleurd. Met een vuist als een ingeblikte ham hield hij Slopey bij zijn T-shirt beet en boog zijn zwetende gezicht naar dat van de jongen. De ader midden op zijn voorhoofd klopte sneller dan ooit.
'Wat bedoel je met: "Dat is dezelfde"?
'D-dat is d-d-dezelfde d-die ik v-vrijdag na s-s-school m-m-met juf R-r-ratcliffe zag.'

'*Na school?*' vroeg Lester hees. Hij schudde Slopey zo driftig door elkaar dat de jongen ervan klappertandde. 'Weet je dat zeker?'
'Ja,' zei Slopey. 'Z-z-ze reden w-weg in u-u-uw auto, coach. H-hij z-z-zat achter h-het stuur.'
'Achter het stuur? In mijn auto? *Reed John LaPointe in mijn auto met Sally naast zich?*'
'Nou, h-h-hij d-daar,' zei Slopey, weer naar het rijbewijs wijzend. 'M-maar v-voordat ze instapten, g-gaf hij h-haar een z-z-zoen.'
'Zo, deed hij dat,' zei Lester. Zijn gezicht vertoonde geen enkele uitdrukking meer. 'Deed hij dat.'
'O, j-j-ja,' zei Slopey. Zijn gelaat werd verlicht door een brede (en tamelijk wellustige) glimlach.
'En gaf zij hem ook een zoen?' vroeg Lester op een fluweelzachte toon die heel anders was dan zijn gebruikelijke kom-op-jongens-we-gaan-er-tegenaan toon. 'Wat denk je, Slopey?'
Slopey rolde opgewekt met zijn ogen. 'N-nou, d-d-dat zou ik d-d-denken! Z-ze z-zaten elkaar h-helemaal af te l-l-lebberen, coach!'
'Af te lebberen,' zei Lester peinzend met zijn nieuwe fluweelzachte stem.
'J-ja nou.'
'Echt af te lebberen?' vroeg Lester met zijn nieuwe fluweelzachte stem.
'R-r-reken maar.'
Lester liet Sloompie (zoals hij werd genoemd) los en ging rechtop staan. De ader midden op zijn voorhoofd klopte als een gek. Er was een lach op zijn gezicht gekomen. Het was een onaangename lach, met schijnbaar veel meer witte, vierkante tanden dan een gewoon mens hoort te hebben. Zijn blauwe ogen waren kleine, loerende driehoeken geworden. Zijn borstelhaar stond naar alle kanten recht overeind.
'C-c-coach?' vroeg Slopey. 'I-is er i-iets?'
'Nee,' zei Lester Pratt met zijn nieuwe fluweelzachte stem. Zijn grijns wist van geen wijken. 'Niks bijzonders.' In gedachten had hij zijn handen al rond de hals van John LaPointe, de paapse leugenaar, de kermisschutter, de vuile dief, de opgeblazen mestkever. De klootzak die er als een mens uitzag. De klootzak die Lesters meisje had geleerd hoe ze hem moest aflebberen, het meisje dat haar lippen nauwelijks een millimeter van elkaar wilde doen als Lester haar kuste.
Eerst zou hij met John LaPointe afrekenen. Dat was geen probleem. En daarna moest hij met Sally praten.
Of zoiets.
'Er is helemaal niks bijzonders,' herhaalde hij met zijn nieuwe fluweelzachte stem en hij stapte weer in zijn Mustang. De auto helde

merkbaar naar links toen hij zijn massieve gewicht van 95 kilo in de kuipstoel liet zakken. Hij startte de motor, liet hem een paar keer brullen als een hongerige tijger en reed met gierende banden weg. Sloompie hoestte en wuifde theatraal een stofwolk weg, waarna hij naar zijn skateboard liep.
De hals van zijn oude T-shirt was bijna helemaal losgerukt en hing als een ronde zwarte ketting over zijn prominente sleutelbeenderen. Hij grinnikte. Hij had precies gedaan wat meneer Gaunt hem had gevraagd en het was van een leien dakje gegaan. Coach Pratt was zo kwaad als een dolle stier.
Nu kon hij naar huis om naar zijn theepot te kijken.
'I-ik w-w-wou alleen d-dat ik n-niet meer h-hoefde t-te stotteren,' zei hij tegen niemand in het bijzonder.
Slopey sprong op zijn skateboard en reed weg.

15

Het kostte Sheila moeite de verbinding tot stand te brengen - een keer was ze er van overtuigd dat ze Henry Payton, die erg opgewonden klonk, kwijt was en hem zou moeten terugbellen - en ze had deze technologische prestatie nog maar net geleverd toen er een telefoontje voor Alan binnenkwam. Sheila legde de sigaret weg die ze juist wilde opsteken. 'Castle County, politiebureau.'
'Hallo, Sheila. Ik wil Alan spreken.'
'Polly?' Sheila fronste haar wenkbrauwen. Ze wist zeker dat het Polly Chalmers was, maar ze had haar nog nooit zo horen klinken als nu: koud en afgemeten, net een directiesecretaresse van een groot bedrijf. 'Ben jij het?'
'Ja,' zei Polly. 'Ik wil Alan spreken.'
'Dat zal niet gaan, Polly. Hij is in gesprek met Henry Pay...'
'Ik wacht wel,' onderbrak Polly.
Sheila begon nerveus te worden. 'Ja maar... eh... dat kan wel, maar het is nogal ingewikkeld. Alan is eh, op surveillance, zie je. Ik moest Henry doorverbinden.'
'Als je Henry kunt doorverbinden, dan mij ook,' zei Polly koel. 'Of niet soms?'
'Nou ja, ik weet niet hoe lang ze be...'
'Voor mijn part praten ze tot Sint-Juttemis,' zei Polly. 'Laat me maar hangen, en als ze klaar zijn verbind je me door met Alan. Ik zou het niet vragen als het niet belangrijk was. Dat weet je toch wel, Sheila?'
Ja, dat wist Sheila. En ze wist ook iets anders, ze begon de zenuwen te krijgen van Polly. 'Is alles goed, Polly?'

Het bleef geruime tijd stil. Daarna antwoordde Polly met een tegenvraag. 'Sheila, heb jij voor sheriff Pangborn een brief getikt aan de Dienst voor Jeugdwelzijnswerk in San Francisco? Of heb je brieven naar San Francisco de deur uit zien gaan?'
Rode lampjes - een hele serie - begonnen opeens in Sheila's hoofd te branden. Ze droeg Alan Pangborn op handen en Polly Chalmers beschuldigde hem ergens van. Ze wist niet precies waarvan, maar Polly's toon was onmiskenbaar. Ze kende die toon heel goed.
'Zulke inlichtingen kan ik niemand verstrekken,' zei ze, en haar eigen toon was tien graden in temperatuur gedaald. 'Dat moet je de sheriff zelf maar vragen, Polly.'
'Ja, misschien wel. Verbind me alsjeblieft zo snel mogelijk door.'
'Wat is er aan de hand, Polly? Ben je boos op Alan? Want je moet weten dat hij nooit iets...'
'Ik weet het zelf allemaal niet meer,' zei Polly. 'Het spijt me als ik iets verkeerds heb gevraagd. Maar wil je me alsjeblieft zo snel mogelijk doorverbinden, of moet ik hem zelf gaan opzoeken?'
'Nee, ik zal het doen,' zei Sheila. Ze had een vreemd beklemd gevoel, alsof er iets verschrikkelijks was gebeurd. Net als veel vrouwen in Castle Rock had ze gedacht dat Alan en Polly smoorverliefd op elkaar waren, en net als veel andere vrouwen in de stad neigde Sheila ertoe hen te zien als hoofdpersonen in een donkergetint sprookje met een gelukkige afloop... de liefde zou hoe dan ook overwinnen. Maar nu klonk Polly niet alleen maar boos; er was ook veel pijn in haar stem, en nog iets anders. Dat laatste vond Sheila bijna als haat klinken. 'Blijf aan de lijn, Polly... maar het kan een tijd duren.'
'Dat geeft niet. Dank je, Sheila.'
'Graag gedaan.' Ze drukte op een knop en pakte haar sigaret. Ze stak hem aan en inhaleerde diep terwijl ze met een frons naar het knipperende lampje keek.

16

'Alan?' riep Henry Payton. 'Ben jij dat, Alan?' Door de slechte verbinding praatte hij met een vlakke neusstem. Hij klonk als een tv-omroeper in een groot leeg koekblik.
'Ik ben het, Henry.'
'Ik ben net een half uur geleden gebeld door de FBI,' zei Henry vanuit zijn koekblik. 'We hebben ongelooflijk mazzel gehad met die vingerafdrukken.'
Alans hart begon sneller te kloppen. 'De gedeeltelijke afdrukken op Netties huisdeur?'

'Precies. We hebben voorlopig een overeenkomst vastgesteld met de afdrukken van iemand bij jullie uit de stad. Hij heeft een strafblad: een inbraak in 1977. We hebben ook zijn afdrukken uit het leger.'
'Laat me niet in onzekerheid... wie is het?'
'De naam van de betrokkene is Hugh Albert Priest.'
'Hugh Priest!' riep Alan uit. Payton had evengoed de naam van vice-president J. Danforth Quayle kunnen noemen, zo verbaasd was hij. Die had Nettie Cobb net zo goed gekend als Hugh, voor zover Alan wist. 'Waarom zou Hugh Priest de hond van Nettie willen doden? Of bij Wilma Jerzyck de ramen ingooien?'
'Ik ken die persoon niet, dus ik zou het niet weten,' antwoordde Henry. 'Als je hem eens oppakte om het te vragen? Ik zou het maar meteen doen, voordat hij zenuwachtig wordt en zijn familie in Noorderzon gaat opzoeken.'
'Goed idee,' zei Alan. 'We spreken elkaar nog, Henry. Bedankt.'
'Hou me op de hoogte, cowboy. Je weet dat het formeel míjn onderzoek is.'
'Ja. Je hoort van me.'
De verbinding werd met een scherp metalig *bing!* verbroken en uit Alans radio klonk alleen nog een neutrale zoemtoon. Alan vroeg zich vluchtig af wat de telefoonmaatschappij van hun spelletjes moest denken, daarna bukte hij zich om de microfoon weg te leggen. Terwijl hij dat deed, werd de zoemtoon weggedrukt door de stem van Sheila Brigham... haar ongewoon aarzelende stem.
'Sheriff, ik heb Polly Chalmers voor u aan de lijn. Ze wilde u zo snel mogelijk spreken. Akkoord?'
Alan knipperde met zijn ogen. 'Polly?' Hij was ineens bang, zoals je bang bent als de telefoon om drie uur 's nachts gaat. Polly had hem nooit gezocht als hij op patrouille was en Alan had haar er ook niet toe in staat geacht; dat zou ze niet correct vinden en voor Polly was correct gedrag erg belangrijk. 'Zei ze wat er is, Sheila? Over.'
'Nee, sheriff. Over.'
Nee. Natuurlijk had ze dat niet gezegd. Ook dat had hij kunnen weten. Polly hing haar zaken niet aan de grote klok. Het feit dat hij het had gevraagd bewees hoe verbaasd hij was.
'Sheriff?'
'Geef haar maar, Sheila. Over.'
'Over en sluiten, sheriff.'
Bing!
Hij stond daar in de zon, terwijl zijn hart te luid en te snel klopte. Het beviel hem helemaal niet.
Het *bing!* klonk opnieuw, gevolgd door Sheila's stem; ver weg, bij-

na onhoorbaar. 'Ga je gang, Polly. Als het goed is kunnen jullie praten.'
'Alan?' De stem was zo luid dat hij ervan schrok. Het was de stem van een reus... een boze reus. Dat wist hij al: één woord was genoeg.
'Ik ben het, Polly. Wat is er?'
Even was er alleen stilte. Diep daarbinnen klonk het vage gemurmel van andere telefoongesprekken. Hij had de tijd om zich af te vragen of de verbinding was verbroken... tijd om bijna te hopen dat het zo was.
'Alan, ik weet dat ze kunnen meeluisteren,' zei ze, 'maar je weet wel waar het over gaat. Hoe kon je zoiets doen? Hoe haal je het in je hoofd?'
Er was iets bekends aan dit gesprek. Iets.
'Polly, ik begrijp niet waar je...'
'O, dat denk ik wel,' antwoordde ze. Haar stem werd dikker, moeilijker te verstaan, en Alan besefte dat ze snikte of dat elk moment kon gaan doen. 'Het valt niet mee om te ontdekken dat je iemand niet zo goed kent als je had gedacht. Dat het vertrouwde gezicht alleen maar een masker is.'
Iets bekends, ja, en nu wist hij wat het was. Dit leek op de nachtmerries die hij had na de dood van Annie en Todd, de nachtmerries waarin hij aan de kant van de weg stond en ze in de Scout voorbij zag rijden. Ze reden hun einde tegemoet. Hij wist het, maar hij kon er niets aan veranderen. Hij probeerde met zijn armen te zwaaien, maar ze waren te zwaar. Hij probeerde te schreeuwen en wist niet meer hoe hij zijn mond open moest doen. Ze reden hem voorbij alsof hij onzichtbaar was en zo was het ook nu: alsof hij op een absurde manier onzichtbaar voor Polly was geworden.
'Annie...' Met afschuw besefte hij zijn vergissing en verbeterde zichzelf snel. 'Pòlly. Ik weet niet waar je het over hebt, Polly, maar...'
'*Dat weet je wel!*' schreeuwde ze opeens. 'Lieg niet tegen me! Waarom kon je niet wachten tot ik het uit mezelf zou vertellen, Alan? En als je dan niet kon wachten, waarom heb je het niet gevráágd? Waarom moest je het achter mijn rug om doen? *Hoe kon je dat doen?*'
Hij kneep zijn ogen dicht in een poging om zijn koortsige, verwarde gedachten tot bedaren te brengen, maar het hielp niet. In plaats daarvan zag hij een schrikbeeld opdoemen: Mike Horton van de *Journal-Register* uit Norway die over de Bearcat politiescanner van zijn krant gebogen zat en driftig aantekeningen maakte in zijn geheime stenotaal.
'Ik weet niet waarvan je mij verdenkt, maar je zit ernaast. Laten we ergens afspraken en erover...'

'Nee. Ik geloof niet dat ik je nu kan zien, Alan.'
'Ja. Ja, dat kun je wel. Ik ga naar...'
Opeens hoorde hij de stem van Henry Payton. *Ik zou het maar meteen doen, voordat hij zenuwachtig wordt en zijn familie in Noorderzon gaat opzoeken.*
'Waar ga je naartoe?' vroeg ze. 'Waar ga je naartoe?'
'Ik herinner me net iets,' zei Alan langzaam.
'O ja? Was het soms een brief die je begin september hebt geschreven, Alan? Een brief naar San Francisco?'
'Ik weet niet waar je het over hebt, Polly. Ik kan nu niet naar je toe komen, want er is een doorbraak in... in die andere zaak. Maar later...'
Haar antwoord was doorspekt met snikkende ademstoten, die haar onverstaanbaar hadden moeten maken maar dat niet deden. 'Snap je het niet, Alan? Er ís geen later, niet meer. Je...'
'Polly, *alsjeblieft...*'
'*Nee!* Laat me maar met rust! Laat me met rust en steek je neus in je eigen zaken, vuile bedrieger!'
Bing!
En plotseling luisterde Alan weer naar de zoemtoon op de telefoonlijn. Hij keek naar het kruispunt van Main en School Street als een man die niet weet waar hij is en evenmin hoe hij op die plek is beland. In zijn ogen lag de verre, verbaasde blik van een bokser vlak voordat zijn knieën het begeven en hij voor een lange winterslaap tegen de grond zakt.
Wat was er gebeurd? En hoe had het zo snèl kunnen gebeuren?
Hij had geen flauw idee. Heel Castle Rock scheen de afgelopen week lichtelijk gestoord te zijn geworden... en nu was Polly ook al besmet.
Bing!
'Eh... sheriff?' Het was Sheila en aan haar zachte, aarzelende toon merkte Alan dat ze in elk geval een deel van zijn gesprek met Polly had afgeluisterd. 'Ben je daar, Alan? Kom erin.'
Opeens kreeg hij de verbazend sterke neiging de microfoon los te rukken en in de struiken naast het trottoir te gooien. En daarna weg te rijden. Geeft niet waarheen. Met de zon mee en nergens meer aan hoeven te denken.
In plaats daarvan concentreerde hij zich uit alle macht en dwong zichzelf aan Hugh Priest te denken. Dat was zijn taak, want het zag er nu naar uit dat Hugh wellicht de dood van twee vrouwen had veroorzaakt. Hij had nu met Hugh te maken, niet met Polly... en het was een geweldige opluchting dat hij zich daarachter kon verschuilen.
Hij drukte de zendknop in. 'Ik ben er, Sheila. Over.'

'Alan, ik geloof dat ik Polly kwijt ben. Ik eh... ik wilde niet meeluisteren, maar...'
'Dat geeft niet, Sheila. We waren klaar.' (Er lag iets afschuwelijk definitiefs in wat hij net had gezegd, maar daar weigerde hij nu over na te denken.) 'Wie is er op het ogenblik op het bureau? Over?'
'John neemt waar,' zei Sheila, merkbaar opgelucht door de verandering van onderwerp. 'Clut is op patrouille. Bij Castle View, volgens zijn laatste melding.'
'Goed.' Polly's gezicht, vertrokken in onbekende woede, probeerde zich aan hem op te dringen. Hij dwong het naar de achtergrond en concentreerde zich weer op Hugh Priest. Maar één afschuwelijk ogenblik kon hij helemaal geen gezichten zien, alleen een gruwelijke leegte.
'Alan? Ben je er nog? Over.'
'Ja. Ik ben er nog. Roep Clut op en stuur hem naar het huis van Hugh Priest aan het eind van Castle Hill Road. Hij weet waar het is. Hugh zal wel aan het werk zijn, maar als hij toevallig een vrije dag heeft moet Clut hem voor verhoor naar het bureau brengen. Begrepen?'
'Begrepen, Alan.'
'Zeg dat hij heel voorzichtig te werk moet gaan. Hugh moet worden verhoord in verband met de dood van Nettie Cobb en Wilma Jerzyck. De rest begrijpt hij dan zelf wel. Over.'
'O!' zei Sheila, tegelijk geschrokken en opgewonden. 'Begrepen, sheriff.'
'Ik ben op weg naar de gemeentelijke parkeerplaats. Daar zal Hugh wel te vinden zijn. Over en uit.'
Terwijl hij de microfoon neerlegde (het was alsof hij hem minstens vier jaar in zijn hand had gehouden), dacht hij: als je tegen Polly hetzelfde had gezegd als net tegen Sheila, zou deze hele toestand misschien wat minder vervelend zijn.
Of misschien ook niet... hoe moest hij dat weten als hij niet eens wist in wat voor toestand hij verzeild was geraakt? Polly verweet hem dat hij zijn neus in haar zaken had gestoken. Daar kon ze een heleboel dingen mee bedoelen, dingen die hij zich niet voor de geest kon halen. En er was nog iets anders. Het hoorde bij zijn werk via de meldkamer iemand te laten oppakken voor verhoor. Zo zorgde je er ook voor dat je assistenten wisten dat de gezochte persoon gevaarlijk kon zijn. Maar datzelfde tegen je vriendin zeggen en dat via een open radio-telefoonverbinding was iets heel anders. Hij had goed gehandeld en dat wist hij.
Maar dat maakte het gevoel van beklemming er niet minder om en hij deed een nieuwe poging om zich op zijn werk te concentreren.

Hij moest Hugh Priest zien te vinden en naar het bureau brengen, een vervloekte advocaat voor hem zoeken als hij dat wilde en hem ten slotte vragen waarom hij een kurketrekker in Netties hond Raider had gestoken.
Het lukte hem even, maar toen hij de stationcar startte en wegreed van de stoeprand, was het nog steeds Polly's gezicht – niet dat van Hugh – dat hij achter zijn ogen zag.

17

1

Rond het tijdstip waarop Alan op weg ging om Hugh Priest te arresteren, stond Henry Beaufort op zijn inrit naar zijn Thunderbird te kijken. In zijn hand had hij het briefje dat hij onder de ruitenwisser had gevonden. De vuile smeerlap had de banden lelijk toegetakeld, maar de banden waren vervangbaar. Het was de kras over de rechterkant van de auto die Henry echt kwaad maakte.
Hij keek weer naar het briefje en las het hardop. 'Waag het *nog* eens mij droog te zetten en dan mijn sleutels te houden, opgeblazen *pad!'*
Wie had hij de laatste tijd geweigerd te tappen? O, er waren er zoveel. Het kwam maar zelden voor dat hij eens een avond níemand droog hoefde te zetten. Maar dan óók nog autosleutels op de plank achter de bar bewaren? Dat was er maar eentje geweest.
Eentje maar.
'Teringlijer,' zei de eigenaar en barkeeper van The Mellow Tiger op een zachte, peinzende toon. 'Vuile achterlijke teringlijer.'
Hij overwoog naar binnen te gaan om zijn jachtgeweer te pakken, maar hij bedacht zich. De Tiger was dichtbij en onder de tapkast stond een tamelijk bijzondere doos. Daarin lag een afgezaagde dubbelloops Winchester. Hij had het geweer in huis gehaald sinds die idioot van een Ace Merrill hem een paar jaar geleden had willen beroven. Het was een hoogst illegaal wapen en Henry had het nog nooit gebruikt.
Misschien moest het er vandaag maar eens van komen.
Hij legde zijn vingers op de lelijke kras die Hugh op de zijkant van zijn T-Bird had gemaakt, verfrommelde het briefje en liet het vallen. Billy Tupper zou al in de Tiger zijn om de vloer te vegen en de toiletten schoon te maken. Henry besloot de Winchester te gaan halen en Billy's Pontiac te lenen. Hij wilde op jacht naar een dikke reet.
Henry schopte het verfrommelde briefje in het gras. 'Je hebt weer van die pillen geslikt waar je gestoord van wordt, Hugh, maar na vandaag heb je die niet meer nodig... dat garandeer ik je.' Hij legde zijn vingers voor het laatst op de kras. Hij was zijn hele leven nog niet zo kwaad geweest. 'Ik garandéér het.'
Henry begon met snelle passen naar The Mellow Tiger te lopen.

2

Terwijl Frank Jewett bezig was de slaapkamer van George T. Nelson kort en klein te slaan, vond hij onder de matras van het dubbele bed een zakje cocaïne. Hij gooide het in de wc en trok door. Daarbij kreeg hij plotseling kramp in zijn buik. Hij maakte zijn riem los, bedacht zich en ging terug naar de geruïneerde slaapkamer. Frank veronderstelde dat hij zijn verstand had verloren, maar dat kon hem niet meer schelen. Een gek hoefde niet aan de toekomst te denken. Voor een gek was de toekomst iets heel onbelangrijks.
Een van de weinige onberoerde dingen in George T. Nelsons slaapkamer was een foto aan de muur. Het was een foto van een oude dame in een kostbare, vergulde lijst, wat Frank op het idee bracht dat dit George T. Nelsons moeder zaliger moest zijn. De aandrang werd sterker. Frank haalde de foto van de muur en legde hem op de vloer. Daarna maakte hij zijn broek los, hurkte boven de foto neer en deed zijn natuurlijke behoefte.
Het was het hoogtepunt van wat tot dan toe een heel slechte dag was geweest.

3

Lenny Partridge, de oudste inwoner van Castle Rock en als opvolger van tante Evvie Chalmers houder van de door de Boston *Post* uitgereikte wandelstok, bezat tevens een van de oudste auto's in Castle Rock. Het was een Chevrolet Bel-Air uit 1966, die ooit wit was geweest. Tegenwoordig had de wagen een onbestemde vlekkerige non-kleur, voornamelijk veroorzaakt door stof. De Chevrolet was er niet best aan toe. Het glas van de achterruit was een paar jaar geleden vervangen door een klapperend stuk weerbestendig plastic, de zijkanten van de motorkap waren zo erg aangetast dat Lenny onder het rijden de weg kon zien door een web van roest, en de uitlaat hing naar beneden als de rottende arm van een man die in een droog klimaat is overleden. Verder lekte de wagen olie. Tijdens het rijden verspreidde de Bel-Air grote wolken stinkende blauwe rook, zodat de velden die hij op zijn dagelijkse rit naar de stad passeerde eruitzagen alsof een moordlustige piloot ze zojuist met een giftig bestrijdingsmiddel had besproeid. De Chevy slokte dagelijks drie (en soms vier) liter olie op. Deze uitbundige consumptie hinderde Lenny niet in het minst: bij Sonny Jackett kocht hij altijd Diamond motorolie per voordeelvat van vijftien liter en hij troggelde Sonny tien procent korting af... het tarief voor hoogbejaarden.

En omdat hij de laatste tien jaar nooit harder dan zestig had gereden, zou de Bel-Air waarschijnlijk nog langer meegaan dan Lenny zelf.
Terwijl Henry Beaufort aan de andere kant van de Tin Bridge op weg ging naar The Mellow Tiger, bijna acht kilometer verderop, stuurde Lenny zijn roestige Bel-Air over de top van Castle Hill. Midden op de weg stond een man die met zijn armen een gebiedend stopgebaar maakte. De man had een bloot bovenlijf en blote voeten. Hij had alleen een kaki broek aan, waarvan de gulp openstond, en om zijn nek hing een door de motten aangevreten stuk bont.
Lenny's hart sprong rammelend omhoog in zijn magere borst en hij trapte met beide voeten, gehuld in een paar langzaam uit elkaar vallende hoge schoenen, op het rempedaal. Dat zakte met een onaards gekreun bijna helemaal tot de vloer en de Bel-Air kwam eindelijk tot stilstand op nog geen meter van de man, in wie Lenny nu Hugh Priest herkende. Hugh had geen spier vertrokken. Toen de auto stopte liep hij snel naar Lenny, die zijn handen tegen zijn warme onderhemd drukte, naar adem snakte en zich afvroeg of dit zijn laatste hartstilstand zou zijn.
'Hugh!' hijgde hij. 'Wat voer je nou toch uit, jong? Ik had je bijna overreden! Ik...'
Hugh deed het portier open en bukte. Het stuk bont om zijn nek zwaaide naar voren en Lenny trok zijn hoofd terug. Het zag eruit als een half vergane vossestaart vol kale plekken. Het ding stonk. Hugh greep de schouderbanden van zijn overall en sleurde hem uit de auto. Lenny slaakte een schorre kreet van angst en verontwaardiging.
'Sorry, ouwe,' zei Hugh, op de afwezige toon van een man die wel dringender zaken aan zijn hoofd heeft. 'Ik heb je wagen nodig. De mijne is een beetje afgetakeld.'
'Maar je kan niet...'
Maar dat kon Hugh heel goed. Hij gooide Lenny van zich af alsof de oude baas een zak veren was. Er klonk een duidelijk krakend geluid toen Lenny neerkwam en zijn protest ging over in een luide jammerklacht. Zijn sleutelbeen en twee ribben waren gebroken.
Zonder naar hem om te kijken stapte Hugh in de Chevy, trok het portier dicht en drukte het gaspedaal helemaal in. De motor brulde verrast en uit de doorgezakte uitlaat kwam een blauwe rookwolk. De Bel-Air reed met tachtig kilometer de heuvel af voordat Lenny Partridge erin slaagde zich op zijn rug te worstelen.

4

Andy Clutterbuck kwam omstreeks vijf over half vier op Castle Hill Road. De oude zuipschuit van Lenny Partridge kwam hem tegemoet, maar daar besteedde hij geen aandacht aan; Clut was met zijn gedachten uitsluitend bij Hugh Priest, en de roestige oude Bel-Air was slechts een deel van het landschap.
Clut had geen flauw idee hoe of waarom Hugh bij de dood van Wilma en Nettie betrokken kon zijn, maar dat was niet erg; hij was maar een frontsoldaat en meer niet. Het hoe en waarom mocht iemand anders uitzoeken, en dit was een van de dagen waarop hij daar verdomd blij om was. Hij wist maar al te goed dat Hugh een kwade dronk had, en zijn humeur was er met de jaren niet beter op geworden. Zo iemand was tot alles in staat... vooral als hij te diep in het glaasje had gekeken.
En hij zal toch wel aan het werk zijn, dacht Clut, hoewel hij bij het naderen van het krot dat Hugh zijn huis noemde, toch maar de klep van zijn holster openmaakte. Even later zag hij bij het huis het zonlicht schitteren op glas en chroom, en zijn zenuwen werden net zo strak gespannen als telefoondraden in een storm. Hughs auto stond voor de deur en dat betekende meestal dat hij er zelf ook was. Zo ging dat op het platteland.
Toen Hugh lopend van huis was weggegaan, had hij de weg naar de top van Castle Hill gevolgd, weg van de stad. Als Clut die kant op had gekeken, zou hij Lenny Partridge in de berm hebben zien liggen, met zijn armen en benen zwaaiend als een kip die een stofbad neemt, maar hij keek die kant niet op. Clut keek alleen maar naar het huis van Hugh. Lenny's ijle, vogelachtige kreten gingen het ene oor in en het andere weer uit zonder daartussen ook maar enige onrust te zaaien.
Clut trok zijn wapen voordat hij uit de wagen stapte.

5

William Tupper was pas negentien en hij zou nooit professor worden, maar hij was schrander genoeg om te zien in wat voor gevaarlijke stemming Henry verkeerde toen die om tien over half vier op de laatste echte dag van Castle Rocks bestaan de lege bar betrad. Hij was ook schrander genoeg om te weten dat hij Henry de sleutels van zijn Pontiac niet hoefde te weigeren; in deze stemming zou Henry (die overigens de beste baas was die Billy ooit had gehad) hem gewoon neerslaan en de sleutels alsnog pakken.
Daarom nam Billy voor het eerst – en misschien wel voor het

laatst – in zijn leven zijn toevlucht tot een list. 'Je ziet eruit of je wel een borrel kunt gebruiken, Henry,' zei hij schuchter. '*Ik* in elk geval wel. Zal ik een stevige bel inschenken voor je gaat?'
Henry was achter de tapkast weggedoken. Billy hoorde hem daar rommelen en binnensmonds vloeken. Eindelijk stond hij weer op, met in zijn handen een rechthoekige houten kist met een klein hangslot erop. Hij zette de kist op de tapkast en haalde de sleutelbos van zijn riem.
Henry moest denken aan wat Billy had gezegd, begon met zijn hoofd te schudden en dacht nog eens na. Een borrel was eigenlijk niet zo'n gek idee, die zou zowel zijn handen als zijn zenuwen kalmeren. Hij vond de goede sleutel, maakte het hangslot open en legde dat op de bar. 'Best,' zei hij. 'Maar laten we het dan meteen goed doen. Chivas. Gewoon voor jou, een dubbele voor mij.' Hij stak zijn vinger uit naar Billy. Billy deinsde terug, ineens overtuigd dat Henry eraan toe zou voegen: *Maar jij gaat met me mee.* 'En laat je moeder niet merken dat je hier sterke drank hebt gekregen, begrepen?'
'Ja, baas,' zei Billy opgelucht. Hij ging snel de fles halen voor Henry van gedachte kon veranderen. 'Ik begrijp het best.'

6

Deke Bradford, de grote baas van Castle Rocks grootste en kapitaalkrachtigste onderneming – Gemeentewerken – werd er niet goed van.
'Nee, hij is er niet,' zei hij tegen Alan. 'De hele dag niet gezien. Maar als jij hem eerder te pakken krijgt dan ik, doe me dan een lol en zeg dat hij ontslagen is.'
'Waarom heb je hem al die tijd nog gehouden, Deke?'
Ze stonden in de hete middagzon bij de gemeentelijke garage. Links van hen stond een vrachtwagen van Case Aannemerswerken bij een loods. Drie mannen waren bezig kleine, maar zware houten kisten uit te laden. Elke kist was voorzien van een gestempelde rode diamant: het symbool voor sterk explosieve stoffen. Alan hoorde het gezoem van de airconditioning uit de loods komen. Het was een heel vreemd gehoor zo laat in het jaar, maar het was ook een bijzonder vreemde week geweest in Castle Rock.
'Langer dan nodig,' gaf Deke toe. Hij streek met zijn handen door zijn korte grijzende haar. 'Ik dacht dat er ergens van binnen een goed mens in hem stak.' Deke was een van die kleine, gedrongen mannen – brandkranen op poten – die er altijd uitzien of ze iemand een schop onder de reet willen geven. In werkelijkheid was hij een

van de zachtaardigste en vriendelijkste mannen die Alan ooit had gekend. 'Als hij niet bezopen was of een zware kater had, was er hier geen hardere werker dan Hugh. En er was iets in zijn gezicht waardoor ik dacht dat hij er niet zo een was die zich met alle geweld moet dooddrinken. Misschien zou hij zich optrekken aan een vaste baan en zijn leven beteren. Maar de laatste week...'
'Wat was er met de laatste week?'
'Hij is helemaal naar de donder gegaan. Het was net of hij de hele tijd onder invloed was, en ik bedoel niet per se van de drank. Zijn ogen waren helemaal ingevallen, en als je met hem praatte keek hij de hele tijd over je schouder, nooit naar je gezicht. En hij begon in zichzelf te praten.'
'Waarover?'
'Weet ik niet. De anderen ook niet, denk ik. Ik stuur niet graag iemand de laan uit, maar dat besluit had ik al genomen nog voor je bij me kwam. Ik heb genoeg van hem.'
'Een ogenblikje, Deke.' Alan ging terug naar de wagen, riep Sheila op en vertelde dat Hugh de hele dag niet op zijn werk was verschenen.
'Probeer Clut te bereiken, Sheila, en zeg dat hij uit zijn doppen kijkt. En stuur John om hem te assisteren.' Hij aarzelde even, omdat zo'n waarschuwing meer dan eens in een onnodige schietpartij was uitgemond. Maar het was noodzakelijk; dat was hij verplicht aan zijn mensen. 'Zeg tegen Clut en John dat Hugh vuurwapengevaarlijk is. Begrepen?'
'Vuurwapengevaarlijk. Begrepen.'
'Bedankt. Wagen 1, over en sluiten.'
Hij legde de microfoon neer en liep terug naar Deke.
'Denk je dat hij de stad uit is, Deke?'
'Hij?' Deke draaide zijn hoofd opzij en spuugde een straal tabakssap uit. 'Zulke lui gaan nóóit de stad uit zonder hun laatste loon. De meesten gaan helemaal niet weg. Dan moeten ze zich herinneren welke weg de stad uitleidt, en wat dat betreft schijnen ze nogal vergeetachtig te zijn.'
Deke's aandacht werd afgeleid en hij keek naar de mannen bij de vrachtwagen. 'Rustig aan met die dingen, jongens! Je mot ze uitladen, niet rondstrooien!'
'Daar kun je heel wat mee de lucht in laten vliegen,' zei Alan.
'Jawel. Twintig kisten. We moeten een granietlaag opruimen in de grindput bij Town Road 5. Zo te zien houden we genoeg over om Hugh helemaal naar Mars te blazen, als je dat wilt.'
'Waarom heb je zoveel genomen?'
'Dat was niet mijn idee. Buster heeft mijn bestelling uitgebreid, Joost mag weten waarom. Maar ik kan je wel vertellen dat hij een

rolberoerte krijgt als hij de elektriciteitsrekening van deze maand te zien krijgt... tenzij we een koudegolf krijgen. Die airconditioning vreet stroom, maar je mag die dingen niet laten zweten. Iedereen zegt wel dat dat bij dit nieuwe spul geen kwaad kan, maar voorkomen is beter dan genezen.'
'Dus Buster heeft bijbesteld,' zei Alan peinzend.
'Ja, vier of zes kisten, ik weet het niet precies meer. De wonderen zijn de wereld nog niet uit, wat jij?'
'Dat zal wel niet. Kan ik je telefoon even gebruiken, Deke?'
'Ga je gang.'
Alan zat een volle minuut achter Deke's bureau en luisterde met donkere zweetplekken onder zijn oksels naar de telefoon die in Polly's huis maar overging en overging. Ten slotte legde hij weer neer.
Met trage passen en gebogen hoofd verliet hij het kantoor. Deke was bezig de deur van de dynamietloods af te sluiten en hij keek met een lang en ongelukkig gezicht naar Alan toen hij klaar was.
'Hugh Priest was niet helemaal verrot, Alan, ik zweer je dat er iets goeds in hem zat. Vaak komt dat er ook uit. Dat heb ik eerder meegemaakt. Vaker dan de meeste mensen willen geloven. Maar Hugh...' Hij haalde zijn schouders op. 'O nee, bij hem niet.'
Alan knikte.
'Gaat het, Alan? Je ziet er een beetje raar uit.'
'Ik mankeer niks,' zei Alan met een flauwe glimlach. Maar het was waar: hij zàg er een beetje raar uit. Net als Polly. En Hugh. En Brian Rusk. Het leek wel alsof iedereen er vandaag een beetje raar uitzag.
'Wil je een glas water of koude thee? Ik heb staan.'
'Bedankt, maar ik moet weer verder.'
'Goed. Laat me weten hoe het afloopt.'
Dat kon Alan niet beloven, maar hij had diep van binnen het akelige gevoel dat Deke het over een dag of twee allemaal zelf zou kunnen lezen. Of op de buis kon zien. 'Tot kijk, Deke,' was alles wat hij zei.

7

De oude Chevy Bel-Air van Lenny Partridge stopte kort voor vier uur in een van de schuine parkeervakken bij De NoodZaak en de man van het uur stapte uit. Hughs gulp stond nog steeds open en om zijn nek droeg hij nog steeds de vossestaart. Zijn blote voeten kletsten op het hete beton terwijl hij naar de ingang liep en de deur opende. Het zilveren belletje boven zijn hoofd tinkelde.

De enige die hem naar binnen zag gaan was Charlie Fortin. Hij stond in de deuropening van de Western Auto en rookte een stinkend shagje. 'Die ouwe Hugh is eindelijk doorgeslagen,' zei Charlie tegen niemand in het bijzonder.
In de winkel keek Gaunt met een prettig, verwachtingsvol lachje naar ouwe Hugh... alsof hij elke dag mannen op blote voeten, met een ontbloot bovenlijf en aangevreten vossestaarten om hun nek begroette. Hij zette een kruisje op het papier naast de kassa. Het laatste kruisje.
'Ik zit in de narigheid,' zei Hugh terwijl hij naar de toonbank liep. Zijn ogen slingerden als tollen heen en weer in hun kassen. 'Ik zit tot aan mijn nek in de stront.'
'Ik weet het,' zei Gaunt zo geruststellend mogelijk.
'Ik moest hier naartoe, ik weet niet waarom. Ik droom telkens van je... Ik wist niet naar wie ik anders moest.'
'Je had geen beter adres kunnen uitzoeken, Hugh.'
'Hij heeft mijn banden doorgesneden,' fluisterde Hugh. 'Beaufort, die hufter van The Mellow Tiger. Hij heeft een briefje achtergelaten: "Je weet wat er de volgende keer gebeurt, Hubert." Ja, dat weet ik. Of ik dat weet.' Met zijn groezelige grote vingers streelde hij de afgetakelde vacht en een verheerlijkte uitdrukking kwam op zijn gezicht. Het zou kinderachtig zijn geweest als het niet zo duidelijk gemeend was. 'Mijn prachtige, prachtige vossestaart.'
'Misschien moet je met hem afrekenen,' opperde Gaunt peinzend, 'voordat hij met jou afrekent. Ik weet dat het een beetje... eh... extréém klinkt, maar als je bedenkt...'
'Ja! Ja! Dat is precies wat ik wil!'
'Dan heb ik precies wat je zoekt, denk ik,' zei Gaunt. Hij bukte en ging een ogenblik later weer rechtop staan met een automatisch pistool in zijn linkerhand. Hij schoof het over het glas van de toonbank. 'Hij is geladen.'
Hugh pakte het pistool. Zijn verwarring leek als sneeuw voor de zon te verdwijnen toen hij het solide gewicht van het wapen in zijn hand voelde. Hij rook de vage, aangename geur van vet.
'Ik... ik heb mijn geld thuis laten liggen,' zei hij.
'O, dáár hoef je je geen zorgen over te maken,' zei Gaunt. 'Bij De NoodZaak zijn alle verkochte artikelen verzekerd, Hugh.' Zijn gezicht werd plotseling hard. Hij liet zijn tanden zien en zijn ogen schoten vuur. 'Neem hem te grazen!' riep hij zacht en schor. 'Grijp de schoft die je eigendom wil vernielen! Neem hem te grazen! Verdedig je! Verdedig je *eigendom!*'
Hugh grinnikte opeens. 'Bedankt, meneer Gaunt. Hartstikke bedankt.'
'Graag gedaan,' zei Gaunt. Hij sprak onmiddellijk weer op zijn ge-

wone toon, maar het zilveren belletje tinkelde al toen Hugh naar buiten ging en het pistool onder de riem van zijn slobberbroek stak.
Gaunt ging naar het raam en zag Hugh in de afgeleefde Chevy stappen en wegrijden. Een trage Budweiser vrachtwagen toeterde en zwenkte uit om hem te ontwijken.
'Neem hem te grazen, Hugh,' zei Gaunt zacht. Kleine rookwolkjes begonnen op te stijgen uit zijn oren en haar, dikkere walmen kwamen tevoorschijn uit zijn neusgaten en tussen de vierkante witte grafzerken van zijn gebit. 'Neem ze allemaal te grazen. Maak er maar een feest van, grote jongen.'
Gaunt wierp zijn hoofd achterover en begon te lachen.

8

John LaPointe haastte zich naar de zijdeur van het bureau, de deur die uitkwam op de parkeerplaats van het gemeentehuis. Hij was opgewonden. Vuurwapengevaarlijk. Het gebeurde niet vaak dat je moest assisteren bij het aanhouden van een gewapende en gevaarlijke verdachte. Althans niet in zo'n slaperig stadje als Castle Rock. Hij vergat zijn verdwenen portefeuille helemaal (in elk geval voorlopig) en Sally Ratcliffe was nog verder uit zijn gedachten.
Hij was vlak bij de deur toen die van de andere kant werd geopend. Onverwachts stond hij oog in oog met vijfennegentig kilo kwade coach Pratt.
'Jou moest ik net hebben,' zei Lester Pratt met zijn nieuwe fluweelzachte stem. Hij hield een zwarte leren portefeuille op. 'Ben je soms iets kwijt, lelijke paap die je bent, vuile bedrieger?'
John had geen flauw benul wat Lester Pratt kwam doen of hoe hij aan zijn portefeuille kwam. Hij wist alleen dat hij Clut moest assisteren en wel onmiddellijk.
'Ik weet niet waar je het over hebt, maar het zal moeten wachten, Lester,' zei John. Hij wilde zijn portefeuille pakken. Lester trok zijn hand terug en sloeg hem met de portefeuille midden in zijn gezicht. John was eerder verrast dan kwaad.
'Maar ik heb helemaal geen zín om te wachten,' zei Lester met zijn nieuwe fluweelzachte stem. 'Dat zou tijdverspilling zijn.' Hij liet de portefeuille vallen, greep John bij zijn schouders, tilde hem op en gooide hem van zich af. LaPointe vloog twee meter door de lucht en landde boven op het bureau van Norris Ridgewick. Hij schoof op zijn achterwerk door de stapels papieren en veegde Norris' brievenbakje tegen de grond. John gleed er achteraan en sloeg met een pijnlijke klap tegen de vloer.

Sheila Brigham keek met open mond door de ruit van de meldkamer.
John begon overeind te krabbelen. Hij was in de war en verdoofd, zonder het geringste idee wat er aan de hand was.
Lester kwam met dreigende passen op hem af. Hij hief zijn vuisten in een ouderwetse pose à la John L. Sullivan, maar hij had niets komisch. 'Ik zal je een lesje leren,' zei Lester met zijn nieuwe fluweelzachte stem. 'Ik zal je leren wat er met papen gebeurt die baptisten hun meisje willen afpikken. Ik zal je een lesje leren en als ik klaar ben met je, zul je het nooit meer vergeten.'
Lester Pratt kwam dichterbij om te laten zien wat hij bedoelde.

9

Billy Tupper mocht dan geen intellectueel zijn, hij kon goed luisteren – en dat was precies waar Henry Beaufort die middag in zijn razernij behoefte aan had. Henry dronk zijn cognac en vertelde Billy wat er was gebeurd... en terwijl hij praatte, voelde hij dat hij tot bedaren kwam. Als hij zijn geweer had meegenomen, besefte hij, zou hij 's avonds waarschijnlijk niet achter de tap, maar achter de tralies van een cel op het bureau hebben gezeten. Hij was gek op zijn T-Bird, maar hij begon in te zien dat zijn liefde niet groot genoeg was om ervoor naar de bajes te gaan. Hij kon er nieuwe banden onder laten zetten en de kras op de zijkant zou na een tijdje wel slijten. En wat Hugh Priest betrof, daar kon de sheriff wel mee afrekenen.
Hij dronk zijn glas leeg en stond op.
'Wilt u nog steeds naar hem toe, baas?' vroeg Billy angstig.
'Nee, dat is tijdverspilling,' zei Henry en Billy slaakte een zucht van verlichting. 'Ik stuur Alan Pangborn wel op hem af. Daar betaal ik toch zeker belasting voor, Billy?'
'Zo is het.' Billy keek uit het raam en zijn gezicht klaarde nog meer op. Een roestige oude wagen, ooit wit maar nu verbleekt tot een vage non-kleur en onder het stof, kwam de heuvel af in de richting van The Mellow Tiger. Er kwam dikke blauwe rook uit de uitlaat. 'Kijk, daar heb je ouwe Lenny! Die heb ik in geen eeuwigheid gezien!'
'Nou ja, we zijn pas om vijf uur open,' zei Henry. Hij ging naar de telefoon achter de bar. Op de tapkast stond nog steeds de doos met het afgezaagde jachtgeweer. Ik geloof dat ik dat ding wilde gebruiken, peinsde hij. Dat geloof ik waarachtig. Wat bezielt mensen toch... het is net vergif.
Billy ging naar de deur terwijl Lenny's oude wagen over de parkeerplaats reed.

10

'Lester...' begon John LaPointe, en op dat moment werd zijn neus geraakt door een vuist die net zo groot was als een ingeblikte ham – alleen veel harder. Met een akelig gekraak brak zijn neus en hij voelde een onverdraaglijke pijn. Johns ogen vielen dicht, en in het donker zag hij een fontein van felle lichtvonken omhoog spuiten. Hij vloog naar achteren en zwaaide wild met zijn armen in een vergeefse poging overeind te blijven. Bloed stroomde uit zijn neus en over zijn mond. Hij sloeg met zijn rug tegen het mededelingenbord, dat van de muur viel.

Lester kwam weer op hem af, zijn voorhoofd diep gefronst van concentratie onder zijn wilde haardos.

In de meldkamer drukte Sheila een knop in en probeerde Alan te bereiken.

11

Frank Jewett stond op het punt het huis van zijn beste 'vriend' George T. Nelson te verlaten, toen hij plotseling een vermanende ingeving kreeg. Namelijk dat George T. Nelson, als hij thuiskwam en zag dat zijn slaapkamer geruïneerd, zijn coke verdwenen en de beeltenis van zijn moeder bescheten was, wel eens zijn oude kameraad kon komen opzoeken. Frank besloot dat het zonde zou zijn weg te gaan zonder zijn werk af te maken... desnoods door die vuile afperser de hersens in te slaan. Beneden was een wapenkast, en het leek Frank niet meer dan poëtische rechtvaardigheid om het werk af te maken met een van George T. Nelsons eigen wapens. Als hij het slot van de kast niet kon forceren of de deur openbreken, zou hij zich een vleesmes van zijn ouwe vriendje toeëigenen en het daarmee doen. Hij zou achter de voordeur gaan staan en George T. Nelsons stomme kop eraf schieten of hem anders bij zijn haar grijpen en zijn stomme strot afsnijden. Een pistool zou waarschijnlijk het veiligste middel zijn, maar Frank dacht met genoegen aan het warme bloed dat uit George T. Nelsons opengesneden hals over zijn handen zou vloeien. Dat had je nog te goed, Georgie. Dat had je nog te goed, godvergeten afperser.

Franks bespiegelingen werden op dit punt gestoord door Tammy Faye, de parkiet van George T. Nelson, die in zijn korte vogelbestaan geen slechter moment had kunnen uitkiezen om te gaan fluiten. Terwijl Frank ernaar luisterde kwam er een eigenaardige en bijzonder onaangename lach op zijn gezicht. Hoe heb ik dat stomme beest over het hoofd kunnen zien? dacht hij, terwijl hij naar de keuken beende.

Na enig zoeken vond hij een scherp mes in een la en een kwartier lang stak hij het her en door de tralies van de kooi. Tammy Faye fladderde alle kanten op en raakte heel wat veren kwijt voordat Frank er genoeg van kreeg en het beest aan het mes reeg. Daarna ging hij naar beneden om te zien of hij de kast open kon krijgen. Het slot stelde niets voor, en toen Frank weer de trap opliep, barstte hij uit in een ongepast, maar niettemin opgewekt lied:

O, ik zou maar niet vechten en ook maar niet huilen,
Je kunt niet treuren en ook niet ruilen,
De kerstman komt!
Hij ziet je als je slaapt!
Hij weet het als je waakt!
Als je stout bent zit je fout,
Als je zoet bent zit je goed!

Frank besloot het kerstliedje met een zware basstem. Hij voelde zich geweldig! Hoe had hij een uur of wat geleden toch kunnen denken dat het afgelopen met hem was? Dit was niet het einde, maar het begin! Weg met al het oude - vooral met zulke goede oude 'vrienden' als George T. Nelson - en leve het nieuwe!
Frank koos positie achter de deur. Hij was uit op groot wild; tegen de muur stond een Winchester jachtgeweer, onder zijn riem stak een Llama .32 automatisch pistool en in zijn opgeheven hand had hij een Sheffington vleesmes. Vanaf deze plek kon hij het kleine hoopje gele veren zien dat er van Tammy Faye was overgebleven. Een lichte grijns vertrok Franks mond, en zijn ogen - ogen die vol waanzin stonden - schoten onophoudelijk heen en weer achter de glazen van zijn ronde brilletje.
'Als je zoet bent zit je goed!' zong hij zacht. Hij herhaalde de regel een paar keer terwijl hij daar stond en nog een paar keer nadat hij het zichzelf iets gemakkelijker had gemaakt door met opgetrokken benen op de grond te gaan zitten, met zijn hoofd tegen de muur en de wapens in zijn schoot.
Met enige zorg merkte hij dat hij slaperig begon te worden. Het was achterlijk om in slaap te sukkelen als hij iemand de keel ging afsnijden, maar dat veranderde niets aan het feit. Hij had eens ergens gelezen (misschien wel aan de Universiteit van Maine in Farmington, een instelling voor debielen waar hij zonder enig opvallend resultaat vanaf was gekomen) dat een zware zenuwschok dat gevolg kon hebben... en hij had ongetwijfeld een zware schok gekregen. Het was een wonder dat zijn hart niet als een ballon was leeggelopen toen hij al die tijdschriften in zijn kamer zag liggen.
Frank besloot maar geen risico te nemen. Hij schoof George T.

Nelsons lange, lichtgrijze sofa een eindje van de muur, kroop erachter en ging op zijn rug liggen met het geweer in zijn linkerhand. Zijn rechterhand, met daarin nog steeds het heft van het vleesmes, lag op zijn borst. Zo, dat was veel beter. George T. Nelsons dikke vloerbedekking lag eigenlijk heel prettig.
'Als je zoet bent zit je goed!' neuriede Frank. Tien minuten later zong hij zichzelf met zijn zachte, snurkerige stem in slaap.

12

'Wagen 1!' schreeuwde Sheila door de radio onder het dashboard terwijl Alan op de terugweg naar de stad de Tin Bridge passeerde. 'Kom erin, Wagen 1! Het is dringend!'
Alan voelde zijn maag omkeren. Clut was in een wespennest beland bij het huis van Hugh Priest aan Castle Hill Road, dat was zeker. Waarom had hij Clut in jezusnaam niet gezegd op John te wachten voordat hij naar binnen ging?
Je weet waarom: omdat je je hoofd er niet helemaal bij had toen je je orders gaf. Als er daardoor iets met Clut gebeurt, zul je zelf de verantwoordelijkheid moeten dragen. Maar dat is voor later. Je moet nu wèl je hoofd erbij houden. Kom op, Alan, vergeet Polly en doe je werk dan ook.
Hij griste de microfoon uit de houder. 'Wagen 1, kom maar.'
'John wordt in elkaar geslagen!' schreeuwde ze. 'Kom gauw, Alan, ze zijn aan het vechten!'
Dit was zo in strijd met Alans verwachtingen, dat hij een ogenblik met stomheid geslagen was.
'Wat? Wie? Bij jóu?'
'*Schiet op, hij maakt hem af!*'
Ineens begreep hij het. Het was Hugh Priest natuurlijk. Om de een of andere reden was Hugh op het bureau verschenen voordat John naar Castle Hill was gegaan, en Hugh had er meteen op los geslagen. Het was John LaPointe, niet Andy Clutterbuck, die in gevaar verkeerde.
Alan pakte zijn draagbare zwaailicht, zette het aan en klemde het op het dak. Aan de stadskant van de brug vroeg hij de oude stationcar zwijgend excuus en trapte het gaspedaal helemaal in.

13

Clut begon het idee te krijgen dat Hugh niet thuis was toen hij zag dat alle banden van de Buick niet alleen leeg, maar ook aan stuk-

ken gesneden waren. Toch wilde hij net naar het huis gaan toen hij eindelijk dunne hulpkreten hoorde.
Even bleef hij stokstijf staan zonder te weten wat te doen, daarna haastte hij zich terug naar de weg. Nu zag hij Lenny in de berm liggen en rende met klapperende holster naar de oude man.
'Help me!' hijgde Lenny toen Clut bij hem neerknielde. 'Hugh Priest is gek geworden, die vervloekte idioot heeft mijn ribben gebroken!'
'Heb je pijn, Lenny?' vroeg Clut. Hij legde een hand op de schouder van de oude man. Lenny schreeuwde het uit. Het was in ieder geval een antwoord. Clut ging staan, niet in staat een besluit te nemen. Daarvoor was de verwarring in zijn hoofd te groot. Hij wist alleen maar dat hij dit absoluut niet wilde verpesten.
'Verroer je niet,' zei hij eindelijk. 'Ik bel een ziekenwagen.'
'Ik ben niet van plan ergens te gaan dansen, stommeling,' zei Lenny. Hij huilde en gromde van de pijn. Hij zag eruit als een oude bloedhond met een gebroken poot.
'O,' zei Clut. Hij wilde het op een lopen zetten naar zijn wagen, maar draaide zich weer om naar Lenny. 'Hij heeft je auto zeker meegenomen?'
'Nee!' hijgde Lenny met zijn handen tegen zijn gebroken ribben. 'Hij heeft mijn geld gejat en is weggevlogen op zijn vliegende tapijt. Natuurlijk heeft hij mijn auto! Waarom denk je dat ik hier lig? Om te zonnebaden?'
'O,' herhaalde Clut. Hij rende weg. Dubbeltjes en kwartjes sprongen uit zijn zakken en rolden rinkelend in kringetjes over het asfalt. Hij stootte bijna zijn hoofd tegen de rand van het portier in zijn haast om bij de radio te komen. Hij greep de microfoon. Hij moest Sheila een ambulance voor de oude man laten sturen, maar dat was niet het belangrijkste. Zowel Alan als de staatspolitie moest weten dat Hugh Priest nu de beschikking had over de oude Chevrolet Bel-Air van Lenny Partridge. Clut wist niet van welk bouwjaar de Chevy was, maar niemand kon die stoffige zuipschuit over het hoofd zien.
Maar hij kreeg Sheila in de meldkamer niet te pakken. Hij probeerde het drie keer en kreeg geen antwoord. Helemaal geen antwoord. Nu begon Lenny weer te schreeuwen en Clut ging Hughs huis binnen om Norway te bellen en een ziekenwagen te laten komen.
Had Sheila niet een andere keer naar de plee kunnen gaan? dacht hij.

14

Ook Henry Beaufort probeerde het bureau te bereiken. Hij stond aan de bar met de hoorn tegen zijn oor gedrukt. Hij hoorde de zoemer telkens weer overgaan. 'Vooruit,' zei hij, 'neem eens op. Wat zitten jullie daar te doen? Te klaverjassen of zo?'
Billy Tupper was naar buiten gegaan. Henry hoorde hem iets roepen en keek ongeduldig op. Het geroep werd gevolgd door een plotselinge luide knal. Zijn eerste gedachte was dat een van Lenny's oude banden was gesprongen... maar toen klonken er nog twee luide knallen.
Billy kwam weer binnen. Hij liep heel traag. Hij drukte een hand tegen zijn keel en er stroomde bloed over zijn vingers.
''*Enry!*' riep Billy met een vreemd, gesmoord Cockney accent. ''*Enry! 'En...*'
Hij kwam bij de jukebox, bleef een ogenblik wankelend staan en daarna schenen al zijn gewrichten het te begeven en zakte hij slap tegen de grond.
Een schaduw viel op zijn voeten, die half in de deuropening lagen, en daarna verscheen de eigenaar van de schaduw. Hij had een vossestaart rond zijn nek en een pistool in zijn hand. Rook steeg op uit de loop. Kleine zweetpareltjes hingen in het schaarse haar op zijn borst. De huid onder zijn ogen was opgezet en bruin. Hij stapte over Billy Tupper heen in het halfdonker van The Mellow Tiger.
'Hallo, Henry,' zei Hugh Priest.

15

John LaPointe wist niet waarom dit gebeurde, maar wel dat Lester hem zou vermoorden als hij zo doorging... en Lester toonde zelfs nog geen spoor van vermoeidheid. John probeerde langs de muur naar beneden te schuiven om buiten zijn bereik te komen, maar Lester greep hem bij zijn overhemd en sleurde hem weer overeind. Lesters ademhaling was nog steeds regelmatig. Zijn overhemd hing nog niet eens over de elastische band van zijn trainingsbroek.
'Die is voor jou, Johnny-boy,' zei Lester, en liet een nieuwe vuistslag op Johns bovenlip neerkomen. John voelde zijn lip openspringen tegen zijn tanden. 'Laat dáár je smerige kutkietelaar maar overheen groeien.'
John stak blindelings zijn been uit, haakte het achter Lesters knie en trok zo hard als hij kon. Lester slaakte een kreet van verrassing en viel achterover, maar daarbij liet hij zijn handen uitschieten,

greep Johns bloederige overhemd en trok de deputy met zich mee. Slaand en schoppend rolden ze over de vloer.
Ze hadden het allebei veel te druk om te zien dat Sheila Brigham uit de meldkamer kwam en naar Alans kantoor rende. Ze pakte het geweer van de muur, spande de haan en holde terug naar de zaal. Daar was het nu een puinhoop. Lester zat boven op John en bonkte diens hoofd ijverig tegen de vloer.
Sheila wist hoe ze het geweer moest gebruiken, ze had haar eerste schietlessen gekregen toen ze acht was. Ze zette de kolf tegen haar schouder en riep: '*Ga bij hem vandaan, John! Ga uit mijn schootsveld!*'
Lester draaide zijn hoofd om naar het geluid en keek haar woedend aan. Als een furieuze mannetjesgorilla liet hij zijn tanden zien en ging weer door met Johns hoofd tegen de vloer te rammen.

16

Niet ver van het gemeentehuis zag Alan eindelijk iets dat zonder aarzelen een goed ding genoemd mocht worden: Norris Ridgewicks Kever naderde van de andere kant. Norris had zijn burgerkloffie aan, maar dat kon Alan helemaal niets schelen. Hij kon hem vanmiddag gebruiken. Wat heet.
Toen ging ook dat naar de knoppen.
Een grote rode auto - een Cadillac met als nummerplaat KEETON I - schoot uit het smalle straatje dat naar de parkeerplaats van het gemeentehuis leidde. Alan zag met open mond hoe Buster zijn wagen in de zijkant van Norris' Kever boorde. De Cadillac reed niet hard, maar hij was bijna vier keer groter dan Norris' auto. Met een geluid van rimpelend metaal sloeg de VW om en klapte met een holle slag en het gerinkel van glas op zijn zijkant.
Alan trapte op de rem en stapte uit zijn wagen.
Buster kwam uit zijn Cadillac.
Norris probeerde zich met een verdwaasde uitdrukking door het raam van zijn Volkswagen naar buiten te wringen.
Buster liep met gebalde vuisten op Norris af. Een starre grijns verscheen op zijn pafferige, ronde gezicht.
Alan wierp een enkele blik op die grijns en begon te rennen.

17

De eerste kogel uit Hughs pistool verbrijzelde een fles Wild Turkey op de plank achter de bar. De tweede versplinterde het glas van de

ingelijste tapvergunning die net boven Henry's hoofd aan de muur hing en maakte een rond zwart gat in het document. De derde rukte Henry's rechter wang weg in een roze wolk van bloed en gestoomd vlees.
Henry slaakte een schrille kreet, greep de kist met het afgezaagde jachtgeweer en dook weg achter de bar. Hij wist dat Hugh hem had geraakt, maar niet of hij er slecht aan toe was. Hij besefte alleen dat de rechterkant van zijn gezicht gloeide als een oven en dat het bloed, warm, nat en kleverig, langs zijn hals stroomde.
'Laten we het eens over auto's hebben, Henry,' zei Hugh terwijl hij naar de bar liep. 'Beter nog, laten we het eens over mijn vossestaart hebben. Wat jij?'
Henry deed de kist open. De binnenkant was afgezet met rood fluweel. Met trillende, onzekere handen haalde hij de afgezaagde Winchester eruit. Hij wilde hem breken, maar begreep dat er geen tijd voor was. Hij moest maar hopen dat de Winchester geladen was.
Hij trok zijn benen op, klaar om overeind te springen en Hugh de verrassing van zijn leven te bezorgen.

18

Sheila besefte dat John zich niet zou losmaken van de krankzinnige, in wie ze nu Lester Platt of Pratt meende te herkennen... in elk geval de gymleraar van de middelbare school. John kòn zich niet losmaken. Lester bonkte zijn hoofd niet meer tegen de vloer, maar nu had hij zijn grote handen rond Johns keel geslagen.
Sheila draaide het geweer om, greep de loop met twee handen beet en tilde het wapen als een honkballer over haar schouder. Daarna liet ze het in een harde, vloeiende beweging neerkomen.
Op het laatste ogenblik draaide Lester zijn hoofd om, precies op tijd om de stalen rand van de notehouten kolf tussen zijn ogen op te vangen. Met een akelig gekraak sloeg de kolf een gat in Lesters schedel en vermaalde een deel van zijn hersenen tot pulp. Het klonk alsof iemand met een zware schoen op een volle doos popcorn was gaan staan. Lester Pratt was al dood voordat hij de grond raakte.
Sheila Brigham keek naar hem en begon te gillen.

19

'Dacht je dat ik niet zou weten wie het was?' gromde Buster Keeton, terwijl hij Norris - die verdoofd maar ongedeerd was - helemaal uit het zijraam van de vw sleurde. 'Dacht je dat, terwijl je naam op elk van die vervloekte bonnetjes stond? Nou? Nou?'
Hij tilde zijn vuist op om uit te halen en Alan Pangborn profiteerde van het gebaar door vlotjes een handboei om de pols te laten glijden.
'Wat nou?' riep Buster uit en hij draaide zich log om.
In het gemeentehuis begon iemand te gillen.
Alan wierp een blik naar het gebouw en begon Buster aan de handboeien mee te trekken naar het geopende portier van zijn eigen Cadillac. Buster sloeg naar hem met zijn vrije hand. Alan ving een paar ongevaarlijke klappen op met zijn schouder en klonk de boeien vast aan de handgreep van het portier.
Hij draaide zich om en zag Norris voor zich staan. Het drong tot hem door dat Norris er verschrikkelijk uitzag, gewoon verschrikkelijk, wat hij toeschreef aan de schrik van de midscheepse aanvaring met de eerste wethouder.
'Kom op,' zei hij tegen Norris. 'Er is stront aan de knikker.'
Maar Norris lette even niet op hem. Hij liep langs Alan heen en gaf Buster Keeton een stomp op zijn oog. Buster slaakte een kreet van schrik en viel met zijn rug tegen het portier van zijn auto. Door zijn gewicht viel het dicht, waardoor zijn bezwete witte overhemd in de spleet klem kwam te zitten.
'Dat is voor die ratteval, smerige vetzak!' riep Norris.
'Ik krijg je wel!' schreeuwde Buster terug. 'Reken maar! Ik krijg *jullie allemaal!*'
'Neem dit dan maar vast,' gromde Norris. Hij stapte weer naar voren en hief zijn vuisten voor zijn opgeblazen kippeborst, maar Alan pakte hem beet en trok hem weg.
'Hou op!' schreeuwde hij in Norris' gezicht. 'Er zijn binnen moeilijkheden! Grote moeilijkheden!'
Er klonk een nieuwe gil in het gemeentehuis. Voetgangers in Lower Main Street bleven staan. Norris keek naar de mensen en daarna weer naar Alan. Zijn ogen stonden helder, zag Alan tot zijn opluchting, en hij leek zichzelf weer te zijn. Min of meer.
'Wat dan, Alan? Heeft hij er iets mee te maken?' Hij gebaarde met zijn kin naar de Cadillac. Buster stond gemelijk bij het portier naar ze te kijken en friemelde met zijn vrije hand aan de boei om zijn pols. Het gegil scheen hem totaal te zijn ontgaan.
'Nee,' zei Alan. 'Helemaal niet. Heb je je wapen bij je?'
Norris schudde zijn hoofd.

Alan maakte de klep van zijn holster los, trok zijn .38 en gaf hem aan Norris.
'En jij dan, Alan?' vroeg Norris.
'Ik wil mijn handen vrij hebben. Kom mee. Hugh Priest is op het bureau en hij is dol geworden.'

20

Hugh Priest was inderdaad dol geworden – daar kon weinig twijfel over bestaan – maar hij bevond zich op vijf kilometer afstand van het gemeentehuis van Castle Rock.
'Laten we het eens hebben over...' begon hij, en op dat moment sprong Henry Beaufort als een duveltje uit een doosje achter de bar vandaan. De rechterkant van zijn overhemd was doorweekt met bloed en hij had het geweer in de aanslag.
Henry en Hugh vuurden tegelijkertijd. De scherpe knal van het automatische pistool ging verloren in het langgerekte, primitieve gebrul van het jachtgeweer. Rook en vuur schoten uit de korte loop. Hugh werd door de inslag opgetild en met zijn blote hielen een eind over de grond gesleept, terwijl zijn borst veranderde in een moeras van rode derrie. Het pistool vloog uit zijn hand. De uiteinden van de vossestaart stonden in brand.
Henry werd tegen de planken achter de bar geslingerd toen Hughs kogel zijn rechter long doorboorde. Flessen vielen om of vlogen aan scherven. Een dof gevoel verspreidde zich door zijn borst. Hij liet het geweer vallen en liep wankelend naar de telefoon. Er hing een krankzinnige parfumwalm in de lucht; gemorste alcohol en brandend vossehaar. Henry probeerde adem te halen, maar zijn borstkas bewoog zonder dat het iets leek uit te maken. De lucht werd door het gat in zijn borst met een ijl, schril geluid naar binnen gezogen.
De telefoon scheen duizend kilo te wegen, maar eindelijk kreeg hij de hoorn bij zijn oor en hij drukte op de knop waardoor automatisch het nummer van het politiebureau werd gebeld.
Ring... ring... ring...
'Wat mankéért die lui in godsnaam?' snakte Henry gierend. 'Ik sta hier te stèrven! Neem goddomme die telefoon op!'
Maar de telefoon bleef rinkelen.

21

Norris haalde Alan halverwege het straatje in en ze liepen naast elkaar naar de kleine parkeerplaats van het gemeentehuis. Norris hield zijn vinger aan de trekker van Alans dienstrevolver, waarvan de stompe loop recht omhoog naar de hete oktoberlucht wees. Op de parkeerplaats stonden alleen de Saab van Sheila Brigham en Wagen 4, de surveillanceauto van John LaPointe. Alan vroeg zich vluchtig af waar Hughs auto was, maar op dat moment werd de zijdeur van het bureau opengegooid. Er kwam iemand naar buiten met in de bloederige handen het geweer uit Alans kantoor. Norris bracht de korte .38 in de aanslag en maakte zich klaar om te vuren. Alan zag twee dingen tegelijkertijd. Het eerste was dat Norris ging schieten. Het tweede dat de schreeuwende persoon met het geweer niet Hugh Priest was, maar Sheila Brigham.

Alan Pangborns bijna hemelse reflexen redden Sheila die middag het leven, maar het had niet veel gescheeld. Hij nam niet de moeite iets te roepen of zelfs maar met zijn hand naar de loop van de revolver te slaan. Geen van beide had veel kans van slagen. In plaats daarvan stak hij een elleboog uit en omhoog als een man die geestdriftig een volksdans uitvoert. Hij raakte Norris' hand een ogenblik voordat de deputy de trekker overhaalde en de loop schoot omhoog. Het schot klonk op de afgesloten binnenplaats als een versterkte zweepslag. Een ruit op de eerste verdieping van het gemeentehuis vloog aan scherven. Sheila liet het geweer vallen waarmee ze Lester Pratt de schedel had ingeslagen en rende naar hen toe, schreeuwend en huilend.

'Jezus,' zei Norris met een zachte, geschokte stem. Zijn gezicht was wit als papier toen hij de revolver met de handgreep naar voren teruggaf aan Alan. 'Ik had bijna Shéila neergeschoten... O, Jezus Christus.'

'*Alan!*' riep Sheila. 'Goddank!'

Ze liep tegen hem aan zonder haar pas te vertragen en gooide hem bijna omver. Hij stak zijn revolver weg en sloeg zijn armen om haar heen. Ze trilde als een elektrische leiding waar te veel stroom doorheen loopt. Alan vermoedde dat hij zelf ook behoorlijk stond te trillen, en het had niet veel gescheeld of hij had in zijn broek gepiest. Sheila was hysterisch, blind van angst, en dat was waarschijnlijk maar goed ook; ze had geen flauw idee hoe dicht ze bij de dood was geweest.

'Wat gebeurt er binnen, Sheila?' vroeg hij. 'Zeg op, vlug.' Het schot en de echo daarvan ruisten nog in zijn oren en hij had bijna durven zweren dat hij ergens een telefoon hoorde rinkelen.

22

Henry Beaufort voelde zich als een sneeuwpop die in de zon staat te smelten. Zijn benen gleden onder hem uit. Langzaam zakte hij op zijn knieën, terwijl het vergeefse zoemen van de telefoon nog steeds in zijn oor klonk. Zijn hoofd duizelde door de gemêleerde geuren van alcohol en brandend bont. Er kwam nog een andere geur bij. Hij vermoedde dat het Hugh Priest was.
Vaag besefte hij dat dit geen zin had, dat hij een ander nummer moest bellen om hulp te vragen, maar hij dacht niet dat hij daartoe in staat was. Hij kon het toestel geen ander nummer meer ontfutselen, dit was het einde. Daarom bleef hij op zijn knieën achter de bar liggen in een steeds grotere plas van zijn eigen bloed, terwijl het gat in zijn borst geluiden maakte als de wind in een schoorsteenpijp en hij wanhopig probeerde niet buiten westen te raken. De Tiger ging pas over een uur open, Billy was dood en als er niet gauw iemand opnam, zou ook hij dood zijn als de eerste klanten binnenkwamen voor de diverse versnaperingen van hun borreluurtje.
'Alsjeblieft,' fluisterde Henry met een wanhopige, ademloze stem. 'Neem nou op, laat iemand in godsnaam die vervloekte telefoon opnemen.'

23

Sheila Brigham kreeg zichzelf weer een beetje in de hand en Alan kreeg het belangrijkste meteen uit haar: ze had Hugh uitgeschakeld met de kolf van het geweer. Niemand zou op hen schieten als ze naar binnen gingen.
Hoopte hij.
'Kom mee,' zei hij tegen Norris.
'Alan... Toen ze naar buiten kwam... dacht ik...'
'Ik weet wat je dacht, maar het is goed afgelopen. Vergeet het, Norris. John is binnen. Kom mee.'
Ze liepen naar de deur en stelden zich aan weerskanten op. Alan keek naar Norris. 'Bukken als je naar binnen gaat,' zei hij.
Norris knikte.
Alan pakte de knop, rukte de deur open en sprong naar binnen. Norris sloop langs hem heen.
John was erin geslaagd overeind te krabbelen en bijna naar de deur te wankelen. Alan en Norris vielen over hem heen als de oude voorhoede van de Pittsburgh Steelers en hij moest een laatste pijnlijke vernedering ondergaan: hij werd door zijn collega's tegen de grond gewerkt en schoof als een bowlingbal over de tegelvloer. Met een

bonk raakte hij de muur en hij slaakte een pijnlijke kreet, die tegelijkertijd verrast en op de een of andere manier vermoeid klonk.
'Jezus, nou Jòhn weer!' riep Norris. 'Het lijkt verdomme wel een oefening!'
'Help me,' zei Alan.
Haastig gingen ze naar John toe, die langzaam zelf rechtop ging zitten. Zijn gezicht was een masker van bloed. Zijn neus hing vervaarlijk naar links. Zijn bovenlip begon te zwellen als een opgepompte binnenband. Hij hield een hand voor zijn mond en spuwde een tand uit toen Alan en Norris bij hem kwamen.
'Hij if gek,' zei John met slissende, verdwaasde stem. 'Fjeila heeft hem met het geweer geflagen. Ik geloof dat hij dood if.'
'Gaat het, John?' vroeg Norris.
'Het gaat helemaal niet,' zei John. Hij boog naar voren en braakte uitbundig tussen zijn gespreide benen om het te bewijzen.
Alan keek om zich heen. Vaag besefte hij dat het niet alleen aan zijn oren lag: er rinkelde ècht een telefoon. Maar de telefoon was nu niet van belang. Hij zag Hugh met zijn gezicht naar beneden bij de achtermuur liggen en ging naar hem toe. Hij drukte zijn oor tegen de rug van Hughs overhemd. Hij kon geen hartslag horen, alleen het gerinkel in zijn oren. Het leek wel of al die stomme telefoons tegelijkertijd overgingen.
'Neem dat ding op of leg de hoorn van de haak!' snauwde Alan tegen Norris.
Norris ging naar het dichtstbijzijnde toestel - toevallig dat op zijn eigen bureau - drukte op de knipperende knop en nam op. 'We kunnen u nu niet helpen,' zei hij. 'Er is hier een noodgeval. U zult later moeten terugbellen.' Hij liet de hoorn weer op de haak vallen zonder op antwoord te wachten.

24

Henry Beaufort haalde de telefoon - de zware, zware telefoon - van zijn oor en keek ernaar met doffe, ongelovige ogen.
'Wàt zei je?' fluisterde hij. Opeens kon hij de hoorn niet langer vasthouden: het ding was domweg te zwaar. Hij liet het op de vloer vallen, zakte langzaam op zijn zij en bleef hijgend liggen.

25

Voor zover Alan kon vaststellen, was het voorgoed afgelopen met Hugh. Hij pakte hem bij de schouders, draaide hem om... en zag

dat het Hugh helemaal niet was. Hij kon niet zeggen wie het wèl was, daarvoor was het gezicht te zeer bedekt met bloed, hersenweefsel en botsplinters, maar Hugh Priest was het in geen geval.
'Wat gebeurt er toch in godsnaam?' zei hij op een zachte, verwonderde toon.

26

Danforth 'Buster' Keeton stond midden op straat, vastgeketend aan zijn eigen Cadillac, en keek hoe Zij naar hem keken. Nu de Grote Aanklager en zijn assistent waren verdwenen, hadden Zij niets anders om naar te kijken.
Hij keek naar Ze en had Ze door, stuk voor stuk.
Bill Fullerton en Henry Gendron stonden voor de kapperszaak. Bobby Dugas stond tussen hen in, met zijn voorschoot nog om als een overgroot servet. Charlie Fortin stond voor de Western Auto. Scott Garson en zijn etterige advocatenvriendjes Albert Martin en Howard Potter stonden voor de bank, waar ze vermoedelijk over hem hadden gekletst toen de herrie losbarstte.
Ogen.
Smerige ógen.
Overal waren ogen.
En allemaal keken ze naar hèm.
'Ik zie jullie wel!' riep Buster ineens. 'Ik zie jullie allemaal! Allemaal! En ik weet wat ik doe! Ja! Geloof dat maar!'
Hij deed het portier van zijn Cadillac open en probeerde in te stappen. Het lukte hem niet. De sheriff had hem vastgeketend aan de buitenste handgreep. De ketting tussen de boeien was lang, maar niet zó lang.
Iemand lachte.
Buster hoorde die lach heel goed.
Hij keek in het rond.
Veel inwoners van Castle Rock stonden voor de winkels in Main Street, terugkijkend met de hagelzwarte ogen van intelligente ratten.
Iedereen was er, behalve Gaunt.
En toch was Gaunt er wel degelijk: Gaunt zat in Busters hoofd en vertelde hem precies wat hij moest doen.
Buster luisterde... en begon te glimlachen.

27

De bierwagen die Hugh in Main Street bijna had aangereden stopte bij een paal met kleine wegwijzers aan de andere kant van de brug en vond eindelijk zijn weg naar The Mellow Tiger, waar hij om één minuut over vier stopte. De chauffeur stapte uit, pakte zijn lastbrief, hees zijn groene kaki broek op en stampte naar de bar. Op anderhalve meter van de deur bleef hij staan en zette grote ogen op. Hij zag een paar voeten in de deuropening.
'Grote goden!' riep de chauffeur uit. 'Alles in orde, makker?'
Een zwakke, hijgerige kreet drong tot hem door:
'...help...'
De chauffeur rende naar binnen en ontdekte Henry Beaufort, die meer dood dan levend achter de bar lag.

28

'Dat if Lefter Pratt,' lispelde John LaPointe. Ondersteund door Norris en Sheila was hij naar Alan en het lichaam op de grond gestrompeld.
'Wíe?' vroeg Alan. Het was alsof hij bij vergissing in een absurde komedie was beland. Ricky en Lucy gaan naar de hel. Hé, Lester, je hebt heel wat uit te leggen, joh.
'Lefter Pratt,' herhaalde John met pijnlijk geduld. 'Hij if de fportleraar van de middelbare fchool.'
'Wat moet híj hier nou?' vroeg Alan.
John LaPointe schudde vermoeid met zijn hoofd. 'Geen idee, Alan. Hij ftormde hier binnen alf een gek.'
'Doe me een lol, zeg,' zei Alan. 'Waar is Hugh Priest? Waar is Clut? Wat gebeurt er hier in godsnaam?'

29

George T. Nelson stond in de deuropening van zijn slaapkamer en keek ongelovig om zich heen. De kamer zag eruit alsof een punkgroep – de Sex Pistols of de Cramps misschien – er een feestje had gebouwd, samen met al hun fans.
'Wat...' begon hij, maar meer kon hij niet uitbrengen. Dat was ook niet nodig. Hij wíst wat. Het was de coke. Dat kon niet anders. De laatste zes jaar had hij zijn collega's op school van het spul voorzien (niet alle docenten waardeerden wat Ace wel eens Boliviaanse Bingo noemde, maar de gebruikers waren dan ook échte

liefhebbers) en hij had een zakje bijna zuivere coke onder de matras gestopt. Daar waren ze natuurlijk op uit geweest. Iemand had zijn mond voorbij gepraat en iemand anders was hebzuchtig geworden. Dat had hij eigenlijk al kunnen weten toen hij zijn oprit indraaide en het kapotte keukenraam zag.
Hij liep de kamer in en rukte de matras omhoog, met handen die dood en gevoelloos leken. Er lag niets onder de matras. De coke was weg. Voor zo'n tweeduizend dollar aan bijna zuivere coke, weg. Als een slaapwandelaar ging hij naar de badkamer om te kijken of zijn eigen voorraadje nog in het flesje op de bovenste plank van het medicijnkastje zat. Hij had nog nooit zo'n behoefte aan een lijntje gehad als op dit moment.
In de deuropening bleef hij met grote ogen staan. Het was niet de troep die zijn aandacht trok, hoewel ook deze kamer met veel ijver overhoop was gehaald: het was de toiletpot. De bril was neergeslagen en er zat een fijn laagje wit poeder op.
George had het vermoeden dat het witte spul niet Johnson's Babypoeder was.
Hij ging erheen, maakte zijn vinger nat en doopte hem in het stof. Hij stopte zijn vinger in zijn mond. Het puntje van zijn tong werd bijna onmiddellijk gevoelloos. Tussen de pot en de badkuip lag een leeg plastic zakje. Het was wel duidelijk. Onbegrijpelijk, maar duidelijk. Iemand had ingebroken, de coke gevonden... *en het spul door de plee gespoeld*. Waarom? Waaròm? Hij wist het niet, maar hij nam zich voor het te vragen als hij de dader vond. Net voordat hij hem de nek omdraaide. Het kon nooit kwaad.
Zijn eigen voorraadje van drie gram was onaangeroerd. Hij nam het flesje mee naar de slaapkamer en bleef abrupt staan toen hij een nieuwe schok te verwerken kreeg. Deze wandaad was hem ontgaan toen hij vanuit de gang door de slaapkamer was gelopen, maar vanuit deze hoek was het niet over het hoofd te zien.
Hij bleef geruime tijd zo staan, zijn ogen groot van verwondering en afschuw, en zijn adamsappel ging krampachtig op en neer. Het web van aderen bij zijn slapen ging snel op en neer, als de vleugels van kleine vogels. Eindelijk slaagde hij erin een enkel gesmoord woordje uit te brengen:
'...moeder!...'
Beneden, achter de lichtgrijze sofa van George T. Nelson, sliep Frank Jewett door.

30

De toeschouwers in Lower Main Street, uit huizen en winkels gelokt door het geschreeuw en het revolverschot, werden nu onthaald op iets nieuws: de in slow-motion uitgevoerde ontsnapping van hun eerste wethouder.
Buster boog zover hij kon de Cadillac in en draaide het contactsleuteltje een halve slag om. Daarna drukte hij op een knop en liet het raampje aan de kant van het stuur omlaag glijden. Hij deed het portier weer dicht en begon behoedzaam door het raam naar binnen te klimmen.
Zijn onderbenen staken nog naar buiten, net als zijn linkerarm, die onder een vreemde hoek naar de handgreep van het portier wees terwijl de ketting over zijn zware dijbeen hing, toen Scott Garson naar hem toe ging.
'Eh, Danforth,' zei de bankier aarzelend. 'Ik geloof niet dat je dat kunt doen. Je bent gearresteerd, geloof ik.'
Buster keek onder zijn rechter oksel door - er kwam een bepaald zweterige geur vanaf - en zag Garson ondersteboven. Hij stond pal achter Buster, met een gezicht alsof hij hem weer uit zijn eigen auto zou gaan trekken.
Buster trok zijn benen zo ver mogelijk op en schopte ze hard naar achteren, als een pony die door het weiland dartelt. De hakken van zijn schoenen raakten Garsons gezicht met een smak die Buster als muziek in de oren klonk. Garsons goudgerande bril vloog aan stukken. Met een kreet sloeg hij zijn handen voor zijn bebloede gezicht en viel ruggelings op straat.
'Ha!' gromde Buster. 'Daar had je niet op gerekend, hè? Daar had je helemáál niet op gerekend, vuile teringlijer!'
Hij klom verder naar binnen. De ketting was net lang genoeg. Zijn schoudergewricht kraakte verontrustend, maar er zat genoeg speling in om hem onder zijn eigen arm door te laten kruipen. Hij ging rechtop zitten achter het stuur, met zijn geboeide hand uit het raam. Hij startte de motor.
Scott Garson ging net overeind zitten toen hij de Cadillac op zich af zag komen. De grille leek hem aan te grijnzen, een grote berg van chroom die hem zou verpletteren.
Hij liet zich wanhopig naar links rollen en ontweek de dood met een fractie van een seconde. Een grote voorband van de Cadillac rolde over zijn rechterhand en vermorzelde die tamelijk grondig. De rest werd gedaan door het achterwiel. Garson bleef op zijn rug liggen en keek naar zijn gruwelijk verminkte vingers, die ongeveer de vorm van plamuurmessen hadden aangenomen, en begon naar de hete blauwe lucht te schreeuwen.

31

'TAMMMIIIIE FAYYYYE!'

Deze kreet wekte Frank Jewett abrupt uit zijn eerste slaap. Die eerste verwarde seconden had hij totaal geen idee waar hij was, alleen dat het in een kleine, benauwde ruimte was. Een onáángename ruimte. Hij had ook iets in zijn hand... wat was het?

Hij hief zijn rechterhand en stak bijna zijn eigen oog uit met het vleesmes.

'*Oooooohhhh, neeeeeeeh!* TAMMIIIIIE FAYYYYE!'

Opeens wist hij het allemaal weer. Hij lag achter de bank van zijn goede ouwe 'vriend' George T. Nelson en die kreet kwam van George T. Nelson in eigen persoon, die luidruchtig zijn dode parkiet stond te beklagen. Behalve dit besef kwam er nog iets anders terug: de boekjes overal in zijn kamer, de dreigbrief, wellicht (nee, waarschijnlijk: hoe meer hij erover nadacht, des te waarschijnlijker het leek) het einde van zijn loopbaan en van zijn leven.

Nu, bijna niet te geloven, hoorde hij George T. Nelson snikken. Grienen om zo'n vervloekte schijtvogel. Dan zal ik je uit je lijden verlossen, George, dacht Frank. Wie weet, misschien kom je zelf ook wel in de vogelhemel.

Het gesnik kwam in de buurt van de sofa. Des te beter. Hij zou opspringen – verrassing, George! – en de smeerlap zou al dood zijn voor hij wist wat hem overkwam. Frank maakte zich klaar voor de sprong toen George T. Nelson zich, nog steeds hartverscheurend snikkend, op zijn sofa liet vallen. Hij was zwaar en zijn gewicht drukte de sofa een eindje terug naar de muur. Het verraste, ademloze 'Oeeef!' achter hem drong niet tot hem door, het werd overstemd door zijn eigen gejammer. Hij tastte naar de telefoon, draaide door zijn tranen heen een nummer en kreeg (bijna wonderbaarlijk) meteen Fred Rubin aan de lijn.

'Fred!' riep hij. 'Fred, er is iets vreselijks gebeurd! Misschien is het nog steeds aan de gang! O Jezus, Fred! O Jezus!'

Onder en achter hem probeerde Frank Jewett lucht te krijgen. Als jongen had hij verhalen van Edgar Allan Poe gelezen, verhalen over mensen die levend verbrandden, en die spookten nu door zijn hoofd. Zijn gezicht nam langzaam de kleur van oude baksteen aan. De zware houten poot die tegen zijn borst was geperst toen George T. Nelson zich op de sofa liet vallen, drukte als een staaf lood op hem. De achterkant van de sofa rustte op zijn schouder en de zijkant van zijn gezicht.

Boven hem deed George T. Nelson een verward relaas van wat hij had aangetroffen toen hij eindelijk was thuisgekomen. Ten slotte pauzeerde hij een ogenblik en riep vervolgens: 'Wat kan mij het

schelen dat ik er niet door de telefoon over mag praten? HIJ HEEFT TAMMY FAYE VERMOORD! DE SCHOFT HEEFT TAMMY FAYE VERMOORD! Wie zou zoiets doen, Fred? Wíe? Je moet me helpen!'
George T. Nelson luisterde weer even, en Frank besefte met groeiende ontzetting dat hij weldra bewusteloos zou raken. Ineens besefte hij wat hij moest doen: de Llama gebruiken en dwars door de sofa schieten. Misschien zou hij George T. Nelson niet doodschieten, misschien zou hij George T. Nelson niet eens ráken, maar hij zou zonder de geringste twijfel de aandacht van George T. Nelson trekken en dan was er een goede kans dat hij zijn dikke reet van de bank haalde voordat hij zelf hier de pijp uitging met zijn neus fijngedrukt tegen de plintverwarming.
Frank liet het vleesmes los en probeerde het pistool te pakken dat onder zijn broekband stak. Als in een nachtmerrie zag hij dat het niet zou lukken; zijn vingers graaiden in de lucht, vijf centimeter boven de met ivoor ingelegde kolf. Met al zijn overgebleven kracht probeerde hij zijn hand nog verder omlaag te duwen, maar zijn beklemde schouder bewoog helemaal niet; de grote sofa - en George T. Nelsons aanzienlijke gewicht - hield hem stevig tegen de muur gedrukt. Zijn schouder leek vastgenageld.
Zwarte rozen - voorboden van de naderende verstikking - begonnen te bloeien voor Franks uitpuilende ogen.
Onmogelijk ver hoorde hij zijn oude 'vriend' George T. Nelson schreeuwen tegen Fred Rubin, die ongetwijfeld zijn partner in de cocaïnehandel was. 'Waar heb je het in godsnaam over? Ik bel om te zeggen dat ik ben aangerand en jij stuurt me naar die nieuwe winkel in de straat? Ik heb geen prullaria nodig, Fred, ik heb...'
Hij zweeg, stond op en begon door de kamer te ijsberen. Met letterlijk zijn laatste krachten slaagde Frank erin de sofa tien centimeter verder van de muur te schuiven. Het was niet veel, maar hij kon tenminste weer die ongelooflijk zalige lucht inademen.
'Wàt verkoopt hij?' schreeuwde George T. Nelson. 'Ja, godnogantoe! Waarom zeg je dat dan niet meteen?'
Een nieuwe stilte. Frank lag als een aangespoelde walvis achter de sofa lucht te happen, in de hoop dat zijn afschuwelijk bonzende hoofd niet zou ontploffen. Nog even en hij zou opstaan om de kloten van zijn ouwe 'vriend' George T. Nelson eraf te schieten. Nog even. Als hij weer op adem was. En als de grote zwarte bloemen voor zijn ogen weer waren verdwenen. Nog even. Hoogstens een paar tellen.
'Goed,' zei George T. Nelson, 'ik zal hem opzoeken. Ik betwijfel of hij echt zo'n wonderdokter is als jij denkt, maar nood breekt wet, wat jij? Maar ik zal je iets anders vertellen. Het interesseert me niet erg of hij dealt of niet. Ik ga de smeerlap vinden die me dit

geflikt heeft, dat vind ik goddomme veel belangrijker, en dan stop ik hem onder de grond. Gesnopen?'
Gesnopen, dacht Frank, maar we zullen nog eens zien wie er onder de grond wordt gestopt, lekkere ouwe maat van me.
'Ja, ik weet nou wel hoe hij heet!' schreeuwde George T. Nelson in de telefoon. 'Gaunt, Gaunt en nog eens Gaunt!'
Hij smeet de hoorn op de haak en gooide het toestel door de kamer. Frank hoorde glas breken. Een paar seconden later slaakte George T. Nelson een laatste vloek en stormde het huis uit. De motor van zijn Iroc-Z kwam brullend tot leven. Frank hoorde hem de oprit afrijden terwijl hij zelf langzaam de sofa van zich afduwde. Buiten gierden banden over het asfalt, en met dat geluid verdween Franks oude 'vriend' George T. Nelson.
Twee minuten later klampten een paar handen zich vast aan de rug van de lichtgrijze sofa. Een ogenblik daarna verscheen tussen die handen het gezicht van Frank M. Jewett, bleek en verwilderd, zijn ronde brilletje scheef en met een gebarsten glas op zijn kleine stompe neus. De sofa had op zijn rechter wang een rood stippeltjespatroon achtergelaten. Een paar stofnesten dansten in zijn dunnende haar.
Langzaam, als een gezwollen lijk dat van de bodem opstijgt tot net onder het oppervlak van de rivier, verscheen de grijns weer op Franks gezicht. Ditmaal had hij zijn oude 'vriend' George T. Nelson gemist, maar George T. Nelson was niet van plan de stad te verlaten. Zijn telefoongesprek had dat wel duidelijk gemaakt. Frank had nog een halve dag om hem te zoeken. En hoe kon hij hem mislopen in een plaatsje als Castle Rock?

32

Sean Rusk stond in de deuropening van zijn keuken en keek gespannen naar de garage. Vijf minuten eerder was zijn oudere broer naar de garage gegaan; Sean had hem toevallig gezien toen hij uit het raam van zijn slaapkamer keek. Brian had iets in zijn hand gehouden. De afstand was te groot om te zien wat het was, maar Sean hóefde het niet te zien. Hij wist het al. Het was het nieuwe honkbalplaatje, het plaatje waarvoor Brian telkens naar boven sloop om ernaar te kijken. Brian wist niet dat Sean het wist, maar zo was het wel. Hij wist zelfs wie erop stond, want hij was vandaag veel eerder van school thuisgekomen dan Brian en hij was naar diens slaapkamer geslopen om het te bekijken. Hij had geen flauw benul waarom Brian er zo mee wegliep: het was oud, vuil, gekreukt en verbleekt. Ook was de speler iemand van wie Sean nooit had gehoord:

Sammy Koberg, een werper van de Los Angeles Dodgers met in zijn hele loopbaan één overwinning en drie nederlagen. Hij had nog niet eens een heel seizoen in de hoogste afdeling volgemaakt. Waarom gaf Brian zoveel om een waardeloos plaatje?
Sean wist het niet. Hij wist maar twee dingen zeker: Brian gáf er veel om en hij gedroeg zich de laatste week op een manier die hem de rillingen bezorgde. Net als in die TV-spots over kinderen en drugs. Maar Brian was toch zeker niet aan de drugs... of wel?
Sean was zo geschrokken van Brians gezicht toen die naar de garage liep, dat hij naar zijn moeder was gegaan. Hij wist niet precies wat hij zou gaan zeggen, maar dat gaf ook niet omdat hij helemaal niet aan het woord kwam. Ze spookte rond in de slaapkamer, met haar ochtendjas aan en op haar neus die stomme zonnebril die ze in de nieuwe winkel had gekocht.
'Mam, Brian...' begon hij en verder kwam hij niet.
'Ga weg, Sean. Mamma is bezig.'
'Maar mam...'
'Ga wèg, zei ik!'
En voordat hij uit zichzelf kon gaan, werd hij zonder verdere plichtplegingen de slaapkamer uitgezet. Haar ochtendjas viel open toen ze hem wegduwde, en voordat hij zijn blik kon afwenden zag hij dat ze er niets onder aanhad, zelfs geen nachthemd.
Ze had de deur achter hem dichtgesmeten. En op slot gedaan.
Nu stond hij in de deuropening van de keuken en wachtte gespannen tot Brian terugkwam uit de garage... maar Brian kwam niet terug.
Zijn onrust groeide ongemerkt uit tot nauwelijks te verdragen angst. Sean ging de achterdeur uit, draafde over het paadje en stapte de garage binnen.
Binnen was het donker en snikheet en het stonk er naar olie. Even kon hij zijn broer in de schaduwen niet zien, en hij dacht dat Brian door de achterdeur naar de tuin moest zijn gegaan. Toen wenden zijn ogen aan het donker en hij snakte geschrokken naar adem.
Brian zat tegen de achtermuur naast de grasmaaier. Hij had het geweer van zijn vader gepakt. De kolf rustte op de grond. De loop was op Brians eigen gezicht gericht. Brian hield de loop in zijn ene hand en in zijn andere had hij het vuile oude honkbalplaatje dat hem de laatste week op de een of andere manier zo in zijn greep had gekregen.
'Brian!' riep Sean. 'Wat ben je aan het doen!'
'Kom niet dichterbij, Sean, anders krijg je alle troep over je heen.'
'Niet doen, Brian!' Sean begon te huilen. 'Doe niet zo stom. Je... je maakt me bang!'
'Je moet me iets beloven,' zei Brian. Hij had zijn sokken en schoe-

nen uitgedaan en nu wurmde hij een grote teen in de metalen boog rond de trekker van de Remington.
Sean voelde zijn dijen nat en warm worden. Hij was nog nooit in zijn leven zo bang geweest. 'Hou op, Brian! *Hou toch op!*'
'Je moet me beloven dat je nooit naar die nieuwe winkel gaat,' zei Brian. 'Hoor je me?'
Sean deed een stap naar voren. Brians teen raakte de trekker van het geweer.
'*Nee!*' schreeuwde Sean, die zich onmiddellijk terugtrok. 'Ik bedoel ja! *Ja!*'
Brian liet de loop iets zakken toen hij zijn broertje zag teruggaan. Zijn teen trok een eindje terug. 'Beloof het.'
'*Ja!* Ik beloof alles wat je wilt, als je dat maar niet doet! Hou op... hou op met plagen, Bri! Laten we binnen naar de *Transformers* gaan kijken! Of nee, je mag zèlf kiezen! Alles wat je maar wilt! De hele week! De hele máánd! Ik kijk naar alles wat je leuk vindt! Hou alleen op met plagen, Brian, *hou alsjeblieft op met plagen!*'
Brian Rusk hoorde het misschien niet. Zijn ogen schenen te zweven in zijn afwezige, serene gezicht.
'Ga er nooit heen,' zei hij. 'De NoodZaak is vergiftigd en meneer Gaunt verkoopt vergif. Hij is niet eens een mens, Sean. Hij is helemaal geen mens. Zweer dat je nooit vergiftigde dingen bij meneer Gaunt koopt.'
'Ik zweer het! Ik zweer het!' brabbelde Sean. 'Ik zweer het bij de naam van mijn moeder!'
'Nee,' zei Brian, 'dat kan niet. Hij heeft haar ook vergiftigd. Zweer het bij je éigen naam, Sean. Zweer het bij je eigen naam.'
'Ik zweer het!' riep Sean in de hete, halfdonkere garage. Hij stak smekend zijn handen uit naar zijn broer. 'Ik zweer het bij mijn eigen naam, echt! Doe nou dat geweer weg, Bri...'
'Ik hou van je, broertje,' zei Brian. Hij keek even naar het honkbalplaatje. 'Sandy Koufax is een stinkerd,' merkte Brian Rusk op, en met zijn teen haalde hij de trekker over.
Seans doordringende angstkreet steeg uit boven de knal van het schot, dat vlak en luid klonk in de hete donkere garage.

33

Leland Gaunt stond voor het raam van zijn etalage naar Main Street te kijken en glimlachte flauw. Het geweerschot in Ford Street klonk vaag, maar hij had scherpe oren en hij hoorde het. Zijn glimlach werd iets breder.

Hij haalde het bordje 'uitsluitend op afspraak' uit de etalage en zette er een ander voor in de plaats. Hierop stond:

TOT NADER BERICHT GESLOTEN.

'Nu zijn de poppen aan het dansen,' zei Leland Gaunt tegen helemaal niemand. 'Het feest is begonnen.'

18

1

Polly Chalmers wist van dit alles niets af.
Terwijl Castle Rock de eerste echte vruchten van Gaunts arbeid droeg, bevond zij zich in het vroegere huis van Camber aan het eind van Town Road 3. Daar was ze naartoe gegaan direct na afloop van haar gesprek met Alan.
Nou ja, afloop... Dat was een veel te beschaafde term, dacht ze. Nadat je hem had opgehangen... is dat niet wat je bedoelt?
Goed, gaf ze toe, nadat ik hem had opgehangen. Maar hij is achterbaks geweest. En toen ik hem daarover belde, raakte hij in de war en begon te liegen. Hij heeft gelógen. Toevallig vind ik dat zulk gedrag een onbeschaafde reactie verdíent.
Ze voelde een tegenwerping in zichzelf opkomen, maar daar gaf ze niet aan toe. Ze wilde van geen protest weten, ze wilde zelfs helemaal niet aan haar laatste gesprek met Alan Pangborn denken. Ze wilde alleen maar haar opdracht hier aan het eind van Town Road 3 afwerken en dan terug naar huis gaan. Daar wilde ze een fris bad nemen en vervolgens twaalf of zestien uur slapen.
De diepe stem in haar binnenste kon maar een paar woorden uitbrengen: Maar Polly, heb je eraan gedacht...
Nee, dat had ze niet. Over een tijdje zou ze waarschijnlijk wel moeten, maar nu was het nog te vroeg. Met het denken zou ook de pijn beginnen. Nu wilde ze alleen maar doen waarvoor ze was gekomen... en helemaal niet denken.
Het was een akelig huis... sommigen zeiden dat het er spookte. Nog niet zolang geleden waren twee mensen - een kleine jongen en sheriff George Bannerman - in de voortuin van dit huis gestorven. Twee anderen, Gary Pervier en Joe Camber zelf, waren gestorven aan de voet van de heuvel. Polly parkeerde op de plek waar ooit Donna Trenton de fatale vergissing had begaan haar Ford Pinto te zetten. Ze stapte uit. De *azka* zwaaide heen en weer tussen haar borsten.
Even keek ze onrustig naar de verzakte veranda, de verveloze muren onder de klimop, de ramen waarvan het glas meestal was gebroken en die blind terugstaarden. Krekels zongen hun stompzinnige liedjes in het gras en de hete zon was even drukkend als op die verschrikkelijke dagen waarop Donna Trenton voor haar leven en voor dat van haar zoon had gevochten.

Wat doe ik hier? dacht Polly. *Wat doe ik hier in godsnaam?*
Maar dat wist ze – en het had niets te maken met Alan Pangborn of Kelton of de Dienst voor Jeugdwelzijnswerk in San Francisco. Dit kleine uitstapje had niets met liefde te maken. Het had met pijn te maken. Dat was alles... maar het was genoeg.
Er zat iets in de kleine zilveren talisman. Iets levends. Dat zou sterven als ze zich niet hield aan haar deel van de afspraak die ze met Leland Gaunt had gemaakt. Ze wist niet of ze het kon verdragen teruggeworpen te worden naar het leven met de vreselijke, slopende pijn waarmee ze zondagochtend wakker was geworden. Met zo'n vooruitzicht zou ze zich nog eerder van het leven beroven.
'En Alan heeft er niets mee te maken,' fluisterde ze terwijl ze naar de schuur met de gapende ingang en het hachelijk inzakkende dak liep. 'Hij zei dat hij Alan niets zou doen.'
Kan jou dat dan iets schelen? fluisterde die zorgelijke stem.
Het kon haar schelen omdat ze Alan niet wilde kwetsen. Ze was boos op hem – wóedend zelfs – maar dat betekende niet dat ze tot zijn niveau moest afdalen, dat ze hèm net zo vervelend moest behandelen als omgekeerd.
Maar Polly, heb je eraan gedacht...
Nee. *Nee!*
Ze zou Ace Merrill een streek leveren en Ace kon haar helemaal niets schelen. Ze had hem nog nooit ontmoet, ze wist alleen welke reputatie hij had. Ze moest een grap uithalen met Ace, maar...
Maar het had toch ook iets te maken met Alan, die Ace Merrill naar de gevangenis had gestuurd. Ze wist het in haar hart.
En kon ze nog terug? Kón ze nog terug als ze dat zou willen? Het ging nu ook om Kelton. Gaunt had niet met zoveel woorden gezegd dat heel Castle Rock te weten zou komen wat er met haar zoon was gebeurd als ze niet deed wat hij zei... maar hij had het wel gesuggereerd. Dat zou ze niet kunnen verdragen.
Maar heeft een jonge vrouw dan geen recht op haar trots? Als al het andere is verdwenen, heeft ze daar dan ten minste geen recht op, de munt zonder welke haar beurs helemaal leeg is?
Ja, ja en nog eens ja.
Gaunt had gezegd dat ze het enige nodige in de schuur zou vinden en ze begon langzaam daarheen te lopen.
Ga waarheen gij wilt, maar zorg dat je lééft, Trisha, had tante Evvie tegen haar gezegd. *Wees geen geest.*
Maar nu, terwijl ze langs de roestige rails van de roerloos openhangende schuurdeuren liep, voelde ze zich net een geest. Meer dan ooit in haar leven. De *azka* bewoog tussen haar borsten... maar ditmaal helemaal vanzelf. Er zat iets in. Iets levends. Het was vervelend, maar er zou nog iets veel vervelenders gebeuren als dat ding stierf.

Ze zou doen wat Gaunt haar had opgedragen, althans deze ene keer, alle banden met Alan Pangborn doorsnijden (het was verkeerd geweest iets met hem te beginnen, dat zag ze nu heel duidelijk) en haar verleden voor zichzelf houden. Waarom niet?
Het was per slot van rekening maar een kleinigheid.

2

De schop stond precies waar hij had gezegd, tegen de muur in een stoffige bundel zonlicht. Ze pakte de gladde, afgesleten handgreep. Opeens dacht ze een zacht, ronkend gegrom in de diepe schaduwen van de schuur te horen, alsof de dolle sint-bernard die de dood van Big George Bannerman en Tad Trenton had veroorzaakt uit het graf was opgestaan, doller dan ooit. Ze kreeg kippevel op haar armen en Polly haastte zich de schuur uit. De voortuin was niet bepaald opwekkend met het lege huis dat zo somber naar haar staarde, maar beter dan de schuur.
Wat doe ik hier? vroeg ze zichzelf weer spijtig af en het was de stem van tante Evvie die antwoord gaf: *Je bent een geest aan het worden, dat ben je aan het doen. Je bent een geest aan het worden.*
Polly kneep haar ogen dicht. 'Hou op!' fluisterde ze fel. 'Hou toch òp!'
Gelijk heb je, zei Leland Gaunt. *Trouwens, waar is al die drukte goed voor? Het is maar een onschuldig grapje. En als het ernstige gevolgen zou hebben – dat is natuurlijk niet zo, maar laten we er even van uitgaan – aan wie ligt dat dan?*
'Aan Alan,' fluisterde ze. Haar ogen schoten nerveus heen en weer en ze wreef zenuwachtig in haar handen tussen haar borsten. 'Als ik nu met hem kon praten... als hij het niet onmogelijk had gemaakt door zijn neus te steken in zaken die hem helemaal niet aangaan...'
Het stemmetje in haar binnenste probeerde weer iets in het midden te brengen, maar Leland Gaunt gaf het geen kans.
Gelijk heb je, herhaalde Gaunt. *En de vraag wat je hier doet is heel eenvoudig te beantwoorden, Polly: je betaalt. Dat is het, en meer ook niet. Geesten hebben er niets mee te maken. En onthoud altijd het simpelste en wonderbaarlijkste van het zakendoen: als je een artikel hebt betaald, is het van jou. Je had niet gedacht dat zoiets moois zo goedkoop kon zijn? Maar het is van jou zodra je het hebt afbetaald. Je hebt alle recht op iets waarvoor je hebt betaald. Zo, en ga je nu de hele dag naar die bange stemmen van vroeger staan luisteren of ga je doen waarvoor je bent gekomen?*
Polly deed haar ogen weer open. De *azka* hing roerloos aan de ket-

ting. Ze wist niet eens zeker meer of hij wel had bewogen. Het huis was gewoon een huis dat te lang leeg had gestaan en de onvermijdelijke sporen van verwaarlozing vertoonde. De ramen waren geen ogen, maar gewone openingen waarvan de ruiten door kwajongens waren ingegooid. Als ze in de schuur al iets had gehoord – daar was ze niet eens zeker meer van – dan was het slechts het kraken geweest van een plank die uitzette door de ongewone oktoberhitte.
Haar ouders waren dood. Haar lieve kleintje was dood. En de hond die drie zomerdagen en nachten zo gruwelijk en zo volledig over dit erf had geheerst, was ook dood.
Er waren geen geesten.
'Zelfs ik niet,' zei ze, en ze liep naar de achterkant van de schuur.

3

Als je achter de schuur komt, had Gaunt gezegd, *zul je het wrak van een oude caravan zien.* Dat was zo: een zilverkleurige AirFlow, bijna overwoekerd door guldenroede en hoge groepjes late zonnebloemen.
Links achter de caravan ligt een grote platte steen.
Die vond ze zonder moeite. De steen was ongeveer zo groot als de tegel van een tuinpad.
Schuif de steen weg en graaf. Ongeveer een halve meter onder de grond vind je een blik Crisco.
Ze schoof de steen opzij en groef. Nog geen vijf minuten later stootte het blad van de schop tegen het blik. Ze liet de schop vallen en haalde met haar vingers de losse aarde en het lichte web van wortels weg. Na een minuut had ze het blik in haar handen. Het was roestig, maar onbeschadigd. Het half vergane etiket gleed eraf en op de achterkant zag ze een recept voor een ananastaart (het lijstje met ingrediënten was grotendeels onleesbaar door een zwarte schimmelplek) en een tegoedbon die in 1969 was verlopen. Ze pakte het lipje en trok het deksel eraf. Ze schrok van de stank die uit het blik ontsnapte en wendde haar hoofd af. De stem probeerde nog een laatste keer te vragen wat ze hier deed, maar Polly luisterde er niet naar.
Ze keek in het blik en zag wat Gaunt haar had voorspeld: een rol Gold Bond tegoedbonnen en verscheidene verbleekte foto's van een vrouw die gemeenschap had met een collie.
Ze haalde alles eruit, propte het in haar broekzak en veegde haar vingers driftig af aan de pijp van haar spijkerbroek. Ze nam zich voor zo snel mogelijk haar handen te wassen. Het gaf haar een onfris gevoel iets aan te raken dat zo lang onder de grond had gelegen.

Uit haar andere zak haalde ze een verzegelde envelop. Met hoofdletters was er op de voorkant getikt:

BERICHT VOOR DE ONVERSCHROKKEN SCHATGRAVER.

Polly deed de envelop in het blik, drukte het deksel er weer op en liet het blik in de kuil vallen. Met de schop maakte ze het gat dicht, snel en slordig werkend. Ze wilde alleen nog maar zo snel mogelijk hier weg.
Ze liep vlug weg toen ze klaar was. De schop gooide ze in het hoge onkruid. Ze was niet van plan hem terug te brengen naar de schuur, hoe onschuldig de verklaring ook mocht zijn voor het geluid dat ze had gehoord.
Ze opende het portier van haar auto en vervolgens het handschoenenkastje. Ze zocht tussen de rommel tot ze een oud luciferdoosje vond. Ze moest het vier keer proberen voor ze een vlammetje wist te maken. De pijn was bijna helemaal uit haar handen verdwenen, maar met haar trillende vingers verboog ze de eerste drie lucifers zodanig dat ze onbruikbaar werden.
Toen de vierde ontbrandde, hield ze hem tussen twee vingers van haar rechterhand. De vlam was bijna onzichtbaar in het licht van de hete middagzon. Uit haar broekzak haalde ze de klamme bundel bonnen en pornofoto's. Ze hield de lucifer eronder tot het papier goed vlam vatte. Daarna gooide ze de lucifer weg en zwaaide het papier heen en weer om het goed te laten doorbranden. De vrouw op de foto's was ondervoed en had een ingevallen gezicht. De hond was een scharminkel en leek net intelligent genoeg om zich te schamen. Met opluchting zag ze hoe er blaasjes op de bovenste foto kwamen. Toen de foto's bruin werden en omkrulden, liet ze het stapeltje vallen op de plek waar een vrouw ooit een andere hond, een sint-bernard, met een honkbalknuppel had doodgeslagen.
De vlammen laaiden op. Het stapeltje zegels en foto's verviel snel tot zwarte as. De vlammen werden kleiner, gingen uit... en op dat moment werd de stille lucht in beweging gebracht door een plotselinge windvlaag. Asvlokken schoten kronkelend de lucht in en Polly keek ernaar met ogen die opeens groot en angstig waren geworden. Waar was die vreemde windvlaag vandaan gekomen?
O, hou toch op! Waarom ben je toch zo verdraaid...
Op dat moment hoorde ze weer het gegrom, zacht als een pruttelende buitenboordmotor, uit de hete, donkere muil van de schuur komen. Het was niet haar verbeelding en het was geen krakende plank. Het was een hònd.
Polly keek angstig in die richting en zag twee verzonken rode lichtpuntjes vanuit het donker naar haar gluren.

Ze rende om haar auto heen, waarbij ze in de haast met haar heup pijnlijk tegen de zijkant van de motorkap stootte, ging achter het stuur zitten, draaide de raampjes omhoog en sloot de deuren af. Ze draaide het contactsleuteltje om. De motor sloeg over... maar startte niet.
Niemand weet waar ik ben, besefte ze. Niemand behalve Gaunt... en die zou het niet vertellen.
Even zag ze zichzelf hier als een gevangene, net als Donna Trenton en haar zoon. Daarna kwam de motor op gang en ze reed zo snel achteruit het pad af dat ze bijna in de greppel aan de andere kant van de weg beland le. Ze schakelde en reed zo snel ze durfde terug naar de stad.
Ze had er helemaal niet meer aan gedacht haar handen te wassen.

4

Ace Merrill rolde uit bed omstreeks het tijdstip waarop Brian Rusk vijftig kilometer verder een kogel door zijn hoofd joeg.
Hij ging naar de badkamer, waarbij hij zijn vuile hemd uittrok, en piste een uurtje of twee. Hij stak een arm omhoog en rook aan zijn oksel. Hij keek naar de douche, maar schudde zijn hoofd. Hij had een grote dag voor zich. Dat douchen kon wel wachten.
Hij ging weg zonder door te trekken - geel was zijn lievelingskleur - en liep meteen naar het bureau, waar zijn laatste voorraadje cocaïne op een scheerspiegel lag. Het was fantastisch spul - lekker in de neus en nog lekkerder in het hoofd. Het was ook bijna op. Ace had de vorige avond veel energie nodig gehad, net als Gaunt had gezegd, maar over nieuwe leveranties maakte hij zich helemaal geen zorgen.
Met de rand van zijn rijbewijs maakte hij twee lijntjes. Hij snoof ze op met een opgerold briefje van vijf en in zijn hoofd leek een raket te ontploffen.
'Boem!' riep Ace Merrill à la Warner Wolf. 'Nu de videoband!'
Hij nam niet de moeite een onderbroek aan te trekken en schoot een vale spijkerbroek en een Harley-Davidson T-shirt aan. Meer heeft een schatgraver tegenwoordig niet nodig om er goed uit te zien, dacht hij. Verdomme, die coke was prima!
Op weg naar de deur viel zijn blik op de buit van die nacht, en hij herinnerde zich dat hij Nat Copeland in Portsmouth had willen bellen. Hij ging terug naar de slaapkamer, zocht tussen de kleren die in een verwarde hoop in de bovenste lade van zijn bureau lagen en vond ten slotte een versleten adresboekje. Hij liep weer naar de keuken, ging zitten en draaide het nummer. Hij betwijfelde of Nat

er zou zijn, maar het was de moeite waard om het te proberen. De coke zoemde en zaagde in zijn hoofd, maar het eerste effect begon al af te nemen. Een lading cocaïne maakte een nieuw mens van je. Het vervelende was alleen dat de nieuwe mens meteen een nieuwe lading wilde, en Ace was lelijk door zijn voorraad heen.
'Ja?' zei een behoedzame stem in zijn oor en Ace besefte dat het hem vandaag weer eens meezat.
'Nat!' riep hij.
'Wie zegt dat?'
'*Ik*, ouwe jongen. *Ik!*'
'Ben jij dat, Ace?'
'In eigen persoon! Hoe is het ermee, Natty?'
'Het is wel eens beter geweest.' Nat leek niet overdreven blij iets van zijn oude collega-bankwerker uit de gevangenis te horen. 'Wat moet je, Ace?'
'Zo praat je toch niet tegen een ouwe maat?' vroeg Ace verwijtend. Hij klemde de hoorn tussen zijn oor en schouder en trok twee roestige blikjes naar zich toe.
Een ervan had hij uit de grond gehaald achter de voormalige boerderij van Treblehorn, het andere uit de kruipkelder van de boerderij van Masters, die was afgebrand toen Ace nog maar tien jaar was. In het eerste blik zaten alleen vier boekjes met S&H Green bonnen en een aantal pakjes zegels van Raleigh sigaretten. Het tweede bevatte eveneens een paar boekjes met couponnen, maar ook zes rollen centen. Alleen zagen ze er niet uit als gewone centen. Ze waren wit.
'Misschien wilde ik alleen maar weer eens nestgeur opsnuiven,' zei Ace pesterig. 'Kijken of je nog op de goede lijn zit, weet je wel, of je niks te kort komt.'
'Wat moet je, Ace?' herhaalde Nat Copeland vermoeid.
Ace viste een van de centenrollen uit het oude Crisco blik. Het oorspronkelijke paars van de wikkel was verbleekt tot een dof roze. Hij schudde twee centen in zijn hand en bekeek ze nieuwsgierig. Als iemand verstand van zulke dingen had, dan was het Nat Copeland.
Vroeger had hij in Kittery een zaakje in munten gedreven. Hij had ook zijn eigen muntenverzameling gehad, een van de tien grootste in New England, althans volgens Nat zelf. Tot ook hij het wonder van de cocaïne ontdekte. In de vier of vijf jaar na die ontdekking had hij zijn munten stuk voor stuk verkocht en de opbrengst via zijn neus laten verdwijnen. In 1985 had de politie na een stil alarm Nat Copeland aangetroffen in de achterkamer van de Long John Silver munthandel in Portland terwijl hij bezig was Lady Liberty zilveren dollars in een leren zak te stoppen. Niet lang daarna had Ace hem leren kennen.

'Nu je het zegt, er was iets wat ik je wilde vragen.'
'Alleen vragen?'
'Meer niet, ouwe jongen, ik beloof het.'
'Nou, goed dan.' Nat klonk een heel klein beetje geruster. 'Vraag maar op. Ik heb niet de hele dag.'
'Druk, druk, druk, zeker?' zei Ace. 'Het valt niet mee om je brood te verdienen, wat jij, Natty?' Hij lachte als een gek. Het kwam niet alleen door de coke, dit was de grote dag. Hij was pas bij het aanbreken van de dag thuisgekomen en daarna had de coke hem tot bijna tien uur vanochtend wakker gehouden, ondanks de gesloten gordijnen en het vermoeiende werk, en nog steeds voelde hij zich alsof hij bergen kon verzetten. En waarom niet? Waarom verdomme ook niet? Hij was bijna een rijk man. Dat wist hij, hij voelde het in elke zenuw.
'Ace, is er werkelijk een vraag in die zogenaamde hersens van je opgekomen of wou je alleen maar aan mijn kop zeuren?'
'Nee, ik zeur niet aan je kop. Als je iets voor me doet, Natty, kan ik je misschien aan wat goed spul helpen. Héél goed spul.'
'Echt waar?' Nat Copeland vergat meteen zijn irritatie. Zijn stem klonk zacht, alsof hij onder de indruk was. 'Je belazert me toch niet, Ace?'
'Het beste, allerbeste spul dat ik ooit heb gehad, ouwe Natty.'
'Kun je mij daar ook aan helpen?'
'Dat zou me niks verbazen,' zei Ace, hoewel het tegendeel het geval was. Hij had nog een paar van de vreemde centen uit hun oude, verbleekte omhulsel gehaald en schoof de munten met zijn vinger in een net rijtje. 'Maar dan moet je iets voor me doen.'
'Zeg maar op.'
'Weet je iets van witte centen af?'
Het bleef even stil. Daarna zei Nat behoedzaam: 'Witte centen? Je bedoelt stálen centen?'
'Ik weet niet wat ik bedoel. Jij bent de verzamelaar, ik niet.'
'Kijk eens naar de datum? Zijn er munten bij uit de jaren 1941 tot 1945?'
Ace draaide de muntjes op tafel om. Een ervan was uit 1941; vier uit 1943; de laatste uit 1944.
'Ja, allemaal. Wat zijn ze waard, Nat?' Hij probeerde de begeerte uit zijn stem te weren en slaagde niet geheel.
'Op zichzelf niet zoveel,' zei Nat, 'maar wel veel meer dan gewone centen. Misschien twee piek per stuk. Drie als ze ongebruikt zijn, als nieuw. Heb je er veel, Ace?'
'Aardig wat, jongen,' zei Ace, 'aardig wat.' Maar hij was teleurgesteld. Hij had zes rollen, driehonderd centen, en de munten op tafel zagen er niet al te gaaf uit. Ze waren niet direct versleten, maar

toch ook lang niet glanzend nieuw. Zeshonderd dollar, op zijn hoogst achthonderd. Niet wat je noemt een klapper.
'Breng ze maar eens mee,' zei Nat. 'Ik kan je de hoogste prijs geven.' Hij aarzelde even en besloot: 'En neem wat van dat spul mee.'
'Ik zal erover nadenken,' zei Ace.
'Niet ophangen, Ace!'
'Je wordt bedankt, Natty,' zei Ace, en hij hing op.
Hij bleef nog een ogenblik peinzend bij de centen en de twee roestige blikken zitten. Er zat een heel vreemd luchtje aan dit gedoe. Waardeloze zegels en voor zeshonderd dollar aan stalen centen. Wat moest je daarvan denken?
Dat is het lullige, dacht Ace, je kon er niks van denken. Waar is het echte spul? Waar is verdomme de póet?
Hij schoof zijn stoel naar achteren, ging naar de slaapkamer en snoof de laatste coke die Gaunt hem had bezorgd. Toen hij terugkwam had hij het boek met de kaart bij zich en voelde hij zich heel wat opgewekter. Er was niks aan de hand. Helemaal niks. Dat zag hij heel goed nu zijn hoofd een beetje was opgeklaard.
Per slot van rekening stonden er een hoop kruisen op die kaart. Onder twee daarvan had hij iets gevonden, aangegeven door een grote platte steen. Kruisen + Platte Stenen = Begraven Schat. Weliswaar was Pop op zijn ouwe dag niet meer zo goed bij z'n hoofd geweest als iedereen dacht, zodat hij het verschil tussen diamanten en waardeloze troep niet meer altijd kende, maar èrgens, onder een of meer van die platte stenen moest het echte spul liggen: goud, geld of misschien bruikbare aandelen.
Dat had hij bewézen. Zijn oom hàd waardevolle dingen begraven, niet alleen maar beschimmelde oude zegels. Op de voormalige boerderij van de Masters had hij zes pakjes stalen centen gevonden ter waarde van minstens zeshonderd dollar. Niet veel... maar wel een aanwijzing.
'Het ligt daar ergens,' zei Ace zachtjes. Zijn ogen straalden met een felle gloed. 'Het ligt er allemaal, in een van die andere zeven kuilen. Of in twee ervan. Of drie.'
Hij wíst het.
Hij haalde het bruine stuk papier uit het boek en liet zijn vinger van het ene kruis naar het andere dwalen terwijl hij probeerde te bedenken waar hij de meeste kans zou hebben. Zijn vinger bleef liggen bij het huis van Joe Camber. Het was de enige plek waar twee kruisen dicht bij elkaar stonden. Zijn vinger begon langzaam heen en weer te schuiven tussen de twee kruisen.
Joe Camber was omgekomen bij een ramp die aan nog drie mensen het leven had gekost. Zijn vrouw en zoon waren indertijd weg ge-

weest. Op vakantie. Mensen als de Cambers gingen gewoonlijk niet op vakantie, maar Charity Camber had een prijs in de staatsloterij gewonnen, meende Ace zich te herinneren. Hij probeerde zich nog meer te herinneren, maar dat lukte niet erg. In die tijd had hij wel iets anders aan zijn hoofd gehad... iets heel anders.
Wat had Charity gedaan toen ze met haar zoontje terugkwam en ontdekte dat Joe - volgens alle verhalen een grote hufter - dood en begraven was? Ze waren naar een andere staat verhuisd, dacht hij. En de boerderij? Misschien had ze die snel van de hand willen doen. Als het op snel zakendoen aankwam, stond er in Castle Rock één naam boven aan de lijst: die van Reginald Marion 'Pop' Merrill. Was ze naar zijn oom gegaan? Hij zou een karig bod hebben uitgebracht - dat was zijn gewoonte - maar als ze snel weg wilde had ze daar misschien geen bezwaar tegen. Anders gezegd, ook de boerderij van de Cambers zou wel eens Pops eigendom kunnen zijn geweest toen hij stierf.
Deze mogelijkheid werd binnen enkele seconden een zekerheid in zijn gedachten.
'Ik durf te wedden dat het grote geld daar ligt,' zei hij. 'Ik wéét dat het daar ligt!'
Duizenden dollars! Misschien wel tíenduizenden! Grote goden!
Hij griste de kaart van tafel en propte hem weer in het boek. Daarna ging hij op een draf naar de Chevy die Gaunt hem had geleend. Er knaagde nog één vraag aan hem: gesteld dat Pop tòch goed bij zijn hoofd was geweest, waarom had hij dan in vredesnaam die zegels begraven?
Ace zette deze vraag ongeduldig van zich af en ging op weg naar Castle Rock.

5

Danforth Keeton bereikte zijn huis in Castle View terwijl Ace juist op weg ging voor een bezoek aan het omliggende platteland. Buster zat nog steeds vastgeketend aan het portier van zijn Cadillac, maar hij verkeerde in een wraakzuchtige eufotie. Twee jaar lang vocht hij al tegen schaduwen, en de schaduwen waren aan de winnende hand geweest. Op het laatst begon hij zelfs te vrezen dat hij gek zou worden... wat natuurlijk precies was wat Zij hem wilden laten geloven.
Op weg van Main Street naar zijn huis op de View zag hij diverse 'schotelantennes.' Hij had ze vaker gezien en zich afgevraagd of ze geen deel konden uitmaken van wat er hier aan de hand was. Nu wist hij het zeker. Het waren helemaal geen 'schotelantennes'. Het

waren stralers die hem beïnvloedden. Misschien waren ze niet allemáál op zijn huis gericht, maar je kon er donder op zeggen dat de rest gericht was op de weinige anderen zoals hij, die begrepen dat er een monsterlijke samenzwering op touw was gezet.
Buster zette zijn wagen in de oprit en gebruikte de afstandsbediening aan zijn zonneklep om de garage te openen. De deur ging omhoog, maar tegelijkertijd werd hij getroffen door een gruwelijke pijnscheut in zijn hoofd. Ook dat maakte er deel van uit, begreep hij: Zij hadden de èchte Wizard afstandsbediening vervangen door iets anders, een apparaat dat de deur opende en tegelijkertijd slechte stralen door zijn hoofd stuurde.
Hij trok het ding van de zonneklep en gooide het uit het raampje voordat hij zijn wagen in de garage reed.
Hij zette de motor uit, opende het portier en stapte uit. De handboei hinderde hem even effectief in zijn bewegingen als een wurgband. Aan de muur hingen allerlei werktuigen netjes aan haken, maar allemaal buiten zijn bereik. Buster boog zich weer in de wagen en drukte de claxon in.

6

Myrtle Keeton, die er die middag zelf al op uit was geweest, lag boven op bed eng te dromen toen de claxon begon te loeien. Ze schoot stijf rechtop, haar ogen uitpuilend van schrik. '*Ik heb het gedaan!*' hijgde ze. 'Ik heb gedaan wat u zei, laat me nu toch met rust!'
Ze besefte dat ze had gedroomd, dat Gaunt er niet was, en ze loosde een diepe, bevende zucht.
TOET! TOET! TOEEEEEET!
Het klonk als de claxon van de Cadillac. Ze pakte de pop die naast haar op bed lag, de mooie pop die ze in de winkel van meneer Gaunt had gekocht, en hield hem tegen zich aan om troost te zoeken. Ze had iets gedaan vanmiddag, iets wat een zwak en angstig deel van haar slecht vond, èrg slecht, en sindsdien was de pop een onschatbaar bezit voor haar geworden. Een prijs, had Gaunt kunnen zeggen, verhoogt altijd de waarde... althans in de ogen van de koper.
TOEEEEEEEEEET!
Het wàs de claxon van de Cadillac. Waarom zat Danforth zo te toeteren in de garage? Ze moest maar gaan kijken.
'Maar van mijn pop kan hij beter afblijven,' zei ze zacht. Ze legde hem voorzichtig in de schaduw naast haar kant van het bed. 'Want daar trek ik de grens.'
Myrtle was een van de velen die vandaag in De NoodZaak waren

geweest, een van de vele namen met een kruisje erachter op Gaunts lijstje. Ze was, zoals zoveel anderen, gekomen omdat Gaunt haar had láten komen. Ze kreeg de oproep op een manier die haar man volledig zou hebben begrepen: ze hoorde hem in haar hoofd.
Gaunt zei dat het tijd was om haar pop af te betalen... als ze hem tenminste wilde houden. Ze moest een metalen kastje en een verzegelde envelop naar de zaal van de Dochters van Isabella brengen, naast de katholieke kerk. Het kastje was aan alle kanten afgezet met een rooster, behalve aan de onderkant. Ze hoorde er een flauw tikkend geluid uitkomen. Ze had geprobeerd door een van de ronde roosters – net de luidsprekers van ouderwetse radiotoestellen – naar binnen te kijken, maar meer dan de vage omtrek van een kubus kon ze niet onderscheiden. En zo erg goed had ze nu ook weer niet gekeken. Het leek beter – veiliger – om dat niet te doen.
Er stond een auto op de parkeerplaats bij de kerk toen Myrtle te voet arriveerde, maar de kleine parochiezaal zelf was leeg. Ze tuurde door het bovenraam van de deur om zich ervan te overtuigen dat er niemand was, daarna las ze het bordje dat aan de deur hing:

VERGADERING DOCHTERS VAN ISABELLA DINSDAG 19.00 UUR
VOORBEREIDING VAN DE CASINO-AVOND!

Myrtle glipte naar binnen. Links van de ingang waren een paar in vrolijke kleuren geverfde hokjes tegen de muur gezet, waar de kinderen van de crèche hun lunchtrommeltjes bewaarden en de leerlingen van de zondagsschool hun tekeningen en opstellen. Myrtle had de opdracht gekregen het kastje in een van de hokjes te zetten en dat deed ze. Het paste er precies in. Achter in de zaal stond de bestuurstafel, met links de Amerikaanse vlag en rechts een vaandel met de afbeelding van het Heilige Kind van Praag. De tafel was al ingericht voor de vergadering van die avond, met pennen, potloden, intekenlijsten en in het midden de agenda van de voorzitster. Myrtle legde de envelop die Gaunt haar had gegeven onder de agenda, zodat Betsy Vigue, die dit jaar de activiteitencommissie van de Dochters van Isabella leidde, hem meteen zou vinden.

LEES DIT ONMIDDELLIJK, PAAPSE HOER

was er met hoofdletters op getikt.
Met snel bonzend hart en gevaarlijk hoge bloeddruk was Myrtle op haar tenen uit de parochiezaal geslopen. Buiten bleef ze even staan, een hand tegen haar struise boezem gedrukt, om op adem te komen. En zag iemand aan de andere kant van de kerk haastig uit de zaal van de Knights of Columbus verdwijnen.

Het was June Gavineaux. Ze zag er net zo bang en schuldig uit als Myrtle zich voelde. In haar haast struikelde ze bijna op de houten trap, waarna ze snel naar die enkele geparkeerde auto liep, haar schoenzolen kittig tikkend op het asfalt.
June keek op, zag Myrtle staan en verbleekte. Daarna keek ze wat beter naar Myrtles gezicht... en begreep wat er aan de hand was.
'Jij ook?' vroeg ze zacht. Een vreemde lach, tegelijk vrolijk en gekweld, kwam op haar gezicht. Het was de uitdrukking van een doorgaans oppassend meisje dat, om redenen die ze zelf niet begrijpt, een muis in de bureaula van de aardigste juf heeft gestopt.
Myrtle voelde precies zo'n lach op haar gezicht komen. Toch wilde ze er niet aan toegeven. 'Wat nou? Ik weet niet waar je het over hebt!'
'O, dat weet je best.' June keek vlug om zich heen, maar de twee vrouwen hadden dat hoekje van die vreemde middag voor zichzelf. 'Meneer Gaunt.'
Myrtle knikte en kreeg een hete, ongewone blos op haar wangen.
'Wat heb jij gekregen?' vroeg June.
'Een pop. Wat heb jíj gekregen?'
'Een vaas. De prachtigste geëmailleerde vaas die je ooit hebt gezien.'
'Wat heb jij gedaan?'
'Wat heb jíj gedaan?' pareerde June met een sluwe glimlach.
'Dat doet er niet toe.' Myrtle keek om naar de zaal van de Dochters van Isabella en snoof. 'Trouwens, wat geeft het. Het zijn maar katholieken.'
'Zo is het,' antwoordde June (die zelf een afgevallen katholiek was). Daarna liep ze naar haar auto. Myrtle vroeg niet om een lift en die bood June Gavineaux ook niet aan. Myrtle liep snel de parkeerplaats af. Ze keek niet op toen June in haar witte Saturn voorbij vloog. Myrtle wilde alleen maar naar huis, gaan slapen met haar prachtige pop in haar armen en vergeten wat ze had gedaan.
Dat, ontdekte ze nu, zou niet zo gemakkelijk zijn als ze had gehoopt.

7

TOEEEEEEEEEEEEEET!
Buster drukte zijn handpalm tegen de claxon en hield die ingedrukt. Het lawaai weergalmde luid in zijn oren. Waar zàt dat stomme wijf in vredesnaam?
Eindelijk ging de deur tussen de garage en de keuken open. Myrtle stak haar hoofd naar binnen. Haar grote ogen stonden angstig.

'Ben je daar eindelijk?' vroeg Buster, zijn hand van de claxon halend. 'Ik dacht dat je op de plee was overleden.'
'Danforth? Wat is er?'
'Niks. Ik heb me in geen twee jaar zo goed gevoeld. Je moet me alleen een handje helpen.'
Myrtle verroerde zich niet.
'Mens, schiet op met die dikke reet van je!'
Ze wilde niet - hij maakte haar bang - maar de gewoonte was oud en diepgeworteld en moeilijk op te geven. Ze liep langs de wagen naar het open portier waarachter hij stond. Ze liep met trage passen en Buster luisterde knarsetandend naar het schuren van haar sloffen over de betonnen vloer.
Ze zag de handboeien en zette grote ogen op. 'Danforth, wat is er gebéurd?'
'Niks bijzonders. Geef me die ijzerzaag, Myrt. Aan de muur daar. Of nee, laat die ijzerzaag maar even zitten. Geef me die grote schroevedraaier. En de hamer.'
Ze begon terug te deinzen en keek handenwringend naar hem. Snel als een slang stak Buster zijn vrije hand door het open raampje en pakte haar bij haar haren voordat ze weg kon komen.
'*Au!*' gilde ze, vergeefs aan zijn vuist trekkend. '*Danforth, au! Aaaauw!*'
Buster trok haar naar zich toe met een afschuwelijke grimas op zijn gezicht. Twee grote aderen klopten op zijn voorhoofd. De hand waarmee ze op zijn vuist bonkte was zo licht als een veertje.
'*Doe wat ik zeg!*' schreeuwde Buster. Hij trok haar hoofd naar zich toe en bonkte het tegen de bovenkant van het geopende portier, een, twee, drie keer. '*Ben je altijd zo stom geweest of is het iets nieuws? Schiet op, schiet op, schiet op!*'
'*Danforth, je doet me pijn!*'
'*Net goed!*' schreeuwde hij op zijn beurt en opnieuw sloeg hij haar hoofd tegen het portier van de Cadillac, veel harder ditmaal. De huid van haar voorhoofd barstte open en een dun straaltje bloed begon over de linkerkant van haar gezicht te vloeien. '*Luister je naar me of niet?*'
'*Ja! Ja! Ja!*'
'Mooi zo.' Zijn greep werd iets minder stevig. 'Geef me dan nu de grote schroevedraaier en de hamer. En geen grapjes, denk erom.'
Ze graaide met haar rechterhand naar de muur. 'Ik kan er niet bij.'
Hij boog naar voren en stak zijn eigen arm uit, zodat ze een stap naar de muur met de werktuigen kon doen. Zijn vingers bleven stevig in haar haren verstrengeld. Ronde bloedspatten vielen op en tussen haar slippers.
Ze pakte een van de werktuigen en Danforth schudde haar even fel

door elkaar, zoals een terriër een dode rat heen en weer schudt.
'Dat niet, stommerd,' zei hij. 'Dat is een boor. Heb ik om een boor gevraagd? *Nou?*'
'Maar Danforth - *au!* - ik kan het niet zíen!'
'Ja, je wilt zeker dat ik je loslaat. Dan kun je gauw naar binnen rennen en Ze bellen. Dat zou je wel willen, hè?'
'Ik weet niet wat je bedoelt!'
'O nee, je bent zo'n onschuldig klein schaap. Je hebt me zondag zeker toevallig weggelokt zodat die vervloekte Ridgewick al die smerige briefjes in huis kon rondstrooien. En dat moet ik geloven?'
Ze keek hem aan door een haarlok. Fijne druppeltjes bloed zaten in haar oogwimpers. 'Maar... maar Danforth... jíj wilde zelf dat we zondag weggingen. Je zei...'
Hij trok hard aan haar haren. Myrtle gilde.
'Pak die spullen nou maar. We hebben het er later nog over.'
Ze tastte weer langs de muur, met haar hoofd naar beneden en haar lokken (behalve die Buster in zijn vuist hield) voor haar gezicht. Haar zoekende vingers vonden de grote schroevedraaier.
'Dat is een,' zei hij. 'Zullen we nu de hamer proberen?'
Ze tastte verder en ten slotte bleven haar trillende vingers rusten op het geperforeerde rubberen omhulsel van de Craftsman hamer.
'Goed zo. Geef maar hier.'
Ze pakte de hamer uit het rekje en Buster trok haar naar zich toe. Hij liet haar los, klaar om opnieuw toe te slaan als ze aanstalten maakte om te vluchten. Myrtle bleef waar ze was. Ze was murw. Ze hoopte alleen maar dat ze weer naar boven mocht, waar ze met haar prachtige pop in haar armen kon slapen. Ze wilde een eeuwigheid slapen.
Hij pakte de spullen uit haar krachteloze handen. Hij zette de punt van de schroevedraaier tegen de handgreep van het portier en gaf een paar flinke klappen met de hamer. Bij de vierde klap vloog de handgreep eraf. Buster maakte hem los van de handboei en gooide hem samen met de schroevedraaier op de grond. Eerst ging hij naar het kastje aan de muur om de garagedeur te sluiten. Terwijl de deur rammelend naar beneden zakte, liep hij met de hamer in zijn hand op Myrtle af.
'Ben je met hem naar bed geweest, Myrtle?' vroeg hij zacht.
'Wat?' Ze keek hem aan met doffe, apathische ogen.
Buster begon met de kop van de hamer in zijn handpalm te slaan. Het maakte een zacht, vlezig geluid: *wak! wak! wak!*
'Ben je met hem naar bed geweest nadat jullie die smerige roze bonnetjes overal hadden opgehangen?'
Ze keek hem stom en zonder begrip aan en Buster was zelf vergeten dat hij met haar in *Maurice* had gegeten terwijl Ridgewick in zijn huis was binnengedrongen.

'Buster, ik weet niet wat je...'
Hij bleef staan en zijn ogen werden groot. '*Wat zei je tegen me?*'
De apathie verdween uit haar blik. Ze begon terug te deinzen en trok afwerend haar schouders op. Achter hen kwam de garagedeur tot rust. De enige geluiden in de garage waren nog het geschuifel van hun voeten en het zachte rammelen van de heen en weer zwaaiende ketting aan Busters pols.
'Het spijt me,' fluisterde ze. 'Het spijt me, Danforth.' Ze draaide zich om en rende naar de keukendeur.
Hij haalde haar in voordat ze de deur had bereikt en greep haar opnieuw bij haar haren. 'Wát zei je tegen me?' schreeuwde hij, de hamer optillend.
Haar ogen volgden het werktuig. '*Niet doen, Danforth!*'
'*Wat zei je tegen me? Wat zei je tegen me?*'
Hij schreeuwde het telkens weer en elke vraag ging vergezeld van dat zachte, vlezige geluid: *Wak. Wak. Wak.*

8

Ace stopte om vijf uur bij de boerderij van Camber. Hij propte de schatkaart in zijn achterzak en deed de kofferbak open. Hij haalde de schop en het houweel eruit die Gaunt zo zorgzaam had geleverd en liep naar de verzakte, overwoekerde veranda die langs de gevel van het huis was aangebracht. Hij nam de kaart uit zijn achterzak en ging op het trapje zitten om hem te bestuderen. Het eerste effect van de coke was weggeëbd, maar zijn hart klopte nog altijd fel in zijn borst. Ook schatgraven was een stimulerend middel, had hij ontdekt.
Even keek hij naar het onkruid op het erf, naar de ingevallen schuur en de groepjes blind starende zonnebloemen. Het is niet veel bijzonders, dacht hij, maar ik geloof toch dat dit het moet zijn. Hier laat ik de Corson Brothers voorgoed achter me en ik hou er nog aan over ook. Hier moet het zijn, voor een deel of helemaal. Op deze plek. Ik voel het.
Maar het was meer dan een gevoel; hij kon het hóren, als een zacht liedje uit de grond. De schat zong hem toe. Misschien waren het tonnen. Misschien was het wel een miljoen.
'Een miljoen dollar,' fluisterde Ace met een verstikte stem en hij boog zich over de kaart.
Vijf minuten later haastte hij zich langs de westelijke gevel van het huis. Niet ver van de achterkant, bijna verborgen tussen hoog opgeschoten onkruid, vond hij wat hij zocht: een grote vlakke steen. Hij schoof hem opzij en begon koortsachtig te graven. Nog geen

twee minuten later stootte de schop met een doffe klap op roestig metaal. Ace liet zich op zijn knieën vallen, groef in de aarde als een hond die zijn begraven bot zoekt en na een minuut had hij een Sherwin-Williams verfblik in zijn handen.
De meeste verstokte cocaïnegebruikers zijn ook verstokte nagelbijters en Ace was geen uitzondering. Zonder vingernagels slaagde hij er niet in het deksel eraf te krijgen. De verf langs de rand was opgedroogd tot een weerbarstige lijm. Grommend van ergernis en woede pakte Ace zijn zakmes, drukte het onder de rand en haalde het deksel eraf. Hij tuurde begerig in het blik.
Bankbiljetten!
Stapels en stapels bankbiljetten!
Met een kreet pakte hij de briefjes, haalde ze eruit... en zag dat zijn begeerte hem had misleid. Het waren alleen maar weer zegels. Red Ball zegels ditmaal, die alleen in het Zuiden inwisselbaar waren... althans tot 1964, toen het bedrijf op de fles was gegaan.
'*Krijg de klere!*' tierde Ace. Hij smeet de zegels opzij. De hete bries kreeg vat op de rollen, waarvan er een paar in het onkruid bleven hangen en wapperden als stoffige wimpels. '*Klootzak! Hufter! Vuile oplichter!*'
Hij tastte de bodem van het blik af en draaide het zelfs om, maar er was niets aan de onderkant geplakt. Hij gooide het van zich af, staarde er een ogenblik naar, rende er naartoe en schopte het weg alsof het een voetbal was.
Hij stak zijn hand in zijn zak om de kaart weer te pakken. Even dacht hij met een schok dat de kaart weg was, dat hij hem ergens had verloren, maar in zijn haast om aan de slag te gaan had hij hem alleen maar diep weggestoken. Het tweede kruis was achter de schuur getekend... en opeens kreeg Ace een geweldige inval, een idee dat de dreigende duisternis in zijn hoofd verlichtte als vuurwerk met oud en nieuw.
Dat blik was een truc! Pop had er natuurlijk rekening mee gehouden dat iemand erg zou krijgen in die platte stenen. Daarom had hij hier bij Camber een afleidingstruc toegepast, voor de veiligheid. Wie toevallig dat waardeloze blik vond, zou nooit op het idee komen dat er hier nòg een schat begraven lag, vlakbij, maar op een plek die minder in het oog sprong...
'Tenzij je de kaart hebt,' fluisterde Ace. 'Net als ik.'
Hij pakte schop en houweel en rende naar de schuur. Zijn ogen waren groot, hij zweette en zijn grijzende haar was tegen zijn slapen geplakt.

9

Hij zag de oude Air-Flow caravan en rende erop af. Hij was er bijna toen hij ergens over struikelde en languit tegen de grond viel. Hij ging rechtop zitten en keek om. Hij zag meteen waarover hij was gevallen.
Het was een schop. Een schop met verse aarde aan het blad.
Ace kreeg een akelig voorgevoel: een erg akelig voorgevoel. Het begon in zijn buik, kroop omhoog naar zijn borst en omlaag naar zijn ballen. Heel langzaam ontblootte hij zijn tanden in een lelijke grimas.
Hij stond op en zag iets verder de platte steen liggen, met de vuile kant naar boven. Hij was verschoven. Iemand was hem voor geweest... en nog niet lang geleden, zo te zien. Iemand had de schat al gevonden.
'Nee,' fluisterde hij. Het woord viel uit zijn vertrokken mond als een druppel besmet bloed of speeksel. '*Nee!*'
Niet ver van de schop en de omgekeerde steen zag Ace een ondiepe kuil die vluchtig met losse aarde was gedicht. Zonder aan zijn eigen werktuigen of de schop van de dief te denken, liet Ace zich weer op zijn knieën vallen en begon met zijn handen te graven. Binnen de kortste keren had hij het Crisco blik gevonden.
Hij haalde het naar boven en trok het deksel eraf.
Er zat alleen een witte envelop in.
Ace pakte de envelop en scheurde hem open. Er vielen twee dingen uit: een opgevouwen vel papier en een kleinere envelop. Ace liet de tweede envelop even voor wat hij was en vouwde het vel open. Het was een getypt briefje. Zijn mond viel open toen hij bovenaan zijn eigen naam las.

> Beste Ace,
> Ik weet niet of je dit zult vinden, maar het is niet verboden om te hopen. Het was leuk om je naar de bajes te sturen, maar dit was nog leuker. Ik wou dat ik je gezicht kon zien als je dit hebt gelezen!
> Toen je net naar Shawshank was, ben ik naar Pop gegaan. Ik zag hem tamelijk veel, om precies te zijn eens in de maand. We hadden een afspraak: hij gaf me elke maand een meier en ik liet hem zijn gang gaan met zijn woekerpraktijken. Heel netjes allemaal. Bij die ene ontmoeting moest hij halverwege naar het toilet... hij had iets verkeerds gegeten, zei hij. Haha! Ik maakte van de gelegenheid gebruik om in zijn bureaula te kijken, die hij niet had afgesloten. Dat was niets voor hem, maar hij was zeker bang dat hij het in zijn broek zou doen als hij niet snel naar achteren ging. Ha!

Ik vond maar één aardig ding, maar dat was dan ook een klapper. Het zag eruit als een kaart. Er stonden een hoop kruisen op, maar een van die kruisen - op de plek waar jij nu bent - was rood. Ik legde de kaart terug voordat Pop terugkwam. Hij had geen idee dat ik hem had gezien. Meteen na zijn dood ben ik hierheen gegaan om dit Crisco blik op te graven. Er zat meer dan twee ton in, Ace. Maar maak je geen zorgen: ik heb besloten eerlijk te delen en daarom geef ik je precies wat je verdient.

Welkom terug in Castle Rock, Ace!

Met vriendelijke groeten,
Alan Pangborn,
Castle County Sheriff.

P.S.: Een goede raad, Ace: nu je dit weet, pak je biezen en vergeet de hele zaak. Je weet hoe het gaat: alleen de eerlijke vinder mag iets houden. Als je me ooit lastigvalt over het geld van je oom, stop ik je hoofd in je eigen reet.

Geloof dat maar gerust.

Ace liet het vel uit zijn verdoofde vingers vallen en maakte de tweede envelop open.

Er viel een briefje van een dollar uit.

Ik heb besloten eerlijk te delen en daarom geef ik je precies wat je verdient.

'Vuile godvergeten téringlijer!' fluisterde Ace. Met trillende vingers pakte hij het dollarbiljet.

Welkom terug in Castle Rock, Ace!

'*Vuile klootzak!*' schreeuwde Ace, zo hard dat hij bijna iets in zijn strot voelde scheuren. De echo klonk vaag in zijn oren: zak... zak... zak.

Hij wilde het biljet aan stukken scheuren, maar bedacht zich.

O nee, dat niet.

Hij zou het bewaren. Dus de smeerlap wilde Pops geld houden? Jatten wat Pops enige erfgenaam toekwam? Goed dan. Bèst. Maar dan moest hij het ook allemáál hebben. En Ace zou daar persoonlijk voor zorgen. Als hij de klootzak met zijn zakmes had uitgebeend, zou hij dit briefje van een dollar in zijn bloederige lijk proppen.

'Je wilt het geld toch hebben, ouwe jongen?' vroeg Ace met een zachte, peinzende stem. 'Best, best. Doe ik niet moeilijk over. Helemaal... niet... moeilijk.'

Hij stond op en begon met stijve, wankele passen terug te lopen naar de auto.

Na een tijdje begon hij te rennen.

III
Alles moet weg

19

1

Tegen kwart voor zes was een vreemde schemering over Castle Rock neergedaald; donderwolken verzamelden zich aan de zuidelijke einder. Verre donderslagen rolden over de bossen en velden. De wolken werden groter naarmate ze dichter bij de stad kwamen. De straatverlichting, geregeld door een foto-elektrische cel, ging een vol half uur eerder aan dan gewoonlijk in deze tijd van het jaar.

In Lower Main Street heerste een verwarde drukte. De straat stond vol met auto's van de staatspolitie en met zendwagens van de pers. Radiostemmen kraakten en vermengden zich met elkaar in de hete, roerloze lucht. Technici van de tv rolden kabels uit en schreeuwden naar de mensen - vooral kinderen - die erover struikelden voordat ze de losse einden tijdelijk met isolatieband konden bevestigen. Fotografen van vier dagbladen stonden bij de barricaden voor het gemeentehuis en maakten opnamen die de volgende dag op de voorpagina's zouden staan. Een paar mensen uit de buurt - verrassend weinig voor wie daarop zou letten - keken reikhalzend naar de ingang. Een tv-verslaggever deed zijn verhaal voor de camera in het licht van een felle lamp, met op de achtergrond het gemeentehuis. 'Een zinloze golf van geweld zeilde vanmiddag door Castle Rock,' begon hij, maar ineens hield hij op. 'Zéilde?' herhaalde hij met een afkeurend gezicht. 'Shit, dat doen we over, jongens.' Verder naar links stond een collega van een andere omroep te kijken naar de voorbereidingen van zijn ploeg voor de live opname die over minder dan twintig minuten moest beginnen. De meeste omstanders waren aangetrokken door de bekende gezichten van de verslaggevers en niet door de barricaden, waar niets meer te zien was geweest sinds twee ziekenbroeders de ongelukkige Lester Pratt in een zwarte plastic zak naar de ambulance hadden gedragen en waren weggereden.

Upper Main Street, een eind bij de blauwe zwaailichten van de surveillancewagens en de felle televisielampen vandaan, was bijna helemaal verlaten.

Bijna.

Af en toe stopte een personenauto of een bestelwagen in een van de schuine parkeervakken voor De NoodZaak. Af en toe slenterde een voetganger naar de nieuwe winkel, waar de verlichting was gedoofd en het rolgordijn achter de deur onder het baldakijn was neergelaten. Af en toe maakte een van de reikhalzende mensen in Lower Main zich los van het wisselende groepje toeschouwers en liep naar de nieuwe zaak, langs de lege plek waar het Emporium Galorium had gestaan en langs de naaiwinkel van Polly Chalmers. Niemand had oog voor deze bescheiden aanloop, de politie net zo min als de cameraploegen, de verslaggevers en de meerderheid van de omstanders. Ze keken allemaal naar DE PLAATS VAN HET MISDRIJF en hielden hun ruggen gekeerd naar de plek, nog geen driehonderd meter verder, waar het misdrijf nog steeds werd gepleegd. Een hypothetische neutrale toeschouwer zou bij De NoodZaak al snel een patroon hebben vastgesteld. De klanten naderden. De klanten zagen in de etalage het bordje met het opschrift:

TOT NADER BERICHT GESLOTEN.

De klanten gingen een stap naar achteren, met op hun gezicht steeds dezelfde uitdrukking van frustratie en radeloosheid; ze zagen eruit als opgefokte junks die ontdekten dat hun dealer niet op de afgesproken plaats was verschenen. *Wat moet ik nu doen?* zei die uitdrukking. De meesten gingen weer naar voren om het bordje nog een keer te lezen, alsof de mededeling bij nadere beschouwing iets anders zou betekenen.

Enkelen stapten in hun auto en reden weg of liepen naar het gemeentehuis om een tijdje naar de gratis voorstelling te staren met glazige en enigszins teleurgestelde gezichten. Maar bij de meesten klaarde het gezicht plotseling op. Die mensen zagen eruit alsof ze ineens iets fundamenteels hadden begrepen, bijvoorbeeld hoe je eenvoudige zinnen ontleedt of de kleinste gemene deler van twee breuken kunt vinden.

Deze mensen gingen de hoek om en volgden het steegje achter de winkelpanden in Main Street, hetzelfde steegje waar Ace de vorige avond de Tucker Talisman had neergezet.

Tien meter in de steeg viel een langwerpige gele lichtbundel uit een open deur over het ongelijkmatige beton. Dit licht werd langzamerhand feller naarmate de avond viel. In het midden van de rechthoek lag een schaduw, als een silhouet uit zwart crêpepapier. De schaduw werd uiteraard geworpen door Leland Gaunt.

Hij had een tafel in de deuropening gezet. Daarop stond een Roi-Tan sigarenkistje. Hij bewaarde er het geld van zijn klanten in en haalde er wisselgeld uit. De bezoekers kwamen aarzelend dichterbij, in sommige gevallen zelfs bevreesd, maar ze hadden allemaal één ding gemeen: ze waren kwaad en gingen gebukt onder een zware grief. Enkelen – niet veel – draaiden zich om voordat ze Gaunts geïmproviseerde toonbank hadden bereikt. Ze renden weg met de grote ogen van mannen en vrouwen die in de schaduwen een angstaanjagend, likkebaardend monster hebben gezien. De meesten bleven echter om zaken te doen. En terwijl Gaunt met hen onderhandelde, ontspannen alsof hij deze merkwaardige straathandel na een lange dag als een welkome afwisseling beschouwde, werden ze rustiger.

Gaunt had zijn winkel met plezier gedreven, maar achter spiegelglas en onder een dak voelde hij zich nooit zo prettig als hier, bijna in de open lucht terwijl de eerste voorboden van de naderende storm zijn haar beroerden. De winkel, met de handig tegen het plafond aangebrachte spotjes, was prima... maar dit was beter. Dit was altíjd beter.

Hij was lang geleden in zaken gegaan, als marskramer op het blinde gezicht van een ver land, een marskramer die zijn handel op zijn rug meedroeg, een marskramer die meestal bij het vallen van de avond kwam en altijd de volgende ochtend verdwenen was, een spoor van bloed, verschrikking en ongeluk achter zich latend. Jaren later, in Europa, toen de Zwarte Dood rondwaarde en de lijkenwagens ratelden, reisde hij van stad tot stad en van land naar land in een kar die werd getrokken door een uitgemergeld paard met gruwelijke, brandende ogen en een tong zo zwart als die van een leugenaar. Hij verkocht zijn artikelen vanaf de achterkant van de kar... en was verdwenen voordat zijn klanten, die met kleine, versleten munten of zelfs met ruilgoederen betaalden, konden ontdekken wat ze precies hadden gekocht.

De tijden veranderden; de middelen veranderden; net als de gezichten. Maar het gezicht van de nood was altijd hetzelfde, het gezicht van een verdwaald schaap, en het was in deze branche dat hij zich het meest op zijn plaats voelde. Dan voelde hij zich weer die rondtrekkende kramer van weleer, niet achter een fraaie toonbank met een Sweda kasregister bij de hand, maar achter een gewone houten tafel met wisselgeld in een sigarenkistje en een artikel dat hij telkens opnieuw kon verkopen.

De artikelen waar de bewoners van Castle Rock zo door waren aangelokt - de zwarte parels, de gewijde relikwieën, het gekleurde glas, de pijpen, de oude stripboeken, de honkbalplaatjes, de antieke caleidoscopen - waren allemaal verdwenen. Gaunt was nu ècht zaken gaan doen, en dat kwam uiteindelijk altijd op hetzelfde neer. Ook dat laatste artikel was in de loop der jaren veranderd, net als al het andere, maar alleen uiterlijk, als verschillende stukken van een en dezelfde donkere en bittere taart.

Uiteindelijk verkocht Gaunt altijd wapens... en zij kochten altijd.

'Hartelijk dank, meneer Warburton!' zei Gaunt, terwijl hij een

briefje van vijf aannam van de zwarte conciërge. Hij gaf hem een dollar wisselgeld en een van de automatische pistolen die Ace uit Boston had meegebracht.
'Dank u, mevrouw Milliken!' Hij nam tien dollar en gaf acht terug. Hij bracht in rekening wat ze konden missen: geen cent meer of minder. Ieder het zijne, was Gaunts motto en hij rekende niet naar behoefte, want ze hadden allemáál ergens behoefte aan, en hij was hier gekomen om hun leegte te vullen en hun smart te lenigen.
'Leuk dat u kon komen, meneer Emerson!'
O, het was altijd leuk, heel erg leuk, om weer zaken te doen zoals vroeger. En de zaken waren nog nooit zo goed gegaan als nu.

2

Alan Pangborn was niet in Castle Rock. Terwijl de persmensen en de staatspolitie zich aan de ene kant van Main Street verzamelden en Leland Gaunt halverwege de heuvel zijn opheffingsuitverkoop hield, zat Alan in de receptie van de Blumer-vleugel van het Northern Cumberland Hospital in Bridgton.
Het was een kleine vleugel - slechts veertien kamers voor patiënten - maar dat gebrek aan omvang werd ruimschoots goedgemaakt in kleuren. De muren van de ziekenkamers waren in heldere, primaire kleuren geverfd. Boven de balie van de receptie hing een mobile waarvan de vogels sierlijk heen en weer zwaaiden.
Alan zat voor een grote muurschildering waarin allerlei versjes van Moeder de Gans waren verwerkt. Zo was er een man te zien die over een tafel leunde en iets voorhield aan een kleine, blijkbaar simpele jongen, die tegelijk angstig en geboeid zat te kijken. Alan werd door de voorstelling getroffen, en een stemmetje in zijn hoofd fluisterde een deel van een kinderrijmpje:

Hansje ontmoette een bakker
Op weg naar de bazaar.
'Hansje,' zei de bakker wakker,
'kom en proef mijn waar!'

Alan kreeg kippevel op zijn armen, kleine bobbeltjes als druppels koud zweet. Hij kon niet zeggen waarom, en dat leek ook heel passend. Nog nooit in zijn leven had hij zich zo ontsteld, bang en volkomen verward gevoeld als op dit moment. In Castle Rock was iets aan de hand dat hij totaal niet kon begrijpen. Pas laat die middag was het duidelijk aan het licht gekomen, toen alles tegelijkertijd in rook en vlammen opging, maar het was al dagen, misschien wel een

week geleden begonnen. Hij wist niet wàt er begonnen was, maar wel dat Nettie Cobb en Wilma Jerzyck slechts de eerste zichtbare tekenen waren geweest.
En hij was heel erg bang dat het nog steeds doorging terwijl hij hier bij die muurschildering zat.
Een verpleegster, miss Hendrie volgens het naamplaatje op haar borst, liep door de gang op licht krakende crêpezolen. Ze zigzagde sierlijk langs het speelgoed dat her en der op de grond lag. Bij zijn binnenkomst was een handvol kinderen in de gang aan het spelen, sommigen met een arm of been in het gips of in een draagdoek, anderen met deels kale hoofden die hij toeschreef aan de werking van medicijnen tegen kanker. Ze ruilden bouwblokken en autootjes en schreeuwden vrolijk naar elkaar. Inmiddels was het etenstijd en de kinderen waren naar de kantine of terug naar hun kamers gegaan.
'Hoe gaat het met hem?' vroeg Alan aan miss Hendrie.
'Nog hetzelfde.' Ze keek Alan aan met een bedaarde blik die een zekere vijandigheid inhield. 'Hij slaapt. Hij móet ook slapen. Hij heeft een zware shock opgelopen.'
'Hebben zijn ouders iets van zich laten horen?'
'We hebben de werkgever van de vader in South Paris gebeld. Hij moest vanmiddag voor zijn werk in New Hampshire zijn. Ik begrijp dat hij op weg naar huis was, en daar zal hij meteen op de hoogte worden gesteld. Hij zou hier om een uur of negen kunnen zijn, maar dat weet ik natuurlijk niet zeker.'
'En de moeder?'
'Ik weet het niet,' zei miss Hendrie. De vijandigheid was duidelijker, maar niet langer tegen Alan gericht. 'Ik heb haar niet aan de lijn gehad. Ik weet alleen wat ik zie... dat ze hier niet is. Dat jongetje heeft zijn broer zelfmoord zien plegen met een geweer, en hoewel het thuis gebeurde, is zijn moeder er nog steeds niet. Maar ik moet nu verder met mijn werk.'
'Natuurlijk,' mompelde Alan. Ze liep door en Alan stond op van zijn stoel. 'Zuster?'
Ze draaide zich om. De blik in haar ogen was nog steeds bedaard, maar haar irritatie bleek uit haar opgetrokken wenkbrauwen.
'Ik moet beslist met Sean Rusk praten, zuster. Ik geloof dat het heel erg belangrijk is.'
'O?' Haar toon was koel.
'Er is iets...' Alan moest ineens aan Polly denken en zijn stem sloeg over. Hij schraapte zijn keel en ging verder: 'Er is iets aan de hand bij ons. Ik geloof dat de zelfmoord van Brian Rusk daar slechts een onderdeel van is. En ik geloof ook dat Sean Rusk de sleutel tot het hele verhaal kan hebben.'

'Sheriff, Sean Rusk is pas zeven jaar. En als hij echt iets weet, waarom zijn hier dan geen andere politiemensen?'
Andere politiemensen, dacht hij. Ze bedoelt bekwáme politiemensen. Politiemensen die geen jochies van elf op straat verhoren en ze dan naar huis sturen om in de garage zelfmoord te plegen.
'Omdat ze hun handen vol hebben,' zei Alan, 'en omdat ze Castle Rock niet zo goed kennen als ik.'
'O.' Ze wilde zich weer omdraaien.
'Zuster.'
'Sheriff, ik kom vandaag handen te kort en ik...'
'Brian Rusk is niet de enige die vandaag in Castle Rock is gestorven. Er zijn minstens drie andere sterfgevallen. En in het ziekenhuis in Norway ligt een man, de eigenaar van de plaatselijke bar, met schotwonden. Misschien haalt hij het, maar de komende zesendertig uur zal zijn toestand kritiek blijven. En ik heb zo het idee dat er nog meer doden zullen vallen.'
Eindelijk was hij erin geslaagd haar volle aandacht te trekken.
'En u denkt dat Sean Rusk daar iets van afweet?'
'Misschien weet hij waarom zijn broer zelfmoord heeft gepleegd. Dat zou de sleutel kunnen zijn. Wilt u me daarom waarschuwen als hij wakker wordt?'
Ze aarzelde even en zei: 'Dat hangt af van zijn geestestoestand, sheriff. Ik kan niet hebben dat u een hysterisch jongetje lastigvalt, wat er bij u ook aan de hand mag zijn.'
'Dat begrijp ik.'
'Echt? Goed zo.' Ze wierp hem een blik toe die zei, *ga dan maar weer zitten en hou je koest*, waarna ze achter de hoge balie verdween. Ze ging zitten en hij hoorde haar rommelen met ampullen en potjes.
Alan stond op, ging naar de telefoon aan het eind van de gang en draaide Polly's nummer weer. En ook nu ging de telefoon telkens over. Hij draaide het nummer van de naaiwinkel, kreeg het antwoordapparaat te horen en hing op. Hij ging terug naar zijn stoel en staarde weer naar de muurschildering van Moeder de Gans.
Je vergat me nog iets te vragen, zuster, dacht Alan. Je vergat te vragen wat ik hier uitvoer als er zoveel aan de hand is in de stad waarvan de inwoners mij hebben gekozen om hen te beschermen. Je vergat te vragen waarom ik het onderzoek niet leid en hier een ondergeschikte - ouwe Seat Thomas bijvoorbeeld - laat wachten tot Sean Rusk wakker wordt. Dat vergat je te vragen, zuster, en zal ik je eens een geheim verklappen? Ik ben blíj dat je het vergat. Dat is het geheim.
De reden was even simpel als vernederend. Behalve in Portland en Bangor was moord geen zaak voor de sheriff, maar voor de staats-

politie. Henry Payton had een oogje toegeknepen voor wat betreft het duel tussen Nettie en Wilma, maar dat was nu afgelopen. Hij kon het zich niet veroorloven. Vertegenwoordigers van alle kranten en tv-stations in zuidelijk Maine zaten al in Castle Rock of waren onderweg. Weldra zouden ze gezelschap krijgen van collega's uit de rest van de staat... en uit andere delen van het land, als de zaak echt nog niet achter de rug was, zoals Alan vermoedde.

Dat was de simpele realiteit, maar die vaststelling veranderde niets aan Alans gevoelens. Hij voelde zich als een falende werper die door de trainer naar de kleedkamer wordt gestuurd. Het was een onbeschrijfelijk rotgevoel. Hij keek naar Hansje en liep in gedachten alles nog eens na.

Lester Pratt, dood. Hij was in een vlaag van jaloezie naar het bureau gegaan en had John LaPointe aangevallen. Blijkbaar ging het over zijn vriendin, hoewel John - voordat hij naar de ambulance werd gebracht - vertelde dat hij al meer dan een jaar niet meer met Sally Ratcliffe omging. 'Ik kwam haar alleen nog wel eenf op ftraat tegen,' lispelde John, 'maar ve moeft nikf meer van me hebben. Ve dacht dat ik een van de verdoemden waf.' Behoedzaam voelde hij aan zijn gebroken neus. 'Ik voel me alvof ik al in de hel bèn.'

John lag nu in het ziekenhuis in Norway met een gebroken neus, een kaakfractuur en mogelijk inwendig letsel.

Ook Sheila Brigham lag in het ziekenhuis. Shock.

Hugh Priest en Billy Tupper waren allebei dood. Dat bericht was gekomen toen Sheila net hysterisch begon te worden. Ze werden gebeld door de chauffeur van een bierwagen, die het benul had gehad een ambulance te laten komen voordat hij de sheriff waarschuwde. De man klonk bijna even hysterisch als Sheila, wat Alan hem niet kwalijk kon nemen. Tegen die tijd voelde hij zichzelf aardig hysterisch worden.

Henry Beaufort, opgenomen in kritieke toestand als gevolg van schotwonden.

Norris Ridgewick, vermist... en dat deed op de een of andere manier nog het meest pijn.

Alan had hem gezocht nadat hij door de chauffeur was gebeld, maar Norris was domweg verdwenen. Alan nam aan dat hij naar buiten was gegaan om Danforth formeel aan te houden en naar het bureau te brengen, maar kort daarna bleek dat niemand Keeton had opgebracht. De staatspolitie zou hem wel oppakken terwijl ze her en der met hun onderzoek bezig waren, maar tot dusver geen spoor. Ze hadden wel iets belangrijkers te doen. Intussen was Norris eenvoudig in rook opgegaan. Waar hij ook uithing, hij was er te voet heengegaan; toen Alan wegging, lag Norris' vw nog altijd midden in Lower Main Street op zijn kant.

Volgens ooggetuigen was Buster door het raampje van zijn Cadillac naar binnen geklommen en gewoon weggereden. De enige die probeerde hem tegen te houden, had daar duur voor betaald. Scott Garson was hier in het Northern Cumberland opgenomen met een gebroken kaak, gebroken jukbeen, gebroken pols en drie gebroken vingers. Het had nog erger kunnen zijn; volgens de omstanders had Buster opzettelijk geprobeerd over hem heen te rijden toen hij op straat lag.
Lenny Partridge, gebroken sleutelbeen en Joost-mag-weten hoeveel gebroken ribben. Hij lag hier ook ergens. Het nieuws van deze nieuwe catastrofe was gebracht door Andy Clutterbuck, terwijl Alan net probeerde te verwerken dat de eerste wethouder voortvluchtig was, hoewel vastgeketend aan een grote rode Cadillac. Hugh Priest had Lenny blijkbaar tot stoppen gedwongen en tegen het wegdek gesmeten, waarna hij er vandoor was gegaan in de auto van de oude man. Alan veronderstelde dat Lenny's auto op de parkeerplaats van The Mellow Tiger teruggevonden zou worden, aangezien Hugh daar aan zijn einde was gekomen.
En dan natuurlijk Brian Rusk, die op de rijpe leeftijd van elf jaar een kogel door zijn eigen hoofd had gejaagd. Clut was nauwelijks aan zijn verhaal begonnen toen de telefoon weer ging. Sheila was inmiddels weggebracht en Alan nam zelf op. Hij hoorde de stem van een hysterisch schreeuwende jongen: Sean Rusk, die het nummer op de fel oranje sticker naast de telefoon in de keuken had gedraaid.
Alles bij elkaar waren er die middag ambulances uit vier verschillende plaatsen in Castle Rock geweest.
Alan zat met zijn rug naar de muurschildering van Hansje en keek naar de draaiende en duikende plastic vogels aan de mobile. Hij richtte zijn overpeinzingen voor de zoveelste keer op Hugh en Lenny Partridge. Hun confrontatie was niet eens de hevigste die vandaag in Castle Rock had plaatsgevonden, maar wel de vreemdste... en juist daardoor meende Alan dat de sleutel tot het raadsel bij hen zou kunnen liggen.
'Waarom nam Hugh in godsnaam niet zijn eigen wagen als hij zo nodig Henry Beaufort te pakken wilde nemen?' had hij aan Clut gevraagd, terwijl hij zijn toen al lelijk verwarde haar gladstreek. 'Waarom had hij die ouwe rammelkar van Lenny nodig?'
'Omdat zijn eigen Buick op vier lekke banden stond. Iemand moet ze met een mes aan stukken hebben gesneden.' Clut haalde zijn schouders op, onrustig naar de chaos op het bureau kijkend. 'Misschien dacht hij dat Henry Beaufort het had gedaan.'
Ja, dacht Alan nu, misschien wel. Het was een absurd idee, maar had Wilma Jerzyck niet gedacht dat Nettie Cobb eerst modder te-

gen haar lakens had gegooid en daarna haar ruiten had stukgesmeten? Had Nettie niet gedacht dat Wilma haar hond had vermoord? Voordat hij Clut verder kon uithoren, was Henry Payton binnengekomen met de mededeling, zo mild mogelijk ingepakt, dat hij de leiding van het onderzoek overnam. Alan knikte. 'Er is iets wat je zo snel mogelijk moet uitzoeken, Henry.'
'Wat dan, Alan?' vroeg Henry, maar Alan zag tot zijn frustratie dat Henry maar met een half oor naar hem luisterde. Zijn goede vriend – de eerste echte vriend die Alan sinds zijn verkiezing tot sheriff onder zijn collega's had gemaakt, en iemand die ook een echte vriend was gebleken – hield zich in gedachten al met andere vragen bezig. Een van de belangrijkste was waarschijnlijk hoe hij zijn mensen zou indelen, gezien de uiteenlopende plekken waarop de incidenten zich hadden voorgedaan.
'Je moet erachter zien te komen of Henry Beaufort net zo kwaad was op Hugh Priest als omgekeerd. Je kunt het hem nu niet vragen, ik begrijp dat hij bewusteloos is, maar als hij bijkomt...'
'Dat doe ik,' zei Henry, die Alan een klap op de schouder gaf. 'Dat doe ik.' En met stemverheffing: 'Brooks! Morrison! Hier komen!'
Alan zag hem weglopen en overwoog achter hem aan te gaan. Hem tegen te houden en te dwíngen te luisteren. Hij deed het niet, want Henry en Hugh en Lester en John – zelfs Wilma en Nettie – begonnen voor zijn gevoel niet meer zo belangrijk te worden. De doden waren dood; de gewonden werden verzorgd; de misdrijven waren gepleegd.
Alleen had Alan het afschuwelijke, knagende idee dat het èchte misdrijf nog altijd aan de gang was.
Terwijl Henry wegliep om zijn mensen instructies te geven, riep Alan Clut weer bij zich. De deputy had zijn handen in zijn zakken en een sombere uitdrukking op zijn gezicht. 'We zijn vervangen, Alan,' zei hij. 'Zomaar uitgerangeerd. Godverdomme!'
'Niet helemaal,' zei Alan, met meer overtuiging dan hij voelde. 'Jij bent hier mijn verbindingsman, Clut.'
'Waar ga je heen?'
'Naar het huis van Rusk.'
Maar toen hij daar arriveerde, was zowel Brian als Sean Rusk weg. Sean was bij de onfortuinlijke Scott Garson in de ambulance gelegd en op weg naar het Northern Cumberland Hospital. De tweede lijkwagen van dokter Samuels, een oude omgebouwde Lincoln, had Brian Rusk opgehaald om hem voor de autopsie naar Oxford te brengen. Samuels' beste wagen – die hij zijn 'bedrijfsauto' noemde – was al met Hugh en Billy Tupper op weg naar dezelfde bestemming. Ze liggen als haringen in een ton in dat kleine mortuarium, dacht Alan.

Bij het huis van Rusk besefte Alan – niet alleen met zijn verstand, maar ook met zijn hart – hoe radicaal hij op een zijspoor was gezet. Twee rechercheurs van de staatspolitie waren al ter plaatse en maakten hem duidelijk dat hij kon blijven zolang hij niets aanraakte en zich nergens mee bemoeide. Een tijdje stond hij in de deuropening van de keuken naar ze te kijken en voelde hij zich net zo nuttig als het vijfde wiel aan een wagen. Cora Rusk gaf traag antwoord, bijna alsof ze onder de medicijnen zat. Alan weet het aan een shock, of misschien hadden de ziekenbroeders haar een kalmerend middel gegeven voordat ze haar overgebleven zoontje naar het ziekenhuis brachten. Ze deed hem op een onaangename manier denken aan het gezicht van Norris toen die door het raampje van zijn omgevallen Volkswagen klom. Of het nu aan een medicijn lag of aan de shock, de rechercheurs kregen niet veel zinnigs uit haar. Ze huilde nog net niet, maar ze was duidelijk niet in staat zich voldoende op hun vragen te concentreren om bruikbare antwoorden te geven. Ze zei dat ze niets wist: ze had boven liggen slapen. Arme Brian, zei ze telkens. Arme, arme Brian. Maar dat gevoel uitte ze op een toon die Alan naargeestig vond, en ze speelde de hele tijd met een oude zonnebril die naast haar op de keukentafel lag. Het montuur was gebroken en provisorisch met plakband hersteld, en een van de glazen was gebarsten.
Alan was vol walging weggegaan en naar het ziekenhuis gereden.
Nu stond hij op en ging naar de telefoon in de lobby aan het eind van de gang. Hij draaide Polly's nummer weer, kreeg geen antwoord en belde vervolgens het bureau. 'Staatspolitie,' snauwde een stem, en Alan voelde een steek van kinderlijke afgunst. Hij zei wie hij was en vroeg naar Clut. Na bijna vijf minuten wachten kreeg hij Clut aan de lijn.
'Sorry, Alan. Ze laten de hoorn er gewoon naast liggen. Het is dat ik vroeg wie het was, anders zou je nu nog wachten. Die vervloekte lui laten zich niks aan ons gelegen liggen.'
'Maak je niet dik, Clut. Heeft iemand Keeton al aangehouden?'
'Nou... ik weet niet goed hoe ik het moet zeggen, Alan, maar...'
Alan kreeg een akelig voorgevoel en sloot zijn ogen. Hij had gelijk: het was nog niet voorbij.
'Zeg het maar gewoon,' zei hij. 'Laat de plichtplegingen achterwege.'
'Buster – ik bedoel Danforth – is naar huis gereden en heeft met een schroevedraaier de handgreep van het portier gewrikt. Waar je hem aan had vastgelegd.'
'Dat weet ik,' zei Alan. Zijn ogen waren nog steeds dicht.
'Nou... hij heeft zijn vrouw vermoord, Alan. Met een hamer. Hij is niet door Paytons mensen gevonden, want die waren tot voor

twintig minuten niet erg geïnteresseerd in Buster. Het was Seat Thomas. Hij was voor de zekerheid eens bij Buster thuis gaan kijken. Hij heeft de staatspolitie gewaarschuwd en is nog geen vijf minuten terug op het bureau. Hij heeft pijn in zijn borst, zegt hij, en dat verbaast me niks. Buster schijnt zijn vrouw de schedel te hebben ingeslagen. Overal bloed en haren. Payton heeft een hele ploeg van zijn blauwjassen naar de View gestuurd. Ik heb Seat naar jouw kamer gestuurd om even te gaan zitten voordat hij vanzelf omviel.'
'Verdomme, Clut, breng hem meteen naar Ray Van Allen. Hij is tweeënzestig en hij rookt zijn hele leven al van die vervloekte Camels.'
'Ray is naar Oxford gegaan, Alan, om zijn collega's te helpen Henry Beaufort op te lappen.'
'Ga dan naar zijn assistent, hoe heet-ie ook weer... Frankel. Everett Frankel.'
'Niet te vinden. Ik heb zowel de praktijk als zijn huis gebeld.'
'En wat zegt zijn vrouw?'
'Ev is vrijgezel, Alan.'
'O. Shit.' Iemand had iets op de telefoon geschreven bij wijze van graffiti. *Don't worry, be happy*. Alan las het met een zuur gezicht.
'Ik kan hem zelf naar het ziekenhuis brengen,' bood Clut aan.
'Ik heb je daar ter plaatse nodig,' zei Alan. 'Is de pers al gearriveerd?'
'Ja. Het stikt ervan.'
'Goed. Zodra we klaar zijn, kijk je hoe Seat het maakt. Als hij zich niet beter voelt ga je naar buiten, grijpt de eerste de beste journalist die er een beetje intelligent uitziet, bombardeert hem tot hulpsheriff en laat hem Seat hier naar het Northern Cumberland brengen.'
'Oké.' Clut aarzelde even en hernam verontwaardigd: 'Ik wilde naar Keetons huis, maar de staatspolitie... ze willen me niet toelaten! Wat zeg je daarvan, Alan? Die smeerlappen laten niet eens een deputy toe op de plaats van het misdrijf!'
'Ik weet hoe je je voelt. Ik vind het zelf ook niet prettig. Maar ze doen nu eenmaal hun werk. Kun je Seat daar vandaan zien, Clut?'
'Jawel.'
'En? Leeft hij nog?'
'Hij zit aan je bureau een sigaret te roken en in het jongste exemplaar van *Agrarische Wetgeving* te bladeren.'
'Ik had het kunnen weten,' zei Alan. Hij wist niet of hij moest lachen of huilen... of allebei tegelijk. 'Heeft Polly Chalmers gebeld, Clut?'
'Niet dat ik... maar wacht even, hier is het logboek. Ik dacht dat het weg was. Ja, ze heeft gebeld, Alan. Tegen half vier.'
Alan trok een gezicht. 'Daar weet ik van. Later nog?'

‘Niet dat ik kan ontdekken, maar dat zegt niet veel. Wat wil je ook, met al die vervloekte blauwjassen in plaats van Sheila?’
‘Bedankt, Clut. Is er nog meer wat ik moet weten?’
‘Een paar dingen, ja.’
‘Zeg op.’
‘Ze hebben het wapen gevonden waarmee Hugh Henry heeft neergeschoten, maar David Friedman van de technische recherche zegt dat hij het niet kan thuisbrengen. Het is een automatisch pistool, maar hij had er nog nooit zo een gezien.’
‘Weet je zeker dat het David Friedman was?’ vroeg Alan.
‘Friedman, zo heette hij, ja.’
‘Hij móet het weten. David Friedman is een wandelende encyclopedie op dat gebied.’
‘Nou, toch weet hij het niet. Ik stond erbij toen hij met jouw vriendje Payton praatte. Volgens hem lijkt het pistool enigszins op een Duitse Mauser, alleen zonder de gebruikelijke fabrieksmerken, en ook de slede was anders. Ik geloof dat ze het naar Augusta hebben gestuurd, samen met bijna een ton aan ander bewijsmateriaal.’
‘En verder?’
‘Bij Henry Beaufort is een anoniem briefje in de tuin gevonden,’ zei Clut. ‘Het lag naast zijn auto, verfrommeld. Je weet toch dat hij zo’n ouwe Thunderbird had? Die was ook toegetakeld, net als de wagen van Hugh.’
Alan voelde zich alsof een grote, zachte hand hem net in zijn gezicht had geslagen. ‘Wat stond er in dat briefje, Clut?’
‘Wacht even.’ Hij hoorde een vaag *flap-flap* terwijl Clut in zijn boekje bladerde. ‘Hier heb ik het. “Waag het nòg eens mij droog te zetten en dan mijn sleutels te houden, opgeblazen pàd.”’
‘Pàd?’
‘Dat staat er.’ Clut giechelde zenuwachtig. ‘De woorden “nog” en “pad” zijn onderstreept.’
‘En zijn auto was toegetakeld, zeg je?’
‘Klopt. Banden doorgesneden, net als bij Hugh. En een grote lange kras langs de zijkant. Au!’
‘Goed,’ zei Alan, ‘dan moet je nog iets anders doen. Ga naar de kapperszaak en daarna desnoods nog naar de biljartzaal. Zoek uit wie Henry van de week of vorige week heeft geweigerd te tappen.’
‘Maar de staatspolitie…’
‘Laat die de pest krijgen!’ zei Alan vol gevoel. ‘Het is ònze stad. Wij weten wie we moeten hebben en waar we ze kunnen vinden. Of wil je beweren dat jij niet binnen vijf minuten iemand kan vinden die er alles van weet?’
‘Natuurlijk niet,’ zei Clut. ‘Toen ik terugkwam van Castle Hill zag ik Charlie Fortin en een stel anderen bij de Western Auto staan

koekeloeren. Als Henry ruzie met iemand had, weet Charlie wel met wie. De Tiger is niet voor niets Charlies tweede huis.'
'Zo is het. Maar was de staatspolitie bezig hem te ondervragen?'
'Eh... nee.'
'Nee. Dus doe jíj dat. Al denk ik dat we allebei het antwoord al kennen, nietwaar?'
'Hugh Priest,' zei Clut.
'Dat kan niet missen, als je het mij vraagt.' Misschien komt Henry Payton er toch nog dichtbij met zijn eerste veronderstelling, dacht Alan.
'Ik zal hem opzoeken, Alan.'
'En bel me op als je het zeker weet. Zodrá je het zeker weet.' Hij gaf Clut het nummer en liet het hem oplezen om zich ervan te overtuigen dat hij het correct had opgeschreven.
'Afgesproken,' zei Clut. 'Wat is er toch aan de hand, Alan?' vroeg hij verbijsterd. *'Wat is er hier in godsnaam aan de hand?'*
'Ik weet het niet.' Alan voelde zich erg oud, erg moe... en kwaad. Niet meer op Payton, omdat die hem had uitgerangeerd, maar kwaad op de onbekende die voor al dat gruwelijke vuurwerk verantwoordelijk was. En hij raakte er steeds meer van overtuigd dat ze uiteindelijk zouden ontdekken dat er al die tijd maar één brein aan het werk was geweest. Bij Wilma en Nettie. Henry en Hugh. Lester en John. Iemand had ze aan elkaar gekoppeld als twee helften van een kneedbom. 'Ik weet het niet, Clut, maar daar komen we wel achter.'
Hij hing op en draaide Polly's nummer weer. De drang om het weer goed te maken, om erachter te komen waardoor ze zo woedend op hem was geworden, begon minder sterk te worden. Daarvoor in de plaats kwam een gevoel dat hem nog minder beviel: een diepe, onbestemde angst en het groeiende idee dat ze in gevaar verkeerde.
Ring, ring, ring... maar geen antwoord.
Polly, ik hou van je en we moeten praten. Neem alsjeblieft op. Polly, ik hou van je en we moeten praten. Neem alsjeblieft op. Polly, ik hou van je...
De litanie draaide kringetjes in zijn hoofd als een opwindbare pop. Hij wilde Clut terugbellen en hem vragen allereerst bij haar langs te gaan, maar dat kon hij niet doen. Dat zou helemaal verkeerd zijn zolang er nog andere kneedbommen in de Rock tot ontploffing konden komen.
Jawel, Alan... maar als Polly nu zelf eens een van die bommen was?
Dat idee wekte een diep verborgen associatie bij hem op, maar hij kon hem niet grijpen voordat hij weer verdween.

Alan legde langzaam de hoorn op de haak en de zoemtoon hield abrupt op.

3

Polly kon het niet langer verdragen. Ze ging op haar zij liggen, stak haar hand uit naar de telefoon... en het gerinkel hield abrupt op. Gelukkig, dacht ze. Maar was het dat ook?
Ze lag op bed en luisterde naar het geluid van het naderende onweer. Het was warm boven - net zo warm als midden in juli - maar net een week geleden had ze Dave Phillips, een van de klusjesmannen in de Rock, stormschermen laten aanbrengen, en daardoor kon het raam niet open. Daarom had ze haar oude spijkerbroek en blouse uitgetrokken die ze op haar expeditie had gedragen, en netjes over de stoel bij de deur gelegd. Nu lag ze in haar ondergoed op bed, want ze wilde een tijdje slapen voordat ze ging douchen. Maar ze kon niet slapen.
Het lag gedeeltelijk aan de sirenes, maar vooral aan Alan: aan wat Alan had gedaan. Ze kon niet bevatten hoe hij zo wreed alles kon vertrappen waarin ze had geloofd, waarop ze had gebouwd, maar ze kon er ook niet aan ontsnappen. Als ze aan iets anders probeerde te denken (aan die sirenes bijvoorbeeld, die klonken alsof het einde van de wereld was aangebroken), zag ze ineens weer Alan voor zich. Hij was zo achterbaks geweest, zo in-gemeen. Het was alsof hij een dolk in haar rug had gestoken.
O Alan, hoe kon je dat doen? vroeg ze hem - en zichzelf - voor de zoveelste keer.
Verrast luisterde ze naar de stem die antwoord gaf. Het was de stem van tante Evvie, en onder de droge nuchterheid die haar altijd had gekenmerkt, bespeurde Polly een verontrustende, intense woede.
Als je hem meteen de waarheid had verteld, meisje, had hij dat nooit hoeven doen.
Polly ging snel rechtop zitten. Het was ook een verwarrende stem, en het meest verwarrend was nog dat het haar éigen stem was. Tante Evvie was al jaren dood. Dit was haar eigen onderbewustzijn, dat tante Evvie gebruikte om zijn woede te laten blijken, zoals een verlegen buikspreker zijn pop zou kunnen gebruiken om een meisje mee uit te vragen, en...
Hou op, meisje... Heb ik je niet ooit gezegd dat deze stad vol geesten zit? Misschien ben ik het ècht.
Polly slaakte een zachte kreet van angst en drukte haar hand tegen haar mond.

Of misschien ook niet. Uiteindelijk doet het er ook niet veel toe wie het is. Het gaat hierom, Trisha: wie heeft het eerst gezondigd? Het eerst gelogen? Het eerst verdoezeld? Wie heeft de eerste steen geworpen?
'Dat is niet eerlijk!' schreeuwde Polly in de hete kamer, en ze keek naar haar eigen angstige grote ogen in de spiegel. Ze wachtte op wat tante Evvie nog meer zou zeggen, maar de stem klonk niet meer en ze ging langzaam weer liggen.
Misschien hàd ze het eerst gezondigd, als je iets verzwijgen en een paar leugentjes om bestwil vertellen zonde wilde noemen. Misschien hàd ze het eerst dingen verdoezeld. Maar gaf dat Alan het recht een onderzoek naar haar in te stellen, alsof ze iemand met een strafblad was? Gaf dat hem het recht naar Californië te schrijven om in haar verleden te snuffelen? Gaf dat hem...
Doe toch geen moeite, Polly, fluisterde een stem - een bekende stem. *Maak jezelf toch geen verwijten, je hebt je heel netjes gedragen. Laten we wel wezen! Je hoorde toch zelf hoe schuldig hij klonk, of niet soms?*
'Ja!' mompelde ze gesmoord tegen haar kussen. 'Dat is waar! Wat heb je dáárop te zeggen, tante Evvie?' Er kwam geen antwoord... alleen een vreemde, lichte beroering
(*het gaat hierom Trisha*)
in haar onderbewuste. Alsof ze iets had vergeten, iets had weggelaten
(*wil je een snoepje Trisha*)
uit de vergelijking.
Polly ging rusteloos op haar zij liggen en de *azka* gleed over de welving van haar borst. Daarbinnen hoorde ze iets zachtjes krabbelen tegen de zilveren wand van de kooi.
Nee, dacht Polly, er verschuift alleen maar iets. Een of andere stof. Het idee dat er ècht iets levends in zit... dat is alleen je verbeelding.
Krabbel-kras-krabbel.
Het zilveren balletje bewoog heel licht tussen de witte katoenen cup van haar beha en het hoeslaken.
Krabbel-kras-krabbel.
Dat ding leeft, Trisha, zei tante Evvie. *Dat ding leeft en je weet het.*
Doe niet zo gek, zei Polly tegen haar, terwijl ze op haar andere zij rolde. Hoe kan daar nou een beestje in zitten? Door al die gaatjes zou het misschien lucht kunnen krijgen, maar wat zou het in godsnaam moeten eten?
Misschien, zei tante Evvie met milde onverzettelijkheid, *eet het jóu wel op, Trisha.*
'Polly,' mompelde ze. 'Ik heet Pòlly.'
Ditmaal was de beroering in haar onderbewuste sterker - en ver-

ontrustend – en bijna kon ze het grijpen. Opeens begon de telefoon weer te rinkelen. Haar adem stokte en ze ging rechtop zitten, met op haar gezicht een uitdrukking van vermoeide ergernis. Trots en verlangen streden om de voorrang.
Praat met hem, Trisha... dat kan toch geen kwaad? Beter nog, luister naar hem. Daar ben je nog niet erg aan toegekomen, geloof ik.
Ik wil niet met hem praten. Niet na wat hij heeft gedaan.
Maar je houdt nog steeds van hem.
Ja, dat was zo. Het probleem was alleen dat ze hem nu ook haatte.
De stem van tante Evvie verhief zich nogmaals in haar hoofd, boos. *Wil je je hele leven een geest blijven, Trisha? Wat mankeert je, meisje?*
Polly stak quasi gedecideerd haar hand uit naar de telefoon. Haar hand – haar buigzame, pijnloze hand – bleef vlak boven de hoorn hangen. Misschien wàs het Alan helemaal niet. Misschien was het Gaunt. Misschien wilde Gaunt laten weten dat hij nog niet klaar met haar was, dat ze nog niet had afbetaald.
Ze liet haar hand zakken tot haar vingertoppen de plastic bekleding raakten... en trok hem terug. Ze vouwde haar handen samen tot een zenuwachtige bal op haar buik. Ze was bang voor de dode stem van tante Evvie, voor wat ze vanmiddag had gedaan, voor de verhalen die Gaunt (of Alan!) over haar dode zoon zou kunnen rondstrooien, voor de betekenis van die verwarde geluiden van sirenes en gierende autobanden.
Maar haar grootste angst, ontdekte ze, gold de persoon van Leland Gaunt. Het was alsof iemand haar had vastgebonden aan de klepel van een grote ijzeren klok, een klok die haar tegelijkertijd doof en krankzinnig zou maken en haar zou verbrijzelen als hij begon te luiden.
De telefoon hield op met rinkelen.
Buiten begon een andere sirene te loeien. Het geluid verdween langzaam in de richting van de Tin Bridge en maakte plaats voor het rollen van de donder. Dichterbij dan ooit.
Doe dat ding af, fluisterde de stem van tante Evvie. *Doe het af, liefje. Je kunt het; hij heeft macht over je verlangen, niet over je wil. Doe het af. Bevrijd je van zijn greep.*
Maar ze keek naar de telefoon en dacht aan de avond – was het nog geen week geleden? – waarop ze het toestel met haar vingers tegen de grond had gegooid. Ze herinnerde zich de pijn die als een hongerige rat met gekartelde tanden in haar hand en arm had geknaagd. Dat kon ze niet meer verdragen. Ze kon het domweg niet.
Of toch?
Er gebeuren vanavond heel lelijke dingen in de Rock, zei tante Evvie. *Wil je morgen wakker worden en jezelf afvragen hoeveel daar-*

van aan jóuw lelijkheid te wijten was? Wil je dat echt onder ogen zien, Trisha?
'U begrijpt het niet,' kreunde ze. 'Ik heb Alan niets misdaan, alleen Ace! Ace Merrill! En hij verdient niet beter!'
En jij dan ook niet, liefje, klonk de onverstoorbare stem van tante Evvie. *Jij dan ook niet.*

4

Om twintig minuten over zes die dinsdagavond, terwijl de donderwolken dichterbij kwamen en de schemering plaatsmaakte voor het donker, stond de agent die in plaats van Sheila Brigham de meldkamer bemande haastig op en ging naar de grote zaal. Hij liep langs het lint dat rond een ongeveer diamantvormige ruimte was gespannen en ging naar Henry Payton.
Payton zag er ontdaan en ontevreden uit. Hij had net vijf minuten met de dames en heren van de pers staan praten, en zoals altijd na zo'n confrontatie voelde hij zich alsof iemand hem met honing had ingesmeerd en door een grote mierenhoop vol uitwerpselen had gerold. Zijn verklaring was niet zo goed voorbereid en ook niet zo onaantastbaar vaag geweest als hij had gewild. De televisie liet hem geen keus. Ze wilden hem rechtstreeks in de journaaluitzendingen van zes uur hebben - daar móesten ze hem hebben - en als hij niet iets zinnigs vertelde, zouden ze hem in het nieuws van elf uur aan de paal nagelen. Dat hadden ze trouwens toch al bijna gedaan. Nog nooit in zijn hele loopbaan had hij zo dicht op het punt gestaan toe te geven dat hij verdomme geen flauw idee had wat er was gebeurd. Hij had deze geïmproviseerde persconferentie niet verlaten: hij was gevlucht.
Payton begon te wensen dat hij beter naar Alan had geluisterd. Bij zijn komst had het erop geleken dat het voornamelijk een kwestie was van de schade opnemen. Nu was hij daar niet meer zo zeker van, na deze níeuwe moord op Myrtle Keeton. Haar echtgenoot was nog steeds op vrije voeten en waarschijnlijk al een eind uit de buurt, hoewel het niet helemaal uitgesloten was dat hij nog steeds vrolijk in dit kleine gekkenhuis rondliep. Iemand die zijn vrouw met een hamer naar de andere wereld had geholpen. Een eersteklas psychopaat, met andere woorden.
Het probleem was dat hij deze mensen niet kènde. Alan en zijn assistenten wel, maar Alan en Ridgewick waren allebei verdwenen. LaPointe lag in het ziekenhuis, in de hoop dat de artsen zijn neus weer recht konden zetten. Hij keek om zich heen en zag niet geheel tot zijn verbazing dat ook Clutterbuck in rook was opgegaan.

Is het jouw zaak, Henry? hoorde hij Alan zeggen. *Best. Je mag hem hebben. En als je verdachten zoekt, kijk eens in het telefoonboek.*
'Inspecteur? Inspecteur Payton!' Het was de agent uit de meldkamer.
'Wat is er?' snauwde Henry.
'Ik heb dokter Van Allen aan de lijn. Hij wil u spreken.'
'Waarover?'
'Dat wilde hij niet zeggen. Hij zei alleen dat het heel dringend was.'
Henry Payton liep naar de meldkamer. Hij voelde zich steeds meer als een jongen die op een fiets zonder remmen een steile heuvel afrijdt met rechts een ravijn, links een rotswand en achter zich een pak hongerige wolven met de gezichten van verslaggevers.
Hij pakte de microfoon. 'Payton hier, kom erin.'
'U spreekt met dokter Van Allen, inspecteur. Ik ben de gerechtelijk patholoog van Castle County.' De stem klonk hol en veraf, af en toe weggedrukt door hevige ruis. Het moest de naderende storm zijn, besefte Henry. Dat kon er ook nog wel bij.
'Ja, ik weet wie u bent,' zei Henry. 'U heeft meneer Beaufort naar Oxford gebracht. Hoe maakt hij het, over?'
'Hij is...'
Krr-krr-zzzz-krioe.
'U bent nauwelijks te verstaan, dokter,' zei Henry zo geduldig mogelijk. 'Er zit hier een geweldig onweer in de lucht. Wilt u het nog eens herhalen? Over.'
'Dood!' riep Van Allen door het geruis heen. 'Hij is in de ambulance gestorven, maar volgens ons niet ten gevolge van de schotwonden. Begrijpt u? *Deze patiënt is naar onze mening niet aan zijn schotwonden overleden.* Zijn hersenen waren al voor die tijd gescheurd als gevolg van een abnormale zwelling. Waarschijnlijk is er met de kogel een giftige stof, een úiterst giftige stof, in zijn hersenen gekomen. Deze zelfde stof schijnt zijn hart te hebben laten breken. Heeft u mij begrepen?'
O Jezus, dacht Henry Payton. Hij trok zijn das los, maakte zijn boordje open en drukte weer op de zendknop.
'Dat is ontvangen, dokter Van Allen, maar ik mag hangen als ik er iets van begrijp. Over.'
'De giftige substantie zat hoogstwaarschijnlijk op de kogels uit het moordwapen. De infectie schijnt zich aanvankelijk langzaam en daarna sneller te verspreiden. Er zijn duidelijk twee waaiervormige ingangen te onderscheiden, de wond aan de wang en die in de hartstreek. Het is van het grootste belang...'
Krr-krr-bzzzt.
'...onderzoeken. Over.'

'Herhaal dat laatste nog eens, dokter.' Henry wenste dat de man gewoon de telefoon had genomen. 'Over.'
'*Wie heeft het wapen?*' schreeuwde Van Allen. '*Over!*'
'David Friedman, van de technische recherche. Hij heeft het naar Augusta gebracht. Over.'
'Heeft hij eerst de kogels eruitgehaald? Over.'
'Ja. Dat is voorschrift. Over.'
'Was het een revolver of een automatisch pistool, inspecteur? Dat is nu van het grootste belang. Over.'
'Een automatisch pistool. Over.'
'Heeft hij ook de patronen uit het magazijn gehaald? Over.'
'Dat zou hij pas in Augusta doen, denk ik.' Payton liet zich op Sheila's stoel vallen. Hij moest eens even diep ademhalen. 'Over.'
'Nee! Nee, dat moet hij niet doen! *Hij mag het absoluut niet doen!* Ontvangt u mij?'
'Dat is ontvangen,' zei Henry. 'Ik zal een berichtje naar het lab sturen en hem laten weten dat hij die godvergeten kogels in het godvergeten magazijn moet laten zitten tot deze godvergeten puinhoop is uitgezocht.' Met kinderlijk plezier besefte hij dat hij op de radio te horen was... tot hij zich afvroeg hoeveel journalisten naar hem zaten te luisteren bij hun scanners. 'Maar dit zijn geen zaken om door de radio te bespreken, dokter. Over.'
'Dat kan me niet schelen,' zei Van Allen ruw. 'Het gaat hier om mènsenlevens, inspecteur. Ik heb tevergeefs geprobeerd u telefonisch te bereiken. Zeg tegen Friedman dat hij zorgvuldig controleert of hij geen schrammen, kleine wondjes of zelfs maar nijnagels aan zijn handen heeft. Als er ook maar de kleinste schaafplek te zien is, moet hij onmìddellijk naar het dichtstbijzijnde ziekenhuis. Ik heb geen idee of deze gifstof behalve op de kogels ook op het omhulsel van de patroonhouder heeft gezeten, maar het is niet iets om enig risico mee te nemen. Dit spul is dódelijk. Over.'
'Begrepen,' hoorde Henry zichzelf zeggen. Hij wenste dat hij heel ergens anders was... maar nu hij hier tòch was, wenste hij dat Alan Pangborn naast hem zat. Sinds zijn aankomst in Castle Rock was hij zich steeds meer gaan voelen als Broer Konijn in het drijfzand. 'Wat voor spul ís het eigenlijk? Over.'
'Dat weten we nog niet. Geen curare, want pas op het laatst was er sprake van verlamming. Bovendien werkt curare betrekkelijk pijnloos, terwijl Beaufort erg heeft geleden. We weten op het ogenblik alleen dat het langzaam is begonnen en zich daarna snel verspreidde. Over.'
'Is dat àlles? Over.'
'Jezus Christus,' ejaculeerde Ray Van Allen. 'Is het soms niet genoeg? Over.'

'Ja. Eigenlijk wel. Over.'
'Wees blij...'
Krr-krr-brrr!
'Probeer het nog een keer, dokter Van Allen. Over.'
Door de aanrollende zee van ruis hoorde hij dokter Van Allen zeggen: 'Wees blij dat u het pistool heeft gevonden. Anders zou het nog meer schade kunnen aanrichten. Over.'
'Dat is inderdaad een pak van mijn hart, dokter. Over en sluiten.'

5

Cora Rusk kwam in Main Street en liep langzaam in de richting van De NoodZaak. Ze passeerde een felgeel Ford Econoline busje met op de zijkant het opschrift WPTD KANAAL 5 ACTION NEWS, maar ze merkte niet dat Danforth 'Buster' Keeton met starende ogen door het zijraampje naar haar keek. Vermoedelijk zou ze hem niet eens hebben herkend; Buster was in zekere zin een nieuw mens geworden. En ook al had ze hem gezien en herkend, Cora zou er niet bij stil hebben gestaan. Ze had haar eigen problemen en verdriet. En vooral, ze had haar eigen grieven. En dat had allemaal niets met haar dode zoon te maken.
In haar hand hield Cora Rusk een kapotte zonnebril.
Het leek wel of de politie nooit zou ophouden haar te ondervragen... tenzij ze voor die tijd gek zou zijn geworden. *Ga weg!* had ze willen schreeuwen. *Hou op met al die stompzinnige vragen over Brian! Stop hem in de cel als er iets met hem is, zijn vader regelt het wel, daar is die vent nog net goed voor, maar laat mij met rust! Ik heb een afspraak met de King en ik kan hem niet laten wachten!*
Op een gegeven moment had ze sheriff Pangborn bij de achterdeur in de keuken zien staan, met zijn armen over elkaar geslagen. Bijna had ze het tegen hem gezegd, in de verwachting dat hij het wel zou begrijpen. Hij was niet zoals die andere agenten, hij kwam uit de stad, hij moest het weten van De NoodZaak, hij moest er zelf iets bijzonders hebben gekocht, hij zou het begrijpen.
Maar juist op dat moment had ze Gaunt horen praten, net zo bedaard en redelijk als altijd. *Nee, Cora, zeg niets tegen hem. Hij zou het niet begrijpen. Hij is niet zoals jij, hij weet niet wat een voordelige aanbieding is. Zeg tegen die anderen dat je naar het ziekenhuis wilt om je tweede zoon te zien. Dan laten ze je wel met rust, althans voor een tijdje. En daarna is het niet meer van belang.*
Dat had ze dan ook gezegd, en het werkte wonderwel. Ze wist zelfs een paar tranen uit haar ogen te persen door niet aan Brian, maar

aan Elvis te denken. Wat zou hij zich alleen voelen zonder haar in Graceland. Arme, eenzame King!
Ze waren weggegaan, met uitzondering van twee of drie mannen in de garage. Cora wist niet wat ze deden of daar in vredesnaam dachten te vinden en het kon haar ook niet schelen. Ze pakte haar magische zonnebril en holde de trap op. In haar kamer trok ze haar ochtendjas uit, ging op bed liggen en zette de bril op.
Meteen was ze weer in Graceland, vervuld van opluchting, verwachting en een verbazingwekkende geilheid.
Koel en naakt zweefde ze de wenteltrap op naar boven, waar de tweebaansgang behangen was met wandtapijten vol oerwoudtaferelen. Ze liep naar de gesloten dubbele deur aan het eind, haar blote voeten fluisterend op het diepe tapijt. Ze zag hoe haar vingers de deurknoppen pakten. Ze duwde de deuren open en keek in de slaapkamer van de King, een kamer die helemaal zwart en wit was - zwarte wanden, een wit pluizig kleed, zwarte gordijnen voor de ramen, witte franje aan de zwarte sprei - behalve het plafond, dat donkerblauw geverfd was en waarin duizenden elektrische sterren flonkerden.
Ze keek naar het bed en daar begon de nachtmerrie.
De King lag op het bed, maar de King was niet alleen.
Boven op hem zat Myra Evans en ze bereed hem alsof hij een pony was. Myra had haar hoofd omgedraaid toen de deuren opengingen en ze staarde naar Cora. De King had alleen maar aandacht voor Myra, knipperend met die slaperige, prachtige blauwe ogen van hem.
'Myra!' riep Cora uit. 'Wat doe jij hier?'
'Nou,' zei Myra gniffelend, 'ik ben niet aan het stofzuigen.'
Cora snakte naar adem, totaal verbijsterd. 'Maar... maar... *ga nou toch weg!*' schreeuwde ze, met een steeds hogere stem naarmate ze weer lucht kreeg.
'Ga zèlf maar weg,' zei Myra, nog sneller wippend met haar heupen, 'en doe meteen die rare zonnebril af. Het is geen gezicht. Maak dat je wegkomt. Ga terug naar Castle Rock. We zijn bezig... ja toch, E?'
'Gelijk heb je, schat,' zei de King. 'We hebben het zo druk als twee mijten in een hooiberg.'
Afschuw werd razernij en Cora ontwaakte met een schok uit haar verdoving. Ze rende op haar zogenaamde vriendin af om haar de ogen uit te krabben. Maar toen ze haar gekromde hand uitstrekte, griste Myra - zonder ook maar even op te houden met Elvis te berijden - de zonnebril van haar neus.
Cora kneep verrast haar ogen dicht... en toen ze ze weer opendeed, lag ze thuis in haar eigen bed. De zonnebril lag op de vloer en beide glazen waren versplinterd.

'*Nee*,' kreunde Cora terwijl ze uit bed sprong. Ze wilde gillen, maar een stem - niet haar eigen stem - waarschuwde dat ze de politie in de garage niet mocht alarmeren. 'Nee, ik wil hem terug, alsjeblieft, alsjeblíeft...'
Ze had geprobeerd stukjes glas weer in het gestroomlijnde gouden montuur te drukken, maar dat bleek onmogelijk. De bril was stuk. Kapotgemaakt door die vuile gemene hoer. Door haar vriendín, Myra Evans. Haar vriendìn, die op de een of andere manier zelf in Graceland was gekomen, haar vriendìn, die op dit moment de King bereed terwijl Cora haar kostbare, onherstelbaar beschadigde relikwie probeerde te redden.
Cora keek op. Haar ogen waren glinsterende zwarte spleten geworden. 'Ik zal haar krijgen,' had ze schor gefluisterd. 'Wacht maar.'

6

Ze las het bordje in de etalage van De NoodZaak, bleef een ogenblik peinzend staan en liep vervolgens naar de achteringang. Ze passeerde Francine Pelletier, die iets in haar tas stopte toen ze uit het steegje kwam. Cora keurde haar nauwelijks een blik waardig. Halverwege zag ze Gaunt staan achter een houten tafel die als een barricade voor de open achterdeur van zijn winkel was neergezet.
'Ah, Cora!' riep hij uit. 'Ik vroeg me al af wanneer je zou langskomen.'
'Die hóer!' siste Cora. 'Die vieze kleine verráádster!'
'Neem me niet kwalijk, Cora,' zei Gaunt voorkomend, 'maar je hebt geloof ik een paar knoopjes over het hoofd gezien.' Hij wees met een van zijn vreemde, lange vingers naar haar jurk.
Cora had blindelings iets uit de kast gepakt om haar naaktheid te bedekken, en met haar trillende vingers had ze alleen het bovenste knoopje dicht kunnen krijgen. Daaronder hing de jurk open tot aan haar schaamhaar. Haar buik, opgezwollen door een groot aantal gebakjes en kersenbonbons tijdens *Santa Barbara* (en al haar andere shows), welfde glad naar buiten.
'Wie let daar nou op?' snauwde Cora.
'Ik niet,' beaamde Gaunt sereen. 'Waarmee kan ik je van dienst zijn?'
'Die teef ligt de King te neuken. Ze heeft mijn zonnebril kapotgemaakt. Ik wil haar vermoorden.'
'Zo,' zei Gaunt, zijn wenkbrauwen optrekkend. 'Dat kan ik me heel goed indenken, Cora. Misschien verdient een overspeelster niet de doodstraf, daar wil ik me niet over uitlaten; ik ben mijn hele leven in zaken geweest en van zulke hartsaangelegenheden weet ik

heel weinig af. Maar een vrouw die opzettelijk het kostbaarste bezit van een andere vrouw vernielt... dat is een veel ernstiger zaak. Ben je dat met mij eens?'

Ze begon te glimlachen. Het was een harde glimlach. Het was een genadeloze glimlach. Het was een glimlach zonder een greintje hersens. 'Wat heet,' zei Cora Rusk.

Gaunt draaide zich even om. Toen hij Cora weer aankeek, had hij een automatisch pistool in zijn hand.

'Was je misschien naar zoiets op zoek?' vroeg hij.

20

1

Nadat Buster zijn vrouw had vermoord, verviel hij in een diepe verdwazing. Alles scheen zijn zin te verliezen. Hij dacht aan zijn Belagers – de hele stad wemelde ervan – maar in plaats van de duidelijke, gerechtvaardigde woede van nog maar een paar minuten geleden voelde hij slechts vermoeienis en neerslachtigheid. Hij had een barstende hoofdpijn. Zijn arm en rug deden pijn van het beuken met de hamer.
Hij keek omlaag en zag dat hij de hamer nog in zijn hand had. Hij liet hem op het linoleum in de keuken vallen, waar hij in een bloederige veeg bleef liggen. Buster bleef bijna een volle minuut met bijna debiele concentratie naar de veeg staan kijken. Hij zag er het gezicht van zijn vader in, geschetst met bloed.
Moeizaam liep hij door de zitkamer naar zijn werkkamer, onderweg over zijn schouder en bovenarm wrijvend. Het gerammel van de handboeien aan zijn pols maakte hem gek. Hij deed de kastdeur open, zakte op zijn knieën, kroop onder de hangende kledingstukken en pakte het spel met de paarden op de doos. Onhandig kroop hij weer uit de kast (de handboei bleef haken achter een schoen van Myra, die hij met een norse vloek wegsmeet), nam de doos mee naar zijn bureau en ging zitten. Hij voelde zich niet opgewonden, alleen maar triest. Wed en Win was een prachtig iets, zeker, maar wat had hij er nu aan? Het deed er niet toe of hij de kas weer aanvulde of niet. Hij had zijn vrouw vermoord. Ze had het ongetwijfeld verdiend, maar daar zouden Zij anders over denken. Ze zouden hem met genoegen in de diepste en donkerste cel van Shawshank stoppen en de sleutel weggooien.
Hij zag dat er grote bloederige strepen op de doos zaten en hij keek naar zijn kleren. Voor het eerst merkte hij dat hij onder het bloed zat. Zijn vlezige onderarmen wekten de indruk dat hij als varkensslachter in Chicago werkte. Neerslachtigheid daalde weer op hem neer als een zachte, zwarte deken. Ze hadden gewonnen... goed. En toch zou hij ontsnappen. Hij zou evengoed ontsnappen.
Hij stond op, moe tot op het bot, en sjokte langzaam de trap op. Onderweg trok hij zijn kleren uit: zijn schoenen in de zitkamer, zijn broek onder aan de trap, en op de middelste trede ging hij zitten om zijn sokken uit te doen. Zelfs die zaten onder het bloed. Het overhemd was nog het lastigst, een heidens karwei met een handboei om je pols.

Na de moord op Myrtle Keeton waren bijna twintig minuten verstreken toen Buster weer onder de douche vandaan kwam. In die tijd had hij vrijwel zonder moeite aangehouden kunnen worden... maar in Lower Main Street was een wisseling van de wacht gaande, het bureau verkeerde in bijna volkomen wanorde en de verblijfplaats van Danforth 'Buster' Keeton leek domweg niet erg belangrijk.

Nadat hij zich had afgedroogd trok hij een schone broek en een T-shirt aan – hij had gewoon niet de fut om weer met lange mouwen in de slag te gaan – en ging terug naar zijn werkkamer. Buster ging zitten en keek weer naar Wed en Win. Misschien was zijn sombere bui maar van voorbijgaande aard, hoopte hij, misschien zou hij weer net zo opgewekt worden als eerst. Maar de afbeelding op de doos leek flets en dof te zijn geworden. De helderste kleur was een veeg van Myrtles bloed op de flank van paard nummer twee.

Hij nam het deksel eraf en keek in de doos. Met een schok zag hij dat de kleine tinnen paardjes helemaal verbogen waren. Ook hùn kleuren waren verbleekt. Een gesprongen veer stak uit de opening voor de sleutel waarmee het mechanisme werd opgewonden.

Er is iemand binnen geweest! Iemand heeft ermee zitten knoeien! Zíj zijn het! Ze vonden het nog niet genoeg dat ìk kapotga. Ze moesten ook mijn spel nog vernielen!

Maar een diepere stem, misschien de verzwakkende stem van zijn verstand, fluisterde dat het niet waar was. *Zo was het van het begin af aan al*, fluisterde de stem. *Je zag het alleen niet*.

Hij ging weer naar de kast om alsnog de revolver te pakken. Daar was het tijd voor. Hij was aan het zoeken toen de telefoon ging. Buster nam heel langzaam op: hij wist wie het was.

En hij werd niet teleurgesteld.

2

'Hallo, Dan,' zei Gaunt. 'Is het geen prachtige avond?'

'Het is een afgrijselijke avond,' zei Buster met een sombere, slepende stem. 'De hele wereld is ingestort. Ik ga mezelf van kant maken.'

'Zo?' Gaunt klonk een tikkeltje teleurgesteld, meer niet.

'Er deugt niks meer. Zelfs dat spel deugt niet.'

'O, maar dat betwijfel ik sterk,' antwoordde Gaunt enigszins zuur. 'Ik controleer al mijn artikelen zorgvuldig. Uiterst zorgvuldig. Ik zou nog maar eens goed kijken.'

Buster deed het en zette grote ogen op. De paarden stonden rechtop in hun gleuven. Elke deken leek te glanzen van de verf. Zelfs

hun ogen schenen vuur te schieten. De tinnen renbaan was grazig groen, afgewisseld met stoffig zomers bruin. *De baan ziet er snel uit*, dacht hij dromerig, en zijn blik richtte zich op het deksel. Zijn ogen hadden hem eerder bedrogen, misleid door zijn diepe depressie, of anders waren de kleuren op wonderbaarlijke wijze hersteld in de paar seconden sinds de telefoon was gaan rinkelen. Nu was Myrtles bloed bijna niet meer te zien, opdrogend tot een grauw donkerbruin.
'Lieve god!' fluisterde hij.
'En?' vroeg Gaunt. 'En? Heb ik het mis, Dan? Want in dat geval moet je je zelfmoord nog even uitstellen om het spel terug te brengen en je geld terug te krijgen. Ik sta achter mijn aanbiedingen. Dat moet ik wel. Ik moet om mijn naam denken, en vooral in een wereld waarin ik het in mijn eentje tegen miljoenen Belagers moet opnemen.'
'Nee... nee!' zei Buster. 'Het is... het is schìtterend!'
'Dus je hebt je vergist?'
'Ik... ik geloof het wel.'
'Geef je tóe dat je je hebt vergist?'
'Ik... Ja.'
'Goed,' zei Gaunt. Zijn stem werd milder. 'Maak jezelf dan gerust van kant. Hoewel ik moet bekennen dat ik teleurgesteld ben. Ik dacht dat ik eindelijk iemand had gevonden die genoeg lef had om mij te helpen de Belagers te weerstaan. Ik geloof dat je alleen maar een grote mond had, net als al die anderen.' Gaunt zuchtte. Het was de zucht van een man die beseft dat zijn hoop tevergeefs is geweest.
Er gebeurde iets vreemds met Buster Keeton. Hij voelde zijn vitaliteit en hoop weer terugkomen. Zijn eigen inwendige kleuren schenen weer helder, scherper te worden.
'Is het dan nog niet te laat?'
'Waar heb je gezeten? Het is nooit te laat om een nieuwere wereld te zoeken. Niet als je een beetje ruggegraat hebt. Ik had alles zelfs al geregeld. Ik rekende namelijk op je, Keeton.'
'Zeg maar gewoon Dan, dat vind ik prettiger,' zei Buster bijna verlegen.
'Goed, Dan dan. Ben je werkelijk van plan zo'n laffe uitweg te zoeken?'
'Nee!' riep Buster. 'Ik dacht alleen dat het geen zin meer had. Er zijn er gewoon te veel.'
'Drie helden kunnen een hoop schade aanrichten, Dan.'
'Drie? Hoorde ik u dríe zeggen?'
'Ja... er is nog iemand. Iemand die het gevaar ziet, die begrijpt wat Ze van plan zijn.'

‘Wie?’ vroeg Buster gretig. ‘Wie?’
‘Dat komt,’ zei Gaunt, ‘maar voorlopig is er iets anders te doen. Ze zullen je komen zoeken.’
Buster keek door het raam met de turende ogen van een fret die het gevaar in de wind ruikt. De straat was leeg, maar dat zou niet lang zo blijven. Hij vóelde hoe Zij hun troepen tegen hem verzamelden.
‘Wat moet ik doen?’
‘Dus je doet mee?’ vroeg Gaunt. ‘Kan ik tòch op je rekenen?’
‘Ja!’
‘Tot het bittere einde?’
‘Net zolang als u maar wilt!’
‘Uitstekend,’ zei Gaunt. ‘Luister goed, Dan.’ En terwijl Gaunt sprak en Buster luisterde, langzaam wegzinkend in de hypnotische toestand die Gaunt naar believen leek te kunnen opwekken, klonk buiten het eerste gerommel van het naderende onweer.

3

Vijf minuten later verliet Buster zijn huis. Hij had een jasje over zijn T-shirt aangetrokken en stopte de hand met de boeien eraan diep in zijn zak. Een eindje verder zag hij het busje staan op de plek die Gaunt had aangeduid. Het was een felgeel busje, wat betekende dat de meeste voorbijgangers eerder naar de kleur dan naar de bestuurder zouden kijken. Er zaten bijna geen raampjes in en op de twee zijkanten was het logo van een tv-station in Portland aangebracht.
Buster wierp een oplettende blik in het rond en stapte in. Gaunt had hem verteld dat hij de sleuteltjes onder de zitting zou vinden. Daar lagen ze ook. Op de voorbank lag een papieren boodschappentas. Buster keek erin en zag een blonde pruik, een dunne yuppiebril en een glazen flesje.
Enigszins weifelend deed hij de pruik op – met het lange en verwarde haar zag hij eruit als de scalp van een dode rockzanger – maar in het spiegeltje zag hij tot zijn verbazing dat de pruik precies paste. Hij zag er jonger mee uit. Véél jonger. De yuppiebril had lenzen van gewoon glas en veranderde zijn uiterlijk nog meer dan de pruik (vond Buster zelf). Ze gaven hem een vlot aanzien, net Harrison Ford in *The Mosquito Coast*. Hij staarde gefascineerd naar zijn spiegelbeeld. Hij zag er ineens uit als dertig en nog wat in plaats van tweeënvijftig, als iemand die heel goed voor de televisie zou kunnen werken. Niet als verslaggever of in een andere opvallende functie, maar wel als cameraman of misschien zelfs als producer.
Hij draaide de dop van het flesje en trok een gezicht: het spul stonk

als een lekkende batterij. Een lichte damp steeg op uit de hals van het flesje. *Dat is link spul*, dacht Buster. *Daar moet ik heel voorzichtig mee zijn.*
Hij schoof de losse handboei onder zijn rechter dijbeen en trok de ketting strak. Daarna goot hij heel voorzichtig wat van de donkere, stroperige vloeistof uit het flesje op de ketting, net onder zijn pols. Het staal begon meteen te roken en te smelten. Een paar druppels vielen op de vloermat, die eveneens begon te bubbelen. Er kwam rook vanaf en een afschuwelijke schroeistank. Na een paar tellen trok Buster de lege handboei onder zijn been vandaan, pakte hem beet en gaf een felle ruk. De ketting knapte als een houtje en hij gooide hem op de grond. De boei om zijn pols was niet zo erg; alleen de ketting en de heen en weer zwaaiende lege handboei waren hinderlijk geweest. Hij stak het sleuteltje in het contact, startte de motor en reed weg.
Nog geen drie minuten later draaide Seaton Thomas met zijn surveillancewagen de oprit bij Keetons huis in en ontdekte hij Myrtle Keeton, die in de deuropening tussen de garage en de keuken lag. Niet lang daarna kreeg zijn auto gezelschap van vier wagens van de staatspolitie. De agenten keerden het huis van onder tot boven om, op zoek naar Buster of naar een aanwijzing omtrent zijn verblijfplaats. Niemand schonk aandacht aan het bordspel op het bureau in de werkkamer. Het was oud en smerig en duidelijk kapot. Het zag eruit alsof het bij een armlastig familielid op zolder was gevonden.

4

Eddie Warburton, de conciërge van het gemeentehuis, had al meer dan twee jaar ruzie met Sonny Jackett. De laatste twee dagen was zijn woede omgeslagen in wilde razernij.
Toen de versnellingsbak van zijn leuke, kleine Civic het in de zomer van 1989 had begeven, wilde Eddie hem niet naar de dichtstbijzijnde Honda garage brengen. Dat had hem aardig wat sleepkosten kunnen bezorgen en het was al erg genoeg dat de koppeling de pijp aan Maarten gaf, drie weken nadat zijn garantie hetzelfde had gedaan. Daarom was hij eerst naar Sonny Jackett gegaan om te vragen of die ervaring met buitenlandse wagens had.
Sonny zei van wel. Hij sloeg de breedsprakige, neerbuigende toon aan die de meeste kleinsteedse Yankees tegen Eddie hanteerden. *Wij discrimineren hier niet, jongen*, zei die toon. *Dit is het Noorden, weet je wel, wij doen niet mee aan die zuidelijke fratsen. Natuurlijk, iedereen kan zien dat jij een neger bent, maar daar trek-*

ken wij ons niks van aan. Zwart, geel, wit of groen, daar kan geen mens wat aan doen. Breng die auto maar hier.
Sonny had de bak van de Honda gerepareerd, maar de rekening was honderd dollar hoger dan hij had gezegd en daar kregen ze op een avond bijna een handgemeen over in de Tiger. Toen had Sonny's advocáát (Noord of Zuid, naar Eddie Warburtons waarneming hadden alle blanken een advocáát) Eddie gebeld met de mededeling dat hij voor de politierechter moest verschijnen. Die affaire kostte hem uiteindelijk vijftig dollar extra, en vijf maanden later vloog zijn Honda in brand. De auto stond op de parkeerplaats bij het gemeentehuis. Iemand had Eddie gewaarschuwd, maar toen hij met een brandblusser naar buiten rende sloegen de gele vlammen al naar buiten, en het gevolg was een total loss.
Sindsdien had hij zich altijd afgevraagd of Sonny Jackett de brand had aangestoken. Volgens de verzekeringsexpert was het ongeluk te wijten aan kortsluiting in het elektrische circuit, hoewel de kans daarop ongeveer één op het miljoen was. Maar wist zo'n kerel veel? En zíjn geld was het niet. Trouwens, de verzekering keerde niet eens genoeg uit om Eddie helemaal schadeloos te stellen.
En nu wist hij het. Hij wist het zeker.
Eerder vandaag had hij per post een pakje gekregen. Er zaten een paar hoogst belastende voorwerpen in: een stel geblakerde krokodilleklemmen, een oude foto met ezelsoren en een briefje.
Met die klemmen kon je kortsluiting veroorzaken. Je hoefde alleen een paar geschikte stroomdraden bloot te leggen, tegen elkaar vast te klemmen en voilà.
Op de foto was Sonny te zien met een paar andere bleekscheten, van het soort dat je altijd op een krukje in het kantoor van een bezinestation zag zitten. De foto was echter niet in Sonny's Sunoco genomen, maar in Robicheau's Junkyard aan Town Road 5. De mannen stonden met een fles bier in de hand te lachen bij Eddies uitgebrande Civic... en ze aten er stukken watermeloen bij.
Het briefje was kort en zakelijk. *Beste Nikker: Dat zal je leren mij nog eens iets te flikken.*
Eerst vroeg Eddie zich af waarom Sonny hem zo'n briefje zou willen sturen (zonder overigens een verband te zien met de brief die hij op Gaunts aangeven zelf bij Polly Chalmers in de bus had gegooid). Waarschijnlijk was Sonny nog stommer en valser dan de meeste bleekscheten, dacht hij. En toch, als Sonny nog steeds met die hele zaak in zijn maag zat, waarom had hij dan al die tijd gewacht? Maar hoe meer hij over de kwestie nadacht
(*Beste Nikker:*)
des te minder deden die vragen er iets toe. Het briefje, de zwart uit-

geslagen klemmen en de oude foto zaten in zijn hoofd te zoemen als een zwerm hongerige muggen.
Eerder die avond had hij een pistool van Gaunt gekocht.
De tl-buizen in het kantoor van de Sunoco wierpen onregelmatige witte vlekken op het asfalt toen Eddie bij de garage stopte... in de tweedehands Oldsmobile die hij na de Civic had aangeschaft. Hij stapte uit, met in zijn zak de hand met het pistool.
Bij de deur bleef hij een minuut staan om naar binnen te kijken. Sonny zat naast de kassa te wippen op een plastic stoel. Eddie kon boven de rand van de krant net Sonny's pet zien. Natuurlijk zat hij de krant te lezen. Bleekscheten hadden altijd een advocáát en als ze eens een zwarte zoals Eddie te pakken hadden genomen, gingen ze altijd op hun gemak de krant zitten lezen.
Stomme bleekscheten met hun stomme advocáten en hun stomme kränten.
Eddie haalde het automatische pistool uit zijn zak en ging naar binnen. Plotseling ontwaakte er een stem in zijn binnenste en schreeuwde geschrokken dat hij moest ophouden, dat het verkeerd was. Maar hij lette niet op de stem. Hij lette er niet op, omdat Eddie helemaal zichzelf niet leek te zijn. Als een geest keek hij over zijn eigen schouder naar wat er gebeurde. Een kwade genius had de leiding overgenomen.
'Ik heb iets voor je, vuile bedrieger,' hoorde Eddie zijn mond zeggen, en hij zag zijn vinger de trekker van het pistool twee keer overhalen. Twee kleine zwarte rondjes kwamen in de krantekop: MCKERNAN STEEDS POPULAIRDER. Sonny Jackett slaakte een kreet en wilde opspringen. De achterpoten van zijn stoel gleden weg en Sonny sloeg tegen de grond, terwijl het bloed over zijn overall stroomde... alleen stond er in gouddraad de naam RICKY op de overall. Het was Sonny helemaal niet, het was Ricky Bissonette.
'O shit!' schreeuwde Eddie. 'Nou heb ik de verkeerde bleekscheet te grazen genomen!'
'Hallo, Eddie,' zei Sonny Jackett achter zijn rug. 'Ik heb geloof ik het goede moment uitgekozen om naar de plee te gaan.'
Eddie begon zich om te draaien. Drie kogels boorden zich laag in zijn rug en verbrijzelden zijn ruggegraat voordat hij zich nog half had omgedraaid; kogels uit het automatische pistool dat Sonny laat die middag van Gaunt had gekocht.
Met grote ogen zag hij machteloos hoe Sonny zich over hem heen boog. De loop van Sonny's wapen was zo breed en donker als een tunnel en eindeloos lang. Het gezicht daarboven was bleek en strak. Een vettige streep liep over een wang.
'Dat je mijn nieuwe sleutels wou jatten ken ik begrijpen,' zei Sonny, terwijl hij de loop van het pistool midden op Eddie Warburtons

voorhoofd drukte. 'Dat je me een briefje stuurde om het me te laten weten... dáár ken ik niet bij.'
Een groot wit licht ging ineens bij Eddie op. Nú herinnerde hij zich de brief die hij bij Chalmers in de bus had gestopt en bracht hij die in verband met het pakje dat hij had ontvangen en het briefje waar Sonny het over had.
'Wacht even!' fluisterde hij. 'Je moet naar me luisteren, Jackett... we zijn er ingeluisd, allebei. We...'
'Zeg maar dag, nikker,' zei Sonny, en hij haalde de trekker over.
Sonny keek bijna een volle minuut strak naar wat er van Eddie Warburton was overgebleven en vroeg zich af of hij toch naar Eddie had moeten luisteren. Hij besloot van niet. Wat kon je ook verwachten van een stommeling die van tevoren waarschuwde wat hij ging doen?
Sonny ging rechtop staan en stapte over de uitgetrekte benen van Ricky Bissonette heen. Hij maakte de brandkast open en pakte de sleutelset die hij van Gaunt had gekocht. Hij stond er nog steeds naar te kijken, ze één voor één liefhebbend in zijn handen nemend voor hij ze teruglegde, toen de staatspolitie arriveerde om hem in te rekenen.

5

Stop bij de hoek van Birch en Main Street, had Gaunt door de telefoon gezegd, *en wacht tot er iemand komt om je te halen*.
Buster had deze instructies stipt opgevolgd. Hij stond niet ver van het steegje en zag er heel wat mensen in- en uitgaan; het leek wel of bijna al zijn kennissen en buren vanavond iets bij Gaunt te doen hadden. Tien minuten geleden had hij Cora Rusk op weg daarheen voorbij zien komen, met haar jurk helemaal open, alsof ze net was aangerand.
Nog geen vijf minuten nadat Cora weer uit het steegje was gekomen en iets in haar zak stopte (de jurk hing nog steeds open en je kon bijna alles zien, maar Buster dacht dat geen zinnig mens iets van haar zou wìllen zien), klonken er iets verderop in Main Street enkele schoten. Buster kon het niet met zekerheid zeggen, maar het lawaai leek van de Sunoco te komen.
Auto's van de staatspolitie reden met zwaaiende lichten bij het gemeentehuis vandaan, vlak langs de verzamelde journalisten, en draaiden Main Street in. Vermomd of niet, het leek Buster verstandig in de laadruimte van het busje te gaan zitten.
De politiewagens schoten voorbij en hun blauwe zwaailichten onthulden iets dat tegen de achterdeur van het busje lag: een groene

rugzak. Buster trok nieuwgierig het touw los en keek in de zak. Bovenop lag een doos. Buster haalde die eruit en zag dat de zak verder gevuld was met tijdontstekers. Wel een stuk of dertig. De gladde witte wijzerplaten staarden hem aan als oogloze gezichten. Hij maakte de doos open en zag dat die vol zat met krokodilleklemmen: de instrumenten waarmee je snel een elektrische aansluiting kon maken.

Buster dacht fronsend na... en opeens zag hij een aanvraagformulier voor zich. In de ruimte achter *Geleverde goederen en/of diensten* stond: 16 KISTEN DYNAMIET.

Buster begon te grijnzen in het busje. Daarna begon hij te lachen. Buiten rolde de donder. Een bliksemstraal schoot uit de zwangere buik van een wolk omlaag naar de Castle Stream.

Buster bleef lachen. Hij lachte tot het busje ervan trilde.

'Nou zal ik Ze krijgen,' riep hij lachend. 'Nou zal ik ze te grazen nemen!'

6

Henry Payton, naar Castle Rock gekomen om Pangborns hete ijzers uit het vuur te halen, stond met open mond in het kantoor van het benzinestation te kijken. Weer twee doden erbij. De een was blank en de ander zwart, maar ze waren allebei dood.

Een derde, volgens de naam op zijn overall de eigenaar van het station, zat bij de open brandkast op de grond en hield een vuile, stalen gereedschapskist in zijn armen alsof het een baby was. Naast hem op de vloer lag een automatisch pistool. Henry keek ernaar en voelde zijn maag omkeren. Het was identiek aan het wapen dat Hugh Priest had gebruikt om Henry Beaufort neer te schieten.

'Kijk,' zei een van de politiemensen achter Henry zacht en ontdaan. 'Daar is er nog een.'

Henry draaide zijn hoofd en hoorde de pezen in zijn nek kraken. Een ander wapen – het derde automatische pistool – lag naast de uitgestrekte hand van de zwarte.

'Niet aanraken,' zei hij tegen zijn ondergeschikten. 'Blijf er vooral uit de buurt.' Hij stapte over een bloedplas heen, pakte Sonny Jackett bij zijn overall en sleurde hem overeind. Sonny verzette zich niet, hij drukte alleen de stalen kist dichter tegen zijn borst.

'Wat is er gebeurd?' schreeuwde Henry in zijn gezicht. 'Wat is er in godsnaam gebeurd?'

Sonny gebaarde naar Eddie Warburton. Hij deed het met zijn elleboog, zodat hij de kist niet hoefde los te laten. 'Hij kwam binnen met een pistool. Hij was gek. Kijk zelf maar wat hij met Ricky

heeft gedaan. Hij dacht dat ik het was. Hij wilde mijn sleutels jatten. Kijk.'
Sonny glimlachte en hield de stalen kist schuin om Henry een blik op de roestige werktuigen te gunnen.
'Dat kon ik toch niet toelaten? Ze zijn per slot van rekening van míj. Ik heb ervoor betaald en ze zijn van míj.'
Henry deed zijn mond open om iets te zeggen. Hij had geen idee wàt en het kwam er ook niet uit. Nieuwe schoten waren hem voor, ditmaal uit de buurt van Castle View.

7

Lenore Potter stond bij het lichaam van Stephanie Bonsaint met in haar hand een rokend automatisch pistool. Het lichaam lag in een bloemperk achter het huis, het enige bloemperk dat het wraakzuchtige rotwijf bij haar eerste twee bezoeken niet had vernield.
'Je had niet terug moeten komen,' zei Lenore. Ze had nog nooit eerder een wapen gebruikt en nu had ze een vrouw doodgeschoten... maar ze voelde alleen maar een grimmige opluchting. De vrouw was bij haar binnengedrongen om haar tuin te vernielen (Lenore had gewacht tot het kreng zich aan haar bloemen vergreep: háár moeder had geen idioten grootgebracht), en ze had alleen maar gedaan wat haar recht was. Haar góed recht.
'Lenore?' riep haar man. Hij keek uit het raam van de badkamer met scheerzeep op zijn gezicht. Zijn stem klonk geschrokken. 'Wat is er aan de hand, Lenore?'
'Ik heb een insluiper neergeschoten,' zei Lenore bedaard zonder naar boven te kijken. Ze plaatste haar schoen onder het zware lichaam en begon het om te draaien. Het gaf haar opeens een giftig opgetogen gevoel het weerloze lichaam te voelen meegeven. 'Het is Stephanie Bon...'
Het lijk rolde om. Het was Stephanie Bonsaint niet. Het was die aardige vrouw van de hulpsheriff.
Ze had Melissa Clutterbuck doodgeschoten.
Abrupt veranderde Lenore Potters *kalava* van blauw in paars en magenta. Het schoof nog verder op in het spectrum en werd zwart als de nacht.

8

Alan zat naar zijn handen te kijken, maar hij zag alleen een inktzwarte duisternis. Het was bij hem opgekomen dat hij Polly van-

middag kwijt kon zijn geraakt, niet voor een tijdje – tot het misverstand uit de weg was geruimd – maar voorgoed. En wat zou hij dan de komende vijfendertig jaar of daaromtrent beginnen?
Hij hoorde een kuchend geluidje en keek snel op. Het was miss Hendrie. Ze maakte een nerveuze indruk, maar het leek alsof ze een beslissing had genomen.
'De jongen begint bij te komen,' zei ze. 'Hij is nog niet wakker – we hebben hem een kalmerend middel gegeven en het zal nog wel even duren voor hij helemaal bij is – maar het begin is er.'
'Zo?' vroeg Alan zacht en afwachtend.
De zuster beet op haar lip en vervolgde: 'Ja. Ik zou u wel bij hem willen laten, sheriff, maar dat kan echt niet. Dat begrijpt u toch wel? Ik weet dat het belangrijk voor u is, maar dit jochie is pas zeven.'
'Ja.'
'Ik ga in de kantine een kop thee drinken. Mijn collega is laat – zoals gewoonlijk – maar ik verwacht haar over een minuut of twee. Als u in die tijd naar de kamer van Sean Rusk gaat – kamer negen – zal ze er waarschijnlijk helemaal geen erg in hebben. Begrijpt u wat ik bedoel?'
'Ja,' zei Alan dankbaar.
'Onze ronde begint pas om acht uur, dus ze zal het niet merken als u in zijn kamer bent, denk ik. En als ze het wel merkt, zult u natuurlijk zeggen dat ik volgens de voorschriften heb gehandeld en u de toegang had geweigerd. Dat u naar binnen bent gegaan toen ik even weg was. Ja toch?'
'Ja,' zei Alan. 'Daar kunt u op rekenen.'
'Als u weggaat kunt u de trap aan het eind van de gang nemen. Dat wil zeggen, als u bij Sean Rusk zou zijn geweest. Wat ik u natuurlijk heb verboden.'
Alan stond op en gaf haar impulsief een zoen op de wang.
De zuster bloosde.
'Dank u,' zei Alan.
'Waarvoor? Ik heb niets gedaan. Ik ga nu maar thee drinken. Blijf waar u bent tot ik de deur uit ben, sheriff.'
Alan ging gehoorzaam weer zitten. Met zijn hoofd tussen de bakker en Domme Hansje wachtte hij tot de zwaaideur achter de zuster bijna tot rust was gekomen. Daarna stond hij op en liep geruisloos langs het speelgoed en de legpuzzels in de vrolijk beschilderde gang naar kamer negen.

9

Sean Rusk leek klaarwakker te zijn.
Het was de kinderafdeling en Sean had een klein bed, maar hij scheen er helemaal door verzwolgen te worden. Zijn lichaam maakte slechts een kleine bobbel onder de deken, alsof zijn hoofd los op het kraakheldere kussen lag. Zijn gezicht was heel bleek. Onder zijn ogen zaten paarse kringen, alsof hij een stomp had gehad, maar de ogen zelf keken verrassend rustig naar Alan. Een donkere haarlok lag als een komma midden op zijn voorhoofd.
Alan pakte de stoel bij het raam en schoof hem naar het bed, waarvan de zijleuning omhoog was geklapt. Sean draaide zijn hoofd niet om, alleen zijn ogen volgden de sheriff.
'Hallo, Sean,' zei Alan zacht. 'Hoe voel je je?'
'Ik heb een droge keel,' zei Sean schor fluisterend.
Op het kastje naast het bed stonden een karaf water en twee glazen. Alan schonk een glas in en boog zich over de leuning.
Sean probeerde tevergeefs rechtop te gaan zitten. Met een deerniswekkende zucht liet hij zijn hoofd weer op het kussen zakken. Alan moest aan zijn eigen zoon denken: arme verdoemde Todd. Alles kwam weer terug toen hij een hand in Seans nek legde om de jongen te helpen. Hij zag Todd die dag bij de Scout staan en naar hem zwaaien, en in zijn herinnering speelde een zwak zilveren schijnsel rond Todds hoofd, dat elke vertrouwde rimpel en trek verlichtte.
Zijn hand beefde. Een straaltje water liep over de ziekenhuispyjama die Sean aanhad.
'Sorry.'
'Het is niet erg,' antwoordde Sean met zijn schorre fluisterstem. Gretig dronk hij het glas bijna leeg. Daarna boerde hij.
Alan liet zijn hoofd behoedzaam weer zakken. Sean leek iets opgeknapt, maar zijn ogen waren nog steeds dof. Alan had nog nooit een jochie gezien dat er zo verschrikkelijk eenzaam uitzag, en opnieuw drong dat laatste beeld van Todd zich op.
Hij zette het van zich af. Hij had iets anders te doen. Iets onaangenaams en ook nog eens uiterst lastig, maar hij had steeds sterker het gevoel dat het bijzonder belangrijk was. Wat er op dit moment ook in Castle Rock gebeurde, hij was er steeds meer van overtuigd dat het antwoord in elk geval voor een deel hier te vinden was, achter dat bleke voorhoofd en die trieste, doffe ogen.
Hij keek om zich heen en dwong zichzelf te glimlachen. 'Wat een saaie kamer,' zei hij.
'Ja,' zei Sean met zijn zachte, hese stem. 'Er is niks aan.'
'Je kunt wel een bloemetje gebruiken,' zei Alan. Hij bewoog zijn

rechterhand over zijn linker onderarm en toverde handig het uitgevouwen boeket tevoorschijn.
Hij wist van tevoren dat het een gok was, maar hij had toch gehoor gegeven aan de ingeving. Hij kreeg er bijna spijt van. Twee papieren bloemen scheurden toen hij het lusje lostrok en hij hoorde de veer krakend zuchten. Dit was ongetwijfeld de laatste keer dat hij de bloementruc hiermee kon uitvoeren, maar het resultaat kon er nog mee door... nog net. En in tegenstelling tot zijn broer was Sean zichtbaar vermaakt en opgetogen, ondanks zijn gemoedstoestand en het kalmerende middel in zijn bloed.
'Gòh, wat goed! Hoe doet u dat?'
'Het is maar een trucje... Wil je ze hebben?' Hij stak zijn hand uit om de papieren bloemen in de karaf te zetten.
'Nee, alleen het papier vind ik wel leuk. Al is het een beetje gescheurd.' Sean dacht even na, vond zichzelf blijkbaar ondankbaar en besloot: 'Maar het is een leuke truc. Kunt u ze ook weer laten verdwijnen?'
Ik betwijfel het, jongen, dacht Alan. 'Ik zal het proberen,' zei hij hardop.
Hij hield het boeket wat omhoog, kromde zijn rechterhand een beetje en trok hem over zijn pols naar zich toe. Omwille van het aangeslagen publiek deed hij het veel langzamer dan normaal, maar het resultaat was even verrassend als indrukwekkend. Het boeket verdween niet zoals anders met een ruk, maar leek in rook op te gaan tussen zijn licht gekromde vingers. Hij voelde dat de uitgerekte veer dreigde dubbel te slaan, maar uiteindelijk lukte het hem nog een laatste keer.
'Dat is gaaf,' zei Sean onder de indruk, en Alan was het stilzwijgend met hem eens. Het was een aardige variant van de truc waarmee hij al jaren schoolkinderen tot verbazing bracht, maar hij betwijfelde of het hem met nieuw materiaal net zo goed zou afgaan. Een gloednieuwe veer zou die trage, dromerige verdwijning onmogelijk maken.
'Dank je,' zei hij, terwijl hij het papier voor het laatst onder zijn horlogeband stopte. 'Als je geen bloemen wilt, wat denk je dan van een kwartje voor de automaat?'
Alan boog naar voren en haalde achteloos een kwartje uit Seans neus. De jongen grinnikte.
'O, wacht even, Cola is tegenwoordig natuurlijk veel duurder. Inflatie. Maar dat geeft niks.' Hij haalde een kwartje uit Seans mond en ontdekte er nog een in zijn eigen oor. Seans glimlach begon al flauwer te worden en Alan begreep dat hij snel ter zake moest komen. Hij legde de drie kwartjes op het lage nachtkastje. 'Voor als je je beter voelt,' zei hij.

'Bedankt.'
'Graag gedaan, Sean.'
'Waar is mijn vader?' vroeg Sean. Zijn stem was een fractie vaster geworden.
Alan vond het een vreemde vraag. Hij had gedacht dat Sean eerst naar zijn moeder zou vragen. De jongen was tenslotte pas zeven jaar.
'Hij is al onderweg, Sean.'
'Ik hoop het. Ik wil hem zien.'
'Dat weet ik.' Alan aarzelde even. 'Je moeder komt ook gauw.'
Sean dacht erover na en schudde traag maar beslist zijn hoofd. Het maakte een zacht ruisend geluid op het kussen. 'Nee, dat denk ik niet. Ze heeft het te druk.'
'Te druk om naar jou te komen kijken?' vroeg Alan.
'Ja. Veel te druk. Mamma is op bezoek bij de King. Daarom mag ik niet meer op haar kamer komen. Ze doet de deur op slot, zet haar zonnebril op en gaat op bezoek bij de King.'
Alan herinnerde zich hoe Cora Rusk op de vragen van de politiemensen had gereageerd, traag en niet ter zake. Naast haar op tafel had een zonnebril gelegen. Ze kon er schijnbaar niet van afblijven en zat er bijna voortdurend mee te spelen. Af en toe trok ze haar hand terug, alsof ze bang was dat iemand er iets van zou zeggen, maar al na een paar seconden pakte ze de bril weer. Haar hand scheen een eigen wil te hebben. Alan had het toegeschreven aan de shock of aan de invloed van een kalmerend middel. Nu wist hij het niet meer. Hij wist evenmin of hij naar Brian moest vragen of beter op Cora kon doorgaan. Of waren het twee wegen die naar hetzelfde doel leidden?
'U bent geen echte goochelaar,' zei Sean. 'U bent toch van de politie?'
'Ja.'
'Bent u van de staatspolitie, met zo'n blauwe auto die zo knoerthard gaat?'
'Nee, ik ben de sheriff. Meestal rijd ik in een bruine auto met een ster op de zijkant en die gaat ook aardig hard, maar vanavond gebruik ik mijn eigen ouwe stationcar, die ik nodig moet inruilen.' Alan grinnikte. 'Dat ding rijdt met een slakkegang.'
De jongen interesseerde zich er blijkbaar voor. 'Waarom gebruikt u uw bruine politiewagen dan niet?'
Om Jill Mislaburski en je broer niet af te schrikken, dacht Alan. Van Jill weet ik het niet, maar bij Brian heeft het niet zo goed uitgepakt, geloof ik.
'Ik weet het zelf niet meer,' zei hij. 'Ik heb een lange dag achter de rug.'

‘Ik heb wel eens een sheriff in de film gezien. Brian en ik wilden van de zomer naar The Magic Lantern in Bridgton om *Young Guns II* te zien, maar mamma zei dat de film voor boven de twaalf was. Die mogen we niet zien, alleen pappa laat ons wel eens naar de video kijken. Brian vond *Young Guns* net zo goed als ik.’ Sean pauzeerde en zijn blik werd somber. ‘Maar toen had Brian dat plaatje nog niet.’
‘Welk plaatje?’
Voor het eerst was er iets van echte emotie in Seans ogen te zien. Het was pure angst.
‘Het honkbalplaatje. Zijn te gek gave honkbalplaatje.’
‘Zo?’ Alan dacht aan de Playmate koelbox met al die honkbalplaatjes erin. Brian zei dat hij ze altijd bij zich had om te ruilen. ‘Brian verzamelde die plaatjes, geloof ik?’
‘Ja. Daar heeft híj hem mee gelokt. Ik denk dat hij voor iedereen wat anders heeft.’
Alan boog zich naar voren. ‘Wie, Sean? Wíe heeft hem gelokt?’
‘Brian heeft zichzelf doodgeschoten. Ik was erbij, in de garage.’
‘Dat weet ik. Het spijt me.’
‘Er kwam allemaal troep uit zijn achterhoofd. Niet gewoon bloed. Tróep. Het was geel.’
Alan wist niets te zeggen. Zijn hart bonsde traag en zwaar in zijn borst, zijn mond was droog als de woestijn en hij voelde zich misselijk. De naam van zijn zoon galmde in zijn hoofd als een op hol geslagen doodsklok midden in de nacht.
‘Ik wou dat hij het niet had gedaan,’ zei Sean. Zijn stem klonk vreemd nuchter, maar in elk van zijn ogen welde een traan, die over zijn gladde wangen gleed. ‘Nu kunnen we niet samen naar *Young Guns II* kijken als die op video komt. Nu moet ik in mijn eentje kijken, en dat is niet leuk als Brian er geen stomme grapjes bij maakt. Helemaal niet leuk.’
‘Je hield veel van je broer, zeker?’ zei Alan schor. Hij stak zijn hand door de spijlen. Sean Rusk stak zijn eigen hand uit en pakte hem stevig beet. De hand voelde gloeiend aan. En klein. Heel erg klein.
‘Ja. Brian wilde bij de Red Sox gaan spelen als hij groot was. Hij wilde net zulke kromme ballen leren gooien als Mike Boddicker, zei hij. Nu kan het niet meer. Ik mocht niet dichterbij komen van hem, dan zou ik al die troep over me heen krijgen. Ik huilde. Ik was bang. Het was helemaal niet zoals in een film. Het was gewoon in onze garáge.’
‘Ik weet het,’ zei Alan. Hij moest aan Annies auto denken. De versplinterde ruiten. Het bloed dat in grote zwarte plassen op de zitting lag. Ook dat was niet net als in een film geweest. Alan kreeg tranen in zijn ogen. ‘Ik weet het, jongen.’

'Hij liet het me beloven en ik zal me eraan houden. Ik zal die belofte mijn hele leven houden.'
'Wat liet hij je beloven, jongen?'
Alan wiste zijn ogen af met zijn vrije hand, maar de tranen lieten zich niet stelpen. Seans gezicht was bijna net zo wit als de kussensloop onder zijn hoofd. De jongen had zijn broer zelfmoord zien plegen, had Brians hersenen als een kwak snot tegen de garagemuur zien vliegen, en waar was zijn moeder? Op bezoek bij de King, had hij gezegd. *Ze doet de deur op slot, zet haar zonnebril op en gaat op bezoek bij de King.*
'Wat liet hij je beloven, jongen?'
'Ik wilde bij de naam van mijn moeder zweren, maar dat mocht niet van Brian. Hij zei dat ik bij mijn eigen naam moest zweren. Omdat hij mamma ook had gelokt. Brian zegt dat hij iedereen te pakken krijgt die bij iemand anders zweert. Daarom heb ik bij mijn eigen naam gezworen, maar Brian liet het geweer toch afgaan.' Sean lag harder te huilen, maar hij keek Alan door zijn tranen heen aan met een ernstig gezicht. 'Het was niet gewoon bloed, sheriff. Het was ander spul. Géél spul.'
Alan kneep in zijn hand. 'Ik weet het, jongen. Wat moest je beloven van je broer?'
'Als ik het zeg komt Brian misschien niet in de hemel.'
'Dat komt hij wel. Dat beloof ìk. En ik ben sheriff.'
'Liegen sheriffs nooit?'
'Ze liegen nooit tegen kleine jongens die in het ziekenhuis liggen,' zei Alan. 'Dat mógen sheriffs niet.'
'Gaan ze anders naar de hel?'
'Ja,' zei Alan. 'zo is het. Regelrecht naar de hel.'
'Zweert u dat Brian naar de hemel gaat, ook als ik het vertel? Zweert u dat bij uw eigen naam?'
'Bij mijn eigen naam,' zei Alan.
'Goed dan,' zei Sean. 'Hij liet me beloven dat ik nooit naar de nieuwe winkel zou gaan waar hij zijn te gek gave honkbalplaatje had gekocht. Hij dacht dat Sandy Koufax op het plaatje stond, maar dat was niet zo. Het was een andere speler. Het was een oud en vuil plaatje, maar ik geloof niet dat Brian dat wist.' Sean dacht even na voordat hij verder ging op die akelig rustige toon. 'Op een dag kwam hij thuis met modder aan zijn handen. Hij spoelde de modder af en even later hoorde ik dat hij op zijn kamer zat te huilen.'
De lakens, dacht Alan. Wilma's lakens. Dus dat heeft Brian tòch gedaan.
'Brian zei dat die man van De NoodZaak alleen maar vergif verkoopt en dat ik er nooit naartoe mocht gaan.'

'Zei Brian dàt? Had hij het over De NoodZaak?'
'Ja.'
'Sean...' Hij aarzelde. Zijn gedachten maalden koortsachtig rond in zijn hoofd, kleine blauwe vonken schietend.
'Ja?'
'Heeft je... heeft je moeder haar zonnebril ook in De NoodZaak gekocht?'
'Ja.'
'Heeft ze dat zelf tegen je gezegd?'
'Nee. Maar ik weet dat het zo is. Ze zet die zonnebril op en daardoor kan ze de King bezoeken.'
'Je weet toch wie de King is, Sean?'
Sean keek hem aan alsof hij dacht dat de sheriff gek was geworden. 'Elvis. Híj is de King.'
'Elvis,' mompelde Alan. 'Ja, wie anders?'
'Wanneer komt pappa?'
'Nog even, jongen. Nog een paar vragen, dan laat ik je met rust. Dan kun je weer gaan slapen, en als je wakker wordt zit pappa naast je.' Hoopte hij. 'Sean, zei Brian wíe dat vergif verkocht?'
'Ja. Meneer Gaunt. Die winkel is van hem. Híj verkoopt vergif.'
Nu moest Alan aan Polly denken, aan Polly die na de begrafenis zei: *Ik denk dat ik eindelijk de goede dokter heb gevonden... Dokter Gaunt. Dokter Leland Gaunt.*
Hij zag haar het zilveren balletje tevoorschijn halen dat ze in De NoodZaak had gekocht... en terugschrikken toen hij zijn hand ernaar uitstrekte. De uitdrukking op Polly's gezicht was totaal nieuw voor hem geweest. Een uitdrukking van bekrompen achterdocht en bezitterigheid. En later, met een schelle, beverige, huilerige stem die eveneens helemaal nieuw was, had ze gezegd: *Het valt niet mee om te ontdekken dat een vertrouwd gezicht maar een masker is... Hoe kon je dat doen?... Hoe kòn je?*
'Wat heb je haar verteld?' mompelde Alan. Hij besefte helemaal niet dat hij een hoek van de deken in zijn vuist wrong. 'Wat heb je haar verteld? En hoe heb je haar in godsnaam overtuigd?'
'Sheriff? Is er iets?'
Alan dwong zichzelf de deken los te laten. 'Nee... Je weet toch zeker dat Brian het over meneer Gaunt had, Sean?'
'Ja.'
'Dank je,' zei Alan. Hij boog zich over de leuning heen, pakte Seans hand en kuste de jongen op zijn koele, bleke wang. 'Dank je.' Hij liet de hand los en stond op.
De afgelopen week had hij één afspraak uit zijn agenda telkens weer moeten uitstellen: zijn beleefdheidsbezoek aan de nieuwste winkel in Castle Rock. Niets bijzonders, een vriendelijk praatje om

Gaunt welkom te heten en te vertellen wat hij moest doen als er soms moeilijkheden waren. En vandaag, toen Polly's houding hem op het idee bracht dat Gaunt misschien niet helemaal koosjer was, waren er allerlei dingen gebeurd die hem naar dit ziekenhuis hadden gebracht, bijna veertig kilometer van Castle Rock.

Houdt hij me uit de buurt? Heeft hij me al die tijd uit de buurt willen houden?

Het idee had bespottelijk moeten lijken, maar dat was in deze stille, halfdonkere kamer helemaal niet het geval.

Plotseling moest hij terug. Hij moest zo snel mogelijk terug.

'Sheriff?'

Alan keek hem aan.

'Brian zei nog iets anders,' zei Sean.

'O ja?' vroeg Alan. 'Wat dan, Sean?'

'Brian zei dat meneer Gaunt helemaal geen mens was.'

10

Alan liep zo stil mogelijk naar de deur onder het bordje UITGANG, bang dat hij elk moment zou worden nageroepen door de collega van zuster Hendrie. Maar de enige die iets tegen hem zei was een klein meisje. Ze stond in de deuropening van haar kamer, haar blonde haar in vlechten gebonden, die over haar vaalroze flanellen nachthemdje vielen. Ze had een dekentje in haar handen. Haar speciale dekentje, aan de gerafelde randen te zien. Ze was op blote voeten, de strikjes in haar vlechten zaten scheef en ze had heel grote ogen in haar ingevallen gezichtje. Dat gezichtje wist meer van pijn dan goed kon zijn voor een kind.

'Jij hebt een pistool,' verklaarde ze.

'Ja.'

'Mijn pappa heeft ook een pistool.'

'O ja?'

'Ja. Veel groter dan het jouwe. Groter dan de hele wereld. Ben jij de Boeman?'

'Nee, lieverd,' zei hij, en hij dacht: Ik geloof dat de Boeman vanavond bij ons op bezoek is.

Hij deed de deur aan het eind van de gang open, liep de trap af en kwam via een tweede deur buiten in de late schemering, die even zwoel was als op een avond midden in de zomer. Zonder te rennen haastte hij zich naar de parkeerplaats. In de verte, in de richting van Castle Rock, bromde en gromde de donder.

Hij maakte het portier van zijn stationcar open, stapte in en pakte de Radio Shack microfoon. 'Wagen 1 meldt zich. Kom erin, centrale.'

Het enige antwoord was een golf van zinloos geruis.
Dat vervloekte onweer.
Misschien heeft de Boeman dat besteld, fluisterde een stem in zijn binnenste. Alan glimlachte met opeengeperste lippen.
Hij probeerde het nog eens, kreeg hetzelfde antwoord en riep vervolgens de staatspolitie in Oxford op. Die verbinding was luid en duidelijk. De meldkamer wist te vertellen dat er een zwaar onweer in de omgeving van Castle Rock was losgebarsten, waardoor de radio moeilijk te gebruiken was. Zelfs de telefoonverbindingen schenen hun eigen zin te volgen.
'Probeer in elk geval Henry Payton te bereiken en laat hem Leland Gaunt in hechtenis nemen, al is het maar voor verhoor. *G-a-u-n-t*. Begrepen? Over.'
'Dat is ontvangen, sheriff. G-a-u-n-t. Over.'
'Gaunt is misschien medeplichtig aan de moord op Nettie Cobb en Wilma Jerzyck. Over.'
'Begrepen. Over.'
'Dat was alles. Over en sluiten.'
Hij legde de microfoon neer, startte de motor en ging op weg naar de Rock. In een buitenwijk van Bridgton stopte hij bij een filiaal van Red Apple en ging naar de telefoon om het bureau te bellen. Na twee klikken hoorde hij een antwoordapparaat met de mededeling dat het nummer tijdelijk buiten gebruik was.
Hij hing op en ging terug naar zijn auto. Nu rende hij wèl. Voordat hij van de parkeerplaats afreed en terugging naar Route 117 pakte hij het zwaailicht en klemde dat weer op het dak. Op de hoofdweg gaf hij plankgas, zonder op de protesten van de trillende Ford te letten.

11

Ace Merrill en de duisternis vielen samen Castle Rock binnen.
Ace passeerde de Castle Stream Bridge terwijl zware donderslagen door de lucht rolden en bliksemschichten de weerloze aarde teisterden. De ramen van de Chevy Celebrity waren open; het regende nog niet en de lucht was zo dik als stroop.
Hij was vuil en moe en woedend. Ondanks het briefje had hij nog drie plekken opgezocht die op de kaart waren aangegeven, niet in staat te geloven dat het ècht was gebeurd. Dat iemand hem werkelijk te vlug af was geweest. Op elke plek had hij een platte steen en een begraven blik gevonden. In twee daarvan zaten nog meer rollen vuile zegels. In het laatste blik, uit de drassige grond achter de boerderij van Strout, zat niets anders dan een oude balpen. Op de

pen zat een plaatje van een vrouw met een kapsel uit de oorlogsjaren. Ze had ook een badpak als een gepantserd korset aan. Als je de pen omhoog hield, verdween het badpak.
Wat een schat.
Ace was op topsnelheid naar Castle Rock teruggereden, met een wilde blik in zijn ogen en klamme aarde op de pijpen van zijn spijkerbroek. Hij had maar één enkel doel: hij ging Alan Pangborn vermoorden. Daarna zou hij naar de westkust verdwijnen, iets wat hij al veel eerder had moeten doen. Misschien kon hij bij Pangborn nog iets van het geld terugvinden, misschien ook niet. Hoe dan ook, één ding was zeker: die smeerlap zou de pijp uitgaan, en niet op een prettige manier.
Vijf kilometer voor de brug besefte hij dat hij geen wapen bij zich had. In de garage in Boston had hij een van de automatische pistolen in zijn zak willen steken toen die vervloekte bandrecorder hem de stuipen op het lijf joeg. Maar hij wist waar de pistolen waren. Reken maar.
Hij reed de brug over... en stopte voor de kruising van Main Street en Watermill Lane, hoewel hij op een voorrangsweg zat.
'Wat krijgen we nóu?' gromde hij.
Lower Main was een warboel van politiewagens, blauwe zwaailichten, zenderwagens en groepjes mensen. De grootste activiteit concentreerde zich rond het gemeentehuis. Het leek wel of het gemeentebestuur ineens had besloten een kermis te organiseren.
Het kon Ace niet schelen wat er was gebeurd; wat hem betrof mocht de hele stad de lucht in vliegen. Hij was alleen op zoek naar Pangborn, om de vuile dief te scalperen en zijn kop aan zijn riem te hangen, maar hoe moest hij dat aanleggen met de complete politiemacht van Maine in en rond het bureau van de sheriff?
Hij kreeg onmiddellijk antwoord. *Gaunt weet wel hoe. Gaunt heeft de blaffers en hij weet ook hoe je het moet aanleggen. Ga naar Gaunt.*
Hij keek in zijn spiegeltje en zag nieuwe zwaailichten op de top van de heuvel aan de andere kant van de brug. Nog meer smerissen op komst. Hij vroeg zich opnieuw af wat er in vredesnaam aan de hand was, maar daar kwam hij later wel achter... of helemaal niet. net hoe het liep. Intussen had hij iets anders aan zijn hoofd, en om te beginnen moest hij hier weg voordat die politiewagen tegen hem aanknalde.
Ace sloeg linksaf Watermill Lane in en reed via Cedar Street terug naar Main Street om het gemeentehuis te omzeilen. Even stopte hij om naar de wirwar van blauwe zwaailichten aan de voet van de heuvel te kijken. Daarna reed hij door naar De NoodZaak.
Hij stapte uit, stak de straat over en keek naar het bordje in de eta-

lage. Even maakte een verpletterende teleurstelling zich meester van hem - behalve een blaffer had hij ook nog wat coke van Gaunt nodig - tot hij zich de dienstingang aan de achterkant herinnerde. Hij liep naar de hoek en verdween in het steegje, zonder erg te hebben in het felgele busje dat twintig of dertig meter verderop stond, net zo min als in de man die naar hem zat te kijken (Buster was inmiddels weer voorin gaan zitten).
In het steegje botste hij op tegen een man die een tweed pet diep over zijn ogen had getrokken.
'Kijk een beetje uit waar je loopt, maat,' zei Ace.
De man met de pet tilde zijn hoofd op en liet met een snauw zijn tanden zien. Tegelijkertijd trok hij een automatisch pistool uit zijn zak en stak dat naar voren. 'Ga opzij of ik geef jou ook de volle laag.'
Ace stak zijn handen in de lucht en ging opzij. Hij was niet bang; hij was stomverbaasd. 'Ik doe niks, meneer Nelson,' zei hij. 'Laat mij erbuiten.'
'Dat is beter,' zei de man met de pet. 'Heb je die klootzak van een Jewett ergens gezien?'
'Eh... van de school?'
'Van de middenschool, ja, of zijn er hier soms nog meer Jewetts? Gebruik je hersens, man!'
'Ik ben net terug in de stad,' zei Ace op zijn hoede. 'Ik heb echt niemand gezien, meneer Nelson.'
'Nou, ik vind hem zelf wel en dan zal hij ervan lusten. Hij heeft mijn parkiet vermoord en op mijn moeder gescheten.' George T. Nelson kneep zijn ogen half dicht en besloot: 'Vanavond moeten ze me niet voor mijn voeten lopen.'
Ace sprak hem niet tegen.
Nelson stopte het pistool weer in zijn zak en verdween om de hoek, driftig stappend als iemand die inderdaad een grote grief koestert. Ace bleef een ogenblik staan, zijn handen nog in de lucht. Nelson was de leraar handenarbeid op de middelbare school. Ace had hem altijd beschouwd als iemand die nog geen vlieg zou doodslaan als het beest op zijn oog zat, maar heel misschien moest hij zijn mening herzien. En Ace had het wapen herkend. Dat kon ook moeilijk anders: hij had de vorige dag nog een hele kist vol uit Boston meegebracht.

12

'Ace!' zei Gaunt. 'Je bent net op tijd.'
'Ik heb een wapen nodig,' zei Ace. 'En nog wat van dat eersteklas spul, als u overhebt.'

'Ja, ja... op z'n tijd. Alles op z'n tijd. Help me even met de tafel, Ace.'
'Ik ga Pangborn afmaken,' zei Ace. 'Hij heeft verdomme mijn geld gejat en nu ga ik hem afmaken.'
Gaunt keek naar hem met de strakke gele ogen waarmee een kat een muis volgt... en op dat moment vóelde Ace zich ook net een muis. 'Je hoeft me niet te vertellen wat ik al weet,' zei Gaunt. 'Als ik je moet helpen, Ace, help míj dan.'
Ace pakte de andere kant van de tafel en ze droegen hem terug naar de voorraadkamer. Gaunt bukte en pakte een bordje dat tegen de muur stond.

NU BEN IK *ECHT* GESLOTEN.

stond erop. Hij hing het tegen de deur en deed die op slot. Ace besefte plotseling dat er helemaal niets was - geen punaise, geen plakband, niets - waarmee het bordje aan de deur bleef hangen. Maar het viel niet op de grond.
Zijn blik viel op de kisten waarin de automatische pistolen en de patroonhouders hadden gezeten. Er waren nog maar drie pistolen en drie houders over.
'Grote goden! Waar is alles gebleven?'
'Het is een goede avond geweest, Ace,' zei Gaunt, zijn lange vingers tegen elkaar wrijvend. 'Bijzonder goed. En het wordt zelfs nog beter. Ik heb iets voor je te doen.'
'Ik zei toch dat de sheriff...'
Leland Gaunt was bij hem voordat hij er erg in had. Die lange, lelijke handen grepen hem bij zijn overhemd en tilden hem op alsof hij een zak met veren was. Ace slaakte een verraste kreet. Gaunts handen waren hard als ijzer. Ze tilden hem hoog op en plotseling keek Ace omlaag in dat furieuze, helse gezicht, zonder het geringste idee wat er was gebeurd. Zelfs in die onverhoedse doodsangst merkte hij dat er rook - of misschien stoom - uit Gaunts oren en neusgaten kwam. Hij zag eruit als een menselijke draak.
'*Jij hebt me nìks te zeggen!*' schreeuwde Gaunt. Zijn tong schoot tussen de scheve grafzerken van zijn gebit door en Ace zag dat hij gespleten was als de dubbele tong van een slang. '*Je hebt alleen maar te lúisteren! Hou je kop als je in het gezelschap van ouderen bent, Ace! Hou je kop en luister! Hou je kop en luister!* HOU JE KOP EN LUISTER!'
Hij draaide twee keer snel om zijn as, als een worstelaar die zijn tegenstander uit de ring wil smijten, en gooide hem tegen de muur. Ace viel met zijn hoofd tegen het pleisterwerk. Een groot vuurwerk werd afgestoken in zijn hoofd. Toen hij weer iets kon zien, zag hij

Leland Gaunt op zich afkomen. Gaunts gezicht was een verschrikking van ogen en tanden en kronkelende rook.
'Nee!' schreeuwde Ace. *'Nee, niet doen, alstublieft! Nee!'*
De handen waren in een oogwenk klauwen geworden, de nagels lang en scherp. *Of waren ze al die tijd al zo?* dacht Ace angstig. *Misschien waren ze al die tijd al zo en heb je het gewoon niet gezien.*
De nagels sneden als scheermessen door de stof van zijn overhemd en Ace werd weer opgetild naar dat blazende gezicht.
'Zul je nu luisteren, Ace?' vroeg Gaunt. Bij elk woord werd een hete wolk stoom tegen zijn wangen en mond geblazen. 'Zul je nu luisteren, of moet ik meteen maar je buik openrijten omdat je toch nutteloos bent?'
'Ja,' snikte hij. 'Ik bedoel néé! Ik luister!'
'Zul je als een gehoorzame boodschappenjongen doen wat ik zeg?'
'Já!'
'Weet je wat er gebeurt als je het niet doet?'
'Já! Já! Já!'
'Ik walg van je, Ace,' zei Gaunt. 'Dat bevalt me in een mens.' Hij gooide Ace tegen de muur. Ace zakte hijgend en snikkend door zijn knieën. Hij hield zijn hoofd naar beneden. Hij durfde niet naar het gezicht van het monster te kijken.
'Als je ook maar dènkt dat je tegen mijn wensen kunt ingaan, Ace, zal ik je een uitgebreide rondleiding door de hel geven. Je krijgt de sheriff, wees maar gerust. Maar op het ogenblik is die de stad uit. Zo, en sta nu op.'
Ace kwam langzaam overeind. Zijn hoofd deed pijn; zijn T-shirt hing in flarden rond zijn bovenlijf.
'Ik wilde je iets vragen.' Gaunt stond weer hoffelijk te glimlachen, met een uiterlijk om door een ringetje te halen. 'Bevalt dit stadje je? Hou je ervan? Heb je foto's aan de muur van je smerige hutje gehangen als aandenken aan de heerlijke dagen die je hier in alle rust hebt doorgebracht?'
'Nou eh, nee,' zei Ace onzeker. Zijn stem rees en daalde in het ritme van zijn bonkende hart. Slechts met de grootste inspanning kon hij rechtop gaan staan. Zijn knieën leken wel van was. Hij drukte zich met zijn rug tegen de muur en keek op zijn hoede naar Gaunt.
'Zou je het vervelend vinden als ik zei dat je dit smerige stadje van de kaart moest blazen terwijl je op de sheriff wacht? Dit stadje met al zijn *poorters?*'
'Ik... ik weet niet wat dat zijn,' zei Ace nerveus.
'Dat verbaast me niets. Maar je weet wèl wat ik bedoel, Ace. Of niet?'
Ace dacht terug. Hij dacht terug aan lang geleden, toen vier snot-

neuzen hem en zijn vrienden (Ace hàd vroeger vrienden, althans iets wat er redelijk bij in de buurt kwam) een kostbaar bezit hadden afgetroggeld. Later hadden ze een van die snotneuzen – Gordon LaChance – te pakken gekregen en bont en blauw geslagen, maar dat had niet geholpen. Tegenwoordig was LaChance een veelgelezen schrijver, die ergens anders in Maine woonde en zijn reet waarschijnlijk afveegde met briefjes van tien. De snotneuzen hadden toch nog gewonnen en met Ace was het nooit meer helemaal goed gekomen. Zijn geluk had hem in de steek gelaten. Open deuren gingen een voor een dicht. Langzamerhand was hij gaan inzien dat hij geen koning was en Castle Rock niet zijn koninkrijk. Zelfs al zou dat vroeger wel zo zijn geweest, het was definitief voorbij sinds dat weekend toen de snotneuzen hem en zijn vrienden iets hadden afgepikt. Ace was toen zestien en oud genoeg om in The Mellow Tiger te komen, van koning was hij afgezakt tot soldaat zonder uniform, alleen achtergelaten op vijandelijk terrein.
'Ik háát dit open riool,' zei hij tegen Leland Gaunt.
'Dat is mooi,' zei Gaunt. 'Heel mooi. Ik heb een vriend – hij zit een eindje verderop in zijn auto – en die zal je helpen er iets aan te doen, Ace. De sheriff krijg je... en je krijgt de hele stad erbij. Klinkt dat goed?' Hij ving Ace's blik met zijn ogen. Ace stond voor hem in zijn gerafelde T-shirt en begon te grijnzen. Zijn hoofd deed geen pijn meer.
'Ja,' zei hij. 'Dat klinkt fantastisch.'
Gaunt voelde in zijn zak en haalde een plastic boterhamzakje met wit poeder tevoorschijn. Hij stak zijn hand uit.
'Er is werk te doen, Ace,' zei hij.
Ace nam het boterhamzakje aan, maar het waren nog steeds Gaunts ogen waarnaar – en waarin – hij keek.
'Dat is goed,' zei hij. 'Ik ben er klaar voor.'

13

Buster zag de laatste bezoeker weer uit het steegje komen. Het T-shirt van de man hing in flarden om hem heen en hij had een kist in zijn handen. Onder de band van zijn spijkerbroek zaten twee automatische pistolen.
Buster trok verrast zijn hoofd in toen de man, die hij nu herkende als John 'Ace' Merrill, rechtstreeks naar het busje kwam, de kist neerzette en op het raampje tikte.
'Maak de achterbak open, maat,' zei Ace. 'Er is werk aan de winkel.'
Buster draaide het raampje omlaag. 'Maak dat je wegkomt,' zei hij. 'Wegwezen, tuig, voordat ik de politie erbij haal!'

'Veel geluk ermee,' gromde Ace.
Hij trok een van de pistolen. Buster verstijfde, maar Ace stak het met de kolf naar voren door het raampje. Buster keek ernaar met knipperende ogen.
'Pak aan,' zei Ace ongeduldig, 'en doe de achterkant open. Als je niet weet wie me heeft gestuurd, ben je nog stommer dan je eruitziet.' Hij stak zijn vrije hand uit en voelde aan de pruik. 'Je haar zit leuk,' zei hij met een lachje. 'Schattig gewoon.'
'Hou op,' zei Buster, maar de woede en verontwaardiging waren uit zijn stem verdwenen. *Drie helden kunnen een hoop schade aanrichten*, had Gaunt gezegd. *Ik zal iemand sturen*.
Maar Ace? Ace Mèrrill? Dat was een mìsdadiger!
'Ik geloof dat meneer Gaunt er nog is als je de zaak met hem wilt opnemen,' zei Ace. Hij gebaarde naar de lange repen van zijn T-shirt die voor zijn borst en buik hingen. 'Maar zoals je ziet is hij een beetje prikkelbaar.'
'Moet jíj me helpen tegen die gasten?' vroeg Buster.
'Zo is het,' zei Ace. 'We zullen deze hele stad roosteren als een Big Mac.' Hij pakte de kist op. 'Al weet ik niet wat we voor schade kunnen aanrichten met een kist vol slaghoedjes. Hij zei dat jij dat wel zou weten.'
Buster zat te grinniken. Hij draaide zich om, kroop over de rugleuning naar de laadruimte en schoof de deur open. 'Dat denk ik wel,' zei hij. 'Klim er maar in. We moeten op weg.'
'Waarheen?'
'Naar de parkeerplaats van Gemeentewerken, daar beginnen we,' zei Buster. Hij grinnikte nog steeds.

21

1

Dominee William Rose, die voor het eerst in mei 1983 de preekstoel van de doopsgezinde kerk in Castle Rock had beklommen, was een dweper van het zuiverste water, geen twijfel mogelijk. Jammer genoeg was hij ook energiek, soms op een vreemde, hardvochtige manier geestig en bij zijn gemeente uiterst populair. Zijn eerste preek als voorganger van de baptistische kudde was al veelbetekenend en had als titel: Waarom de katholieken verdoemd zijn. In deze trant, die bij zijn gemeente eveneens uiterst populair was, had hij sindsdien gearbeid. De katholieken, hield hij de gelovigen voor, waren godslasterlijke, misleide schepselen die in plaats van Jezus de vrouw vereerden die was uitverkoren om Hem ter wereld te brengen. Was het verwonderlijk dat ze dan ook op andere punten zo dwaalden?
Hij verklaarde dat de katholieken met hun Inquisitie het martelen tot een wetenschap hadden verheven; dat de Inquisiteurs de wáre gelovigen hadden verbrand op de brandstapel-eh, en wel tot aan het eind van de negentiende eeuw, toen ze door toedoen van heldhaftige protestanten (voornamelijk baptisten) hun activiteiten moesten staken; dat in de loop der eeuwen veertig verschillende pausen met hun eigen moeders en zusters en zelfs met hun onwettige dochters onheilige seksuele-eh betrekkingen hadden onderhouden; dat het Vaticaan gebouwd was op het goud van protestantse martelaren en leeggeroofde staten.
Zulke onbenullige praatjes waren nauwelijks nieuw voor de katholieke kerk, die al honderden jaren met dergelijke ketterse verhalen moest afrekenen. Veel priesters zouden er amper aandacht aan besteden of er zelfs de draak mee steken. Maar pastoor John Brigham was er de man niet naar om zulke dingen te laten passeren. Integendeel. De kortaangebonden Ier met zijn o-benen was een van die humorloze mensen die geen dwazen om zich heen kunnen verdragen, vooral geen onverbeterlijke dwazen zoals dominee Rose.
Bijna een jaar had hij Rose met zijn scherpe provocaties zijn gang laten gaan voordat hij vanaf zijn eigen preekstoel losbarstte. Zijn preek, die helemaal nergens doekjes om wond, was getiteld: De zonden van dominee Willie. Hij bestempelde de doopsgezinde voorganger als ‘een psalmzingende knuppel die denkt dat Billy Graham over water kan lopen en elke zondag aan de rechterhand van God de Almachtige Vader zit.’

Later die zondag was Rose met vier van zijn grootste ouderlingen op bezoek gegaan bij de pastoor. Ze waren geschokt en boos, zeiden ze, door de lasterlijke dingen die Brigham had gezegd.
'Jíj hebt nogal recht van spreken,' zei de pastoor, 'als je net de hele ochtend hebt geroepen dat ik de Hoer van Babel dien.'
Een blos verspreidde zich snel over de doorgaans bleke wangen en zelfs over de vrijwel kale schedel van dominee Rose. Hij had met geen wóórd over "dienen" gesproken en de Hoer van Babel alleen een paar keer genoemd, en wie de schoen past, trekke hem aan...
Brigham was met gebalde vuisten op hem afgekomen. 'Als je buiten op de stoep verder wilt praten,' zei hij, 'laat je Gestapovriendjes hier dan opzij gaan. Ik heb alle tijd voor je.'
Rose, die tien centimeter langer was dan Brigham - maar zo'n tien kilo lichter - deed een stap terug. 'Ik wil mijn handen-eh niet vuil maken,' sneerde hij.
Een van de ouderlingen was Don Hemphill. Hij was langer èn zwaarder dan de strijdlustige priester. '*Ik* wil er wel over praten,' zei hij. 'Ik zal de stoep aanvegen met je vuile paapse reet.'
Twee andere ouderlingen, die wisten dat Don een man van zijn woord was, hadden hem nog net kunnen tegenhouden... maar sindsdien was de sfeer voorgoed bedorven.
Tot oktober van dit jaar had de affaire grotendeels onderhuids voortgesudderd, met discriminerende grapjes en kwaadaardig geroddel in de mannen- en vrouwengroepen van beide gezindten, pesterijen op het schoolplein tussen kinderen uit de twee kampen en vooral met retorische granaten die elke zondag - de dag des vredes waarop de meeste oorlogen in de geschiedenis zijn uitgebroken - vanaf de kansel werden afgeschoten. Af en toe deed zich een lelijk incident voor - er was met eieren gegooid op een dansavond van de Jonge Baptisten en bij de pastorie was een steen door de ruit gegooid - maar het was overwegend een oorlog met woorden geweest.
Zoals in alle oorlogen waren er verhitte momenten en slaptes geweest, maar sinds de aankondiging van de casino-avond door de Dochters van Isabella was de wederzijdse woede geleidelijk toegenomen. Toen dominee Rose het infame 'Rattekopkaartje' ontving was het waarschijnlijk al te laat geweest om een confrontatie te vermijden; de mateloze grofheid van de inhoud deed alleen maar vrezen dat die confrontatie des te heviger zou worden. De lont stak in het kruitvat; iemand hoefde alleen nog een lucifer af te steken om het vreugdevuur te laten opvlammen.
Als iemand het hachelijke van de situatie fataal had onderschat, was het pastoor Brigham. Hij wist van tevoren dat zijn doopsgezinde collega niets van de casino-avond zou moeten hebben, maar hij

begreep niet hoezeer de predikant zich geschokt en beledigd voelde door het plan de kerk een gokavond te laten sponsoren. Hij wist niet dat de vader van Stoomboot Willie een gokverslaafde was geweest, die zijn gezin telkens in de steek liet als de koorts hem overviel, of dat hij zichzelf ten slotte een kogel door het hoofd had gejaagd nadat hij in de achterkamer van een danszaal al zijn geld had verloren. En de lelijke waarheid was dit: het had Brigham waarschijnlijk weinig kunnen schelen als hij het wèl had geweten.
Dominee Rose mobiliseerde zijn troepen. De baptisten begonnen hun campagne met een serie ingezonden brieven tegen de casinoavond in de plaatselijke *Call*, gevolgd door het ophangen van pamfletten met het opschrift DOBBELEN EN DE DUIVEL. Betsy Vigue, voorzitster van de activiteitencommissie en regentes van de Dochters van Isabella, organiseerde de tegenaanval. De laatste drie weken was de *Call* uitgebreid tot zestien pagina's om ruimte te bieden aan het resulterende debat (hoewel het meer een scheldpartij was dan een redelijke uiteenzetting van wederzijdse standpunten). Meer pamfletten werden opgehangen en even snel weer afgerukt. Het verzoek van de redactie om de toon te matigen werd door beide partijen genegeerd. Sommige woordvoerders hadden er plezier in; het was wel aardig om een storm in een glas water te veroorzaken. Maar tegen het eind had Stoomboot Willie er net zo min plezier in als pastoor Brigham.
'Ik walg van dat opgeblazen varken!' schreeuwde Brigham tegen de verraste Albert Gendron toen die hem het kwalijke briefje 'luister goed, garnalekop' liet zien dat op de deur van zijn tandartspraktijk was geplakt.
'En dat hoerenjong durft zulke dingen over ons te zeggen!' schreeuwde dominee Rose tegen de al even verraste Norman Harper en Don Hemphill. Dat was op Columbusdag, kort nadat Brigham hem had gebeld. Brigham had geprobeerd hem het garnalebriefje voor te lezen; Rose had (heel terecht volgens zijn ouderlingen) geweigerd te luisteren.
Norman Harper, tien kilo zwaarder dan Albert Gendron en bijna even lang, werd zenuwachtig van de schrille, bijna hysterische toon die de dominee aansloeg, maar dat zei hij niet. 'Weet je wat het is?' bromde hij. 'Die kwezel van een priester is zelf een beetje geschrokken van het kaartje dat je hebt gekregen, Bill, dat is alles. Hij beseft dat zijn mensen te ver zijn gegaan. Daarom zegt hij dat ze zelf net zo'n smerig briefje hebben gekregen, om zijn eigen ziel schoon te wassen.'
'Dat kan hij dan wel vergeten!' De stem van de dominee was schriller dan ooit. 'Niemand uit onze gemeente zou zich tot zoiets smerigs verlagen! Níemand!' Zijn stem sloeg over bij dat laatste

woord. Hij balde zijn vuisten krampachtig. Norman en Don wierpen elkaar een ongeruste blik toe. De laatste weken hadden ze het al een paar keer over de dominee gehad, die zich steeds vaker eigenaardig gedroeg. Dat gedoe met de casino-avond vrat aan hem. De twee mannen waren bang dat hij een zenuwinzinking zou krijgen voordat de hele kwestie eindelijk was opgelost.
'Dat weten we toch,' zei Don sussend. 'Wij weten precies hoe het zit, Bill.'
'Ja!' riep dominee Rose, de twee mannen aanstarend met een onzekere, waterige blik. 'Jùllie weten het, ja, jullie tweeën. En ik, ìk weet het! Maar hoe zit het met de rest van de stad-eh? Weten zij het ook?'
Norman en Don wisten geen van beiden het antwoord.
'Ik hoop dat ze die leugenachtige afgodendienaar de stad uitjagen!' schreeuwde William Rose, machteloos met zijn vuisten schuddend. 'Met pek en veren insmeren! Dat zou ik willen zien! Ik zou er goud voor overhebben!'
Maandag had pastoor Brigham telefonisch iedereen die geïnteresseerd was in 'de huidige sfeer van godsdienstige verdrukking in Castle Rock' uitgenodigd voor een korte vergadering, 's avonds in de pastorie. Er kwamen zoveel mensen opdagen dat de bespreking verplaatst moest worden naar de zaal van de Knights of Columbus, naast de pastorie.
Brigham opende de bijeenkomst met de brief die Albert Gendron had gevonden - kennelijk verstuurd door de Verontruste Baptisten van Castle Rock - en beschreef vervolgens zijn onbevredigende telefoongesprek met dominee Rose. Toen hij zijn gehoor vertelde dat Rose naar eigen zeggen zelf een obsceen briefje had ontvangen, een briefje dat zogenaamd afkomstig zou zijn van de Verontruste Katholíeken van Castle Rock, ging er een gemompel op... eerst geschokt, daarna verontwaardigd.
'Hij is een vervloekte leugenaar!' riep iemand achter in de zaal.
Pastoor Brigham scheen tegelijkertijd te knikken en nee te schudden. 'Misschien wel, Sam, maar dat is het punt niet. Hij is compleet gestoord - ik denk dat dàt het punt is.'
Er viel een peinzende, verontruste stilte, maar Brigham voelde een bijna tastbare opluchting. *Compleet gestoord:* voor het eerst sprak hij die gedachte hardop uit, al liep hij er zeker al drie jaar mee rond.
'Ik wil me niet door een godsdienstfanaat laten tegenhouden,' vervolgde de pastoor. 'Onze casino-avond is onschuldig en heilzaam, wat dominee Stoomboot er ook van mag zeggen. Maar nu hij steeds radicaler en steeds onevenwichtiger begint te worden, vind ik dat we een stemming moeten houden. Als jullie de casino-avond

willen schrappen en om de lieve vrede te bewaren voor zijn dreigementen willen buigen, moeten jullie het zeggen.'
Unaniem werd besloten de casino-avond volgens plan te laten doorgaan.
Brigham knikte tevreden. Daarna keek hij naar Betsy Vigue. 'Jullie hebben morgenavond toch een bespreking, Betsy?'
'Ja.'
'Mag ik dan voorstellen,' zei Brigham, 'dat wij mannen op hetzelfde tijdstip hier in de zaal bijeenkomen?'
Albert Gendron, een bedachtzame man die niet gauw kwaad werd en zijn woede ook niet gauw vergat, richtte zich langzaam in zijn volle lengte op. Alle hoofden draaiden zich in zijn richting. 'Bedoelt u dat die doperse knuppels onze vrouwen misschien lastig zullen vallen, meneer pastoor?'
'Nee, nee, helemaal niet,' zei Brigham sussend. 'Maar het lijkt me verstandig maatregelen te treffen om de casino-avond zèlf ongestoord...'
'Bewakers?' vroeg iemand enthousiast. 'Moeten we de zaal laten bewaken, meneer pastoor?'
'We moeten onze oren en ogen openhouden,' zei Brigham, zonder te verhelen dat bewakers precies waren wat hij in gedachten had. 'En mòchten zich dinsdagavond moeilijkheden voordoen, dan kan het geen kwaad als wij hier ook zijn.'
Zo kwam het dat de Dochters van Isabella zich in de zaal aan de ene kant van de parkeerplaats verzamelden en de katholieke mannen in de zaal aan de andere kant. En in de protestantse kerk elders in de stad kwamen op hetzelfde tijdstip de volgelingen van dominee William Rose bijeen om de jongste katholieke verdachtmakingen te bespreken en acties tegen de casino-avond te organiseren.
De diverse incidenten en uitstapjes van de vooravond hadden weinig invloed op de opkomst bij deze vergaderingen; de meeste mensen die zich in het naderende onweer bij het gemeentehuis ophielden waren neutraal in de Grote Casino-avond Controverse. En de wèl betrokken katholieken en doopsgezinden lieten zich door een paar moorden niet het vooruitzicht ontnemen op een waarachtige heilige oorlog. Per slot van rekening viel alles in het niet vergeleken bij geloofszaken.

2

Meer dan zeventig mensen kwamen naar de vierde bijeenkomst van wat dominee Rose de Doopsgezinde Christelijke Strijders tegen het Gokken had genoemd. Het was een geweldige opkomst; de vorige

vergadering was een teleurstelling geweest, maar de geruchten over het obscene kaartje hadden de belangstelling weer aangewakkerd. Dominee Rose was er blij om, maar hij zag tot zijn teleurstelling en verbazing dat Don Hemphill niet aanwezig was. Don had beloofd dat hij er zou zijn en Don was zijn sterke rechterhand.
Rose keek op zijn horloge en zag dat het al vijf over zeven was: te laat om de supermarkt te bellen om te vragen of Don het vergeten was. Alle anderen waren er al en hij wilde ze niet laten wachten nu ze op het toppunt van hun verontwaardiging en nieuwsgierigheid waren. Hij gaf Hemphill nog een minuut, daarna beklom hij de kansel en hief ter begroeting zijn magere armen. Zijn gemeente – vanavond grotendeels in werkkleding gehuld – nam plaats in de onopgesmukte houten banken.
'Laten we deze gewichtige avond-eh waardig beginnen,' zei dominee Rose zacht. 'Laat ons samen-eh bidden.'
Iedereen boog het hoofd en op dat moment werd de deur achter hen met groot geweld opengeworpen. Een paar vrouwen gilden en verscheidene mannen sprongen op.
Het was Don. Hij was slager in zijn eigen supermarkt en had nog steeds zijn bloederige voorschoot aan. Zijn gezicht was zo rood als een vleestomaat. Tranen stroomden uit zijn ontstelde ogen. Het snot zat op zijn neus en bovenlip en in de rimpels bij zijn mondhoeken.
En hij stonk.
Don rook als een troep stinkdieren die achtereenvolgens door zwavel en verse koeiestront waren gewenteld en daarna losgelaten in een afgesloten kamer. De stank ging voor hem uit; de stank volgde hem; maar de stank hing nog het meest om hem heen, als een pestlucht. Vrouwen bij het gangpad bogen angstig opzij en pakten snel hun zakdoek terwijl hij voorbijkwam, van voren wapperend met zijn slagersjas en van achteren met zijn loshangende witte overhemd. De weinige aanwezige kinderen begonnen te huilen. Mannen lieten kreten van afschuw en verbijstering horen.
'Don!' riep dominee Rose met een hoge, verraste stem. Hij had zijn armen nog in de lucht, maar liet ze zakken toen Don Hemphill dichterbij kwam. Onwillekeurig sloeg hij een hand voor zijn neus en mond. Hij dacht dat hij zou gaan kotsen. Zo'n afschuwelijke stank had hij nog nooit geroken. 'Wat... wat is er gebeurd?'
'Gebeurd?' brulde Don Hemphill. 'Gebéurd? Ik zal je vertellen wat er is gebeurd! Ik zal jullie allemaal vertellen wat er is gebeurd!'
Hij draaide zich met een ruk om, en ondanks de stank die aan zijn lijf hing en die hij uitwasemde, werd iedereen stil van de woeste, krankzinnige blik waarmee hij hen aankeek.
'Die smeerlappen hebben stinkbommen in mijn winkel gegooid,

dat is er gebeurd! Ik wilde vroeg sluiten en God zij geloofd waren er daarom niet veel klanten meer in de zaak, maar de voorraad is geruïneerd! Alles! Veertigduizend dollar naar de maan! Verpest! Ik weet niet wat die vuilakken hebben gebruikt, maar het zal nog dágen stinken!'
'Wie?' vroeg dominee Rose bedeesd. 'Wie heeft dat gedaan, Don?'
Don Hemphill voelde in de zak van zijn voorschoot. Hij haalde een zwart boord met een wit voorstuk eruit en een stapeltje pamfletten. Het was een priesterboord. Hij hield het omhoog.
'*Wie denk je?*' schreeuwde hij. '*Mijn zaak! Mijn voorraad! Alles verziekt en door wie?*'
Hij smeet de pamfletten naar de verbijsterde leden van de Doopsgezinde Christelijke Strijders tegen het Gokken. Als confetti vlogen ze in het rond. Een paar aanwezigen vingen ze op om ze te lezen. De tekst was steeds hetzelfde en op elk pamflet was een grote groep mannen en vrouwen afgebeeld die lachend rond een roulettetafel stonden.

VOOR ELK WAT WILS!

stond er boven de foto. En daaronder:

KOM NAAR DE 'CASINO-AVOND'
BIJ DE KNIGHTS OF COLUMBUS
OP 31 OKTOBER 1991
TEN BATE VAN HET KATHOLIEKE BOUWFONDS.

'Waar heb je die pamfletten gevonden, Don?' vroeg Len Milliken met zware, dreigende stem. 'En dat boord?
'Iemand had ze bij de hoofdingang gelegd,' zei Don, vlak voordat ze die stinkbo...'
Achter in de zaal was een nieuwe slag te horen en iedereen schrok op, maar ditmaal werd de deur dichtgesmeten in plaats van geopend.
'Geniet maar lekker, doperse flikkers!' riep iemand. De woorden werden gevolgd door een schel, kwaadaardig gelach.
De gelovigen keken met angstige ogen naar dominee William Rose. Hij staarde met even angstige ogen terug. En op dat moment begon het kastje te sissen dat in de koorgalerij was verborgen. Net als het kastje dat wijlen Myrtle Keeton in de zaal van de Dochters van Isabella had verstopt, bevatte dit (achtergelaten door de eveneens wijlen Sonny Jackett) een tijdontsteker die de hele middag had getikt. Een afgrijselijke stank begon in wolken op te stijgen uit de roosters in de zijkanten van het kastje.

Voor de Verenigde Baptisten van Castle Rock was de casino-avond al begonnen.

3

Babs Miller sloop langs de zijgevel van de zaal van de Dochters, verstijvend als er weer een blauwwitte bliksemstraal door de lucht schoot. In haar ene hand had ze een breekijzer en in de andere een automatisch pistool van Gaunt. De speeldoos die ze in De Nood-Zaak had gekocht zat in een zak van haar herenoverjas, en wie het zou wagen die te willen stelen, kon op de volle laag rekenen.
Wie zou zoiets laags, afschuwelijks, gemeens willen uithalen? Wie zou de speeldoos willen stelen voordat Babs wist welk melodietje erin zat?
Nou, dacht ze, Cyndi Rose Martin kan vanavond maar beter niet haar gezicht laten zien. Anders zal ze haar gezicht helemaal nóóit meer ergens laten zien... althans niet aan deze kant van de hel. Dacht ze soms dat ik... achterlijk was?
Maar eerst moest ze een grapje uithalen. Iemand een streek leveren. Op verzoek van meneer Gaunt, uiteraard.
Je kent Betsy Vigue toch wel? had Gaunt gevraagd.
Natuurlijk kende ze Betsy. Al sinds de lagere school, toen ze vaak samen corvee hadden en onafscheidelijke vriendinnen waren.
Goed. Kijk door het raam. Ze zal gaan zitten. Ze zal een vel papier pakken en zien dat er iets onder ligt.
Wat dan? had Babs nieuwsgierig gevraagd.
Dat doet er niet toe. Als je ooit het sleuteltje van de speeldoos wilt hebben, kun je beter je mond dichtdoen en je oren openzetten... begrijp je, meisje?
Ze had het begrepen. Ze begreep ook nog iets anders: Gaunt was soms angstaanjagend. Héél angstaanjagend.
Ze zal het pakken en bekijken. Ze zal het openmaken. Dan ga je snel naar de deur. Wacht tot iedereen zijn hoofd omdraait naar de linkerhoek achter in de zaal.
Babs had willen vragen waarom ze dat zouden doen, maar vond het veiliger om haar mond te houden.
Als ze hun hoofd omdraaien, zet je de punten van het breekijzer onder de deurknop. Druk het stevig aan, zodat het vanzelf blijft staan zonder los te schieten.
Wanneer moet ik roepen? had Babs gevraagd.
Dat merk je vanzelf. Ze zullen allemaal zitten te kijken of iemand rode pepers in hun reet heeft gestopt. Weet je nog wat je moet roepen, Babs?

Dat wist ze nog. Het leek een nogal gemene grap om uit te halen met Betsy Vigue, iemand met wie ze hand in hand naar school was gehuppeld, maar eigenlijk kon het ook geen kwaad (nou ja, niet zo heel erg) en ze waren geen kinderen meer, zij en het kleine meisje dat ze om de een of andere reden altijd Betty La-La had genoemd: dat was allemaal lang geleden. En niemand zou er haar van verdenken, zoals Gaunt had opgemerkt. Waarom zouden ze? Babs en haar echtgenoot waren tenslotte zevendedagadventisten en wat háár betrof verdienden de katholieken en baptisten niet beter, Betty La-La incluis.

De bliksem lichtte op. Babs verstijfde even en liep snel door naar een raam dichter bij de deur. Ze gluurde naar binnen om te zien of Betsy nog niet op haar stoel ging zitten.

En de eerste aarzelende druppels van dat geweldige noodweer begonnen om haar heen te spatten.

4

De stank die zich door de doopsgezinde kerk verspreidde, was dezelfde stank die aan Don Hemphill kleefde... maar dan duizendmaal erger.

'*O shit!*' brulde Don. Hij dacht er totaal niet aan waar hij was, al zou dat vermoedelijk weinig aan zijn taalgebruik hebben veranderd. '*Ze hebben hier ook een stinkbom gegooid! Weg! Weg! Iedereen naar buiten!*

'*Opschieten!*' riep Nan Roberts met haar volle, doorgewinterde bariton. '*Allemaal naar buiten, jongens!*'

Ze zagen allemaal waar de stank vandaan kwam; dikke geelwitte rookslierten golfden over de balustrade van het koor en door de in het hout uitgesneden diamanten. De zijdeur bevond zich pal onder het koor, maar niemand haalde het in zijn hoofd die deur te gebruiken. De stank was erg genoeg om je te smoren... nadat je ogen uit hun kassen waren gesprongen en je haren waren uitgevallen en je onwillekeurig je billen dichtkneep van verontwaardiging en ontzetting.

De Doopsgezinde Christelijke Strijders tegen het Gokken waren binnen vijf seconden een verslagen legermacht. Ze vluchtten wanordelijk naar de vestibule achter in de kerk, schreeuwend en hoestend. Een van de banken werd omvergelopen en viel met een luide klap tegen de grond. Deborah Johnstone raakte er met haar voet onder bekneld en Norman Harper ramde haar midscheeps terwijl ze zich probeerde los te rukken. Deborah viel achterover en haar enkel brak met een harde knak. Ze gilde het uit van de pijn in haar

beknelde voet, maar dat ging verloren in het gekrijs van al die anderen.
Dominee Rose was het dichtst bij het koor en de stank daalde op zijn hoofd neer als een groot, riekend masker. Zo stinken de katholieken als ze in de hel branden, dacht hij verward, en verdween met een sprong van de kansel. Hij landde met beide voeten op het middenrif van Deborah Johnstone en ze hield abrupt op met gillen; met een diepe, gesmoorde zucht raakte ze buiten westen. Dominee Rose, onbewust van het feit dat hij net een van zijn trouwste gelovigen had uitgeschakeld, baande zich haastig een weg naar de uitgang.
De eersten die de uitgang bereikten ontdekten dat het geen uitgang was: de dubbele deur was op de een of andere manier afgesloten. Voor ze zich konden omdraaien, werden deze leiders van de voorgenomen exodus platgedrukt door de kudde.
De lucht zag zwart van het gekrijs, verontwaardigde gebrul en radeloze gevloek. En terwijl buiten de regen begon, begon binnen het braken.

5

Betsy Vigue nam haar plaats in aan het midden van de tafel, tussen de Amerikaanse vlag en het vaandel van het Heilige Kind van Praag. Ze tikte met haar knokkels op tafel om de aandacht te trekken en de dames - zo'n veertig in getal - zochten hun stoelen. Buiten klonk een zware donderslag. Er klonken kleine kreetjes en zenuwachtig gelach.
'Ik verklaar deze vergadering van de Dochters van Isabella voor geopend,' zei Betsy, en ze pakte de lijst met agendapunten. 'Zoals gewoonlijk zal ik beginnen met het voorlezen van de...'
Ze zweeg. Onder haar papier lag een grote witte envelop. Het opschrift staarde haar grimmig aan.

MAAK MIJ ONMIDDELLIJK OPEN, PAAPSE HOER.

Zij weer, dacht ze. Die baptisten. Die lelijke, nare, bekrompen mensen.
'Betsy?' vroeg Naomi Jessup. 'Is er iets?'
'Ik weet het niet,' zei ze, 'maar ik geloof het wel.'
Ze scheurde de envelop open. Er gleed een vel papier uit. Daarop was de volgende mededeling getikt:

ZO RUIKEN KATHOLIEKE KUTTEKOPPEN!

Plotseling klonk er een sissend geluid uit een hoek achter in de zaal, het geluid van een overbelaste stoompijp. Een paar vrouwen slaakten een kreet en draaiden hun hoofd om naar de hoek. Buiten was een nieuwe donderslag te horen en ditmaal werd er harder gegild. Een witgele damp begon op te stijgen uit een van de hokjes langs de zijmuur. En opeens was de kleine zaal gevuld met de afschuwelijkste stank die de vrouwen ooit hadden geroken.
Betsy gooide haar stoel om toen ze overeind kwam. Ze deed net haar mond open om iets te zeggen – al wist ze niet wat – toen buiten een vrouwenstem riep: '*Dat is voor jullie casino-avond, lelijke dellen! Bekeer je! Bekeer je!*'
Betsy zag door het raam in de deur nog net iemand op de stoep staan, daarna werd haar het uitzicht volledig benomen door de dichte walm uit het hokje. Het kon haar ook niet meer schelen wat ze zag. De stank was ondraaglijk.
Een geweldig tumult brak los. De Dochters van Isabella renden als dolgeworden schapen door elkaar heen in de rokerige, stinkende ruimte. Niemand hoorde of merkte dat Antonia Bissette haar nek brak toen ze tegen de stalen rand van de tafel werd gegooid.
Buiten rolde de donder en flikkerde de bliksem.

6

De katholieke mannen in de zaal van de Knights of Columbus waren in een onregelmatige kring rond Albert Gendron gaan staan. Met als uitgangspunt het briefje op de deur van zijn praktijkruimte ('Ach, dat is niets, jullie hadden erbij moeten zijn toen...), onthaalde hij hen op even gruwelijke als fascinerende verhalen over protestantse provocaties en katholieke wraak toen hij in de jaren dertig in Lewiston woonde.
'Dus toen hij de koeievlaai zag die de stomme protestanten op de voeten van de Heilige Maagd hadden gelegd, sprong hij meteen in zijn auto en reed...'
Albert zweeg abrupt en luisterde scherp.
'Wat is dat?' vroeg hij.
'De donder,' zei Jake Pulaski. 'We krijgen zwaar weer.'
'Nee, dàt,' zei Albert, opstaand. 'Net of er iemand schreeuwt.'
De donder zwakte even af tot een zacht gerommel en in die pauze hoorden ze het allemaal: vrouwen. Gillende vrouwen.
Ze draaiden zich om naar de pastoor, die was opgestaan. 'Kom mee, mannen!' zei hij. 'We gaan kij...'
Toen begon het gesis en de walm begon zich van achter in de zaal te verspreiden tot waar de mannen zich hadden verzameld. Een ruit

vloog aan scherven en een steen bonkte over de vloer, die in de loop der jaren door dansende voeten tot een diepe glans was uitgesleten. Mannen schreeuwden en maakten zich uit de voeten voor de stuiterende kei, die met een laatste bons de muur raakte en stil bleef liggen.

'*Een waarschuwing van de baptisten!*' gilde een stem buiten de zaal. '*Geen gokavonden in Castle Rock! Zegt het voort, castraten!*'

Ook de deur van deze zaal was met een breekijzer geblokkeerd. De mannen botsten tegen het hout en vielen over elkaar heen.

'*Nee!*' riep Brigham. Hij baande zich een weg door de dampen naar een kleine zijdeur. Die was niet gebarricadeerd. '*Deze kant op. Déze kant!*'

Eerst luisterde niemand naar hem. In hun paniek dreigden ze elkaar te verpletteren tegen de onbeweeglijke voordeur, tot Albert Gendron zijn grote handen optilde en twee hoofden tegen elkaar dreunde.

'*Luister naar meneer pastoor!*' brulde hij. '*Ze zijn de vrouwen aan het vermoorden!*'

Albert baande zich met bruut geweld een weg terug door het gedrang en de anderen begonnen hem te volgen. In een verwarde, struikelende rij liepen ze door de stinkende walm, hoestend en vloekend. Meade Rossignol kon zijn kolkende maag niet langer in bedwang houden. Hij deed zijn mond open en spuugde zijn avondeten uit over de brede rug van Albert Gendron. Albert merkte het nauwelijks.

Pastoor Brigham wankelde al naar de trap die naar de parkeerplaats en naar de zaal van de Dochters van Isabella aan de andere kant leidde. Af en toe bleef hij staan en kokhalsde. De stank hing als vliegenpapier aan zijn lichaam. De mannen volgden hem in een wanordelijke processie en hadden amper erg in de regen, die heviger begon te worden.

Toen Brigham halverwege de lage trap was, zag hij in het licht van de bliksem de koevoet die onder de deurknop van de andere zaal was geklemd. Een ogenblik later werd een van de ruiten aan de rechterkant van het gebouw ingeslagen en stortten de eerste vrouwen zich door de opening naar buiten. Ze tuimelden in het gras als grote lappenpoppen die net echt konden overgeven.

7

Dominee Rose haalde de vestibule niet: er lagen te veel mensen op en over elkaar die hem de weg versperden. Hij draaide zich om, zijn neus dichtknijpend, en wankelde terug de kerk in. Hij wilde de

anderen iets toeroepen, maar toen hij zijn mond opende spoot er alleen een grote straal kots uit. Hij struikelde over zijn eigen voeten en hij viel hard met zijn hoofd tegen een bank. Tevergeefs probeerde hij op te staan, tot grote handen hem onder zijn oksels pakten en overeind trokken. 'Door het raam, dominee!' riep Nan Roberts. 'En vlug wat!'
'Maar het glas...'
'Dat doet er niet toe! We stikken hier nog!'
Ze duwde hem naar voren en dominee Rose kon nog net een hand voor zijn ogen slaan voordat hij onder luid gekraak door de ruit schoot waarop Christus was afgebeeld, Zijn schapen weidend op een heuvel die precies de kleur van citroenpudding had. Hij vloog door de lucht en landde onzacht in het gras. Zijn bovengebit schoot uit zijn mond en hij kreunde.
Hij ging rechtop zitten, verrast door de duisternis en de regen... en door het gezegende parfum van frisse lucht. Hij kreeg geen tijd om ervan te genieten: Nan Roberts trok hem aan zijn haren overeind. 'Opschieten, dominee!' riep ze. In het blauwwitte licht van de bliksem had ze het verwrongen gezicht van een harpij. Ze droeg nog steeds haar witte rayon tenue – ze had de gewoonte zich precies zo te kleden als ze van haar serveersters verlangde – maar op de welving van haar boezem zat nu wat braaksel.
Rose hobbelde met gebogen hoofd met haar mee. Hij wou dat ze zijn haar losliet, maar steeds als hij dat probeerde te vragen werd hij overstemd door de donder.
Een paar anderen waren hen door het raam gevolgd, maar de meesten waren nog samengeperst aan de andere kant van de deur. Nan zag onmiddellijk waarom: twee koevoeten waren onder de deurknoppen geklemd. Ze schopte ze weg op het moment dat een bliksemschicht het stadsplein trof en het muziekpaviljoen, waar eens de gekwelde Johnny Smith de naam van een moordenaar had ontdekt, in lichterlaaie zette. De wind begon aan te wakkeren en de bomen zwiepten heen en weer tegen de donkere, woelige hemel.
Zodra de koevoeten waren weggehaald, werden de deuren opengeworpen. Een ervan werd compleet uit zijn hengsels gerukt en viel in het bloemperk links van de trap. Een stroom van verwilderde baptisten kwam naar buiten, struikelend en over elkaar heen vallend in hun haast om weg te komen. Ze stonken. Ze huilden. Ze hoestten. Ze braakten.
En allemaal waren ze buiten zichzelf van woede.

8

De Knights of Columbus, geleid door pastoor Brigham, en de Dochters van Isabella onder aanvoering van Betsy Vigue, ontmoetten elkaar midden op de parkeerplaats terwijl de sluizen van de hemel werden geopend en de regen neergutste. Betsy drukte zich tegen de pastoor aan. Tranen vloeiden uit haar rode ogen en haar haar plakte als een natte, glimmende badmuts tegen haar hoofd.
'Er zijn nog vrouwen binnen!' riep ze. 'Naomi Jessup... Tonia Bissette... ik weet niet hoeveel anderen!'
'Wie was het?' brulde Albert Gendron. 'Wie heeft dat in vredesnaam gedaan?'
'*O, de baptisten natuurlijk!*' schreeuwde Betsy, en ze begon te snikken, terwijl de bliksem als een withete vuursteen vonken sloeg. '*Ze noemden me een paapse hoer! Het waren de baptisten! De baptisten! Het waren de vervloekte baptisten!*'
Pastoor Brigham had zich inmiddels van Betsy bevrijd en sprong naar de deur van de zaal. Hij schopte de koevoet weg - het houtwerk eromheen was al versplinterd - en rukte de deur open. Drie kokhalzende vrouwen kwamen als verdoofd naar buiten, gevolgd door een stinkende rookwalm.
Door de dampen heen zag hij Antonia Bissette, knappe Tonia die zo snel en handig met haar breinaalden was en altijd bereid om zich voor de kerk in te zetten. Ze lag op de vloer naast de tafel, half onder de vlag met het Heilige Kind van Praag erop. Naomi Jessup zat op haar knieën bij haar te jammeren. Tonia's hoofd zat met een groteske, onmogelijke knik op haar hals. Haar glazige ogen staarden omhoog naar het plafond. De stank was geen probleem meer voor Antonia Bissette, die helemaal niets bij Gaunt had gekocht en evenmin aan een van zijn spelletjes had meegedaan.
Naomi zag Brigham in de deuropening staan, kwam overeind en liep wankelend naar hem toe. In haar ontzetting leek ook zij geen last meer te hebben van de stinkbom. 'Waarom toch?' riep ze. 'Waarom hebben ze dit gedaan? We hadden toch helemaal geen kwaad in de zin, het was maar voor de ontspanning. Waaròm?'
'Omdat die man krankzinnig is,' zei pastoor Brigham. Hij nam Naomi in zijn armen.
Naast hem zei Albert Gendron, met een stem die even zacht als dodelijk was: 'We zullen ze krijgen.'

9

De Doopsgezinde Christelijke Strijders tegen het Gokken marcheerden in de stromende regen door Harrington Street, met op de voorste rij Don Hemphill, Nan Roberts, Norman Harper en William Rose. Hun wilde ogen waren rood en gezwollen van de prikkelende dampen. De meeste christenstrijders hadden braaksel op hun broek, overhemd of schoenen... of op alle drie. De stank van rotte eieren liet zich zelfs door de neergutsende regen niet wegspoelen.
Een wagen van de staatspolitie stopte bij de kruising van Harrington Street en Castle Avenue, die bijna een kilometer verderop overging in Castle View. Een agent stapte uit en keek met open mond naar de stoet. 'Hé daar,' riep hij. 'Waar gaat dat heen?'
'We gaan die vuile papen te pakken nemen,' schreeuwde Nan Roberts terug, 'en als je verstandig bent loop je ons niet voor de voeten!'
Opeens deed Don Hemphill zijn mond open en begon te zingen, met een fraaie, volle bariton.
'*Voorwaarts, christenstrijders, voorwaarts naar het front...*'
Anderen vielen in. Al gauw deed de hele congregatie mee en ze begonnen sneller te lopen, in de maat marcherend. Hun gezichten waren bleek en woedend en volkomen gedachteloos terwijl ze de woorden van het lied uitbrùlden. Zelfs dominee Rose zong met ze mee, ook al lispelde hij lelijk zonder zijn bovengebit.

> 'Jezus, de koninklijke heer, gaat voor tegen de vijand.
> Voorwaarts naar het front, zie Zijn vaandel zwaaien!'

Nu renden ze bijna.

10

Agent Morris stond met de microfoon in zijn hand bij zijn wagen en staarde hen na. De regen droop in straaltjes over de rand van zijn Smokey Bear-pet.
'Kom erin, Wagen 16,' kraakte de stem van Henry Payton.
'Ik moet onmiddellijk versterking hebben!' riep Morris. Zijn stem klonk zowel angstig als opgewonden. Hij was nog maar een jaar in dienst. 'Er is iets aan de hand! Iets vreselijks! Er kwam hier net een menigte van wel zeventig mensen voorbij! Over!'
'En wat deden die dan?' vroeg Payton. 'Over.'
'Ze zongen "Voorwaarts, christenstrijders"! Over!'
'Ben jij dat, Morris? Over.'

'Jawel, inspecteur! Over!'
'Voor zover ik weet, brigadier Morris, is er nog altijd geen wet tegen het zingen van christelijke liederen, zelfs niet in de stromende regen. Als je het mij vraagt is het een stompzinnige bezigheid, maar in elk geval geen onwettige. Ik zeg dit maar één keer: ik zit met een stuk of vier meervoudige moorden, ik weet niet waar de sheriff of zijn vervloekte assistenten uithangen *en ik wens niet met onbenulligheden te worden lastiggevallen! Heb je dat begrepen? Over!*'
Agent Morris slikte moeilijk. 'Eh, jawel inspecteur, ik heb het begrepen. Alleen was er iemand - een vrouw, geloof ik - die zei dat ze "die vuile papen" te pakken gingen nemen. Ik weet wel dat het een beetje vaag is, maar het klonk erg dreigend.' Schuchter besloot Morris: 'Over?'
De stilte duurde zo lang dat Morris zich opnieuw wilde melden - de statische elektriciteit in de lucht had communicatie over grotere afstanden onmogelijk gemaakt en bemoeilijkte zelfs lokale gesprekken - maar op dat moment klonk ineens de vermoeide, angstige stem van Payton: 'O nee. O jezus, lieve jezus. Wat gebeurt er toch?'
'Nou, die vrouw zei dat ze...'
'*Dat heb ik wel gehoord!*' brulde Payton, zó luid dat zijn stem ervan brak. 'Ga naar de katholieke kerk! Als het uit de hand loopt, probeer ze dan uit elkaar te houden, maar zorg dat je niets overkomt. Ik herhaal, *zorg dat je niets overkomt*. Ik stuur zo snel mogelijk versterking... als ik die nog achter de hand heb. Ga nu meteen! Over!'
'Eh, inspecteur? Waar ìs de katholieke kerk hier ergens?'
'*Hoe moet ik dat verdomme weten?*' schreeuwde Payton. '*Ik ga hier niet naar de kerk! Volg die optocht maar! Over en uit!*'
Morris legde de microfoon neer. Hij kon de optocht niet meer zíen, alleen nog horen zingen tussen de donderslagen door. Hij stapte in zijn wagen en ging met de muziek mee.

11

Het pad dat naar de keukendeur van Myra Evans' huis leidde was opgesierd met in diverse zachte tinten geverfde stenen.
Cora Rusk raapte een blauwe steen op en woog die op haar vrije hand. Daarna voelde ze aan de deur. Die was op slot, zoals ze had verwacht. Ze smeet de kei door het glas en gebruikte de kolf van haar pistool om de scherven en splinters uit de sponningen te stoten. Daarna stak ze een hand naar binnen, maakte de deur open en stapte over de drempel. Haar natte haar kleefde in slierten en boog-

jes tegen haar wangen. Haar jurk hing nog steeds open en regendruppels rolden over de sproetige rondingen van haar borsten.
Chuck Evans was niet thuis, maar wel Garfield, de angorakat van Chuck en Myra. Hij draafde mauwend de keuken in, hopend op eten, en Cora gaf hem de volle laag. De kat vloog in een wolk van bloed en haren naar achteren. 'Vreet dàt maar op, Garfield,' zei Cora. Ze beende door de lichte kruitdamp naar de gang en liep de trap op. Ze wist waar ze die slet zou vinden. In bed natuurlijk. Dat wist Cora even goed als haar eigen naam.
'Ja, het is bedtijd,' zei ze. 'De hoogste tijd voor je, lieve Myra.'
Cora glimlachte.

12

Pastoor Brigham en Albert Gendron voerden het peloton woedende katholieken aan over Castle Avenue in de richting van Harrington Street. Halverwege hoorden ze gezang. De twee mannen keken elkaar aan.
'Denk je dat we ze een ander wijsje kunnen leren, Albert?' vroeg pastoor Brigham zacht.
'Ik denk het wel,' antwoordde Albert.
'Wat dacht je van "Tien kleine negertjes"?'
'Een uitstekend idee. Misschien zijn ze net niet te stom voor dat deuntje.'
Een bliksemstraal schoot door de lucht. Even werd Castle Rock fel verlicht, en de twee mannen zagen aan de voet van de heuvel een grote groep mensen naderen. In het schijnsel glansden hun ogen wit en leeg, als de ogen van standbeelden.
'Daar zijn ze!' schreeuwde iemand, en een vrouw riep: 'Grijp die vuile leugenaars!'
'We zullen ze leren,' fluisterde pastoor John Brigham opgewekt, en hij zette de aanval in.
'Amen,' zei Albert, met hem mee rennend.
En toen begonnen ze allemáál te rennen.
Agent Morris kwam de hoek om op het moment dat een nieuwe bliksemschicht omlaag flitste en een van de oude iepen bij de Castle Stream velde. In de lichtgloed zag hij twee groepen mensen naar elkaar rennen, de ene tegen de heuvel op, de andere van de heuvel af. Beide groepen schreeuwden moord en brand. Morris begon ineens te wensen dat hij zich 's middags ziek had gemeld.

13

Cora deed de deur van Chuck en Myra's slaapkamer open en zag precies wat ze had verwacht: de slet lag naakt op een wanordelijk dubbel bed dat eruitzag alsof het de laatste tijd overuren had gemaakt. Myra hield een hand onder de kussens achter haar hoofd. In de andere had ze een ingelijste foto. De foto rustte tussen haar vlezige dijen, alsof ze hem wilde berijden. Haar ogen waren half gesloten in extase.

'Oooh, E!' kreunde ze. 'Ooooh, E! OOOOOOOOHHH, EEEE-EEEEEEE!'

Een vlaag van ontstelde jaloezie greep Cora bij de keel en bracht een bittere smaak in haar mond.

'Vuile kleine pestrat,' fluisterde ze, en richtte het pistool.

Op dat moment keek Myra haar aan en Myra glimlachte. Ze trok haar hand onder het kussen uit. Er lag een automatisch pistool in.

'Meneer Gaunt zéi al dat je zou komen, Cora,' zei Myra. Ze haalde de trekker over.

Cora voelde de kogel langs haar wang suizen en hoorde hem in de muur naast de deur ploffen. Ze schoot zelf. De kogel raakte de foto, verbrijzelde het glas en boorde zich in Myra's dijbeen.

Er zat een gat midden in het voorhoofd van Elvis Presley.

'*Kijk nou eens!*' krijste Myra. '*Je hebt de King vermoord, stomme hoer!*'

Ze vuurde drie kogels af. De eerste twee troffen geen doel, maar de derde raakte Cora in de keel en wierp haar in een golf van bloed tegen de muur. Cora zakte door haar knieën en schoot zelf weer. De kogel doorboorde Myra's knieschijf en ze werd van het bed geslingerd. Cora viel voorover op de grond en het pistool gleed uit haar hand.

Ik kom bij je, Elvis, probeerde ze te zeggen, maar er was iets mis, iets helemaal mis. In de duisternis die haar opslokte leek niemand anders te zijn dan zijzelf.

14

De baptisten van Castle Rock, aangevoerd door dominee William Rose, en de katholieken van Castle Rock onder leiding van pastoor John Brigham, botsten bijna hoorbaar op elkaar aan de voet van Castle Hill. Wat volgde was geen beschaafde bokspartij volgens de regels; ze wilden elkaar de ogen uitkrabben en de neuzen afrukken. En misschien wilden ze elkaar wel vermoorden.

Albert Gendron, de zwaargebouwde tandarts die slechts langzaam, maar op een verschrikkelijke manier kwaad kon worden, greep

Norman Harper bij zijn oren en rukte het hoofd naar zich toe. Tegelijkertijd stak hij zijn eigen hoofd naar voren. Hun schedels sloegen tegen elkaar met het geluid van vallend aardewerk bij een aardbeving. Een rilling voer door Normans lichaam, dat helemaal slap werd. Albert gooide hem opzij als een zak wasgoed en stak zijn handen uit naar Bill Sayers, die gereedschap verkocht in de Western Auto. Bill dook omlaag en haalde uit. Albert ving de stomp op met zijn mond, spuwde een tand uit, klemde Bill met twee armen vast en kneep net zo hard tot hij een rib hoorde kraken. Bill begon te schreeuwen. Albert gooide hem bijna naar de overkant van de straat, waar agent Morris nog net op tijd kon remmen om niet over hem heen te rijden.

De straat was een chaos van worstelende, stompende, graaiende, krijsende figuren. Ze lieten elkaar struikelen, ze gleden uit in de regen, ze stonden weer op, ze sloegen en werden op hun beurt geslagen. In het felle licht van de bliksem leek het of er een bizarre dans werd opgevoerd, een dans waarbij je je partner niet liet ronddraaien maar in de dichtstbijzijnde boom slingerde, of tussen de benen schopte in plaats van een buiging te maken.

Nan Roberts greep Betsy Vigue van achteren bij haar jurk, terwijl Betsy met haar nagels diepe voren in de wangen van Lucille Dunham trok. Nan rukte haar naar zich toe, draaide haar om en stak twee vingers tot aan de kootjes in haar neus. Betsy gilde als een misthoorn en Nan begon haar geestdriftig bij haar neus door elkaar te rammelen.

Frieda Pulaski timmerde met haar liedboek op Nan in. Nan zakte langzaam door haar knieën. Haar vingers kwamen met een hoorbare plop uit de neus van Betsy Vigue. Toen ze probeerde op te staan, schopte Betsy haar in het gezicht en ze viel languit op het wegdek. 'Kreng, smerige teef!' gilde Betsy. 'Smerige TEEF!' Ze tilde haar voet op om Nan in de buik te trappen. Nan greep haar voet, draaide hem hard om en liet Betty La-La met haar gezicht tegen de straat storten. Ze kroop naar haar toe; Betsy wachtte haar op; een ogenblik later rolden ze om en om over de weg, bijtend en krabbend.

'*OPHOUDEN!*'

brulde agent Morris, maar zijn stem ging verloren in een serie donderslagen die de aarde deden trillen.

Hij trok zijn wapen, richtte het naar de hemel... maar voor hij kon schieten werd hij zelf in zijn kruis getroffen door een kogel uit een van Leland Gaunts speciale aanbiedingen. Morris werd achterwaarts tegen de motorkap van zijn wagen gegooid en viel tegen de

grond. Hij klemde zijn handen tegen de restanten van zijn voortplantingsapparaat en probeerde te schreeuwen.
Het was niet te zeggen hoeveel deelnemers precies het wapen bij zich hadden dat ze die dag bij Gaunt hadden gekocht. Niet veel, en daarvan waren sommigen hun pistool nog kwijtgeraakt bij hun verwarrende vlucht voor de stinkbommen. Maar er klonken nog minstens vier schoten in snelle opeenvolging, schoten die grotendeels onopgemerkt bleven in het tumult van schreeuwende stemmen en luide donderslagen.
Len Milliken zag Jake Pulaski een pistool richten op Nan, die Betsy uit haar handen had laten glippen en nu probeerde Meade Rossignol te kelen. Len greep Jake bij zijn pols en duwde die omhoog naar de flikkerende hemel, een seconde voordat het pistool afging. Daarna rukte hij Jakes pols omlaag en brak hem over zijn knie alsof het een stuk aanmaakhout was. Het pistool viel kletterend op de natte weg. Jake begon te janken. Len liet hem los en zei: 'Dat zal je leren ons...' Verder kwam hij niet, want iemand had dat moment gekozen om een zakmes in zijn achterhoofd te stoten en zijn ruggemerg bij de hersenstam door te snijden.
Andere politiewagens kwamen ter plaatse, en de blauwe zwaailichten wierpen een grillig schijnsel in de verregende duisternis. De vechtende kluwen schonk geen aandacht aan de luide oproepen om op te houden en zich te verspreiden. Toen de politiemensen probeerden een eind aan het vechten te maken, werden ze een voor een zelf in het gewoel gezogen.
Nan Roberts herkende de pastoor aan zijn vervloekte zwarte overhemd, dat van achteren van onder tot boven was opengescheurd. Met een hand hield hij dominee Rose bij zijn nek. Zijn vrije hand was gebald tot een vuist, waarmee hij Rose herhaaldelijk op de neus stompte. De predikant stond te trillen onder het geweld van de slagen die Brigham hem onophoudelijk toediende.
Zonder acht te slaan op de verwarde politieman die haar bijna smekend beval onmiddellijk op te houden, schreeuwde Nan uit alle macht, sloeg Meade Rossignol van zich af en stortte zich op de pastoor.

22

1

De beukende storm dwong Alan heel langzaam te rijden, ondanks zijn groeiende besef dat tijd een vitale, bitter belangrijke factor was geworden en dat hij, als hij niet snel in Castle Rock terug zou zijn, net zo goed voor altijd kon wegblijven. Veel onmisbare gegevens, zo kwam het hem nu voor, hadden al die tijd al in zijn hoofd gezeten, opgesloten achter een stevige deur. Op de deur stond een duidelijk opschrift, maar dat luidde niet DIRECTIEKAMER of RAAD VAN BESTUUR en zelfs niet VERBODEN TOEGANG. Het opschrift op de deur in Alans hoofd luidde: HIER KLOPT NIETS VAN. Hij had alleen de goede sleutel nog nodig gehad... de sleutel die Sean Rusk hem had gegeven. En wat zat er achter de deur?

De NoodZaak natuurlijk. En zijn eigenaar, Leland Gaunt.

Brian Rusk had een honkbalplaatje in De NoodZaak gekocht en Brian was dood. Nettie Cobb had een lampekap in De NoodZaak gekocht en zíj was ook dood. Hoeveel anderen waren ook naar die bron gegaan om vergiftigd water te kopen? Norris: een vishengel. Polly: een talisman. De moeder van Brian Rusk: een goedkope zonnebril die iets met Elvis Presley te maken had. Zelfs Ace Merrill: een oud boek. Alan durfde er iets om te verwedden dat ook Hugh Priest iets had gekocht... en Danforth Keeton...

Hoeveel anderen? Hoeveel?

Hij remde af bij het naderen van de Tin Bridge op het moment dat een bliksemstraal uit de hemel neerschoot en een van de oude iepen aan de overkant van de Castle Stream velde. Er was een geweldige elektrische ontlading en een grillige lichtflits. Alan sloeg een arm voor zijn ogen, maar op zijn netvlies was toch een helblauw nabeeld geprent, terwijl de radio luid kraakte en de boom traag en dramatisch in de rivier viel.

Hij liet zijn arm zakken en slaakte een kreet van schrik toen recht boven zijn hoofd een enorme donderslag te horen viel, luid genoeg om de aarde te splijten. Even was hij nog verblind en hij vreesde dat de iep op de brug was gevallen en zijn weg versperde, tot hij de boom net stroomopwaarts van de roestige oude brug zag liggen, begraven in een weefgetouw van stroomversnellingen. Alan schakelde en reed de brug over. De wind, inmiddels aangewakkerd tot stormkracht, gierde tussen de pijlers en kabels van de brug. Het was een naargeestig, eenzaam geluid.

Regen kletterde tegen de voorruit van de oude stationcar en veranderde de buitenwereld in een grillige hallucinatie. Toen Alan voorbij de brug de kruising van Lower Main Street en Watermill Lane bereikte, plensde het zo hard dat de ruitenwissers zelfs op hun maximale snelheid volkomen nutteloos waren. Hij draaide het raampje omlaag en stak zijn hoofd naar buiten om iets te kunnen zien. Zijn haar was onmiddellijk doorweekt.

De omgeving van het gemeentehuis stond vol met politieauto's en zenderwagens, maar bood ook een vreemde, verlaten aanblik, alsof de inzittenden van al die voertuigen plotseling door kwaadwillende buitenaardse wezens naar Neptunus waren gestuurd. Alan zag een paar persmensen in de beschutting van hun busjes naar buiten turen, en een agent holde door het straatje dat naar de parkeerplaats van het gemeentehuis leidde, maar dat was alles.

Drie straten verder, in de richting van Castle Hill, vloog een wagen van de staatspolitie over het kruispunt van Upper Main en Laurel Street. Een ogenblik later kwam een patrouillewagen uit Birch Street en schoot eveneens over Upper Main, maar deze in oostelijke richting. Het ging zo snel – flits, flits – dat het een scène uit een komische film over stuntelende politiemensen kon zijn. Uit *Smokey and the Bandit* misschien. Maar Alan zag er niets grappigs in. Het leek eerder een doelloze activiteit, een paniekerige, willekeurige beweging. Ineens was hij ervan overtuigd dat Henry Payton geen controle meer had over wat er vanavond in Castle Rock gebeurde... àls er al ooit meer dan de illusie van controle was geweest, natuurlijk.

Hij meende zwakke kreten uit de richting van Castle Hill te horen. Het was moeilijk te zeggen met de regen, donder en gierende wind, maar hij dacht niet dat hij het zich verbeeldde. Als om dat te bewijzen, schoot een wagen van de staatspolitie uit de steeg naast het gemeentehuis en reed die kant op, waarbij de regen als zilveren strepen zichtbaar werd in het licht van de koplampen en van de zwaailichten op het dak. De wagen ramde bijna een grote zenderwagen van WMTW.

Alan herinnerde zich dat hij eerder die week het idee had gekregen dat er iets helemaal mis was in zijn stadje, dat voor hem onzichtbare dingen uit de hand liepen en Castle Rock op het punt stond getroffen te worden door een onvoorstelbare ramp. En nu was die ramp begonnen, voorbereid door iemand

(*Brian zei dat Gaunt eigenlijk helemaal geen mens was*)

die Alan nog niet eens had ontmoet.

Een schreeuw ging op in de nacht, hoog en doordringend. Hij werd gevolgd door het geluid van brekend glas... en daarna, uit een andere richting, door een schot en een krijsend, waanzinnig gelach.

De donder rolde door de lucht als een stapel vallende planken. Maar nu heb ik tijd voor hem, dacht Alan. Ja. Meer dan genoeg tijd. We moeten maar eens kennismaken, meneer Gaunt, en het is hoog tijd dat je merkt wat er gebeurt met mensen die bij mij rotzooi komen trappen.
Alan negeerde de vage geluiden van chaos en geweld die hij door zijn open raampje hoorde, negeerde het gemeentehuis, waar Henry Payton vermoedelijk de troepen van orde en gezag coördineerde, en volgde Main Street in de richting van De NoodZaak.
Terwijl hij onderweg was, flitste een felle, witpaarse bliksemschicht als een brandende kerstboom door het zwerk, en voordat het begeleidende salvo van donderslagen was uitgewoed, gingen alle lichten in Castle Rock uit.

2

Hulpsheriff Norris Ridgewick, gehuld in het uniform dat hij voor parades en andere bijzondere gelegenheden bewaarde, was in de schuur naast het kleine huis dat hij met zijn moeder had gedeeld tot haar fatale beroerte in de herfst van 1986, het kleine huis waarin hij sindsdien alleen had gewoond. Hij stond op een krukje. Aan een balk boven zijn hoofd hing een eind zwaar touw met een strop eraan. Norris stak zijn hoofd in deze strop en begon hem aan te trekken tegen zijn rechter oor toen de bliksem insloeg en de twee lampen in de schuur uitgingen.
Toch kon hij de Bazun nog zien, die bij de keukendeur tegen de muur stond. Hij had die vishengel zo graag willen hebben en gedacht dat het een koopje was, maar uiteindelijk was de prijs toch hoog geweest. Hoger dan Norris kon betalen.
Zijn huis stond aan Watermill Lane, waar de weg een bocht maakt en weer terugloopt in de richting van Castle Hill en de View. De wind voerde het lawaai met zich mee van de strijd die daar nog altijd aan de gang was; gegil en geroep, af en toe een pistoolschot.
Daar ben ik verantwoordelijk voor, dacht hij. Niet uitsluitend – zeker niet – maar wel voor een deel. Ik heb meegedaan. Door mijn toedoen is Henry Beaufort gewond of stervende, misschien is hij al dood, daar in Oxford. Door mij ligt Hugh Priest in het lijkenhuis. Door mij. De jongen die zo graag politieman had willen zijn om mensen te helpen, de jongen die dat altijd al had gewild. De stomme, grappige, onhandige Norris Ridgewick, die dacht dat hij een Bazun nodig had en er goedkoop een kon krijgen.
‘Ik heb er spijt van,’ zei Norris. ‘Dat maakt het niet goed, maar voor wat het waard is: ik heb er ècht spijt van.’

Hij maakte aanstalten om van de kruk te springen toen hij plotseling een andere stem in zijn hoofd hoorde. *Waarom probeer je het dan niet te herstellen, kleine lafbek?*
'Dat kan ik niet,' zei Norris. In het licht van de bliksem bewoog zijn schaduw grillig over de muur, alsof hij werkelijk al van de kruk was gesprongen. 'Het is te laat.'
Kijk dan tenminste naar de oorzaak van alles, drong de boze stem aan. *Dat kun je toch wel doen? Kijk ernaar! Kijk er góed naar!*
Een nieuwe bliksemschicht. Norris staarde naar de Bazun... en slaakte een kreet van ontzetting en ongeloof. Bijna was hij van de kruk gevallen en had hij zich per ongeluk verhangen.
De slanke Bazun, zo buigzaam en sterk, was er niet meer. In plaats daarvan stond er een vuile, versplinterde hengel van bamboe, nauwelijks meer dan een stuk hout met een kleine Zebco-molen eraan, bevestigd met een enkele roestige schroef.
'Iemand heeft hem gestolen!' riep Norris. Zijn bittere jaloezie en paranoïde hebberigheid kwamen ogenblikkelijk en in volle hevigheid terug en hij wilde de straat oprennen om de dief te zoeken. Hij zou ze allemaal doden, heel Castle Rock, als dat nodig was om de dader te vinden. 'Iemand heeft mijn Bazun gestolen!' jammerde hij weer, wankelend op de kruk.
Nee, antwoordde de boze stem. *Zo is hij altijd geweest. Alleen je oogkleppen zijn gestolen: de oogkleppen die je zelf, uit vrije wil, had opgezet.*
'Nee!' Monsterlijke handen grepen Norris bij zijn slapen en begonnen te drukken. 'Nee, nee, néé!'
Maar het licht van de bliksem toonde hem opnieuw de vieze bamboe hengel waar een paar seconden eerder de Bazun nog had gestaan. Hij had hem daar neergezet omdat de hengel het laatste was dat hij wilde zien als hij van de kruk stapte. Niemand anders was hier geweest; niemand had hem verplaatst; daarom moest de stem gelijk hebben.
Zo is hij altijd geweest, herhaalde de boze stem. *De vraag is alleen nog: ga je er iets aan doen of vlucht je in het duister?*
Hij begon de strop los te trekken, en op dat moment merkte hij dat hij niet alleen was in de schuur. Ineens was het alsof hij tabak en koffie en vaag aftershave - Southern Gentleman - rook, misschien de geuren van Leland Gaunt.
Hij verloor zijn evenwicht, of anders waren het woedende, onzichtbare handen die hem van de kruk duwden. Een voet hield de kruk tegen en liet hem omvallen toen Norris kapseisde.
Norris' kreet smoorde toen de strop werd aangetrokken. Met een wild zwaaiende hand greep hij zich vast aan de balk en trok zich een eind op om niet gekeeld te worden. Zijn andere hand rukte aan de strop. Het touw schuurde tegen zijn hals.

Je gaat er niks aan doen! hoorde hij Gaunt woedend schreeuwen. *Je gaat helemaal niks doen, vervloekte onderkruiper!*
Gaunt was er niet, niet echt; Norris wist dat niemand hem had geduwd. Toch was hij er absoluut zeker van dat Gaunt er in zekere zin wèl was... en Gaunt was niet blij, want dit was niet de bedoeling. Zijn slachtoffers werden niet geacht iets te zíen, althans niet voor het te laat was om nog iets uit te maken.
Hij rukte en klauwde aan de strop, maar het was of de schuifknoop in cement was gedompeld. De arm waarmee hij zich vasthield begon wild te trillen. Zijn voeten schaarden heen en weer, bijna een meter boven de grond. Hij zou zich niet veel langer kunnen vasthouden. Het was een wonder dat de strop nog niet helemaal was aangetrokken.
Eindelijk slaagde hij erin twee vingers onder het touw te krijgen en de strop over zijn hoofd te laten glijden. Op hetzelfde moment werd zijn andere arm getroffen door een gruwelijke kramp. Hij viel snikkend op de grond, zijn verdoofde arm tegen zijn borst gedrukt. Het speeksel op zijn tanden werd paars in het licht van de bliksem. Hij raakte buiten westen. Hij wist niet hoe lang het had geduurd, maar de regen kletterde nog steeds neer en het onweer was nog net zo hevig toen hij weer bijkwam.
Wankelend kwam hij overeind en ging naar de vishengel, zijn arm tegen zich aandrukkend. De kramp begon wat minder te worden, maar Norris hijgde nog altijd. Hij greep de hengel en bekeek hem met een woedend gezicht.
Bamboe. Vies, smerig bamboe. Het was niet alles waard: het was níets waard.
Zijn magere borst zoog de lucht naar binnen en Norris stootte een kreet van schaamte en razernij uit. Tegelijkertijd trok hij zijn been op en brak de hengel over zijn knie. Daarna brak hij de twee helften nog een keer doormidden. Het hout voelde afschuwelijk aan, alsof het vol bacteriën zat. Het voelde onècht aan. Hij gooide de stukken weg en ze vielen rammelend als nutteloze dode takken op de grond bij de omvergeworpen kruk.
'Daar!' riep hij. 'Daar! Daar! *Daar!*'
Norris moest aan Gaunt denken. Aan Gaunt, met zijn grijze haar en zijn tweed en zijn gretige, scheve lach.
'Ik zal je krijgen,' fluisterde Norris Ridgewick. 'Wat er verder gebeurt weet ik niet, maar jóu zal ik te pakken nemen.'
Hij rukte de schuurdeur open en stapte de stromende regen in. Zijn patrouillewagen stond op de oprit. Hij boog zijn magere lijf tegen de wind in en liep naar de auto.
'Ik weet niet wat je bent,' zei Norris, 'maar ik zal je krijgen, lelijke vuile bedrieger.'

Hij stapte in de wagen en reed achteruit de oprit af. Op zijn gezicht streden schaamte, ellende en woede om de voorrang. Hij sloeg linksaf en reed zo snel als hij durfde naar De NoodZaak.

3

Polly Chalmers droomde.
In haar droom ging ze naar De NoodZaak, maar achter de toonbank stond niet Leland Gaunt: het was tante Evvie Chalmers. Tante Evvie droeg haar mooiste blauwe japon en haar blauwe sjaal met de rode franje. Tussen de grote en onwaarschijnlijk gelijkmatige tanden van haar kunstgebit klemde ze een Herbert Tareyton.
Tante Evvie! riep Polly in haar droom, vervuld van een grote verrukking en een nog grotere opluchting – de opluchting die we alleen kennen in prettige dromen en als we uit een nachtmerrie ontwaken. *Tante Evvie, u leeft nog!*
Maar Evvie scheen haar niet te herkennen. *Koop alles wat je wilt, meisje*, zei tante Evvie. *Hoe heette je ook alweer, Polly of Patricia? Ik herinner het me niet goed meer.*
Ik ben Trisha toch, tante! U noemde mij altijd Trisha.
Tante Evvie negeerde haar. *Hoe je ook heet, we hebben vandaag speciale aanbiedingen. Alles moet weg.*
Wat doet u hier, tante?
Ik hóór hier te zijn, zei tante Evvie. *Iedereen hoort hier te zijn, juffrouw Tweenaam. De hele wéreld hoort hier te zijn, want iedereen is gek op een koopje. Iedereen wil graag iets voor niets hebben... ook al kost het alles.*
Het prettige gevoel was ineens verdwenen. Angst kwam ervoor in de plaats. Polly keek in de vitrines en zag flesjes met een donkere vloeistof en op het etiket de tekst: DR. GAUNTS ELEKTRISCH TONICUM. Er lagen uit elkaar vallende poppen, die na twee keer opwinden hun wieltjes en veren zouden uitspugen. Er lagen grove seksspeeltjes. Er lagen kleine ampullen met een cocaïne-achtig poeder; op het etiket stond DR. GAUNTS KIEKEBOE AFRODISIACUM. Overal goedkope spullen uit een feestartikelenwinkel: plastic hondebraaksel, jeukpoeder, klappertjes, stroomknopjes. Een röntgenbril waarmee je zogenaamd door deuren en kleren heen kon kijken, al kreeg je er alleen maar witte kringen rond je ogen van. Er waren plastic bloemen en gemerkte speelkaarten en flesjes goedkope parfum met op het etiket DR. GAUNTS LIEFDESLOTION VOOR NIEUWE LEVENSLUST. Het was een catalogus van het tijdloze, smakeloze en nutteloze.
Wat je maar wilt, juffrouw Tweenaam, zei tante Evvie.

Waarom noemt u me zo, tante? U herkent me toch wel?
Het werkt allemaal gegarandeerd. Het enige dat niet gegarandeerd werkt ben jíj. Dus kom verder en koop, koop, koop.
Nu keek ze haar recht aan en Polly voelde een steek van afschuw door zich heen gaan. Ze zag medelijden in de ogen van tante Evvie, maar het was een afschuwelijke, genadeloze vorm van medelijden.
Hoe heette je toch, meisje? Ik heb het ooit geweten.
In haar droom (en in haar bed) begon Polly te huilen.
Is er nog iemand die je naam niet meer weet? vroeg tante Evvie. *Ik vraag het me af. Ik geloof het wel.*
U maakt me bang, tante!
Je maakt jezelf bang, kind, antwoordde tante Evvie. Ze keek Polly weer recht aan. *Vergeet niet dat je hier ook verkoopt, juffrouw Tweenaam, als je hier iets koopt.*
Maar ik heb het nódig! riep Polly. Ze begon harder te huilen. *Mijn handen..!*
Daar heb ik precies het middel voor, Polly Frisco, zei tante Evvie, en ze pakte een van de flesjes DR. GAUNTS ELEKTRISCH TONICUM. Ze zette het op de toonbank, een klein, stomp flesje gevuld met drassige modder. *Natuurlijk gaat de pijn er niet door weg – dat is onmogelijk – maar het kan wel een verplaatsing bewerkstelligen.*
Wat bedoelt u? Waarom maakt u mij bang?
Het verplaatst je artritis, juffrouw Tweenaam... in plaats van je handen, tast de ziekte je hart aan.
Nee!
Ja.
Nee! Nee! Néé!
O ja, zeker wel. Net als je ziel. Maar je trots zul je houden. Die zul je tenminste nog hebben. En heeft een vrouw geen recht op haar trots? Als al het andere is verdwenen – hart en ziel en zelfs de man van wie je houdt – dan heb je dat nog over, kleine Polly Frisco. Je laatste oortje. Laat het je de rest van je leven een donkere en bittere troost zijn. Gebruik het daarvoor. Je móet wel, want als je op deze manier doorgaat, hou je niets anders over.
Hou op, tante...

4

'Hou op,' mompelde ze in haar slaap. 'Hou alstublíeft op.'
Ze rolde op haar zij. De *azka* tinkelde zacht tegen de ketting. Een bliksemschicht velde de iep bij de Castle Stream en wierp hem in het bruisende water, terwijl Alan Pangborn half verblind achter het stuur van zijn stationcar zat.

Het rollen van de donder maakte Polly wakker. Met een ruk opende ze haar ogen. Haar hand schoot meteen naar de *azka* en sloot zich er beschuttend omheen. De hand was soepel; de gewrichten bewogen even vlot als kogellagers in dikke, schone olie.
Juffrouw Tweenaam... kleine Polly Frisco.
'Wat..?' Haar stem was dik, maar haar hoofd was al helemaal helder, alsof ze niet had liggen slapen maar diep had gemediteerd. Een gedachte drong zich op, een gedachte zo groot als een walvis. Buiten flikkerde de bliksem als felpaars vuurwerk aan de hemel.
Is er nog iemand die je naam niet meer weet?... Ik geloof het wel.
Ze stak haar hand uit en deed het lampje aan. Naast de Princess-telefoon, het toestel met de grote druktoetsen die ze nu niet meer nodig had, lag de envelop die ze bij de post had gevonden toen ze vanmiddag thuiskwam. Ze had de brief weer dichtgevouwen en in de envelop gestopt.
Ergens in de nacht, tussen de rollende donderslagen door, meende ze mensen te horen schreeuwen. Polly sloeg er geen acht op; ze moest denken aan de koekoek, de vogel die haar eieren in een vreemd nest legt. Heeft de andere moedervogel in de gaten dat er iets bij is gekomen? Natuurlijk niet; ze accepteert het nieuwe ei als haar eigen. Net zoals Polly deze vervloekte brief had geaccepteerd omdat hij toevallig op de deurmat lag, tussen twee catalogi en een folder van Western Maine kabeltelevisie.
Ze had hem geaccepteerd... maar kon niet iederéén een brief in de bus gooien?
'Juffrouw Tweenaam,' mompelde ze geërgerd. 'Kleine Polly Frisco.' En dat was het toch? Dat was wat haar onderbewustzijn haar via tante Evvie had willen vertellen. Ze wàs Polly Frisco geweest.
Lang geleden.
Ze stak haar hand uit naar de envelop.
Nee! zei een stem, en dit was een stem die ze heel goed kende. *Raak hem niet aan, Polly... niet als je weet wat goed voor je is!*
Pijn trok door haar handen, donker en sterk als koffie van een dag oud.
Natuurlijk gaat de pijn er niet door weg... maar het kan wel een verplaatsing bewerkstelligen.
De walvis kwam aan de oppervlakte. Gaunt kon hem niet tegenhouden; niets kon hem tegenhouden.
Jij kunt hem tegenhouden, Polly, zei Gaunt. *Je móet hem tegenhouden, geloof me.*
Haar hand raakte de brief niet aan. Hij keerde terug naar de *azka* en sloot zich er beschermend omheen. Ze voelde dat er iets in zat, iets dat door haar opwinding was verhit en nu driftig heen en weer

scharrelde in de holle zilveren talisman. Het vervulde haar van afkeer, ze kreeg een wee en bedorven gevoel in haar ingewanden.
Ze liet de *azka* los en wilde de brief weer pakken.
Laatste waarschuwing, Polly, zei de stem van Gaunt.
Ja, antwoordde de stem van tante Evvie. *Ik geloof dat hij het meent, Trisha. Hij is altijd gek geweest op trotse vrouwen, maar zal ik je eens wat vertellen? Ik geloof niet dat hij nog zo gek op ze is als ze tot de conclusie komen dat hoogmoed voor de val komt. Ik vind dat het tijd is dat je eens en voor altijd uitmaakt wat je èchte naam is.*
Ze pakte de envelop zonder op een nieuwe steek in haar handen te letten en keek naar het netjes getikte adres. Deze brief - de zogenáámde brief, de zogenáámde kopie - was gestuurd aan 'Patricia Chalmers.'
'Nee,' fluisterde ze. 'Fout. Die naam is fóut.' Langzaam maar zeker verfrommelde ze de brief in haar hand. Een doffe pijn kwam in haar vingers, maar Polly sloeg er geen acht op. Haar ogen waren helder, koortsig. 'In San Francisco heette ik alleen maar Polly. Voor iedereen was ik Polly, zelfs voor Welzijnswerk!'
Dat had deel uitgemaakt van haar poging om schoon schip te maken en af te rekenen met het verleden dat haar zo had gekwetst, waarbij ze zich zelfs in de zwartste ogenblikken niet realiseerde dat ze de meeste kwetsuren aan zichzelf te danken had. In San Francisco was er geen Trisha of Patricia geweest; alleen Polly. Met die naam had ze alle drie de aanvragen ondertekend, als Polly Chalmers, zonder tweede voornaam.
Als Alan wèrkelijk naar San Francisco had geschreven, zou hij wellicht Patricia als naam hebben opgegeven, maar dan zou er in het archief toch niets te vinden zijn geweest? Zelfs de adressen zouden niet kloppen, want bij de aanvraag lang geleden had ze het adres van haar ouders opgegeven, en dat was aan de andere kant van de stad.
Maar als Alan nu eens zowel Polly àls Patricia heeft opgegeven?
Ja, wat dan? Ze kende de overheidsbureaucratie goed genoeg om te weten dat het weinig zou uitmaken welke naam *Alan* had opgegeven; ze zouden zelf de naam en het adres gebruiken die ze in hun eigen archief hadden. Een vriendin in Oxford kreeg nog altijd brieven van de Universiteit van Maine op haar meisjesnaam, hoewel ze al twintig jaar was getrouwd.
Maar deze envelop was geadresseerd aan Patrícia Chalmers, niet aan Polly Chalmers. En wie had haar uitgerekend vandaag nog Patricia genoemd?
Dezelfde die wist dat Nettie Cobb eigenlijk Netitia Cobb heette. Haar goede vriend Leland Gaunt.

Dat is allemaal erg interessant, zei tante Evvie plotseling, *maar niet het belangrijkste. Het gaat om de man... jóuw man. Hij ìs je man toch? Zelfs nu. Je weet dat hij nooit zoiets achter je rug om zou doen. Welke naam er ook op stond of hoe overtuigend de brief ook mocht zijn... dat wéét je toch?*
'Ja,' fluisterde ze. 'Ik kèn hem.'
Had ze het ècht geloofd? Of had ze haar twijfels over die absurde, ongeloofwaardige brief opzij gezet uit angst – uit doodsangst, beter gezegd – dat Alan de lelijke waarheid van de *azka* zou inzien en haar zou dwingen een keuze te maken tussen hem en dat ding?
'O nee, zo eenvoudig is het niet,' fluisterde ze. 'Je geloofde het echt. Niet langer dan een halve dag, maar je geloofde het ècht. O jezus. O jezus, wat heb ik gedaan?'
Ze gooide het verkreukelde vel op de grond, met een blik vol walging, als een vrouw die net een dode rat heeft ontdekt.
Ik heb hem niet verteld waar ik kwaad om was; ik heb hem niet de kans gegeven het uit te leggen; ik... ik gelóófde het alleen maar. Waarom? Waarom in godsnaam?
Natuurlijk wist ze waarom. Omdat ze plotseling was overvallen door schaamte en vrees, vrees dat haar leugens over de oorzaak van Keltons dood ontmaskerd waren, net als haar ellendige tijd in San Francisco en haar aandeel in de dood van haar zoontje... en dat allemaal door de enige man ter wereld wiens oprechte oordeel ze op prijs stelde en nodig had.
Maar dat was niet alles. Dat was zelfs niet het voornaamste. Het was vooral haar trots geweest – gekwetste, verontwaardigde, knagende, opgezwollen, kwaadaardige trots. Trots, haar laatste oortje. Ze had de brief geloofd omdat ze zich ineens schaamde, een schaamte die voortkwam uit trots.
Hij is altijd gek geweest op trotse vrouwen.
Een verschrikkelijke pijngolf spoelde door haar handen en Polly drukte ze kreunend tegen haar borsten.
Het is nog niet te laat, Polly, zei Gaunt zachtjes. *Zelfs nu is het nog niet te laat.*
'O, weg ermee!' schreeuwde Polly ineens in het donker van haar gesloten, benauwde slaapkamer, en ze rukte de *azka* van haar hals. Het zilveren kettinkje zwaaide wild heen en weer toen ze hem boven haar hoofd hield, en ze voelde de kleine bol in haar vuist kraken als een eierschaal. 'Weg ermee!'
De pijn begon meteen als een klein, hongerig dier in haar handen te knagen... maar ze merkte dat het niet zo erg was als ze had gevreesd, lang niet zo erg als ze had gevreesd. Het zou ook niet zo erg worden, daarvan was ze evenzeer overtuigd als van het feit dat Alan nooit naar San Francisco had geschreven om navraag naar haar te doen.

'WEG! WEG! WEG! WEG! schreeuwde ze, en ze gooide de *azka* door de kamer.
De talisman raakte de muur, viel op de grond en barstte open. In het licht van de bliksem zag ze twee harige pootjes door de opening steken. De barst werd groter en een kleine spin kroop naar buiten. Een nieuwe bliksemstraal flikkerde en ze zag de langgerekte, ovale schaduw van het diertje als een elektrische tatoeage op de vloer verschijnen.
Polly sprong uit bed en liep erachteraan. Ze moest de spin doodmaken en snel ook... want hij groeide onder haar ogen. Hij had geteerd op het gif uit haar hart en nu, bevrijd uit zijn gevangenis, kon hij onbelemmerd groeien.
Ze sloeg op het lichtknopje in de badkamer en de tl-buis boven de wastafel begon te gloeien. Ze zag de spin naar de badkuip scharrelen. Op de drempel was hij niet groter dan een kever geweest, nu had hij al de omvang van een muis.
Toen ze binnenkwam, draaide de spin zich om en kwam op haar af. Zijn pootjes maakten een afschuwelijk krabbelend geluid op de tegels. Hij heeft al die tijd op mijn borst gelegen, dacht ze, tegen mij aan...
Het ruige lijf was zwartbruin, met kleine haartjes op de poten. Ogen staarden haar aan als doffe namaakrobijnen en ze zag twee kromme giftanden dreigend uit de bek steken. Er droop een helder vocht vanaf, dat in de tegels kleine rokende kraters vormde.
Polly gilde en greep de ontstopper die naast het toilet stond. Haar handen gilden terug, maar ze pakte de houten stok stevig beet en haalde uit naar de spin. Het ondier trok zich terug naar de badkuip, terwijl een poot geknakt en nutteloos achter hem aansleepte. Polly rende achter hem aan.
Gewond of niet, de spin werd nog steeds groter. Hij had de omvang van een rat gekregen. Zijn gezwollen buik sleepte over de tegels, maar hij klom waanzinnig snel langs het douchegordijn naar boven. Zijn poten tikten met een klaterend geluid tegen het plastic. De ringen van de roe tinkelden tegen elkaar.
Polly haalde weer uit alsof ze een honkbalknuppel in haar handen had. Het zware rubberen uiteinde floot door de lucht, maar miste zijn doel. Het douchegordijn golfde naar binnen en de spin viel met een vette plof in de badkuip.
Op dat moment ging het licht uit.
Polly bleef in het donker staan met de ontstopper in haar hand en luisterde naar het gekrabbel van de spin. Plotseling zag ze in het licht van de bliksem zijn kromme, borstelige rug over de rand van de badkuip verschijnen. Het ding dat uit de piepkleine *azka* was gekomen, was nu zo groot als een kat... het ding dat zich had volge-

zogen met het bloed uit haar hart, terwijl het de pijn uit haar handen had getrokken.
De envelop die ik bij de oude boerderij van Camber heb begraven... wat zat daarin?
Nu de *azka* niet meer om haar hals hing en de pijn het uitschreeuwde in haar handen, kon ze zichzelf niet langer wijsmaken dat het niets met Alan te maken had.
De giftanden van de spin tikten tegen de porseleinen rand van de badkuip. Het klonk alsof iemand de aandacht probeerde te trekken door met een muntje op een hard oppervlak te tikken. De doffe poppeogen keken naar haar over de rand.
Het is te laat, schenen die ogen te zeggen. *Te laat voor Alan, te laat voor jou. Te laat voor iedereen.*
Polly sprong naar voren.
'Wat heb je met me gedaan?' schreeuwde ze. 'Wat heb je met me gedaan, monster?'
En de spin verhief zich op zijn achterste poten, obsceen naar het douchegordijn graaiend om zijn evenwicht te bewaren, en wachtte haar aanval af.

5

Ace Merrill begon een beetje respect voor de oude baas te krijgen toen Keeton een sleutel tevoorschijn haalde en de loods met op de deur de diamantvormige stickers met het opschrift EXPLOSIEVEN opende. Zijn respect werd groter toen hij de koele lucht voelde, het gestage zoemen van de airconditioning hoorde en de opgestapelde kisten zag. Dynamiet. Een hele berg dynamiet. Het was nog niet hetzelfde als een arsenaal vol Stinger-raketten, maar je kon er een aardig vuurwerk mee afsteken. Heel aardig.
In het busje had een sterke zaklamp gelegen, samen met een paar andere nuttige instrumenten en nu – terwijl Alan in zijn stationcar Castle Rock naderde, Norris Ridgewick in zijn keuken een strop in een eind stevig henneptouw maakte en Polly Chalmers van tante Evvie droomde – richtte Ace de felle lichtbundel op de ene kist na de andere. Boven zijn hoofd roffelde de regen op het dak van de loods. Het klaterde zo hard dat Ace bijna dacht dat hij weer in de gevangenis onder de douche stond.
'Aan de slag,' zei Buster zacht en schor.
'Niet zo haastig, vader,' zei Ace. 'Effe pauze.' Hij gaf Buster de lamp en pakte het plastic zakje dat Gaunt hem had gegeven. Hij strooide wat coke in de holte van zijn linkerhand en snoof het spul vlug op.

'Wat is dat?' vroeg Buster achterdochtig.
'Zuidamerikaanse bingo, en je loopt erop als een trein.'
'Huh,' rilde Keeton. 'Cocaïne. Zíj verkopen dat spul.'
Ace hoefde niet te vragen wie Zíj waren. De oude baas had onderweg over niets anders gepraat, en Ace vermoedde dat hij daar de rest van de nacht mee zou doorgaan.
'Zo is het niet, vader,' zei Ace. 'Ze verkopen het niet; ze willen het juist allemaal voor zichzelf houden.' Hij strooide nog wat poeder in de holte bij zijn duim en stak zijn hand uit. 'Probeer maar en zeg of ik ongelijk heb.'
Keeton keek hem aan met een mengeling van twijfel, nieuwsgierigheid en argwaan. 'Waarom zeg je steeds "vader" tegen me? Ik ben niet óud genoeg om je vader te zijn.'
'Nou, ik geloof niet dat je de underground strips bijhoudt, maar je hebt die vogel R. Crumb,' zei Ace. De coke begon te werken en zette al zijn zenuwen in vuur en vlam. 'Hij maakt strips over Zippy. En jij doet me denken aan Zippy's ouweheer.'
'Is dat goed?' vroeg Buster achterdochtig.
'Gaaf,' zei Ace geruststellend. 'Maar ik wil best meneer Keeton tegen je zeggen.' Hij zweeg en voegde er veelbetekenend aan toe: 'Net als Zij doen.'
'Nee,' zei Buster onmiddellijk, 'het geeft niet. Zolang het geen belediging is.'
'Absoluut niet,' zei Ace. 'En probeer nou maar. Met een beetje van dìt spul loop je tot morgenochtend te zingen.'
Buster wierp hem nogmaals een weifelende blik toe, daarna snoof hij de coke op. Hij hoestte, niestte en sloeg een hand voor zijn neus. Zijn tranende ogen staarden grimmig naar Ace. 'Dat spul bràndt!'
'Alleen de eerste keer maar,' zei Ace vrolijk.
'Ik voel trouwens niks. Laten we nou maar beginnen en het dynamiet in de bus laden.'
'Mij heb je, vader.'
Het kostte nog geen tien minuten om de kisten naar het busje te brengen. Na de laatste zei Buster: 'Misschien helpt dat spul van jou tòch wel. Kan ik nog een beetje krijgen?'
'Tuurlijk, vader.' Ace grinnikte. 'Ik doe met je mee.'
Ze namen een nieuwe dosis en gingen weer op weg naar de stad. Buster zat achter het stuur en begon sterk op Meneer Pad uit *De wind in de wilgen* te lijken. Een nieuwe, gretige glans was in de ogen van de eerste wethouder verschenen. Zijn verwarring was verbazend snel verdwenen; hij meende dat hij Ze helemaal kon doorzien, elk plan, elk komplot, elke machinatie. Hij vertelde alles aan Ace, die met opgetrokken benen achterin zat en de tijdontstekers met de slaghoedjes verbond. Buster dacht, althans voorlopig, hele-

maal niet meer aan Alan Pangborn, het brein achter het komplot. Hij was bezeten van het idee Castle Rock – of althans een groot deel daarvan – naar de andere wereld te blazen.
Ace voelde zijn respect uitgroeien tot regelrechte bewondering. De oude baas was niet goed bij zijn hoofd en Ace was gèk op zulke mensen – altijd geweest. Bij hen voelde hij zich thuis. En hij maakte een te gekke trip, zoals de meeste mensen die voor het eerst cocaine snuiven. Hij kon zijn kop niet houden. Ace hoefde alleen maar af en toe te zeggen: 'Zo is het,' of: 'Gelijk heb je, vader.'
Een paar keer noemde hij hem bijna Meneer Pad in plaats van vader. Het kon wel eens geen goed idee zijn om deze knaap Meneer Pad te noemen.
Ze staken de Tin Bridge over toen Alan nog zes kilometer van de brug verwijderd was. Ze stapten uit in de stortregen. Ace vond een plaid in een van de laadbakken en legde die over een bundel dynamietstaven en een van de ontstekers.
'Moet ik helpen?' vroeg Buster nerveus.
'Laat mij het maar doen, vader. Je zou maar in die stomme rivier vallen en ik heb geen tijd om naar je te vissen. Hou alleen je ogen open, oké?'
'Akkoord. Ace... als we eerst nog eens wat cocaïne snoven?'
'Nou effe niet,' zei Ace goedmoedig. Hij klopte Buster op een vlezige arm. 'Deze dope is bijna puur. Je wou toch niet de lucht invliegen?'
'Ik niet,' zei Buster. 'De rest wel, maar ìk niet.' Hij begon wild te lachen. Ace deed met hem mee.
'Is dit een toffe avond of niet, vader?'
Buster besefte tot zijn verbazing dat het zo was. Zijn depressie na Myrtles... Myrtles ongeluk... scheen een eeuwigheid geleden. Eindelijk hadden hij en zijn beste vriend Ace Merrill zijn Belagers waar ze wilden: in de palm van hun gezamenlijke hand.
'Nou en of,' zei Buster. Hij keek toe terwijl Ace door het natte gras van de oever naar de waterkant naast de brug gleed, de plaid met het dynamiet tegen zijn buik gedrukt.
Het was tamelijk droog onder de brug, hoewel dat niet veel uitmaakte; zowel het dynamiet als de slaghoedjes waren waterdicht. Ace legde het pakketje in de holte tussen twee schuine pijlers en verbond het slaghoedje – waarvan de koperdraden prettig genoeg al waren blootgelegd – met een van de staven. Hij draaide de grote witte schijf van de klok op 40. Het apparaat begon te tikken.
Hij kroop onder de brug uit en klauterde door het natte gras naar boven.
'En?' vroeg Buster gespannen. 'Zal het lukken, denk je?'
'Zeker wel,' zei Ace geruststellend, in het busje klimmend. Hij was doornat, maar dat vond hij niet erg.

'En als Zij het vinden? Als Zij het uitschakelen voordat...'
'Luister effe, vader,' zei Ace. 'Steek je hoofd eens naar buiten en lúister.'
Buster deed het. Tussen de donderslagen door meende hij vage kreten te horen. Onmiskenbaar was het dunne, harde kraken van een pistoolschot.
'Gaunt houdt ze bezig,' zei Ace. 'Hij is niet van gisteren.' Hij strooide wat cocaïne in zijn hand, snoof en stak zijn hand uit naar Buster. 'Jouw beurt, vader.'
Buster boog zijn hoofd en snoof.
Ze reden weg van de Tin Bridge, ongeveer zeven minuten voordat Alan Pangborn de brug passeerde. Onder de pijlers stond de zwarte naald van de klok op 30.

6

Ace Merrill en Danforth Keeton - alias Buster, alias Meneer Pad van Paddenburg - reden in de stromende regen door Main Street, als Sinterklaas hier en daar pakjes achterlatend. Twee keer werden ze gepasseerd door jagende politiewagens, maar die toonden geen enkele belangstelling voor wat eruitzag als een gewoon busje van een televisiestation. Gaunt hield ze bezig, zoals Ace al had gezegd.
Ze legden een ontsteker en vijf staven dynamiet in het portiek van Samuels Begrafenisonderneming. Daarnaast was de kapperszaak. Ace wikkelde een hoek van de plaid om zijn elleboog en stootte de ruit in de deur in. Hij betwijfelde sterk of de zaak een alarminstallatie had... of dat de politie de moeite zou nemen op een alarm te reageren. Buster reikte hem een geprepareerde bom aan - er lag genoeg draad in het busje om de ontstekers en slaghoedjes secuur met de staven te verbinden - en Ace gooide hem door de opening in de deur. Het pakje rolde over de vloer en bleef liggen bij een van de kappersstoelen, terwijl de klok bij 25 begon af te tellen.
'Ze hoeven zich voorlopig niet meer te laten scheren, vader,' fluisterde Ace, 'dat hebben wíj al voor ze gedaan.' Buster giechelde zacht.
Daarna gingen ze uit elkaar. Ace leverde een pakketje af bij Galaxia, terwijl Buster een paar staven in de nachtkluis van de bank stopte. Terwijl ze in de neergutsende regen teruggingen naar het busje, schoot een geweldige lichtflits door de hemel. De iep viel onder luid gekraak in de Castle Stream. Even bleven ze op het trottoir in die richting staan kijken. Ze dachten dat het dynamiet onder de brug twintig minuten te vroeg was ontploft, maar ze zagen geen vuurbal opstijgen.

‘Ik geloof dat het de bliksem was,’ zei Ace. ‘Zeker een boom geraakt. Kom op.’
Ze vervolgden hun weg, ditmaal met Ace aan het stuur, toen Alan voorbijkwam in zijn stationcar. In de stortregen zagen ze elkaar niet.
Ze stopten bij Nan’s Luncheonette. Ace stootte het glas in met zijn elleboog en ze legden de staven net achter de deur bij de kassa, de klok tikkend vanaf 20. Terwijl ze wegreden zagen ze een enorme bliksemschicht door de lucht schieten, waarna de straatverlichting doofde.
‘De stroom!’ riep Buster opgetogen. ‘De stroom is uitgevallen! Fantastisch! Laten we het gemeentehuis pakken! We blazen het de lucht in!’
‘Het wemelt daar van de smerissen, vader. Heb je ze niet gezien?’
‘Die zitten achter hun eigen staart aan,’ zei Buster ongeduldig. ‘En dat wordt nog beter als onze eerste pakketjes de lucht ingaan. Trouwens, het is nu donker en we kunnen via het gerechtsgebouw naar binnen, langs de andere kant. Mijn sleutel past ook op díe deur.’
‘Ik moet zeggen dat je ballen hebt, vader, weet je dat?’
Buster glimlachte grimmig. ‘Jij ook, Ace. Jij ook.’

7

Alan parkeerde in een van de schuine vakken bij De NoodZaak, zette de motor uit en bleef vervolgens een ogenblik zitten om naar de winkel te staren. Op het bordje in de etalage stond nu:

IK WEET NIET WAARVOOR JE KOMT
ZEG MAAR DAG MET JE HANDJE
ALS JE GEDAG KOMT ZEGGEN... IK BEN AL WEG

De bliksem flikkerde aan en uit als een reusachtige neonreclame en gaf de etalage het aanzien van een leeg, dood oog.
Maar een diep instinct zei hem dat De NoodZaak, hoewel stil en gesloten, niet leeg hoefde te zijn. Zeker, Gaunt had in de verwarring de stad kunnen verlaten; dat zou helemaal geen probleem zijn geweest met dit noodweer en politiemensen die als kippen zonder kop rondrenden. Maar tijdens de lange, wilde rit van het ziekenhuis in Bridgton had hij zich Gaunt voorgesteld als de Joker, de nemesis van Batman. Alan had het idee dat hij te maken had met iemand die als het toppunt van humor het in brand steken van een bezet toilet beschouwde. En zou zo’n man – iemand die voor de lol een

klit in je haar stopte of een brandende lucifer in je schoenzool stak – weggaan voordat hij je gezicht zag als je merkte dat je sokken in de fik stonden en de zomen van je broek vlam vatten? Natuurlijk niet. Dat zou de pret bederven.
Volgens mij ben je er nog, dacht Alan. Volgens mij wil je het allemaal meemaken. Of niet soms, smeerlap?
Roerloos keek hij naar de winkel met het groene baldakijn en probeerde zich te verplaatsen in de man die zo'n ingewikkeld en kwaadaardig samenspel van gebeurtenissen teweeg had gebracht. Hij was er te zeer in verdiept om oog te hebben voor de auto die links van de zijne stond, een oude, maar bijna aërodynamisch gestroomlijnde auto. Het was de Tucker Talisman van Gaunt.
Hoe heb je het klaargespeeld? Ik wil veel weten, maar dat is voor vanavond al voldoende. Hoe heb je het klaargespeeld? Hoe kon je in zo'n korte tijd zoveel over ons te weten komen?
Brian zei dat meneer Gaunt eigenlijk helemaal geen mens was.
Overdag zou Alan het een bespottelijk idee hebben gevonden, even bespottelijk als het idee dat Polly's talisman een of andere bovennatuurlijke genezingskracht kon bezitten. Maar vanavond, gevangen in het ziedende noodweer en starend naar het lege, dode oog van de etalage, had het idee een onmiskenbare, duistere aantrekkingskracht. Hij herinnerde zich de dag dat hij naar De NoodZaak was gegaan met de uitdrukkelijke bedoeling met Gaunt kennis te maken, en hij herinnerde zich het vreemde gevoel dat hem had bekropen toen hij zijn handen tegen zijn slapen drukte om door de etalageruit naar binnen te kunnen kijken: het gevoel dat er iemand naar hem keek, hoewel er niemand in de winkel te zien was. En meer nog, het gevoel dat die blik kwaadaardig, haatdragend was. Het gevoel was zo sterk geweest dat hij een ogenblik zijn eigen spiegelbeeld voor het onaangename (en half doorzichtige) gelaat van iemand anders had gehouden.
Het gevoel was sterk geweest… heel erg sterk.
Alan herinnerde zich nog iets anders, iets dat zijn oma regelmatig tegen hem zei toen hij nog klein was: Schijn bedriegt.
Brian zei…
Hoe wàs Gaunt aan al zijn kennis gekomen? En waarom had hij in godsnaam zijn oog laten vallen op zo'n met kranten dichtgeplakt gat als Castle Rock?
… dat meneer Gaunt eigenlijk helemaal geen mens was.
Alan bukte zich opeens en voelde op de vloer van de stationcar. Even dacht hij dat het er niet meer was – dat het uit de auto was gevallen toen het portier openstond – maar toen raakten zijn vingers de metalen koker. Het ding was alleen maar onder de zitting gerold. Hij raapte het op, hield het omhoog… en hoorde de luide,

verontrustend vrolijke stem van zijn depressie, die hij niet meer had gehoord sinds hij uit de ziekenkamer van Sean Rusk was weggegaan (of misschien had Alan het sindsdien alleen maar te druk gehad om hem te horen.)
Hoi, Alan! Sorry dat ik een tijdje ben weggeweest, maar ik ben er nu weer, hoor! Wat heb je daar? Een blikje noten? Nee, daar lijkt het wel op, maar het is iets heel anders, nietwaar? De laatste grap die Todd in die winkel in Auburn had gekocht, is het niet? Een nepblikje Tastee-Munch gemengde noten met een groene slang erin, een veer met crêpepapier eromheen. En jij wilde hem dat stomme ding laten terugleggen toen hij ermee kwam aanzetten met zijn stralende ogen en zijn opgetogen lach. Zijn gezicht betrok, maar jij deed of je het niet merkte en je zei... wacht even. Wat zei je ook alweer tegen hem?
'Dat een zot en zijn geld snel gescheiden zijn,' zei Alan mat. Hij draaide het blikje om en om in zijn handen en keek ernaar, maar hij zag alleen het gezicht van Todd. 'Dat zei ik tegen hem.'
O ja, natuurlijk! beaamde de stem. *Hoe kon ik dat nou toch vergeten? En jij hebt het over kwaadaardig? Alsjeblieft, zeg! Gelukkig weet ik het weer! Gelukkig weten we het allebéi weer, wat jij? Het is dat Annie tussenbeide kwam... zij zei dat hij het mocht hebben. Ze zei... wacht even. Wat zei ze ook alweer?*
'Ze zei dat het wel een grappig ding was, dat Todd net als ik was en dat hij maar één keer jong zou zijn.' Alans stem klonk schor en beverig. Hij zat weer te huilen, en waarom zou hij niet? Waarom verdomme ook niet? De pijn was weer helemaal terug, als een vuile dweil rondzwiepend in zijn gekwetste hart.
Ja, dat doet pijn, hè? vroeg de stem van zijn depressie - de stem van schuld en zelfverwijt - met een toon vol medelijden die volkomen vals klonk. *Het is gewoon te erg, net als een country & western liedje over een verdwenen liefde of onschuldig gestorven kinderen. Daar kan nooit iets goeds uit voortkomen. Stop het weer in het kastje, jongen. Zet het uit je hoofd. Volgende week, als deze waanzin achter de rug is, kun je de wagen samen met dat nepblikje inruilen. Waarom niet? Het is maar een stom grapje, iets voor een kind of voor een man als Gaunt. Zet het uit je hoofd. Zet het...*
Alan sneed de stem abrupt af. Hij had niet eerder geweten dat hij het kon, en het was een prettige wetenschap, iets wat hem later nog van pas kon komen... als er tenminste een later zou zíjn. Hij draaide het blikje rond en bekeek het van alle kanten, eigenlijk voor het eerst, niet als een sentimenteel aandenken aan zijn dode zoon maar als een voorwerp dat net zo misleidend was als zijn eigen holle toverstaf, zijn zijden hoge hoed met de dubbele bodem of de papieren bloemen die nog steeds opgevouwen onder zijn horlogeband zaten.

Goochelkunst... was dat niet het sleutelwoord? Kwaadaardige goochelkunst, zeker, niet om mensen te verbazen en aan het lachen te maken, maar om ze in dolle stieren te veranderen; maar net zo goed goochelkunst. En wat lag aan alle goochelkunst ten grondslag? Misleiding. Een slang van anderhalve meter in een blikje noten... of, in Polly's geval, een ziekte die op een genezing lijkt.
Hij deed het portier open en stapte in de stortregen, met het nepblikje nog altijd in zijn linkerhand. Nu hij enige afstand had genomen van de gevaarlijke hang naar melancholie, dacht hij met lichte verwondering terug aan zijn weerstand tegen de aanschaf van het ding. Zijn hele leven was hij gefascineerd geweest door goocheltrucs, en als jongen zou hij vanzelfsprekend opgetogen zijn geweest over zo'n duveltje-uit-een-doosje. Waarom had hij dan zo bars gedaan toen Todd het wilde kopen, waarom had hij gedaan alsof hij niet zag hoe teleurgesteld de jongen was? Was hij jaloers geweest op Todds jeugdige enthousiasme? Was hij zijn eigen verbazing over eenvoudige dingen vergeten? Wat was het?
Hij wist het niet. Hij wist alleen dat het precies het soort grapje was dat Gaunt zou begrijpen, en hij wilde het bij zich hebben.
Alan draaide zich om en pakte een zaklamp uit de doos met spullen op de achterbank. Daarna liep hij langs Gaunts Tucker Talisman (nog steeds zonder er erg in te hebben) naar het donkergroene baldakijn boven de deur van De NoodZaak.

8

Hier ben ik dan. Hier ben ik dan eindelijk.
Alans hart bonsde luid maar regelmatig in zijn borst. In zijn gedachten schenen de gezichten van zijn zoon, zijn vrouw en van Sean Rusk tot één gelaat te zijn versmolten. Hij keek weer naar het bordje in de etalage en voelde aan de deurknop. De deur was op slot. Het baldakijn boven zijn hoofd klapperde en schudde in de gierende wind.
Hij had het blikje onder zijn overhemd gestopt. Nu drukte hij zijn rechterhand er tegenaan en het was alsof hij er een ongrijpbare, maar heel reële troost aan ontleende.
'Goed,' mompelde hij. 'Hier kom ik, klaar of niet.' Hij draaide de zaklamp om en stootte de ruit in. Hij zette zich schrap voor het janken van het inbraakalarm, maar dat bleef uit. Gaunt had het uitgeschakeld of anders wàs er geen alarminstallatie. Hij stak zijn hand door de gekartelde opening en deed de deur van het slot. Voor de eerste keer betrad Alan Pangborn De NoodZaak.
Het was de geur die hem het eerst trof: een zware, roerloze en stof-

fige geur. Het was niet de geur van een nieuwe winkel, maar van een ruimte die maanden of zelfs jaren leeg heeft gestaan. Hij hield zijn revolver in zijn rechterhand en liet met de andere de zaklamp rondschijnen. De lichtstraal gleed over een kale vloer, kale wanden en een aantal glazen vitrines. De kasten waren leeg, de artikelen verdwenen. Alles was bedekt met een dikke stoflaag, waarin geen enkel spoor te zien was.

Hier is al heel lang niemand geweest.

Maar hoe was dat mogelijk, hij had toch zelf de hele week mensen in en uit zien lopen?

Omdat hij helemaal geen mens is. Omdat schijn bedriegt.

Hij deed nog twee stappen naar voren, de lege ruimte stelselmatig beschijnend. Hij ademde de droge museumlucht in. Hij keek achter zich en zag in het flikkerende licht van de bliksem zijn eigen voetafdrukken in het stof. Daarna liet hij de straal van zijn zaklamp van rechts naar links over de glazen kast schijnen die Gaunt als toonbank had gediend... en hield de lamp stil.

Op de toonbank stonden een videorecorder en een draagbare Sony-televisie; de laatste van een sportief model: rond in plaats van vierkant en net zo rood als een brandweerwagen. Een kabel was rond het toestel gewikkeld en op de videorecorder lag ook iets. Van een afstandje zag het eruit als een boek, maar Alan dacht beter te weten.

Hij kwam dichterbij en richtte de lamp eerst op de tv. Het toestel zat net zo zwaar onder het stof als de vloer en de glazen vitrines. De kabel was bestemd voor aansluiting van een videorecorder. Alan liet de lichtstraal over de recorder glijden en zag dat er een videoband in een blanco zwarte hoes op lag.

Ernaast lag een stoffige witte envelop. Op de voorkant was geschreven:

BESTEMD VOOR SHERIFF ALAN PANGBORN.

Hij legde zijn revolver en zaklamp op de toonbank, nam de envelop, maakte hem open en haalde er een vel papier uit. Daarna pakte hij de lamp weer en richtte de sterke lichtkring op de korte, getikte tekst:

> Geachte sheriff Pangborn,
> U zult inmiddels hebben gemerkt dat ik een nogal bijzondere onderneming drijf... een onderneming met werkelijk 'voor elk wat wils'. Het spijt me dat we elkaar nooit onder vier ogen hebben ontmoet, maar hopelijk zult u begrijpen dat een dergelijke ontmoeting hoogst onverstandig zou zijn geweest – althans wat mij

betreft. Haha! Hoe dan ook, ik heb een kleinigheid achtergelaten waarvoor u ongetwijfeld veel belangstelling zult hebben. Dit is géén geschenk - ik voel er helemaal niets voor om voor Sinterklaas te spelen, zoals u zeker zult beamen - maar iedereen hier beweert dat u een achtenswaardig man bent en ik ben ervan overtuigd dat u de gevraagde prijs zult betalen. Tot die prijs behoort een kleine dienst... een dienst die in uw geval eerder een goede daad dan een grap is. Ik neem aan dat u het met mij eens zult zijn.

Ik weet dat u vaak en diep hebt nagedacht over de laatste ogenblikken in het leven van uw vrouw en jongste zoon. Ik geloof dat al deze vragen over enkele ogenblikken beantwoord zullen worden.

Inmiddels wens ik u het allerbeste en verblijf,

Uw trouwe en welwillende dienaar,

LELAND GAUNT.

Alan legde de brief langzaam neer. 'Smeerlap!' mompelde hij.

Hij liet de zaklamp weer rondschijnen. De stekker van de videorecorder lag op de vloer, een meter bij het stopcontact vandaan. Het maakte trouwens niet uit nu de stroom was uitgevallen.

Maar dat lijkt me geen probleem, dacht Alan. Dat lijkt me helemaal geen probleem. Ik hoef de cassette maar in de recorder te stoppen en je zult zien dat alles werkt. Want hij kan onmogelijk al die dingen hebben gedaan, al die dingen te weten zijn gekomen, als hij een mens was. Schijn bedriegt, Alan, en wat je ook doet, kijk in geen geval naar de band die hij voor je heeft achtergelaten.

Niettemin legde hij de lamp weer neer en pakte de coaxkabel. Hij keek er een ogenblik naar voordat hij de recorder aansloot op het televisietoestel. Bij het bukken dreigde het blikje uit zijn overhemd te glijden. Hij hield het met een van zijn snelle handen tegen voordat het op de grond kon vallen en zette het op de glazen toonbank naast de recorder.

9

Norris Ridgewick was halverwege toen hij plotseling besefte dat het gekkenwerk zou zijn - nog veel erger dan wat hij tot nu toe had gedaan, en dat was al heel wat - om Leland Gaunt in zijn eentje te willen aanpakken.

Hij pakte de microfoon. 'Wagen 2,' zei hij. 'Norris hier. Kom erin, centrale.'

Hij liet de knop los. Alles wat hij hoorde was een gruwelijk geruis.

Het noodweer woedde nu recht boven de Rock.
'Shit,' zei Norris, en zette koers naar het gemeentehuis. Misschien was Alan daar of kon iemand hem vertellen waar de sheriff dan wel was. Alan zou wel weten wat er moest gebeuren... en in elk geval moest hij weten wat hij gedaan had; hij had de banden van Hugh Priests wagen doorgesneden en de man de dood ingejaagd alleen omdat hij, Norris Ridgewick, net zo'n vishengel wilde hebben als zijn ouweheer vroeger.
Norris kwam bij het gemeentehuis toen de tijdontsteker onder de brug op 5 stond. Hij stopte vlak achter een felgeel busje. Een zenderwagen, zo te zien.
Norris stapte in de stromende regen en rende het bureau in om Alan te zoeken.

10

Polly haalde met het rubberen uiteinde van de ontstopper uit naar de obsceen steigerende spin, die ditmaal niet terugdeinsde. De harige voorpoten grepen de stok en Polly voelde een felle pijnscheut in haar handen door het trillende extra gewicht. Haar greep verslapte, de stok gleed omlaag en de spin kroop eroverheen als een dikke koorddanser.
Voordat ze een kreet kon slaken, daalden de poten op haar schouders neer als de armen van een scabreuze, slonzige Lothario. De levenloze ogen staarden haar aan. De bek met de giftanden viel open en ze rook de adem van de spin, een stank van bittere kruiden en rottend vlees.
Ze deed haar mond open om te gillen. Een poot schoot tussen haar lippen door. Ruige, afschuwelijke haren streelden haar tanden en tong. De spin jankte begerig.
Polly weerstond de impuls het afgrijselijke kloppende ding uit te spuwen. Ze liet de ontstopper los en greep de poot vast, terwijl ze tegelijkertijd uit alle macht haar tanden op elkaar klemde. Er kraakte iets als een mondvol scheepsbeschuit en ze proefde een koude, bittere smaak als van heel oude thee. De spin jankte van de pijn en probeerde zich los te trekken. Polly voelde de ruwe haren langs haar pijnlijke vingers schuren, maar ze verstevigde haar greep voordat het dier kon ontsnappen. Ze gaf een ruk alsof ze een kippepoot afscheurde. Er klonk een taai, knarsend geluid. De spin jankte opnieuw, slobberend van de pijn.
Het ondier probeerde weg te springen. Polly spuugde het bittere donkere vocht uit waarvan ze de smaak heel, heel lang niet zou kwijtraken en gaf een nieuwe ruk aan de poot. Ze verbaasde zich

diep van binnen over dit vertoon van kracht, maar ze begreep het toch ook volkomen. Ze was bang, ze walgde... maar bovenal was ze kwaad.
Ik ben misbruikt, dacht ze onsamenhangend. *Hier heb ik Alan voor laten gaan! Voor dit monster!*
De spin probeerde haar te steken met zijn giftanden, maar zijn achterpoten verloren hun moeizame houvast op de stok en hij zou eraf zijn gevallen... als Polly het had gewild.
Maar ze wilde niet. Ze klemde het hete, gezwollen lijf tussen haar onderarmen en begon te knijpen. Ze tilde het beest op tot het met kronkelende poten boven haar hing, graaiend naar haar gezicht. Vocht en zwart bloed begonnen uit het lijf te druipen en liepen in brandende stroompjes over haar armen.
'Genoeg!' schreeuwde Polly. 'Genoeg, genoeg, genoeg!'
Ze gooide de spin van zich af. Het beest smakte tegen de tegelwand bij de badkuip en het lijf barstte open. De spin bleef nog even hangen, vastgeplakt in zijn eigen drek, voor hij met een klef geluid in de badkuip viel.
Polly greep de ontstopper weer en sprong naar voren. Ze begon het beest te slaan alsof ze een muis met een bezem te lijf ging, maar dat hielp weinig. De spin trilde alleen maar en probeerde weg te kruipen over de rubberen douchemat met zijn patroon van gele madeliefjes. Polly draaide de ontstopper om en stootte de steel als een lans uit alle macht naar beneden.
Ze trof het afschuwelijke gedrocht midden in zijn lijf en doorboorde het. Met een grotesk knappend geluid barstten de ingewanden open en vloeiden in een stinkende stroom uit over de douchemat. Het dier begon te stuiptrekken, vergeefs naar de stok klauwend die Polly door zijn hart had gestoken... en bleef eindelijk roerloos liggen.
Polly deed een stap naar achteren, sloot haar ogen en voelde alles draaien. Ze was al bijna flauwgevallen toen Alans naam uit het niets bij haar opkwam. Ze balde haar vuisten en drukte ze hard tegen elkaar, knokkels tegen knokkels. De pijn was fel, abrupt en ontstellend. Met een koude schok was ze terug in de werkelijkheid.
Ze deed haar ogen open, ging naar de badkuip en keek omlaag. Eerst dacht ze dat er helemaal niets te zien was. Toen zag ze de spin naast het rubberen uiteinde van de ontstopper. Hij was niet groter dan de nagel van haar pink en zo dood als een pier.
Al het andere is helemaal niet gebeurd. Het was je verbeelding.
'Ja, dat had je gedàcht,' zei Polly met een dunne, beverige stem.
Maar de spin was niet het belangrijkste. Het ging om Alan... om Alan die door haar toedoen in gevaar verkeerde. Ze moest hem vinden voor het te laat was.

Als het nog niet te laat was.
Ze moest naar het bureau. Daar zou wel iemand weten waar...
Nee, zei de stem van tante Evvie in haar hoofd. *Daar niet. Als je daarheen gaat, zal het echt te laat zijn. Je weet waar je moet zijn. Je weet waar hij is.*
Ja.
Ja, natuurlijk wist ze dat.
Polly rende naar de deur, bezeten door die ene verwarde gedachte: *Laat hem niets kopen, God. Laat hem alstublieft, alstublieft niets kopen.*

23

1

De tijdontsteker onder de brug over de Castle Stream, de brug die sinds mensenheugenis door de inwoners van de Rock de Tin Bridge werd genoemd, was uitgetikt om 19.38 uur op dinsdag 15 oktober in het jaar onzes Heren 1991. Het nietige stroompje, dat eigenlijk bedoeld was om de bel te laten overgaan, schoot door de kale draden die Ace met de polen van de 9-volts batterij had verbonden. Er klonk wèrkelijk een bel, maar die verdween een fractie van een seconde later met de rest van het uurwerk in de steekvlam waarmee het slaghoedje de staven dynamiet tot ontploffing bracht.

Slechts een paar mensen in Castle Rock hielden de explosie voor een donderslag. De donder was zware artillerie in de lucht; dit was een reusachtig geweersalvo. De zuidkant van de brug, die niet van tin was, maar van roestig oud ijzer, werd door een compacte vuurbal drie meter de lucht in getild. Daarna viel hij terug met een bitter gekraak van barstend beton en gerammel van rondvliegend metaal. De noordkant van de brug werd losgewrikt en de hele constructie viel schuin in de Castle Stream, die wild begon te schuimen. Het zuidelijke uiteinde gleed op de door de bliksem gevelde iep.

Op Castle Avenue, waar de katholieken en baptisten - samen met een tiental agenten van de staatspolitie - nog steeds in een hevig gevecht gewikkeld waren, werd een wapenstilstand gesloten. Alle partijen staarden naar de vuurbloem die bij de rivier opbloeide. Albert Gendron en Phil Burgmeyer, die tot een paar seconden geleden een felle godsdienstoorlog hadden gevoerd, stonden nu zij aan zij naar de gloed te kijken. Bloed stroomde uit een wond aan Alberts linker slaap en Phil had zijn overhemd grotendeels in de strijd moeten laten.

Dicht bij hen zat Nan Roberts als een heel grote (en, in haar rayon serveersterstenue, heel witte) gier boven op pastoor Brigham. Ze had de brave geestelijke bij zijn haar gegrepen en zijn hoofd herhaaldelijk tegen het wegdek geramd. Iets verder lag dominee Rose, bewusteloos nadat de pastoor hem de sacramenten had toegediend. Henry Payton, die sinds zijn komst een tand was kwijtgeraakt (om nog maar te zwijgen van de illusies die hij ooit over religieuze tolerantie in Amerika gekoesterd mocht hebben), staakte abrupt zijn pogingen om Tony Mislaburski van de baptistische ouderling Fred Mellon af te trekken.

Iederéén verstijfde, als kinderen die 'standbeeldje' spelen.
'Jezus Christus, dat was de brug,' stamelde Don Hemphill.
Henry Payton besloot van de wapenstilstand te profiteren. Hij duwde Tony Mislaburski omver, zette zijn handen rond zijn gekwetste mond en brulde: 'Luister, allemaal! Dit is de politie! Hou onmiddellijk op...'
Nan Roberts onderbrak hem met een kreet. Ze had vele jaren ervaring met het doorgeven van bestellingen aan de keuken en ze was gewend zich ook in de grootste herrie verstaanbaar te maken. Van competitie was geen sprake; ze overstemde Payton gemakkelijk.
'De vuile papen gebruiken dynamiet!' toeterde ze.
Het aantal deelnemers was afgenomen, maar de overblijvenden maakten het verlies ruimschoots goed met hun enthousiasme.
Een paar seconden na Nans uitroep was het gevecht weer in volle gang, lijf-aan-lijf over wel vijftig meter in de beregende straat.

2

Norris Ridgewick stormde een paar seconden voor de explosie het bureau binnen en schreeuwde uit volle borst: 'Waar is sheriff Pangborn? Ik moet de sheriff...'
Hij zweeg. Afgezien van Seaton Thomas en een jong broekje van de staatspolitie was het bureau uitgestorven.
Waar zàt iedereen in vredesnaam? Buiten leken ongeveer zesduizend patrouillewagens en allerlei andere auto's door elkaar te staan. Een daarvan was zijn eigen vw, die met gemak de prijs voor de opvallendste wagen zou hebben gewonnen. De Kever lag nog steeds op zijn zijkant na de aanvaring met Buster.
'Jezus!' riep Norris. 'Waar ìs iedereen?'
Het jonge broekje keek naar Norris' uniform en zei: 'Er is een eindje verderop een knokpartij... christenen tegen kannibalen of zoiets. Mij hebben ze op de meldkamer gezet, maar met dit weer valt er niks te zenden of te ontvangen.' Somber besloot hij: 'Wie bent u?'
'Hulpsheriff Ridgewick.'
'Ik ben Joe Price. Wat is dit eigenlijk voor stadje? Ze zijn hier allemaal hartstikke gek geworden.'
Norris sloeg geen acht op hem en ging naar Seaton Thomas. Diens gezicht was asgrauw en hij haalde heel moeizaam adem. Hij hield een gerimpelde hand midden tegen zijn borst gedrukt.
'Seat, waar is Alan?'
'Geen idee,' zei Seat. Hij keek Norris aan met doffe, angstige ogen. 'Er is iets engs aan de hand, Norris. Iets heel engs. Overal.

De telefoon doet het niet meer en dat klopt niet, want de meeste kabels liggen tegenwoordig onder de grond. Maar zal ik je eens wat zeggen? Ik ben blij dat de telefoon het niet meer doet. Ik wil niet weten wat er aan de gang is.'
'Je moet naar het ziekenhuis,' zei Norris, bezorgd naar de oude man kijkend.
'Ik moet naar Kansas,' zei Seat somber. 'Voorlopig blijf ik hier zitten tot het allemaal voorbij is. Ik ga niet...'
Op dat moment vloog de brug de lucht in met een geweldige knal, die de nacht als een klauw omvatte.
'Jezus!' riepen Norris en Joe Price simultaan.
'Daar heb je het al,' zei Seat Thomas met zijn vermoeide, angstige, zeurderige stem waarin geen verbazing klonk. 'Nou gaan ze de stad opblazen.'
Opeens begon de oude man te snikken. Het was een schokkend gezicht.
'Waar is Henry Payton?' riep Norris tegen Price. De agent lette niet op hem. Hij rende naar de deur om te zien wat er was ontploft.
Norris wierp een blik op Seaton Thomas, maar die staarde somber voor zich uit, terwijl de tranen over zijn gezicht rolden. Zijn hand lag nog steeds midden op zijn borst. Norris liep achter agent Joe Price aan en vond hem op de parkeerplaats van het gemeentehuis, waar Norris ongeveer duizend jaar geleden een bon onder de ruitenwisser van Buster Keetons rode Cadillac had geschoven. Een zuil van stervend vuur tekende zich duidelijk af in de regenachtige nacht en in de gloed zagen de twee mannen dat de Tin Bridge verdwenen was. Het verkeerslicht bij de kruising was omgevallen.
'Lieve god,' zei agent Price met een stem vol ontzag. 'Ben ik effe blij dat ik hier niet woon.' In het vuurschijnsel waren blosjes op zijn wangen en vonken in zijn ogen zichtbaar.
Norris moest nog dringender op zoek naar Alan. Hij besloot dat hij beter eerst op zoek kon gaan naar Henry Payton, wat niet al te moeilijk moest zijn als er ergens een grote vechtpartij aan de gang was. Alan kon er zelf trouwens ook zijn.
Hij begon terug te lopen naar zijn wagen toen hij in het licht van de bliksem twee rennende gestalten om de hoek van het gerechtsgebouw naast het gemeentehuis zag komen. Ze leken op weg te zijn naar de felgele zenderwagen. De ene herkende hij niet, maar in de tweede gedaante – gezet en met o-benen – kon hij zich niet vergissen. Het was Danforth Keeton.
Norris Ridgewick ging twee stappen naar rechts en drukte zich met zijn rug tegen de stenen muur aan het begin van het straatje. Hij trok zijn dienstrevolver. Hij bracht zijn wapen op schouderhoogte,

de loop naar de natte hemel gericht, en schreeuwde 'Halt!' zo luid als hij kon.

3

Polly reed achteruit de oprit af, zette de ruitenwissers aan en sloeg linksaf. De pijn in haar handen ging nu vergezeld van een diep, hevig brandend gevoel in haar armen waar het bijtende vocht van de spin op haar huid was gevallen. Ze was vergiftigd en het gif drong gestaag dieper in haar door, maar dat kon haar nu niet schelen.
Ze naderde het stopbord bij de kruising van Ford en Main Street toen de brug de lucht invloog. Ze kromp ineen voor het oorverdovende salvo en staarde een ogenblik ontzet naar de steekvlam die van de Castle Stream opschoot. Even zag ze het staketsel van de brug zelf, een web van zwarte balken tegen de flikkerende lucht, voordat het bouwwerk in vlammen opging.
Ze draaide Main Street in, op weg naar De NoodZaak.

4

Alan Pangborn was ooit zelf een fanatiek filmer geweest. Hij wist niet hoeveel mensen hij tot tranen toe had verveeld met trillende films, geprojecteerd op een laken aan de muur van zijn zitkamer, van zijn kinderen die in luiers door de kamer kropen of door Annie in bad werden gedaan, van verjaarsfeestjes, van uitstapjes met het gezin. In al die filmpjes zwaaiden mensen naar de camera of trokken gezichten. Er scheen een ongeschreven wet te bestaan: als iemand een camera op je richt, moet je zwaaien, een gek gezicht trekken of allebei. Als je dat niet doet, kun je gearresteerd worden wegens vergaande onverschilligheid, een misdrijf waarop een straf staat van ten hoogste tien jaar naar springerige amateurfilms kijken.
Vijf jaar geleden was hij overgegaan op een videocamera, wat zowel goedkoper als eenvoudiger was... en waarmee hij mensen niet meer tien of vijftien minuten - drie of vier rollen 8mm-film aan elkaar geplakt - tot tranen toe kon vervelen, maar urenlang zonder zelfs maar van cassette te hoeven wisselen.
Hij haalde de band uit de doos en keek ernaar. Er zat geen etiket op. Best, dacht hij, dan moet ik zelf maar uitvinden wat erop staat.
Zijn hand ging naar de knop... en aarzelde.
Plotseling verdween het samengestelde gezicht van Todd en Sean en zijn vrouw en maakte plaats voor het gezicht van Brian Rusk zoals Alan dat vanmiddag nog had gezien.

Je ziet er ongelukkig uit, Brian.
Ja, sheriff.
Bèn je ook ongelukkig?
Ja, sheriff... en u zult ook ongelukkig zijn als u die knop indrukt. Hij wil dat u naar die band kijkt, maar niet om u een plezier te doen. Meneer Gaunt doet níemand een plezier. Hij wil u alleen maar vergiftigen, net als al die anderen.
En toch móest hij kijken.
Zijn vingers lagen op de knop, streelden het gladde, vierkante oppervlak. Hij wachtte en keek om zich heen. Ja, Gaunt was hier nog. Ergens. Alan kon hem voelen; een drukkende aanwezigheid, tegelijk dreigend en spottend. Hij dacht aan het briefje dat Gaunt had achtergelaten. *Ik weet dat u vaak en lang hebt nagedacht over de laatste ogenblikken in het leven van uw vrouw en jongste zoon...*
Doe het niet, sheriff, fluisterde Brian Rusk. Alan zag dat bleke, gekwetste, nog ongeschonden gezicht naar hem kijken achter de koelbox in zijn mandje, de koelbox met de honkbalplaatjes erin. *Laat het verleden rusten. Dat is beter. En hij liegt; u wéét dat hij liegt.*
Ja, dat wist hij inderdaad.
En toch móest hij kijken.
Alans vinger drukte de knop in.
Het groene lampje lichtte meteen op. Stroomuitval of niet, de recorder werkte prima, precies zoals Alan had gedacht. Hij zette de sexy rode Sony aan en een ogenblik later wierp de hagelwitte sneeuw van kanaal 3 een bleke gloed over zijn gezicht.
Doe het niet, fluisterde de stem van Brian Rusk weer, maar Alan luisterde niet. Hij drukte de cassette in de schuif en hoorde een metalig geklik toen de band over de koppen gleed. Daarna haalde hij diep adem en drukte de afspeelknop in. De hagelwitte sneeuw op het scherm maakte plaats voor egale duisternis. Even later werd het scherm lichtgrijs en een reeks cijfers werd zichtbaar: 8... 7... 6... 5... 4... 3... 2... x.
Hij zag een landweg, beverig gefilmd met een in de hand gehouden camera. Op de voorgrond, niet helemaal scherp maar wel leesbaar, zag hij een bordje met de aanduiding 117... een aanduiding die Alan niet nodig had. Hij had heel vaak over dat stuk gereden en kende het goed. Hij herkende het groepje pijnbomen net voorbij de bocht; de Scout was tegen de grootste boom tot stilstand gekomen, de neus rond de stam gebogen in een grillige omhelzing.
Maar in dit beeld vertoonden de bomen geen sporen van het ongeluk, hoewel je de sporen ter plaatse nog kon bekijken (zoals hij vele malen had gedaan). Bevreemding en doodsangst grepen hem traag naar zijn keel toen hij besefte – niet alleen door de ongerepte bo-

men en de staat van het wegdek, maar door heel het landschap en vooral door zijn intuïtie – dat de film was geschoten op de dag waarop Annie en Todd waren gestorven.
Hij zou het zien gebeuren.
Het was absoluut onmogelijk, maar het was waar. Hij zou zijn vrouw en zoon voor zijn eigen ogen te pletter zien slaan.
Zet hem af! schreeuwde Brian. *Zet hem af, hij verkoopt alleen vergif! Zet hem af voor het te laat is!*
Maar Alan kon het niet, net zo min als hij uit vrije wil zijn eigen hart had kunnen stilzetten. Hij was verstard, gevangen.
De camera draaide schokkerig naar links en keek verder de weg langs. Een ogenblik later was er een schittering van zonlicht te zien. Het was de Scout. De Scout naderde. De Scout was op weg naar de pijnboom waartegen hij en zijn inzittenden hun leven zouden eindigen. De Scout naderde zijn eindpunt op aarde. Hij reed niet te hard; hij slingerde niet. Er was geen teken dat Annie de macht over het stuur was kwijtgeraakt of dreigde kwijt te raken.
Alan boog naar voren naast de zoemende videorecorder. Zweet droop over zijn wangen, bloed klopte zwaar in zijn slapen. Hij proefde gal in zijn keel.
Dit is niet echt. Het is nagespeeld, trucage. Zij zijn het niet. Misschien zijn het een actrice en een jonge acteur die hen naspelen, maar ze zijn het niet zelf. Onmogelijk.
Maar hij wist dat ze het waren. Wat kon je anders zien op een televisietoestel dat werkte zonder dat het op het elektriciteitsnet was aangesloten? Wat kon je anders zien dan de waarheid?
Een leugen! schreeuwde Brian Rusk, maar de stem klonk van ver en liet zich gemakkelijk negeren. *Een leugen, sheriff, een leugen!*
Nu zag hij de nummerplaat van de naderende Scout. 24912 v. Annies kenteken.
Plotseling, achter de Scout, zag Alan een andere schittering. Een tweede wagen, die snel op de Scout inliep.
Buiten vloog de Tin Bridge de lucht in met dat daverende salvo. Alan draaide zijn hoofd niet om, hij hoorde de knal niet eens. Al zijn zintuigen waren gericht op het scherm van de rode Sony, waar Annie en Todd de boom naderden die tussen hen en de rest van hun leven stond.
De auto achter hen reed ruim boven de honderd. Terwijl de Scout het punt naderde waar de filmer stond, naderde deze tweede auto – waarvan nooit enige melding was gemaakt – de Scout. Annie had hem blijkbaar ook in de gaten; de Scout meerderde vaart, maar te weinig. En het was te laat.
De tweede auto was een lichtgroene Dodge Challenger, van achteren opgekrikt zodat de neus naar de grond wees. Door de getinte

ruiten was nog net de rolstang onder het dak te zien. De achterkant was bezaaid met stickers: ZUIPER, WEGPIRAAT, RAMMER, QUAKER STATE OIL... Hoewel er geen geluid bij de film was, kon Alan bijna het knallen en kraken van de dubbele uitlaat horen.
'Ace!' schreeuwde hij ontzet toen het tot hem doordrong. Ace! Ace Merrill! Wraak! Natuurlijk! Waarom had hij daar nooit eerder aan gedacht?
De Scout passeerde de camera, die naar rechts zwenkte om hem te volgen. Alan kon in een flits naar binnen kijken en ja, het was Annie, Annie met haar bonte hoofddoek om en Todd in zijn Star Trek T-shirt. Todd zat achterom te kijken. Annie keek in haar spiegeltje. Hij kon haar gezicht niet zien, maar ze boog gespannen naar voren in de gordel. Hij zag hen in die laatste flits - zijn vrouw en zijn zoon - en diep van binnen voelde hij dat hij hen zo niet wìlde zien als hij de afloop niet kon veranderen; hij wilde de verschrikking van hun laatste ogenblikken niet meemaken.
Maar hij kon nu niet meer terug.
De Challenger botste tegen de Scout. Het was geen harde botsing, maar Annie was sneller gaan rijden en de klap was hard genoeg. De Scout miste de bocht en schoot de weg af naar het bosje waar de grote pijnboom stond te wachten.
'Nee!' schreeuwde Alan.
De Scout bonkte door de greppel, landde op twee wielen en vloog met een geluidloze klap tegen de stam van de boom. Een lappenpop met een bonte hoofddoek werd door de voorruit geslingerd, sloeg tegen een boom en viel neer in het kreupelhout.
De lichtgroene Challenger stopte in de berm.
Het portier ging open.
Ace Merrill stapte uit.
Hij keek naar het wrak van de Scout, dat nauwelijks zichtbaar was in de wolken stoom die aan de gebarsten radiateur ontsnapten, en hij lachte.
'Nee!' schreeuwde Alan weer, en met twee handen duwde hij de videorecorder van de toonbank. Het apparaat viel op de grond zonder te breken en de kabel was net te lang om losgetrokken te worden. Over het televisiescherm liep slechts een enkele storing. Alan zag Ace nog steeds lachend weer in zijn auto stappen, daarna greep hij de rode televisie, tilde die in een draai boven zijn hoofd en smeet hem tegen de muur. Met een lichtflits en een holle klap viel het toestel tegen de grond, daarna was alleen het gezoem te horen van de draaiende videoband. Alan gaf een schop tegen het apparaat en eindelijk werd het stil.
Ga hem halen. Hij woont in Mechanic Falls.
Dit was een nieuwe stem. Hij was koud en hij was krankzinnig,

maar hij was ook genadeloos redelijk. De stem van Brian Rusk was verdwenen; nu was alleen deze ene stem er nog, die steeds hetzelfde zei.
Ga hem halen. Hij woont in Mechanic Falls. Ga hem halen. Hij woont in Mechanic Falls. Ga hem halen. Ga hem halen. Ga hem halen.
Aan de overkant klonken weer twee geweldige knallen toen de kapperszaak en Samuels Begrafenisonderneming vrijwel tegelijkertijd de lucht invlogen. Een regen van glas en brandend puin viel op straat neer. Alan schonk er geen aandacht aan.
Ga hem halen. Hij woont in Mechanic Falls.
Zonder erbij na te denken raapte hij het Tastee-Munch blikje op, alleen omdat hij het naar binnen had gebracht en dus ook weer mee naar buiten moest nemen. Hij liep naar de deur, zijn eerdere voetstappen onherkenbaar verminkend, en verliet De NoodZaak. De explosies deden hem niets. De gapende, brandende krater aan de overkant van Main Street deed hem niets. De wirwar van hout en glas en steen op straat deed hem niets. Castle Rock met al zijn inwoners, Polly Chalmers incluis, deed hem niets. Hij had iets te doen in Mechanic Falls, vijftig kilometer verder. Dàt deed hem iets. Het deed hem zelfs àlles.
Alan ging naar zijn stationcar. Hij gooide zijn revolver, zijn zaklamp en het nepblikje naast zich op de bank. In gedachten sloten zijn handen zich al rond de keel van Ace Merrill.

5

'Halt!' schreeuwde Norris weer. 'Blijf staan!'
Dit was een ongelooflijke meevaller, dacht hij. Nog geen zestig meter verder was de arrestantencel waarin hij Danforth Keeton voorlopig wilde opsluiten. En wat die ander betrof... nou ja, dat hing af van waar die twee mee bezig waren. Ze zagen er niet bepaald uit alsof ze voor het Leger des Heils op stap waren geweest.
Agent Price keek van Norris naar de mannen bij het ouderwetse bord met de tekst CASTLE COUNTY GERECHTSGEBOUW. Daarna keek hij weer naar Norris. Ace en Meneer Pad keken naar elkaar. Daarna lieten ze hun handen langzaam zakken naar hun broekriemen waaronder ze hun pistolen hadden gestoken.
Norris had de loop van zijn revolver naar de hemel gericht, zoals hem was geleerd. Nu, nog steeds volgens de voorschriften, liet hij het wapen zakken, zijn pols ondersteunend met zijn vrije hand. Volgens het boekje zouden ze niet beseffen dat de loop precies tussen hen in was gericht; ieder zou denken dat Norris op hèm richtte.

'Haal je handen bij die wapens weg, jongens. Nú!'
Buster en zijn metgezel keken elkaar weer even aan en lieten hun handen naast hun lichaam zakken.
Norris wierp een blik naar de jonge agent. 'Zou je misschien een handje willen helpen, Price?' zei hij. 'Als je niet te moe bent, natuurlijk.'
'Wat bent u aan het dóen?' vroeg Price. Hij klonk ongerust en onwillig. Alles wat er die avond was gebeurd, met als hoogtepunt het ontploffen van de brug, had hem gereduceerd tot een toeschouwer. Blijkbaar vond hij het niet prettig weer een actievere rol te moeten spelen. Het was hem allemaal te veel geworden.
'Ik arresteer deze twee idioten,' snauwde Norris. 'Wat dacht je anders?'
'Wat denk je wel, vlegel?' zei Ace, zijn middelvinger opstekend.
Buster stootte een hoog, jodelachtig gelach uit.
Price wierp een nerveuze blik in hun richting en keek verward naar Norris. 'Eh... op welke aanklacht?'
Busters vriend lachte.
Norris richtte zijn volle aandacht weer op de twee mannen en zag tot zijn ongenoegen dat ze van plaats waren veranderd. Eerst hadden ze bijna schouder aan schouder gestaan, maar nu waren ze bijna anderhalve meter uit elkaar.
'Blijf staan!' loeide hij. Ze bleven staan en wisselden weer een blik.
'Ga naast elkaar staan!'
Ze verroerden zich niet en keken naar hem in de stromende regen, hun handen langs hun lichaam.
'Ik arresteer ze wegens verboden wapenbezit,' riep Norris woedend tegen agent Joe Price. 'Haal nou die vingers uit je neus en help me een handje!'
Price kwam met een schok in actie. Hij wilde zijn eigen revolver trekken, merkte dat de klep van zijn holster nog dicht zat en begon eraan te friemelen. Daar was hij nog steeds mee bezig toen de kapperszaak en de begrafenisonderneming de lucht invlogen.
Buster, Norris en agent Price keken allemaal die kant op. Ace niet. Hij had juist op dit uitgelezen moment gewacht. Even snel als een revolverheld trok hij het automatische pistool en vuurde. De kogel trof Norris hoog in zijn linker schouder, schampte zijn long en versplinterde zijn sleutelbeen. Norris was bij de stenen muur vandaan gegaan toen hij de twee mannen zag bewegen, nu werd hij er weer tegenaan gedrukt. Ace schoot opnieuw en sloeg een bres in de bakstenen, vlakbij Norris' oor. Het maakte het geluid van een heel groot en heel kwaad insekt.
'O Jezus!' riep agent Price, die nog enthousiaster aan zijn riempje begon te friemelen.

'Neem jij die knaap, vader!' riep Ace. Hij stond te grinniken. Hij mikte weer op Norris en deze derde kogel trok een gloeiend spoor in de magere linkerzij van de hulpsheriff, die door zijn knieën zakte. De bliksem flikkerde. Vreemd genoeg hoorde Norris nog altijd steen en hout van de laatste explosies op straat neervallen.
Agent Price slaagde er eindelijk in zijn revolver te bevrijden. Hij wilde het wapen trekken toen een kogel uit Keetons automatische pistool de bovenkant van zijn schedel eraf sloeg. Price werd uit zijn laarzen getild en tegen de stenen muur van het steegje gegooid.
Norris probeerde zijn eigen wapen weer te richten. Het leek een ton te wegen. Met beide handen richtte hij op Keeton, die een beter doelwit vormde dan zijn vriend. En wat belangrijker was, Buster had net een collega vermoord en daar kwam je in Castle Rock beslist niet mee weg. Ze waren hier misschien kinkels, maar geen barbaren. Norris en Ace haalden tegelijkertijd de trekker over.
De terugslag wierp Norris naar achteren. De kogel uit het pistool van Ace floot door de lucht waar een halve seconde eerder zijn hoofd nog was geweest. Ook Buster Keeton vloog naar achteren, zijn handen tegen zijn buik gedrukt. Bloed stroomde tussen zijn vingers door.
Norris lag naast agent Price tegen de stenen muur. Hij haalde gierend adem en hield een hand tegen zijn gekwetste schouder. *Jezus, wat een rotdag is dit geweest*, dacht hij.
Ace richtte zijn pistool op hem... en bedacht zich, althans voorlopig. Hij ging naar Buster en liet zich op een knie zakken. Een eindje verder ging de bank in een regen van vuur en brokken graniet de lucht in. Ace draaide zijn hoofd niet eens om. Hij schoof Busters handen opzij om de wond te kunnen bekijken. Het speet hem dat dit was gebeurd. Hij begon de oude baas net aardig te vinden.
Buster schreeuwde. 'O, het doet pijn. Pijn!'
Ace geloofde het graag. Buster had een .45 net boven zijn navel gekregen. De wond was zo groot als een sluitbout. Ace hoefde hem niet om te draaien om te weten dat de wond op zijn rug zo groot als een koffiekopje zou zijn, met splinters van Busters ruggegraat die er als zuurstokken uitstaken.
'Pijn! Pijn!' jammerde Buster in de regen.
'Ja.' Ace drukte de loop van zijn pistool tegen Busters slaap. 'Pech gehad, vader. Je krijgt een pijnstiller van me.'
Hij haalde de trekker drie keer over. Busters lichaam schokte en bleef roerloos liggen.
Ace kwam overeind om die vervloekte hulpsheriff af te maken – als dat nog nodig zou zijn – toen er een schot klonk en een kogel twintig centimeter boven zijn hoofd door de winderige lucht floot. Ace keek op en zag een andere hulpsheriff bij de ingang van het bureau

staan. De kerel leek net zo oud als Methusalem. Hij mikte op Ace, terwijl hij zijn vrije hand tegen zijn borst gedrukt hield.
De tweede kogel uit Seats revolver boorde zich vlak naast Ace in de grond, waardoor een straal modder over diens zware laarzen spoot. Die ouwe kerel was niet bepaald een scherpschutter, maar Ace besefte opeens dat hij hier zo snel mogelijk weg moest. Ze hadden genoeg dynamiet in het gerechtsgebouw gelegd om de hele tent op te blazen, met vijf minuten op de klok, en hij stond hier bijna fluitend voor schietschijf te spelen.
Het dynamiet zou wel met de hulpsheriffs afrekenen.
Het werd tijd om Gaunt op te zoeken.
Ace rende naar Main Street. De oude hulpsheriff schoot opnieuw, maar deze kogel kwam niet eens in de buurt van zijn doel. Ace holde achter het gele busje langs zonder er verder aandacht aan te schenken. De Chevrolet Celebrity stond bij De NoodZaak, dat was een prachtige vluchtauto. Maar eerst wilde hij zijn loonzakje ophalen bij Gaunt. Hij had vast nog wel íets tegoed en Gaunt zou het hem zeker niet weigeren.
En verder moest hij nog een vuile dief van een sheriff zien te vinden.
'Het valt niet mee om je brood te verdienen,' bromde Ace, terwijl hij door Main Street naar De NoodZaak rende.

6

Frank Jewett stond op de trap van het gerechtsgebouw toen hij eindelijk de man vond die hij zocht. Frank had er al een tijdje gestaan en hij trok zich weinig aan van wat er zich die avond verder in Castle Rock afspeelde. Van het geroep en geschreeuw rond Castle Hill, van Danforth Keeton die vijf minuten geleden samen met een Hell's Angel op leeftijd de trap was afgerend, van de explosies, van de schoten die net om de hoek op de parkeerplaats bij het bureau klonken. Frank had wel iets anders aan zijn hoofd. Frank had een persoonlijke vete te beslechten met zijn voortreffelijke oude 'vriend', George T. Nelson.
En halleluja! Daar had je hem eindelijk! George T. Nelson liep in eigen persoon over het trottoir aan de voet van de trap. Hij zag eruit alsof hij op weg was naar een picknick... afgezien van het automatische pistool onder de band van zijn Sans-A-Belt polyester broek (en van het feit dat het nog altijd stortregende).
Gewoon maar een beetje in de regen lopen, dat deed monsieur George T. Klootzak Nelson, een beetje pierewaaien, en wat had er in het briefje gestaan dat Frank op zijn kamer had gevonden? O ja:

Denk eraan, uiterlijk om kwart over zeven 2000 dollar of je zou willen dat je als eunuch was geboren. Frank keek op zijn horloge, zag dat het al bijna acht uur was en besloot dat het er weinig toe deed.
Hij richtte George T. Nelsons eigen Spaanse Llama op het hoofd van de vervloekte leraar die hem al die ellende had bezorgd.
'Nelson!' schreeuwde hij. 'George Nelson! Draai je om en kijk me aan, klootzak!'
George T. Nelson draaide zich met een ruk om. Hij strekte zijn hand uit naar de kolf van zijn pistool, maar bedacht zich toen hij zag dat hij onder schot werd gehouden. Hij zette zijn handen in zijn zij en keek omhoog naar Frank Jewett, die op de trap van het gerechtsgebouw stond terwijl de regen van zijn neus en kin en van de loop van zijn gestolen wapen droop.
'Wou je me neerschieten?' vroeg George T. Nelson.
'Reken maar!' snauwde Frank.
'Je wou me gewoon neerschieten als een hond?'
'Waarom niet? Je verdient niet beter!'
Tot Franks verbazing knikte George T. Nelson met een glimlach. 'Ja,' zei hij, 'dat kun je verwachten van een vuile lafbek die bij een vriend inbreekt en een weerloos vogeltje afmaakt. Dat is precíes wat je kunt verwachten. Doe dan maar, lelijke schijterd. Schiet me dood, dan ben ik er vanaf.'
De donder rommelde, maar Frank hoorde het niet. Tien seconden later vloog de bank de lucht in en zelfs dàt hoorde hij amper. Hij had het te druk met zijn eigen woede... en zijn verbazing. Verbazing over de lef, de gore brutale lèf van monsieur George T. Klootzak Nelson.
Eindelijk vond Frank zijn tong weer terug. 'Je parkiet afgemaakt, ja! Op die achterlijke foto van je moeder gescheten, ja! En wat heb jíj gedaan? Wat heb jíj gedaan, George, behalve dat je ervoor hebt gezorgd dat ik nooit meer kan lesgeven? Ik mag mijn handen dichtknijpen als ik niet in de gevangenis kom!' De totale onrechtvaardigheid van dit laatste trof hem als een vuistslag; het was zout in de wonde wrijven. 'Waarom ben je niet gewoon om dat geld komen vrágen als je zo omhoog zat? Waarom ben je niet gewoon bij me gekomen? We hadden toch iets kunnen regelen, stomme idioot!'
'Ik weet niet waar je het over hebt!' riep George T. Nelson terug. 'Ik weet alleen dat je een klein parkietje aankunt, maar je bent te laf om mij een eerlijke kans te geven!'
'Je weet niet... *je weet niet waar ik het over heb?*' stamelde Frank. De loop van de Llama zwaaide heftig heen en weer. Hij kon de brutaliteit van de man op de stoep gewoon niet gelóven. Met één voet

op het trottoir en de andere in het graf en dan nòg blijven liegen...
'Nee, dat weet ik niet! Ik heb geen flauw idee!'
In opperste razernij verviel Frank Jewett in de taal van een schooljongen om zich tegen de schaamteloze ontkenning te verweren.
'Leugenaar, leugenaar, je liegt dat je barst!'
'Lafbek!' pareerde George T. Nelson vlot. 'Schijtebroek! Parkietjesmepper!'
'Afperser!'
'Debiel! Doe dat pistool weg, debiel! Geef me een eerlijke kans!'
Frank grijnsde naar hem. 'Eérlijk? Jou een eerlijke kans gunnen? Wat weet jij nou van éérlijk?'
George T. Nelson hield zijn lege handen op en wiebelde met zijn vingers. 'Meer dan jij, zo te zien.'
Frank deed zijn mond open, maar er kwam niets uit. De lege handen van George T. Nelson hadden hem tijdelijk het zwijgen opgelegd.
'Kom op dan,' zei George T. Nelson. 'Laten we het net zo doen als in een western, Frank. Als je daar tenminste de ballen voor hebt. De snelste wint.'
Waarom ook niet? dacht Frank. Waarom ook eigenlijk niet?
Hij had toch weinig meer om voor te leven, wat er ook gebeurde, en hij zou zijn oude 'vriend' tenminste laten zien dat hij geen lafaard was.
'Goed dan,' zei hij, en stopte de Llama onder zijn broekband. Hij hield zijn handen voor zijn buik, net boven de kolf van het pistool.
'Hoe wil je het doen, Georgie-Porgie?'
George T. Nelson stond te grinniken. 'Jij komt de trap af,' zei hij. 'Ik kom naar boven. Bij de eerste donderslag...'
'Goed,' zei Frank. 'Afgesproken. We doen het.'
Hij stapte op de bovenste trede. En George T. Nelson stapte op de onderste.

7

Polly kreeg net het groene baldakijn bij De NoodZaak in zicht toen de begrafenisonderneming en de kapperszaak de lucht invlogen. Ze zag een geweldige lichtflits en hoorde een enorme klap. Brokstukken vlogen in het rond als asteroïden in een science-fictionfilm en instinctief trok ze haar hoofd in. Dat was maar goed ook; een paar stukken hout verbrijzelden de voorruit van haar Toyota, net als de roestvrij-stalen hendel van Henry Gendrons kappersstoel. De hendel vloog met een vreemd, hongerig gezoem door de auto en dwars door de achterruit weer naar buiten. Een regen van scherven verspreidde zich als een wolk door het interieur.

De stuurloze Toyota reed de stoep op en kwam tot stilstand tegen een brandkraan.
Polly ging met knipperende ogen rechtop zitten en staarde door de opening in de voorruit. Ze zag iemand uit De NoodZaak komen en naar een van de drie auto's lopen die voor de winkel stonden. In het felle schijnsel van de brand aan de overkant herkende ze zonder moeite Alan.
'Alan!' schreeuwde ze, maar hij draaide zich niet om. Volkomen in zichzelf verdiept liep hij door, als een robot.
Polly duwde het portier open en rende naar hem toe, telkens zijn naam roepend. Verderop in de straat klonk het lawaai van een snelle schotenwisseling. Alan keek niet in die richting, net zo min als naar de brand die binnen enkele seconden de begrafenisonderneming en de kapperszaak had verzwolgen. Hij leek geheel en al op te gaan in zijn eigen gedachten, en Polly besefte opeens dat ze te laat was. Leland Gaunt had hem al in zijn macht. Hij had toch iets gekocht en hij zou gewoon weggaan als ze hem niet belette in zijn auto te stappen voor de krankzinnige boodschap waarop Gaunt hem had uitgestuurd... en God mocht weten wat er dan ging gebeuren.
Ze rende nog sneller.

8

'Help me,' zei Norris. Hij sloeg een arm over de schouders van Seaton Thomas en kwam wankelend overeind.
'Ik geloof dat ik hem heb geraakt,' zei Seaton. Hij stond te hijgen, maar de kleur was terug in zijn gezicht.
'Mooi zo,' zei Norris. De pijn brandde in zijn schouder... en leek steeds dieper te zinken, alsof hij zijn hart zocht. 'Help me nu.'
'Het komt wel goed,' zei Seaton. In zijn bezorgdheid om Norris dacht hij niet meer aan wat hij zijn eigen 'hartkwaaltje' noemde. 'Ik breng je naar binnen en dan...'
'Nee,' hijgde Norris. 'Naar mijn wagen.'
'Wàt?'
Norris draaide zijn hoofd opzij en keek Thomas aan met koortsige ogen vol pijn. 'Breng me naar mijn wagen! Ik moet naar De NoodZaak!'
Ja. Zodra hij het had gezegd, vielen alle stukjes op hun plaats. De NoodZaak, daar had hij zijn Bazun gekocht. In die richting was de man weggerend die hem had neergeschoten. In De NoodZaak was alles begonnen; in De NoodZaak moest alles eindigen.
Galaxia vloog de lucht in en Main Street werd door een nieuwe ros-

se gloed verlicht. Uit de puinhopen werd een speelautomaat geslingerd, die in de lucht twee keer kantelde en met een slag ondersteboven op het wegdak landde.
'Norris, je bent geraakt...'
'Natuurlijk ben ik geraakt!' schreeuwde Norris. Rode schuimvlokken vlogen van zijn lippen. 'Help me naar de wagen!'
'Dat is geen goed idee, Norris.'
'Nee, daar heb je gelijk in,' zei Norris grimmig. Hij wendde zijn hoofd af en spuugde wat bloed uit. 'Maar een ander heb ik niet. Kom op nou. Help me.'
Sean Thomas bracht hem naar de patrouillewagen.

9

Als Alan niet in zijn spiegeltje had gekeken, zou hij de avond een passend slot hebben gegeven door zijn geliefde te verpletteren onder de achterwielen van zijn oude stationcar. Hij herkende Polly niet; ze was niet meer dan een gestalte achter zijn auto, het silhouet van een vrouw, afgetekend tegen de laaiende vlammen aan de overkant van de straat. Hij stampte op het rempedaal en een ogenblik later stond ze tegen het raampje te bonken.
Alan lette niet op haar en reed weer naar achteren. Hij had vanavond geen tijd voor de problemen van Castle Rock; hij had zijn eigen problemen. Laat ze elkaar maar afmaken als stom slachtvee, als ze zo nodig wilden. Hij ging naar Mechanic Falls. Wraak nemen op de man die zijn vrouw en zoon had doodgereden uit woede over vier jaar in de Shank.
Polly greep de portierkruk en werd half meegetrokken en half meegesleept naar de met puin bezaaide straat. Ze drukte de knop onder de kruk in, waardoor een golf van pijn door haar hand trok, en het portier vloog open. Ze klemde zich wanhopig vast, terwijl Alan keerde en ze haar voeten over de grond voelde slepen. In zijn verdriet en woede dacht Alan er totaal niet aan dat er geen brug meer was om de stad uit te komen.
'Alan!' schreeuwde ze. 'Alan, stop!'
Het drong tot hem door. Het drong tot hem door, ondanks de regen, de donder, de wind en het luide, hongerige kraken van de brand. Ondanks zijn verblinding.
Hij keek haar aan en Polly voelde haar hart breken bij het zien van de blik in zijn ogen. Alan zag eruit als iemand in het diepste donker van een nachtmerrie. 'Polly?' vroeg hij vaag.
'Je moet stoppen, Alan!'
Bijna verloor ze haar greep op het portier – de pijn in haar handen

was ondraaglijk – maar ze was bang dat hij zou wegrijden en haar hier midden in Main Street zou achterlaten als ze losliet.
Of nee, ze wìst dat hij zou wegrijden.
'Ik moet weg, Polly. Het spijt me dat je boos op me bent – dat je denkt dat ik iets heb misdaan – maar daar komen we wel uit. Ik moet nu...'
'Ik ben niet boos meer, Alan. Ik weet dat jij niets hebt gedaan. Híj was het, hij speelde ons tegen elkaar uit, zoals hij bijna iedereen in Castle Rock tegen elkaar heeft uitgespeeld. Dat doet hij namelijk. Begrijp je, Alan? Versta je me? *Dat doet hij!* Hou nu op! Zet die vervloekte motor af en lúister naar me!'
'Ik moet weg, Polly,' zei hij. Ook in zijn eigen oren klonk zijn stem heel veraf, alsof hij uit de radio kwam. 'Maar ik kom meteen...'
'Je komt helemaal niet terug!' schreeuwde ze. Plotseling was ze razend op hem – razend op iedereen, op al die hebberige, bange, boze, koopzieke mensen van Castle Rock, zichzelf inbegrepen. 'Je komt helemaal niet terug, want als je nu weggaat *blijft er van heel Castle Rock niets over!*'
De videotheek werd opgeblazen. Stukken puin vielen rond Alans auto neer in Main Street. Alans begaafde rechterhand gleed steels over de zitting en pakte het blikje Tastee-Munch. Hij hield het in zijn schoot alsof hij er troost aan ontleende.
Polly besteedde geen aandacht aan de explosie; ze staarde Alan aan met haar donkere ogen vol pijn.
'Polly...'
'Kijk!' riep ze opeens, en scheurde haar blouse open. De regen viel op haar ronde borsten en glinsterde in de holte van haar hals. 'Kijk, ik heb hem afgedaan! De talisman is weg! Doe je eigen talisman weg, Alan! Wees een man en doe hem weg!'
Het kostte hem moeite haar te begrijpen in de diepte van de nachtmerrie die hem in haar greep hield, de nachtmerrie die Gaunt als een giftige cocon om hem heen had gesponnen... en met een schok besefte ze opeens wat die nachtmerrie was. Wat die nachtmerrie móest zijn.
'Heeft hij je verteld wat er met Annie en Todd is gebeurd?' vroeg ze zacht.
Zijn hoofd vloog naar achteren alsof ze hem had geslagen, en Polly wist dat ze het bij het rechte eind had.
'Ja, natuurlijk. Dat is het enige, het enige nutteloze ding dat je zo graag wilde hebben dat het een noodzaak voor je werd. Dàt is jouw talisman, Alan, dàt heeft hij om je nek gehangen.'
Ze liet de deurkruk los en stak haar handen naar binnen. Het schijnsel van het binnenlampje viel op haar vingers. Haar huid was donkerrood en gevlekt. Haar armen waren zo sterk gezwollen dat haar ellebogen nauwelijks nog te zien waren.

‘Er zat een spin in mijn hanger,’ zei ze zacht. ‘Een klein harig spinnetje, meer niet. Maar hij werd groter. Hij verslond mijn pijn en werd groter. Dit heeft hij gedaan voordat ik hem doodmaakte en mijn pijn terugnam. Ik wilde zo graag van de pijn verlost zijn, Alan. Ik wilde het zo graag, maar het is geen nóódzaak voor me. Ik kan ook met die pijn van jou en van het leven houden. Misschien wordt al het andere er nog wel mooier door, zoals een diamant mooier lijkt in een goede vatting.’
‘Polly...’
‘Natuurlijk heeft hij me vergiftigd,’ vervolgde ze peinzend, ‘en misschien wordt dat mijn dood voor het allemaal voorbij is. Maar waarom ook niet? Het zou rechtvaardig zijn. Streng, maar rechtvaardig. Ik heb het gif samen met de talisman gekocht. Hij heeft de laatste week heel wat vergif verkocht in dat rotzaakje van hem. De vuilak laat er geen gras over groeien, dat moet ik hem nageven. Een klein harig spinnetje zat er in mijn talisman. En wat zit er in de jouwe? Annie en Todd, nietwaar? Zo is het toch?’
‘Polly, Ace Merrill heeft mijn vrouw vermoord. En Todd! Hij...’
‘Nee!’ schreeuwde Polly. Ze nam zijn gezicht in haar kloppende handen. ‘Luister naar me! Begrijp me dan toch! Het gaat niet alleen om je léven, Alan, snap je dat niet? Hij laat je je eigen ziekte terugkopen en je dubbel betalen! Zie je dat dan niet? Zíe je het niet?’
Hij staarde haar met open mond aan... en langzaam ging zijn mond weer dicht. Opeens kwam er een verraste uitdrukking op zijn gezicht.
‘Wacht eens,’ zei hij. ‘Er klopt iets niet. Er klopt iets niet aan die film. Ik kan alleen nog niet...’
‘Dat kun je wèl, Alan! Ik weet niet wat je hebt gekocht, maar het is een leugen! Net als de brief die hij naar mij had gestuurd.’
Eindelijk begonnen haar woorden goed tot hem door te dringen. ‘Welke brief?’
‘Dat doet er nu niet toe... ik zal het je later vertellen, als er nog een later komt. Maar hij overspeelt zijn hand. Ik denk dat hij dat altíjd doet. Hij is zo opgeblazen van trots dat het een wonder is dat hij niet uit elkaar klapt. Probeer het alsjeblieft te begrijpen, Alan: Annie is dóód en Todd is dóód en als je Ace Merrill achterna gaat zitten terwijl heel de stad in vlammen opgaat...’
Een hand schoot over Polly’s schouder heen. Een onderarm drukte tegen haar keel en rukte haar hoofd ruw naar achteren. Opeens stond Ace Merrill achter haar, met een pistool in zijn hand, en hij keek grinnikend over zijn schouder naar Alan.
‘Als je over de duivel spreekt, zus,’ zei Ace, en in de lucht...

10

...kraakte een donderslag.
Frank Jewett en zijn goede oude 'vriend' George T. Nelson beloerden elkaar al bijna vier minuten op de trap van het gerechtsgebouw, ineengedoken als een stel vreemde, bebrilde revolverhelden. Hun zenuwen waren tot het uiterste gespannen.
'Ha!' zei Frank. Zijn hand schoot naar het automatische pistool onder zijn broekband.
'Ja!' zei George T. Nelson, die zijn eigen pistool greep.
Met een identieke koortsige grimas op hun gezicht - alsof ze met opengesperde mond schreeuwden zonder geluid te maken - trokken ze hun wapens en haalden de trekkers over. De twee knallen klonken als een enkel schot. De kogels vlogen uit de lopen in het licht van de bliksem... en schampten elkaar halverwege, net genoeg om van een zekere voltreffer een misser te maken.
Frank Jewett voelde een tochtstroom langs zijn linker slaap trekken.
George T. Nelson voelde iets prikken aan de rechterkant van zijn hals.
Ze staarden elkaar ongelovig aan boven de rokende loop van hun wapens.
'Huh?' zei George T. Nelson.
'Wat?' zei Frank Jewett.
Ze grijnsden een identieke, ongelovige grijns. George T. Nelson stapte aarzelend een trede hoger; Frank kwam aarzelend een tree omlaag. Nog even en ze zouden elkaar kunnen omhelzen, hun twist beslecht door een tweede salvo... maar op dat moment ging het gemeentehuis de lucht in met een klap die de aarde leek te splijten, en de twee mannen gingen ogenblikkelijk in rook op.

11

Die laatste explosie deed alle andere vergeten. Ace en Buster hadden twee pakketjes met elk twintig staven dynamiet in het gemeentehuis gedeponeerd. Een van die bommen hadden ze op de stoel van de rechter gelegd, de tweede - op aandringen van Buster - op het bureau van Amanda Williams.
'Vrouwen hebben toch niks in de politiek te zoeken,' verklaarde Buster.
Het lawaai van de ontploffing was oorverdovend, en even waren alle ramen van het grootste gebouw in de stad gevuld met een bovennatuurlijk violet-oranje licht. Daarna sloegen de vlammen uit

de ramen, uit de deuren, uit de luchtkokers en roosters, om zich heen grijpend als genadeloze, gespierde armen. Het leien dak werd in zijn geheel opgetild als een vreemd spits ruimteschip en verhief zich op een kussen van vuur voor het in ontelbare brokstukken neerviel.
Het volgende ogenblik vielen alle muren naar buiten en bedolven Lower Main Street onder een laag steen en glas waaronder geen grotere wezens dan kakkerlakken konden overleven. Negentien mannen en vrouwen vonden de dood bij de explosie, onder wie vijf journalisten die de onverklaarbare gebeurtenissen in Castle Rock hadden willen verslaan en daar nu zelf deel van uitmaakten.
Politiewagens en persbusjes werden de lucht in geslingerd en als speelgoedautootjes door elkaar gegooid. Het gele busje dat Gaunt aan Ace en Buster had afgestaan, vloog rustig met draaiende wielen drie meter boven de grond. De achterdeuren hingen scheef in hun scharnieren en uit de laadbak vielen allerlei werktuigen en tijdontstekers. Het busje werd meegevoerd door een gloeiende wervelwind en stortte neer in het kantoor van Dostie Verzekeringen, schrijfmachines en dossierkasten een eindje met zich meesleurend voor het bleef liggen.
De grond trilde als bij een aardbeving. In de hele stad vlogen ruiten aan scherven. Windvaantjes, die onwrikbaar naar het noordoosten hadden gewezen in de storm (die nu begon af te nemen, alsof hij het hoofd boog voor dit nieuwe geweld), draaiden wild in het rond. Een paar werden compleet van hun standaard geblazen en de volgende dag zou er een worden teruggevonden in de deur van de baptistische kerk, in het hout geboord als een Indiaanse pijl.
Op Castle Avenue, waar de veldslag duidelijk in het voordeel van de katholieken begon door te slaan, hield het vechten op. Henry Payton stond bij zijn wagen, de revolver slap in zijn hand, en staarde naar de vuurbal in het zuiden. Bloeddruppels rolden als tranen over zijn wangen. Dominee William Rose ging rechtop zitten, zag de dreigende gloed aan de horizon en begon te vermoeden dat hij de wereld voor zijn ogen zag vergaan. Pastoor John Brigham ging naar hem toe, zwaaiend als een dronkeman. Zijn neus vertoonde een ernstige afwijking naar links en zijn mond was een bloederige massa. Even overwoog hij het hoofd van Rose als een rugbybal te gebruiken, maar in plaats daarvan hielp hij de predikant overeind.
Op Castle View keek Andy Clutterbuck niet eens op. Hij zat op het stoepje bij het huis van de Potters te snikken met zijn dode vrouw in zijn armen. Hij had nog twee jaar te gaan voor hij in een dronken bui door het ijs van Castle Lake zou zakken, maar dit was de laatste nuchtere dag van zijn leven.
In Dell's Lane was Sally Ratcliffe in de kast op haar slaapkamer,

terwijl een lange rij kronkelende insekten een polonaise op de zijkant van haar jurk opvoerde. Ze had gehoord wat er met Lester was gebeurd, ingezien dat het op de een of andere manier aan háár te wijten was (althans dat dàcht ze en uiteindelijk kwam het op hetzelfde neer), en zichzelf verhangen aan de ceintuur van haar badjas. Een hand zat diep in de zak van haar jurk en in die hand hield ze een houtsplinter geklemd. De spaander was zwart van ouderdom en verrotting. De houtwormen kropen eruit, op zoek naar een nieuw en permanent onderkomen. Ze kwamen bij de zoom van Sally's jurk en marcheerden langs haar bungelende been naar beneden.
Stukken steen vlogen door de lucht en veranderden de gebouwen op enige afstand in geblakerde panden na een artilleriebombardement. Dichterbij waren alleen nog ruïnes overgebleven.
De nacht brulde als een leeuw met een giftige speerpunt in zijn keel.

12

Seat Thomas, die achter het stuur van Norris' wagen was gaan zitten, voelde de achterkant van de auto langzaam omhoog gaan, als opgetild door de hand van een reus. Een ogenblik later verdween de auto in een maalstroom van stenen. Een paar keien boorden zich in de kofferbak. Een andere viel bonkend op het dak. Weer een andere landde op de motorkap in een wolk van stof met de kleur van gestold bloed en gleed naar beneden.
'Allemachtig, Norris, de hele stad gaat de lucht in!' riep Seat schril.
'Doorrijden,' zei Norris. Het was of hij van binnen werd verteerd; grote zweetdruppels stonden op zijn rood aangelopen gezicht. Hij dacht niet dat Ace hem dodelijk had geraakt, maar er was toch iets helemaal niet goed. Hij leek elk moment flauw te zullen vallen en alles draaide voor zijn ogen. Grimmig klampte hij zich vast aan zijn bewustzijn. In zijn koorts was hij er steeds vaster van overtuigd dat Alan hem nodig had en dat hij, als hij veel geluk had en al zijn moed verzamelde, misschien nog kon boeten voor wat hij had aangericht door de banden van Hughs auto door te snijden.
Voor zich uit zag hij een groepje mensen op straat staan voor het groene baldakijn van De NoodZaak. In het licht van de vuurzuil op de plaats waar het gemeentehuis had gestaan, leek het groepje een stel acteurs op een podium. Hij zag Alans stationcar en hij zag ook Alan, die net uitstapte. Tegenover Alan, met zijn rug naar de wagen waarin hij en Seaton Thomas zaten, stond een man met een pistool. Hij hield een vrouw als een schild tegen zich aan. Norris kon

het gezicht van de vrouw niet zien, maar hij herkende de man achter haar aan het Harley-Davidson T-shirt dat in flarden om zijn lijf hing. Het was dezelfde man die op de parkeerplaats op hem had geschoten, de man die Buster Keeton het genadeschot had gegeven. Hoewel hij hem nooit had ontmoet, was Norris er tamelijk zeker van dat dit het zwarte schaap van Castle Rock was, Ace Merrill.
'Krijg nou wat, Norris, dat is Alan! Wat gebeurt daar?'
Ace of niet, dacht Norris, hij kan ons niet horen aankomen. Het is overal een rotherrie. Als Alan zijn hoofd niet omdraait en ons verraadt...
Zijn dienstrevolver lag in zijn schoot. Norris draaide het raampje omlaag en pakte het wapen. Had het een ton gewogen? Nu was het minstens twee ton.
'Langzamer, Seat, zo langzaam als je kunt. En als je mijn voet voelt, rem je meteen af. Denk vooral niet na.'
'Je vóet? Hoezo, je v...'
'Kop dicht, Seat,' zei Norris met moeizaam geduld. 'Doe nou maar wat ik zeg.'
Norris boog opzij, stak zijn hoofd en schouders door het raam en greep de stang waaraan het zwaailicht van de patrouillewagen was bevestigd. Langzaam en zwaar trok hij zich op tot hij op de rand van het portier zat. Zijn schouder protesteerde heftig en een nieuwe stroom bloed doorweekte zijn overhemd. Ze waren de drie mensen op straat tot op minder dan dertig meter genaderd en hij richtte zijn revolver op de man met het wapen. Hij kon niet schieten, nog niet, anders zou hij waarschijnlijk ook de vrouw raken. Maar als een van hen bewoog...
Langer durfde Norris niet te wachten. Hij stak zijn voet uit en tikte Seat aan. Seat remde zachtjes af en de wagen bleef midden tussen de brokstukken op straat staan.
Kom op nou, smeekte Norris. Ga opzij, een van jullie, al is het maar een klein beetje.
Hij merkte niet dat de deur van De NoodZaak werd geopend; al zijn aandacht was gericht op de man met het pistool en zijn gevangene. Hij zag niet dat Leland Gaunt uit zijn winkel kwam en onder het groene baldakijn bleef staan.

13

'Het was míjn geld, smeerlap!' schreeuwde Ace tegen Alan. 'Als je deze trut heelhuids terug wilt hebben, kan je maar beter vertellen waar je het hebt gelaten!'

Alan was uit de stationcar gestapt. 'Ik weet niet waar je het over hebt, Ace.'
'Ja, dat geloof ik!' riep Ace. 'Je weet verdomd góed waar ik het over heb! Pops geld! Het geld in de blikken! Zeg waar je het hebt gelaten als je die trut wilt terugzien! Je hebt niet lang bedenktijd, vuile bedrieger!'
Uit een ooghoek zag Alan iets bewegen in Main Street. Het was een politiewagen, zo te zien een van zijn eigen wagens, maar hij durfde niet goed te kijken. Ace zou niet aarzelen Polly dood te schieten als hij onraad rook, in een oogwenk.
Daarom richtte hij zijn blik strak op haar gezicht. Haar donkere ogen waren dof van de pijn... maar er lag geen angst in.
Alan voelde dat hij weer greep op de werkelijkheid kreeg. Gezond verstand was iets geks. Je wist het niet als je het kwijt was, je merkte er niets van. Je merkte het pas als je het weer terug had, alsof het een zeldzame vogel was die niet op bevel, maar alleen uit vrije wil zong.
'Hij heeft zich vergist,' zei hij rustig tegen Polly. 'Gaunt heeft een fout gemaakt met die film.'
'Waar heb je het godverdomme over?' Ace klonk wild, opgefokt. Hij drukte de loop van het pistool tegen Polly's slaap.
Alan was de enige die de deur van De NoodZaak steels zag opengaan, en dat alleen omdat hij zo strak wegkeek van de politiewagen die langzaam dichterbij kroop. Alan was de enige die - uit het puntje van zijn ooghoek, spookachtig - de lange gestalte naar buiten zag komen, de gestalte die niet in een sportjasje of in een smoking was gehuld, maar in een zwarte lakense overjas.
Een reismantel.
Gaunt had een ouderwets valies in zijn hand, zo een waarin een handelsreiziger vroeger zijn artikelen en monsters meenam. De kleine koffer was gemaakt van hyenaleer en was niet dood. Hij golfde en bobbelde, golfde en bobbelde onder de lange witte vingers die hem droegen. Uit de koffer steeg een zwak krijsend geluid op, als het fluiten van de wind in de verte of het spookachtige zoemen van hoogspanningsdraden. Alan hoorde dit afschuwelijke, ontstellende geluid niet met zijn oren, maar met zijn hart en ziel.
Gaunt bleef staan onder het baldakijn, vanwaar hij zowel de naderende patrouillewagen als het tableau de la troupe bij de stationcar kon zien, en er kwam een blik van groeiende ergernis in zijn ogen... misschien zelfs van bezorgdheid.
Hij weet niet dat ik hem in de gaten heb, dacht Alan. Daar ben ik vrijwel zeker van. Laat het in godsnaam zo zijn.

14

Alan reageerde niet op Ace. Hij sprak weer tegen Polly, terwijl zijn handen het blikje Tastee-Munch omklemden. Ace scheen het blikje helemaal niet op te merken, waarschijnlijk omdat Alan absoluut geen moeite deed het te verbergen.
'Annie had haar gordel niet om,' zei Alan tegen Polly. 'Heb ik je dat wel eens verteld?'
'Ik... ik weet het niet meer, Alan.'
Schuin achter Ace trok Norris Ridgewick zich moeizaam door het raampje naar buiten.
'Daardoor is ze door de voorruit gevlogen.' Nog even en ik moet een van hen pakken, dacht hij. Ace of Gaunt? Welke kant? Wíe?
'Ik heb me altijd afgevraagd waarom ze de riem niet had vastgemaakt. Ze hoefde er nooit over na te denken, ze deed hem automatisch om. Maar die dag niet.'
'Je laatste kans, smeris!' schreeuwde Ace. 'Mijn geld of deze trut! Je mag zelf kiezen!'
Alan lette nog steeds niet op hem. 'Maar op de film *had ze haar riem wel om*,' zei Alan, en plotseling wist hij het. Het besef daagde als een schitterende zilveren rookzuil. 'Ze had haar riem nog om en dat was je fout, Gaunt!'
Alan draaide zich met een ruk om naar de lange gestalte onder het groene baldakijn. Hij deed een grote stap in de richting van Castle Rocks jongste ondernemer en voordat Gaunt iets kon doen - voordat hij zelfs maar met zijn ogen kon knipperen - rukte hij het deksel van het blikje, Todds laatste grap, de grap die Annie hem had laten houden omdat hij maar één keer jong zou zijn.
De slang sprong tevoorschijn en ditmaal was het geen grap.
Ditmaal was het ernst.
De ernst duurde slechts een paar seconden en Alan zou nooit weten of iemand anders het had gezien... behalve Gaunt, want die had het zéker gezien. De slang was lang, veel langer dan het ding van crêpepapier dat hij een week geleden had gezien toen hij het blikje na zijn lange, eenzame rit van Portland had geopend op de parkeerplaats van het gemeentehuis. De huid fonkelde, bezaaid met rode en zwarte diamanten als het vel van een mythische ratelslang. De kaken van de slang beten zich vast in de schouder van Leland Gaunts lakense overjas, en Alan kneep zijn ogen half dicht tegen het verblindende, chroomachtige schitteren van de giftanden. De dodelijke driehoekige kop werd opgetild en schoot omlaag naar Gaunts hals. Gaunt stak zijn hand uit om de slang te grijpen... maar de giftanden boorden zich een paar keer snel in zijn huid. De

driehoekige kop flitste op en neer als de trillende naald van een naaimachine.
Gaunt slaakte een kreet - van pijn of woede of van allebei - en liet het valies vallen om de slang met beide handen te grijpen. Alan zag zijn kans schoon en sprong naar voren. Gaunt trok de kronkelende slang van zich af en wierp hem aan zijn gelaarsde voeten op het trottoir. Zodra hij neerkwam, was hij weer zoals eerst: niet meer dan een goedkoop fopartikel, anderhalve meter vaal, groen crêpepapier rond een veer, een grap die alleen een jongen als Todd echt kon aanspreken en alleen een wezen als Gaunt echt kon waarderen. Bloed druppelde in dunne straaltjes uit drie paar wonden in Gaunts hals. Hij wreef het achteloos weg met een van zijn vreemde, langvingerige handen, bukte om het valies te pakken... en verstijfde abrupt. Gebogen bleef hij zo staan, licht door zijn knieën gezakt en een lange arm uitgestrekt naar de grond, als de houtsnede van een kraanvogel. Maar wat hij had willen pakken was verdwenen. Het valies van hyenaleer met de afschuwelijk ademende wanden stond nu tussen Alans benen op de stoep. Hij had het gepakt terwijl Gaunt met de slang stond te worstelen, gepakt met zijn gebruikelijke snelheid en behendigheid.
De uitdrukking op Gaunts gezicht was nu overduidelijk: een stormachtige mengeling van woede, haat en ongelovige verbazing verkrampte zijn gelaat. Hij trok zijn bovenlip op als een hond en ontblootte de rijen scheve tanden. Al die tanden waren nu puntig, alsof hij ze voor de gelegenheid had bijgevijld.
Hij stak zijn gespreide vingers uit en siste: 'Geef terug! Hij is van mij!'
Alan wist niet dat Leland Gaunt tientallen inwoners van Castle Rock, van Hugh Priest tot Slopey Dodd, had bezworen dat hij geen enkele belangstelling voor hun ziel had... wat was er armzaliger dan de gerimpelde en verschrompelde ziel van een mens? Als hij het wèl had geweten, zou Alan hebben gelachen en opgemerkt dat leugens Gaunts voornaamste handelswaar waren. O, hij wist wel wat er in dat valies zat, wat daar schreeuwde als hoogspanningsdraden in de storm en ademde als een angstige oude man op zijn sterfbed. Hij wist het maar al te goed.
Gaunt trok zijn lippen terug in een macabere grijns. Zijn afschuwelijke handen strekten zich nog verder uit naar Alan.
'Ik waarschuw je, sheriff, met mij valt niet te sollen. Dat zal je lelijk opbreken. Die tas is van mij, zeg ik!'
'Dat denk ik niet, meneer Gaunt. Ik heb zo het idee dat er gestolen goed in deze tas zit. Je kunt beter...'
Ace had met open mond staan staren naar Gaunts subtiele, maar gestage gedaanteverwisseling van zakenman naar monster. Zijn

greep rond Polly's hals verslapte iets en ze rook haar kans. Ze draaide haar hoofd opzij en zette haar tanden diep in zijn pols. Ace duwde haar blindelings van zich af en Polly viel languit op straat. Ace richtte zijn pistool.
'Trut!' schreeuwde hij.

15

'Eindelijk,' mompelde Norris Ridgewick dankbaar.
Hij had de loop van zijn dienstrevolver tegen een van de daksteunen gelegd. Nu hield hij zijn adem in, zoog zijn onderlip tussen zijn tanden en haalde de trekker over. Ace Merrill werd plotseling over de vrouw op straat geworpen - Norris zag nu dat het Polly Chalmers was en besefte dat hij het had moeten weten - terwijl zijn achterhoofd in bloederige hompen uit elkaar spatte.
Norris voelde zich ineens erg zwak.
Maar hij voelde zich ook erg, erg gelukkig.

16

Alan sloeg geen acht op het verscheiden van Ace Merrill.
Net zo min als Leland Gaunt.
Ze stonden tegenover elkaar, Gaunt op het trottoir, Alan op straat bij zijn stationcar met het gruwelijke, ademende valies tussen zijn voeten.
Gaunt haalde diep adem en sloot zijn ogen. Er gebeurde iets met zijn gezicht, alsof er een mistgordijn langs trok. Toen hij zijn ogen opende, scheen hij weer de Leland Gaunt te zijn die zoveel mensen in de Rock had bedrogen: de charmante, hoffelijke meneer Gaunt. Hij keek naar de papieren slang op de stoep, trok een afkerig gezicht en schopte het ding in de goot. Daarna keek hij weer naar Alan en stak een hand uit.
'Laten we geen ruzie maken, sheriff. Het is laat en ik ben moe. Je wilt me hier weg hebben en ik wìl ook weg. Ik zal gaan... zodra je mij geeft wat mij toekomt. En het ìs van mij, dat verzeker ik je.'
'Makkelijk gezegd. Ik geloof je niet, vriend.'
Gaunt staarde hem ongeduldig en boos aan. 'Die tas en zijn inhoud zijn van míj! Geloof je niet in de vrije markt, sheriff Pangborn? Je bent toch geen communist? Ik heb over elk artikel in die tas moeten onderhandelen! Ik heb ze eerlijk verdiend. Als je op een beloning uit bent, een bijverdienste, commissieloon, een percentage, steekpenningen voor mijn part, kan ik dat begrijpen en ik zal graag iets

afstaan. Maar verder is dit een zákelijke kwestie, geen juridische...'
'Je hebt de boel belazerd!' schreeuwde Polly. 'Je hebt gelogen en bedrogen!'
Gaunt wierp haar een gekwetste blik toe en keek weer naar Alan. 'Dat is echt niet zo. Ik heb me zoals altijd aan de regels gehouden. Ik laat de mensen zien wat ik wil verkopen... en laat ze zelf een besluit nemen. En nu die tas graag...'
'Ik denk dat ik hem hou,' zei Alan vlak. Een flauw lachje, even dun en scherp als een randje novemberijs, beroerde zijn mond. 'Zullen we het bewijsmateriaal noemen?'
'Dat zal helaas niet gaan, sheriff.' Gaunt stapte van het trottoir. Kleine rode lichtpuntjes gloeiden in zijn ogen. 'Je kunt sterven, maar je kunt mijn eigendom niet houden. Niet als ik dat niet wil. En ik wil het niet.' Hij kwam op Alan af, terwijl de rode speldekoppen in zijn ogen groter werden. De afdruk van zijn schoenzool bleef achter in een witgrijze klodder van Ace's hersenen.
Alan voelde zijn maag samentrekken, maar hij kwam niet van zijn plaats. Gehoor gevend aan een ingeving die hij niet eens probeerde te begrijpen, stak hij zijn handen in het licht van de linker koplamp van de stationcar. Hij kruiste zijn polsen, maakte met zijn vingers een vogel en liet zijn handen snel op en neer gaan.
De mussen vliegen weer, Gaunt, dacht hij.
Een grote schaduwvogel – meer havik dan mus en verontrustend levensècht voor een projectie – wiekte plotseling over de luifel van De NoodZaak. Gaunt zag hem uit zijn ooghoek, draaide zich met een ruk om en trok zich met stokkende adem terug.
'Verdwijn hier, vriend,' zei Alan. Hij kromde zijn vingers en nu sloop een hond – misschien een sint-bernard – over de gevel van Polly's winkel in het licht van de koplampen. En ergens in de buurt – misschien toevallig, misschien ook niet – begon een hond te blaffen. Een grote, zo te horen.
Gaunt draaide zijn hoofd in die richting. Hij zag er enigszins ontdaan uit, zichtbaar van zijn stuk gebracht.
'Je hebt geluk dat ik je laat gaan,' vervolgde Alan. 'Maar op welke grond zou ik je moeten vasthouden? Diefstal van zielen valt misschien onder de jurisdictie van Brigham en Rose, maar in elk geval niet onder de mijne. Toch raad ik je aan te verdwijnen zolang het nog kan.'
'Geef me mijn tas!'
Alan staarde hem aan. Zijn hart bonsde als een gek, maar hij probeerde tegelijkertijd ongelovig en verachtelijk te kijken. 'Begrijp je het dan nog niet? Dringt het niet tot je door? Jíj bent de verliezer. Of weet je niet meer hoe je je verlies moet dragen?'

Gaunt keek Alan een lange seconde aan, daarna knikte hij. 'Ik wist dat ik je moest ontlopen,' zei hij. Het was bijna of hij tegen zichzelf stond te praten. 'Dat wist ik heel goed. Akkoord, jij wint.' Hij begon zich om te draaien en Alan zuchtte licht. 'Ik zal gaan...'
Gaunt draaide zich om, zelf zo snel als een slang, zó snel dat Alan er langzaam bij leek. Zijn gezicht was weer veranderd en had helemaal niets menselijks meer. Nu was het het gezicht van een duivel, met lange, diepe groeven in zijn wangen en lodderige ogen die oranje vuur schoten.
'*... maar niet zonder mijn eigendom!*' riep hij, en sprong naar de tas.
Ergens – dichtbij of duizend kilometer bij hem vandaan – hoorde hij Polly schreeuwen: 'Alan, pas op!' Maar er was geen tijd om op te passen. De demon, stinkend naar zwavel en verschroeid schoenleer, was vlak bij hem. Hij moest iets doen of sterven.
Alan liet zijn rechterhand uitschieten naar zijn polshorloge, zoekend naar het elastiekje onder de band. Een stem in zijn hoofd zei dat het nooit zou lukken, dat zelfs een nieuwe tovertruc hem ditmaal niet kon redden, omdat de veer van het boeket gesprongen was en het papier...
Zijn duim gleed in de lus.
Het opgevouwen pakje sprong open.
Alan stak zijn hand naar voren en trok voor de laatste keer de bloemen tevoorschijn.
'Abracadabra, vuile leugenaar!' riep hij, en plotseling bloeiden er geen bloemen in zijn hand, maar een krans van licht die Upper Main Street in een geweldige, flikkerende gloed hulde. De onwezenlijke fontein die uit zijn vuist opspoot had maar één kleur, zoals het zonlicht of een regenboog in de lucht door een prisma tot één kleur wordt teruggebracht. Hij voelde een schok door zijn arm trekken en even werd hij vervuld van een grote en ongrijpbare extase.
Het wit! Het wit is gekomen!
Gaunt jankte van pijn en woede en angst... maar hij week niet terug. Misschien had Alan gelijk en wist hij niet meer wat het was om het spel te verliezen. Hij probeerde onder de trillende fontein van licht in Alans hand te duiken en even raakten zijn vingers het hengsel van de tas tussen Alans voeten.
Opeens schoot een voet in een pantoffel uit: Polly's voet. Ze trapte Gaunt hard op zijn hand. 'Blijf af!' gilde ze.
Hij keek snauwend op... en Alan stak het gloeiende licht in zijn gezicht. Gaunt stootte een trillende jammerklacht uit en deinsde terug, terwijl blauwe vlammen in zijn haar dansten. De lange witte vingers deden een laatste poging om de tas te grijpen, maar nu was het Alan die erop stampte.

'Voor de laatste keer: verdwijn,' zei Alan met een stem die hij zelf niet herkende. Hij was sterker dan zijn eigen stem, beslister, machtiger. Hij begreep dat hij niet definitief kon afrekenen met het ding dat ineengedoken voor hem zat, een kromme hand afwerend voor het gezicht geslagen tegen de fontein van licht, hij kon het alleen laten weggaan. Die macht bezat hij vanavond... als hij hem durfde te gebruiken. Als hij stand durfde te houden en niet zou aarzelen.
'Voor de laatste keer: verdwijn en laat je tas achter.'
'Zonder mij zullen ze sterven!' jammerde het Gaunt-wezen. Zijn handen waren tussen zijn benen gezakt; lange klauwen klikten en rammelden tussen het gruis en stof op het wegdek. 'Zonder mij zullen ze stuk voor stuk doodgaan, als planten zonder water in een woestijn. Is dàt soms wat je wilt?'
Polly kwam naast Alan staan, dicht tegen hem aan.
'Ja,' zei ze koel. 'Ze kunnen nog beter hier en nu sterven, als dat werkelijk gebeurt, dan dat ze met jou meegaan. Ze... wíj hebben veel verkeerd gedaan, maar die prijs is veel te hoog.'
Het Gaunt-ding siste en stak dreigend zijn klauwen op.
Alan pakte het valies op en ging langzaam met Polly naar achteren. Hij stak zijn vuist omhoog, zodat de fontein van lichtbloemen een verbazingwekkende, draaiende gloed op Gaunt en zijn Tucker Talisman wierp. Hij zoog de lucht naar binnen, meer lucht dan zijn longen schenen te kunnen bevatten, en met een geweldige stem die niet de zijne was riep hij: '*Ga heen, demon! Ik werp je uit van hier!*'
Het Gaunt-wezen schreeuwde alsof hij kokend water over zich heen had gekregen. Het groene baldakijn van De NoodZaak vatte vlam en de etalageruit werd naar binnen geblazen, waarbij het glas in diamantschilfers aan stukken vloog. Boven Alans gesloten vuist begon de fontein naar alle kanten felle stralen te werpen, blauw, rood, groen, oranje, donker violet. Even was het of er een kleine ster op zijn hand ontplofte.
Het valies van hyenaleer barstte open met een goor geluid en de gevangen, jammerende stemmen ontsnapten in een damp die ze geen van allen zagen, maar wel hoorden: Alan, Polly, Norris, Seaton.
Polly voelde het hete, bijtende gif in haar armen en borst verdwijnen.
De toenemende hitte rond Norris' hart koelde af.
In heel Castle Rock werden pistolen en knuppels weggegooid; mensen keken elkaar aan met de verwonderde blik van iemand die uit een gruwelijke droom is ontwaakt.
En het hield op met regenen.

17

Het ding dat Leland Gaunt was geweest schreeuwde nog steeds toen het opsprong en naar de Tucker vloog. Het trok het portier open en sprong achter het stuur. De motor kwam brullend tot leven. Het klonk niet als een door mensenhand gemaakte machine. Een lange oranje vlam schoot uit de uitlaat. De achterlichten gloeiden op en het waren geen glasruitjes, maar lelijke kleine ogen... de ogen van kwelgeesten.

Polly Chalmers slaakte een kreet en drukte haar gezicht tegen Alans schouder, maar Alan kon zijn blik niet afwenden. Hij was gedoemd ernaar te kijken en het de rest van zijn leven te onthouden, net als de echte wonderen van die avond: de papieren slang die even tot leven was gekomen, de papieren bloemen die in een boeket van licht en een bron van macht waren veranderd.

De drie koplampen begonnen te gloeien. De Tucker reed naar achteren en veranderde het asfalt onder zijn banden in borrelende pek. Hij maakte een scherpe bocht naar rechts en hoewel hij Alans auto niet raakte, schoot de stationcar een meter naar achteren alsof hij door een sterk magnetisch veld werd afgestoten. Een nevelige witte gloed omhulde de voorkant van de Talisman, die daaronder van gedaante leek te veranderen.

De auto krijste, de neus wijzend naar de rokende puinhoop waar het gemeentehuis had gestaan, naar de chaos van ingedeukte auto's en busjes, naar de kolkende rivier waar geen brug meer overheen lag. De motor begon wild te razen, als verloren zielen die door elkaar schreeuwen, en de felle nevelige gloed slokte de wagen op.

Eén enkel ogenblik keek het Gaunt-ding door het druipende, smeltende zijraam naar Alan, alsof het hem voor eeuwig vervloekte met de blik uit zijn rode facetogen, en de bek opende zich in een gapende snauw.

De Tucker kwam in beweging.

Steeds sneller rolde hij de heuvel af en ook de transformaties gingen sneller. De wagen smolt, nam een andere vorm aan. Het dak gleed naar achteren, de glanzende wieldoppen kregen spaken en tegelijkertijd werden de banden hoger en smaller. Een gedaante begon zich los te maken uit de restanten van het radiatorscherm. Het was een zwart paard, met net zulke rode ogen als Gaunt, een paard in een melkwitte lijkwade van mist, een paard waarvan de hoeven vonken uit de straat sloegen en diepe, rokende sporen in het wegdek achterlieten.

De Talisman was een open koets geworden, met hoog op de bank een gebochelde dwerg. De voeten van de dwerg rustten op de plank en de omgekrulde neuzen van zijn laarzen leken in brand te staan.

En nog was het niet afgelopen. Terwijl het gloeiende rijtuig de heuvel afreed, werden de zijkanten groter; een houten dak met overhangende randen rees op uit dat voedende, veelvormige omhulsel. Een raam werd zichtbaar. De spaken van de wielen begonnen met spookachtige kleuren te gloeien en het rijtuig verhief zich, net als de hoeven van het zwarte paard, van de grond.
De Talisman was een rijtuig geworden; nu werd het rijtuig de huifkar van een kwakzalver zoals die honderd jaar geleden door het land zou zijn getrokken. Er was iets op de zijkant geschreven en Alan kon het nog net lezen.

CAVEAT EMPTOR

stond er.
Vijf meter boven de grond zweefde de kar en hij klom steeds hoger boven de vlammen die uit de puinhopen van het gemeentehuis opstegen. De hoeven van het zwarte paard klepperden op een onzichtbare weg in de lucht, nog steeds schitterende blauwe en oranje vonken slaand. De huifkar vloog als een gloeiende kist over de Castle Stream, waar de ingestorte brug als het skelet van een dinosaurus in de stroom lag.
Een rookwolk steeg op van de brandende romp van het gemeentehuis en hulde Main Street in het donker, en toen de rook optrok waren Leland Gaunt en zijn helse kar verdwenen.

18

Alan en Polly liepen naar de wagen waarmee Norris en Seaton hen te hulp waren gekomen. Norris zat nog steeds op het raampje en hield zich vast aan de daksteun. Hij was te zwak om zich weer te laten zakken zonder te vallen.
Alan pakte hem bij zijn middel (voor zover daar bij de broodmagere Norris sprake van was) en hielp hem naar beneden.
'Norris?'
'Wat is er?' Norris stond te huilen.
'Voortaan mag je je net zo vaak op het bureau verkleden als je maar wilt,' zei Alan. 'Oké?'
Norris leek hem niet te horen.
Alan voelde Norris' bloed door zijn overhemd dringen. 'Ben je er slecht aan toe?'
'Het valt mee, geloof ik. Maar dit' – hij gebaarde naar de vlammen en het puin, een gebaar dat de hele stad omvatte – 'dit komt allemaal door mij. Het is *míjn* schuld!'

'Helemaal niet,' zei Polly.
'Je begrijpt het niet!' Norris' gezicht was een verwrongen masker van verdriet en schaamte. 'Ik heb de banden van Hughs wagen doorgesneden! Ik heb hem opgestookt!'
'Ja,' zei Polly, 'dat zal wel waar zijn. Daar zul je mee moeten leven. Maar ik heb Ace Merrill opgestookt en daar zal ìk mee moeten leven.' Ze wees naar de katholieken en baptisten, die in verschillende richtingen afdropen, niet tegengehouden door de paar verdwaasde agenten die nog op hun benen stonden. Sommige zoeaven liepen alleen, anderen in een groepje. Het leek alsof pastoor Brigham dominee Rose ondersteunde, terwijl Nan Roberts een arm rond Henry Paytons middel had geslagen. 'Maar door wie zijn zíj opgestookt, Norris? En Wilma? En Nettie? En alle anderen? Als jij dat allemaal in je eentje hebt gedaan, ben je een hele kerel.'
Norris begon luid en gekweld te snikken. 'Het spíjt me zo.'
'Mij ook,' zei Polly stil. 'Ik ben er kapot van.'
Alan omarmde Norris en Polly even, waarna hij door het raampje van de auto naar Seat keek. 'Hoe maak jíj het, ouwe jongen?'
'Dat gaat best,' zei Seat. Hij zag er zelfs opperbest uit. Verward, maar opperbest. 'Jullie zien er heel wat slechter uit dan ik.'
'Ik geloof dat we Norris maar naar het ziekenhuis moeten brengen, Seat. We kunnen allemaal mee, als je genoeg ruimte hebt.'
'Reken maar, Alan! Stap in! Welk ziekenhuis?'
'Het Northern Cumberland,' zei Alan. 'Ik wil er een kleine jongen bezoeken. Ik wil weten of zijn vader bij hem is.'
'Alan, heb jij hetzelfde gezien als ik? Is de wagen van die kerel ècht in een huifkar veranderd en weggevlogen?'
'Ik weet het niet, Seat,' zei Alan, 'en om je de waarheid te zeggen: ik wil het ook niet weten.'
Henry Payton was naar hen toe gelopen en tikte Alan op de schouder. Hij had een geschokte, vreemde blik in zijn ogen. Hij zag eruit als een man die binnenkort zijn hele manier van leven of denken gaat veranderen, of allebei. 'Wat is er gebeurd, Alan?' vroeg hij. 'Wat is er in dit vervloekte stadje in godsnaam gebeurd?'
Het was Polly die antwoord gaf.
'Er is uitverkoop geweest... de grootste opheffingsuitverkoop die je ooit hebt gezien... maar uiteindelijk wilden we niet allemaal iets kopen.'
Alan had het portier geopend en hielp Norris op de voorbank te gaan zitten. Daarna stootte hij Polly aan. 'Stap in,' zei hij. 'We moeten gaan. Norris heeft pijn en hij is veel bloed kwijt.'
'Hela!' zei Henry. 'Ik heb jullie een hoop te vragen en...'
'Bewaar die vragen maar voor later.' Alan ging naast Polly achterin zitten en trok het portier dicht. 'Morgen kunnen we praten,

maar ik heb nu geen dienst. Ik denk trouwens dat ik hier helemaal sheriff-af ben. Neem er genoegen mee dat het voorbij is. Wat er ook is gebeurd in Castle Rock, het is voorbij.'
'Maar...'
Alan boog naar voren en tikte Seat op zijn knokige schouder. 'Rijden maar,' zei hij zacht. 'En spaar de motor niet.'
Seat gaf gas en volgde Main Street in noordelijke richting. Bij de splitsing ging hij naar links en reed over Castle Hill Road naar de View. Boven aan de heuvel keken Alan en Polly allebei om naar de stad, waar her en der branden flonkerden als robijnen. Alan werd beklemd door een vreemd verdriet, een gevoel alsof hem iets ontstolen was.
Mijn stad, dacht hij. *Het was mijn stad. Maar nu niet meer. Nooit meer.*
Tegelijkertijd draaiden ze zich weer om en hun ogen vonden elkaar.
'Je zult het nooit weten,' zei ze zacht. 'Je zult nooit weten wat er die dag werkelijk met Annie en Todd is gebeurd.'
'Dat wil ik ook niet meer,' zei Alan Pangborn. Hij gaf haar een vluchtige zoen. 'Dat ligt in het donker. Laat het daar maar blijven.'
Ze lieten de heuvel achter zich en kwamen aan de andere kant op Route 119. Castle Rock was verdwenen; ook dat was achtergebleven in het donker.

U bent hier al eerder geweest

Natuurlijk bent u dat. Natuurlijk. Ik vergeet nooit een gezicht. Kom hier en geef me de vijf! Ik zal u eens wat zeggen: ik herkende u al aan uw manier van lopen, nog voordat ik goed en wel uw gezicht had gezien. U had geen betere dag kunnen kiezen om terug te komen in Junction City, het mooiste stadje in Iowa... althans aan déze kant van Ames. Ja, lach maar gerust; het was als een grap bedoeld.

Heeft u even de tijd? Kom hier maar zitten, hier op het bankje bij het oorlogsmonument. Het is warm in het zonnetje en we kunnen bijna het hele centrum zien. Pas alleen op de splinters, deze bank staat er al sinds mensenheugenis. Zo... en kijk daar nu eens. Nu, iets meer naar rechts. Dat pand waarvan de ruiten zijn witgemaakt. Dat was vroeger het kantoor van Sam Peebles. Makelaar was-ie, en een verdomd goede ook. Toen is hij getrouwd met Naomi Higgins uit Proverbia, een eindje verderop, en ze zijn verhuisd, net als de meeste jonge stellen tegenwoordig.

Zijn kantoor heeft meer dan een jaar leeggestaan – de zaken gaan hier slecht sinds die toestand in de Golf – maar nu is er eindelijk iemand ingetrokken. Er is al veel over te doen geweest, dat kan ik u wel zeggen. Maar u weet hoe het gaat: in een stadje als Junction City, waar van jaar op jaar nooit veel verandert, is de opening van een nieuwe winkel groot nieuws. Binnenkort gaat het gebeuren, zo te zien. Vrijdag heeft de laatste werkman zijn biezen gepakt. Als u het mij vraagt...

Wie?

O, zíj! Maar dat is Irma Skillins. Zij is directrice van de middelbare school hier geweest, het eerste vrouwelijke schoolhoofd in dit deel van de staat, zeggen ze. Ze is twee jaar geleden met pensioen gegaan en ik geloof dat ze gelijk maar overal afscheid van heeft genomen: van de Eastern Star, de Dochters van de Amerikaanse Revolutie, van de Junction City Players. Ze is zelfs uit het kerkkoor gestapt, begrijp ik. Het zal wel voor een deel aan de reuma liggen, ze heeft het nu lelijk te pakken. Ziet u hoe ze op haar stok leunt? Als je er zo aan toe bent, moet je er wel bijna alles voor over hebben om wat verlichting te vinden.

Kijk nou! Ze steekt haar neus bijna door de ruit om iets van die nieuwe zaak te zien! Nou ja, waarom niet? Ze is oud, maar nog niet dood, ze heeft nog aardig wat streepjes te goed. En u weet wat ze zeggen: je leeft maar één keer.

Of ik dat bordje kan lezen? Nou en of! Ik heb twee jaar terug een bril gekregen, maar alleen om te lezen; in de verte zie ik nog als de beste. Bovenaan staat BINNENKORT GEOPEND, en daaronder DE BIDSTOND, EEN UNIEKE ZAAK. En op de laatste regel - wacht even, dat zijn kleine letters - op de laatste regel staat *U zult uw ogen niet geloven!* Nou, ik de mijne wel, denk ik. In Spreuken staat dat er niets nieuws onder de zon is en daar ben ik het van harte mee eens. Maar Irma komt wel terug, al was het alleen maar om de winkelier te zien die zo'n prachtig rood baldakijn boven de deur van Sam Peebles' oude kantoor heeft gehangen!
Misschien ga ik zelf wel een kijkje nemen. Dat zal iedereen hier wel doen voor de nieuwigheid eraf is.
Wel een rare naam voor een winkel, vindt u niet? De Bidstond. Je vraagt je af wat er te koop is.
Bij zo'n naam kun je je van alles voorstellen.
Echt van alles.

24 oktober 1988
28 januari 1991